FRANCE

Atlas routier et touristique
Tourist and motoring atlas
Straßen- und Reiseatlas
Toeristische wegenatlas
Atlante stradale e turistico
Atlas de carreteras y turístico

S.Sauvignier/MICHELIN

Sommaire/Contents/Inhaltsübersicht
Inhoud/Sommario/Sumario

Intérieur de couverture: Tableau d'assemblage
Inside front cover: Key to map pages
Umschlaginnenseite: Übersicht
Binnenzijde van het omslag: Overzichtskaart met kaartnummers
Copertina interna: Quadro d'insieme
Portada interior: Mapa índice

IV

Tableau des distances et des temps de parcours
Distances and Driving times chart
Entfernungen und Fahrzeiten
Reistijdentabel en afstanden
Tabella delle distanze e dei tempi di percorrenza
Distancias y tiempos de recorrido

VIII

Grands axes routiers / Main road map / Durchgangsstraßen
Grote verbindingswegen / Grandi arterie stradali
Carreteras principales

X - XXXI

France / Frankreich / Frankrijk / Francia - 1:1 000 000

XXXII - XXXVII

Légende / Key / Zeichenerklärung / Verklaring van de tekens
Legenda / Signos convencionales

nkreich / Frankrijk / Francia - 1: 200 000

III

Sommaire/Contents/Inhaltsübersicht
Inhoud/Sommario/Sumario

352 - 447

Index complet des communes - 75 plans de villes
Complete index of communes - 75 town plans
Komplettes Ortsregister - mit 75 Stadtplänen
Register van alle gemeenten - 75 stadsplattegronden
Indice completo dei comuni - 75 piante di città
Índice completo de municipios - 75 planos de ciudades

448 - 453

Environs de Paris / Paris and suburbs / Paris und Umgebung
Omstreken van Parijs / Dintorni di Parigi / Alrededores de París
Paris / Parijs / Parigi / París

Plans de ville / Town plans / Stadtpläne / Stadsplattegronden
Piante di città / Planos de ciudades

352 Aix-en-Provence
353 Ajaccio
354 Amiens
355 Angers
355 Annecy
356 Antibes
357 Avignon
359 Bastia
360 Bayonne
361 Beauvais
361 Belfort
362 Besançon
362 Béziers
363 Bordeaux
364 Boulogne-sur-Mer
365 Bourges
366 Brest
368 Caen

369 Calais
370 Cannes
371 Châlons-en-Champagne
371 Chalon-sur-Saône
371 Chambéry
372 Charleville-Mézières
373 Chartres
373 Châteauroux
374 Cholet
375 Clermont-Ferrand
376 Colmar
380 Dijon
381 Dunkerque
387 Grenoble
389 Le Havre
393 Laval
394 Lille
395 Limoges

396 Lorient
397 Lyon
398 Le Mans
399 Marseille
401 Melun
402 Metz
403 Monaco Monte-Carlo
404 Montauban
405 Montpellier
406 Mulhouse
407 Nancy
408 Nantes
409 Nice
410 Nîmes
410 Niort
411 Orléans
413 Pau
414 Perpignan
415 Poitiers

417 Quimper
418 Reims
419 Rennes
420 La Rochelle
421 Roubaix
422 Rouen
424 Saint-Brieuc
425 Saint-Étienne
429 Saint-Malo
430 Saint-Nazaire
432 Saint-Quentin
436 Strasbourg
438 Toulon
439 Toulouse
440 Tourcoing
441 Tours
442 Troyes
443 Valence
444 Versailles

	Agen	Amiens	Angers	Angoulême	Auch	Aurillac	Auxerre	Bayonne	Beaune	Besançon	Blois	Bordeaux	Boulogne-sur-Mer	Bourges	Brest	Brive-la-Gaillarde	Caen	Cahors	Calais	Carcassonne	Châlons-en-Champagne	Chambéry	Charleville-Mézières	Chartres	Cherbourg	Clermont-Ferrand	Colmar	Dijon	Dunkerque	Gap	Grenoble	Le Havre	Lille	Limoges
Amiens	846																																	
Angers	513	422																																
Angoulême	254	584	252																															
Auch	75	883	577	318																														
Aurillac	260	706	450	292	298																													
Auxerre	669	307	405	487	707	433																												
Bayonne	230	884	563	304	225	490	787																											
Beaune	649	448	547	494	687	413	148	796																										
Besançon	768	551	647	596	805	515	249	915	110																									
Blois	526	319	195	277	590	439	221	576	363	463																								
Bordeaux	141	704	383	124	204	311	607	191	614	734	399																							
Boulogne-sur-Mer	954	137	482	704	1005	827	428	1003	569	662	442	824																						
Bourges	512	382	272	293	550	339	148	596	280	353	116	417	503																					
Brest	781	629	378	574	844	833	720	830	862	962	542	633	687	648																				
Brive-la-Gaillarde	238	619	357	199	276	104	427	388	409	511	353	209	739	287	743																			
Caen	725	256	254	475	788	673	406	775	547	648	309	596	314	424	376	581																		
Cahors	91	708	446	288	190	132	530	413	512	614	442	280	828	376	832	100	671																	
Calais	984	167	512	734	1037	859	459	1033	614	651	474	854	38	535	719	772	345	863																
Carcassonne	209	903	642	449	172	354	743	385	597	672	638	336	1024	571	974	296	866	210	1054															
Châlons-en-Champagne	821	219	477	609	905	600	169	908	302	339	345	729	328	318	774	593	427	733	321	892														
Chambéry	704	705	725	639	667	391	405	881	259	266	569	682	826	413	1118	478	803	580	831	498	519													
Charleville-Mézières	936	201	520	674	973	770	288	974	421	459	410	794	277	442	817	708	471	799	270	1011	128	638												
Chartres	602	217	209	352	698	519	218	652	359	459	134	472	315	195	507	433	236	523	345	718	271	616	314											
Cherbourg	830	379	375	596	893	794	530	880	671	770	430	682	438	545	426	702	125	792	468	987	552	928	594	359										
Clermont-Ferrand	405	557	448	329	443	158	283	550	265	368	292	371	678	191	834	166	594	268	708	431	451	294	620	372	720									
Colmar	929	513	767	756	966	676	410	1076	271	172	626	894	622	514	1064	672	722	791	664	862	297	411	406	562	845	529								
Dijon	688	471	551	533	743	452	153	835	47	94	369	670	580	257	865	449	550	551	574	637	262	299	381	363	674	305	250							
Dunkerque	1005	208	553	743	1043	864	464	1043	619	658	479	863	79	540	760	777	387	868	45	1063	327	836	267	388	510	717	641	580						
Gap	656	836	855	770	619	568	536	833	390	444	699	783	956	543	1248	608	933	658	996	450	684	189	803	746	1057	424	596	428	1004					
Grenoble	648	710	730	644	611	397	410	824	264	318	574	688	831	418	1123	483	808	585	870	442	558	58	677	621	932	298	466	303	879	133				
Le Havre	803	185	331	553	866	720	369	852	510	610	335	673	244	397	469	634	96	724	274	919	399	767	383	198	220	573	695	514	315	898	770			
Lille	929	139	514	668	967	789	389	967	544	582	404	788	119	465	763	702	390	792	111	988	252	761	191	309	513	642	568	505	80	926	798	319		
Limoges	324	527	265	104	362	189	345	407	396	498	261	227	647	195	650	97	490	187	678	383	502	540	615	342	610	227	654	434	686	671	542	541	610	
Lorient	654	590	251	448	717	706	630	678	772	871	446	506	649	521	135	614	338	704	679	849	684	987	726	415	386	700	969	776	720	1118	990	430	724	523
Lyon	602	600	578	475	615	303	301	749	154	257	422	567	721	308	1013	362	698	465	760	446	448	112	567	511	822	178	413	193	769	243	115	661	693	423
Le Mans	558	335	96	308	621	505	335	608	477	577	142	428	393	257	397	413	166	504	424	699	389	710	431	120	286	434	674	481	464	841	713	242	426	322
Marseille	520	912	908	760	483	432	612	697	466	541	751	647	1032	651	1285	523	1009	522	1072	314	760	330	879	822	1132	476	731	504	1080	182	274	972	1004	609
Mende	364	750	640	456	335	176	476	559	374	448	484	491	870	384	1020	268	787	219	901	294	668	313	787	565	907	203	630	412	909	408	294	764	833	354
Metz	970	360	618	772	1008	717	335	1071	312	269	508	892	469	483	915	714	569	833	462	902	159	529	204	413	692	570	207	273	439	694	566	541	366	715
Mont-de-Marsan	122	828	507	248	109	367	731	104	738	858	523	135	947	541	755	333	719	260	977	276	853	769	917	596	806	496	1014	777	987	723	712	796	912	351
Montpellier	355	882	773	595	318	257	600	531	454	529	617	482	1003	516	1120	348	919	356	1033	149	747	354	866	697	1039	335	715	492	1041	308	297	896	966	434
Mulhouse	892	547	731	720	930	639	373	1039	234	136	589	857	656	477	1028	636	713	755	684	826	331	380	436	526	837	492	49	219	670	566	434	676	597	620
Nancy	916	375	633	767	954	663	321	1066	258	208	500	881	484	473	896	660	550	779	478	848	159	475	259	394	674	516	144	219	493	640	512	556	420	644
Nantes	464	509	90	275	526	534	493	513	634	735	283	334	568	360	299	442	294	532	598	659	564	814	607	295	341	537	853	638	639	944	817	386	601	351
Narbonne	267	923	700	507	230	297	687	444	541	616	657	394	1043	557	1033	355	925	269	1074	62	835	441	954	738	1045	376	802	579	1082	395	384	937	1007	441
Nevers	556	381	353	376	594	320	121	701	159	345	197	521	501	79	728	317	478	419	530	594	289	374	457	247	602	173	501	230	538	505	377	441	463	276
Nice	676	1067	1063	916	639	587	768	852	621	669	907	803	1188	807	1441	679	1165	677	1227	470	915	479	1034	978	1289	631	718	660	1236	237	328	1128	1161	765
Nîmes	405	854	775	645	368	316	554	582	408	483	619	532	975	518	1170	408	952	407	1014	199	702	309	821	700	1075	338	664	447	1023	263	251	915	947	494
Orange	456	798	794	696	419	367	499	632	352	428	638	583	919	538	1174	459	896	458	958	250	646	253	765	709	1020	362	608	391	967	243	195	859	892	608
Orléans	587	269	245	327	625	446	165	626	306	406	63	447	389	123	542	360	320	450	420	645	286	563	358	84	444	299	562	310	428	694	566	283	353	269
Paris	711	135	295	449	748	570	171	749	311	411	183	569	255	246	592	483	234	574	289	769	190	568	233	90	357	423	452	315	297	698	571	197	222	392
Pau	196	891	570	311	123	418	825	113	807	927	586	198	1010	671	818	396	782	310	1040	284	916	777	980	659	869	564	1083	845	1050	731	720	859	975	482
Périgueux	137	626	353	87	212	187	445	316	490	592	361	136	747	294	758	84	566	174	777	370	602	560	715	442	686	247	748	528	785	691	563	640	710	102
Perpignan	320	983	753	560	283	358	748	497	602	677	718	447	1104	617	1085	407	978	322	1134	114	895	502	1014	799	1098	436	863	640	1142	456	444	998	1067	493
Poitiers	363	474	138	114	427	314	377	413	518	618	169	234	592	244	515	221	365	312	623	507	498	607	563	242	485	331	774	522	633	738	610	442	558	130
Le Puy-en-Velay	453	677	568	459	425	172	431	681	285	360	412	502	798	311	948	297	714	399	828	383	579	224	698	492	834	130	541	323	836	355	227	691	761	358
Reims	848	173	432	586	885	682	208	886	340	378	322	706	282	353	729	620	383	710	275	906	48	557	90	226	506	535	345	301	284	722	594	355	209	529
Rennes	579	441	134	391	643	650	482	629	623	723	304	450	499	419	243	558	188	648	530	775	536	880	578	266	236	596	821	627	570	1003	875	280	574	422
La Rochelle	323	608	195	152	386	451	511	373	652	752	302	193	671	377	442	350	443	460	701	518	632	751	697	398	493	474	908	656	742	882	754	520	691	253
Rodez	257	794	508	349	229	102	520	453	518	557	528	384	914	427	893	162	732	112	945	240	705	420	873	609	852	247	777	557	953	502	401	808	877	248
Rouen	770	124	298	520	833	654	303	820	444	544	269	640	183	331	500	568	127	658	213	853	337	701	321	133	251	507	634	448	254	832	704	90	258	477
Saint-Brieuc	692	485	229	486	756	745	576	742	718	818	398	545	543	513	147	653	232	743	574	888	630	975	672	361	280	690	915	722	615	1105	977	324	619	517
Saint-Étienne	573	623	581	495	499	245	361	720	215	289	424	538	743	324	960	333	727	436	820	467	508	153	627	505	847	149	470	253	829	284	156	704	754	394
Saint-Nazaire	530	564	145	341	593	600	548	580	689	790	340	400	623	415	272	508	311	598	653	725	620	869	662	350	359	592	905	693	694	1000	872	403	657	417
Strasbourg	1006	518	776	834	1044	753	487	1153	348	249	637	971	627	591	1073	750	727	869	621	940	317	481	363	571	850	606	75	333	597	667	534	699	524	734
Toulon	584	976	972	824	547	496	676	761	530	605	816	711	1096	715	1350	587	1073	586	1136	379	824	386	943	887	1197	540	792	568	1144	238	329	1036	1069	674
Toulouse	120	815	553	360	81	229	637	299	619	737	549	247	935	483	885	207	778	122	966	94	839	587	904	630	898	376	894	674	974	541	530	829	899	294
Tours	466	373	123	216	529	413	276	515	417	518	68	336	492	164	498	321	264	411	522	607	398	618	462	141	384	341	674	421	532	749	621	341	457	230
Troyes	742	295	435	530	780	513	83	829	231	269	266	650	404	239	732	514	417	605	398	821	86	448	205	230	540	366	340	191	406	613	485	380	331	423
Valence	552	700	696	610	515	363	400	729	254	330	540	654	821	439	1076	449	798	551	860	347	548	155	667	611	921	264	510	293	868	226	98	761	793	510
Valenciennes	916	125	500	654	953	775	375	954	514	552	390	774	171	451	749	688	376	779	161	974	222	732	139	295	500	628	530	475	129	897	769	306	54	597

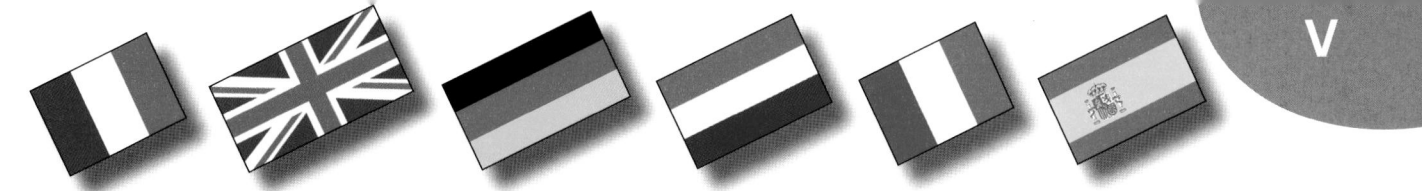

Tableau des distances / Distances
Entfernungstabelle / Afstandstabel
Tabella distanze / Cuadro de distancias

Les distances sont comptées à partir du centre-ville et par la route la plus pratique, c'est à dire celle qui offre les meilleures conditions de roulage, mais qui n'est pas nécessairement la plus courte

Distances are shown in kilometres and are calculated from town/city centres along the most practicable roads, although not necessarily taking the shortest route

Die Entfernungen gelten ab Stadtmitte unter Berücksichtigung der günstigsten, jedoch nicht immer kürzesten Strecke

De afstanden zijn in km berekend van centrum tot centrum langs de geschickste, dus niet noodzakelijkerwijze de hortste route

Distanze fra principali città: le distanze sono calcolate a partire dal centro delle città e seguendo la strada che, pur non essendo necessariamente la più breve, offre le migliori condizioni di viaggio

Distancias entre ciudades importantes: las distancias están calculadas desde el centro de la ciudad y por la carretera más práctica para el automovilista, es decir, la que ofrece mejores condiciones de circulación, que no tiene por qué ser la más corta.

610 km

Le Mans - Toulouse

	Lorient	Lyon	Le Mans	Marseille	Mende	Metz	Mont-de-Marsan	Montpellier	Mulhouse	Nancy	Nantes	Narbonne	Nevers	Nice	Nîmes	Orange	Orléans	Paris	Pau	Périgueux	Perpignan	Poitiers	Le Puy-en-Velay	Reims	Rennes	La Rochelle	Rodez	Rouen	Saint-Brieuc	Saint-Étienne	Saint-Nazaire	Strasbourg	Toulon	Toulouse	Tours	Troyes	Valence
Lyon	837																																				
Le Mans	306	562																																			
Marseille	1158	314	893																																		
Mende	900	223	625	271																																	
Metz	824	459	529	770	677																																
Mont-de-Marsan	628	691	552	586	438	1017																															
Montpellier	993	303	758	171	198	757	420																														
Mulhouse	937	381	642	694	596	234	981	680																													
Nancy	805	405	510	716	624	58	1005	702	178																												
Nantes	172	666	186	969	742	706	457	804	821	688																											
Narbonne	905	390	758	258	238	844	333	92	774	789	716																										
Nevers	601	270	338	581	364	455	645	497	472	437	440	538																									
Nice	1314	471	1048	204	426	925	741	324	686	870	1124	414	733																								
Nîmes	1043	258	760	123	150	712	471	54	636	656	853	143	519	282																							
Orange	1054	202	779	118	207	656	521	105	580	601	905	194	464	274	56																						
Orléans	493	458	144	758	490	458	571	623	533	438	332	664	175	914	682	644																					
Paris	501	463	206	775	614	332	693	747	481	314	382	787	245	931	712	660	133																				
Pau	691	727	615	594	456	1128	86	429	1054	1072	520	341	708	750	478	530	635	758																			
Périgueux	631	443	398	680	341	810	260	422	737	738	442	427	390	836	564	616	368	493	322																		
Perpignan	958	451	810	318	299	905	386	153	835	850	768	65	592	475	203	254	725	849	394	475																	
Poitiers	388	443	197	790	522	663	357	560	745	650	217	565	321	946	702	675	217	340	419	204	619																
Le Puy-en-Velay	827	134	552	298	90	589	527	287	512	533	664	327	285	454	236	184	418	543	545	372	387	449															
Reims	638	487	343	798	706	190	830	784	380	205	518	874	366	954	736	684	269	143	891	629	934	475	617														
Rennes	152	725	160	1049	781	678	573	914	792	653	111	832	497	1211	973	940	353	355	635	557	886	332	715	490													
La Rochelle	315	587	287	828	665	797	317	663	879	784	144	575	455	984	712	764	351	474	378	277	629	140	593	609	261												
Rodez	766	331	565	365	109	822	332	190	748	767	595	230	402	521	249	300	535	660	350	230	290	372	197	785	712	500											
Rouen	461	596	209	908	698	480	764	831	613	494	385	872	373	1064	845	793	217	131	826	576	932	410	626	292	314	486	745										
Saint-Brieuc	124	870	254	1143	875	772	668	1008	886	747	206	945	591	1299	1067	1029	447	450	730	670	999	427	803	584	98	356	807	358									
Saint-Étienne	840	64	565	334	164	518	662	322	442	463	667	411	245	492	273	221	431	487	620	409	471	462	76	548	728	608	275	639	817								
Saint-Nazaire	145	721	239	1035	793	762	524	870	876	744	70	782	493	1191	919	946	389	439	585	508	836	283	721	574	127	211	662	441	222	724							
Strasbourg	982	495	687	808	710	163	1095	794	117	156	863	884	578	788	741	689	578	489	1164	825	944	794	622	348	834	928	861	637	929	551	919						
Toulon	1222	379	957	67	335	834	650	233	763	778	1033	323	641	150	187	183	823	841	658	655	383	853	361	863	1113	892	431	971	1208	398	1099	874					
Toulouse	758	537	610	406	257	939	183	239	866	884	568	151	519	560	288	340	556	680	196	275	205	418	346	816	686	428	149	763	799	421	634	976	469				
Tours	371	470	97	800	532	562	459	665	645	550	210	664	242	956	724	686	117	240	521	318	718	105	460	374	259	239	475	310	354	473	265	690	865	516			
Troyes	641	377	346	689	596	253	774	675	312	214	522	764	198	845	626	574	207	174	835	523	824	419	508	125	493	553	621	314	588	437	577	385	753	710	319		
Valence	955	104	681	215	200	558	618	201	482	502	783	291	365	371	152	100	547	565	626	524	351	578	193	587	843	723	311	695	932	122	838	592	280	438	588	477	
Valenciennes	710	661	411	972	819	328	898	959	562	382	587	992	445	1129	910	858	338	212	960	697	1052	544	747	177	563	678	866	244	605	720	643	485	1037	884	443	299	760

	Agen	Amiens	Angers	Angoulême	Auch	Aurillac	Auxerre	Bayonne	Beaune	Besançon	Blois	Bordeaux	Boulogne-sur-Mer	Bourges	Brest	Brive-la-Gaillarde	Caen	Cahors	Calais	Carcassonne	Châlons-en-Champagne	Chambéry	Charleville-Mézières	Chartres	Cherbourg	Clermont-Ferrand	Colmar	Dijon	Dunkerque	Gap	Grenoble	Le Havre	Lille	Limoges
Amiens	7:56																																	
Angers	4:47	3:53																																
Angoulême	2:34	5:47	3:06																															
Auch	1:14	8:35	5:48	3:33																														
Aurillac	3:28	7:14	5:46	3:51	4:09																													
Auxerre	6:52	3:13	4:04	4:56	7:33	5:22																												
Bayonne	2:46	8:38	5:20	3:06	2:33	5:21	7:48																											
Beaune	6:31	4:20	5:11	5:37	7:12	5:02	1:25	8:02																										
Besançon	7:25	4:59	6:03	6:31	8:05	5:55	2:17	8:56	1:04																									
Blois	5:04	3:19	1:52	2:45	6:04	4:49	2:28	5:37	3:36	4:27																								
Bordeaux	1:21	6:59	3:41	1:26	2:22	3:41	6:09	1:54	6:12	7:07	4:01																							
Boulogne-sur-Mer	8:51	1:19	4:23	6:32	9:36	8:13	4:12	9:24	5:19	5:53	4:21	7:45																						
Bourges	5:04	3:53	2:29	3:31	5:46	3:44	2:06	6:25	3:25	4:09	1:29	4:46	4:52																					
Brest	7:16	6:00	3:46	5:54	8:16	8:52	6:46	7:49	7:53	8:46	5:12	6:14	6:28	6:07																				
Brive-la-Gaillarde	2:17	5:57	4:24	2:28	2:59	1:42	4:52	3:41	4:32	5:27	3:33	2:02	6:56	3:07	7:34																			
Caen	6:59	2:24	2:32	4:40	8:00	7:21	3:48	7:32	4:55	5:49	3:05	5:53	2:52	4:04	3:47	5:58																		
Cahors	1:27	6:47	5:13	3:18	2:16	2:10	5:41	3:53	5:21	6:16	4:23	2:40	7:46	3:57	8:24	1:07	6:50																	
Calais	9:08	1:36	4:40	6:49	9:44	8:21	4:19	9:41	5:19	5:40	4:29	8:02	0:29	4:59	6:47	7:02	3:09	7:54																
Carcassonne	2:00	8:28	6:55	4:16	2:00	4:10	6:32	3:30	5:16	6:20	6:05	3:04	9:28	5:39	9:00	2:49	8:32	2:09	9:34															
Châlons-en-Champagne	8:12	2:10	4:23	6:05	8:56	7:32	2:08	8:57	2:41	3:03	3:40	7:18	3:05	3:49	7:20	6:11	4:02	7:06	2:55	7:48														
Chambéry	6:19	6:37	6:32	6:34	6:20	4:52	3:42	7:50	2:25	3:08	5:32	6:20	7:36	4:39	10:09	4:42	7:10	5:30	7:47	4:34	5:08													
Charleville-Mézières	8:29	2:35	4:46	6:20	9:10	8:00	3:09	9:12	3:42	4:05	3:55	7:33	3:29	4:35	7:42	6:28	4:24	7:20	3:19	8:49	1:16	6:09												
Chartres	6:21	2:29	1:56	4:02	6:46	5:23	2:10	6:55	3:17	4:09	1:31	5:16	3:14	2:02	4:53	4:04	2:24	4:56	3:31	6:39	2:42	5:30	3:04											
Cherbourg	7:51	3:50	3:54	6:02	8:52	8:43	5:14	8:24	6:22	7:11	4:27	6:50	4:18	5:26	4:33	7:20	1:33	8:13	4:34	9:55	5:27	8:35	5:49	3:51										
Clermont-Ferrand	3:58	5:21	3:58	3:49	4:39	2:11	3:28	5:19	3:09	4:04	2:58	3:40	6:21	1:52	7:42	2:01	5:48	2:50	6:27	4:05	5:35	2:53	6:05	3:31	6:53									
Colmar	8:56	5:44	7:36	8:02	9:37	7:27	3:49	10:28	2:36	1:48	6:02	8:38	6:38	5:40	10:32	6:59	7:35	7:48	6:08	7:43	3:41	4:15	4:08	5:57	9:00	5:36								
Dijon	6:54	4:20	5:19	6:00	7:35	5:25	1:33	8:25	0:34	0:59	3:47	6:36	5:15	3:25	8:00	4:57	5:02	5:46	5:05	5:41	2:25	2:46	3:26	3:25	6:26	3:34	2:29							
Dunkerque	9:11	1:57	5:01	7:01	9:52	8:29	4:27	9:54	5:28	5:51	4:37	8:15	0:50	5:07	7:08	7:10	3:30	8:02	0:32	9:44	3:02	7:55	3:10	3:53	4:54	6:38	6:14	5:13						
Gap	5:58	8:24	8:19	8:21	5:59	6:13	5:28	7:29	4:12	5:01	7:19	7:03	9:23	6:26	11:55	6:28	8:57	6:07	9:22	4:12	6:43	2:26	7:44	7:20	10:21	4:42	6:30	4:34	9:32					
Grenoble	5:45	6:42	6:37	6:39	5:45	4:57	3:47	7:16	2:30	3:21	5:37	6:25	7:41	4:44	10:13	4:46	7:15	5:35	7:40	3:59	5:01	0:38	6:02	5:38	8:39	3:00	4:42	2:52	7:51	1:58				
Le Havre	7:28	1:49	3:00	5:08	8:28	7:26	3:33	8:01	4:40	5:32	3:34	6:22	2:17	4:04	4:41	6:07	1:03	6:59	2:33	8:42	3:39	6:53	4:07	2:11	2:27	5:35	7:16	4:49	2:55	8:42	6:55			
Lille	8:28	1:28	4:45	6:19	9:10	7:47	3:45	9:11	4:46	5:09	3:54	7:33	1:34	4:25	7:12	6:28	3:34	7:20	1:12	9:02	2:20	7:13	2:28	3:07	4:59	5:56	5:39	4:31	0:55	8:47	7:00	3:00		
Limoges	3:00	5:05	3:32	1:26	3:41	2:22	4:13	4:20	4:21	5:16	2:42	2:42	6:05	2:16	6:43	1:00	5:09	1:52	6:10	3:34	5:18	5:00	5:37	3:15	6:28	2:22	6:45	4:43	6:20	6:49	5:02	5:16	5:40	
Lorient	6:00	5:32	2:30	4:38	7:00	7:37	5:55	6:43	7:03	7:54	4:19	4:58	6:00	4:51	1:30	6:14	3:19	7:06	6:16	7:43	6:28	9:39	6:50	4:00	4:01	6:36	9:39	7:11	6:37	11:28	9:41	4:10	6:42	5:25
Lyon	5:54	5:36	5:54	5:56	5:43	4:00	2:41	7:25	1:25	2:19	4:54	5:36	6:36	3:38	9:08	3:57	6:09	4:45	6:35	3:57	3:55	1:10	4:57	4:33	7:34	2:11	3:49	1:47	6:45	2:59	1:12	5:55	6:05	4:17
Le Mans	5:34	3:12	0:59	3:15	6:34	5:55	3:09	6:07	4:17	5:08	1:39	4:28	3:40	2:39	3:57	4:33	1:49	5:25	3:57	7:07	3:41	6:41	4:03	1:14	3:08	4:10	6:52	4:25	4:17	8:29	6:42	2:17	4:06	3:44
Marseille	4:40	8:21	8:00	6:56	4:39	4:54	5:25	6:10	4:09	5:14	7:00	5:44	9:20	5:54	11:40	6:08	8:56	4:48	9:19	2:52	6:39	3:39	7:41	7:16	10:17	4:24	6:37	4:31	9:29	1:53	3:09	8:39	8:51	6:51
Mende	4:10	7:08	5:45	6:05	4:17	2:23	5:15	5:52	4:18	5:23	4:45	5:15	8:08	3:39	9:44	3:54	7:35	3:15	8:14	2:57	6:48	3:49	7:50	5:18	8:55	2:07	6:45	4:40	8:23	4:51	3:55	7:19	7:43	4:38
Metz	9:07	3:20	5:33	7:07	9:48	7:38	3:30	9:59	2:47	3:05	4:42	8:20	4:14	5:11	8:29	7:10	5:11	7:59	4:04	7:54	1:31	5:14	2:03	3:54	6:35	5:47	2:15	2:32	4:12	6:48	5:01	4:51	3:34	6:26
Mont-de-Marsan	1:42	8:29	5:11	2:56	1:39	4:51	7:39	1:11	7:42	8:37	5:31	1:44	9:14	6:20	7:44	3:31	7:22	3:00	9:30	3:31	8:43	7:47	9:01	6:45	8:14	5:11	10:06	8:04	9:43	7:29	7:11	7:51	9:03	4:17
Montpellier	3:15	8:20	6:57	5:31	3:15	3:23	5:20	4:45	4:04	5:10	5:57	4:19	9:20	4:51	10:15	4:37	8:47	3:24	9:26	1:29	6:34	3:20	7:36	6:30	10:07	3:19	6:30	4:26	9:35	3:02	2:44	8:31	8:55	5:20
Mulhouse	8:32	6:01	7:11	7:38	9:13	7:02	3:24	10:03	2:11	1:24	5:38	8:14	6:56	5:16	10:08	6:35	7:10	7:23	6:49	7:19	3:58	4:00	4:48	5:32	8:34	5:12	0:38	2:07	6:56	6:22	4:30	6:55	6:18	6:22
Nancy	8:40	3:53	6:07	7:17	9:21	7:11	3:24	10:09	2:20	2:33	4:53	8:22	4:48	5:02	9:08	6:43	5:56	7:32	4:38	7:27	1:51	4:47	2:37	4:33	7:20	5:20	2:07	2:05	4:46	6:21	4:34	5:25	4:08	6:30
Nantes	4:23	4:45	0:59	2:57	5:23	5:56	4:56	4:56	6:03	6:55	2:47	3:17	5:13	3:20	3:16	4:33	3:02	5:25	5:29	6:07	5:14	7:22	5:36	2:47	3:41	4:52	8:27	6:11	5:50	9:13	7:24	3:51	5:40	3:44
Narbonne	2:28	8:37	7:23	4:45	2:29	3:39	6:02	3:59	4:45	5:50	6:13	3:33	9:36	5:07	9:28	3:17	9:00	2:37	9:42	0:42	7:16	4:02	8:17	6:46	10:19	3:35	7:11	5:07	9:51	3:43	3:25	8:48	9:11	4:01
Nevers	5:31	3:47	3:28	4:31	6:12	4:01	1:34	6:51	2:28	3:44	2:29	5:13	4:47	1:10	7:07	3:34	4:21	4:22	4:52	5:55	3:40	4:00	4:10	2:48	5:45	2:11	5:13	2:53	5:01	5:48	4:02	4:06	4:21	3:15
Nice	6:07	9:48	9:28	8:24	6:08	6:22	6:53	7:38	5:37	7:19	8:28	7:12	10:48	7:22	13:07	7:36	10:21	6:16	10:47	4:21	8:07	4:49	9:09	8:45	11:46	5:51	7:18	5:59	10:57	3:37	4:55	10:07	10:17	8:19
Nîmes	3:40	7:53	7:52	5:56	3:40	3:54	4:58	5:10	3:41	4:47	6:52	4:44	8:52	5:46	10:40	5:08	8:26	3:49	8:51	1:54	6:12	2:58	7:13	7:25	9:50	4:14	6:09	4:03	9:02	2:39	2:21	8:11	8:22	5:52
Orange	4:01	7:21	7:00	6:17	4:01	4:15	4:26	5:31	3:09	4:14	6:00	5:05	8:20	4:54	11:00	5:29	7:54	4:09	8:19	2:15	5:40	2:26	6:41	6:17	9:18	3:24	5:36	3:31	8:30	2:33	1:49	7:39	7:50	5:30
Orléans	5:17	2:54	2:18	3:10	5:59	4:36	1:59	6:03	3:06	3:58	0:45	4:24	3:53	1:14	5:56	3:17	3:20	4:09	3:59	5:51	3:03	5:19	3:26	1:03	4:44	2:45	5:26	3:14	4:08	7:08	5:21	3:05	3:28	2:28
Paris	6:33	1:40	2:50	4:24	7:13	5:51	1:49	7:16	2:57	3:49	1:58	5:37	2:40	2:30	5:46	4:32	2:24	5:25	2:48	7:07	1:55	5:10	2:17	1:10	3:46	4:01	5:43	3:06	2:57	7:01	5:12	2:08	2:19	3:43
Pau	2:54	9:28	6:10	3:55	1:43	4:55	8:17	1:10	7:57	8:53	6:30	2:43	10:13	6:33	8:43	3:43	8:21	3:04	10:29	2:43	9:42	6:59	10:00	7:44	9:13	5:26	10:22	8:20	10:42	6:41	6:22	8:50	10:02	4:27
Périgueux	2:12	6:32	4:50	1:26	3:28	2:32	5:39	2:59	5:02	5:58	4:08	1:21	7:31	3:42	7:06	0:51	6:01	1:43	7:37	3:26	6:45	5:10	7:04	4:42	7:21	2:31	7:26	5:24	7:46	6:59	5:12	6:43	7:06	1:37
Perpignan	2:54	9:07	7:49	5:10	2:54	4:10	6:32	4:24	5:15	6:22	6:44	3:58	10:07	5:38	9:53	3:42	9:25	3:02	10:13	1:08	7:46	4:32	8:47	7:17	10:45	4:06	7:42	5:37	10:22	4:13	3:55	9:18	9:42	4:26
Poitiers	3:39	4:42	1:56	1:20	4:40	4:04	3:52	4:13	5:00	5:51	1:45	2:34	5:27	2:20	5:03	2:42	3:36	3:34	5:44	5:16	4:57	6:23	5:14	2:59	4:55	3:53	7:20	5:08	5:57	8:12	6:25	4:04	5:17	1:53
Le Puy-en-Velay	5:36	6:44	5:20	5:20	5:43	2:33	4:10	6:50	2:54	3:58	4:20	5:11	7:43	3:14	9:19	3:33	7:11	4:21	7:49	4:22	5:24	2:25	6:26	4:53	8:30	1:42	5:21	3:16	7:58	4:14	2:27	6:55	7:18	3:53
Reims	7:40	1:42	3:57	5:30	8:21	7:11	2:24	8:23	2:57	3:21	3:06	6:44	2:37	3:45	6:53	5:39	3:35	6:31	2:27	8:13	0:32	5:24	0:54	2:17	4:59	5:20	4:09	2:42	2:38	6:59	5:12	3:15	1:58	4:50
Rennes	5:34	4:02	1:48	4:08	6:35	7:06	4:26	6:07	5:34	6:25	2:52	4:28	4:30	3:51	2:32	5:44	1:50	6:36	4:46	7:18	4:58	7:47	5:20	2:31	2:31	5:23	8:10	5:42	5:07	9:42	7:55	2:40	5:12	5:14
La Rochelle	2:59	5:52	2:09	1:51	3:59	5:28	5:02	3:32	6:10	7:01	2:54	1:53	6:20	3:30	4:42	3:28	4:29	4:16	6:37	4:42	6:07	7:40	6:24	3:54	5:13	5:09	8:30	6:18	6:58	9:29	7:42	4:58	6:27	3:11
Rodez	2:48	7:39	6:37	4:42	2:55	1:46	5:46	4:30	5:26	6:51	5:15	3:52	8:38	4:09	9:48	2:31	8:13	1:51	8:44	2:41	7:53	5:17	8:23	5:48	9:33	2:37	7:50	5:48	8:53	5:03	5:24	7:50	8:13	3:14
Rouen	7:08	1:14	2:40	4:49	8:08	6:50	2:57	7:41	4:05	4:56	2:58	6:02	1:42	3:29	4:52	5:31	1:14	6:24	1:59	8:06	3:04	6:18	3:32	1:36	2:39	5:00	6:41	4:13	2:20	8:06	6:20	1:00	2:25	4:42
Saint-Brieuc	6:24	4:33	2:42	5:02	7:24	8:00	5:19	6:57	6:26	7:18	3:45	5:22	5:01	4:44	1:33	6:38	2:21	7:30	5:17	8:07	5:51	8:39	6:13	3:24	3:02	6:15	9:02	6:35	5:38	10:28	8:41	3:11	5:43	6:08
Saint-Étienne	5:17	6:40	5:10	5:12	6:41	3:27	3:23	6:48	2:06	3:09	4:10	4:59	7:39	3:04	9:09	3:20	7:01	4:08	7:17	4:15	4:37	1:37	5:38	4:43	8:20	1:34	4:34	2:28	7:27	3:26	1:39	6:45	6:47	3:40
Saint-Nazaire	5:02	5:13	1:28	3:36	6:03	6:35	5:24	5:35	6:32	7:23	3:17	3:56	5:41	3:49	2:57	5:12	3:11	6:04	5:58	6:46	5:43	7:51	6:05	3:15	3:52	5:20	8:54	6:40	6:19	9:40	7:53	4:01	6:07	4:23
Strasbourg	9:33	4:43	6:56	8:39	10:14	8:03	4:25	11:04	3:12	2:24	6:18	9:15	5:37	6:17	9:52	7:36	6:34	8:24	5:27	8:20	2:54	4:52	3:27	5:17	7:58	6:13	0:53	3:08	5:36	7:13	5:21	6:14	4:58	7:23
Toulon	5:14	8:55	8:35	7:31	5:14	5:28	6:00	6:45	4:43	5:49	7:35	6:18	9:54	6:29	12:14	6:42	9:28	5:23	9:54	3:28	7:14	4:10	8:15	7:52	10:53	4:58	7:10	5:06	10:04	2:22	3:40	9:14	9:24	7:26
Toulouse	1:17	7:45	6:12	3:33	1:17	3:17	6:39	2:49	6:19	7:12	5:21	2:21	8:44	4:55	8:17	2:05	7:48	1:25	8:50	1:03	7:59	5:20	8:17	5:54	9:08	3:48	8:44	6:42	8:59	5:01	4:43	7:56	8:19	2:49
Tours	4:31	3:45	1:17	2:12	5:31	4:52	2:54	5:04	4:02	4:54	0:47	3:25	4:29	1:36	4:47	3:30	2:38	4:22	4:46	6:04	3:59	5:37	4:17	2:01	3:57	3:07	6:22	4:10	4:59	7:26	5:39	3:07	4:19	2:41
Troyes	7:25	2:51	3:54	5:18	8:07	6:42	1:19	8:11	2:05	2:28	2:53	6:32	3:46	3:03	6:50	5:25	3:53	6:17	3:36	7:12	0:56	4:33	1:57	2:15	5:17	4:52	3:57	1:50	3:46	6:07	4:20	3:38	3:06	4:36
Valence	4:54	6:32	6:11	6:13	4:54	4:31	3:37	6:25	2:20	3:25	5:12	6:00	7:31	4:06	10:11	4:21	7:05	5:10	7:30	3:08	4:51	1:35	5:52	5:28	8:29	2:35	4:48	2:42	7:41	2:46	0:59	6:50	7:01	4:41
Valenciennes	8:22	1:22	4:39	6:13	9:03	7:40	3:39	9:05	4:31	4:54	3:48	7:26	1:53	4:19	7:06	6:21	3:28	7:14	1:39	8:56	2:06	6:58	2:01	3:00	4:52	5:50	5:18	4:16	1:22	8:33	6:46	2:53	0:42	5:32

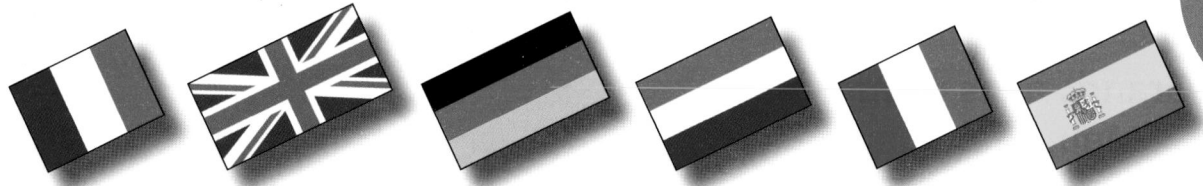

Tableau des temps de parcours
Driving times chart / Fahrzeiten / Reistijdentabel
Tabella dei tempi di percorrenza
Tiempos de recorrido

Le temps de parcours entre deux localités est indiqué à l'intersection des bandes horizontales et verticales.

The driving time between two towns is given at the intersection of horizontal and vertical bands.

Die Fahrtzeit in zwischen zwei Städten ist an dem Schnittpunkt der waagerechten und der senkrechten Spalten in der Tabelle abzulesen.

De reistijd tussen twee steden vindt u op het snijpunt van de horizontale en verticale stroken.

Il tempo di percorenza tra due località è riportata all'incrocio della fascia orizzontale con quella verticale.

El tiempo de recorrido entre dos poblaciones resulta indicada en el cruce de la franja horizontal con aquella vertical.

6:22

Le Mans - Toulouse

	Lorient	Lyon	Le Mans	Marseille	Mende	Metz	Mont-de-Marsan	Montpellier	Mulhouse	Nancy	Nantes	Narbonne	Nevers	Nice	Nîmes	Orange	Orléans	Paris	Pau	Périgueux	Perpignan	Poitiers	Le Puy-en-Velay	Reims	Rennes	La Rochelle	Rodez	Rouen	Saint-Brieuc	Saint-Étienne	Saint-Nazaire	Strasbourg	Toulon	Toulouse	Tours	Troyes	Valence
Lyon	9:01																																				
Le Mans	3:04	6:06																																			
Marseille	10:22	2:53	8:10																																		
Mende	8:55	3:01	5:55	3:30																																	
Metz	7:37	4:03	4:50	6:46	6:53																																
Mont-de-Marsan	6:26	7:08	5:56	6:11	5:46	9:51																															
Montpellier	8:58	2:47	7:06	1:43	2:12	6:42	4:43																														
Mulhouse	9:15	3:28	6:29	6:11	6:19	2:52	9:42	6:05																													
Nancy	8:16	3:36	5:30	6:19	6:26	0:41	9:50	6:13	2:20																												
Nantes	1:59	6:49	1:53	8:44	7:31	6:26	4:45	7:20	8:03	7:13																											
Narbonne	8:11	3:28	7:34	2:23	2:28	7:23	3:56	0:58	6:49	7:00	6:32																										
Nevers	5:50	3:04	3:38	5:46	3:57	5:05	6:41	5:08	4:50	5:01	4:20	5:25																									
Nice	11:50	4:20	9:38	2:01	4:58	8:15	7:35	3:07	7:01	7:51	10:12	3:51	7:15																								
Nîmes	9:23	2:24	8:02	1:18	2:23	6:19	5:07	0:40	5:46	5:56	7:46	1:24	5:20	2:46																							
Orange	10:10	1:52	7:10	1:07	2:52	5:47	5:28	1:01	5:14	5:24	8:06	1:44	4:48	2:34	0:41																						
Orléans	4:40	4:23	2:13	6:47	4:32	4:16	5:52	5:43	5:04	4:21	3:10	5:59	2:04	8:14	6:13	5:45																					
Paris	4:54	4:15	2:08	6:57	5:47	3:07	7:05	6:58	5:09	3:53	3:42	7:16	2:27	8:24	6:30	5:56	1:31																				
Pau	7:25	6:25	6:55	5:20	5:04	10:36	1:20	3:55	9:59	10:12	5:44	3:08	6:57	6:47	4:20	4:40	6:52	8:05																			
Périgueux	5:49	4:28	4:35	6:03	4:31	7:41	2:49	5:13	7:04	7:17	4:11	3:52	4:02	7:30	5:03	5:24	3:54	5:17	3:47																		
Perpignan	8:36	3:58	7:59	2:54	2:59	7:53	4:21	1:28	7:19	7:30	7:00	0:41	5:54	4:20	1:53	2:13	6:30	7:45	3:33	4:20																	
Poitiers	3:46	5:48	2:10	7:54	5:39	6:04	4:02	7:03	6:58	6:15	2:04	5:42	3:21	9:21	6:53	6:53	2:07	3:19	5:00	2:42	6:08																
Le Puy-en-Velay	8:30	1:37	5:30	3:40	1:26	5:32	7:11	3:36	4:59	5:09	6:45	3:52	3:31	5:08	3:14	2:39	4:06	5:21	6:27	4:04	4:21	5:14															
Reims	6:01	4:14	3:14	6:57	7:04	1:44	8:12	6:50	4:23	2:18	4:48	7:34	3:23	8:24	6:30	5:56	2:36	1:27	9:10	6:16	8:03	4:26	5:41														
Rennes	1:40	7:19	1:37	9:39	7:24	6:10	5:56	8:35	7:47	6:49	1:26	7:44	4:53	10:51	9:05	8:23	3:14	3:25	6:55	5:23	8:09	3:15	6:44	4:32													
La Rochelle	3:25	7:05	2:58	7:20	6:56	7:14	3:21	5:55	8:08	7:25	1:44	5:08	4:31	8:47	6:19	6:40	3:16	4:29	4:19	2:48	5:34	1:29	6:31	5:36	2:53												
Rodez	8:30	4:29	6:48	3:43	1:30	8:04	4:22	2:12	7:28	7:41	6:49	2:29	4:25	5:10	2:43	3:03	5:01	6:16	3:39	3:08	2:57	4:57	2:54	7:35	7:59	5:43											
Rouen	4:24	5:22	1:57	8:04	6:46	4:16	7:30	7:57	6:18	4:50	3:33	8:14	3:33	9:31	7:38	7:03	2:30	1:32	8:28	6:08	8:42	3:45	6:21	2:38	2:54	4:37	7:18										
Saint-Brieuc	1:29	7:43	2:29	10:31	8:17	7:03	6:50	9:27	8:40	7:42	2:20	8:33	5:45	11:59	9:58	9:30	4:07	4:18	7:49	6:13	8:59	4:09	7:51	5:25	1:04	3:49	8:58	3:26									
Saint-Étienne	8:17	0:49	5:20	3:07	2:24	4:44	6:27	3:01	4:11	4:21	6:02	3:45	3:06	4:35	2:41	2:07	3:56	5:16	7:25	3:51	4:14	5:04	1:00	4:56	6:33	6:21	3:54	6:10	7:42								
Saint-Nazaire	1:39	7:16	2:19	9:23	7:39	6:55	5:25	7:59	8:32	7:38	0:57	7:12	4:50	10:50	8:23	8:53	3:39	4:10	6:23	4:51	7:38	2:43	7:14	5:17	1:32	2:24	7:32	4:01	2:26	6:30							
Strasbourg	9:00	4:29	6:14	7:11	7:20	1:33	10:43	7:06	1:14	1:38	7:47	7:50	5:51	7:55	6:47	6:12	5:45	4:26	10:59	8:07	8:18	7:39	5:57	3:07	7:31	8:49	8:31	5:39	8:25	5:09	8:16						
Toulon	10:57	3:27	8:45	0:46	4:05	7:21	6:42	2:14	6:47	6:58	9:19	2:58	6:22	1:38	1:51	1:42	7:21	7:31	5:54	7:20	3:27	8:28	4:12	7:34	10:13	7:55	4:19	8:39	11:07	3:40	9:59	7:49					
Toulouse	6:59	4:46	6:22	3:40	3:20	8:58	2:44	2:16	8:21	8:34	5:19	1:29	5:19	5:08	2:41	3:01	5:07	6:19	1:58	2:43	1:55	4:31	4:43	7:29	6:32	3:58	1:57	7:21	7:22	5:42	6:01	9:23	4:18				
Tours	3:39	5:03	1:12	7:08	4:53	5:06	4:53	6:04	6:00	5:17	2:09	6:30	2:37	8:35	6:34	6:07	1:09	2:22	5:51	3:58	6:56	1:07	4:28	3:29	2:25	2:17	5:49	2:49	3:19	4:17	2:37	6:38	7:46	5:15			
Troyes	5:58	3:22	3:12	6:05	6:12	2:21	8:00	5:58	3:35	2:29	4:46	6:42	2:55	7:32	5:38	5:04	2:21	1:56	8:58	6:02	7:11	4:14	4:49	1:16	4:29	5:24	7:10	3:04	5:23	4:01	5:14	3:43	6:42	7:10	3:17		
Valence	9:22	1:03	6:21	2:01	3:07	4:58	6:22	1:54	4:25	4:35	7:04	2:38	3:59	3:28	1:34	0:59	4:58	5:08	5:34	4:53	3:07	6:05	2:04	5:10	7:35	7:23	4:38	6:16	8:44	1:17	7:31	5:27	2:38	3:53	5:18	4:16	
Valenciennes	6:37	5:48	3:57	8:30	7:36	3:15	8:54	8:24	5:58	3:46	5:31	9:04	4:15	9:58	8:04	7:30	3:20	2:09	9:53	6:59	9:33	5:09	7:11	1:40	5:08	6:19	8:08	2:19	5:38	6:27	5:59	4:35	9:08	8:06	4:11	2:48	6:43

Grands axes routiers
Main road map
Durchgangsstraßen
Grote verbindingswegen
Grandi arterie stradali
Carreteras principales

ATTENTION: En France, nouvelle numérotation des routes nationales
et départementales en cours
PLEASE NOTE The route nationale and route départementale road numbers
are currently being changed in France
ACHTUNG Die Nummerierung der National-und der Landstraßen in Frankreich
wird z. Zt. Geändert
OPGELET In Frankrijk worden de nummers van de nationale en de departementale
wegen momenteel gewijzigd
ATTENZIONE In Francia, nuova numerazione per le strade nazionali e regionali in corso
¡CUIDADO! En Francia, nueva numeración de carreteras nacionales
y regionales en curso

FRANCE DÉPARTEMENTALE ET ADMINISTRATIVE

ALSACE
67 Bas-Rhin
68 Haut-Rhin
AQUITAINE
24 Dordogne
33 Gironde
40 Landes
47 Lot-et-Garonne
64 Pyrénées-Atlantiques
AUVERGNE
03 Allier
15 Cantal
43 Haute-Loire
63 Puy-de-Dôme
BOURGOGNE
21 Côte-d'Or
58 Nièvre
71 Saône-et-Loire
89 Yonne
BRETAGNE
22 Côtes-d'Armor
29 Finistère
35 Ille-et-Vilaine
56 Morbihan
CENTRE
18 Cher
28 Eure-et-Loir
36 Indre
37 Indre-et-Loire
41 Loir-et-Cher
45 Loiret
CHAMPAGNE-ARDENNE
08 Ardennes
10 Aube
51 Marne
52 Haute-Marne
CORSE
2A Corse-du-Sud
2B Haute-Corse
FRANCHE-COMTÉ
25 Doubs
39 Jura
70 Haute-Saône
90 Territoire-de-Belfort
ILE-DE-FRANCE
75 Ville de Paris
77 Seine-et-Marne
78 Yvelines
91 Essonne
92 Hauts-de-Seine
93 Seine-Saint-Denis
94 Val-de-Marne
95 Val-d'Oise
LANGUEDOC-ROUSSILLON
11 Aude
30 Gard
34 Hérault
48 Lozère
66 Pyrénées-Orientales

LIMOUSIN
19 Corrèze
23 Creuse
87 Haute-Vienne
LORRAINE
54 Meurthe-et-Moselle
55 Meuse
57 Moselle
88 Vosges
MIDI-PYRÉNÉES
09 Ariège
12 Aveyron
31 Haute-Garonne
32 Gers
46 Lot
65 Hautes-Pyrénées
81 Tarn
82 Tarn-et-Garonne
NORD-PAS-DE-CALAIS
59 Nord
62 Pas-de-Calais
BASSE-NORMANDIE
14 Calvados
50 Manche
61 Orne
HAUTE-NORMANDIE
27 Eure
76 Seine-Maritime
PAYS DE LA LOIRE
44 Loire-Atlantique
49 Maine-et-Loire
53 Mayenne
72 Sarthe
85 Vendée
PICARDIE
02 Aisne
60 Oise
80 Somme
POITOU-CHARENTES
16 Charente
17 Charente-Maritime
79 Deux-Sèvres
86 Vienne
PROVENCE-ALPES-CÔTE D'AZUR
04 Alpes-de-Haute-Provence
05 Hautes-Alpes
06 Alpes-Maritimes
13 Bouches-du-Rhône
83 Var
84 Vaucluse
RHÔNE-ALPES
01 Ain
07 Ardèche
26 Drôme
38 Isère
42 Loire
69 Rhône
73 Savoie
74 Haute-Savoie

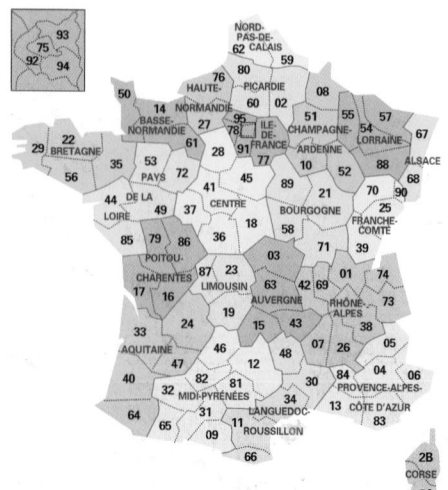

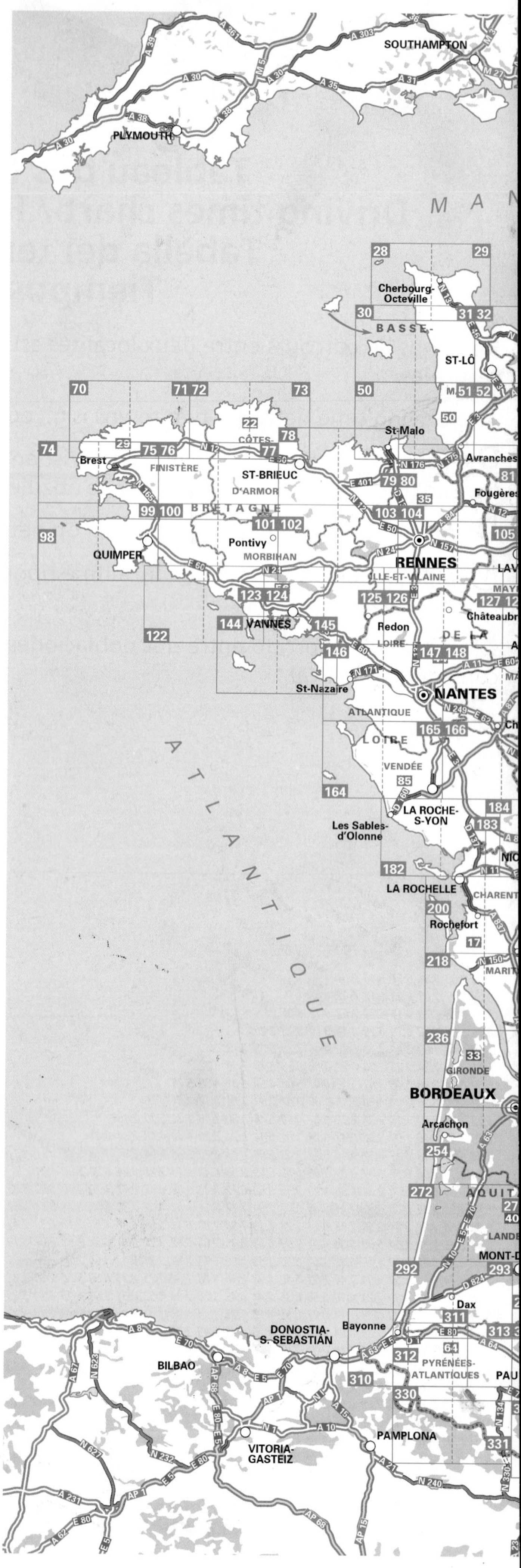

Étretat

H E

BRIGHTON

Dunkerque
Calais
Boulogne-sur-Mer
St-Omar
St-Quentin

BRUXELLES
BRUSSEL
LIÈGE
NAMUR
Charleroi
Valenciennes
CHARLEVILLE-MÉZIÈRES
Sedan

LILLE
Douai
ARRAS
Abbeville
Dieppe
AMIENS
Montdidier
BEAUVAIS
Compiègne
Soissons
LAON

WIESBADEN
MAINZ
MANNHEIM
LUXEMBOURG
SAARBRÜCKEN
Thionville
Verdun
METZ
Sarreguemines
Haguenau

Le Havre
ROUEN
Reims
CHÂLONS-EN-CHAMPAGNE
BAR-LE-DUC
Vitry-le-François
St-Dizier
Neufchâteau
NANCY
Lunéville
St-Dié-des-Vosges

CAEN
ÉVREUX
Argentan
VERSAILLES
Dreux
PARIS
ÉVRY
MELUN
TROYES
Sens
Montargis
AUXERRE
CHAUMONT
Langres
ÉPINAL
STRASBOURG
COLMAR
Mulhouse
BELFORT
VESOUL
BASEL
ZÜRICH

ALENÇON
CHARTRES
Châteaudun
LE MANS
Vendôme
ORLÉANS
BLOIS
Vierzon
DIJON
BESANÇON
Dole
Pontarlier
LONS-LE-SAUNIER
LAUSANNE
BERN

TOURS
Saumur
BOURGES
NEVERS
Beaune
Autun
Chalon-s-Saône
BOURG-EN-BRESSE
GENÈVE

Châtellerault
CHÂTEAUROUX
MOULINS
Montluçon
MÂCON
ANNECY
ALBERTVILLE

POITIERS
GUÉRET
Vichy
Roanne
LYON
CHAMBÉRY
St-Jean-de-Maurienne
TORINO

LIMOGES
ANGOULÊME
CLERMONT-FERRAND
Issoire
Thiers
ST-ÉTIENNE
Vienne
GRENOBLE
Briançon
CUNEO

PÉRIGUEUX
TULLE
Brive-la-Gaillarde
AURILLAC
LE PUY-EN-VELAY
VALENCE
PRIVAS
GAP
DIGNE-LES-BAINS

Libourne
Bergerac
CAHORS
MENDE
Alès
AVIGNON
Carpentras
Grasse
NICE
Draguignan
Aix-en-Provence

AGEN
MONTAUBAN
ALBI
RODEZ
Millau
NÎMES
Arles
MARSEILLE
TOULON

AUCH
TOULOUSE
Castres
CARCASSONNE
Narbonne
MONTPELLIER
Béziers

TARBES
St-Gaudens
FOIX
PERPIGNAN
ANDORRA LA VELLA

MÉDITERRANÉE

Cognac
Roscoff

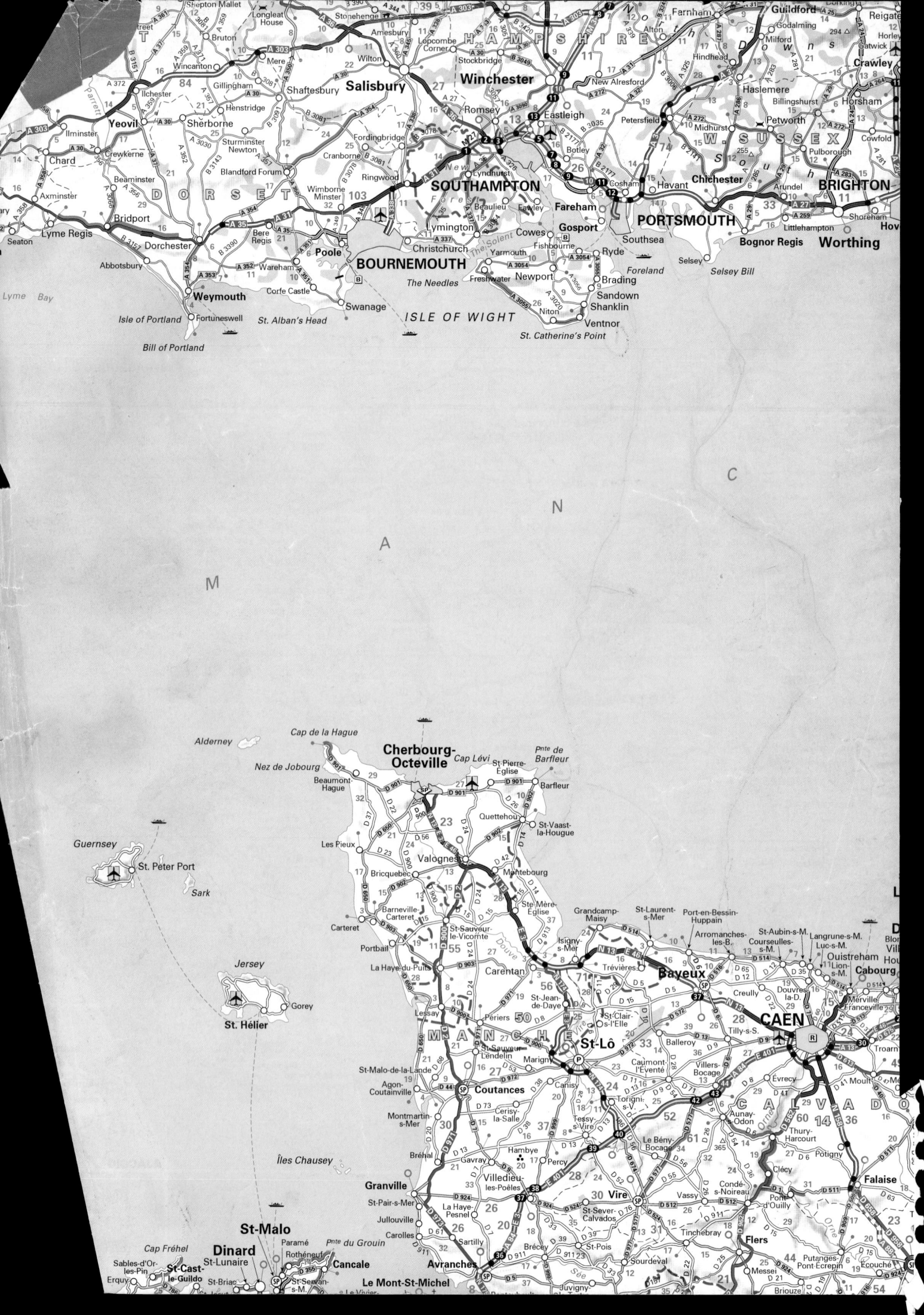

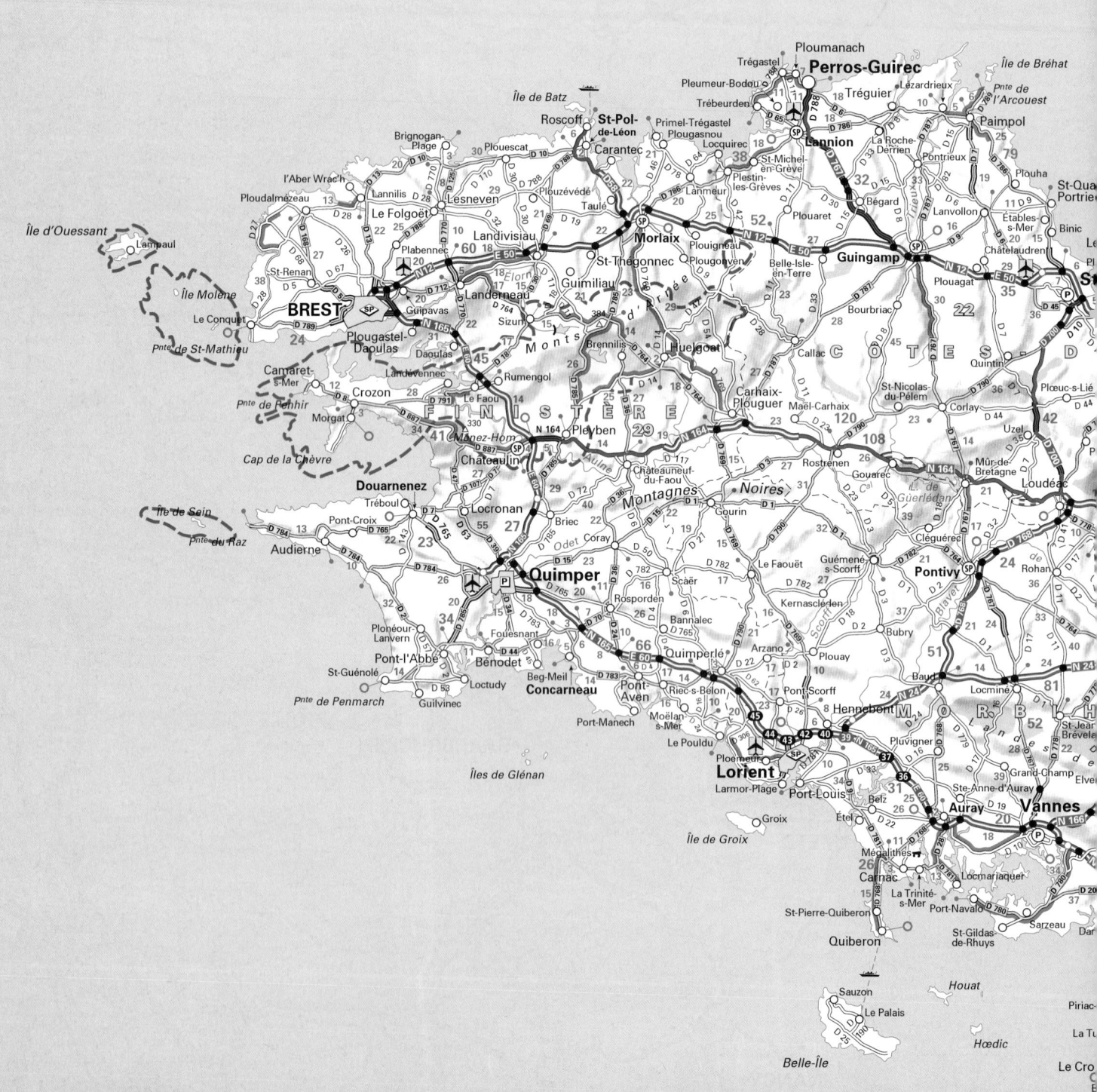

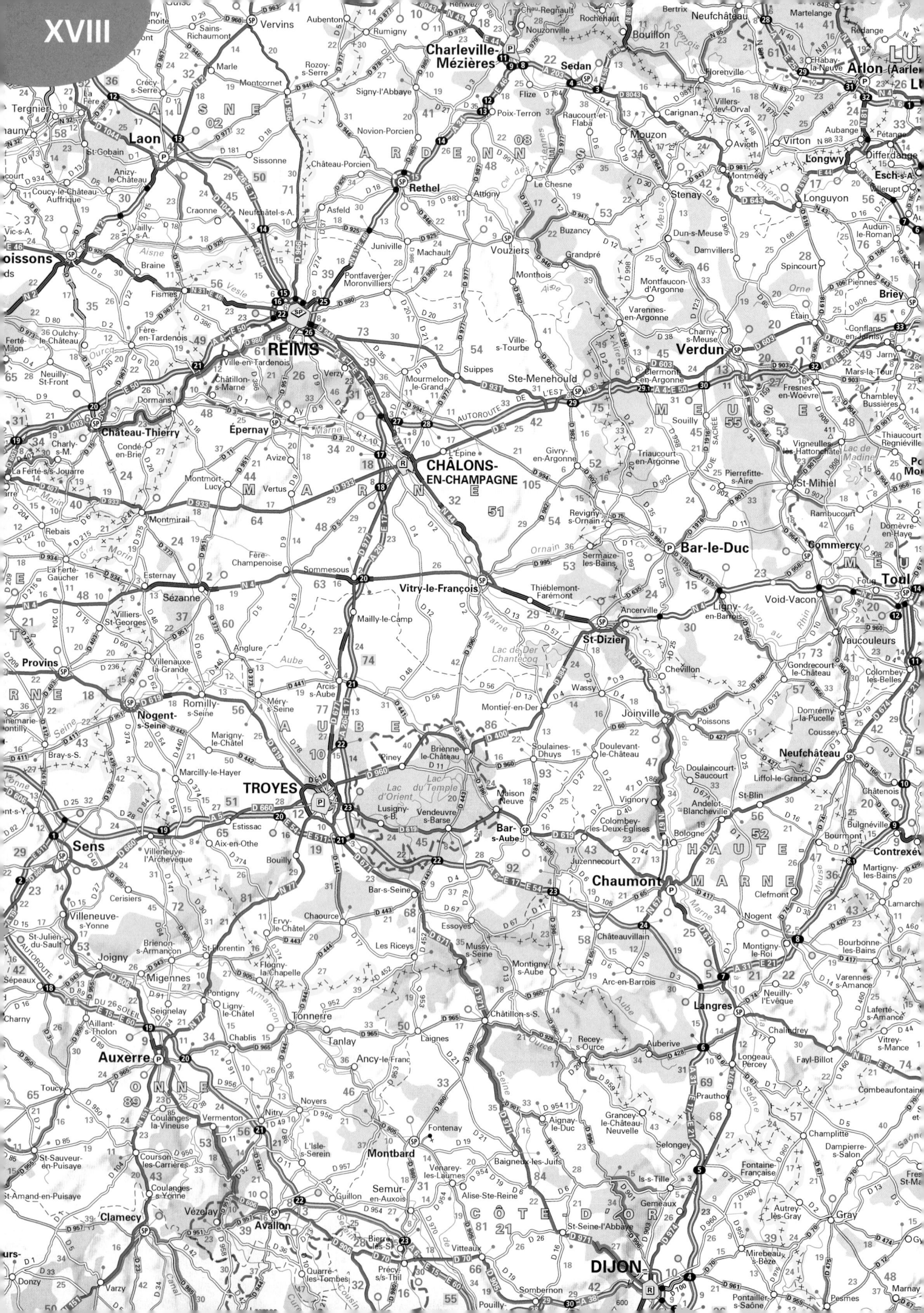

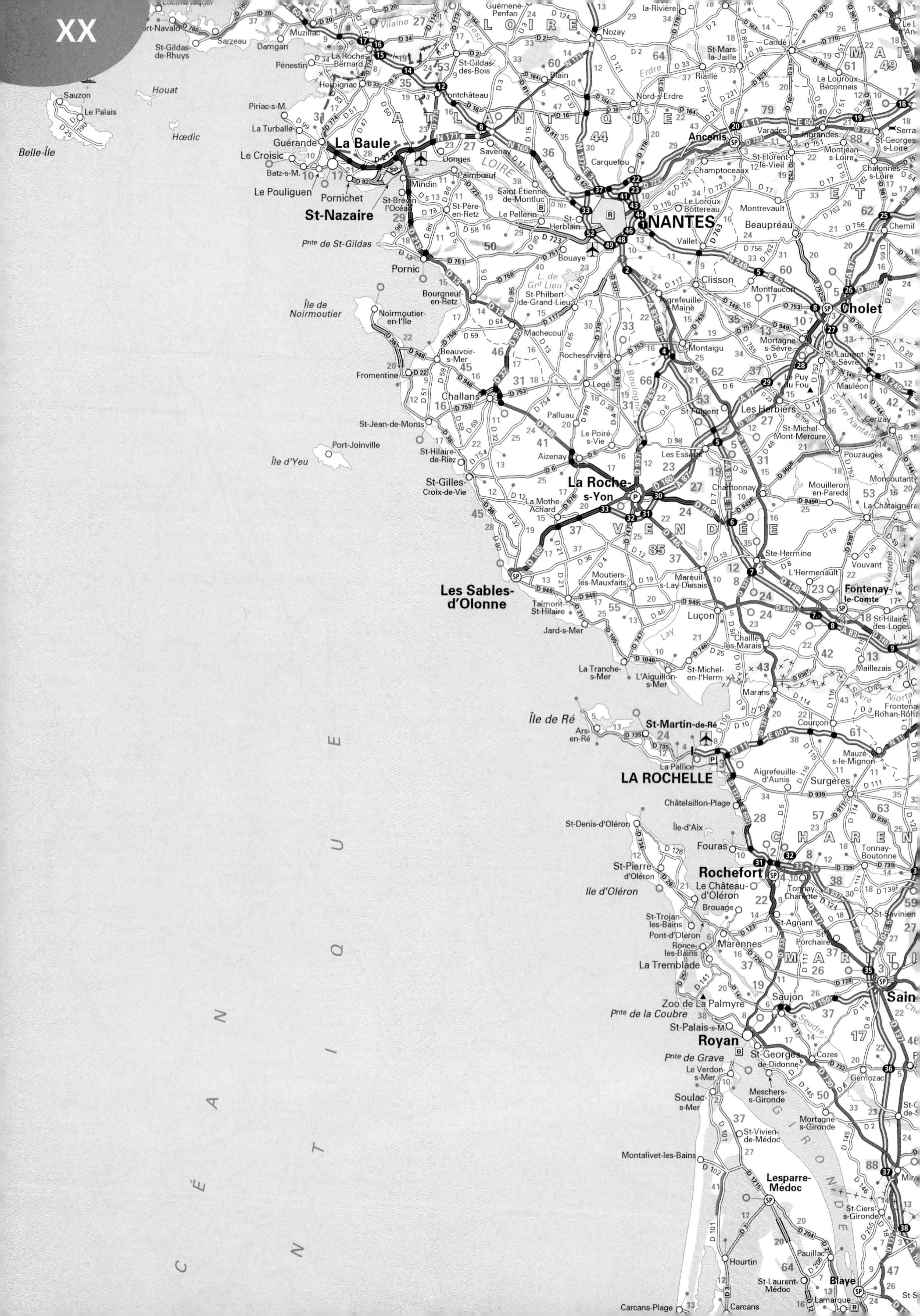

Belle-Île
Sauzon
Le Palais
Hœdic
Houat

St-Gildas-de-Rhuys
Sarzeau
Damgan
Pénestin
Muzillac
St-Dolay
La Roche-Bernard
Herbignac
Piriac-s-M.
La Turballe
Guérande
Le Croisic
Batz-s-M.
Le Pouliguen
Pornichet
La Baule
Le Palais

Guémené-Penfao
la-Rivière
Nozay
St-Gildas-des-Bois
Plain
Nord-s-Erdre
Pontchâteau
Riaillé
Le Louroux-Béconnais
St-Mars-la-Jaille
Candé
Ancenis
Varades
Ingrandes
Montjean-s-Loire
St-Georges-s-Loire
Chalonnes-s-Loire
Serra
St-Florent-le-Vieil
Savenay
Donges
St-Brévin-l'Océan
St-Nazaire
Mindin
St-Père-en-Retz
Paimbœuf
Saint-Étienne-de-Montluc
Le Pellerin
St-Herblain
Carquefou
Champtoceaux
Le Loroux-Bottereau
Beaupréau
Montrevault
Chemil
Pnte de St-Gildas
Bouaye
NANTES
Vallet
Pornic
Bourgneuf-en-Retz
St-Philbert-de-Grand-Lieu
L. de Grd Lieu
Clisson
Montfaucon
Aigrefeuille-s-Maine
Cholet
Île de Noirmoutier
Noirmoutier-en-l'Île
Beauvoir-s-Mer
Machecoul
Rocheservière
Montaigu
Mortagne-s-Sèvre
St-Laurent-s-Sèvre
Fromentine
Challans
Legé
Le Puy du Fou
Mauléon
St-Jean-de-Monts
Palluau
St-Fulgent
Les Herbiers
Cerizay
St-Hilaire-de-Riez
Le Poiré-s-Vie
St-Michel-Mont-Mercure
Pouzauges
Moncoutant
Port-Joinville
Aizenay
Les Essarts
La Châtaigneraie
Île d'Yeu
St-Gilles-Croix-de-Vie
La Mothe-Achard
La Roche-s-Yon
Chantonnay
Mouilleron-en-Pareds
VENDÉE
Les Sables-d'Olonne
Moutiers-les-Mauxfaits
Mareuil-s-Lay-Dissais
Ste-Hermine
Vouvant
L'Hermenault
Fontenay-le-Comte
Talmont-St-Hilaire
Luçon
St-Hilaire-des-Loges
Jard-s-Mer
Chaillé-les-Marais
Maillezais
La Tranche-s-Mer
L'Aiguillon-s-Mer
St-Michel-en-l'Herm
Marans
Niort
Frontenay-Rohan-Rohan
Île de Ré
Ars-en-Ré
St-Martin-de-Ré
Courçon
La Pallice
LA ROCHELLE
Mauzé-s-le-Mignon
Surgères
Aigrefeuille-d'Aunis
Châtelaillon-Plage
St-Denis-d'Oléron
Île-d'Aix
Fouras
Tonnay-Boutonne
St-Pierre-d'Oléron
Rochefort
Tonnay-Charente
Île d'Oléron
Le Château-d'Oléron
St-Savinien
Brouage
St-Agnant
St-Porchaire
St-Trojan-les-Bains
Pont-d'Oléron
Marennes
Ronce-les-Bains
La Tremblade
Zoo de La Palmyre
Saujon
Pnte de la Coubre
St-Palais-s-M.
Royan
St-Georges-de-Didonne
Cozes
Gémozac
Pnte de Grave
Le Verdon-s-Mer
Meschers-s-Gironde
Mortagne-s-Gironde
Soulac-s-Mer
St-Vivien-de-Médoc
Montalivet-les-Bains
Lesparre-Médoc
St-Ciers-s-Gironde
Hourtin
Pauillac
St-Laurent-Médoc
Blaye
Carcans-Plage
Carcans
Lamarque

OCÉAN ATLANTIQUE
LOIRE
CHARENTE-MARITIME
GIRONDE

CORSE

Col de Vars · Larche · Accéglio · Dronero · Carrù · Ceva · Bormida · Savona
Barcelonnette · Jausiers · Cuneo · Mondovì · Millesimo · Carcare · Vado Lig.
Le Lauzet-Ubaye · Le Sauze · Pra-Loup · Borgo S. Dalmazzo · Chiusa di Pesio · Frabosa Soprana · Bardineto · Finale Ligure · Spotorno · Noli
Turriers · Seyne · C. de la Bonette · Vinadio · Boves · Lurisia · Garessio · C. di Melogno · Pietra Ligure · Loano
Col de Maure · Col d'Allos · Parc · Stura di Demonte · Valdieri · Limone-Piemonte · Colle di Nava · Borghetto S. S.
St-Étienne-de-Tinée · Auron · C. d Lombarda/C. de la Lombarde · Tende · Monesi · Pieve di Teco · Albenga
Allos · Colmars · Isola 2000 · Argentera · C. di Tenda/Col de Tende · Triora · Alassio · Laigueglia
La Javie · Valberg · Le Boréon · St-Martin-Vésubie · Saorge · Diano Marina
St-Sauveur-s-Tinée · Roquebillière · Breil-s-Roya · Pigna · Taggia · Oneglia · Imperia (Porto-Maurizio)
Digne-les-Bains · Guillaumes · Beuil · Lantosque · C. de Brouis · Peïra-Cava · Sospel · Ventimiglia · Arma di Taggia
St-André-les-Alpes · Annot · Roquebillière · Itelle · C. de Braus · Ospedaletti · San Remo
Mézel · Barrême · Entrevaux · Roquesteron · Levens · L'Escarène · la Turbie · Bordighera
Moustiers-Ste-Marie · Col de Toutes-Aures · St-Auban · Courségoules · Roquebrune-Cap-Martin · Menton
Castellane · Vence · Èze · Monte-Carlo · Monaco
Riez · Le Bar-s-Loup · St-Paul · Beaulieu-s-M. · St-Jean-Cap-Ferrat · Villefranche-s-M.
Comps-s-Artuby · St-Vallier-de-Thiey · Grasse · Cagnes-s-M. · NICE
Aups · Fayence · Mougins · Antibes · Juan-les-Pins · Cap d'Antibes
Salernes · Callas · Mandelieu-la-Napoule · La Napoule · Golfe-Juan · CANNES · Lérins
Draguignan · Théoule-s-Mer · Miramar · Le Trayas
Lorgues · Le Muy · Esterel · Agay · St-Raphaël
Carcès · Les Arcs · Fréjus · St-Aygulf · Les Issambres
Brignoles · Vidauban · Maures · Ste-Maxime
Le Luc · La Garde-Freinet · Grimaud · Cogolin · St-Tropez
Besse-s-I. · Collobrières · La Croix-Valmer · Ramatuelle · Cap Camarat
Bormes-les-Mimosas · Le Rayol · Cavalaire-s-M.
Solliès-Pont · La Crau · Cavalière · Le Lavandou
Hyères · La Londe-les-Maures
La Tour-Fondue · Giens · Port-Cros · Île du Levant
Porquerolles · Îles d'Hyères

CORSE · Cap Corse · Rogliano · Pino · Luri · Erbalunga · BASTIA
St-Florent · Oletta · Sto-Pietro-di-Tenda · Murato
L'Île-Rousse · Belgodère · Vescovato
Calvi · Muro · Ponte-Leccia · Morosaglia · La Porta · Cervione
Calenzana · HAUTE · Piedicroce
Mte Cinto 2706 · Scala · di · S.ta Regina · CORSE · Aléria
Calacuccia · Col de Vergio 1477 · Corte · Tavignano
Porto · les Calanche · Évisa · Mte Rotondo 2622 · Vezzani
Piana · Soccia · Venaco · Vizzavona
Vico · Col de Vizzavona Fin 2009 · Ghisoni · D 343
Cargèse · Sari-d'Orcino · Bocognano · Ghisonaccia
CORSE · Mte Renoso · Col de Verde
Bastelica · Mte Incudine
AJACCIO · Zicavo · Solenzara
Îles Sanguinaires · Ste-Marie-Sicché · Col de Bavella
Petreto-Bicchisano · Aullène · Zonza
Olmeto · Levie · Ste-Lucie-de-Tallano · Porto-Vecchio
Propriano · 2A
Sartène
Bonifacio

LÉGENDE

Cartographie

Routes
Autoroute - Station-service - Aire de repos
Double chaussée de type autoroutier
Échangeurs : complet, partiels
Numéros d'échangeurs
Route de liaison internationale ou nationale
Route de liaison interrégionale ou de dégagement
Route revêtue - non revêtue
Chemin d'exploitation - Sentier
Autoroute - Route en construction
(le cas échéant: date de mise en service prévue)
Largeur des routes
Chaussées séparées
4 voies
2 voies larges
2 voies
1 voie
Distances (totalisées et partielles)
Section à péage sur autoroute

Section libre sur autoroute

sur route
Numérotation - Signalisation
Route européenne - Autoroute
Route nationale - départementale
Obstacles
Forte déclivité (flèches dans le sens de la montée)
de 5 à 9%, de 9 à 13%, 13% et plus
Col et sa cote d'altitude
Parcours difficile ou dangereux
Passages de la route : à niveau, supérieur, inférieur
Hauteur limitée (au-dessous de 4,50 m)
Limites de charge : d'un pont, d'une route (au-dessous de 19 t.)
Pont mobile - Barrière de péage

Route à sens unique - Radar fixe
Route réglementée
Route interdite
Transports
Voie ferrée - Gare
Aéroport - Aérodrome
Transport des autos :
par bateau
par bac (le Guide MICHELIN donne le numéro de téléphone des principaux bacs)
Bac pour piétons et cycles
Administration
Frontière - Douane
Capitale de division administrative
Sports - Loisirs
Stade - Golf - Hippodrome
Port de plaisance - Baignade - Parc aquatique
Base ou parc de loisirs - Circuit automobile
Piste cyclable / Voie Verte
Source : Association Française des Véloroutes et Voies Vertes
Refuge de montagne - Sentier de grande randonnée
Curiosités
Principales curiosités : voir LE GUIDE VERT
Table d'orientation - Panorama - Point de vue - Parcours pittoresque

Édifice religieux - Château - Ruines
Monument mégalithique - Phare - Moulin à vent
Train touristique - Cimetière militaire
Grotte - Autres curiosités
Signes divers
Puits de pétrole ou de gaz - Carrière - Éolienne
Transporteur industriel aérien
Usine - Barrage - Tour ou pylône de télécommunications
Raffinerie - Centrale électrique - Centrale nucléaire
Phare ou balise - Moulin à vent - Château d'eau - Hôpital
Église ou chapelle - Cimetière - Calvaire
Château - Fort - Ruines - Village étape
Grotte - Monument - Altiport
Forêt ou bois - Forêt domaniale

Plans de ville

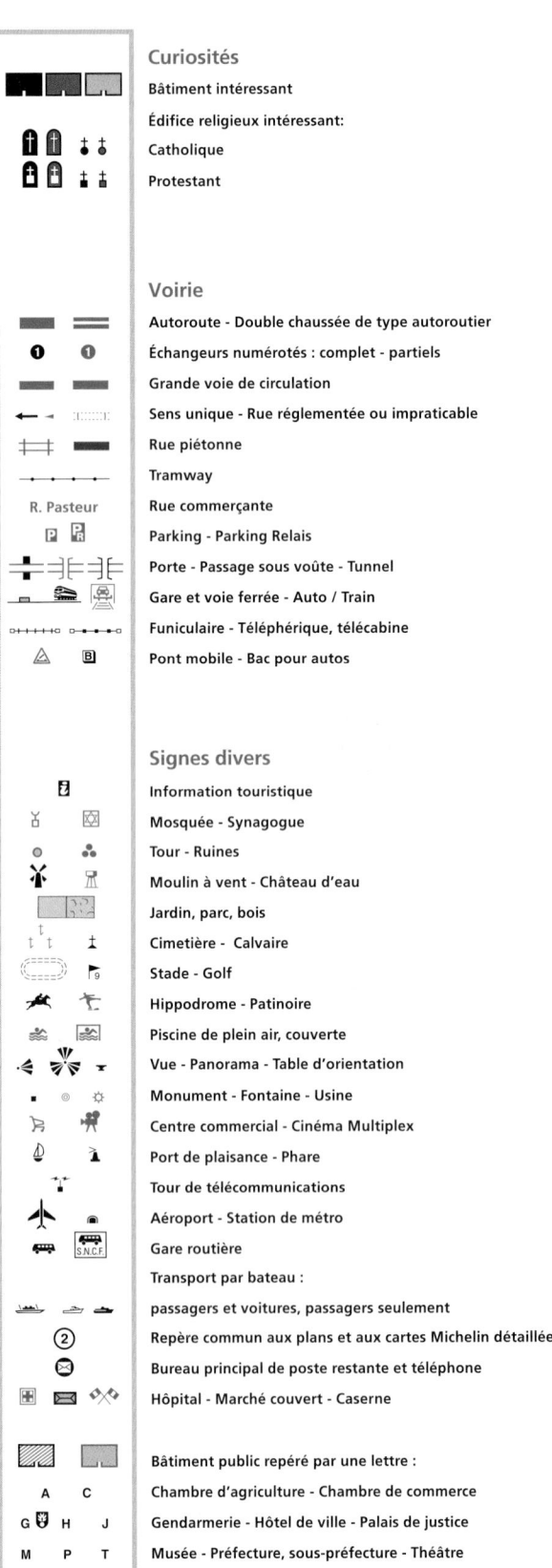

Curiosités
Bâtiment intéressant
Édifice religieux intéressant:
Catholique
Protestant

Voirie
Autoroute - Double chaussée de type autoroutier
Échangeurs numérotés : complet - partiels
Grande voie de circulation
Sens unique - Rue réglementée ou impraticable
Rue piétonne
Tramway
Rue commerçante
R. Pasteur
Parking - Parking Relais
Porte - Passage sous voûte - Tunnel
Gare et voie ferrée - Auto / Train
Funiculaire - Téléphérique, télécabine
Pont mobile - Bac pour autos

Signes divers
Information touristique
Mosquée - Synagogue
Tour - Ruines
Moulin à vent - Château d'eau
Jardin, parc, bois
Cimetière - Calvaire
Stade - Golf
Hippodrome - Patinoire
Piscine de plein air, couverte
Vue - Panorama - Table d'orientation
Monument - Fontaine - Usine
Centre commercial - Cinéma Multiplex
Port de plaisance - Phare
Tour de télécommunications
Aéroport - Station de métro
Gare routière
Transport par bateau :
passagers et voitures, passagers seulement
Repère commun aux plans et aux cartes Michelin détaillées
Bureau principal de poste restante et téléphone
Hôpital - Marché couvert - Caserne

Bâtiment public repéré par une lettre :
Chambre d'agriculture - Chambre de commerce
Gendarmerie - Hôtel de ville - Palais de justice
Musée - Préfecture, sous-préfecture - Théâtre
Université, grande école
Police (commissariat central)
Passage bas (inf. à 4 m 50) - Charge limitée (inf. à 19 t)

KEY

Mapping

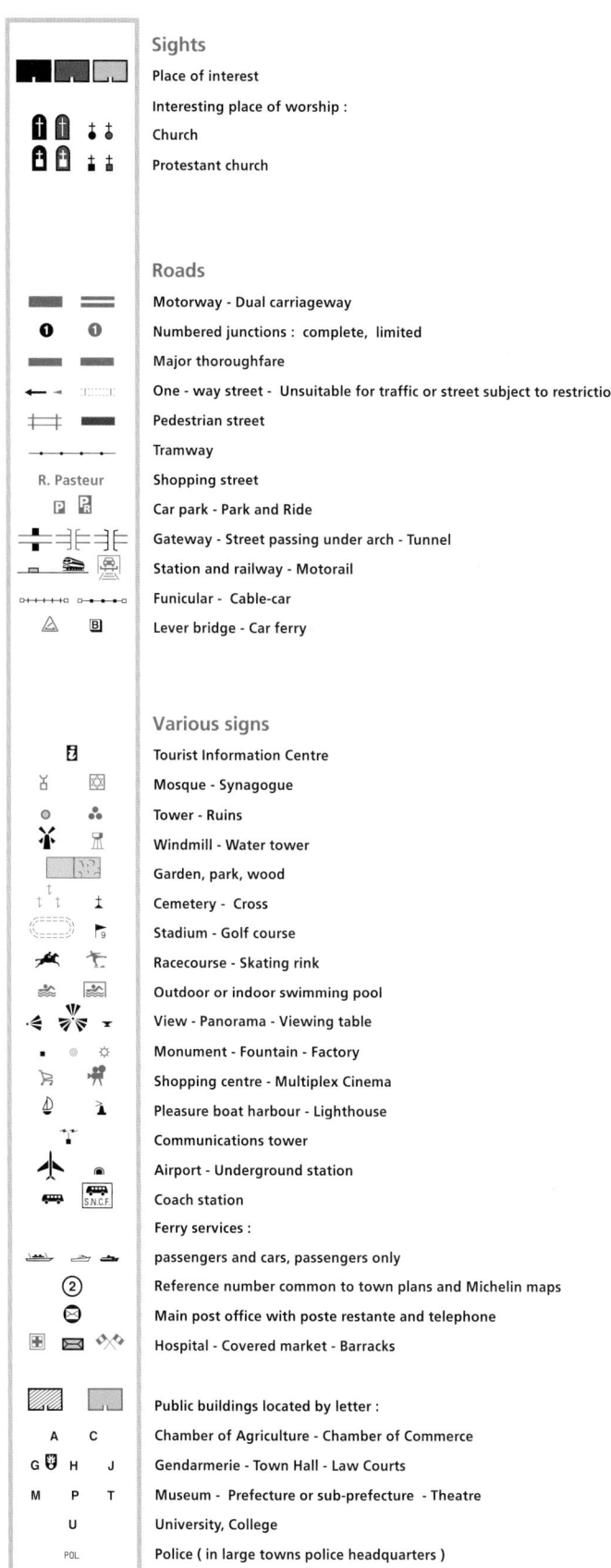

Roads
Motorway - Petrol station - Rest area
Dual carriageway with motorway characteristics

Interchanges : complete, limited
Interchange numbers
International and national road network
Interregional and less congested road
Road surfaced - unsurfaced
Rough track - Footpath
Motorway - Road under construction
(when available : with scheduled opening date)

Road widths
Dual carriageway
4 lanes
2 wide lanes
2 lanes
1 lane

Distances (total and intermediate)
Toll roads on motorway

Toll-free section on motorway

on road

Numbering - Signs
European route - Motorway
National road - Departmental road

Obstacles
Steep hill (ascent in direction of the arrow)
5 - 9%, 9 -13%, 13% +
Pass and its height above sea level
Difficult or dangerous section of road
Level crossing : railway passing, under road, over road
Height limit (under 4.50 m)
Load limit of a bridge, of a road (under 19 t)
Swing bridge - Toll barrier

One way road - Speed camera
Road subject to restrictions
Prohibited road

Transportation
Railway - Station
Airport - Airfield
Transportation of vehicles :
by boat

by ferry (THE RED GUIDE gives the phone numbers for main ferries)

Ferry (passengers and cycles only)

Administration
National boundary - Customs post

Administrative district seat

Sport & Recreation Facilities
Stadium - Golf course - Horse racetrack
Pleasure boat harbour - Bathing place - Water park
Country park - Racing circuit
Cycle track / Country footpath
Source : Association Française des Véloroutes et Voies Vertes
Mountain refuge hut - Long distance footpath

Sights
(Principal sights: see THE GREEN GUIDE)
Viewing table - Panoramic view - Viewpoint - Scenic route

Religious building - Historic house, castle - Ruins
Prehistoric monument - Lighthouse - Windmill
Tourist train - Military cemetery
Cave - Other places of interest

Other signs
Oil or gas well - Quarry - Wind turbine
Industrial cable way
Factory - Dam - Telecommunications tower or mast
Refinery - Power station - Nuclear Power Station
Lighthouse or beacon - Windmill - Water tower - Hospital
Church or chapel - Cemetery - Wayside cross
Castle - Fort - Ruines - Stopover village
Grotte - Monument - Mountain airfield
Forest or wood - State forest

Town plans

Sights
Place of interest
Interesting place of worship :
Church
Protestant church

Roads
Motorway - Dual carriageway
Numbered junctions : complete, limited
Major thoroughfare
One - way street - Unsuitable for traffic or street subject to restrictions
Pedestrian street
Tramway
R. Pasteur Shopping street
Car park - Park and Ride
Gateway - Street passing under arch - Tunnel
Station and railway - Motorail
Funicular - Cable-car
Lever bridge - Car ferry

Various signs
Tourist Information Centre
Mosque - Synagogue
Tower - Ruins
Windmill - Water tower
Garden, park, wood
Cemetery - Cross
Stadium - Golf course
Racecourse - Skating rink
Outdoor or indoor swimming pool
View - Panorama - Viewing table
Monument - Fountain - Factory
Shopping centre - Multiplex Cinema
Pleasure boat harbour - Lighthouse
Communications tower
Airport - Underground station
Coach station
Ferry services :
passengers and cars, passengers only
Reference number common to town plans and Michelin maps
Main post office with poste restante and telephone
Hospital - Covered market - Barracks

Public buildings located by letter :
A C Chamber of Agriculture - Chamber of Commerce
G H J Gendarmerie - Town Hall - Law Courts
M P T Museum - Prefecture or sub-prefecture - Theatre
U University, College
POL Police (in large towns police headquarters)
Low headroom (15 ft . max .) - Load limit (under 19 t)

ZEICHENERKLÄRUNG

Kartographie

Straßen
Autobahn - Tankstelle - Tankstelle mit Raststätte
Schnellstraße mit getrennten Fahrbahnen

Anschlussstellen : Voll - bzw. Teilanschlussstellen
Anschlussstellennummern
Internationale bzw.nationale Hauptverkehrsstraße
Überregionale Verbindungsstraße oder Umleitungsstrecke
Straße mit Belag - ohne Belag
Wirtschaftsweg - Pfad
Autobahn - Straße im Bau
(ggf. voraussichtliches Datum der Verkehrsfreigabe)

Straßenbreiten
Getrennte Fahrbahnen
4 Fahrspuren
2 breite Fahrspuren
2 Fahrspuren
1 Fahrspur

Entfernungen (Gesamt- und Teilentfernungen)
Mautstrecke auf der Autobahn

Mautfreie Strecke auf der Autobahn

Auf der Straße

Nummerierung - Wegweisung
Europastraße - Autobahn
Nationalstraße - Departementstraße

Verkehrshindernisse
Starke Steigung (Steigung in Pfeilrichtung)
5-9%, 9-13%, 13% und mehr
Pass mit Höhenangabe
Schwierige oder gefährliche Strecke
Bahnübergänge : schienengleich, Unterführung, Überführung
Beschränkung der Durchfahrtshöhe (angegeben, wenn unter 4,50 m)
Höchstbelastung einer Straße/Brücke (angegeben, wenn unter 19 t)
Bewegliche Brücke - Mautstelle

Einbahnstraße - Starenkasten
Straße mit Verkehrsbeschränkungen
Gesperrte Straße

Verkehrsmittel
Bahnlinie - Bahnhof
Flughafen - Flugplatz
Schiffsverbindungen:
per Schiff
per Fähre (im ROTEN HOTELFÜHRER sind die Telefonnummern der wichtigsten Fährunternehmen angegeben)
Fähre für Personen und Fahrräder

Verwaltung
Staatsgrenze - Zoll
Verwaltungshauptstadt

Sport - Freizeit
Stadion - Golfplatz - Pferderennbahn
Yachthafen - Strandbad - Badepark
Freizeitanlage - Rennstrecke
Radweg / Feldweg
Source : Association Française des Véloroutes et Voies Vertes
Schutzhütte - Fernwanderweg

Sehenswürdigkeiten
Hauptsehenswürdigkeiten: siehe GRÜNER REISEFÜHRER
Orientierungstafel - Rundblick - Aussichtspunkt - Landschaftlich schöne Strecke

Sakral-Bau - Schloss, Burg - Ruine
Vorgeschichtliches Steindenkmal - Leuchtturm - Windmühle
Museumseisenbahn-Linie - Soldatenfriedhof
Höhle - Sonstige Sehenswürdigkeit

Sonstige Zeichen
Erdöl-, Erdgasförderstelle - Steinbruch - Windkraftanlage
Industrieschwebebahn
Fabrik - Staudamm - Funk-, Sendeturm
Raffinerie - Kraftwerk - Kernkraftwerk
Leuchtturm oder Leuchtfeuer - Windmühle - Wasserturm - Krankenhaus
Kirche oder Kapelle - Friedhof - Bildstock
Schloss, Burg - Fort, Festung - Ruine - Übernachtungsort
Höhle - Denkmal - Landeplatz im Gebirge
Wald oder Gehölz - Staatsforst

Stadtpläne

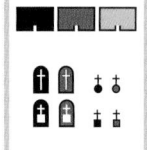

Sehenswürdigkeiten
Sehenswertes Gebäude

Sehenswerter Sakralbau :
Katholische Kirche
Evangelische Kirche

Straßen
Autobahn - Schnellstraße
Nummerierte Voll - bzw. Teilanschlussstellen
Hauptverkehrsstraße
Einbahnstraße - Gesperrte Straße oder mit Verkehrsbeschränkungen
Fußgängerzone
Straßenbahn
R. Pasteur   Einkaufsstraße
Parkplatz - Park-and-Ride-Plätze
Tor - Passage - Tunnel
Bahnhof und Bahnlinie - Autoreisezug
Standseilbahn - Seilschwebebahn
Bewegliche Brücke - Autofähre

Sonstige Zeichen
Informationsstelle
Moschee - Synagoge
Turm - Ruine
Windmühle - Wasserturm
Garten, Park, Wäldchen
Friedhof - Bildstock
Stadion - Golfplatz
Pferderennbahn - Eisbahn
Freibad - Hallenbad
Aussicht - Rundblick - Orientierungstafel
Denkmal - Brunnen - Fabrik
Einkaufszentrum - Multiplex-Kino
Yachthafen - Leuchtturm
Funk-, Fernsehturm
Flughafen - U-Bahnstation
Autobusbahnhof
Schiffsverbindungen:
Autofähre - Personenfähre
Straßenkennzeichnung (identisch auf Michelin-Stadtplänen und -Abschnittskarten)
Hauptpostamt (postlagernde Sendungen) u. Telefon
Krankenhaus - Markthalle - Kaserne

Öffentliches Gebäude, durch einen Buchstaben gekennzeichnet :
Landwirtschaftskammer - Handelskammer
Gendarmerie - Rathaus - Gerichtsgebäude
Museum - Präfektur, Unterpräfektur - Theater
Universität, Hochschule
Polizei (in größeren Städten Polizeipräsidium)
Unterführung (Höhe bis 4,50 m) - Höchstbelastung (unter 19 t)

VERKLARING VAN DE TEKENS

Kaarten

Wegen
Autosnelweg - Tankstation - Rustplaats
Gescheiden rijbanen van het type autosnelweg

Aansluitingen : volledig, gedeeltelijk
Afritnummers
Internationale of nationale verbindingsweg
Interregionale verbindingsweg
Verharde weg - Onverharde weg
Landbouwweg - Pad
Autosnelweg - Weg in aanleg
(indien bekend : datum openstelling)

Breedte van de wegen
Gescheiden rijbanen
4 rijstroken
2 brede rijstroken
2 rijstroken
1 rijstrook

Afstanden (totaal en gedeeltelijk)
Gedeelte met tol op autosnelwegen

Tolvrij gedeelte op autosnelwegen

Op andere wegen

Wegnummers - Bewegwijzering
Europaweg - Autosnelweg
Nationale weg - Departementale weg

Hindernissen
Steile helling (pijlen in de richting van de helling)
5 - 9%, 9 - 13%, 13% of meer
Bergpas en hoogte boven de zeespiegel
Moeilijk of gevaarlijk traject
Wegovergangen: gelijkvloers, overheen, onderdoor
Vrije hoogte (indien lager dan 4,5 m)
Maximum draagvermogen: van een brug, van een weg (indien minder dan 19 t)
Beweegbare brug - Tol

Weg met eenrichtingsverkeer - Flitspaal
Beperkt opengestelde weg
Verboden weg

Vervoer
Spoorweg - Station
Luchthaven - Vliegveld
Vervoer van auto's :
per boot
per veerpont (telefoonnummer van de belangrijkste ponten worden vermeld in DE RODE GIDS)
Veerpont voor voetgangers en fietsers

Administratie
Staatsgrens - Douanekantoor
Hoofdplaats van administratief gebied

Sport - Recreatie
Stadion - Golfterrein - Renbaan
Jachthaven - Zwemplaats - Watersport
Recreatiepark - Autocircuit
Fietspad / Wandelpad in de natuur
Source : Association Française des Véloroutes et Voies Vertes
Berghut - Lange afstandswandelpad

Bezienswaardigheden
Belangrijkste bezienswaardigheden : zie DE GROENE GIDS
Oriëntatietafel - Panorama - Uitzichtpunt - Schilderachtig traject

Kerkelijk gebouw - Kasteel - Ruïne
Megaliet - Vuurtoren - Molen
Toeristentreintje - Militaire begraafplaats
Grot - Andere bezienswaardigheden

Diverse tekens
Olie- of gasput - Steengroeve - Windmolen
Kabelvrachtvervoer
Fabriek - Stuwdam - Telecommunicatietoren of -mast
Raffinaderij - Elektriciteitscentrale - Kerncentrale
Vuurtoren of baken - Molen - Watertoren - Hospitaal
Kerk of kapel - Begraafplaats - Kruisbeeld
Kasteel - Fort - Ruïne - Dorp voor overnachting
Grot - Monument - Landingsbaan in de bergen
Bos - Staatsbos

Plattegronden

Bezienswaardigheden
Interessant gebouw
Interessant kerkelijk gebouw :
Kerk
Protestantse kerk

Wegen
Autosnelweg - Weg met gescheiden rijbanen
Knooppunt / aansluiting : volledig, gedeeltelijk
Hoofdverkeersweg
Eenrichtingsverkeer - Onbegaanbare straat, beperkt toegankelijk
Voetgangersgebied
Tramlijn
R. Pasteur   Winkelstraat
Parkeerplaats - P & R
Poort - Onderdoorgang - Tunnel
Station, spoorweg - Autotrein
Kabelspoor - Tandradbaan
Beweegbare brug - Auto - veerpont

Overige tekens
Informatie voor toeristen
Moskee - Synagoge
Toren - Ruïne
Windmolen - Watertoren
Tuin, park, bos
Begraafplaats - Kruisbeeld
Stadion - Golfterrein
Renbaan - Schaatsbaan
Zwembad : openlucht, overdekt
Uitzicht - Panorama - Oriëntatietafel
Gedenkteken, standbeeld - Fontein - Fabriek
Winkelcentrum - Bioscoopcomplex
Jachthaven - Vuurtoren
Telecommunicatietoren
Luchthaven - Metrostation
Busstation
Vervoer per boot :
passagiers en auto's, uitsluitend passagiers
Verwijsteken uitvalsweg : identiek op plattegronden en Michelinkaarten
Hoofdkantoor voor poste-restante - Telefoon
Ziekenhuis - Overdekte markt - Kazerne

Openbaar gebouw, aangegeven met een letter :
A C   Landbouwscharp - kamer van Koophandel
G H J   Marechaussee / rijkswacht - Stadhuis - Gerechtshof
M P T   Museum - Prefectuur - Onderprefectuur - Schouwburg
U   Universiteit, hogeschool
POL   Politie (in grote steden, hoofdbureau)
Vrije hoogte (onder 4 m 50) - Maximum draagvermogen (onder 19 t.)

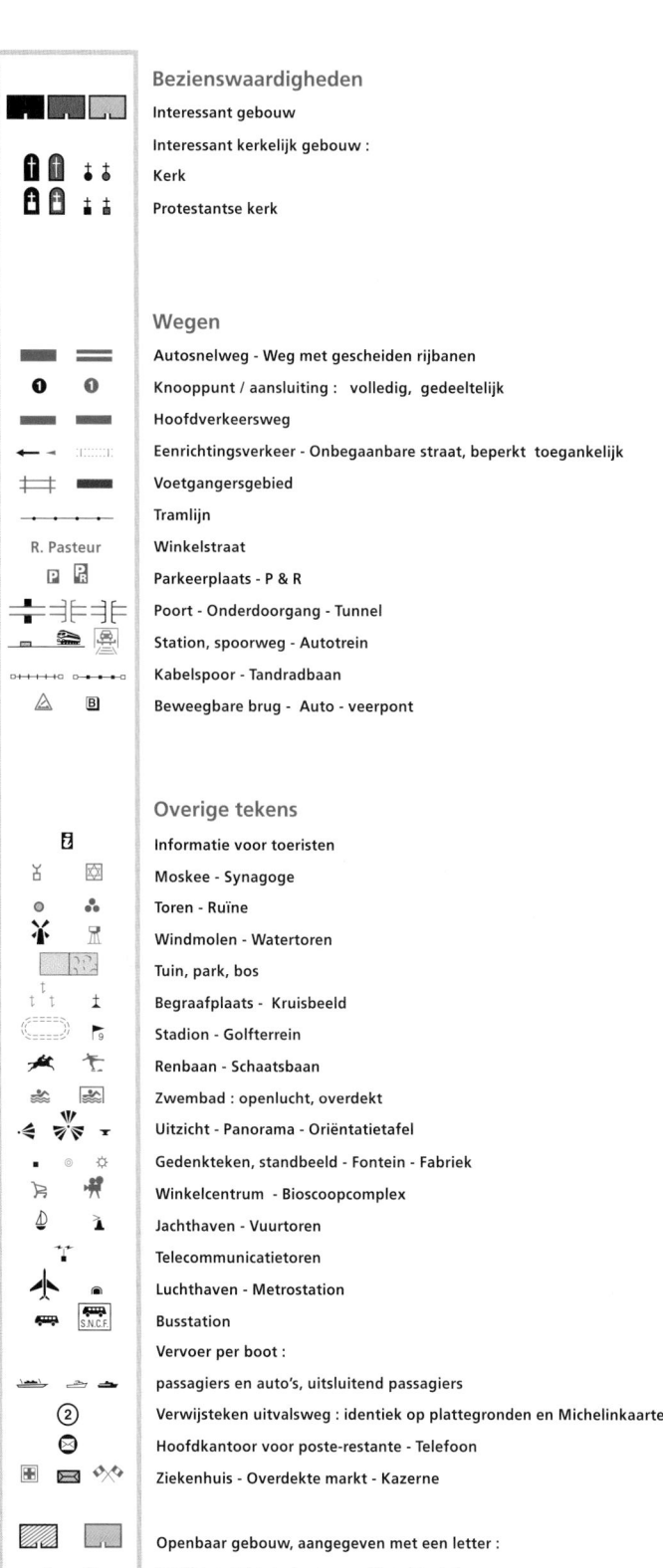

XXXV

LEGENDA

Cartografia

Strade
Autostrada - Stazione di servizio - Area di riposo
Doppia carreggiata di tipo autostradale

Svincoli : completo, parziale
Svincoli numerati
Strada di collegamento internazionale o nazionale
Strada di collegamento interregionale o di disimpegno
Strada rivestita - non rivestita
Strada per carri - Sentiero
Autostrada - Strada in costruzione
(data di apertura prevista)

Larghezza delle strade
Carreggiate separate
4 corsie
2 corsie larghe
2 corsie
1 corsia

Distanze (totali e parziali)
Tratto a pedaggio su autostrada

Tratto esente da pedaggio su autostrada

Su strada

Numerazione - Segnaletica
Strada europea - Autostrada
Strada nazionale - dipartimentale

Ostacoli
Forte pendenza (salita nel senso della freccia)
da 5 a 9%, da 9 a 13%, superiore a 13%
Passo ed altitudine
Percorso difficile o pericoloso
Passaggi della strada: a livello, cavalcavia, sottopassaggio
Limite di altezza (inferiore a 4,50 m)
Limite di portata di un ponte, di una strada (inferiore a 19 t.)
Ponte mobile - Casello

Strada a senso unico - Radar fisso
Strada a circolazione regolamentata
Strada vietata

Trasporti
Ferrovia - Stazione
Aeroporto - Aerodromo
Trasporto auto:
su traghetto
su chiatta (la GUIDA ROSSA indica il numero di telefono delle principali compagnie di navigazione)
Traghetto per pedoni e biciclette

Amministrazione
Frontiera - Dogana

Capoluogo amministrativo

Sport - Divertimento
Stadio - Golf - Ippodromo
Porto turistico - Stabilimento balneare - Parco acquatico
Area o parco per attività ricreative - Circuito automobilistico
Pista ciclabile / Viottolo
Source : Association Française des Véloroutes et Voies Vertes
Rifugio - Sentiero per escursioni

Mete e luoghi d'interesse
Principali luoghi d'interesse, vedere LA GUIDA VERDE
Tavola di orientamento - Panorama - Vista - Percorso pittoresco

Edificio religioso - Castello - Rovine
Monumento megalitico - Faro - Mulino a vento
Trenino turistico - Cimitero militare
Grotta - Altri luoghi d'interesse

Simboli vari
Pozzo petrolifero o gas naturale - Cava - Centrale eolica
Teleferica industriale
Fabbrica - Diga - Torre o pilone per telecomunicazioni
Raffineria - Centrale elettrica - Centrale nucleare
Faro o boa - Mulino a vento - Torre idrica - Ospedale
Chiesa o cappella - Cimitero - Calvario
Castello - Forte - Rovine - Paese tappa
Grotta - Monumento - Altiporto
Foresta o bosco - Foresta demaniale

Piante di città

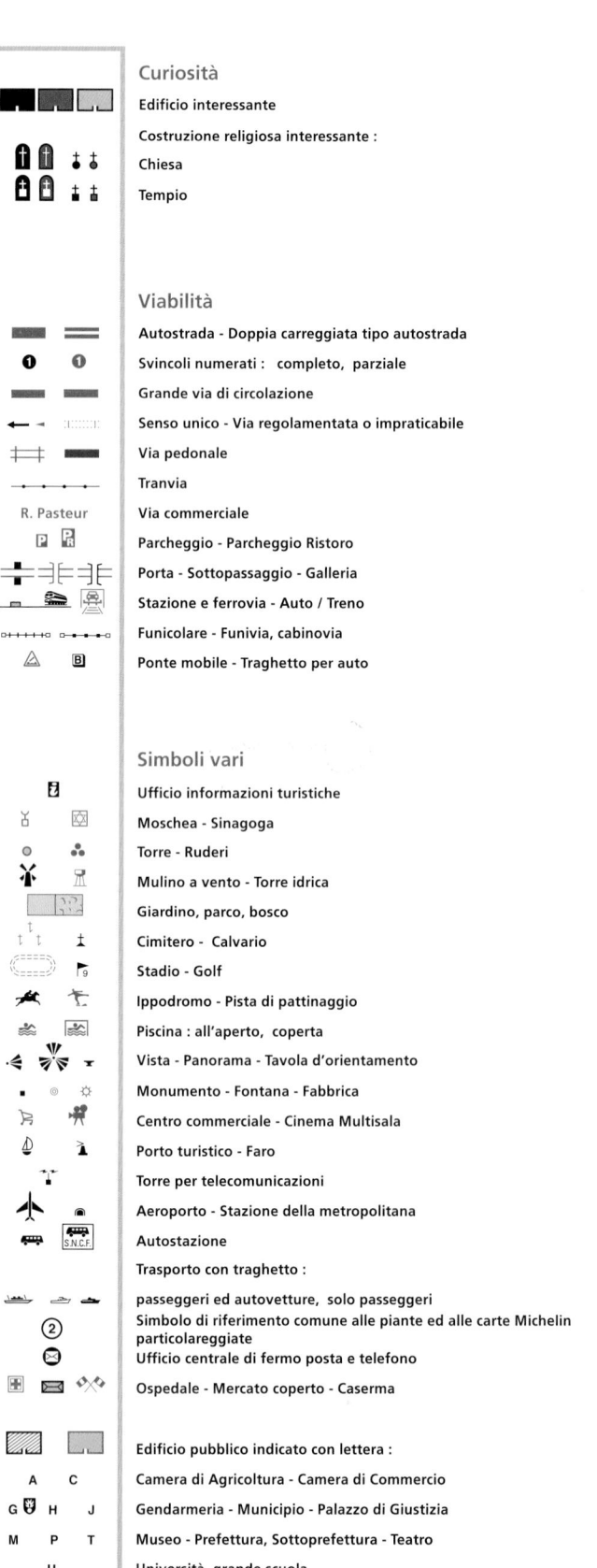

Curiosità
Edificio interessante
Costruzione religiosa interessante :
Chiesa
Tempio

Viabilità
Autostrada - Doppia carreggiata tipo autostrada
Svincoli numerati : completo, parziale
Grande via di circolazione
Senso unico - Via regolamentata o impraticabile
Via pedonale
Tranvia
Via commerciale
Parcheggio - Parcheggio Ristoro
Porta - Sottopassaggio - Galleria
Stazione e ferrovia - Auto / Treno
Funicolare - Funivia, cabinovia
Ponte mobile - Traghetto per auto

Simboli vari
Ufficio informazioni turistiche
Moschea - Sinagoga
Torre - Ruderi
Mulino a vento - Torre idrica
Giardino, parco, bosco
Cimitero - Calvario
Stadio - Golf
Ippodromo - Pista di pattinaggio
Piscina : all'aperto, coperta
Vista - Panorama - Tavola d'orientamento
Monumento - Fontana - Fabbrica
Centro commerciale - Cinema Multisala
Porto turistico - Faro
Torre per telecomunicazioni
Aeroporto - Stazione della metropolitana
Autostazione
Trasporto con traghetto :
passeggeri ed autovetture, solo passeggeri
Simbolo di riferimento comune alle piante ed alle carte Michelin particolareggiate
Ufficio centrale di fermo posta e telefono
Ospedale - Mercato coperto - Caserma

Edificio pubblico indicato con lettera :
Camera di Agricoltura - Camera di Commercio
Gendarmeria - Municipio - Palazzo di Giustizia
Museo - Prefettura, Sottoprefettura - Teatro
Università, grande scuola
Polizia (Questura, nelle grandi città)
Sottopassaggio (altezza inferiore a m 4,50) - Portata limitata (inf. a 19 t)

SIGNOS CONVENCIONALES

Cartografía

Carreteras

Autopista - Estación servicio - Área de descanso

Autovía

Enlaces : completo, parciales

Números de los accesos

Carretera de comunicación internacional o nacional

Carretera de comunicación interregional o alternativo

Carretera asfaltada - sin asfaltar

Camino agrícola - Sendero

Autopista - Carretera en construcción
(en su caso : fecha prevista de entrada en servicio)

Ancho de las carreteras

Calzadas separadas

Cuatro carriles

Dos carriles anchos

Dos carriles

Un carril

Distancias (totales y parciales)

Tramo de peaje en autopista

Tramo libre en autopista

En carretera

Numeración - Señalización

Carretera europea - Autopista

Carretera nacional - provincial

Obstáculos

Pendiente pronunciada (las flechas indican el sentido del ascenso)
de 5 a 9%, 9 a 13%, 13% y superior

Puerto y su altitud

Recorrido difícil o peligroso

Pasos de la carretera : a nivel, superior, inferior

Altura limitada (inferior a 4,50 m)

Carga límite de un puente, de una carretera (inferior a 19 t)

Puente móvil - Barrera de peaje

Carretera de sentido único - Radar fijo

Carretera restringida

Tramo prohibido

Transportes

Línea férrea - Estación

Aeropuerto - Aeródromo

Transporte de coches :

por barco

por barcaza (LA GUÍA ROJA indica el número de teléfono de las principales barcazas)

Barcaza para el paso de peatones y vehículos dos ruedas

Administración

Frontera - Puesto de aduanas

Capital de división administrativa

Deportes - Ocio

Estadio - Golf - Hipódromo

Puerto deportivo - Zona de baño - Parque acuático

Parque de ocio - Circuito automovilístico

Pista ciclista / Vereda
Source : Association Française des Véloroutes et Voies Vertes

Refugio de montaña - Sendero de gran ruta

Curiosidades

Principales curiosidades : ver LA GUÍA VERDE

Mesa de orientación - Vista panorámica - Vista parcial - Recorrido pintoresco

Edificio religioso - Castillo - Ruinas

Monumento megalítico - Faro - Molino de viento

Tren turístico - Cementerio militar

Cueva - Otras curiosidades

Signos diversos

Pozos de petróleo o de gas - Cantera - Parque eólico

Transportador industrial aéreo

Fábrica - Presa - Torreta o poste de telecomunicación

Refinería - Central eléctrica - Central nuclear

Faro o baliza - Molino de viento - Fuente - Hospital

Iglesia o capilla - Cementerio - Crucero

Castillo - Fortaleza - Ruinas - Población-etapa

Cueva - Monumento - Altipuerto

Bosque - Patrimonio Forestal del Estado

Planos de ciudades

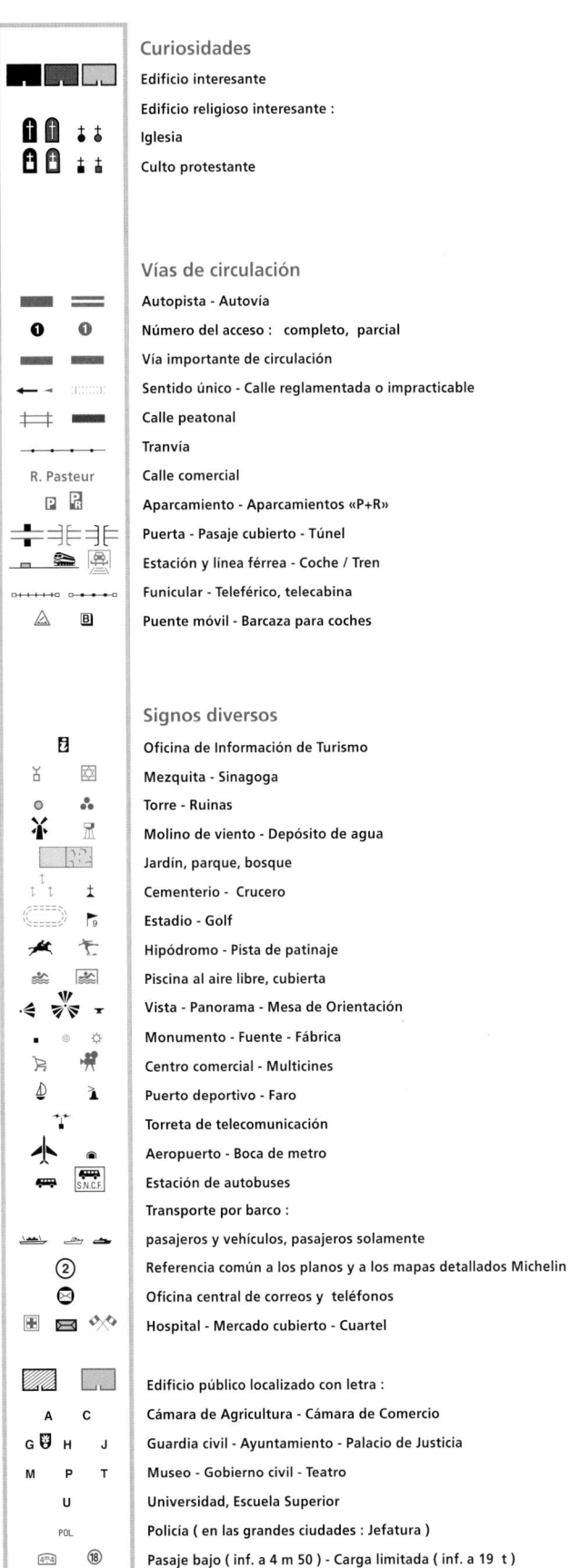

Curiosidades

Edificio interesante

Edificio religioso interesante :

Iglesia

Culto protestante

Vías de circulación

Autopista - Autovía

Número del acceso : completo, parcial

Vía importante de circulación

Sentido único - Calle reglamentada o impracticable

Calle peatonal

Tranvía

R. Pasteur   Calle comercial

Aparcamiento - Aparcamientos «P+R»

Puerta - Pasaje cubierto - Túnel

Estación y línea férrea - Coche / Tren

Funicular - Teleférico, telecabina

Puente móvil - Barcaza para coches

Signos diversos

Oficina de Información de Turismo

Mezquita - Sinagoga

Torre - Ruinas

Molino de viento - Depósito de agua

Jardín, parque, bosque

Cementerio - Crucero

Estadio - Golf

Hipódromo - Pista de patinaje

Piscina al aire libre, cubierta

Vista - Panorama - Mesa de Orientación

Monumento - Fuente - Fábrica

Centro comercial - Multicines

Puerto deportivo - Faro

Torreta de telecomunicación

Aeropuerto - Boca de metro

Estación de autobuses

Transporte por barco :

pasajeros y vehículos, pasajeros solamente

Referencia común a los planos y a los mapas detallados Michelin

Oficina central de correos y teléfonos

Hospital - Mercado cubierto - Cuartel

Edificio público localizado con letra :

Cámara de Agricultura - Cámara de Comercio

Guardia civil - Ayuntamiento - Palacio de Justicia

Museo - Gobierno civil - Teatro

Universidad, Escuela Superior

Policía (en las grandes ciudades : Jefatura)

Pasaje bajo (inf. a 4 m 50) - Carga limitada (inf. a 19 t)

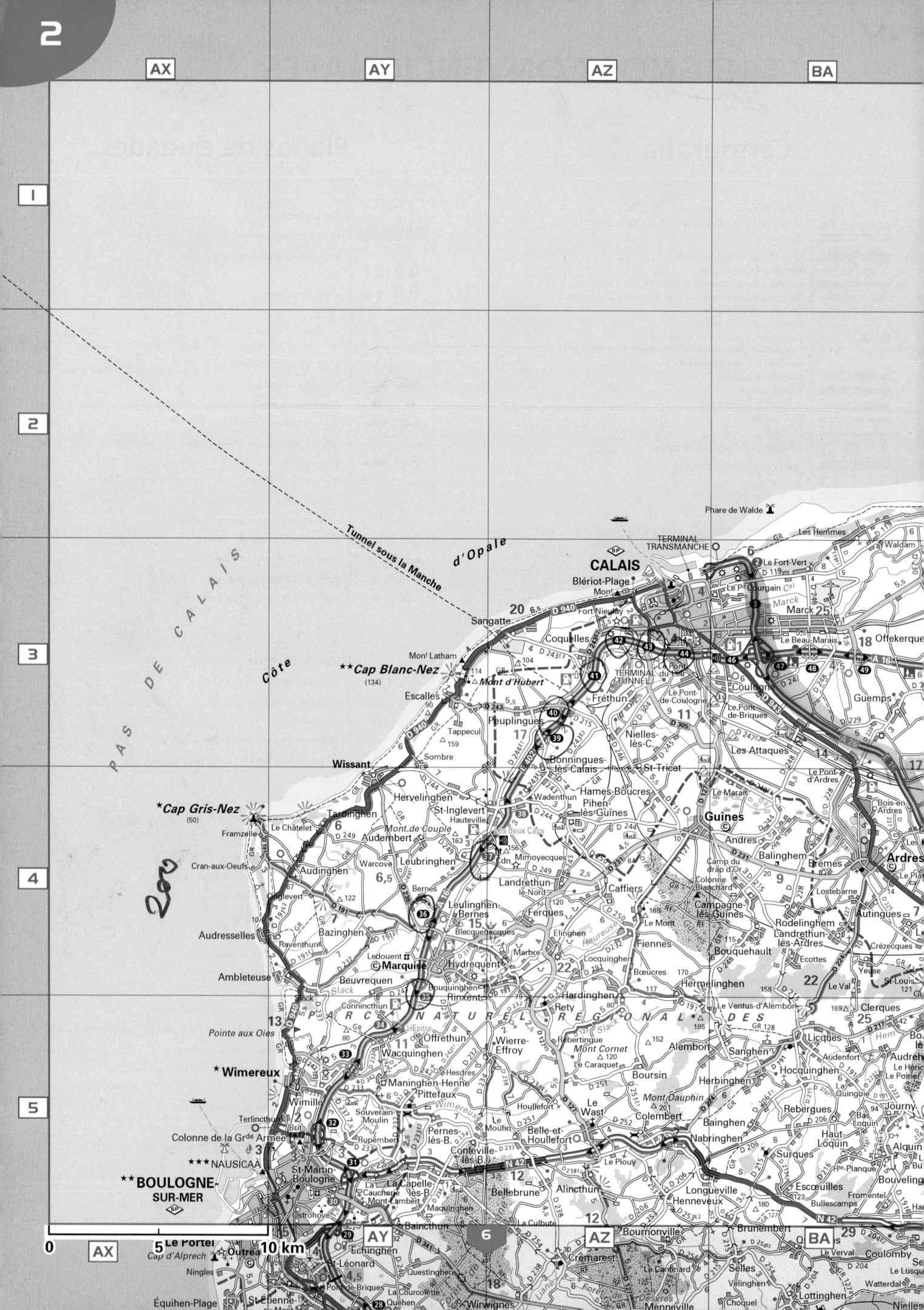

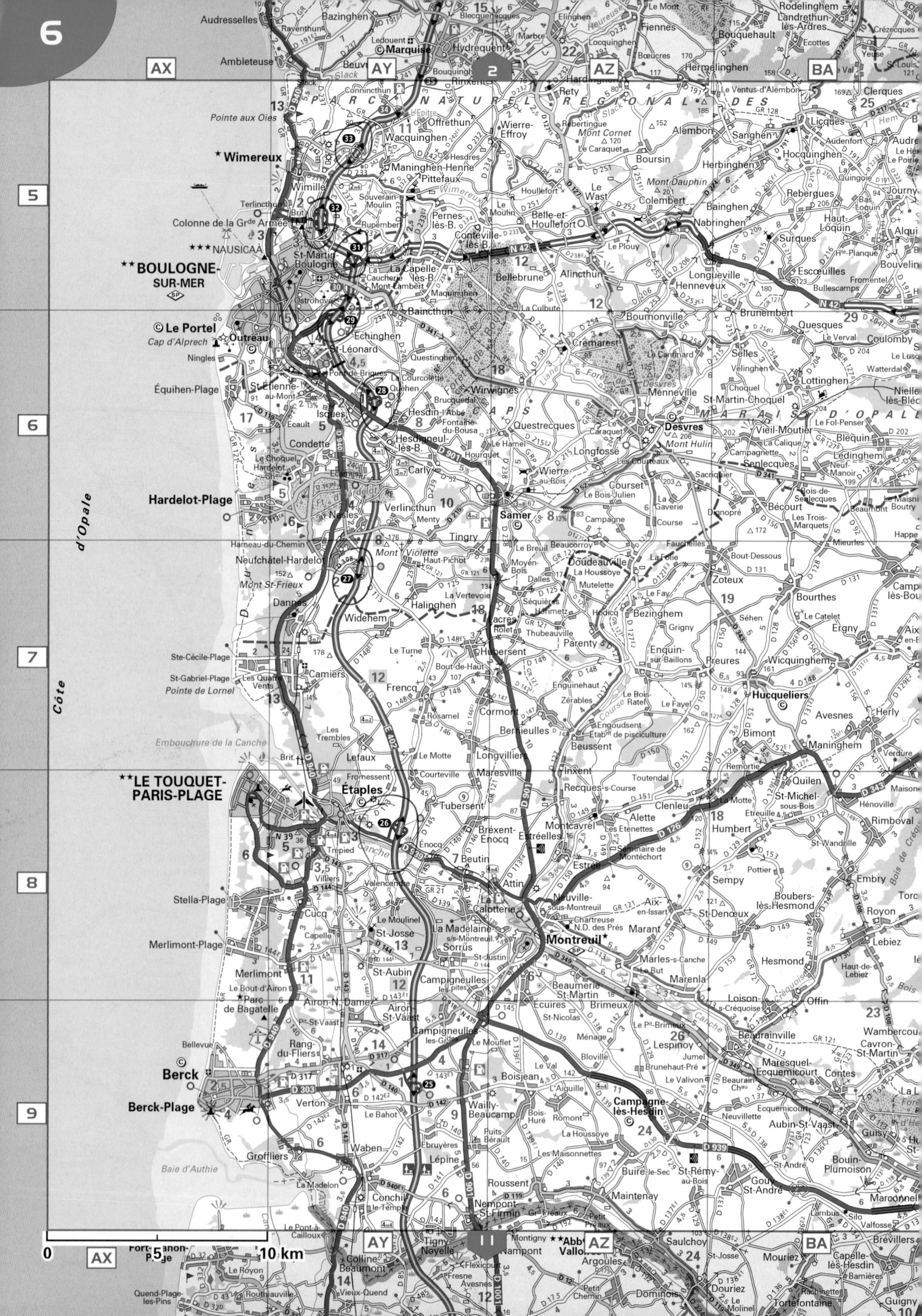

AL AM AN AO

14

15

16

17

18

Fécamp

Criquebeuf-
en-Caux Grainva

Yport

Vaucottes-s-Mer
Vattetot-s-Mer
Aiguille de Belval
Valleuse du Cure **20**
Froberville

Falaise d'Amont
Étretat Bénouville **17**
Falaise d'Aval Les Aygues La Hêtrée
La Manneporte Bordeaux- Les Loges
Cap d'Antifer La Place St-Clair Gerville
8,5 Le Mont-Roti
Jumel **7,5** Le Tilleul **14**
La Poterie Ste-Marie- Pierrefiques Fongueusemare
Cap d'Antifer au-Bosc Beautepaire
Bruneval Villainville Cuverville Sausseuzemare-
Port pétrolier du Les Groseilliers en-Caux
Havre-Antifer **4** Gonneville- Écrainville
Belv.re Beaumesnil la-Mallet **7,5**
Plage de Bruneval **6** Goderville
St-Jouin-Bruneval Criquetot- Borna
La Mare-Goubert l'Esneval **27**
Le Grand Hameau Anglesqueville- l'Esneval
Heuqueville Vergetot La Forge
12 Turretot St-Sauveur- Ma
Buglise Le Coudray d'Émalleville **13**
St-Martin- Écuquetot St-Sauveur Ecosse
du-Bec Goustimesnil
Cauville- Le Bec N.-D.-du-Bec Hermeville Virville
sur-Mer Mannevillette Angerville- St-
Rimbertot Rolleville l'Orcher Graimbouville de la
Ecqueville Café Blanc St-Supplix **12**
St-Barthélémy Manéglise Étainhus La Brière
Fontenay Sainneville La Cour
Octeville- **6,5** Souveraine
sur-Mer Épouville **14** Canyon
St-Andrieux Montivilliers Park Épretot
Dondeneville St-Laurent-
Fontaine de-Brévedent Le
la-Mallet St-Vincent-
Edreville St-Martin- **20** Cramesnil
Le Grand Hameau **10** La du-Manoir St-Au
Demi- Oudalle
34 Lieue Harfleur La Queue
Ignauval Gainneville du Gril **8,5**
Cap de la Hève **10** Gonfreville Rogerville St-Vincent-
Ste-Adresse Sanvic l'Orcher Cramesnil
Graville Chât Sandouville
d'Orcher

AM AN AO

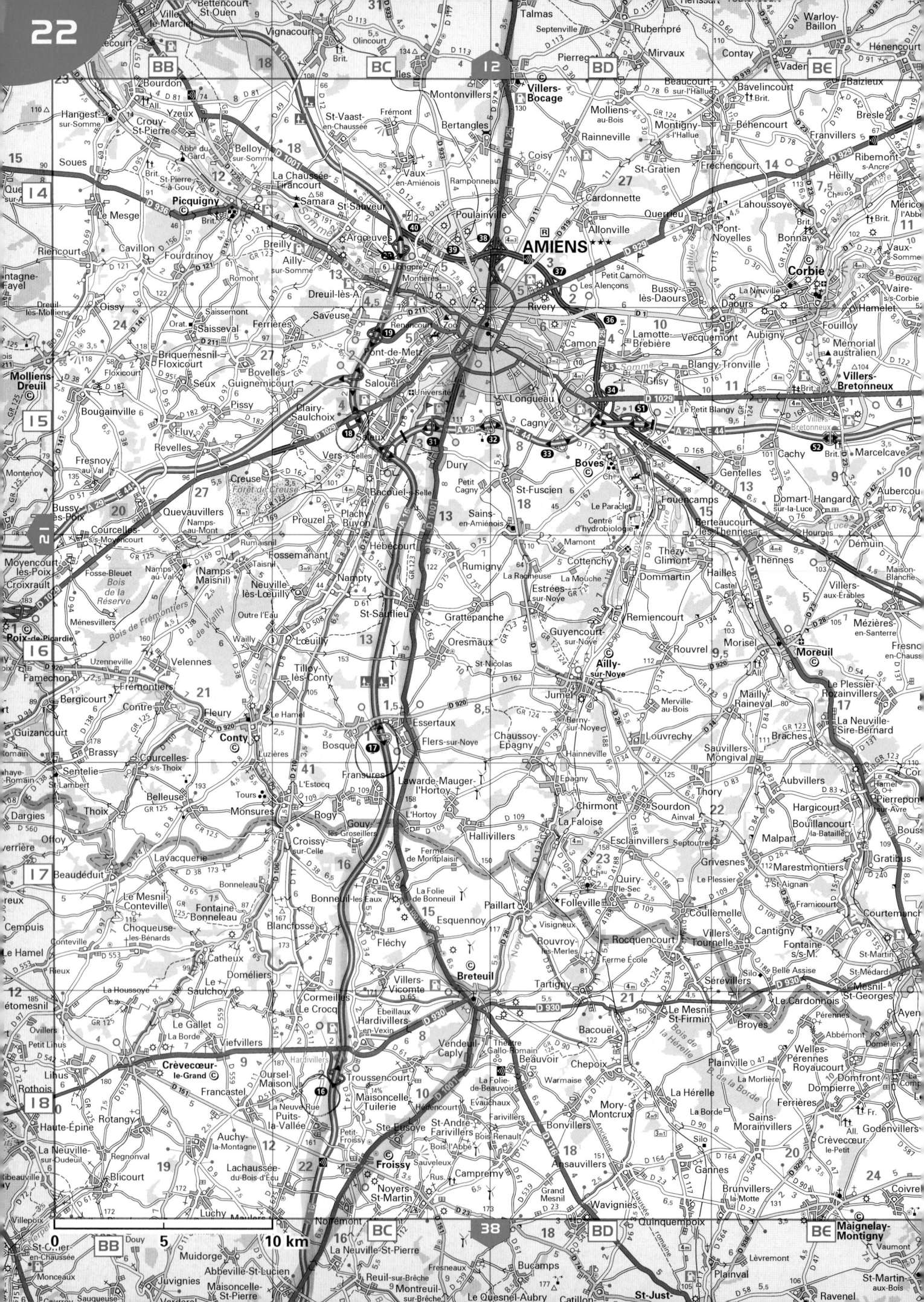

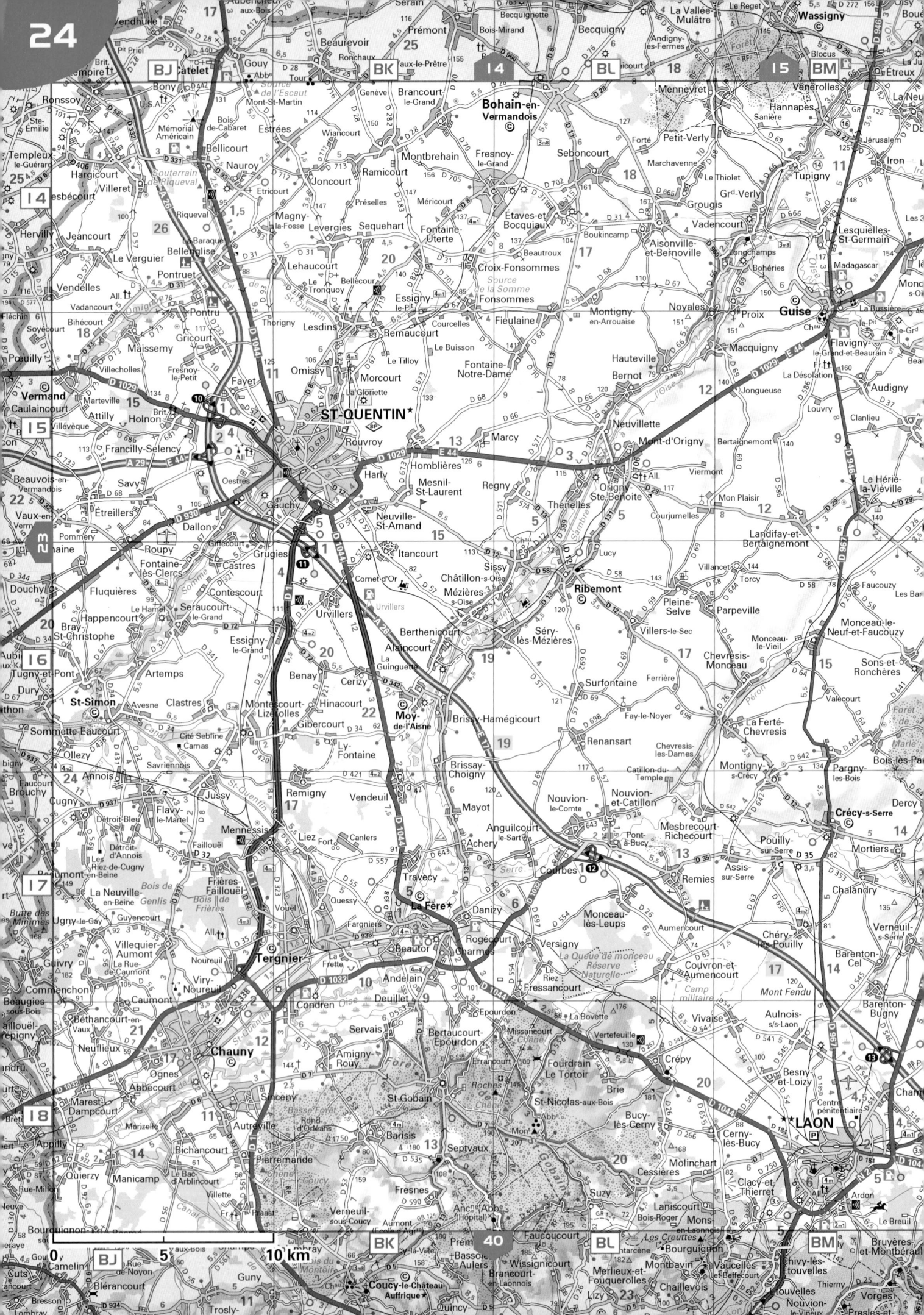

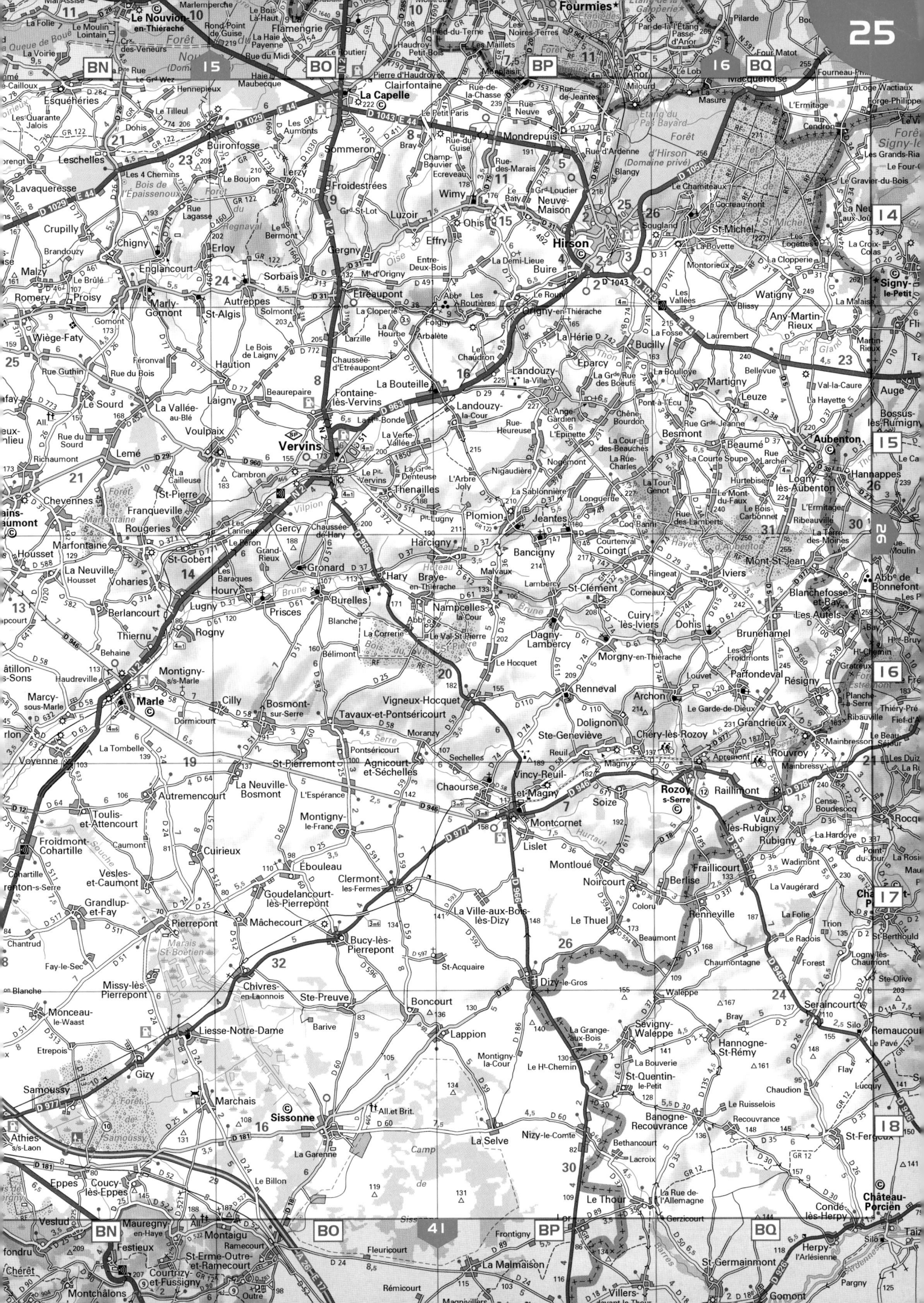

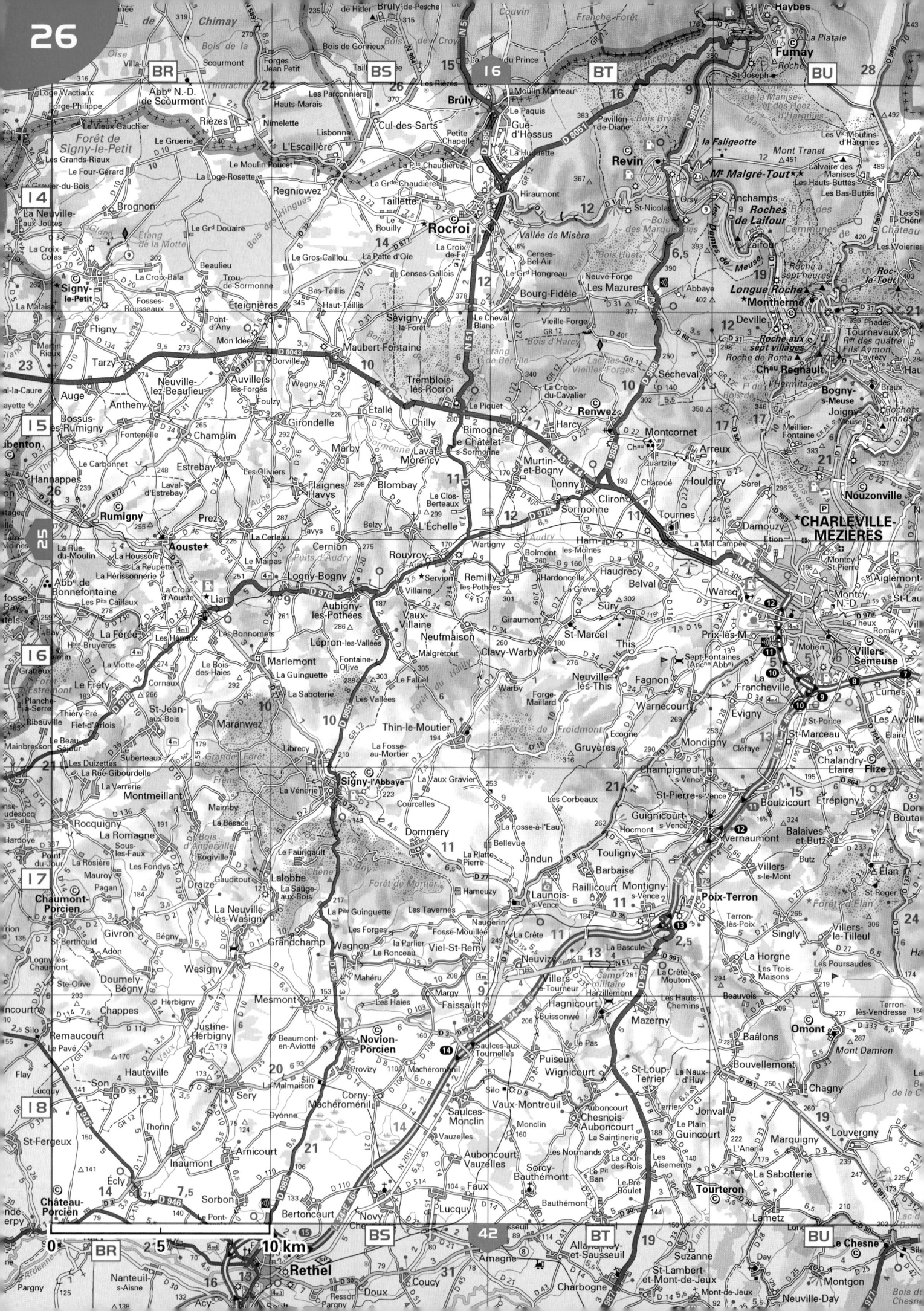

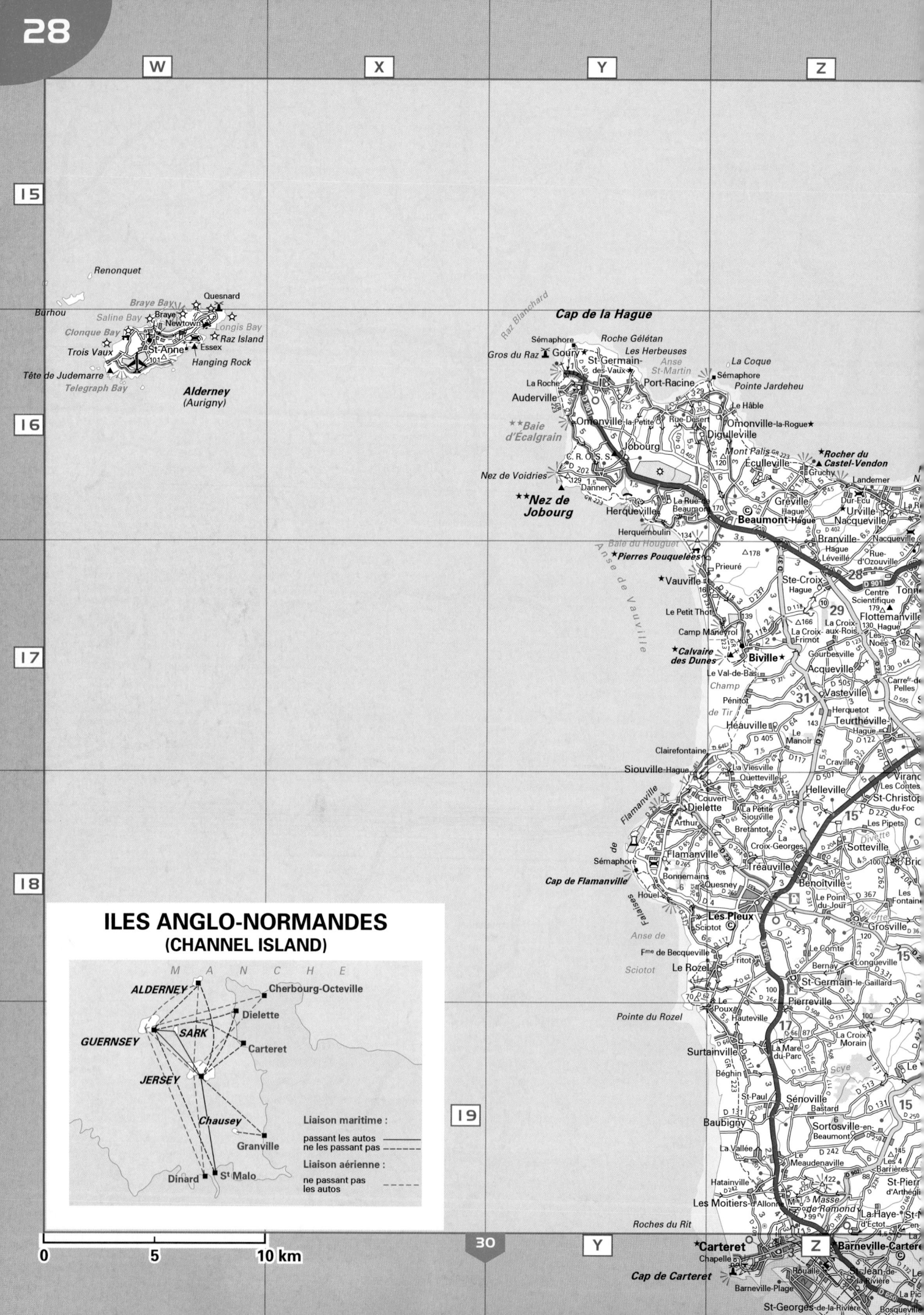

W X Y Z

15

Renonquet
Quesnard
Braye Bay
Burhou
Saline Bay
Braye
Clonque Bay
Newtown
Longis Bay
Essex *Raz Island*
Trois Vaux
St-Anne
Tête de Judemarre
Hanging Rock
101
Telegraph Bay

Alderney
(Aurigny)

16

17

18

ILES ANGLO-NORMANDES
(CHANNEL ISLAND)

M A N C H E

ALDERNEY   Cherbourg-Octeville
                              Dielette
GUERNSEY   **SARK**
                              Carteret
JERSEY

Chausey
                    Granville
Dinard   St Malo

Liaison maritime :
passant les autos ———
ne les passant pas - - - -

Liaison aérienne :
ne passant pas
les autos - - - - -

19

0   5   10 km

Cap de la Hague

Sémaphore   Roche Gélétan
                    Les Herbeuses   La Coque
Gros du Raz   Goury   *Anse*
                    St-Germain-   *St-Martin*
                    des-Vaux   Sémaphore
La Roche   Pointe Jardeheu
Auderville   Port-Racine
                              Le Hâble
                    329
Omonville-la-Petite   Rue-Désert   Omonville-la-Rogue★
Baie   Digulleville
d'Écalgrain   Jobourg   Mont Palis GR 223 ★*Rocher du*
                              Éculleville   Castel-Vendon
                    C.R.O.S.S.   Gruchy   Landemer
Nez de Voidries   D 202   Urville
                    329 1,5   La Rue-de-   1,5   Gréville Nacqueville
★★*Nez de*   GR 223 Dannery Beaumont 170   Branville
Jobourg   Herqueville   Hague-
                    Herquemoulin 134   Léveillé
                    Baie du Houguet 178   Rue-
                    ★*Pierres Pouquelées*   d'Ozouville
                    Anse de Vauville   Prieuré   Ste-Croix   Centre
                    ★Vauville   Hague   Scientifique
                              Le Petit Thot   Flottemanville
                    Camp Maneyrol 139   La Croix- Hague
                                   La Croix-   aux-Rois   Vasteville
                    ★*Calvaire*   Frimot
                    des Dunes   Biville★   Gourbesville
                    Le Val-de-Bas   Acqueville
                    Champ   Carre-
                    Pénitot   Herquetot Pelles
                    de Tir   Teurthéville
                    Héauville   Hague-
                                   Le Manoir
                    Clairefontaine   Craville
                    Siouville-Hague   Helleville   St-Christo-
                    Flamanville La Viesville   du-Foc
                              Quetteville   Les Pipets
                    Couvert   Les Contes
                    Dielette   La   Sotteville
                    de   Arthur   Croix-Georges
                    Bretantot   Tréauville
                    Sémaphore Flamanville   Benoîtville
                    Cap de Flamanville Bonnemains   Quesney
                    Falaises Houel   Le Point-
                    Anse de Sciotot   Les Pieux   du-Jour
                    Sciotot   Grosville
                    Fme de Becqueville   Le Comte
                    Le Rozel   Fritot   Bernay   Longueville
                    St-Germain-le-Gaillard
                    Pointe du Rozel   Pierreville
                    Le
                    Poux   Hauteville
                    Surtainville   La Mare-   La Croix-
                              du-Parc   Morain
                    Béghin
                    Sénoville   Scye
                    St-Paul   Bastard
                    Baubigny   St-Pierre-
                    La Vallée   Le   d'Artheg
                    Meaudenaville
                    Sortosville-en-
                    Beaumont
                    Hatainville   Masse-
                    Les Moitiers-d'Allo   de-Romond   La-Haye-
                    Roches du Rit   d'Ectot
                    ★**Carteret**   Barneville-Cartere
                    Chapelle   St-Jean-de-
                    Cap de Carteret   Barneville-Plage
                    St-Georges-de-la-Rivière

30

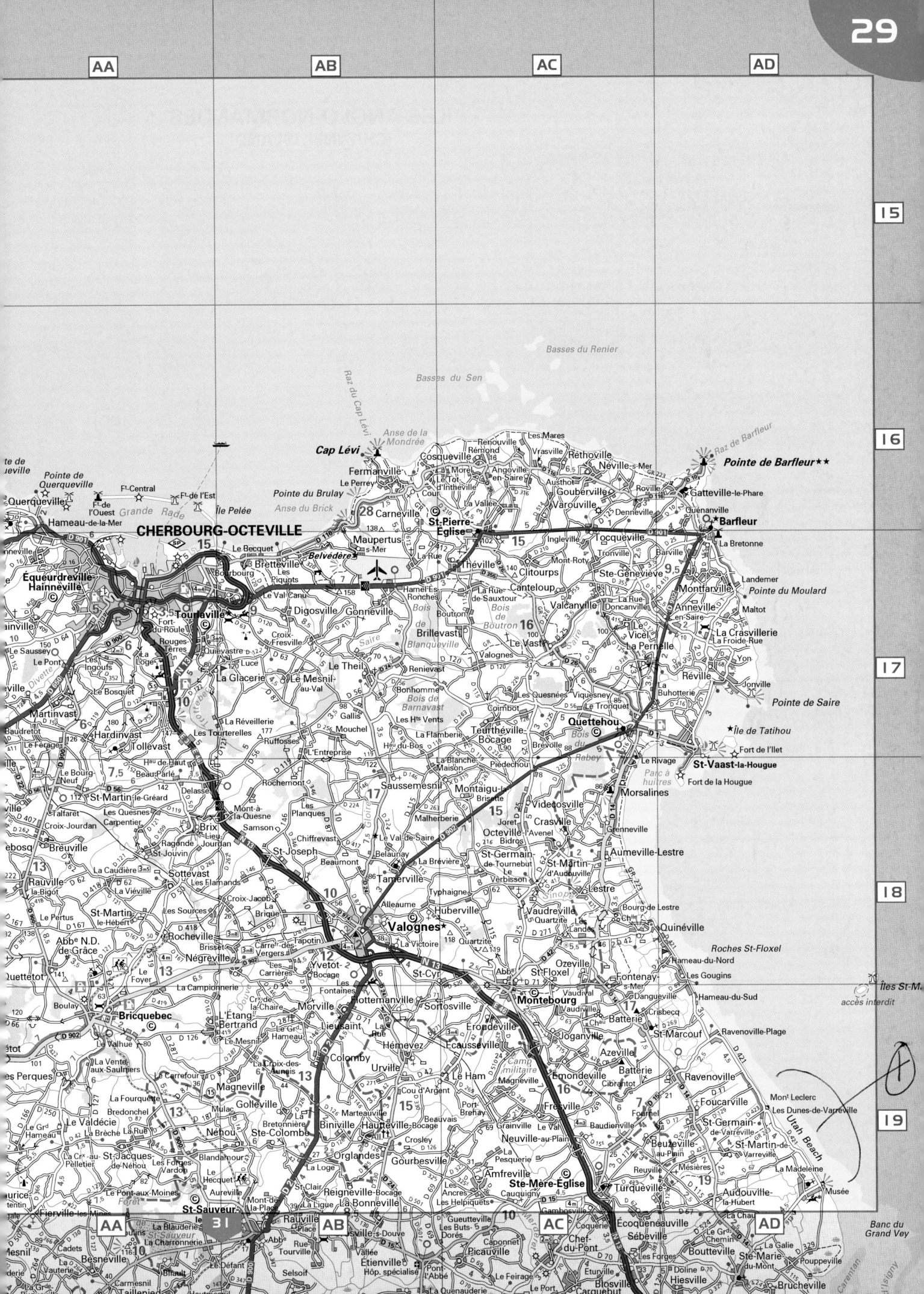

ILES ANGLO-NORMANDES
(CHANNEL ISLAND)

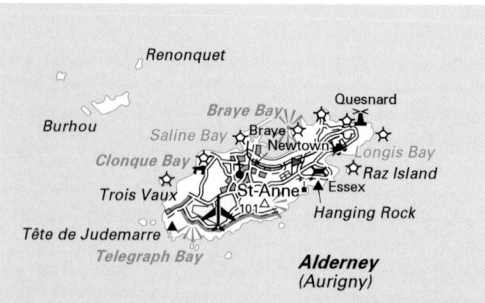

Liaison maritime :
passant les autos
ne les passant pas
Liaison aérienne :
ne passant pas les autos

M A N C H E

ALDERNEY — Cherbourg-Octeville
Dielette
SARK
GUERNSEY — Carteret
JERSEY
Chausey
Granville
Dinard — St Malo

Alderney (Aurigny)

Renonquet
Burhou
Braye Bay · Quesnard
Saline Bay · Braye · Newtown · Longis Bay
Clonque Bay · St-Anne · Raz Island
Trois Vaux · Essex
Tête de Judemarre · Hanging Rock
Telegraph Bay

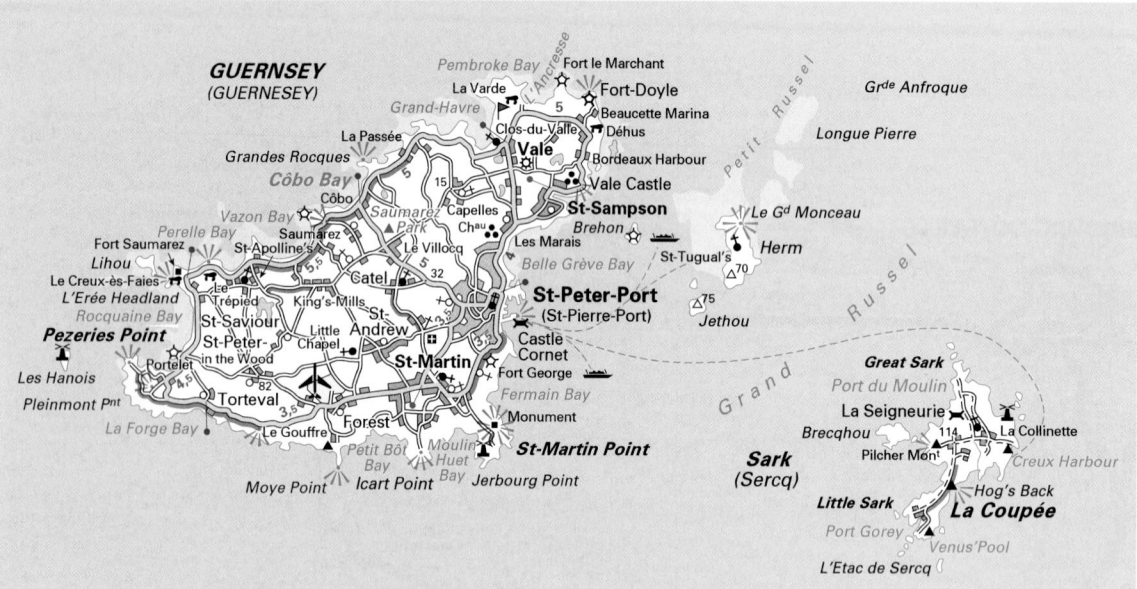

GUERNSEY (GUERNESEY)

Pembroke Bay · Fort le Marchant
La Varde · Fort-Doyle
Grand-Havre · Beaucette Marina
Clos-du-Valle · Déhus
La Passée · **Vale**
Grandes Rocques · Bordeaux Harbour
Côbo Bay · Vale Castle
Côbo · Capelles · **St-Sampson**
Vazon Bay · Saumarez Park · Brehon
Perelle Bay · Saumarez · Les Marais · Herm
Fort Saumarez · St-Apolline's · Belle Grève Bay · Le Gd Monceau
Lihou · Catel · St-Tugual's
Le Creux-ès-Faies · **St-Peter-Port** (St-Pierre-Port)
L'Erée Headland · Trépied · King's-Mills · Jethou
Rocquaine Bay · St-Saviour · St-Andrew
Pezeries Point · St-Peter-in-the-Wood · Little Chapel
Les Hanois · Portelet · **St-Martin** · Castle Cornet
Pleinmont Pnt · Torteval · Fort George · Fort George
La Forge Bay · Forest · Fermain Bay
Le Gouffre · Monument
Moye Point · Moulin Huet Bay · **St-Martin Point**
Icart Point · Jerbourg Point · Petit Bôt Bay

Great Sark
Port du Moulin · La Seigneurie
Brecqhou · La Collinette
Pilcher Mont · Creux Harbour
Sark (Sercq) · Hog's Back
Little Sark · **La Coupée**
Port Gorey · Venus'Pool
L'Etac de Sercq

Grand Russel · Petit Russel · Grde Anfroque · Longue Pierre

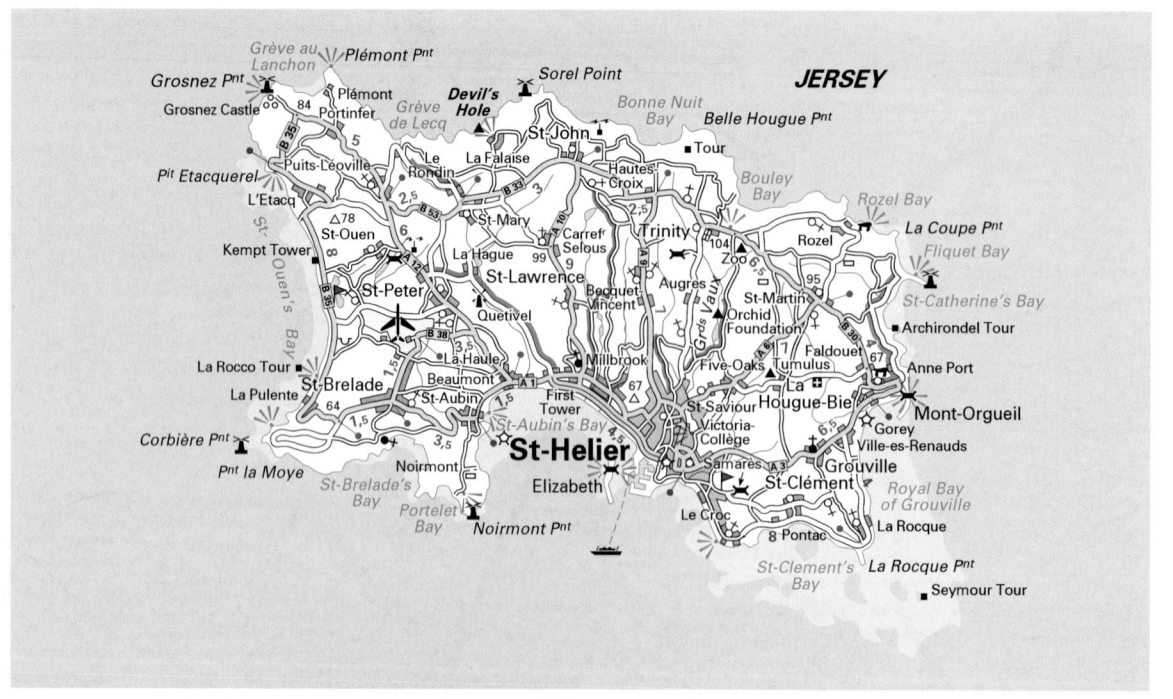

JERSEY

Grève au Lanchon · Plémont Pnt
Grosnez Pnt · Sorel Point · Devil's Hole
Grosnez Castle · Plémont · St-John · Belle Hougue Pnt
Portinfer · Grève de Lecq · Bonne Nuit Bay
Puits-Léoville · La Falaise · Hautes-Croix · Bouley Bay
Pit Etacquerel · Le Rondin · St-Mary · Rozel Bay
L'Etacq · St-Ouen · Trinity · La Coupe Pnt
Kempt Tower · La Hague · Carref Selous · Zoo · Rozel · Fliquet Bay
St-Peter · St-Lawrence · Augres · St-Martin · Orchid Foundation · St-Catherine's Bay
Quetivel · Becquet Vincent · Five-Oaks · Faldouet · Archirondel Tour
La Rocco Tour · La Haule · Tumulus · La Hougue-Bie · Anne Port
Beaumont · St-Aubin · First Tower · St-Saviour · Victoria-College · Mont-Orgueil
La Pulente · **St-Helier** · Samares · Gorey · Ville-es-Renauds
Corbière Pnt · Noirmont · Elizabeth · St-Clément · Grouville
Pnt la Moye · St-Brelade's Bay · Le Croc · La Rocque · Royal Bay of Grouville
Portelet Bay · Noirmont Pnt · Pontac · La Rocque Pnt
St-Clément's Bay · Seymour Tour

0 — 5 — 10 km

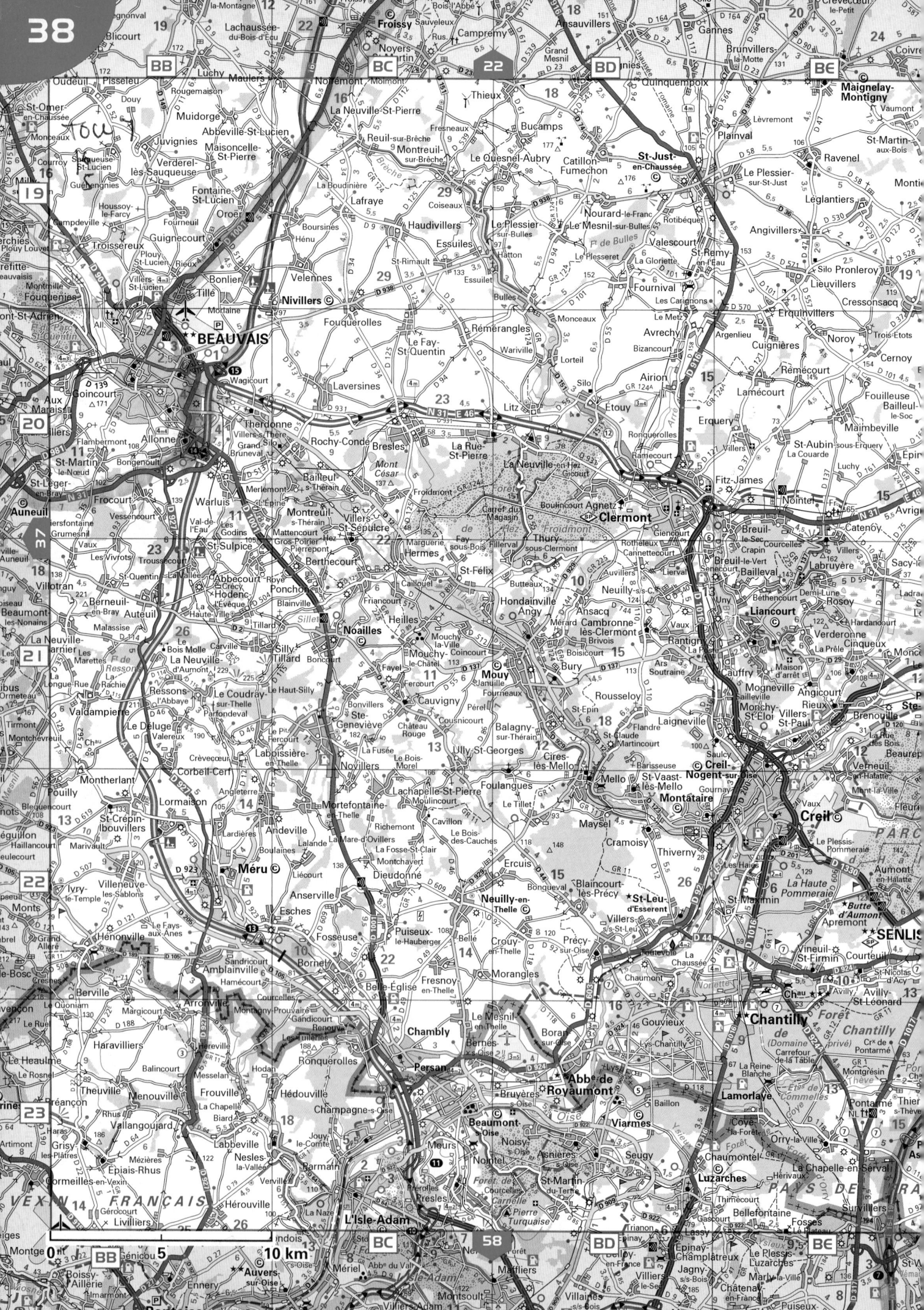

V   W   X   Y

24

25

Chena

Gr^d Romont

Grande Île   Île Lo

26

D ' É M E R A U D E

La Pierre de He

Cap Fréhel ★★

★★ **P^{nte} du Grouin**

P^{te} du Meinga   Les Tintiaux   Îles des Landes

27

C Ô T E

Les Haies de la Conchée

Île Du Guesclin   Le Verger   Port-Mer

★★★ C Ô T E

Rochers sculptés   La Guimorais   **23**   Port-Mer Basse-Cancale

Rothéneuf   Le Lupin   Le H^t Pays   St-Jouan   Port-Briac

Fort la Latte ★★   Île de Cézembre   P^{te} de la Varde   La Mare 4,5   Îles des Rimains

La Latte   Roche-Lossoye   GR 34   Le Minihic   1,5 29   44   **St-Coulomb**   Pointe de la Chaîne

Le Grd-Jardin   St-Vincent 3   D 355   **14**   Pointe du Hock

★★★ **ST-MALO**

Plévenon   St-Géran   Île Harbour   Rochebonne   St-Ideuc   **Cancale** ★

Le Meurtel   L'Isle   **Paramé**   Le Gué   La Croix-   Les Portes
Blanche   Rouges

Pointe de St-Cast   P^{nte} de la   P^{nte} du   Croix-Desilles   La Beuglais   Terrelabouët

La Ville-Norme   Garde Guérin   Décollé ★★ **DINARD**   **11**   La Coudre

La Baillie   Île Agot   **14**   **St-Lunaire** ★   Grand-Frotu   La Massuère   **5**

St-Cast-le-Guildo   Plage du   St-Enogat   La Buzardière

Notre-Dame   Port-Huet 48   St-Méloir-des-Ondes

St-Germain   P^{nte} de la Garde   Île Ébihens   La Chapelle   **2,5**   P^{te} de   St-Servan-s-M.   **10**

Trecaradeuc   La   La Fosse   La Fourberie   la Vicomte   **Gr^d Aquarium** ★★   **5,5**   St-Benoît-des-Ondes

Pen-Guen   Le Bourg   Chapelle   La   **6**   Le Pont   Château-Malo   La Roche

Plébouille   **8**   La Cour   **St-Briac-s-Mer**   La Ville-Agan   St-Jouan   La Gouesnière

La Chesnay   P^{nte} du Cheyet   Lancieux   **5,5**   des-Guérets

L'Hôpital   Ste-Brigitte   Plage du   La Madeleine   Vildé-la-Marine

28   Rougeret   La Ville-aux-   Usine   La Quémière

Le Biot   Prévatais   Monniers   marémotrice   Montmarin   **8**   **8,5**   La Fresnais   Hirel

Quatre   Richardais   Le Bos   St-Père   Mirlange

Vaux   **St-Jacut-**   Biord   **7,5**   **13**   **6** Pleurtuit   La Jouvente   La Ville-   **de-la-Mer** ★   La Meittrie   La Landriais   La Guéhairie

Pierres   Beaussais   Les Gastines   St-George   Croix   Les Turne

St-Gallery   Sonnantes   La Ruais   Le Minihic-   Trégondé   La Pigassière

La Croix-   N.-D.   Kergoat   sur-Rance   St-Suliac   Le Roblin

aux-Merles   du Guildo   **Ploubalay**   Giclais   La Motte   St-Guinoux

Brousse   **8**   **8**   La Ville   Trégon   La Ville   Mont   **Châteauneuf-**

Le Kerpont   Ville-Briend   Le Guildo   **79**   Garro   **d'Ille-et-Vilaine**   Lillemer

St-Pé   **5**   **10 km**   W   X   **11**   Y   **12**

12   V   **5**   **11**   ★**Dol-**

★★ **Cap Fréhel**   **de-Bretagne**

N 176·E 401   Roz-Landrieux

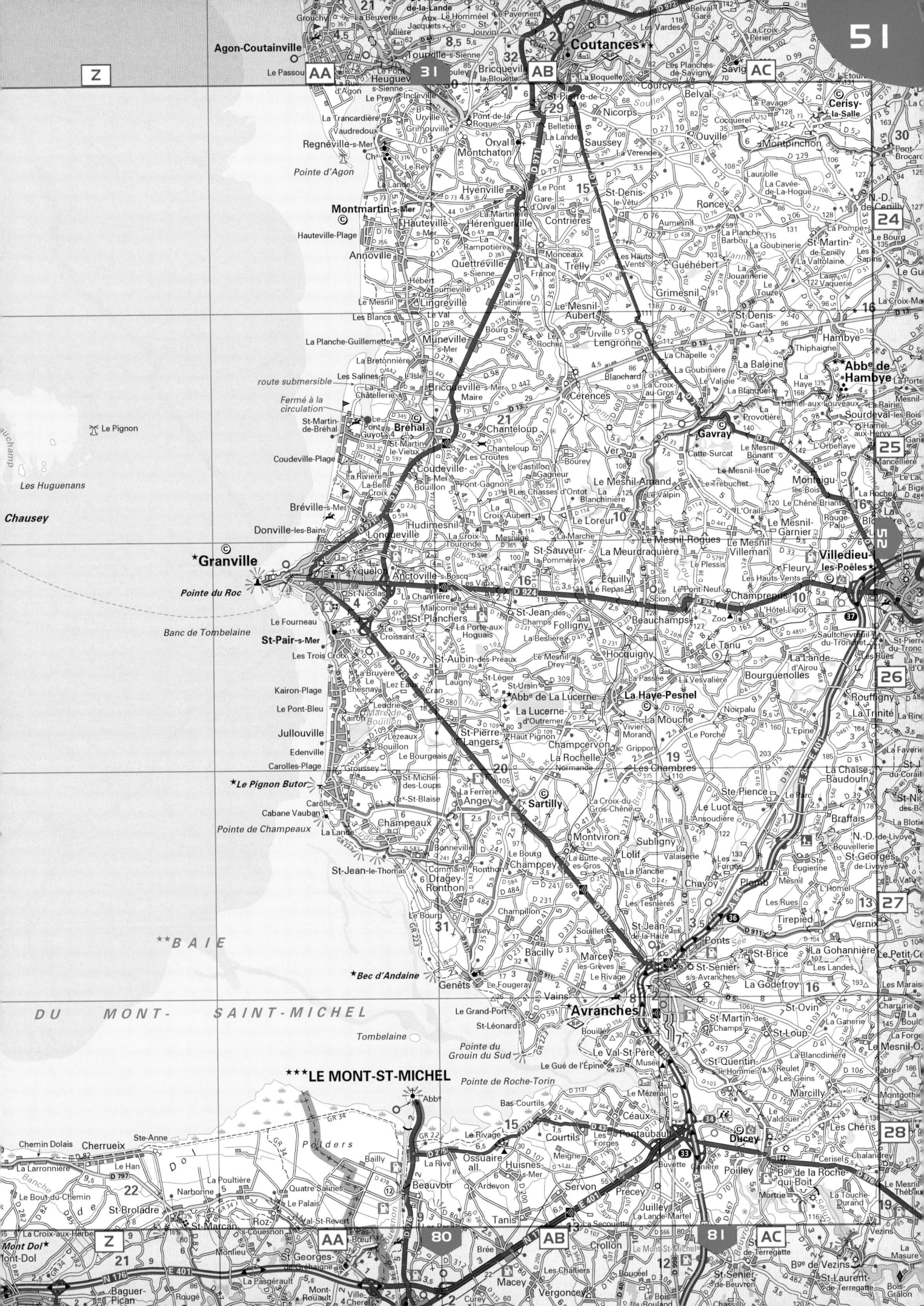

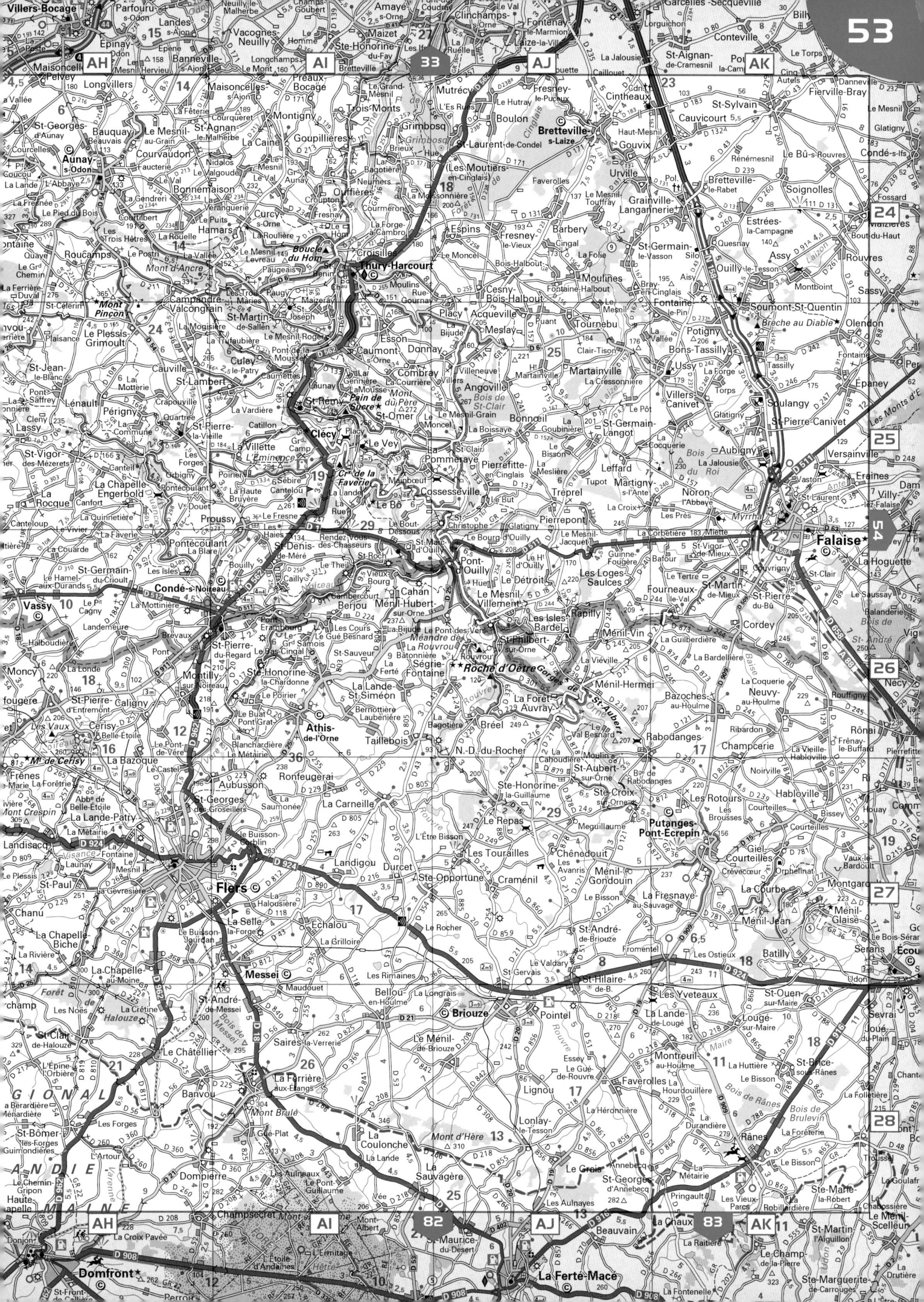

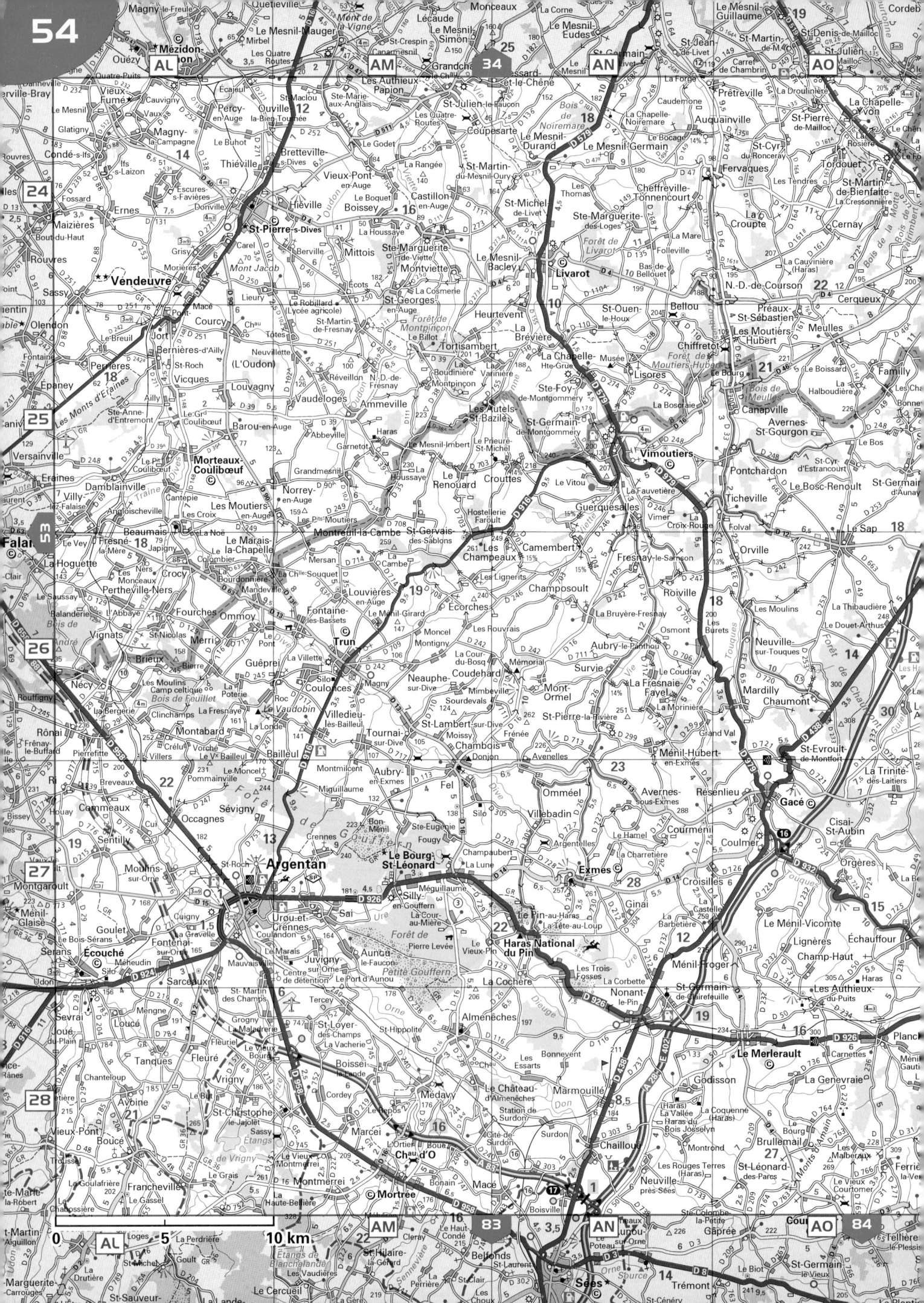

C   D   E   F

24

25

26

Pointe de Po

Plateau
d'Amand ar Ross   Karrec-Hir   Ménéham   Ke
Chape
Boutrouilles   La Digue   Théver

L'Île Vierge   Neis-Vran   St-Egarec   Rudoloc   Lanhir
Le Libenter   Î. Stagadon   La Grève   St-Michel   Nodéven   Trégue
Chenal de l'Aber Wrac'h   Î. Venan   Blanche   Île Penenès   Grève du   Curnic
Kelerdut   Vougot   Guissény   Kerbrezant
Lilia   Église   Iliz-Koz   Grève de   Etg du
Î. de la Croix   Î. Vrac'h   St-Cava   D 71   Lanvaon   Zorn   Kerhornaouen
Presqu'île de St-Marguerite   Î. Cézon   Perros   Lanvaon   Kervaro   Kerouarte   Keroudern   20   Brendaouez   Laveng
Île Guenioc   Dunes   Î. d'Erch   Fort   Plouguerneau   Croas-ar-Gall   D 25   Ro
Poullo   B.   Ste-Anne   61   Antéren   St-Frégant   Kern
Î. du   Île   Î. Tariec   des Anges   L'Aber-Wrac'h   62   Kerdélant   Lanneunval   Kéradennec   Guique
Rosservor   Bec   Trevors   Î. Garo   St-Antoine   Le Grouanec   Penmarch   Kergole
Corn Carhai   Brouënnou   4 Gouvent   Aber   D 32   65   Lannébeur   Kernilis   Kersaint
Île Carne   Tumulus   Dunes de   Landéda   St-Pabu   Wrac'h   Prat-Paul   Diouris   16   67   Croas-
Porsguen   Corn-ar-Gazel   Prat-ar-Coum   Croix-Rouge   Kerouartz   Pellan   Kerzu
Île Verte   Treompan   Lampaul-   L'Annilis   Moulin-du-Châtel   Loc-Brévalaire   Lanvélar
Trémazan   Ploudalmézeau   Aber Benoît   Menez-Bras   Kérarédeau   Le Folgoë
St-Samson   Portsall   St-Pabu   52   3   Tariec   Kérouné
Pointe de Landunvez   Bar-ar-Lan   Streat-   49   D 28   40   Tréglonou   Kergrac'h   Lanarvily
St-Gonvel   Kerlanou   Vêur   13   48   Plouvien   Landouzan   Le Drenn
Penfoul   10   Kersaint   Ploudalmézeau   Kerantour   61   St-Jaoua   St-Jean-
Le Four   Île d'Iock   Landunvez   St-Roch   Kernevez   D 59   Balanant   Locmaria
Argenton   14   D 28   D 26   Plouguin   Kérivinoc   Kerdalaes   D 38   Pentreff
Presqu'île   Kergastel   Kerouslat   Plourin   Trémobian   18   Breventec
St-Laurent   D 68   St-Roch   Couloudouarn   Coat-Méal   Le Leuhan   Coal-Elez   Lestanet
Porspoder   Larret   13   Tréouergat   St-Urfold   Bourg-Blanc   Plabennec   Keranguev
Les Liniou   Kergadiou   74   Pen-an-Dreff   13   Fuzor
Île Melon   Melon   Bréles   15   Guipronvel   Tollan   23   Lanorven   Lesquelen   Lannon
15   Lanildut   Kergroadès   Lanrivoaré   Les Trois Curés   13   Tumulus   22   Keralias
Rocher du Crapaud   Brescanvel   Milizac   Kergoat   Mendy   Lanvélar   12
Grève de   Kéranflech   Kérivot   Gouesnou   Kersaint-
Gouérou   Lampaul-Plouarzel   St-Eloi   Lokornou-Vian   Kervalguen   Plabennec
Porspaul   2,5   12   St-Divy
Les Plâtresses   Île Ségal   Trézien   St-Renan   Kervao   Pen-

Pointe de Corsen   Ty-Colo   Guilers   Bohars   Tromeur   La Haye
Porsmoguer   Lamber   Loscoat   Guipavas   La For
Grève de   Cohars   Langongar   Trégorff   Grand-Kervao   Lambézellec   Landern

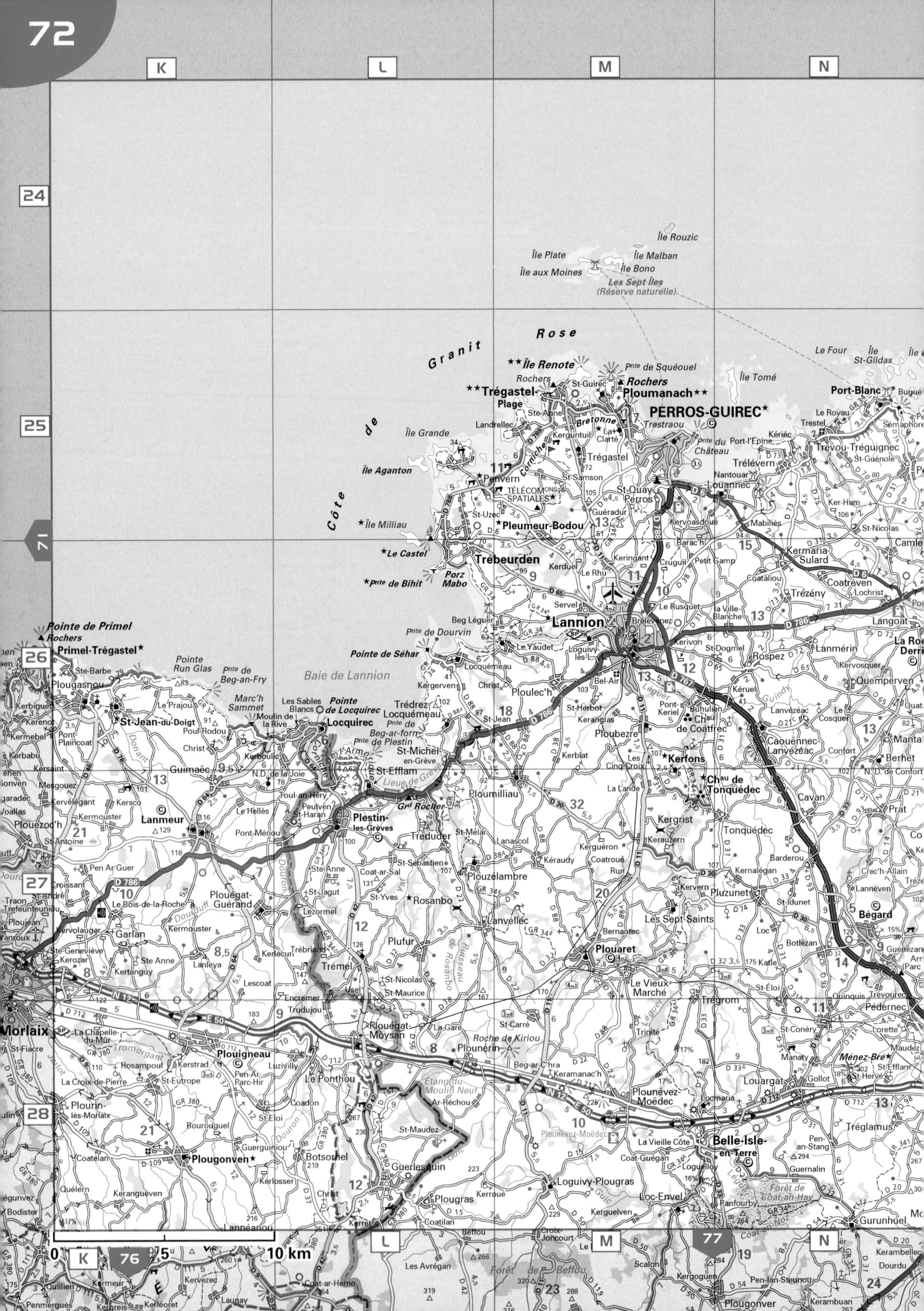

K L M N

24

Île Rouzic

Île Plate
Île aux Moines
Île Malban
Île Bono
Les Sept Îles
(Réserve naturelle)

Le Four
Île
St-Gildas
Île

Granit

Rose

25

Pnte de Squéouel

Île Tomé

Port-Blanc ★
Bugé

★★ Île Renote
Rochers
St-Guirec
Rochers
Ploumanach ★★
Le Royau
Trestel

Sémaphore

Côte
de

★★ Trégastel-
Plage
Ste-Anne
Bretonne
Trestraou

PERROS-GUIREC ★
Trestreven
Kériéc
Port-l'Épine

Trévou-Tréguignec
St-Guénolé

Landrellec
Kerguntuil
La
Clarté

71

Île Grande
34

Trégastel
St-Samson
72

Pnte du
Château
Port-l'Épine

Louannec
Nantouar

Ker-Ham
106

St-Nicolas

Île Aganton

Penvern
TÉLÉCOM
SPATIALES
ons
105

St-Quay-
Perros
64,5

Kervoasdoue
Barac'h

94

Kermaria
Sulard

D 6

Coatréven
Lochrist

★ Île Milliau
St-Uzec

Guéradur
Pleumeur-Bodou
13
51

Keringant

Cruguil
Petit Gamp

Coataliou

Trézény
31

Langoat
35

La Ro
Derri

★ Le Castel

Trébeurden
Kerduel
Le Rhu

15
La Ville
Blanche

D 786
D 65
Servel
Le Rusquet

Porz
Mabo
★ Pnte de Bihit

9
99

11
Keringant

10
Kerivon

13
Dogmel
Rospez

Lanmérin
Kervosquer

Quemperven

Beg Léguer

Pnte de Dourvin
Le Yaudet
Loguivy-
lès-L

Brélévenez
LANNION

12
Kéruel
Buhulien
Lanvézéac
Le
Cosquer

13
82

Pointe de Primel
★ Rochers
Primel-Trégastel ★

26

Ste-Barbe
Plougasnou

Pointe
Run Glas
Pnte de
Beg-an-Fry

Baie de Lannion

Locquémeau
Christ
Ploulec'h
103
Bel-Air

Pont-
Keriel
13,5
D 767

Caouënnec-
Lanvézéac

N. D. de Confort

Manta

Berhet

Le Prajou
Marc'h
Sammet
Les Sables
Blancs
Pointe
de Locquirec
Trédrez
Locquémeau
102

D 88
St-Jean
D 786
18

Kerganglas
St-Herbot
Ploubezre
Chau
de Coatfrec

Kéruel

D 21

13

Kerbiguet
Kerenou
St-Jean-du-Doigt
Poul-Rodou
91

Moulin de
la Rive
N.D. de la Joie
78

St-Michel
en-Grève
Kerblat
Les
Cinq-Croix
Kerfons ★

Chau de
Tonquédec

Cavan

Pont-
Plaincoat
Christ
Kerboulic

Locquirec
Armo
Pnte de
Pnte de Plestin
Guimaëc ★
9,5

Coat-ar-Sal
Grd Rocher
St-Efflam
Lieue de Grève
Ploumilliau
La Lande
Kergrist

Tonquédec
Barderou

Prat

Co

13
Lanmeur
△129
116
Le Hellès
Poul-an-Héry
St-Haran
Plestin-
les-Grèves
100
Tréduder
Ste-Anne

St-Mélar
Lanascol
D 30
32
Kerguéron
Coatroué
Rut
Kernalégan
Pluzunet
Crec'h-Allain
Lanneven

Trézé

Plouzoc'h
21
St-Antoine
118
Kersco
Kermouster

St-Sébastien
Coat-ar-Sal
107
Plouzélambre
Kéraudy
D 11
Les Sept-Saints
D 33
20
Kervern
△ St-Idunet
D 30

5
Bégard

27

Croissant
St-André
Le Bois-de-la-Roche
10
D 786
Plouégat-
Guérand
Lezormel
St-Jagut
131
St-Yves
Rosanbo ★
Lanvellec
Bernantec
Loc
D 7A
Botlézan
120
15%

14

Treffeunteuniou
Ploujean
anroux

Kervolaugar
Garlan
Kermouster
8,5
Lanleya
Kerlecuri
126
Plufur
Trébriand
Trémel

12
Plufur
Rosanbo
GR 34A
D 11

Plouaret
4
Le Vieux-
Marché
32 3,5
175 Katle
D 93

Guénezan
Arr
Parc

9

Ste-Geneviève
Kerozar
Ste Anne
Kertanguy
Lescoat
147
Usel
St-Nicolas
St-Maurice
167
Roche de Kiriou
170
Trégrom
Quinquis
Trévourec

8
△ 122
N 12
Trudujou
9
183
La Gare
Plounérin
3m8
St-Carré
4m3
Trinité
St-Éloi
D 31A
St-Conéry
11
Pédernec

Morlaix
St-Fiacre
La Chapelle-
du-Mûr
D 712
E 50
Tromorgant
Plouégat-
Moysan
D 712
Beg-ar-Chra
Keramanac'h
N 12
182
17%
Manaty
Ménez-Bré
302 ★ St-Efflam
St-Hervé
Louargat
Maudez

28
Plourin-
lès-Morlaix
110
Rosampoul
Kerstrad
Pen-Ar-
Parc-Hir
Luzivilly
Le Ponthou
D 712
Ar-Réchou
Plounévez-
Moëdec
17%
Locmaria
Gollot
D 712
13
Tréglamus

La Croix-de-Pierre
St-Eutrope
GR 380
Coadon
10
N 12
E 50
228
La Vieille Côte
Coat-Guégan
△ 294
Pen-
an-Stang

Guernalin
Forêt de
Coat-an-Hay

21
Bourouguel
Guerguiniou
Botsorhel
219
St-Maudez
236
Plounévez-Moëdec
Loguilloy
16%
L'oc-Envel

264
262

Plougonven ★
D 109
Kerlosset
Guerlesquin
223
Loguivy-Plougras
Panfourby
Gurunhuel
△ 284

Quélern
Keranguéven
Christ
Kerroué
Plougras
Coatilan
Kerguelven
Kerambellec
Dourdu

GR 380
216
Lannéanou
Croix-
Joncourt
Beffou
Kerret
Coat-ar-Herno
264
Pen-lan-Steunou

0   5   **10 km**

K 76 L M **77** N

19

23

Forêt de Beffou

319
320
288
54
24

Plougonver
Kerambuan

O   P   Q   R

24

25

26

27

28

Pointe du Château
Le Gouffre   Pors-Bugalez   Pors-Hir   Îles d'Er
Anse de   Île Loaven
Pors Scaff   Plougrescant   Créac'h Maout   Québo   Lanéros
Le Roudour   Port-Béni   Larmor   Île Maudez   Le Rosédo   Le Paon★
Quatre-Vents   Kergrec'h L'Île à la Poule   Pleubian   Kermagen   Pleubian   Sémaphore
St-Gonéry★   Kerbors   St-Antoine   La Corderie   Île de Bréhat★★
La Roche Jaune   Kerdallec   Lanmodez   St-Michel   Le Bourg
Keralio   Bellevue   Pommelin   Phare de la Croix   Île Logodec
Plouguiel   Pleumeur-Gautier   Île à Bois   Kermouster   Port-Clos   Grève du Guerzido
St-Adrien   Loguivy-de-la-Mer   L'Arcouest   Pointe de l'Arcouest★★
Tréguier   Le Bodic   Lannevez   Launay
Trédarzec★★   Le Guiler   Perros-Hamon
Minihy-T   Lézardrieux   Kerfoury   Ploubazlanec   Pors-Éven
Ste-Anne   La Croix-Neuve   École de Trieux   Kerroc'h   Île St-Riom
St-Nicolas   Camarel   Tour   Paimpol   Roches du Roho
Langazou   Pouldouran   Kergrist   Kérity   Pte de Guilben   Île Lemenez   Mez de Goëlo   Côte du Goëlo
Troguéry   Pleudaniel   Plounez   Abbe de Beauport★   Pointe de Bilfot★
Hengoat   Lancerf   Ste-Barbe   Port-Lazo   L'Armorizel
Centre de formation d'Armor   Pors Lec'h   Vieux-Bourg   St-Riom   Pointe de Minard★
Pommerit-Jaudy   Boloi   Plourivo   Ruclé   Plouézec   Le Questel
Coat-Nevenez   Kerléau   St-Yves   Pors Pin   Pointe Berjule
La Roche-Jagu   Kergorlay   Bourg Blanc   Barafot   Leinar-Lan   St-Paul   Le Taureau
Kerguen   Penhoat-St-Jean   Kermaria   La Madeleine   Bréhec-en-Plouha
Ploézal   Quemper-Guézennec   Yvias   Danot   Pointe de la Tour
Briantel   Tumulus   Petit-St-Loup   Lanloup   Plage Bonaparte
Kerrot   Pontrieux   La Noë-Verte   Port-Moguer
Penlan   Kervic   Temple   La Trinité   Trévos
Runan   Kervorgan   Pléhédel   La Trinité   Pte de Plouha
Plouëc-du-Trieux   La Corderie   Le Faouët   Lanleff   Kermaria★   Kérouziel
Brélidy   Kerouzever   St-Jacques   Kergresquen   Le Palus-Plage
La Belle-Église   Le Cabaret   Kerlivan   St-Laurent   Plouha   Pte du Bec de Vir
Landebaëron   Kerprovost   Kérognan   Tréméven   St-Yves   Île Harbour
Kermaria   Clérin   St-Clet   Tréveneuc   Fonteny
St-Laurent   St-Gilles-les-Bois   Trévérec   Croix Kérizel   Lannebert   Pludual   Beaugouyen   Pte de St-Quay
Kermoroc'h   Kerhon   Gommenec'h   Liscorno   Pléguien   Froideville   Kertug   St-Quay-Portrieux★
Vieux Poirier   Le Restmeur   Nonen   Carrefour   St-Barnabe   Le Moulin
Squiffiec   Pommerit-le-Vicomte   Coat-Aroa   Kerbellec   Le Roha   N.-D. de l'Espérance
Trégonneau   Rangaré   Le Bois-de-la-Salle   Plourhan   Étables-sur-Mer
Kermarc   Kermilon   Lanvollon   Tressignaux   Les Godelins
Plouisy   Folgoat   Paradis   La Croix Blanche   La Croix Pierre   Catroual   Ste-Marguerite   Binic   Pte de la Rognouze
Kerhire   Kerlan   St-Yves   Goudelin   La Riboté   Tréguidel   St-Roch
Runévarec   Pabu   Le Merzer   Bringolo   N.-D.-de-la-Cour   Prido   Trévenais
St-Patern   La Grandville   St-Quay   Les Courtillons   Pte de Pordic
Keridret   Le Cozen   St-Jean-Kerdaniel   La Corderie   La Ville Rouault
Kernilien   St-Jean   Guingamp   St-Agathon   La Ville-Chevalier   Le Vaudic   Le Forville   La Ville Louais   La Perrine
Grâces   Le Traou   Trégomeur   Pordic   La Ville-Rouault
Danouët   Ploumagoar   Malaunay   St-Guignan   Plélo   Trémèloir   Tournemine   Les Rosaires
Lautremen   St-Hernin   Lomaria   Châtelaudren   La Toise   St-Éloi   Rocher des Tablettes
Coadout   Ste-Brigitte   Plouagat   St-Blaise   L'Isle   Martin-Plage   La Ville-Agan
Dourlan   Kerguilferm   Resmarec   St-Nicolas   St-Mathurin   Les Rampes   La Ville-Hervy   Pte du Ros
Kerbaëlen   Rigrent   Kertedevant   Goëlo   St-Laurent-de-la-Mer   Sous-la-Tour
St-Adrien   St-Roch   La Croix des Maisons   Quinquis   Ville-Pied   Plé   Pte de Cesson
Bois de   Vaugour   Seignaux   Kerhamon   Trémuson   Réserve naturelle Marin
Pont-Camp   Pléneuf   St-Hervé   Hillion
La Méaugon   Plouvara   St-Ignace   St-Ilan   Ginglin

BAIE
SAINT-

A B C 70 D

28

Île de Keller
Pnte de Cadoran
Stiff
Pnte de Bac'haol
Porz Yusin Frugullou
Niou-Uhella Kergadou
Créac'h
D. de Bon Voyage
Loqueltas
Nividic
Lampaul Feunteun Velen
Porsguen
Kergoff
Penn-Arlan
Men-Korn
Porz Arlan
★★★ ÎLE D'OUESSANT ©
Pointe de Pen-ar-Roc'h
Pointe de Porz Doun
La Jument
PARC
Passage du Fromrust
Baie de Béninou
Rochers
Baie du Stiff
Baie de Lampaul

Roches d'Arg
Pointe de Landunvez 6
St-Samson
Portsall
Bar-ar-Lan
Kerlanou
Streat
Veur
Chau
Kersaint
10
Kernevez
Ploudalmé
St-Roch
Ploudalméz
Le Four
Île d'Iock
St-Gonvel
Argenton
14
Presqu'île St-Laurent
Keroustat Kergastel
Kergadiou
Plourin
13
Couloudoua
★ Porspoder
Larret
St-Roch
D 28
Les Liniou
49
Kergadiou
66
15
Île Melon
Melon
Lanildut
Brèles
15
Lanrivoaré
Rocher du Crapaud
Kergroadès
Pen-an-D
Porscave
Aber Ildut
91 D 268
Grève de Gouérou
Brescanvel
Lanvenec
Kéranflec
Porspaul
Lampaul-Plouarzel
St-Eloi
10
24
2.5
Lokornou-Vian
29 D
4.5
9,5
Trézien
Trézien
Plouarzel
Kervéatoux
53
St-
2
★ Kerloas
Ruscumunoc
143
Lamber
D 67
Porsmoguer
6 Kerouzien
Cohars
Langongar
14%
75
Kervadéza
94
Pont-L'Hôpital
D 38
Grève de Porsmoguer
Kerhornou
Ploumoguer
Kervéon
Plouzané
GR 34
Illien
D 67
13
Kerzévéon
Kerscao
Plouzané
58
16
Moguérou
la Tr
Lanfeust
Kergounan St-Sébastien
D 12
Kergounan
Goasmeur
Kerfili
68
Plage des Blancs Sablons
Trébabu
Berbouguis
L'Ilette
2.5
Grande-Vinotière
Pnte de Kermorvan
★ Le Conquet
Lochrist Kérinou
Porsmilin
Trégana
Pnte des Renards
48
Kersalau
Plage de Porsliogan
Trez-Hir
Anse de Bertheaume
Stèles
D 85
Toulbroc'h
65
Pointe de St-Mathieu
★★ Pointe de St-Mathieu
GR 34
Plougonvelin
Pnte du Grand Minou
St-Mathieu
Pointe du Petit Minou
Abbatiale
Pointe de Creac'h-Meur
Les Vieux Moines
Pointe des Capucins
Cha
Les Pierres Vertes
NATUREL
Île de Bannec
La Helle
Les Plâtresses
Île de Balanec
Le Faix
Île Ségal
Les Trois Pierres
Pointe de Corsen
Lédénès de Molène
22 Petit Port
Île-Molène
Chenal de la Helle
Lédénès de Quéménès
Île de Lytiry
Les Serroux
Île de Quéménès
Île de Morgol
Île de Trielen
RÉGIONAL
Île de Béniguet
D'ARMORIQUE
Kervouroc
Les Pierres Noires
Chaussée des Pierres Noires

29

30

Pointe du Grand Gouin
mili
Ca
An
de Can
Pointe du Toulinguet
Not
de P
La Parquette
Alignements de Lagatjar
Camaret-sur-Mer
3.5
50
Véryach
Lannil
44
★★★ Pointe de Penhir
PARC
GR 34
Les Tas de Pois

31
Château de Dina
★★ Pointe de Dinan
(65)
Los

Plage de la F

32

Pointe des Capucins

Ar Men
NATUREL
PAR
Tévennec
★ Pointe de Brézellec
Pnte de
Penh
★ Réserve du
Cap Sizun
76
★★ P du Van
Pointe de Castelmeur
Moulin de Kerharo
90
Lesve
RÉGIONAL
Île-de-Sein
St-They
Kermeur
Mescran
Goulien
Lannourec
Chaussée
Raz de S
la Vieille
Baie des Trépassés
Cléden-Cap-Sizun
Quillivic
Sémaphore
Goulien
Poir
Lug

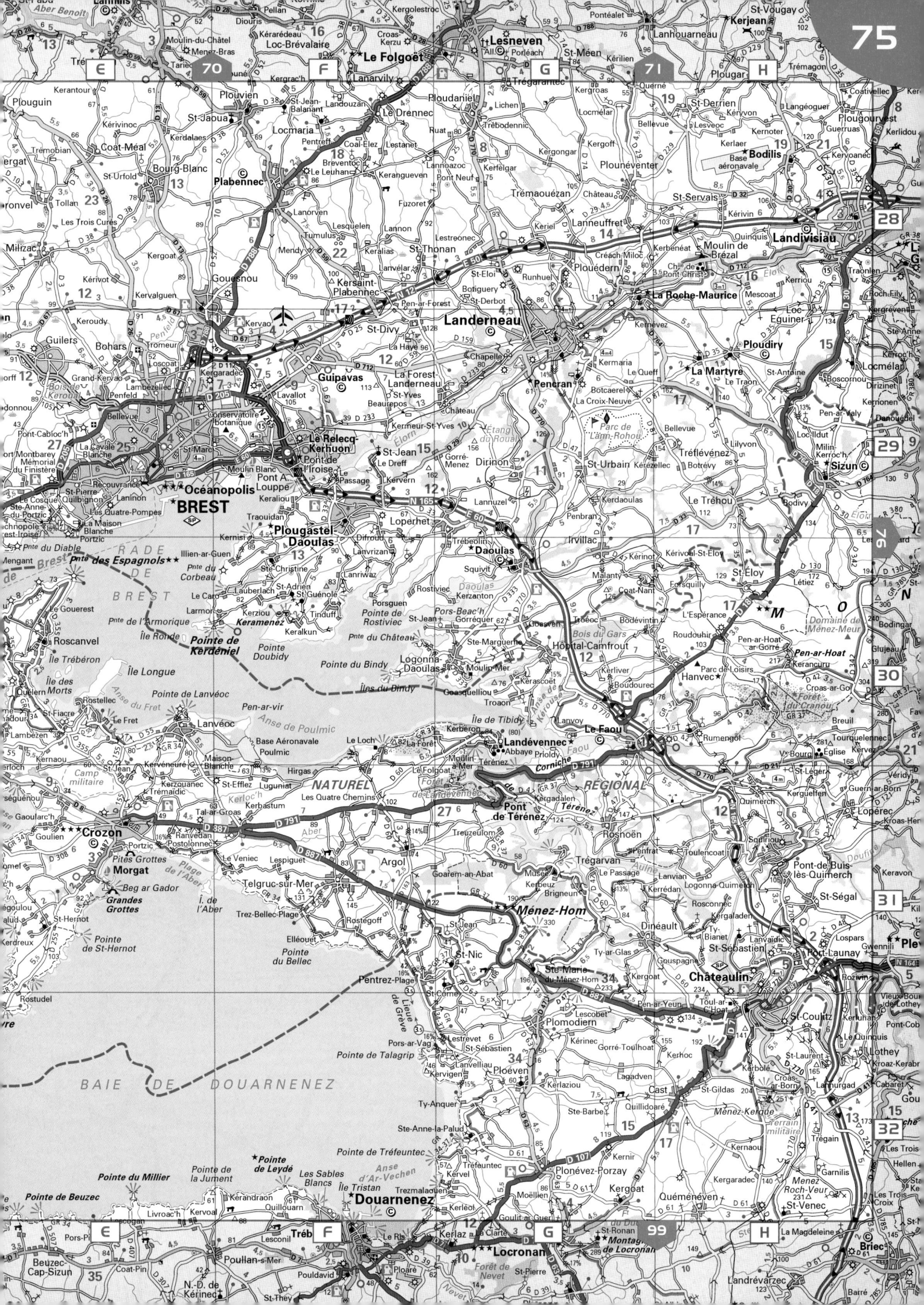

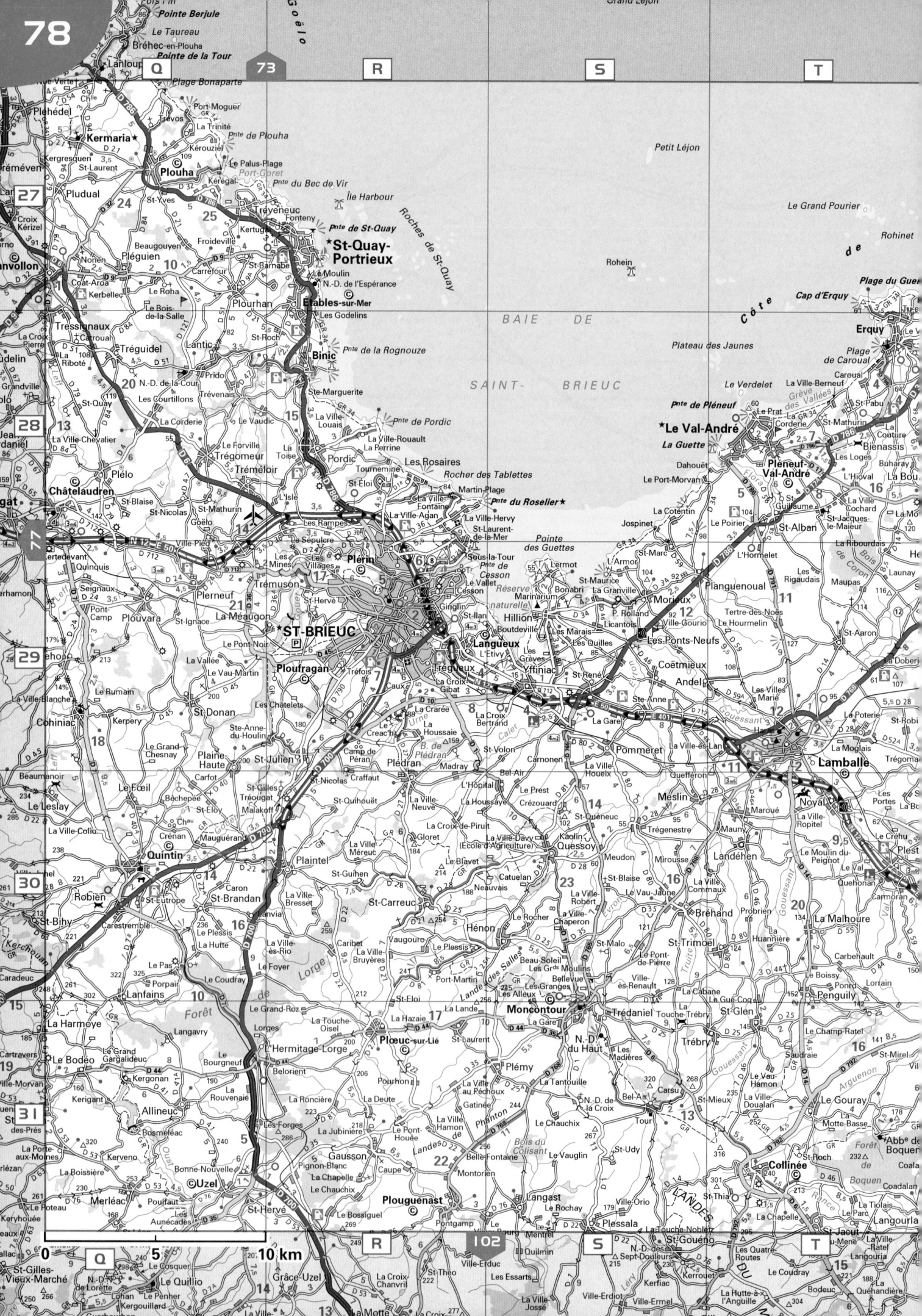

CÔTE D'ÉMERAUDE

Penthièvre

*** Cap Fréhel

Fort la Latte **

Pointe de St-Cast

** CÔTE

Pnte du Décollé

ST-MALO
Paramé

** DINARD

St-Lunaire *

St-Servan-s.-M.
Grd Aquarium **

Sables-d'Or-les-Pins

Plurien

Fréhel

Matignon

St-Cast-le-Guildo

Pen-Guen

St-Jacut-de-la-Mer *

Lancieux

St-Briac-s-Mer

Ploubalay

Pleurtuit

Le Minihic-s-Rance

St-Suliac

Châteauneuf-d'Ille-et-Vilaine

Hénanbihen

St-Pôtan

Pluduno

Créhen

Trégon

Pleslin-Trigavou

Plouër-s-Rance

Pleudihen-s-Rance

Morvan

St-Denoual

Plancoët

Corseul

Languenan

Taden

Landébia

Pléven

Plorec-sur-Arguenon

St-Michel-de-Plélan

Quévert

DINAN **

Lanvallay

Plédéliac

St-Rieul

Plélan-le-Petit

Vildé-Guingalan

St-Carné

Lehon

St-André-des-Eaux

Evran

Tramain

Jugon-les-Lacs

Trébedan

Bobital

Brusvily

Le Hinglé

Trévron

La Bourbansais
Pleugueneuc

Plénée-Jugon

Dolo

Languédias

Mégrit

Hinglé

St-Judoce

Tréverien

Sévignac

Trédias

Plumaudan

Yvignac-la-Tour

Tréfumel

Rouillac

Broons

Guenroc

Guitté

Plouasne

Trimer

Montmuran

Bécherel

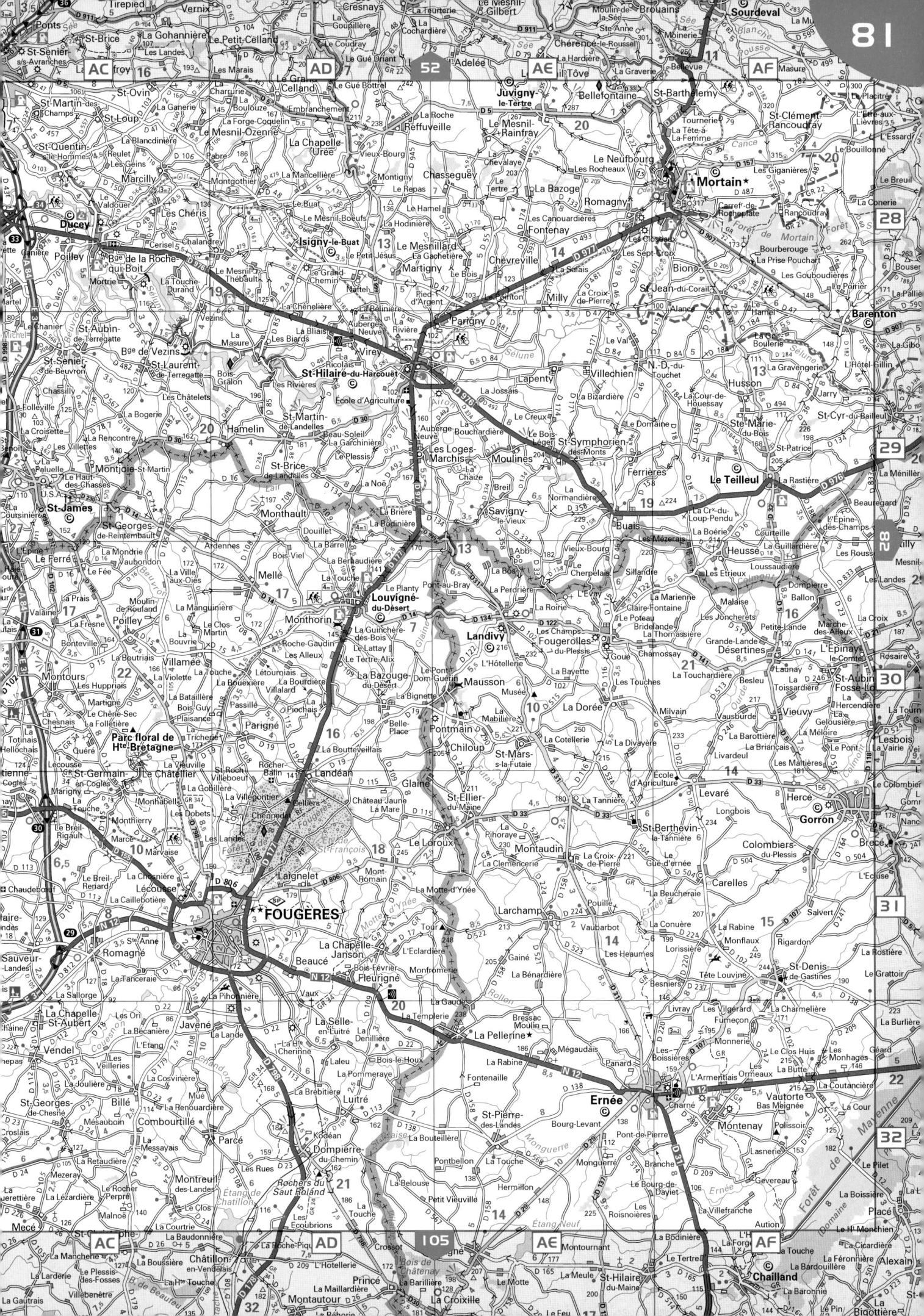

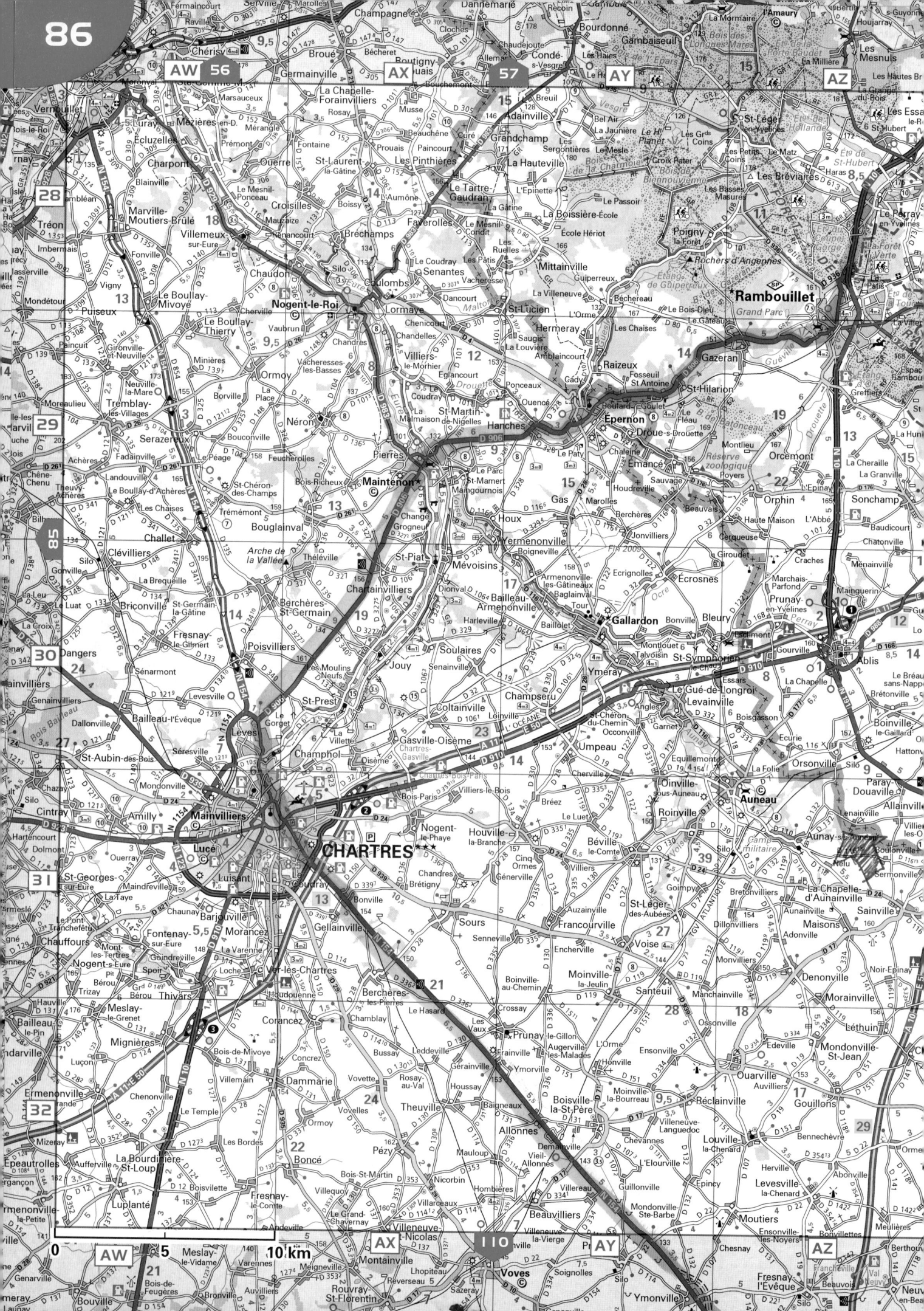

A   B   C   D

Plage de la

★ **Cap de la**

32

Poi
Lug

★**Pointe de**
Brézellec   Pnte de   ★ **Réserve du**
Penharn   Cap Sizun

ᵓᵀ Tévennec   ★**Pointe du Van**   76

ᕯ Ar Men   PARC   NATUREL   Pointe de   83   Moulin   Lesv
Castelmeur   Kermeur   de Kerharo

RÉGIONAL   18ᕯ   Île-de-Sein   St-They   71   3 90

Chaussée de Sein   Raz de Sein   la Vieille   D 7   Mescran   Goulien   Lannourec
Baie des   15%   Cléden-Cap-Sizun
D'ARMORIQUE   Trépassés   D 43   3   2
Sémaphore   Lescoff   Quillivic   D 43
33   Pont des Chats   ★★**Pointe du Raz**   Plogoff   St-Tremeur   Quatre-Vents
Port de   2   x4,5
Bestrée   Pendreff   2,5   Landrer   Trevenouen   2,5   Tr
56   GR 34   2,5   13   Lézurec   2 72   Kerauc
Pointe de   Penneach   D 784   2,5
Feunteunod   Primelin   Esquibien   D
★**St-Tugen**   ★**Audierne**
Custren   Ste-Evette   50
Anse du Loch   Pointe de Lervily   Pi

34

B A I E

D ' A U D

35

36

0   5   10 km
A   B   C   D

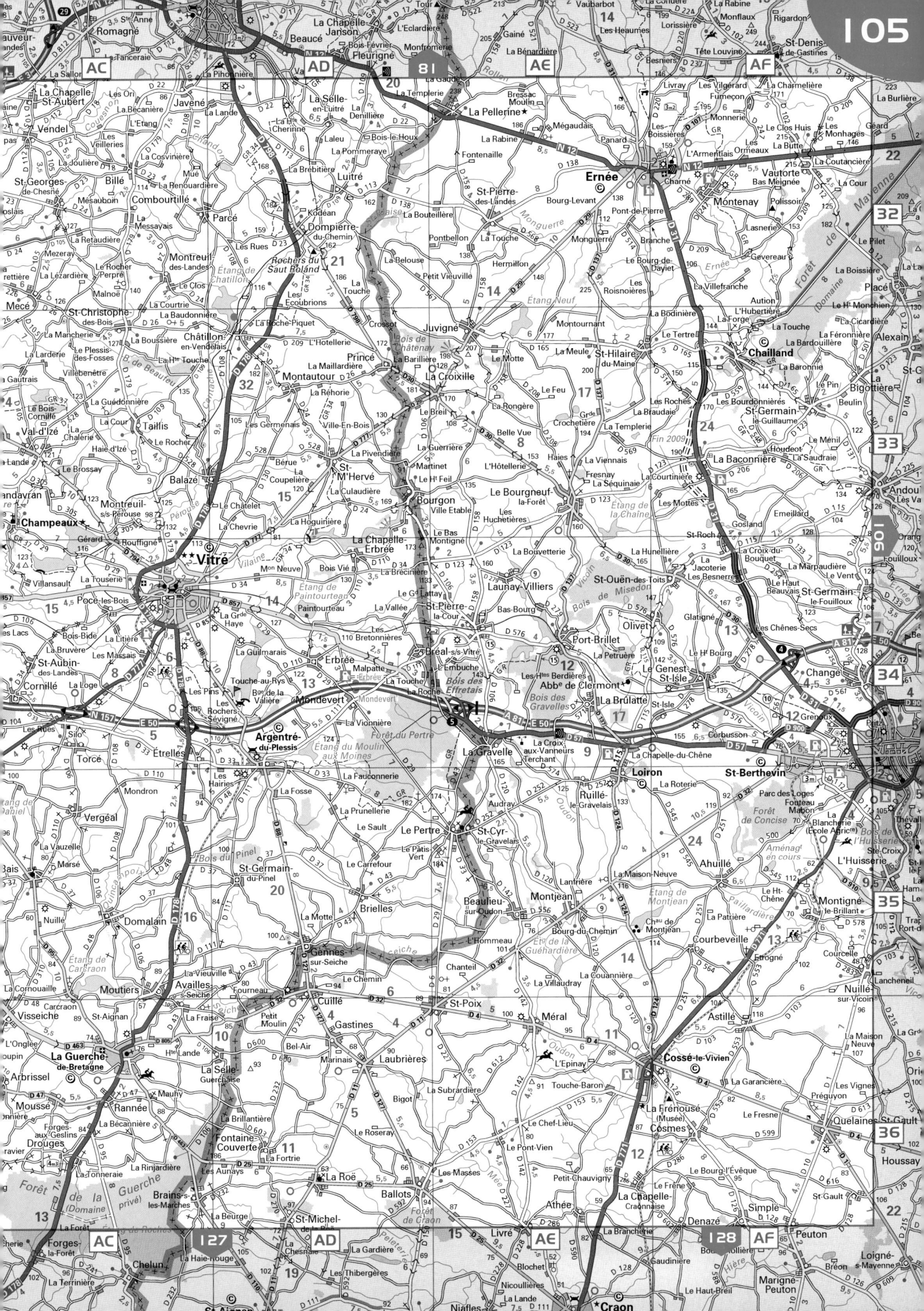

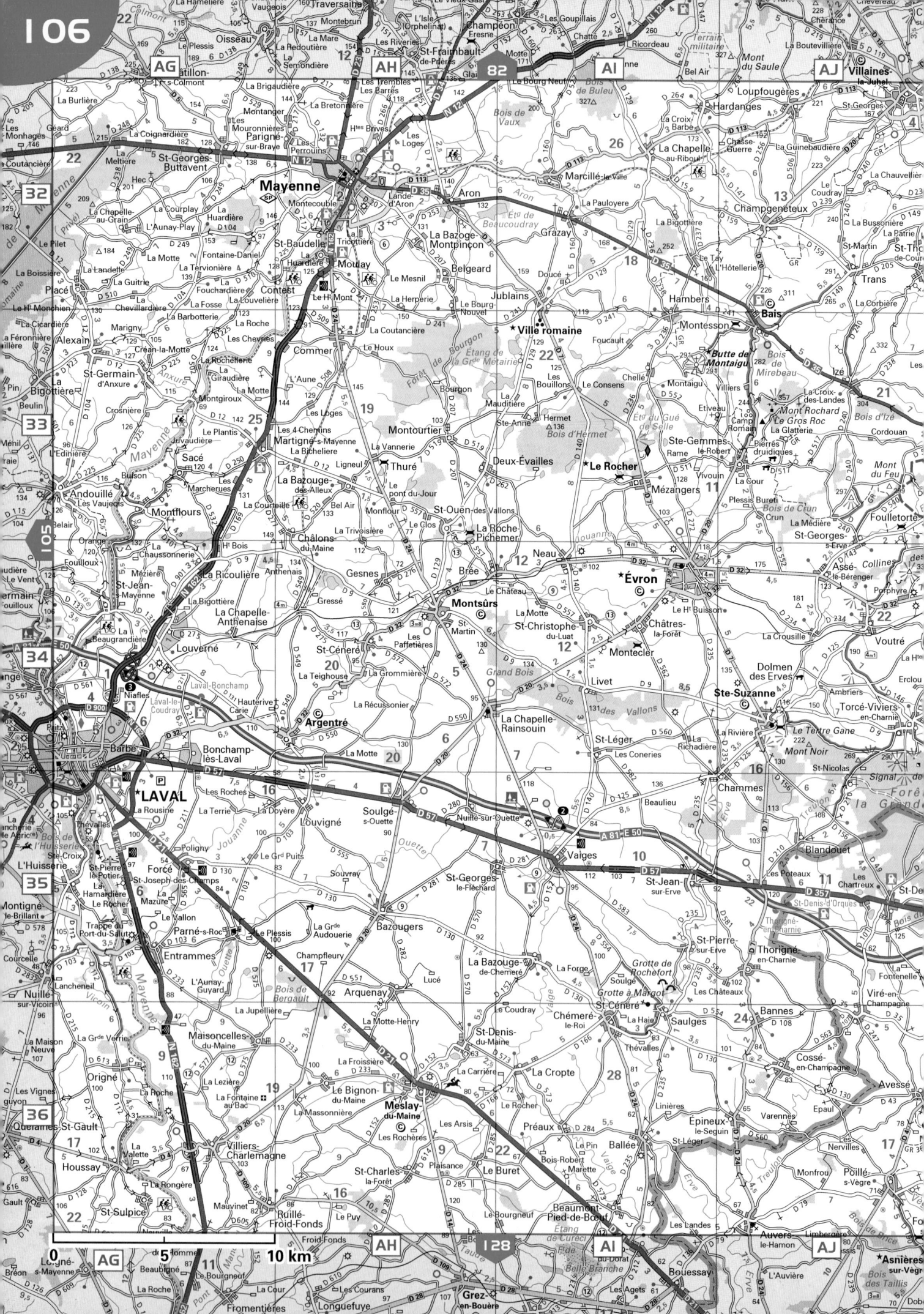

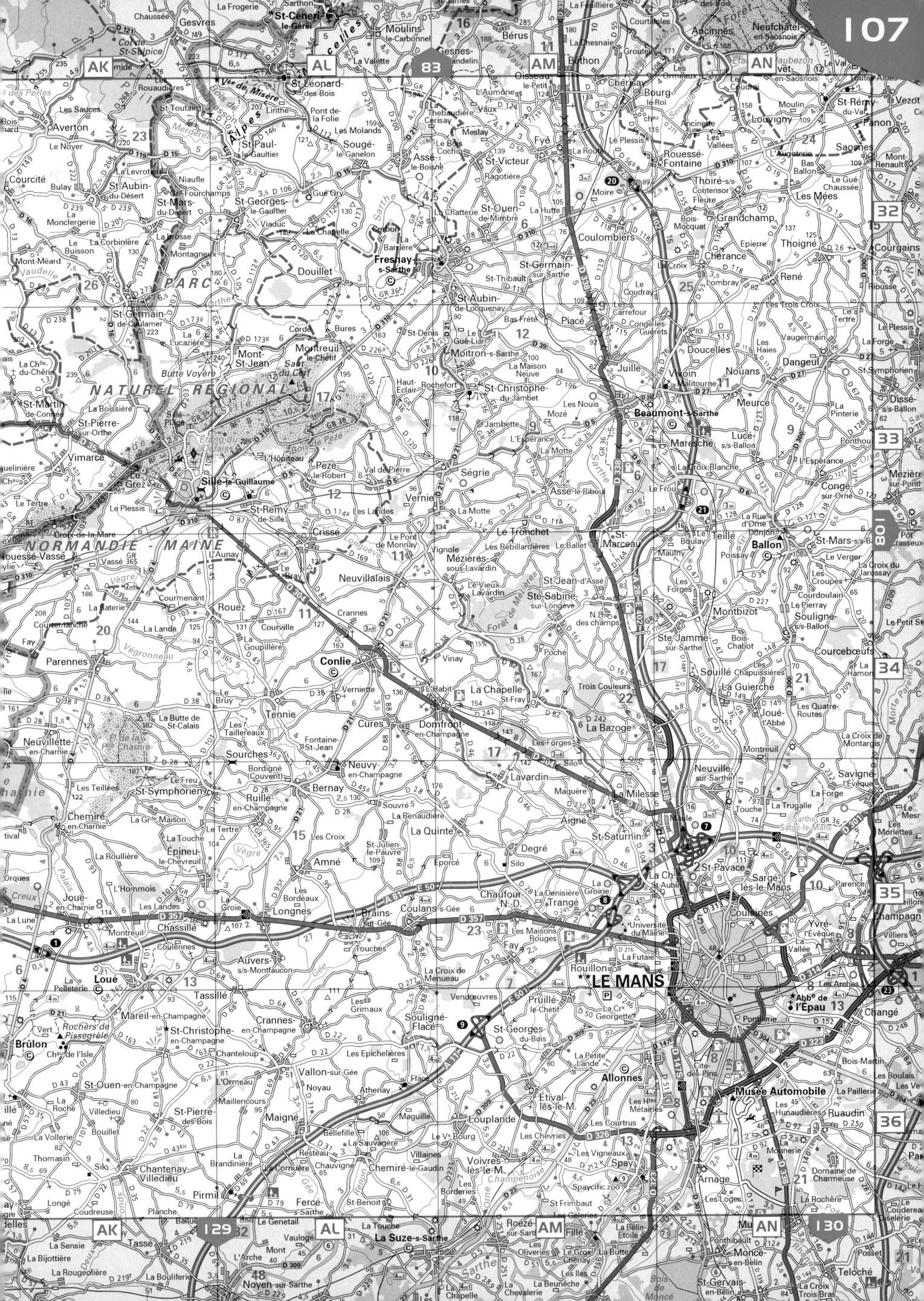

Concarneau
Beg-Meil

Pointe de Mousterlin
Pointe de Mousterlin

Pointe de Beg Meil
Pnte de Cabellou
Le Cabellou

de Bénodet

Mousterlin

Baie de Pouldohan

Pointe de la Jument

Pendruc

Cosquer
Lanénos
Ruat
Kerdallé

Lambell

Penanrun

Kerminaouët

Botquélen

Tréunc

Pont-Minaouët
Douric-ar-Zin
Fort

Lanriec

Kerose

Kérampaou
Bossulan

Croissant-Bouillet
Kergazuel

St-André

Nizon

St-Maudé
Trémalo
Bois d'A

Kervran
Kérandréo

Lanorgard
La Croix-Verte

Laniscar

Qu

Pont-Aven

Croas-Kerrun
Trémor

Lanmeur

Belon

Riec-sur-Belon

Kéraël

Locquilec

Croaz-Hent-
Loctudy

St-Jean

Baye

Lande-Julien

Kerviger

Gare-de-la-For

St-Philibert

Kérin

Kerlin

Trévignon

Kersidan

Célan
Tréhubert

Kérambail
Kerdruc

Rosbras
Goulet-Riec

Kerfany
les-Pins

Lanneguy

Bélon
Kergoulouet
Lanriot

Moëlan-sur-M

Pointe de Trévignon

Kercanic

Kerascoët

Rospico
Kerangall

Port-
Manech

Kerdoualen

St-Pierre

Kerroch
Kerduel

Kergroës
Kergróes

Placamen

St-Cado

Raguenès-
Plage

Île Raguenès

Brigneau

Chef-du-Bois
La Grange

Clohars-C

Doëlan

Île aux Moutons

Île Verte

*Îles de Glénan

St-Nicolas
Drenec
Loch
Cigogne
Penfret

*ÎLE D

*ÎLE DU

Boistrudan · La Croix · Boisuby · Placis · La Ville-Bédon · Marcillé-Robert · Visseiche · St-Aignan · La Guerche-de-Bretagne · Gennes-sur-Seiche · Cuillé · St-Poix · Méral · Cossé-le-

AB · AC · AD · AE

La Roche aux Fées · Retiers · Moussé · Rannée · La Selle-Guerchaise · Gastines · Laubrières · Bel-Air · Marinais

Forêt de la Guerche · Drouges · Brains-les-Marches · Fontaine-Couverte · La Roë · Ballots · Livré · La Chapelle-Craonnaise · Athée

Chelun · St-Aignan-sur-Roë · St-Michel-de-la-Roë · La Selle-Craonnaise · Niafles · Craon

Martigné-Ferchaud · Eancé · La Rouaudière · Congrier · St-Saturnin-du-Limet · St-Martin-du-Limet · Bouchamps-lès-Craon · Pommerieux

Fercé · Senonnes · St-Erblon · Renazé · La Chapelle-Hullin · Grugé-l'Hôpital · Châtelais · St-Quentin-les-Anges

Noyal-sur-Brutz · Villepot · Croix-Rouge · Dangé · Chazé-Henry · Bourg-l'Évêque · Bouillé-Ménard · L'Hôtellerie-de-Flée

Soudan · St-Aubin · Pouancé · Vergonnes · Combrée · Noyant-la-Gravoyère · Segré

Châteaubriant · Carbay · La Prévière · Armaillé · Bois-Gerbaud · Ste-Gemmes-d'Andigné

La Croix-Jarry · Primaudière · St-Michel-et-Chanveaux · Le Tremblay · Le Bourg-d'Iré

Erbray · Juigné-des-Moutiers · Nyoiseau · Challain-la-Potherie · Loiré · Raguin

Moisdon-la-Rivière · St-Julien-de-Vouvantes · La Chapelle-Glain · Chazé-s-Argos

Pt-Auverné · La Motte-Glain · Le Pin · Vritz · Candé · Angrie

La Meilleraye-de-Bretagne · Grd-Auverné · St-Sulpice-des-Landes · La Grée-St-Jacques

Abbe de Melleray · Riaillé · St-Mars-la-Jaille · Freigné · Bonnoeuvre · Le Lion-d'Angers

AB · AC · AD · AE

128 · 36 · 37 · 38 · 39 · 40 · 105 · 148

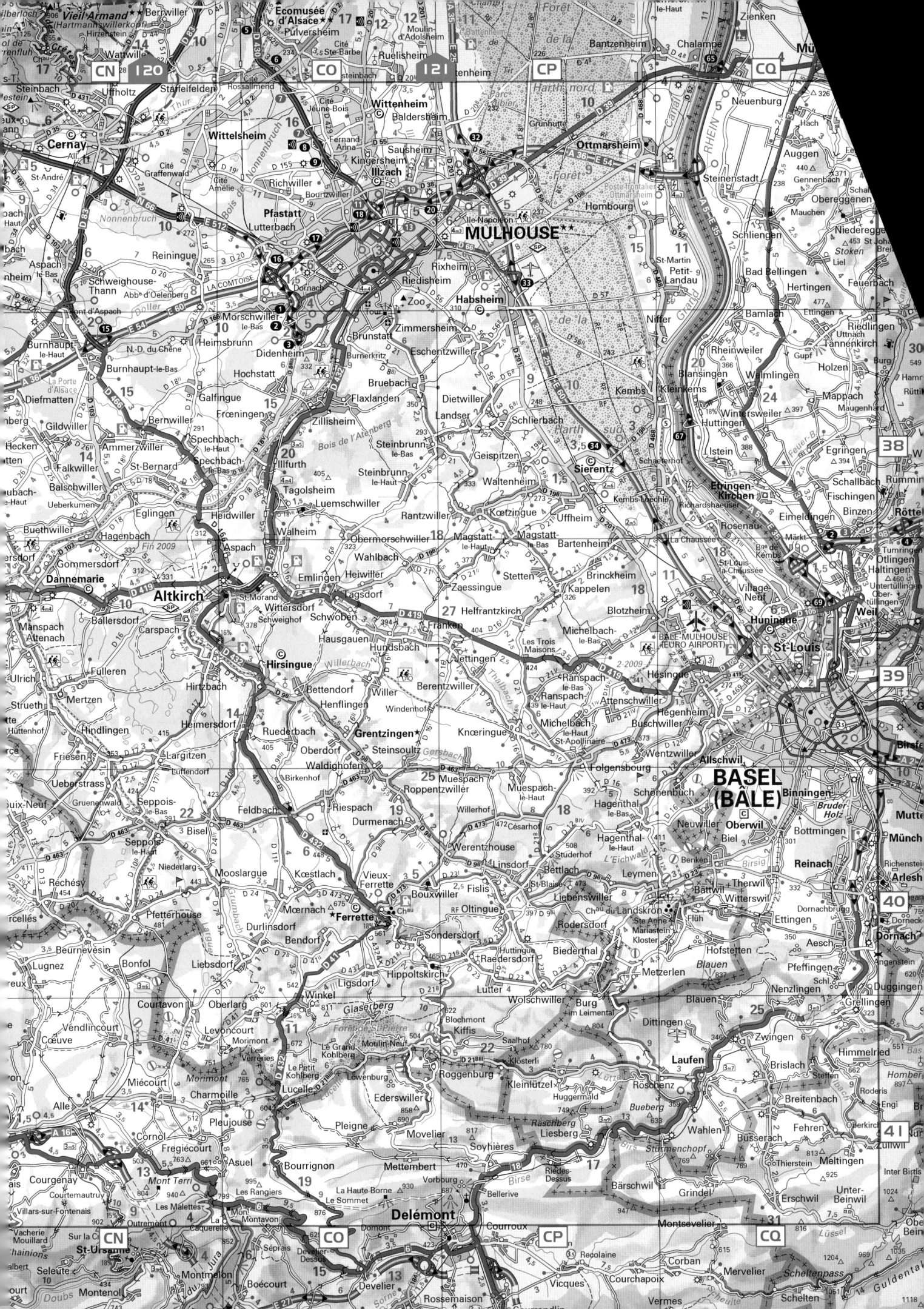

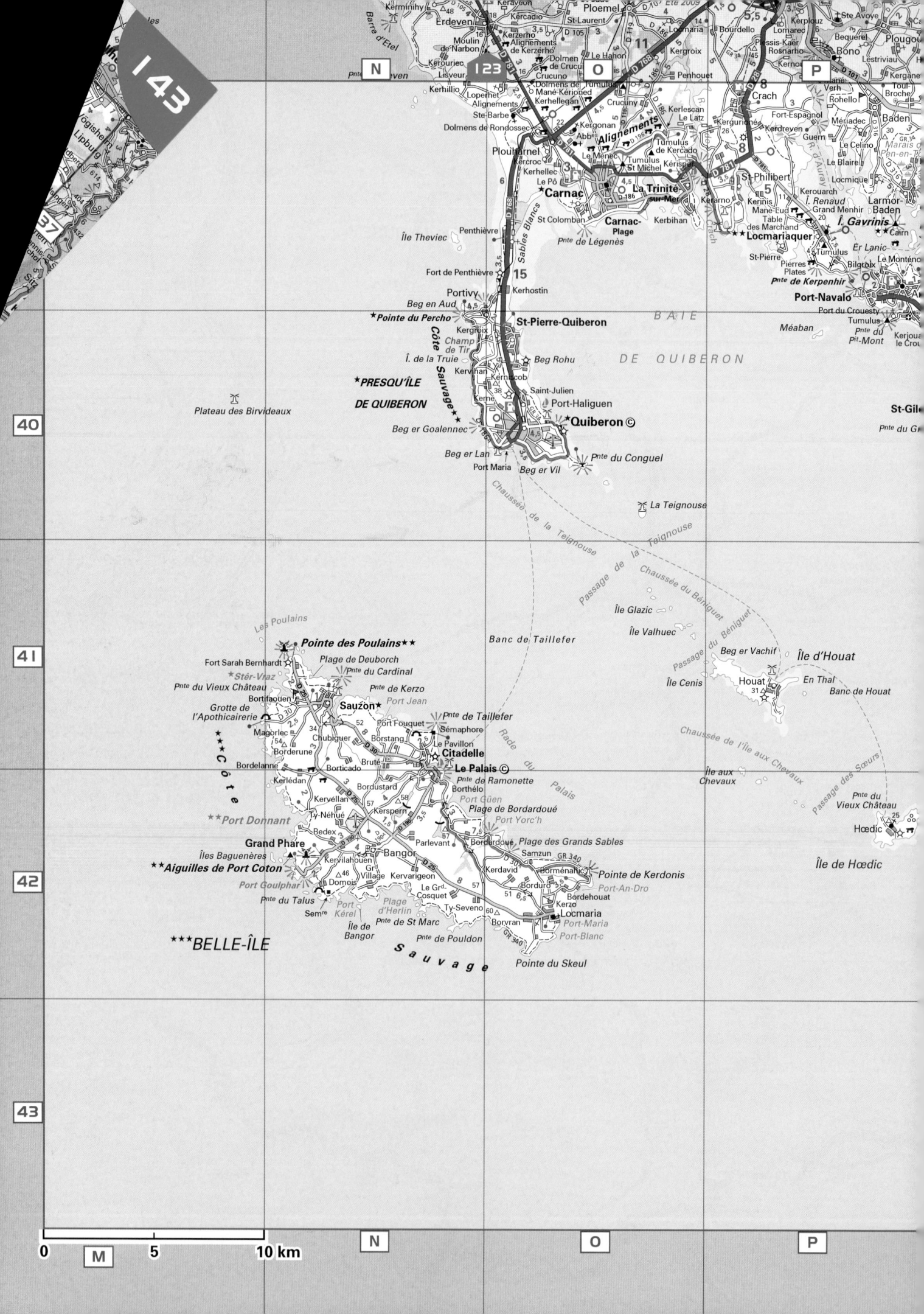

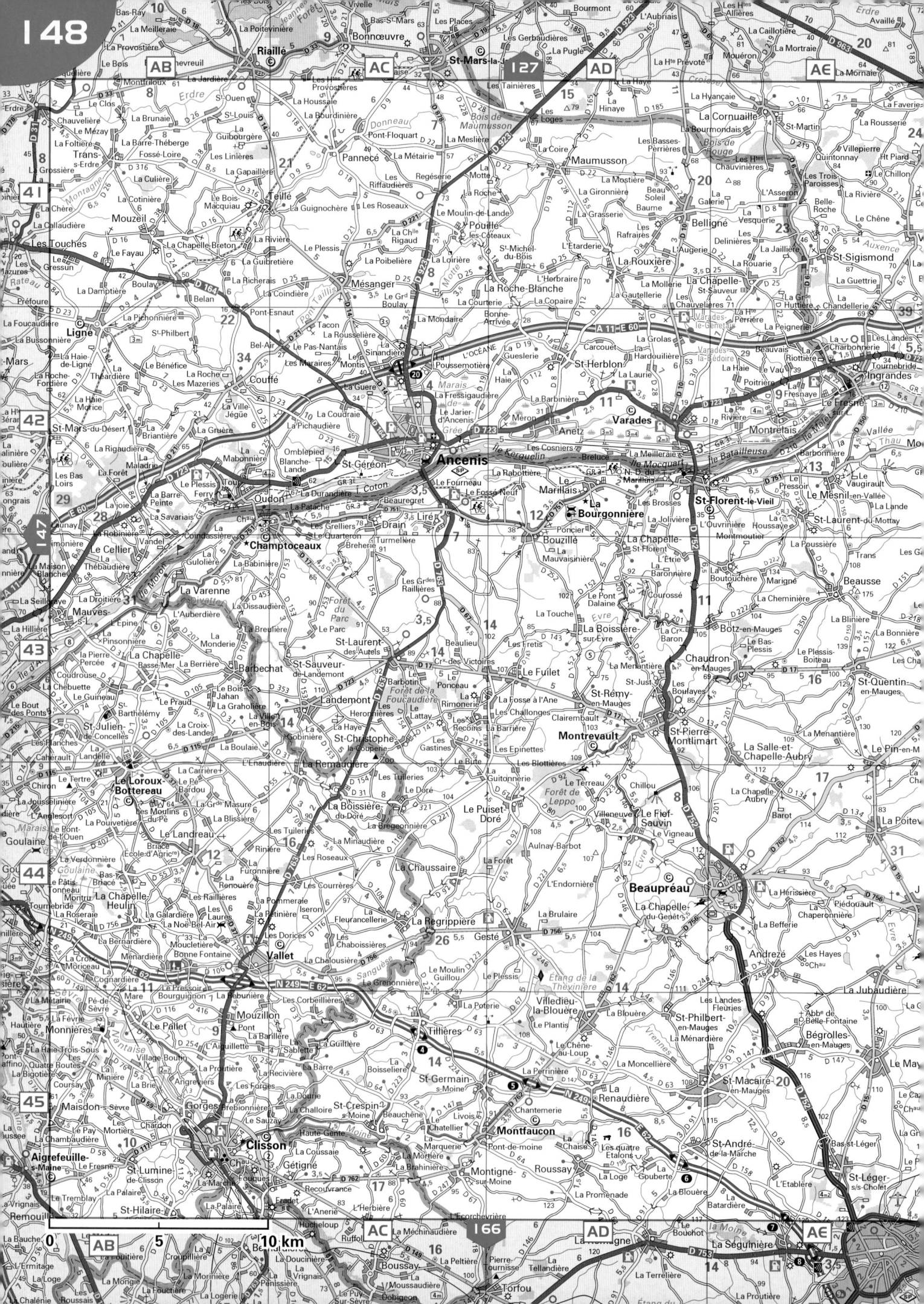

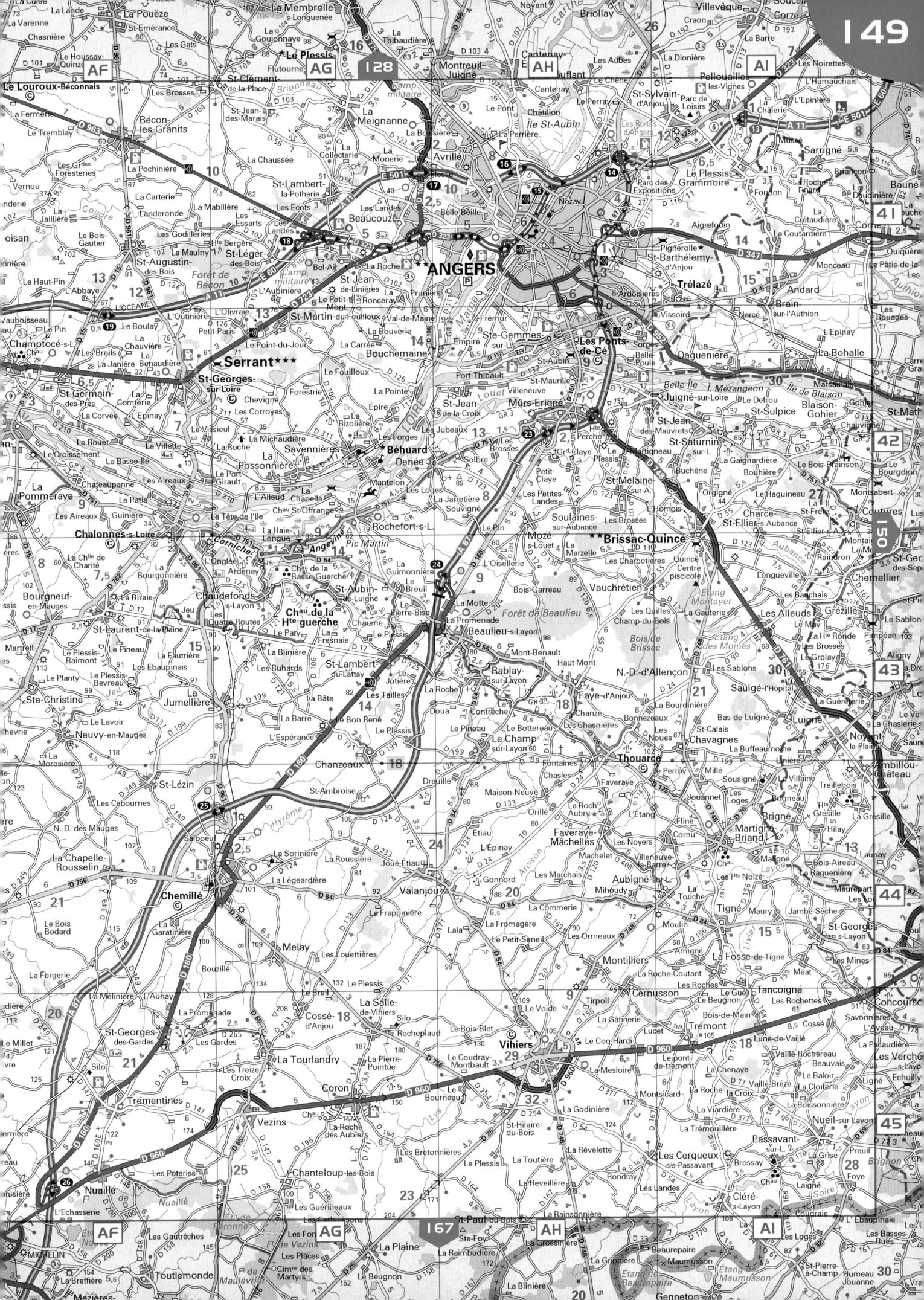

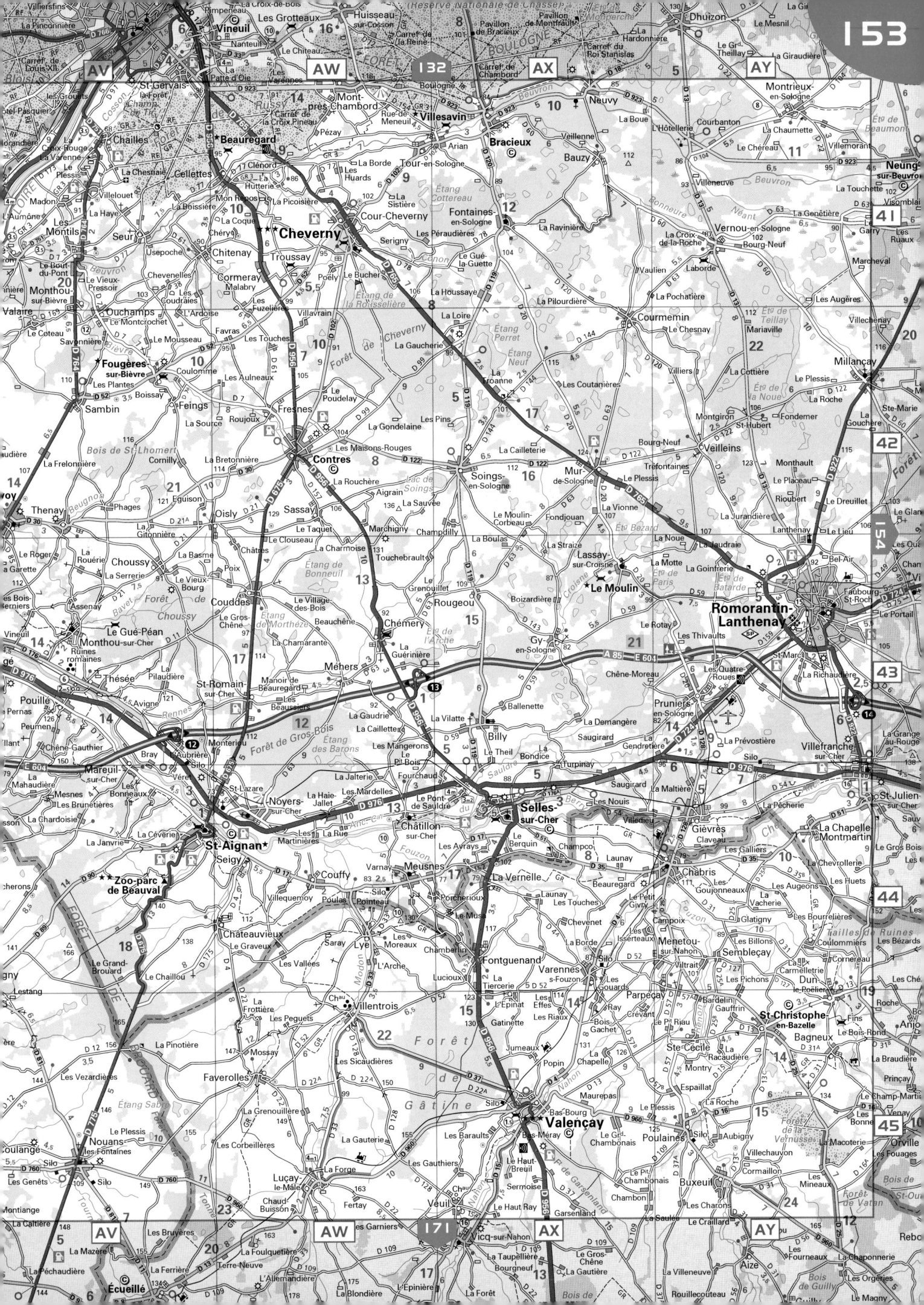

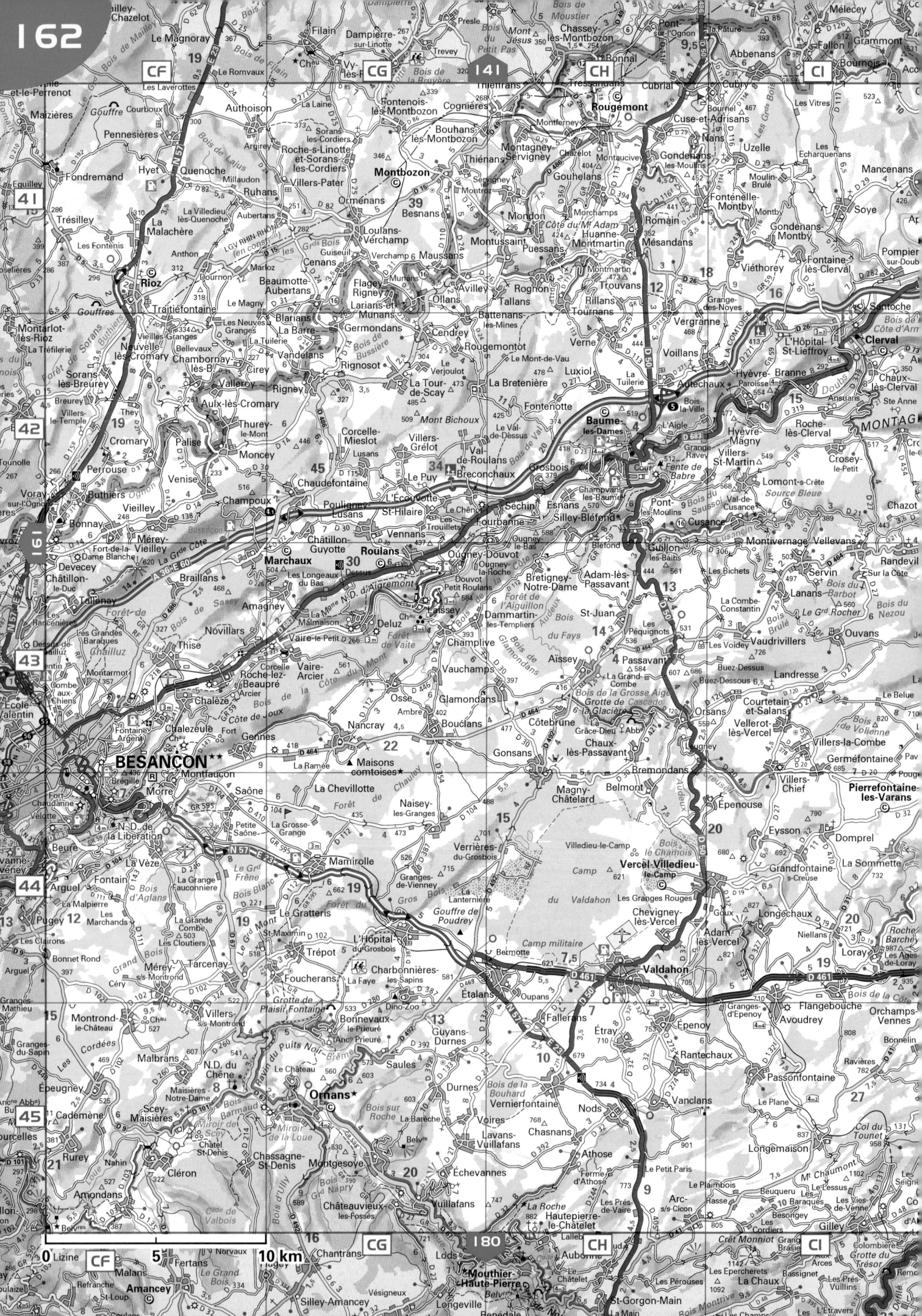

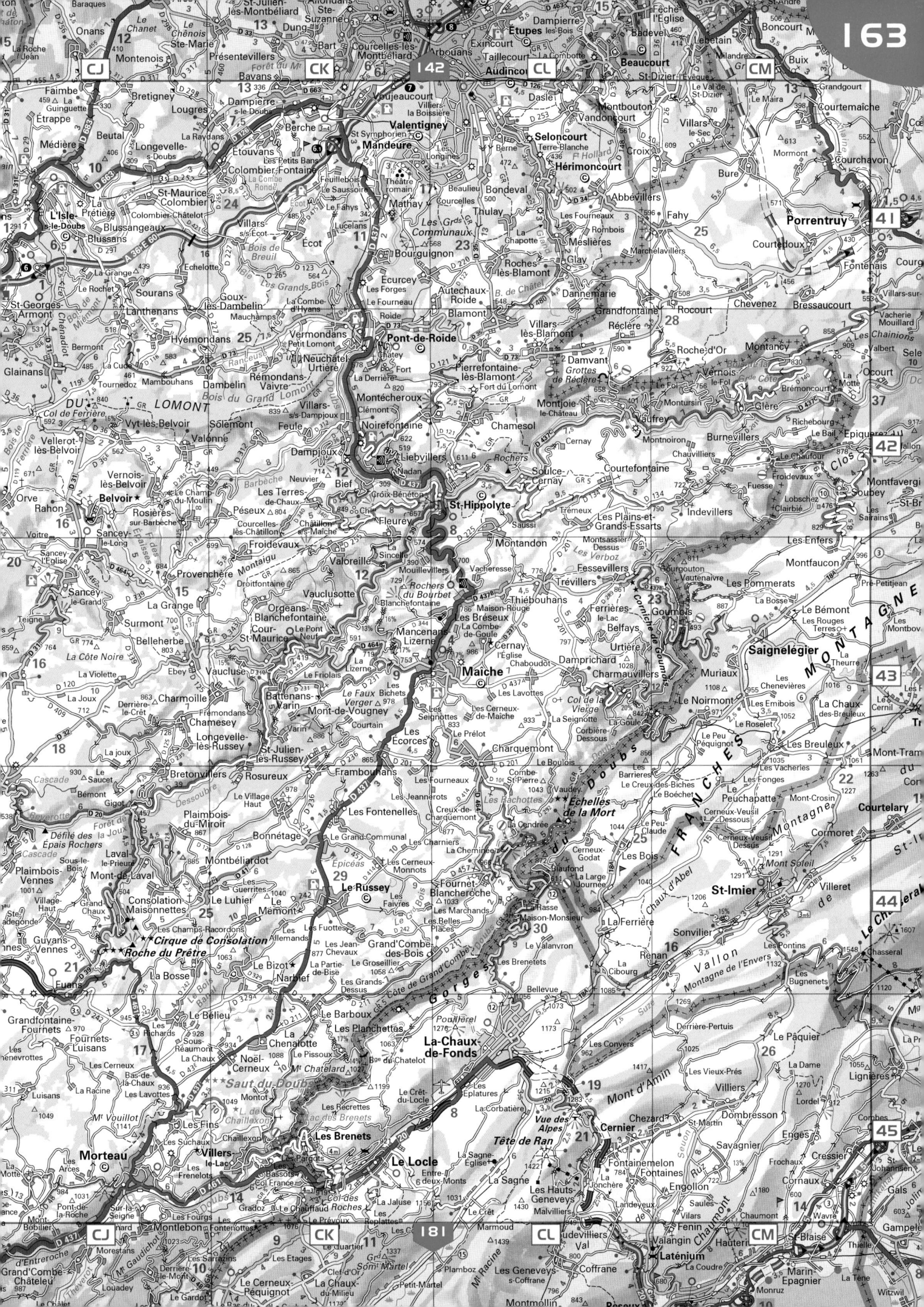

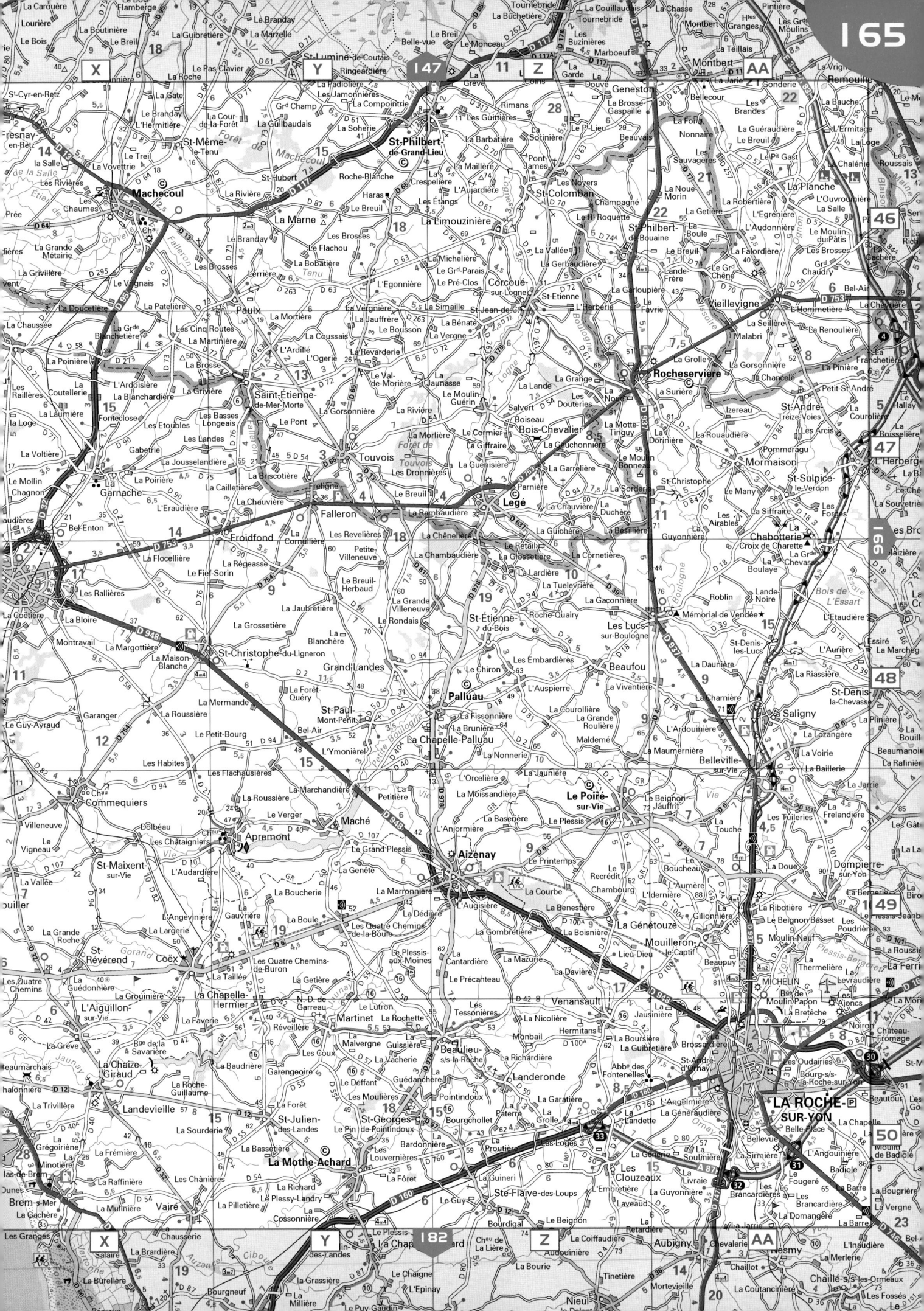

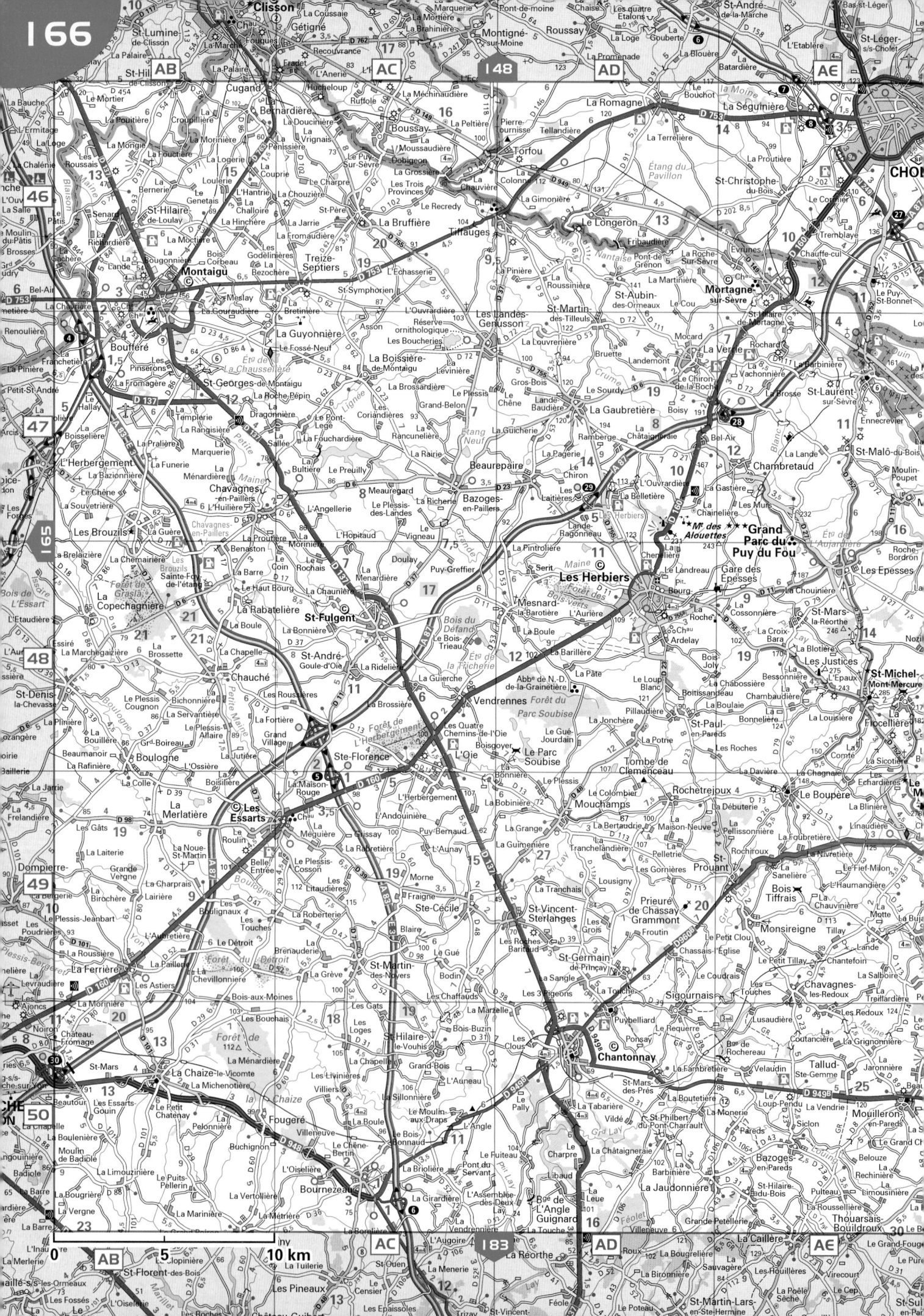

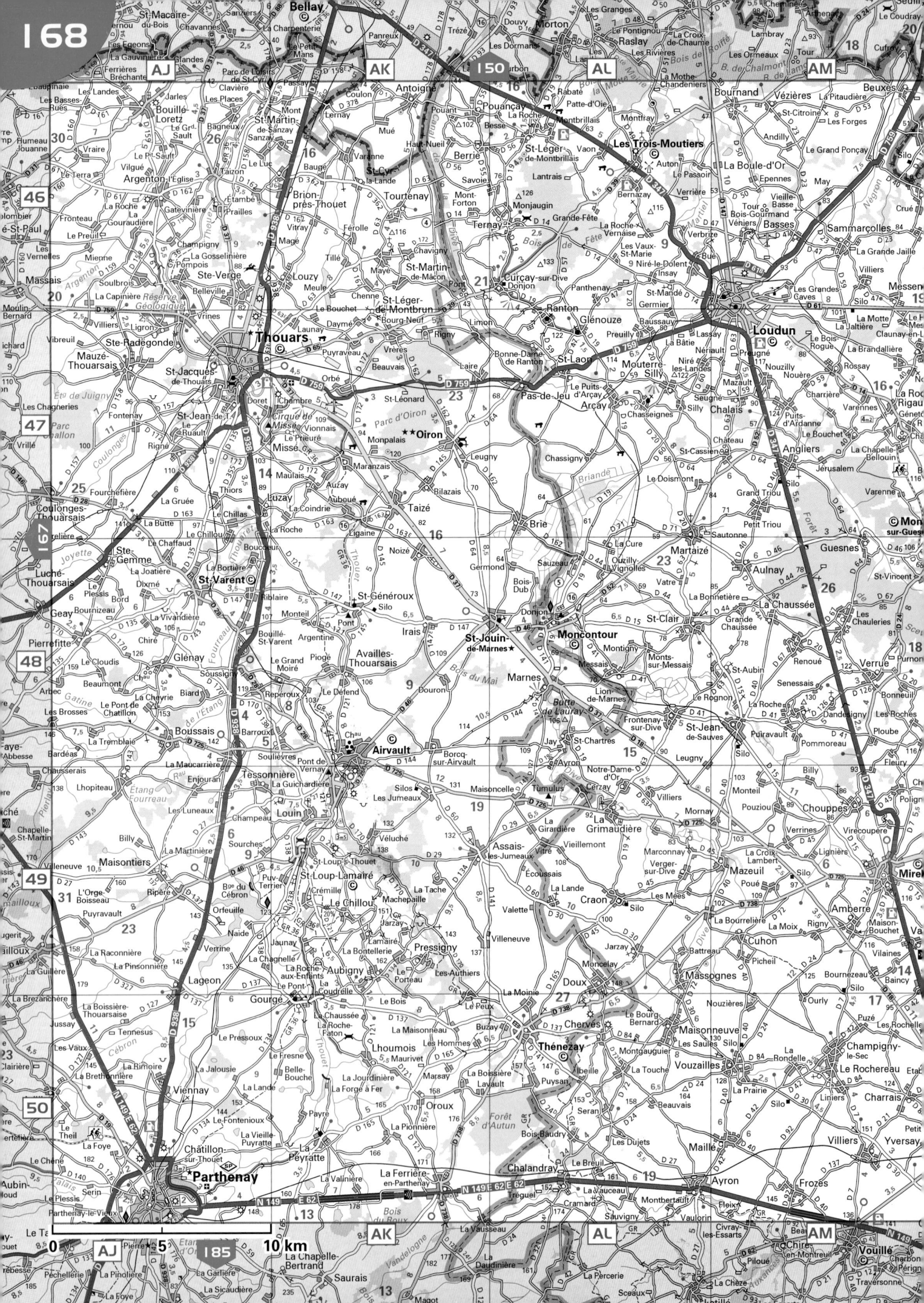

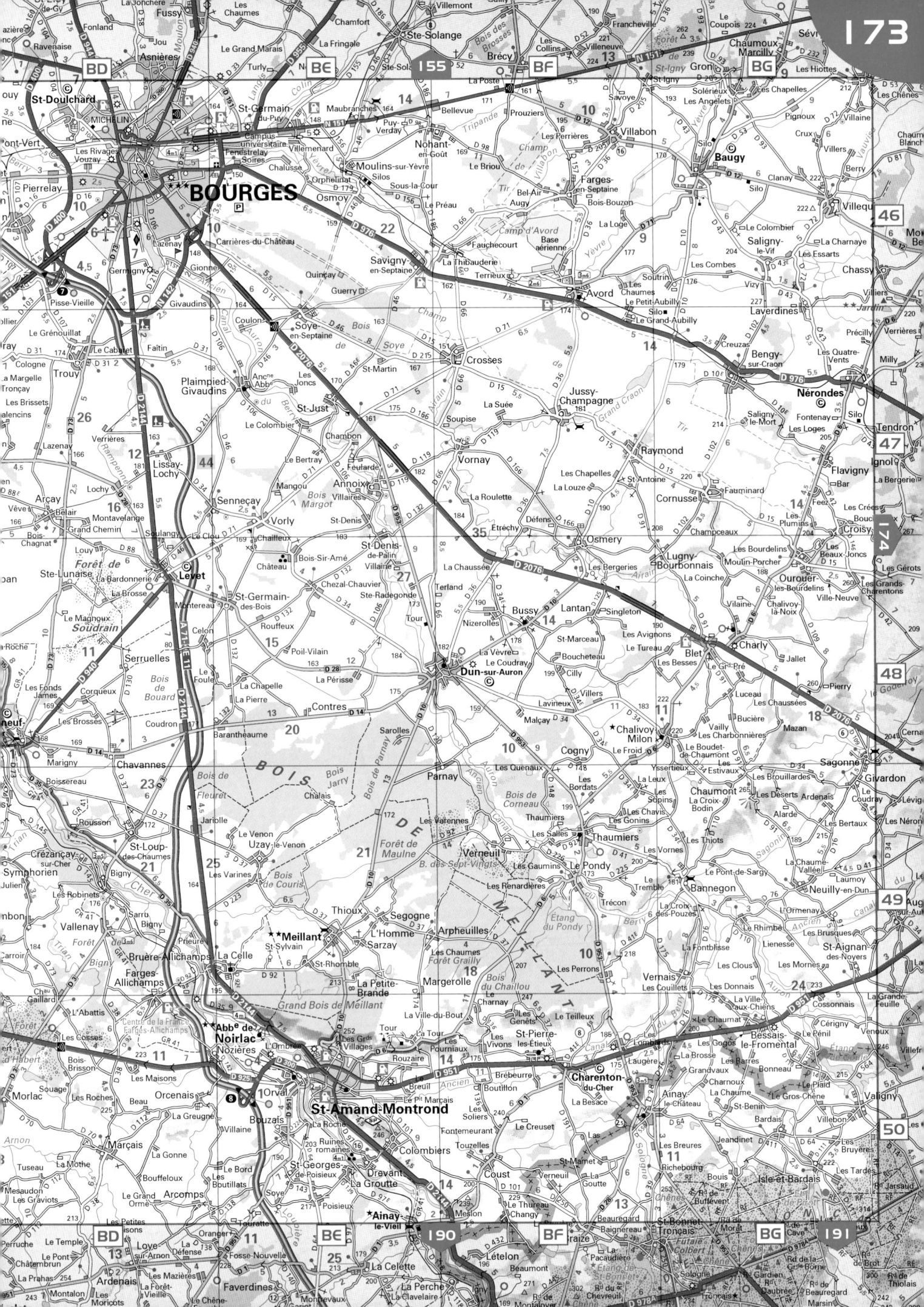

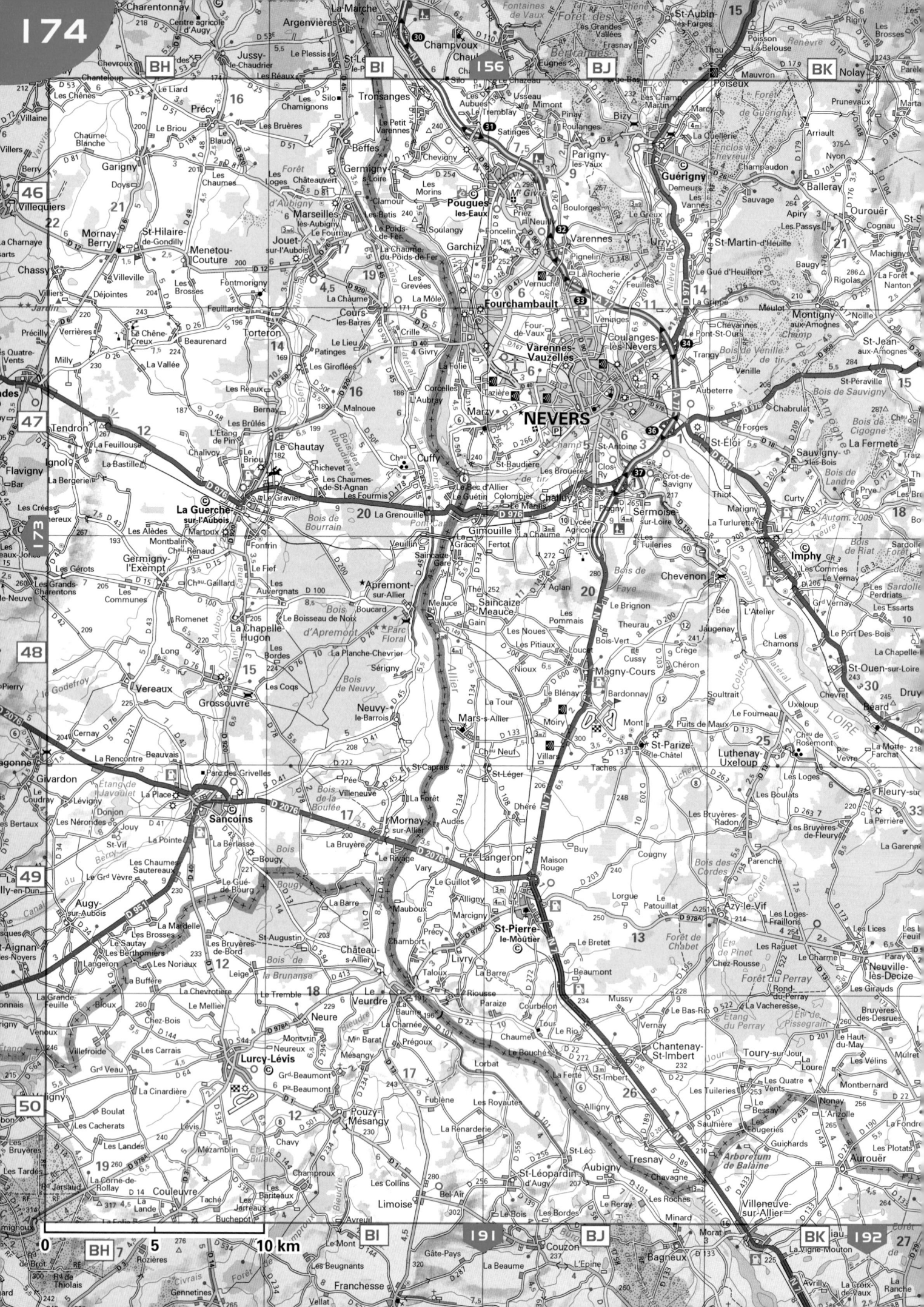

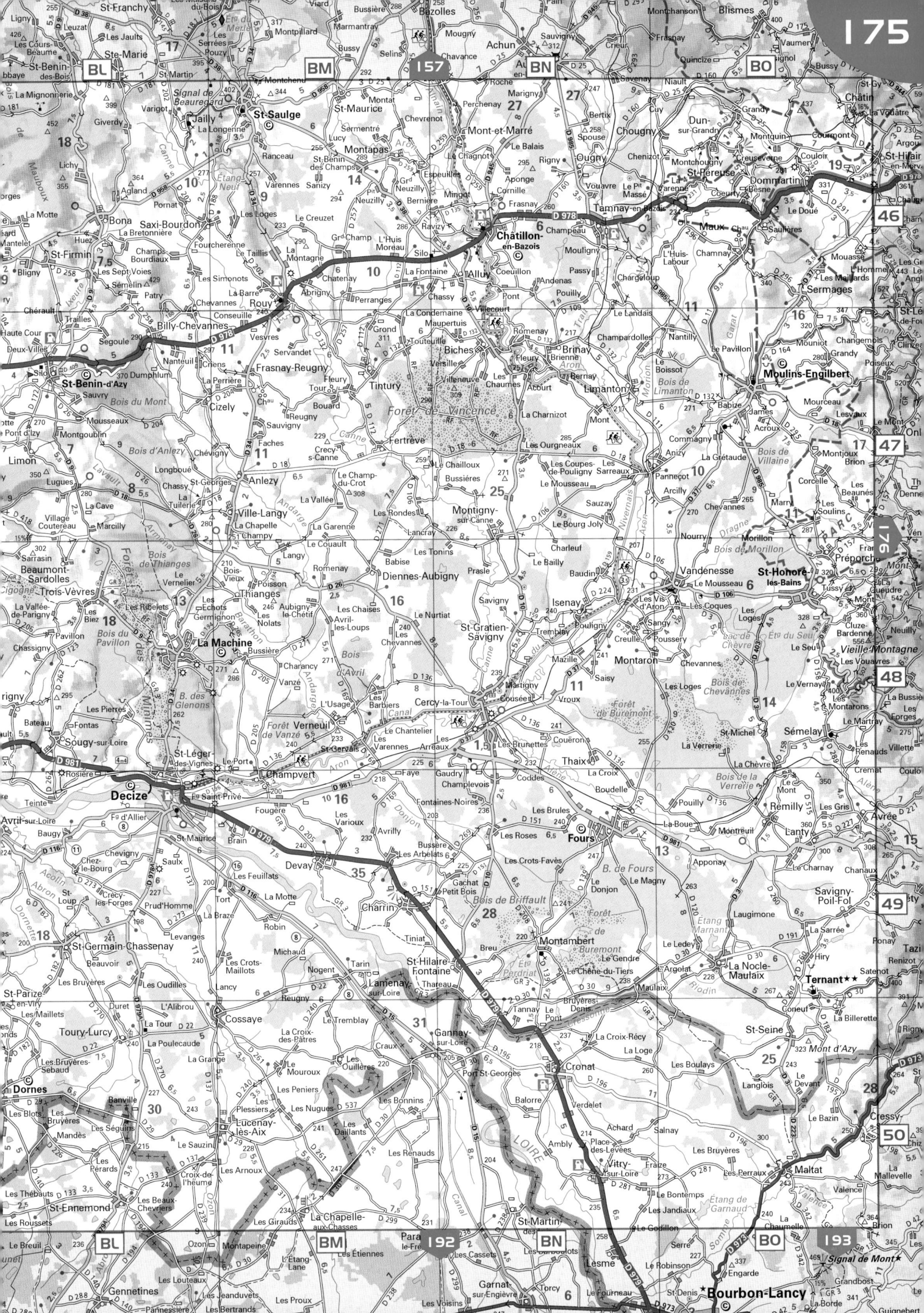

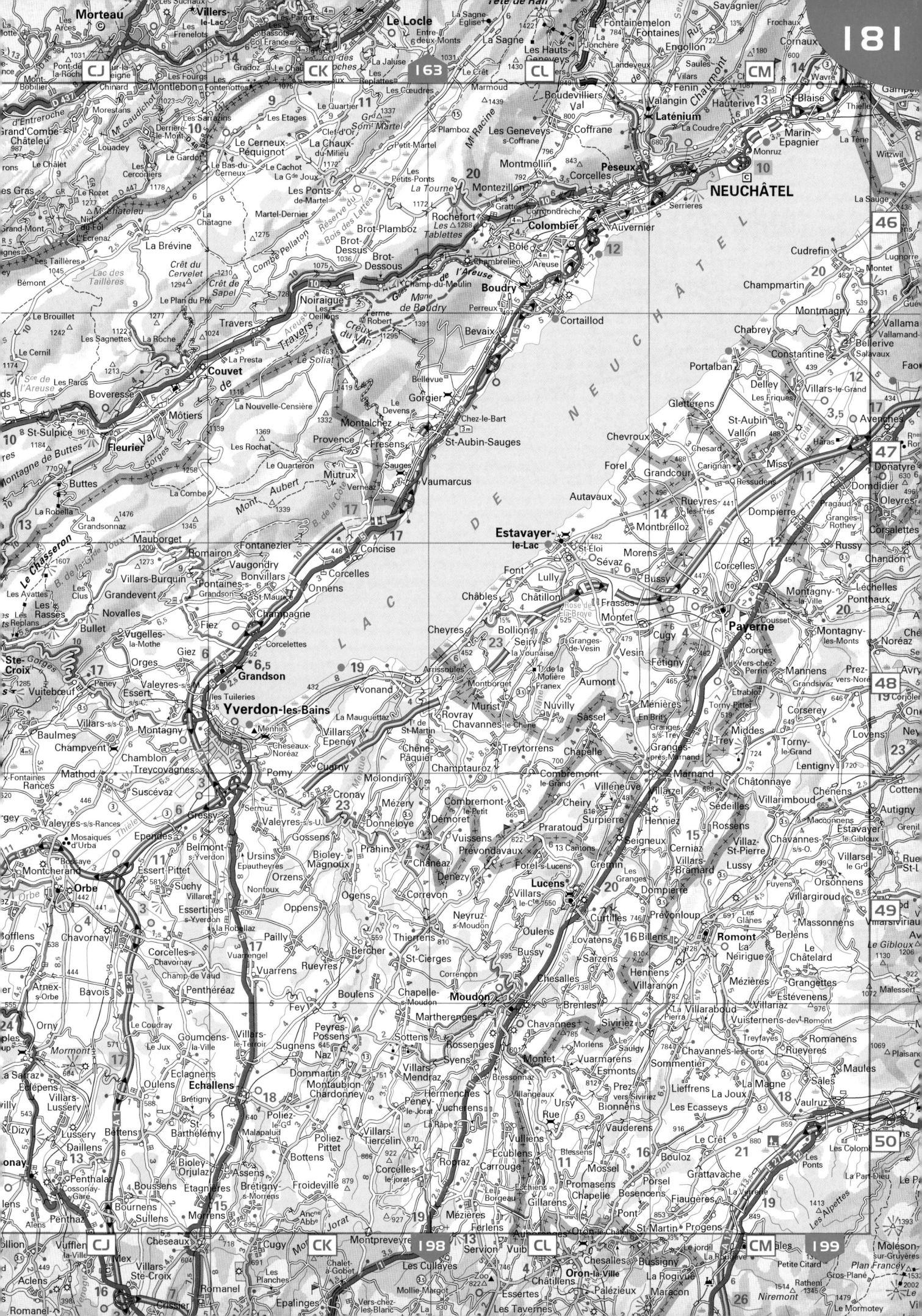

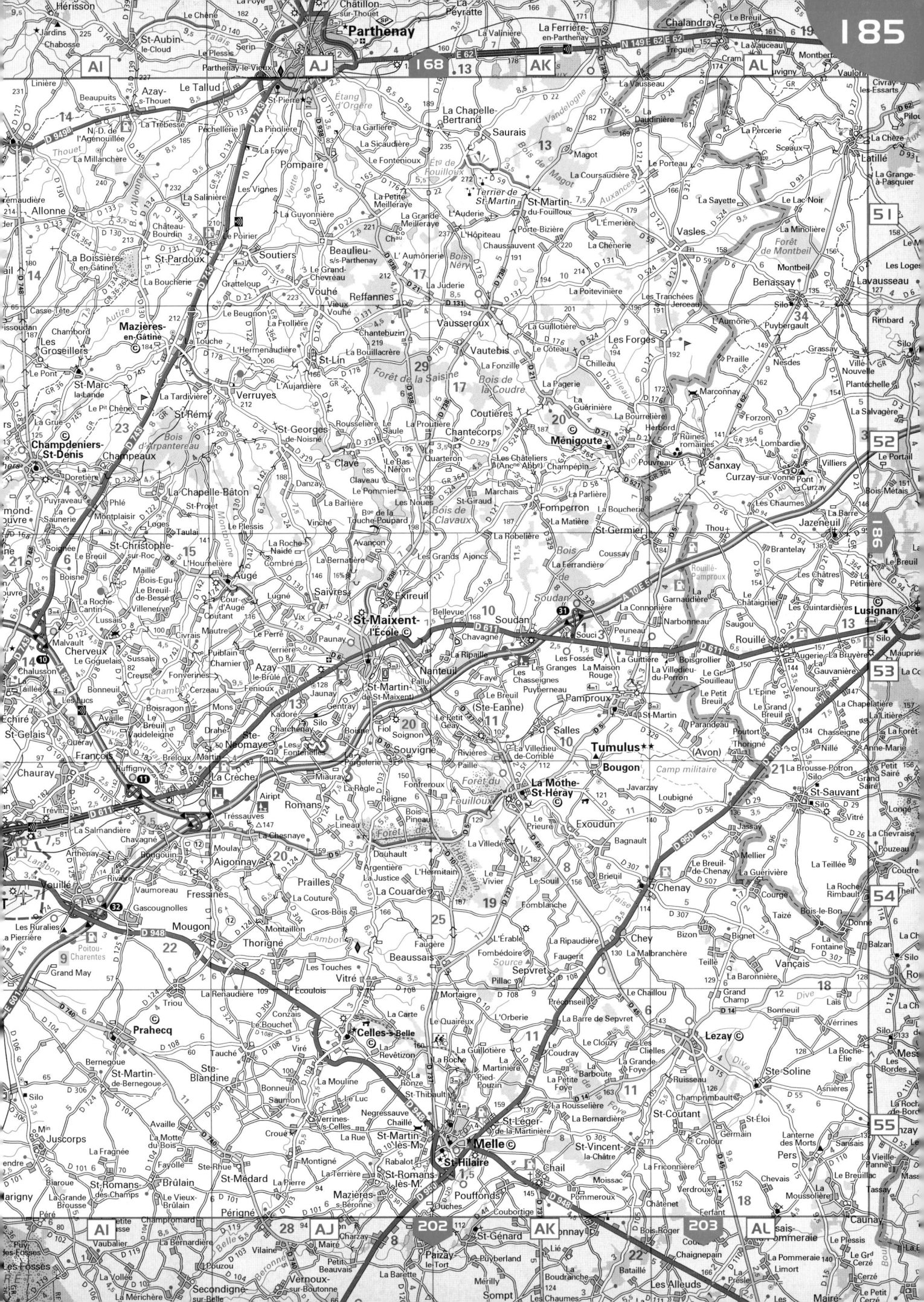

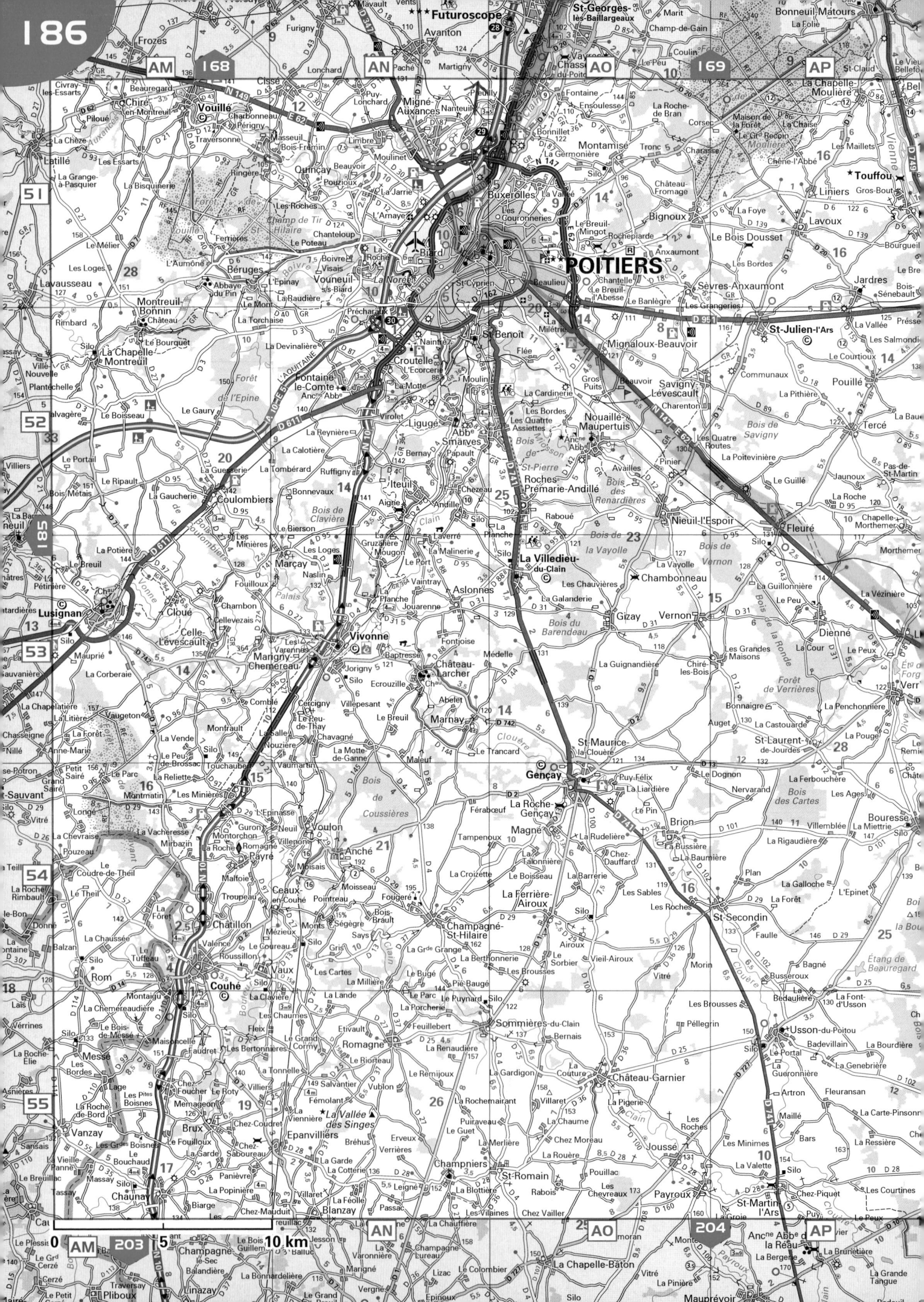

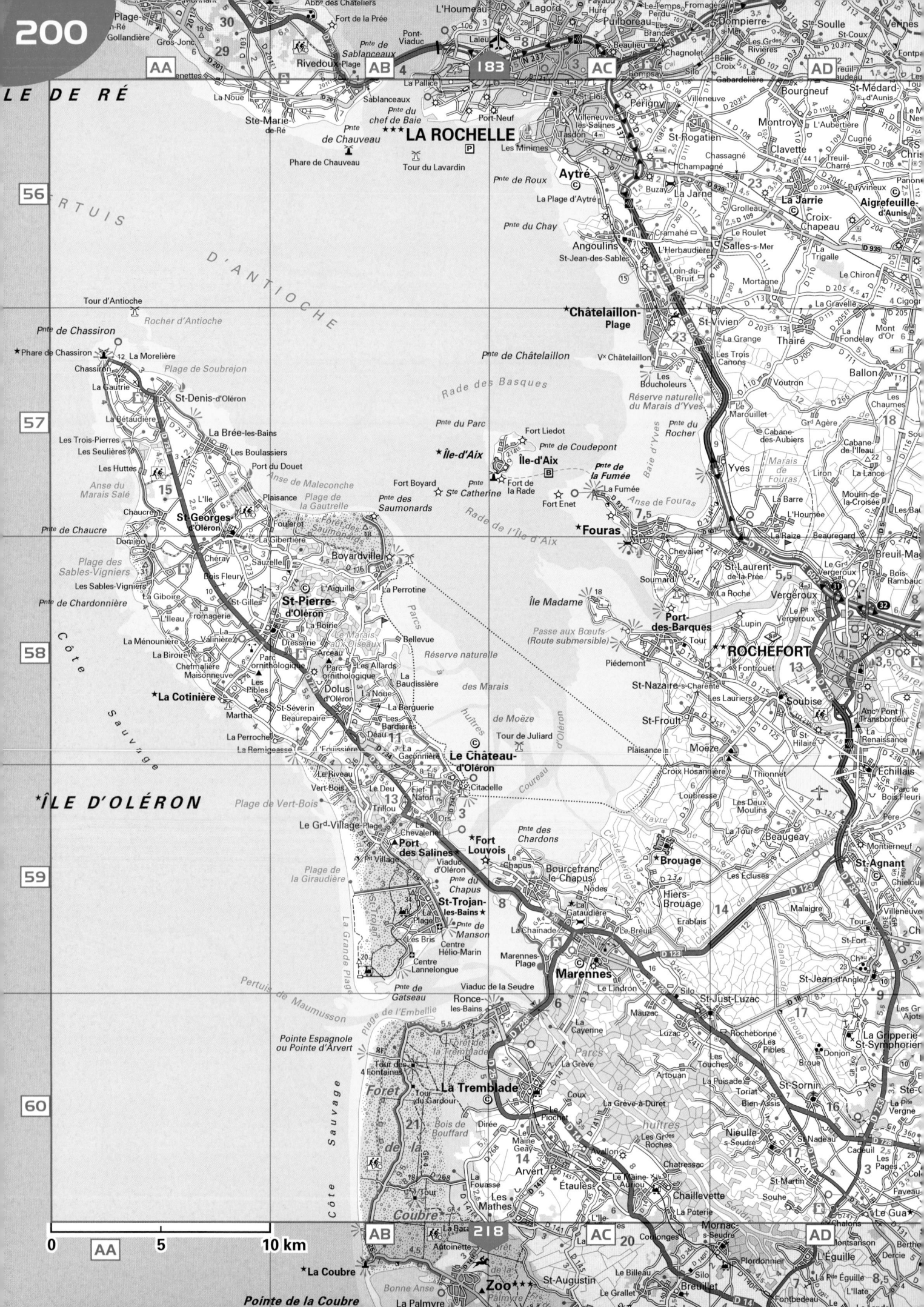

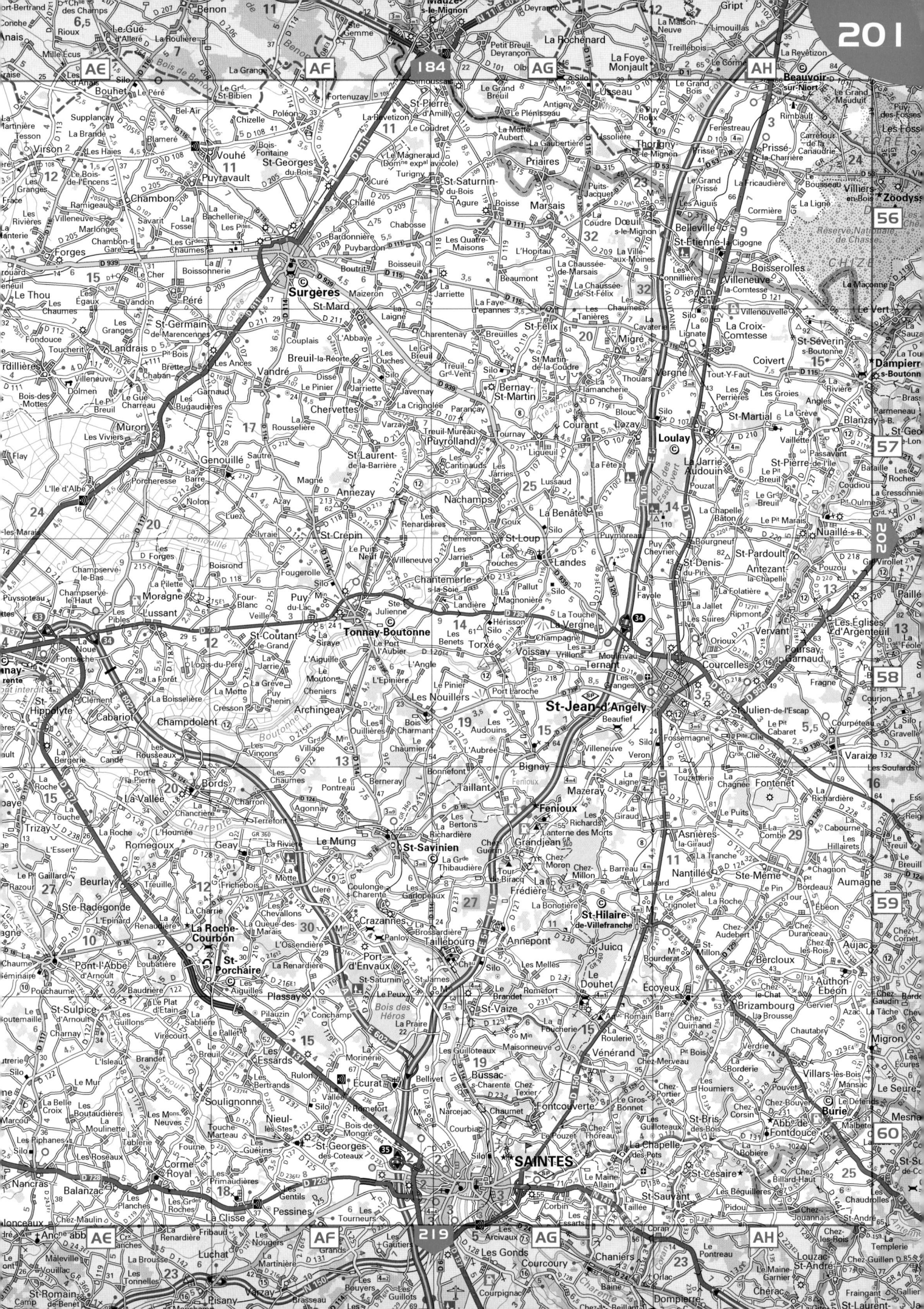

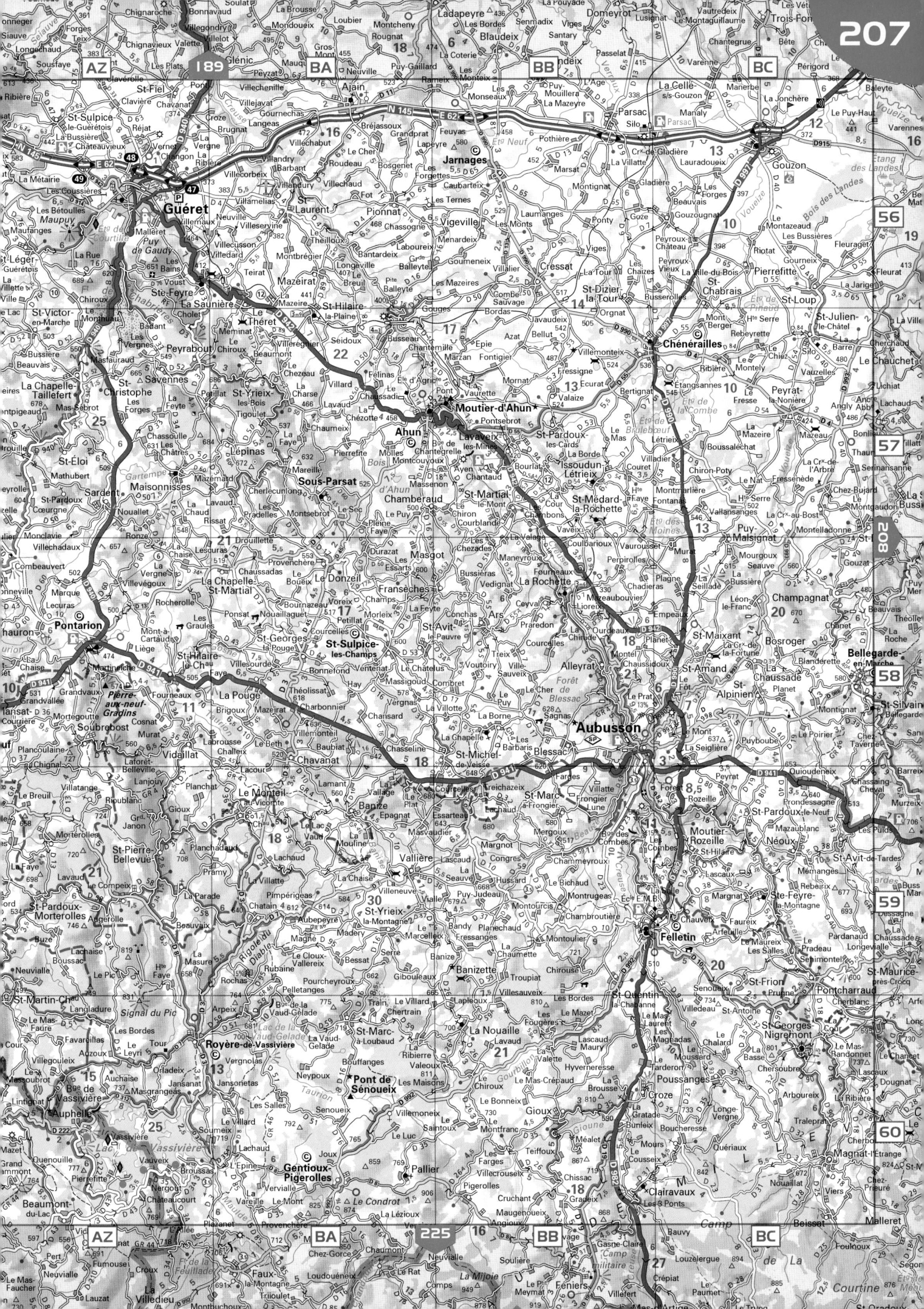

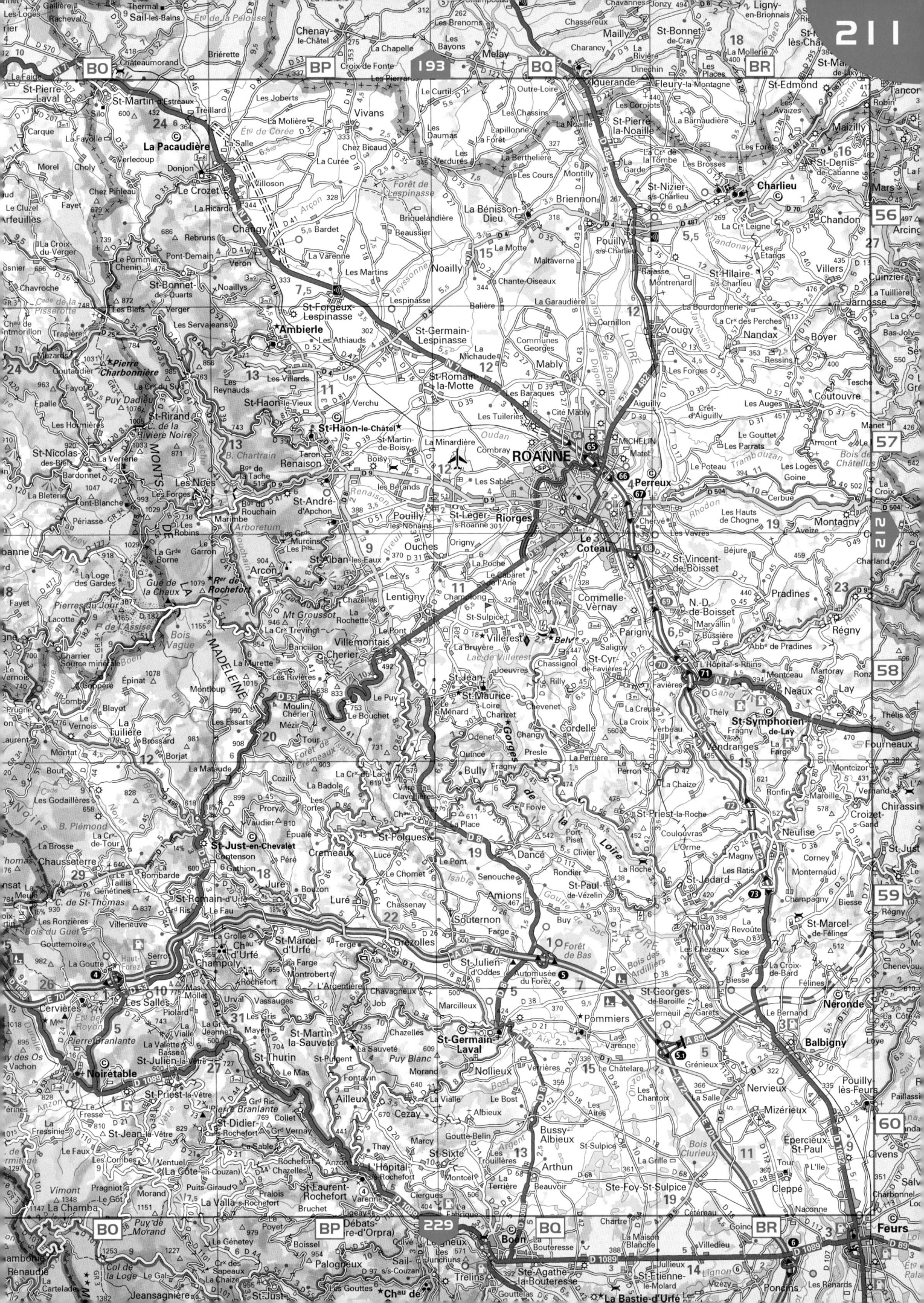

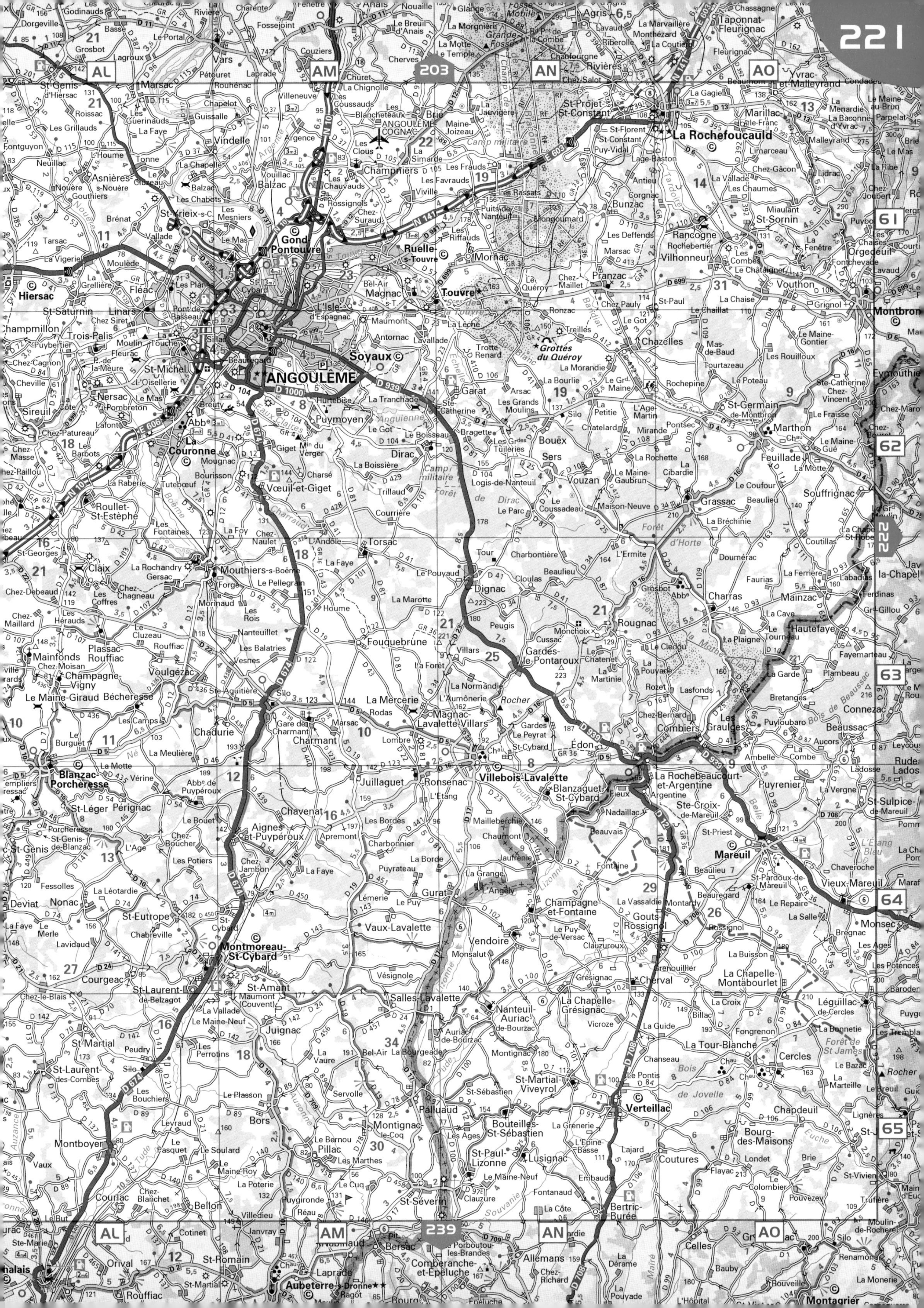
AL
AM
203
AN
AO
61
62
63
222
64
65
239
Angoulême
Gond-Pontouvre
Ruelle-s-Touvre
Soyaux
La Couronne
La Rochefoucauld
Rivières
Agris
Taponnat-Fleurignac
Yvrac-et-Malleyrand
Montbron
Marthon
Hiersac
St-Genis-d'Hiersac
Marsac
Vars
Balzac
Champniers
Brie
Fléac
St-Yrieix-s-C.
L'Isle-d'Espagnac
Magnac-s-T.
Touvre
Mornac
Pranzac
Vouthon
Chazelles
Grottes du Quéroy
Garat
Dirac
Puymoyen
Vœuil-et-Giget
Roullet-St-Estèphe
Sers
Vouzan
Grassac
Souffrignac
Mouthiers-s-Boëme
Torsac
Dignac
Rougnac
Charras
Mainzac
Fouquebrune
Gardes-le-Pontaroux
Hautefaye
Plassac-Rouffiac
Voulgézac
Champagne-Vigny
Blanzac-Porcheresse
Charmant
Magnac-Lavalette-Villars
Villebois-Lavalette
Édon
La Rochebeaucourt-et-Argentine
Combiers
Les Graulges
Mareuil
Aignes-et-Puypéroux
Chavenat
Juillaguet
Ronsenac
Blanzaguet-St-Cybard
Gurat
Vaux-Lavalette
Montmoreau-St-Cybard
Champagne-et-Fontaine
Vendoire
Gouts-Rossignol
Vieux-Mareuil
Nonac
St-Eutrope
Courgeac
St-Laurent-de-Belzagot
St-Amant
Salles-Lavalette
Juignac
Nanteuil-Auriac-de-Bourzac
Cherval
La Chapelle-Grésignac
La Chapelle-Montabourlet
Léguillac-de-Cercles
La Tour-Blanche
Cercles
St-Martial-Viveyrol
Verteillac
Palluaud
Montignac-le-Coq
Pillac
Bors
Bouteilles-St-Sébastien
St-Paul-Lizonne
Lusignac
Bourg-des-Maisons
Chapdeuil
Montboyer
Courlac
Bellon
St-Séverin
Bertric-Burée
Celles
Montagrier
St-Romain
Orival
Rouffiac
Aubeterre-s-Dronne
Bersac
Comberanche-et-Epeluche
Allemans
D 939
D 674
D 1000
N 10
N 141
E 603
E 606
D 708
Forêt de la Mothe Clédou
Forêt d'Horte
Bois de Jovelle
Camp militaire

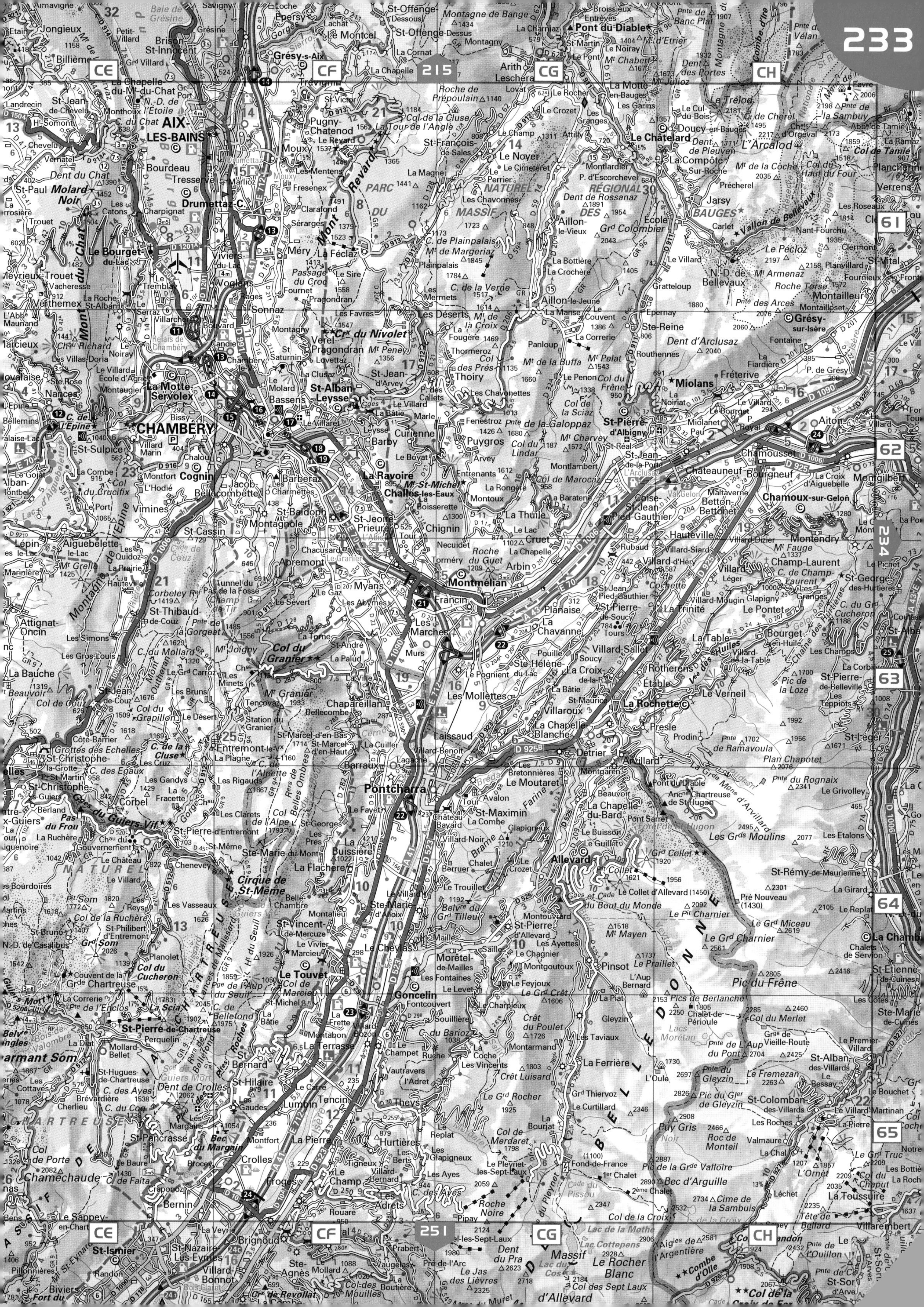
215
CE
CF
CG
CH
AIX-LES-BAINS
Grésy-s-Aix
Le Bourget-du-Lac
Drumettaz-C.
La Motte-Servolex
CHAMBÉRY
Cognin
St-Alban-Leysse
La Ravoire
Challes-les-Eaux
Montmélian
Le Châtelard
St-Pierre-d'Albigny
Miolans
Grésy-sur-Isère
Chamoux-sur-Gelon
La Rochette
Pontcharra
Allevard
Le Touvet
Goncelin
St-Pierre-de-Chartreuse
Crolles
St-Ismier
Col du Granier
Mt Granier
Cirque de St-Même
Mont Revard
Cx du Nivolet
Pont du Diable
L'Arcalod
PARC NATUREL RÉGIONAL DU MASSIF DES BAUGES
CHARTREUSE
BELLEDONNE
Massif
61
62
63
64
65
234
251

Albertville
Bourg-St-Maurice
Moûtiers
Aime
La Plagne
Courchevel 1850
Méribel
Les Menuires
Val-Thorens
Pralognan-la-Vanoise
Champagny-en-Vanoise
Bozel
Brides-les-Bains
Salins-les-Thermes
Valmorel
St-Jean-de-Maurienne
St-Martin-de-Belleville
Aiguebelle
La Chambre
Aussois
Peisey-Nancroix
Arêches
Boudin
Bge de Roselend
Cormet de Roselend
Col de la Madeleine
Col de Tamié
Col de la Bathie
Le Grd Mont
Grd Arc
Grd Pic de la Lauzière
Le Cheval Noir
Crève Tête
Aigle de Péclet
Cime de Caron
Mt du Vallon
Somt de la Saulire
Roc des Trois Marches
Pte de la Masse
Grand Perron des Encombres
Col des Encombres
Col de Chavière
Aigle Doran
Cirque de Génépy
Vallée des Chapieux
La Tania
Les Allues
Aigueblanche
La Léchère
Notre-Dame-de-Briançon
Feissons-sur-Isère
Grignon
Frontenex
Gilly-sur-Isère
St-Vital
Tournon
Cléry
Montmélian
Randens
Argentine
Épierre
St-Alban-des-Hurtières
St-Georges-des-Hurtières
St-Léger
St-François-Longchamp
Montgellafrey
St-Avre
St-Étienne-de-Cuines
Ste-Marie-de-Cuines
Hermillon
St-Julien-Mont-Denis
St-Martin-de-la-Porte
Villargondran
St-Pancrace
La Toussuire
MASSIF
DE
LA
PARC
CI
CJ
CK
CL
216
252
233
61
62
63
64
65
0
5
10 km

AV
AW
AX
AY
224
260
241
66
67
68
69
70
TULLE
BRIVE-
LA-GAILLARDE
Malemort-
s-Corrèze
Ussac
Donzenac
Allassac
Objat
Ayen
St-Robert
Terrasson-
Lavilledieu
Larche
Noailles
Turenne
Collonges-
la-Rouge
Meyssac
Beynat
Aubazines
Naves
Vayrac
Martel
Souillac
Salignac-
Eyvigues
Carlux
Curemonte
Carennac
Jardins
d'Eyrignac
Gouffre de la Fage
Gouffre de
Padirac
Grottes
de Lacave
Puy d'Yssandon
Puy d'Issolud
Puy de
Pauliac
Belvédère de Copeyre
Dordogne
0
5
10 km

AZ
BA
BB
BC
225
261
66
67
68
69
70
244
Gimel-les-Cades
St-Priest-de-Gimel
Champagnac-la-Noaille
Lafage-s-Sombre
Lapleau
Latronche
Soursac
Marcillac-la-Croisille
Clergoux
Bge de la Valette
St-Merd-de-Lapleau
Bge de l'Aigle
Chalvignac
St-Pardoux-la-Croisille
Dordogne
Gumond
Gros-Chastang
Bassignac-le-Haut
Auriac
Marc-la-Tour
La Roche-Canillac
St-Sylvain
Darazac
Puy du Bassin
Rilhac-Xaintrie
Chaussenac
Forges
St-Bonnet-Elvert
Bge du Chastang
St-Privat
Pleaux
Servières-le-Château
St-Martial-Entraygues
St-Julien-aux-Bois
St-Chamant
Neuville
Argentat
Monceaux-s-Dordogne
Hautefage
St-Cirgues-la-Loutre
Bge d'Enchanet
Tours de Merle
St-Geniez-ô-Merle
St-Hilaire-Taurieux
Chenailler-Mascheix
Sexcles
Goulles
Arnac
St-Illide
La Chapelle-St-Géraud
Mercœur
Rouffiac
St-Santin-Cantalès
St-Victor
Camps-St-Mathurin-Léobazel
Montvert
Laroquebrou
Nieudan
Gorges de la Cère
Laval-de-Cère
Siran
St-Etienne-Cantalès
Bge de St-Etienne-Cantalès
St-Gérons
Bretenoux
Castelnau
Comiac
Calviac
Teyssieu
Lacapelle-Viescamp
Glénat
La Ségalassière
St-Céré
Montal
St-Saury
Le Rouget
Roumégoux
St-Mamet-la-Salvetat
Latouille-Lentillac

PARC

BC 26 BD 226 BE BF

Ydes
Saignes
La Monselie
Riom-ès-Montagnes 27

66

Bge de l'Aigle ★★

Mauriac ★

Anglards-de-Salers
St-Vincent-de-Salers
Le Vaulmier
RÉGIONAL

67 11 16 19 20

Salers ★
St-Paul-de-Salers
Puy Violent (1347)
Puy de la Tourte

Pleaux 10

243

68 Bge de Branzac
St-Martin-Cantalès
Besse
L'Hôpital
St-Chamant
Fontanges
Le Fau

Bge d'Enchanet

St-Cirgues-de-Malbert
St-Cernin 36
Anjony
Tournemire
St-Cirgues-de-Jordanne 41

25

St-Illide

69 St-Santin-Cantalès
St-Victor
Marmanhac
Velzic

Montvert Laroquebrou
Nieudan
Jussac
Reilhac
Vic-sur-Cère 19

70 16
St-Gérons
St-Étienne-Cantalès
Bge de St-Étienne-Cantalès 21
Lacapelle-Viescamp
AURILLAC
Arpajon-Cère Pesteils
Polminhac
Rocher des

Naucelles
Ytrac
Sansac-de-Marmiesse 22
Conros
Vézac 29

0 BC 5 10 km BD 262 BE BF
St-Mamet-la-Salvetat
Roannes-St-Mary
Mur-de-Barrez

LE PUY-EN-VELAY

Yssingeaux

Craponne-sur-Arzon

Monistrol-sur-Loire

La Séauve-sur-Semène

Bas-en-Basset

Beauzac

Retournac

Vorey

St-Paulien

St-Julien-Chapteuil

Les Estables

Mt Mézenc

Loudes

Cayres

Solignac-sur-Loire

Arlempdes

Le Monastier-sur-Gazeille

handwritten: N88 TO MENDE THEN A75 TO MILAU

BO BP 229 BQ BR 66 67 248 68 69 70 265

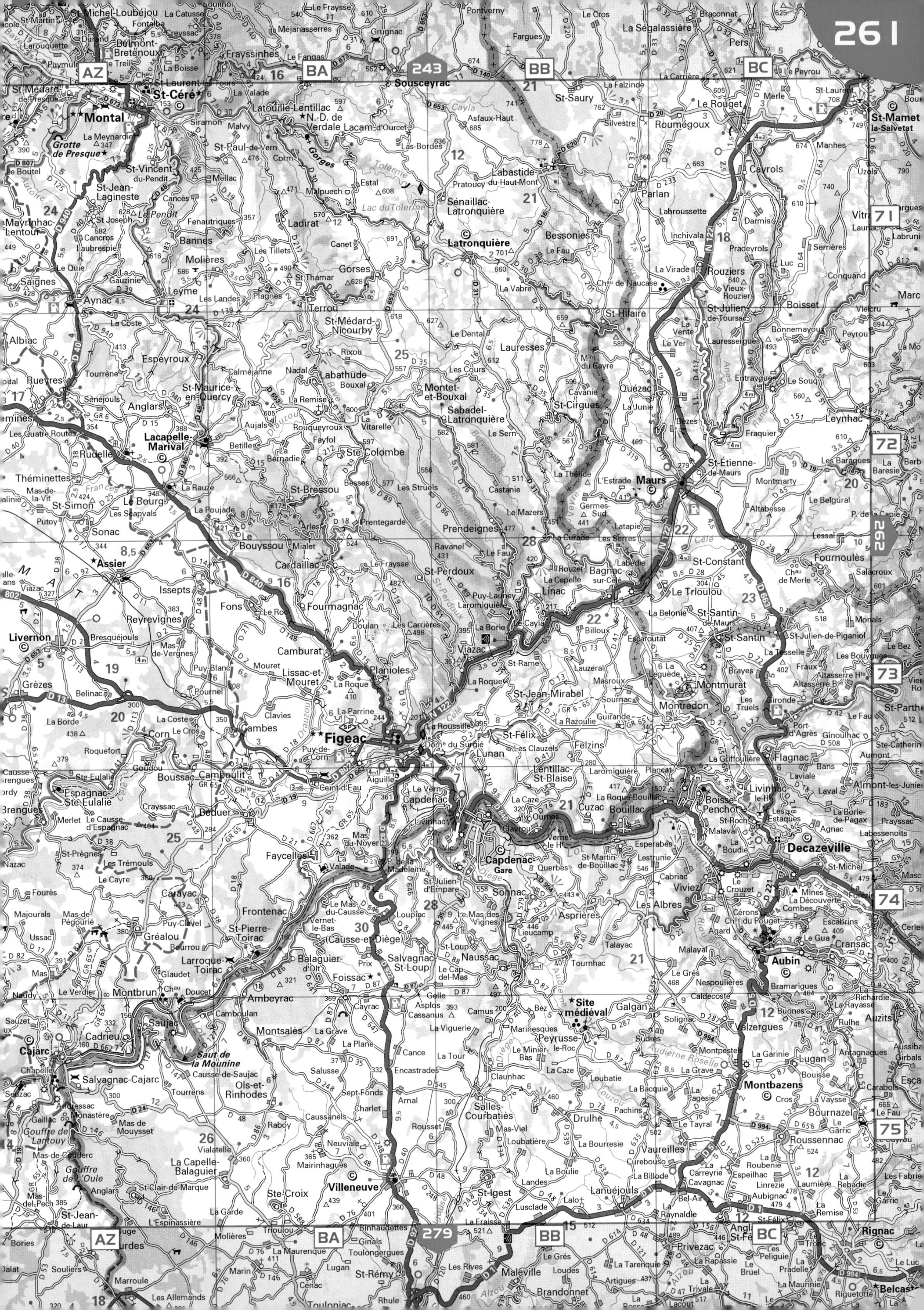
AZ
BA
243
BB
BC
St-Céré
Montal
Sousceyrac
Latronquière
Aynac
Lacapelle-Marival
Assier
Livernon
Figeac
Capdenac
Capdenac-Gare
Maurs
Bagnac-sur-Célé
Decazeville
Aubin
Montbazens
Villeneuve
Cajarc
Site médiéval
Peyrusse-le-Roc
St-Mamet la-Salvetat
Rignac
Belcastel
71
72
73
74
75
262
279
AZ
BA
BB
BC

Grid references: BK BL 246 BM BN

71 72 73 74 75 (left margin) 263 (left side)

31 20 28 30 (right margin)

Major towns and localities:

Le Malzieu-ville, Le Malzieu-Forain, St-Chély-d'Apcher, St-Alban-sur-Limagnole, Aumont-Aubrac, Ste-Colombe-de-Peyre, St-Sauveur-de-Peyre, Marvejols, Antrenas, St-Léger-de-Peyre, Parc à loups du Gévaudan ★, Le Monastier-Pin-Moriès, Chirac, Palhers, St-Bonnet-de-Chirac, Chanac, La Canourgue, St-Germain-du-Teil, Grandrieu, Châteauneuf-de-Randon, Mausolée du Connétable, St-Jean-la-Fouillouse, St-Sauveur-de-Ginestoux, La Villedieu, La Panouse, St-Denis-en-Margeride, St-Amans, St-Gal, Serverette, Javols, Les Laubies, Estables, Rieutort-de-Randon, Lachamp, Servières, Chastel-Nouvel, Badaroux, Mende, St-Bauzile, Balsièges, Barjac, Cultures, Esclanèdes, Ste-Eulalie, St-Paul-le-Froid, St-Symphorien, Chambon-le-Château, Laval-Atg, Laubert, Pelouse, Le Born, St-Martin-du-Born, Ste-Hélène, Bagnols-les-Bains, St-Julien-du-Tournel, Chadenet, Lanuéjols, Brenoux, St-Étienne-du-Valdonnez, Col de Montmirat, Allenc, Arzenc-de-Randon, Pierrefiche

Notable features:
Réserve de Bisons d'Europe, Roc de Fenestre, Col de la Croix-de-Bor, Col des Trois Sœurs, Signal de Randon 1551, Truc de Fortunio 1551, Lac de Charpal, Plateau du Palais du Roi, Col du Cheval Mort, Col de la Pierre Plantée, Col de la Tourette, Col de la Loubière, Mausolée Romain, Causse de Changefège, Causse de Balduc, Col de Vielbougue (866), Col de Montmirat, Truc du Midi, Truc de Grèzes, Truc de Chausserans, Gorges de la Crueize, Col des Issartets, Roc de Peyre, Le Buisson, MARGERIDE, GÉVAUDAN

Rivers: Truyère, Colagne, Lot, Bès, Chapeauroux, Bouisse, Mézère, Guirard

Scale: 0 ..... 5 ..... 10 km

Bottom grid: BK BL 282 BM BN

BO · 72 · 247 · BQ · BR · 71 · 72 · 266 · 46 · 73 · 74 · 283 · BP · BQ · 50 · 11 · 9 · 18 · 19 · 20 · 55 · 24 · 29

Arlempdes · **Pradelles** · **Langogne** · **Coucouron** · **Naussac** · Barrage de Naussac · **Lavillatte** · **Lanarce** · **Mazan-l'Abbaye** · **Montpezat** · Gerbier de Jonc · Suc de Séponet · Béage · Le Lac-d'Issarlès · Ste-Eulalie · **Astet** · **Barnas** · **Mayres** · Col de la Chavade · Bois du Faultre · Serre de la Croix de Bauzon · Col de la Cr de Bauzon · Borne · **Col de Meyrand** · Le Tanargue · Loubaresse · **Valgorge** · St-Mélany · Beaumont · **Thines** · St-André-Lachamp · Planzolles · Faugères · Lablachère · Payzac · St-Genest-de-Beauzon · **Chambonas** · Les Salelles

Chaudeyrac · **Cheylard-l'Évêque** · Forêt de Mercoire · Anne Abbe de Mercoire · **Laveyrune** · Somt des Trois Seigneurs · **St-Laurent-les-Bains** · Trappe de N.-D. des Neiges · St-Étienne-de-Lugdarès · Masméjean · Le Moure de la Gardille · **La Bastide-Puylaurent** · Chasseradès · Mirandol · St-Frézal-d'Albuges · **Belvezet** · Montbel · Montagne du Goulet · Somt du Goulet · **Prévenchères** · Puylaurent · **Altier** · La Garde-Guérin · Pied-de-Borne · **Villefort** · Ste-Marguerite-Lafigère · **Le Bleymard** · Col des Tribes · Cubières · Cubiérettes · Col de Finiels · Pic Cassini · Sommet de Finiels · Mont Lozère · Ponteils-et-Brésis · St-André-Capcèze · Malons-et-Elze · Chambon

St-Nicolas · Mazemblard · Preyssac · Montagnac · Goudet · Alleyrac · Vachères · Largentière · Deux-Rabes · Peyrelon · Anne Chartreuse de Bonnefoy · Ville-Vieille · Suc de Montfol · Usclades-et-Rieutord · St-Cirgues-en-Montagne

Le Cros · St-Christophe-d'Allier · St-Haon · Landos · Barges · **St-Paul-de-Tartas** · **St-Étienne-du-Vigan** · Lespéron · Lesperon · St-Flour-de-Mercoire · St-Alban-en-Montagne · Chastanier · Rocles · Pierrefiche · Chaudeyrac · Boissanfeuilles

Auroux · Le Monteil · St-Médard · Rauret · Arquejols · Fontanes · Pomeyrols · Sinzelles · Chastanier · Naussac · Barres · Concoules

D 988 · N 88 · N 102 · N 106 · D 906 · GR 7 · GR 70 · GR 4 · GR 72

Forêt de Bauzon · Col du Pendu · Serre de la Pierre Plantée · Massif de Pratauberat · Dompnac · Sablières · Montselgues · Gravières · Les Vans

D'ARDÈCHE · MONT LOZÈRE · NATIONAL · Gorges du Chassezac · Chassezac · Allier · Langouyrou · Espezonnette

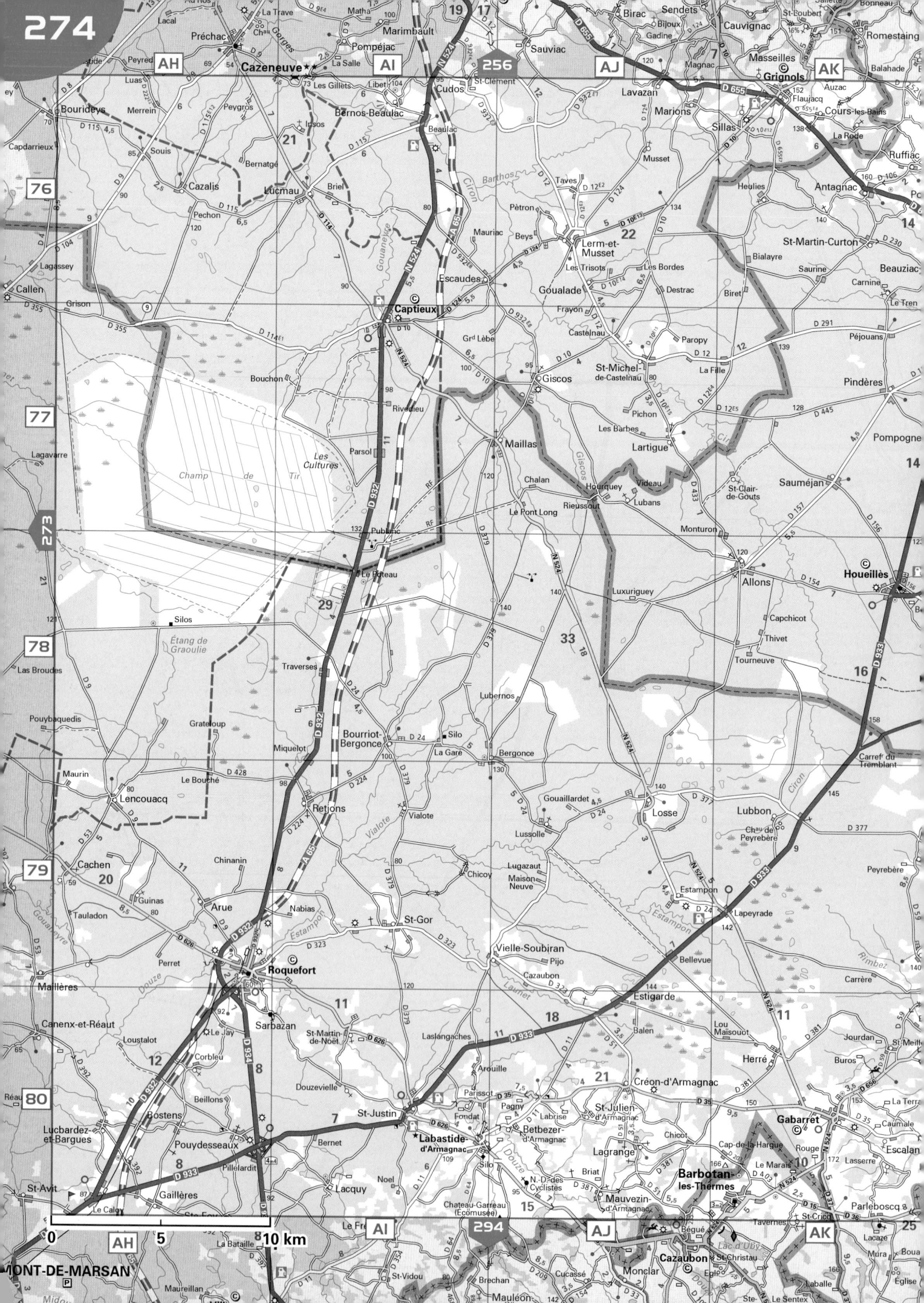

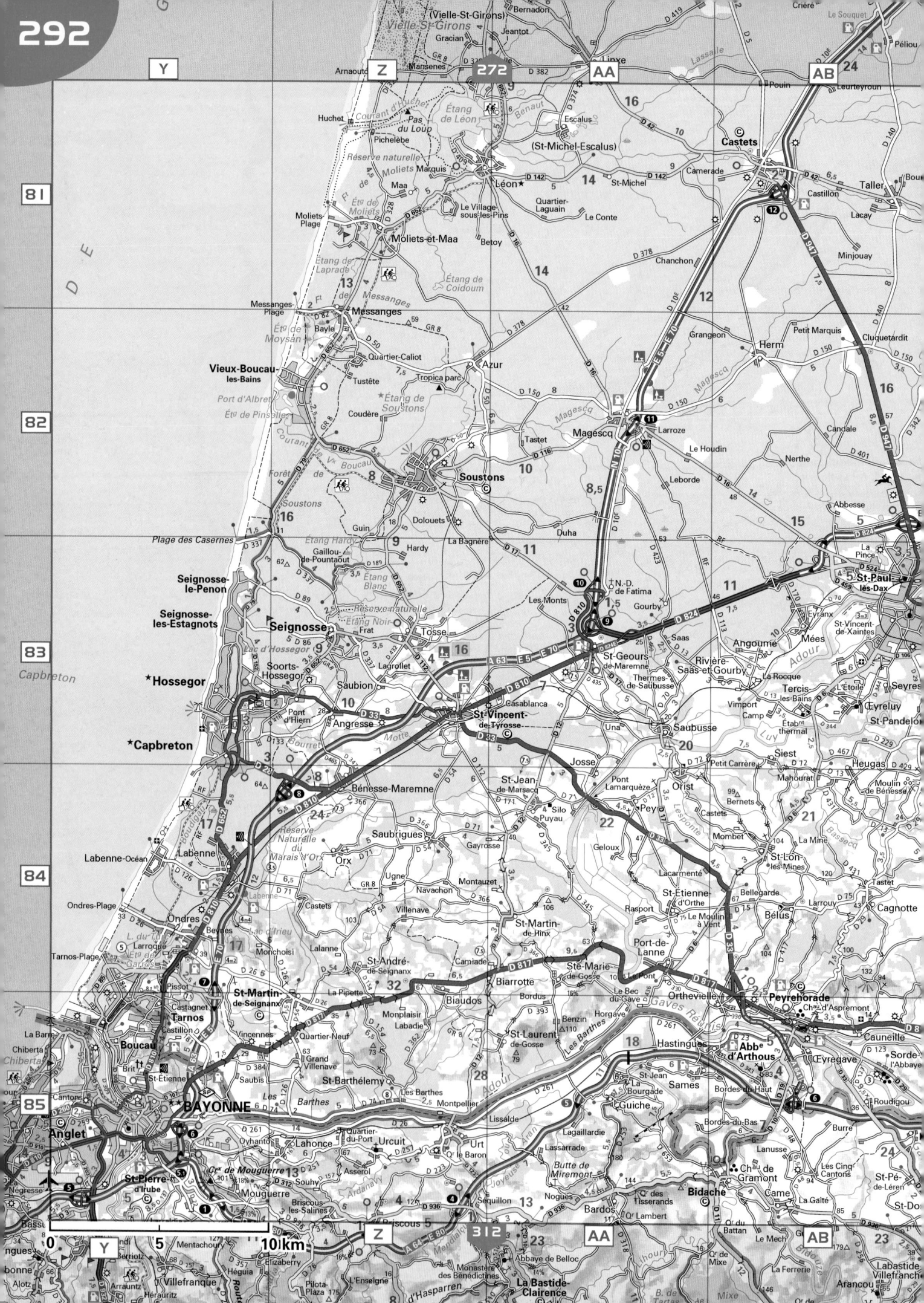

10 km

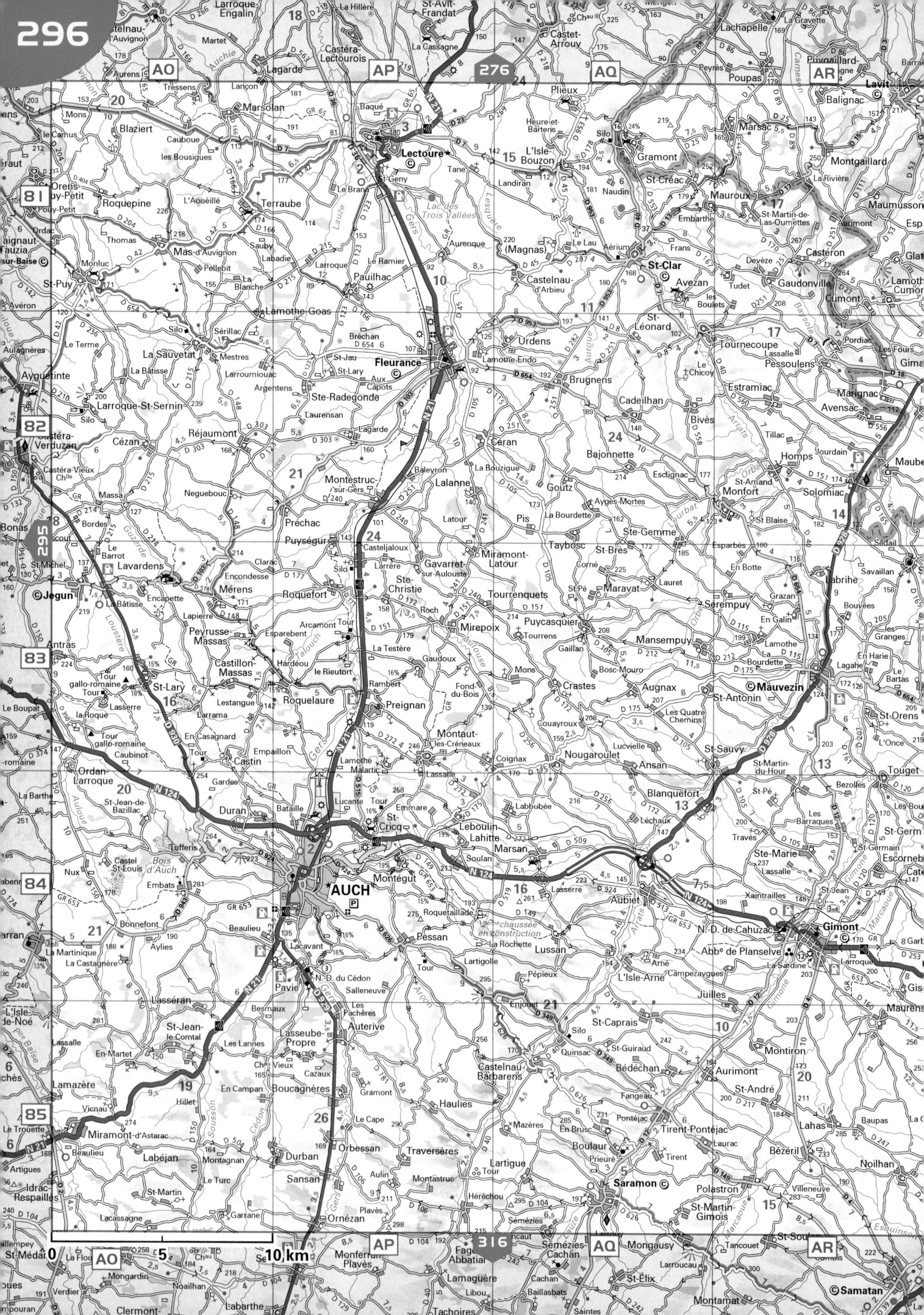

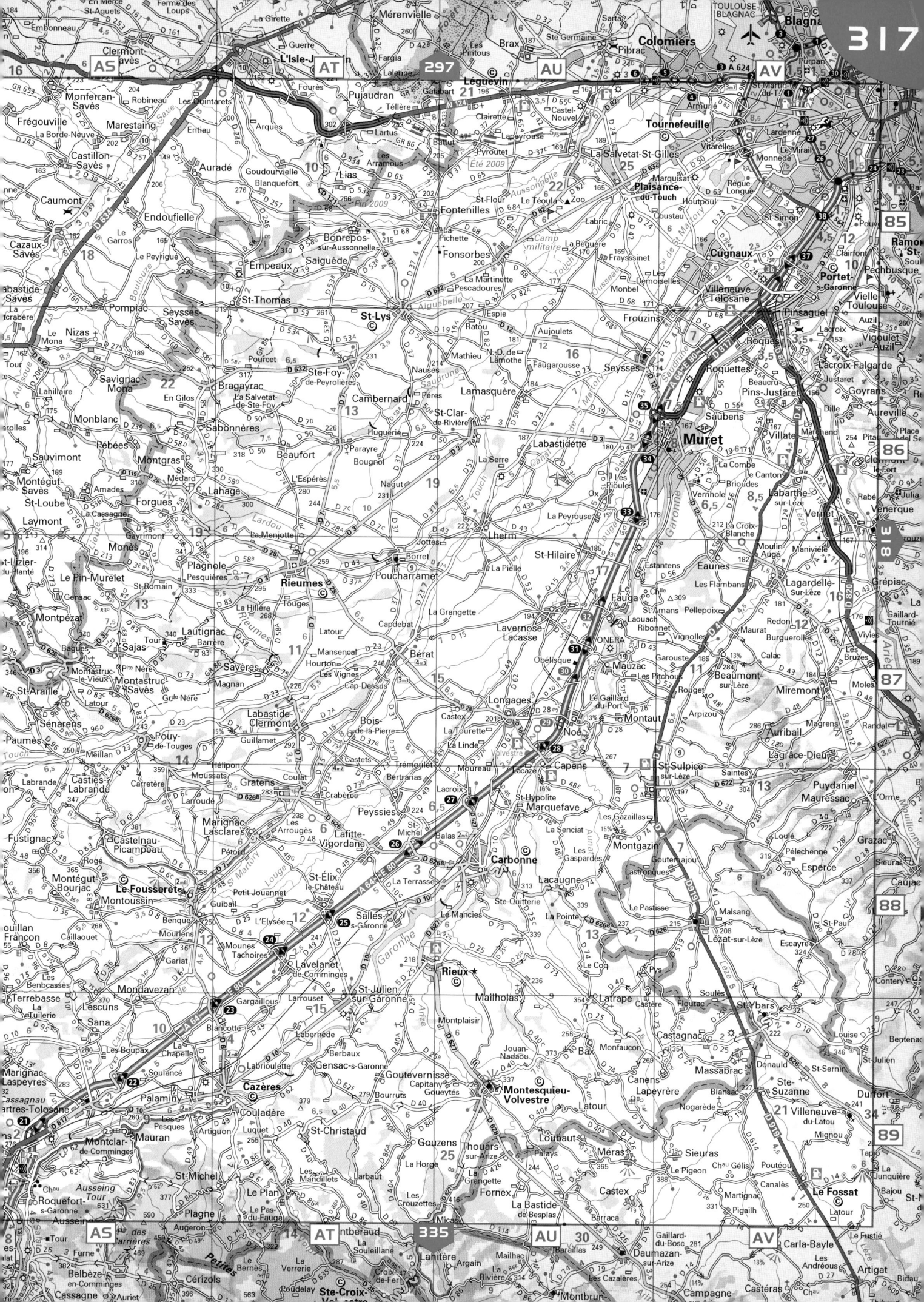

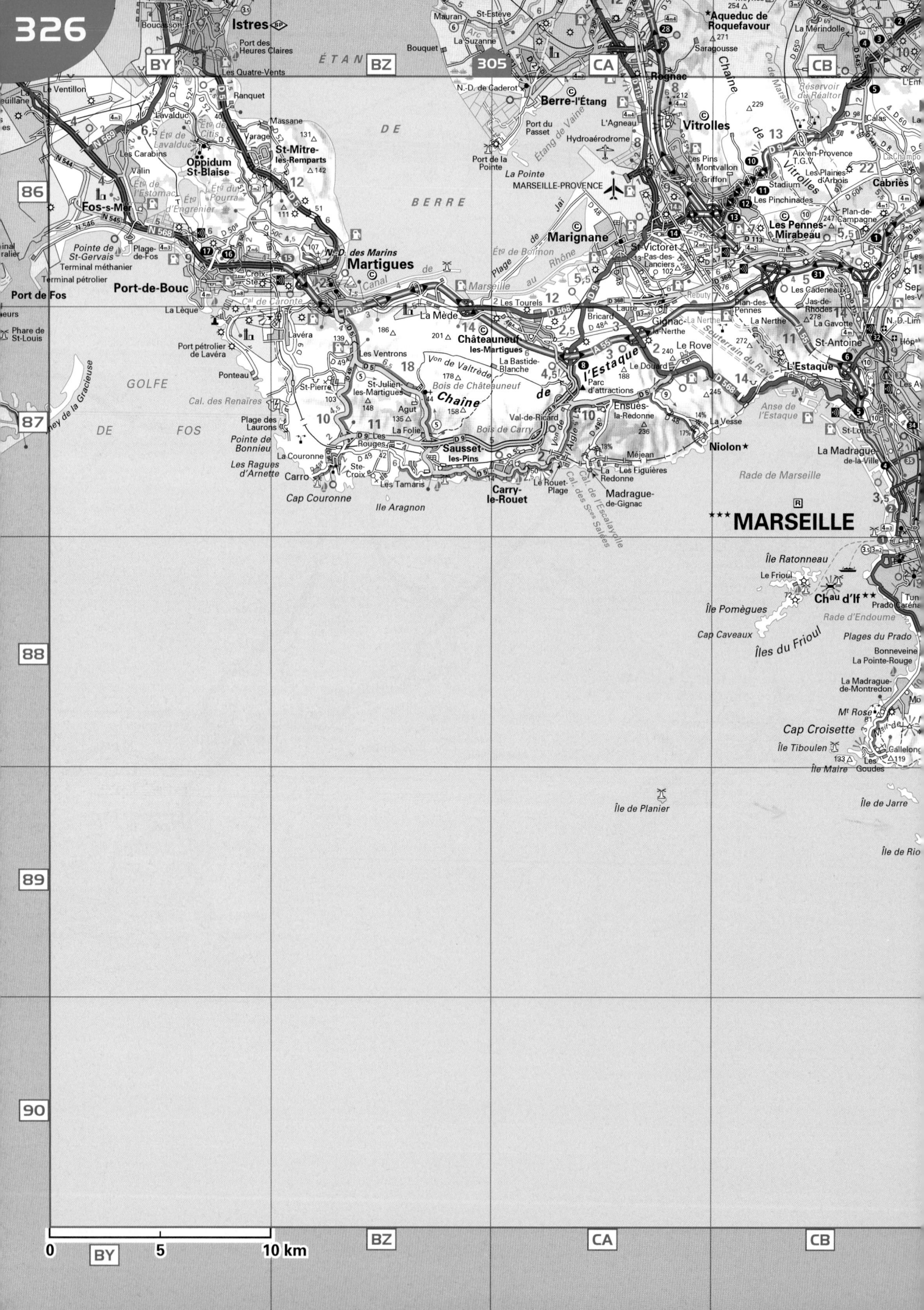

PARC   NATUREL
la Clape
l'Œil Doux
Armissan
St-Pierre-sur-Mer
Vires
170
L'Hospitalet
Port de Brossolette
Moujan
14
Ricardelle
Pech Redon
BJ
321
BK
BL
Les Hauts de
Narbonne
BI
Lunes
Narbonne-Plage
Craboules
REGIONAL
Montplaisir
Rouquette
Coffre de
Montfort
Les Monges
Pech Redon
Rochegrise
La
Montfort
N. D. des Auzils
Le Pech Rouge
Nautique
Cimetière marin
Les Pesquis
Le Rec
Les Ayguades
20
Bages
Mandirac
d'Argent
Étg de
12
Matelle
90
Estarac
10
Étang de Gruissan
Peyriac-
Î. de
Musée
Gruissan ★
de-Mer
Planasse
Île
Gruissan-Plage
St-Martin
Réserve
Île de
L'Évêque
Salin
africaine
l'Aute
de
L'Ayrolle
St-Martin
Le Hameau du Lac
Île Ste-Lucie
Étang
La
de L'Ayrolle   NARBONNAISE
Courtive
Salin
Villefalse
Grd
de
Grau de la Vieille Nouvelle
Salin
Ste-Lucie
Mattes
39
91
1
D 6139
Sigean ★
8,5
Port-la-Nouvelle
Roquefort-
les-Corbières
15
Cap
Romarin
La Palme
11
Marbre
Salin-de-Lapalme
Les Cabanes-
Étg
de
de-Lapalme
Lapalme
St-Pancrace
Lapalme
EN   MÉDITERRANÉE
92
40
2
Grau de la Franqui
Caves
La Franqui
Treilles
61
Cap Leucate ★
Fitou
Leucate
Leucate-Plage
St-Aubin
14
Les Cabanes-
de-Fitou
Grau de Leucate
Port-Fitou
22
Étang
16
Pnte de
la Corrège
Port-Leucate
LA CATALANE
de Leucate
Aquamagic
Salses-le-Château
ou
15
14
Grde
13
Paquebot Lydia
de Salses
Dosse
(ensablé)
93
Île de la Coudalère
Garrieux
Luna Park
12
Port-Barcarès
Centre
11
nautique
Camp
militaire
Port St-Ange
10
10
St-Hippolyte
7
Le Barcarès
9
D 83
5
9,5
6
St-Laurent-
de-la-Salanque
Salut Claira
Torreilles-Plage
Jouègue
Torreilles
10
94
Villelongue-
de-la-Salanque
Ste-Marie
Bompas
Ste-Marie-Plage
Canet-
en-Roussillon
Têt
11
D 617
BI
343
BJ
BK
BL
PERPIGNAN
Canet-Plage
Cabestany
l'Esparrou
9
8

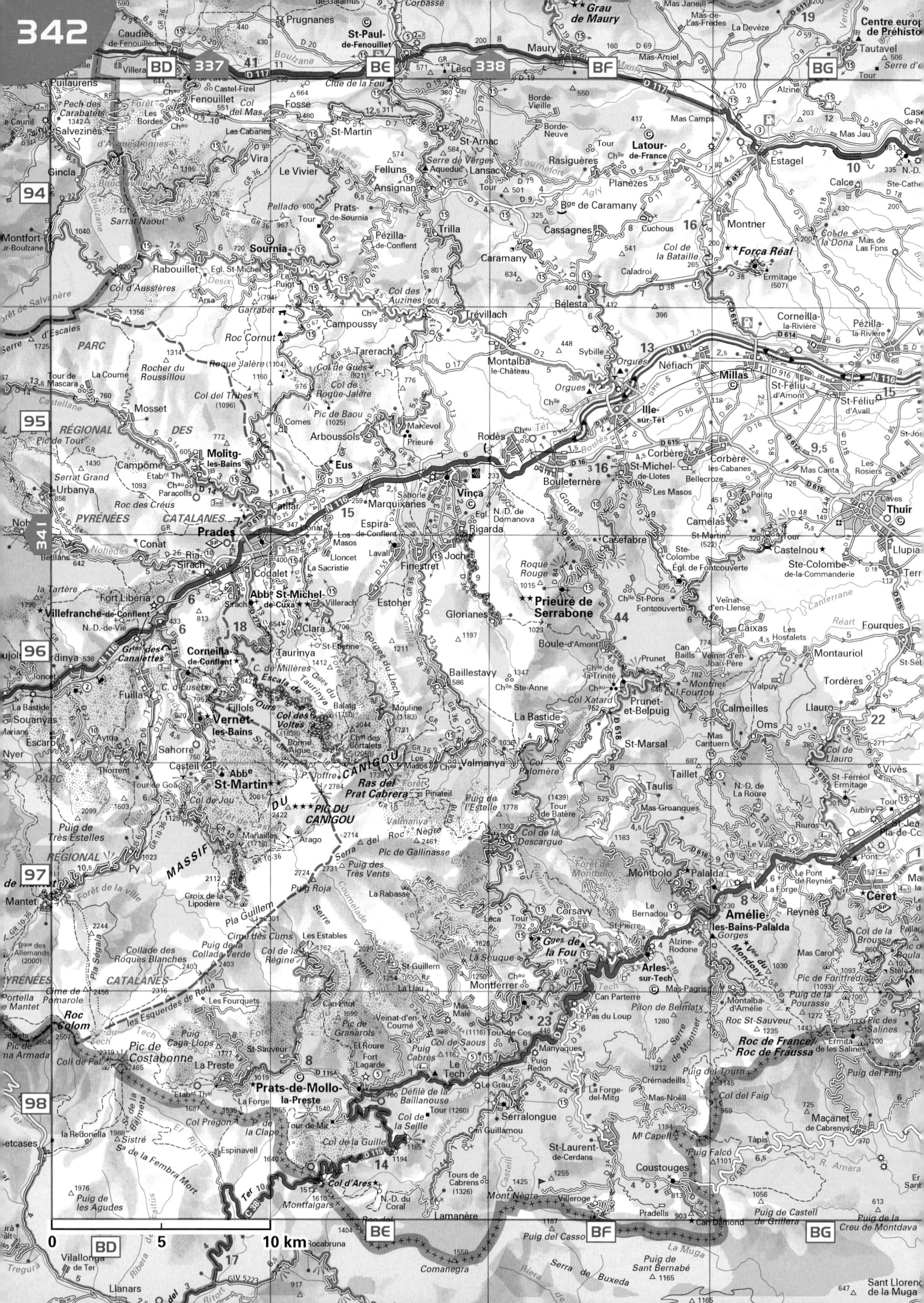

FA FB FC FD

100

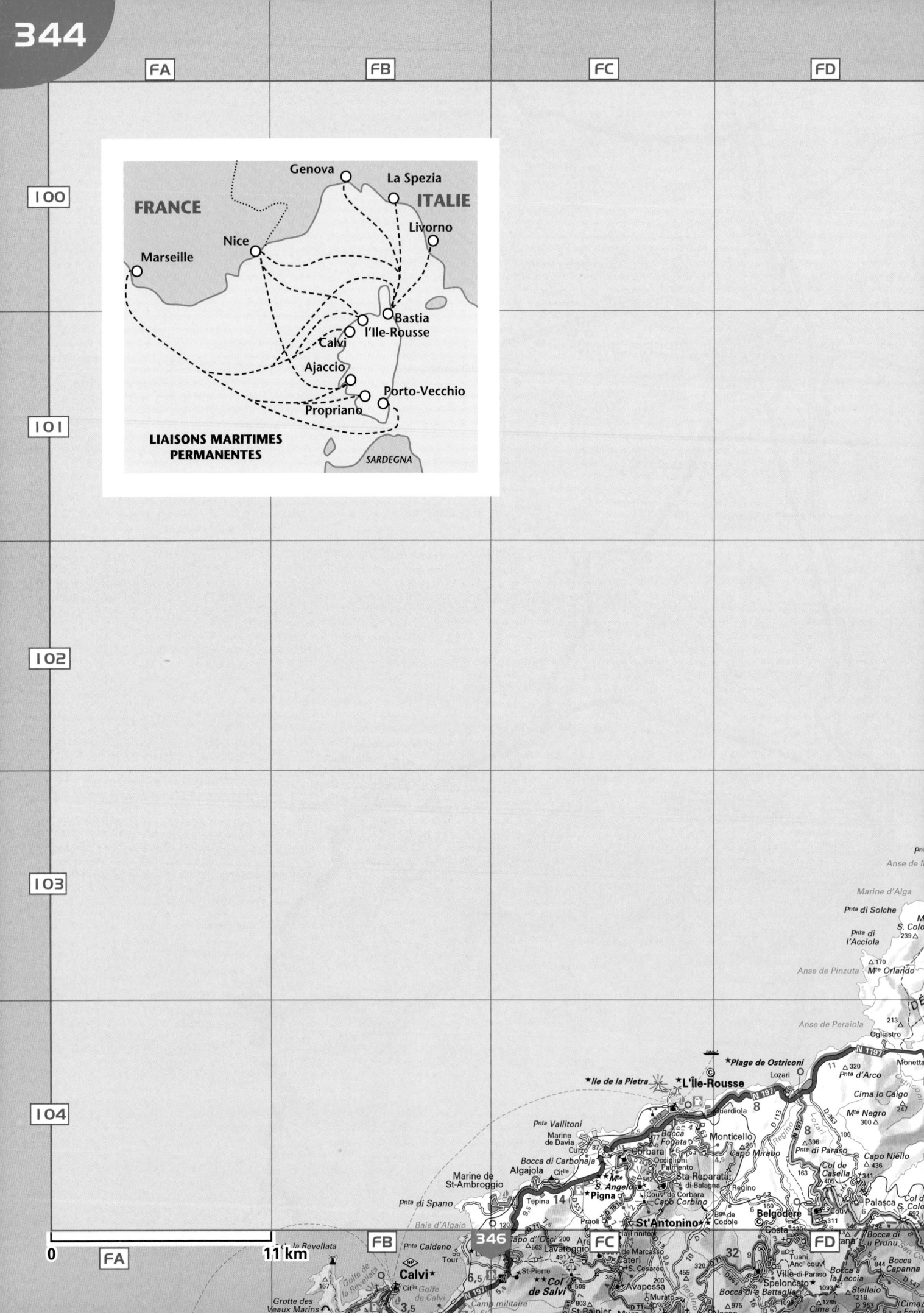

FRANCE

Genova

La Spezia ITALIE

Nice

Livorno

Marseille

Bastia

l'Ile-Rousse

Calvi

Ajaccio

Porto-Vecchio

Propriano

101

LIAISONS MARITIMES
PERMANENTES

SARDEGNA

102

103

Anse de M

Marine d'Alga

P.nta di Solche

M

S. Colo

P.nta di
l'Acciola

239 △

△170

M.te Orlando

Anse de Pinzuta

Anse de Peraiola

213 △

Ogliastro

DÉ

104

△320 Monetta

11

P.nta d'Arco

*Plage de Ostriconi

N 1197

Cima lo Caigo

Lozari

*Ile de la Pietra

© *L'Île-Rousse

M.te Negro

247

8

Guardiola N 197

300 △

D 363

Capo Niello

+436

8

△396

100

P.nta Vallitoni

163

Monticello

P.nta di Paraso

Col de

Marine

Bocca

Casella

de Davia

Fogata

261

Capo Mirabo

405

Curzu

87

77 4

Corbara

D 113

160

Palasca

Bocca di Carbonaja

Occiglioni

Regino

Belgodere

Col d

Marine de

Algajola

Cit.lle

Palmento

Couv

©

311

de Colo

St-Ambroggio

562

Col de Corbara

△391

Regino

63

P.nta di Spano

*M.e

Sta-Reparata

Couv

Bocca di

△ S. Angelo

di-Balagna

Codole

u Prunu

14

*Pigna

Capo Corbino

Tepina

Praoli

St'Antonino ★

Costa

na

Baie d'Algaio

120

SP

346 FC

FD

0   FA   11 km

FB P.nta Caldano Capo d''Occi 200 Are

567 Lavatoggio Marcasso 32 Tuani

la Revellata

Tour

491 Cateri 455 Ville-di-Paraso Anc.couv

167 Golfe Cit.lle 6,5 N ★ St-Pierre S. Cesarea 70 Bocca a

Grotte des de la Golfe de Calvi D 71 la Leccia

Veaux Marins 3,5 ★★ Col Avapessa △975 1093 Stellaio

Calvi ★ de Salvi 509 803 D D 6 ×1295 963 Cima di

Camp militaire St-Rainier △ Cima di

6,5

CAP CORSE

★★★ CAP CORSE

I. de la Giraglia
Capo Grosso
P^nta di Agnello
Tollare
Tour
Barcaggio
125
Cima di
a Campana
M^te
245
Maggiore
Tour
I. Finocchiarola
364
(Réserve naturelle)
Capo Bianco
Poggio
Sta Maria
Tour
291
Granaggiolo
Baie de Tamarone
(389)
C de Serra
Belv^re du Moulin Mattei
Col St-Nicolas
303
200
Tour
Baie de Centuri
Cannelle
Ersa
Olivo
Rogliano
Tours
D 80
Camera
Macinaggio ★
Centuri-Port
Vignale
603
Sottana
Bettolacce
Tomino
★★ Centuri
Annonciation
(ancien couvent)
Morsiglia
37
Tour
Pruno
M^te di
440
Meria
Mucchieta
u Castello
13
35
Marine de Meria
576
Capo Corvoli
100
9,5
Meria
M^te Fornello
P^nta della
480
M^te Castello
Golfe d'Aliso
644
Filetta Soprana
Morteda
Col de Ste Lucie
581
Ancien couvent
D 53
Luri
16
St-François
D 180
Poggio
Piazza
Campo
260
Sta-Severa
Pino
Tour de
Castiglione
Tufo
Sénèque
Fieno
80
Marine de Luri
M^te Minervio
M^te
332
477
131
Castello
M^te Licciloli
823
Adamo
Marine de Porticciolo
P^nta Minervio
Barretali
671
Piazza
D 132
Minerbio
M^te di
918
Ortali
Cagnano
St Angelo
266
Tour de Losse
Marine de Giottani
133
M^te Alticcione
Ghilloni
1139
816
La Pedina
M^te di a Croce
Pietracorbara
Conchiglio
1161
Cortina
D 232
Marinca
Orneto
Marine
Canari
Selmacci
de Pietracorbara
Pinzuta
Piazza
832
Cima di
Pietracorbara
Tour
Punta di Canelle
218
M^te Cuccaro
e Folicce
659
1305
St-Michel
Ste Catherine
Marine de Canelle
957
Sisco
Moline
Crosciano
Abro
Barrigioni
Balba
Vicaja
Marine de Sisco
Ogliastro
D 23
Lainosa
D 32
Rocher d'Albo
Olcani
M^te Corvo
329
27
1192
Marine d'Albo
40
M^te Merizatodio
778
Guado Grec
★★ Monte Stello
1307
847
Silgaggia
Fort
Tour
Nonza ★
Bocca di
1097
Sta
Couvent
Sta Maria
Maria-Assunta
Castello
Erbalunga ★★
Grillasca
Celle
1266
Brando
Tour
Olmeta-
433
M^te Capra
Pozzo
di-Capocorso
1102
Poretto
Marine
628
Sta-Maria-
Lavasina
de Negru
M^te Pruno
di-Lota
Partine
54
★ GOLFE DE
1238
Mandriale
Miomo
Tour
ST FLORENT
Bocca di
855
Acquatu
St-Hyacinthe
S Léonardo
Muchieta
Braccolaccia
San Martino-
675
Grigione
Tour
1033
di-Lota
Pietranera
Marine de Farinole
Farinole
Cima di
Canale
Palagaccio
Anse de Faggiola
Gratera
Ville-di-
Alzeto
★★ Plage de
Punta di Curza
P^nta Vecchiaia
Pietrabugno
Ste Lucie ★★
Saleccia
114
Guaitella
★★ Plage
Tour
D 3
Ghignu
de Loto
P^nta Mortella
333
Fiume Albine
P^nta di Santolino
Tour
★★★ Serra
Mont Robbia
P. de Patrimonio
41
di Pigno
413
Patrimonio
Col de S. Bernardino
960
les Marines du Soleil
Palazzo
Monserrato
M^te di Arazza
Mont Genova
76
Poggio
390
421
Phare
28
18
Suerta
BASTIA ★★
M^te Castagne
de Fornali
5
Barbaggio
d'Ifana
479
320
Treperi
Citadelle
M^te Lavezzu
St-Florent
353
M^te Secco
536
453
Bocca di
Anc^ne Cath.
M^te St Angelo
662
Col de
Vezzu
de Nebbio
D 238
Teghime
Casta
356
262
Furiani
39
10
S. Pancrace
200
Fluminal
Baccialu
172
M^te a Mázzola
29
M^te a Torra
P. de Chiurlino
Cima di
229
852
La Marana
Pedi Pilato
Champ
597
St-François
de Tir
Olivacce
Mont Filetto
288
B^ge
Poggio-d'Oletta
842
de Padula
Oletta
Biguglia
649
Ruaghiola
113
340
Casetta
Pineto
36
378
M^te di Tuda
499
Les Sables
Olmeta-
Cima di
de Biguglia
M^te Ambrica
643
di-Tuda
31
u Zuccarello
22
1063
Bocca di
Défilé de
804
S. Pancrazio
Lavandaggio
Col de S. Stefano
Lancone
969
1300
Vallecalle
192
Île
Cima a Muzelli
Sto-Pietro-
Fusaja
S. Damiano
di-Tenda
D 82
Réserve Naturelle
M^te Torricelle
San-Gavino-
Rapale
835
di-Tenda
388
Urtaca
354
Pieve
504
San Michele ★★
554
Plage de
Cima
Sorio
Rutali
la Marana
de Mitilelli
Egl. de
652
St Cesareo
Valrose
BASTIA-
St-Laurent
702
PORETTA
Lama ★
Egl. de
Cima
Murato
di Taffoni
Borgo
Cima a Croce
St Nicolao
1117
513
M^te Buggentone
Crocetta
La Canonica
1077
(Anne cath.)
347
Vignale
San Parteo
Fouilles de Mariana
Cima
33
Pietralba
1426
Cima
451
Lucciana
di Tanoria
M^te Reghia
di Pinzali
1224
526
di Pozzo
Col de Bigorno
Scolca
Campitello
Cap Sud
Bigorno
Volpajola
Fontanone

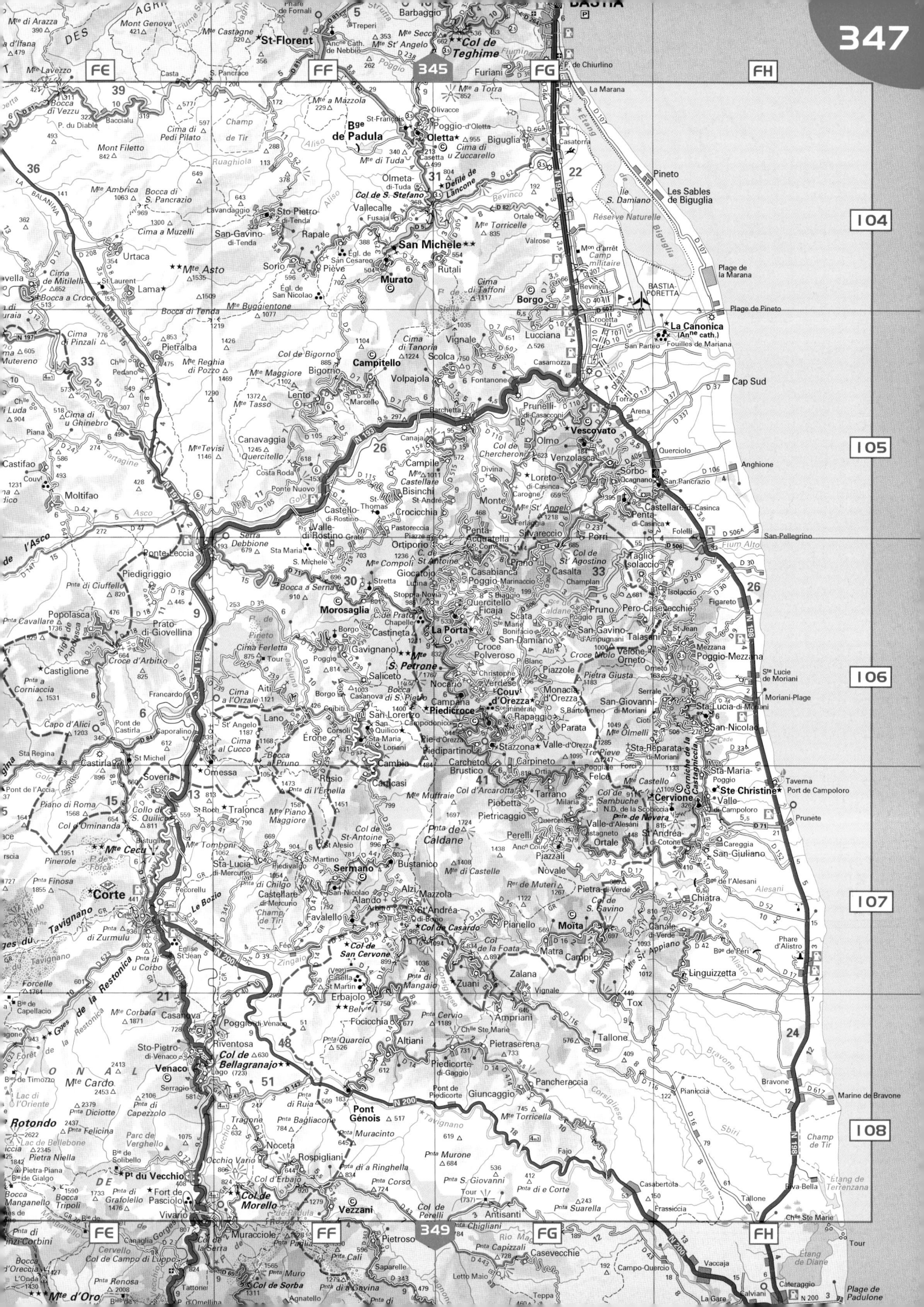

A

Aast 64..............314 AJ88
Abainville 55..............93 CA29
Abancourt 60..............21 AZ17
Abancourt 59..............14 BJ11
Abaucourt 54..............65 CF25
Abaucourt-lès-Souppleville 55......44 CA22
Abbans-Dessous 25......161 CE45
Abbans-Dessus 25......161 CE45
Abbaretz 44..............126 AA40
Abbécourt 60..............38 BB21
Abbécourt 02..............24 BJ18
Abbenans 25..............141 CI40
Abbéville 80..............11 AZ12
Abbéville-la-Rivière 91......87 BB32
Abbéville-lès-Conflans 54......45 CC22
Abbeville-Saint-Lucien 60......38 BC19
Abbévillers 25..............142 CL41
Abeilhan 34..............321 BK86
Abelcourt 70..............65 CG37
L'Aber-Wrac'h 29..............70 E27
Abère 64..............314 AI87
L'Abergement-Clémenciat 01......213 BX56
L'Abergement-de-Cuisery 71......195 BX51
L'Abergement-de-Varey 01......214 CB57
Abergement-la-Ronce 39......178 CA46
Abergement-le-Grand 39......179 CC47
Abergement-le-Petit 39......179 CC47
Abergement-lès-Thésy 39......179 CE47
Abergement-Saint-Jean 39......178 CA48
L'Abergement-Sainte-Colombe 71......178 BX49
Abidos 64..............313 AF86
Abilly 37..............169 AO47
Abîme (Pont de l') 74......215 CG60
Abitain 64..............311 AC86
Abjat-sur-Bandiat 24......222 AQ62
Ablain-Saint-Nazaire 62......8 BF9
Ablaincourt-Pressoir 80......23 BG15
Ablainzevelle 62..............13 BG12
Ablancourt 51..............62 BT26
Ableiges 95..............57 BA24
Les Ableuvenettes 88......118 CF33
Ablis 78..............86 AZ30
Ablon 14..............34 AO20
Ablon-sur-Seine 94......58 BD28
Aboën 42..............229 BR64
Aboncourt 57..............46 CG21
Aboncourt 54..............94 CE31
Aboncourt-Gesincourt 70......140 CE38
Aboncourt-sur-Seille 57......66 CG26
Abondance 74..............198 CK54
Abondant 28..............56 AW27
Abos 64..............313 AF87
Abreschviller 57..............96 CM28
Abrest 03..............210 BL57
Les Abrets 38..............232 CC63
Abriès 05..............253 CN70
Abscon 59..............14 BK10
L'Absie 79..............167 AG50
Abzac 33..............238 AJ69
Abzac 16..............204 AQ57
Accarias (Col) 38......251 CE70
Accia (Pont de l') 2B......347 FE107
Accolans 25..............141 CI40
Accolay 89..............136 BN39
Accons 07..............248 BT70
Accous 64..............331 AF91
Achain 57..............66 CI25
Achen 57..............67 CM23
Achenheim 67..............97 CQ28
Achères 78..............58 BB25
Achères 18..............155 BE44
Achères-la-Forêt 77......88 BE32
Achery 02..............24 BK17
Acheux-en-Amiénois 80......13 BE13
Acheux-en-Vimeu 80......11 AY13
Acheville 62..............8 BH9
Achey 70..............140 CB40
Achicourt 62..............8 BG10
Achiet-le-Grand 62......13 BG12
Achiet-le-Petit 62......13 BG12
Achun 58..............157 BN45
Achy 60..............21 BA18
Acigné 35..............104 AA34
Aclou 27..............35 AR23
Acon 27..............56 AU27
Acq 62..............13 BF10
Acqueville 50..............28 Z17
Acqueville 14..............53 AJ25
Acquigny 27..............36 AU23
Acquin 62..............3 BB5
Acy 02..............40 BL21
Acy-en-Multien 60......39 BH23
Acy-Romance 08..............42 BR19
Adaincourt 57..............66 CH24
Adainville 78..............57 AY28
Adam-lès-Passavant 25......162 CH43
Adam-lès-Vercel 25......162 CH44
Adamswiller 67..............67 CM25
Adast 65..............332 AJ91
Adé 65..............314 AJ89
Adelange 57..............66 CI24
Adelans-et-le-Val-de-Bithaine 70......141 CH38

Aderville 65..............333 AN93
Adilly 79..............168 AJ50
Adinfer 62..............13 BF11
Adissan 34..............302 BM85
Les Adjots 16..............203 AM57
Adon 45..............134 BG38
Les Adrets 38..............233 CF65
Les Adrets-de-l'Esterel 83..308 FD107
Adriers 86..............187 AR55
Aérocity (Parc) 07......266 BT74
Afa 2A..............348 FC111
Affieux 19..............224 AY63
Afféville 54..............45 CC21
Affoux 69..............212 BT59
Affracourt 54..............94 CF30
Affringues 62..............7 BB6
Agassac 31..............316 AN89
Agay 83..............329 CN86
Agde 34..............322 BM88
Agel 34..............320 BH88
Agen 47..............276 AP78
Agen-d'Aveyron 12......280 BF76
Agencourt 21..............160 BX45
Agenville 80..............12 BB12
Agenvillers 80..............11 BA11
Les Ageux 60..............39 BF21
Ageville 52..............117 BZ34
Agey 21..............159 BV43
Aghione 2B..............349 FG109
Agincourt 54..............65 CF27
Agmé 47..............257 AN75
Agnac 47..............257 AN73
Agnat 43..............228 BL65
Agneaux 50..............32 AD23
Agnez-lès-Duisans 62......13 BF10
Agnicourt-et-Séchelles 02......25 BO16
Agnières 80..............21 BA17
Agnières 62..............8 BF9
Agnières-en-Dévoluy 05......269 CF72
Agnin 38..............231 BX65
Agnos 64..............331 AF89
Agny 62..............13 BG11
Agon-Coutainville 50......31 AA23
Agonac 24..............240 AQ66
Agonès 34..............302 BO81
Agonges 03..............191 BJ51
Agonnay 17..............201 AF59
Agos-Vidalos 65......332 AJ91
Agris 16..............203 AN60
Agudelle 17..............219 AH64
Les Agudes 31..............333 AN93
Aguessac 12..............281 BJ78
Aguilar (Château d') 11......338 BG92
Aguilcourt 02..............41 BP20
Aguts 81..............298 AZ85
Agy 14..............32 AG21
Ahaxe-Alciette-Bascassan 64......330 AA89
Ahetze 64..............310 X86
Ahéville 88..............94 CF32
Ahuillé 53..............105 AF35
Ahun 23..............207 BA57
Ahusquy 64..............330 AB90
Ahuy 21..............160 BX42
Aibes 59..............15 BP11
Aibre 25..............142 CK40
Aïcirits 64..............311 AB87
Aiffres 79..............185 AI54
Aigaliers 30..............284 BT79
L'Aigle 61..............55 AO27
Aigle (Barrage de l') 19......243 BG66
Aiglemont 08..............26 BU16
Aiglepierre 39..............179 CD47
Aigleville 27..............56 AW24
Aiglun 06..............309 CO81
Aiglun 04..............287 CH79
Aignan 32..............295 AL83
Aignay-le-Duc 21......138 BV39
Aigné 72..............107 AM35
Aigne 34..............320 BG88
Aignerville 14..............32 AF21
Aignes 31..............318 AX88
Aignes-et-Puypéroux 16......221 AM64
Aigneville 80..............11 AY13
Aigny 51..............61 BQ24
Aigonnay 79..............185 AJ54
Aigoual (Mont) 48......282 BN79
Aigre 16..............203 AL59
Aigrefeuille 31..............298 AX85
Aigrefeuille-d'Aunis 17......200 AE56
Aigrefeuille-sur-Maine 44......147 AA45
Aigremont 30..............136 BD39
Aigremont 78..............57 BA26
Aigremont 52..............118 CC35
Aigremont 30..............283 BR80
Aiguebelette-le-Lac 73......233 CE62
Aiguebelle 83..............329 CK89
Aiguebelle 73..............234 CI63
Aigueblanche 73......234 CJ63
Aiguefonde 81..............319 BD86
Aigueperse 63..............194 BT55
Aigueperse 63..............209 BJ58
Aigues-Juntes 09......336 AW91
Aigues-Mortes 30......303 BS85
Aigues-Vives 34......320 BH88
Aigues-Vives 30......303 BS83
Aigues-Vives 11......320 BE89
Aigues-Vives 09......336 AZ91
Aiguèze 30..............284 BU77
Aiguilhe 43..............247 BP68

Aiguilles 05..............253 CN70
Aiguillon 47..............275 AN77
L'Aiguillon 09..............336 AZ92
L'Aiguillon-sur-Mer 85......183 AB54
L'Aiguillon-sur-Vie 85......165 X50
Aiguines 83..............307 CI82
Aigurande 36..............189 AZ53
Ailefroide 05..............252 CJ69
Aillant-sur-Milleron 45......135 BH38
Aillant-sur-Tholon 89......135 BK37
Aillas 33..............256 AK75
Ailleux 42..............211 BP60
Aillevans 70..............141 CH39
Ailleville 10..............116 BU33
Aillevillers-et-Lyaumont 70......119 CH36
Aillianville 52..............93 CA31
Aillières-Beauvoir 72......84 AO31
Aillon-le-Jeune 73......233 CG61
Aillon-le-Vieux 73......233 CG61
Ailloncourt 70..............141 CH38
Ailly 27..............36 AV23
Ailly-le-Haut-Clocher 80......11 BA13
Ailly-sur-Meuse 55......64 CA26
Ailly-sur-Noye 80......22 BD16
Ailly-sur-Somme 80......22 BC14
Aimargues 30..............303 BS85
Aime 73..............234 CK62
Ain (Source de l') 39......180 CF49
Ainac 04..............288 CI77
Ainay-le-Château 03......173 BF50
Ainay-le-Vieil 18......173 BE50
Aincille 64..............330 AA89
Aincourt 95..............57 AZ24
Aincreville 55..............43 BX20
Aingeray 54..............65 CE27
Aingeville 88..............118 CC33
Aingoulaincourt 52......93 CA30
Ainharp 64..............311 AC88
Ainhice-Mongelos 64......311 AA88
Ainhoa 64..............310 Y87
Ainvelle 88..............118 CD35
Ainvelle 70..............141 CG37
Airaines 80..............11 BA14
Airan 14..............34 AL23
Aire 08..............41 BO19
Aire-sur-la-Lys 62......7 BD6
Aire-sur-l'Adour 40......294 AI83
Les Aires 34..............301 BJ85
Airion 60..............38 BD20
Airon-Notre-Dame 62......6 AY9
Airon-Saint-Vaast 62......6 AY9
Airoux 11..............318 AZ87

Airvault 79..............168 AK48
Aiserey 21..............160 BY45
Aisey-et-Richecourt 70......118 CE36
Aisey-sur-Seine 21......138 BU38
Aisne 85..............183 AD53
Aisonville-et-Bernoville 02....24 BL14
Aïssey 25..............162 CH43
Aisy-sous-Thil 21......158 BR42
Aisy-sur-Armançon 89......137 BR39
Aiti 2B..............347 FF106
Aiton 73..............233 CH62
Aix 59..............9 BJ8
Aix 19..............226 BD62
Aix (Île d') 17......200 AC57
Les Aix-d'Angillon 18......155 BF45
Aix-en-Diois 26..............268 CB72
Aix-en-Ergny 62......7 BA8
Aix-en-Issart 62......6 AZ8
Aix-en-Othe 10......114 BN33
Aix-en-Provence 13......306 CC85
Aix-la-Fayette 63......228 BM63
Aix-les-Bains 73......233 CF61
Aix-Noulette 62......8 BF9
Aixe-sur-Vienne 87......205 AT60
Aizac 07..............266 BT72
Aizanville 52..............116 BW34
Aize 36..............171 AY46
Aizecourt-le-Bas 80......23 BI14
Aizecourt-le-Haut 80......23 BH14
Aizecq 16..............203 AN58
Aizelles 02..............41 BN19
Aizenay 85..............165 Z49
Aizier 27..............35 AO20
Aizy-Jouy 02..............40 BL20
Ajac 11..............337 BB91
Ajaccio 2A..............348 FB111
Ajain 23..............207 BA56
Ajat 24..............241 AS67
Ajoncourt 57..............66 CG26
Ajou 27..............55 AR25
Ajoux 07..............266 BU71
Alaigne 11..............337 BB90
Alaincourt 70..............118 CF36
Alaincourt 02..............24 BK16
Alaincourt-la-Côte 57......66 CG25
Alairac 11..............319 BC89
Alaise 25..............179 CE46
Alan 31..............316 AR89
Alando 2B..............347 FF107
Alata 2A..............348 FB111
Alba-la-Romaine 07......266 BV74
Alban 81..............300 BE81
Albaret-le-Comtal 48......245 BJ70
Albaret-Sainte-Marie 48......246 BK70
Albarine (Gorges de l') 01....214 CC58

L'Albaron 13..............304 BU84
Albas 46..............259 AU75
Albas 11..............338 BG90
Albé 67..............97 CO31
Albefeuille-Lagarde 82......277 CA80
L'Albenc 38..............250 CB66
Albens 73..............215 CF60
Albepierre-Bredons 15......245 BH68
L'Albère 66..............343 BH97
Albert 80..............13 BF13
Albert-Louppe (Pont) 29......75 F29
Albertacce 2B..............346 FD107
Albertville 73..............234 CI61
Albestroff 57..............67 CK24
Albi 81..............299 BB81
Albiac 46..............261 AZ72
Albiac 31..............298 AY85
Albias 82..............278 AW79
Albières 11..............338 BE92
Albiès 09..............336 AY94
Albiez-le-Jeune 73......252 CI66
Albiez-le-Vieux 73......252 CI66
Albignac 19..............242 AY67
Albigny 74..............215 CG58
Albigny-sur-Saône 69......213 BW59
Albine 81..............320 BE86
Albiosc 04..............307 CG82
Albitreccia 2A..............348 FD112
Albon 26..............249 BW66
Albon-d'Ardèche 07......266 BT71
Les Albres 12..............261 BB74
Alboussière 07......249 BW69
L'Albussac 19..............243 AZ68
Alby-sur-Chéran 74......215 CF59
Alçay-Alçabéhéty-Sunharette 64......331 AC90
Aldudes 64..............330 Y89
Alembon 62..............2 BA5
Alençon 61..............83 AM31
Alényna 66..............343 BI95
Aléria 2B..............349 FH109
Alet-les-Bains 11......337 BC91
Alette 62..............6 AZ8
Aleu 09..............335 AU92
Alex 74..............215 CH58
Alexain 53..............106 AG33
Aleyrac 26..............267 BX74
Alfortville 94..............58 BD27
Algajola 2B..............344 FC104
Algans 81..............298 AZ85
Algolsheim 68..............121 CQ34
Algrange 57..............45 CE20
Alièze 39..............196 CC51
Alignan-du-Vent 34......321 BL86

Alincourt 60..............37 AZ21
Alincourt 08..............42 BR24
Alincthun 62..............2 AZ5
Alise-Sainte-Reine 21......159 BT43
Alissas 07..............266 BV74
Alix 69..............212 BV51
Alixan 26..............249 BY61
Alizay 27..............36 AU21
Allain 54..............94 CD25
Allaines 80..............23 BH14
Allaines-Mervilliers 28......110 AZ31
Allainville 78..............86 AZ31
Allaire 56..............125 V39
Allamont 54..............65 CC23
Allamps 54..............94 CC25
Allan 26..............267 BW74
Allanche 15..............245 BH66
Alland'Huy-et-Sausseuil 08....42 AZ19
Allarmont 88..............96 CL29
Allas-Bocage 17......219 AH64
Allas-Champagne 17......220 AI63
Allas-les-Mines 24......259 AT71
Allassac 19..............242 AW65
Allauch 13..............327 CC87
Allègre 43..............247 BO67
Allègre (Château d') 30......284 BS78
Allègre-les-Fumades 30......284 BS78
Alleins 13..............305 CA83
Allemagne-en-Provence 04......307 CG82
Allemanche-Launay-et-Soyer 51......90 BN29
Allemans 24..............239 AN66
Allemans-du-Dropt 47......257 AN73
Allemant 51..............61 BN27
Allemant 02..............40 BL19
Allemant 38..............251 CG67
Allenay 80..............11 AX12
Allenc 48..............264 BN74
Allenjoie 25..............142 CL40
Allennes-les-Marais 59......8 BH8
Allenwiller 67..............68 CO27
Allerey 21..............159 BT45
Allerey-sur-Saône 71......178 BX48
Allériot 71..............178 BX49
Allery 80..............11 BA14
Alles-sur-Dordogne 24......258 AR71
Les Alleuds 79..............203 AM58
Les Alleuds 49..............149 AI43
Les Alleux 08..............42 BU19
Alleuze 15..............245 BJ69
Allevard 38..............233 CG64
Allèves 74..............215 CG6C

AIX-EN-PROVENCE

Agard (Passage) .... **CY** 2
Albertas (Pl.) .... **BY** 3
Aude (R.) .... **BY** 4
Bagniers (R. des) .... **BY** 5
Bellegarde (Pl.) .... **CX** 7
Bon Pasteur (R.) .... **BX** 9
Boulégon (R.) .... **BX** 12
Brossolette (Av.) .... **AZ** 13
Cardeurs (Pl. des) .... **BY** 16
Clemenceau (R.) .... **BY** 18
Cordeliers (R. des) .... **BY** 20

Couronne (R. de la) .... **BY** 21
Curie (R. Pierre-et-Marie) .... **BX** 22
Espariat (R.) .... **BY** 26
Fabrot (R.) .... **BY** 28
Foch (R. du Maréchal) ...... **BY** 30
Hôtel de Ville (Pl.) .... **BY** 37
Italie (R. d') .... **CY** 42
Lattre-de-Tassigny (Av. de) ... **AY** 46
Matheron (R.) .... **BY** 49
Méjanes (R.) .... **BY** 51
Minimes (Crs des) .... **AY** 52
Mirabeau (Cours) .... **BCY**

Montigny (R. de) .... **BY** 55
Napoléon-Bonaparte (Av.) ... **AY** 57
Nazareth (R.) .... **BY** 58
Opéra (R. de l') .... **CY** 62
Pasteur (Av.) .... **BX** 64
Paul-Bert (R.) .... **BY** 66
Prêcheurs (Pl. des) .... **CY** 70
Richelme (R.) .... **BY** 72
Saporta (R. G.-de) .... **BX** 75
Thiers (R.) .... **CY** 80
Verdun (Pl. de) .... **CY** 87
4-Septembre (R.) .... **BZ** 87

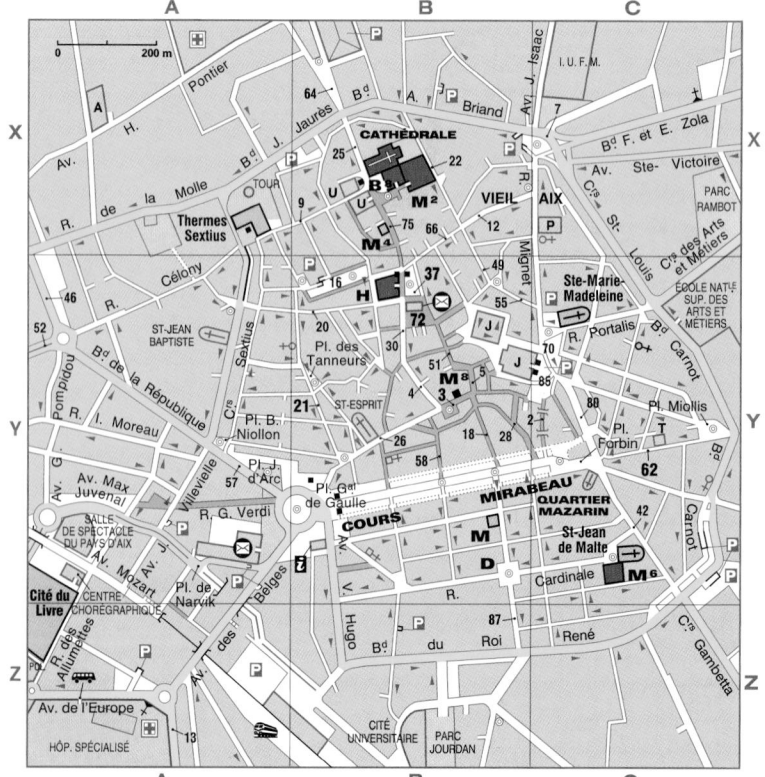

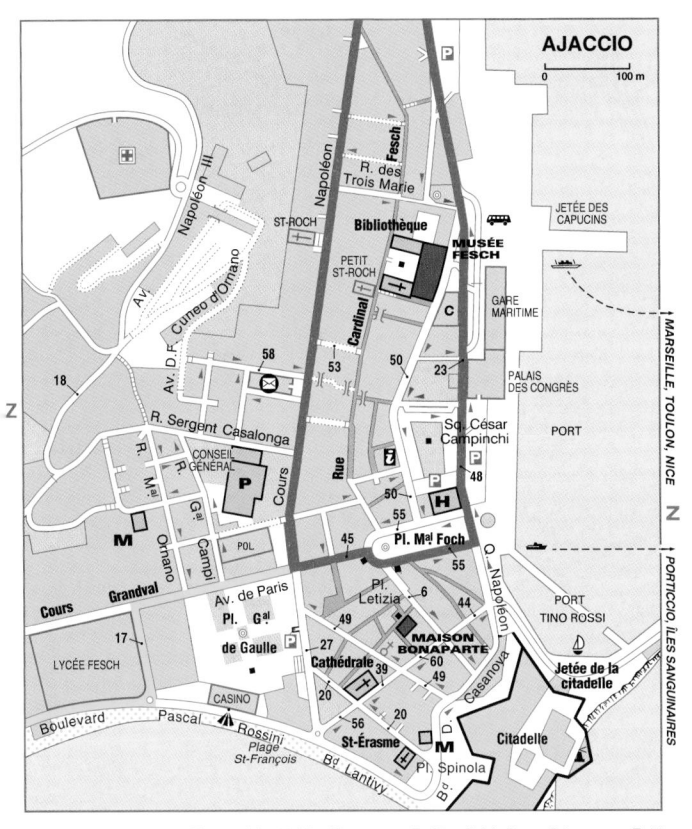

AJACCIO

0   100 m

Bonaparte (R.) . . . . Z 6
Dr-Ramaroni (Av. du) . . . Z 17
Eugénie
  (Av. Impératrice) . . . . . Z 18
Fesch (R. Cardinal) . . . . . Z 20
Forcioli-Conti (R.) . . . . . . Z 20
Grandval (Cours) . . . . Z
Herminier (Quai l') . . . . . Z 23

Macchini (Av. E.) . . . . Z 27
Napoléon-III (Av.) . . . . . . Z 37
Napoléon (Cours) . . . . . . Z
Notre-Dame (R.) . . . . Z 39
Pozzo-di-Borgo (R.) . . . . Z 44
Premier-Consul
  (Av.) . . . . Z 45
République (Q. de la) . . . Z 48

Roi-de-Rome (R.) . . . . . . Z 49
Roi-Jérôme (Bd) . . . . Z 50
Sebastiani (R. Gén.) . . . . Z 53
Sérafini (Av. A.) . . . . Z 55
Soeur-Alphonse
  (R.) . . . . Z 56
Vero (R. Lorenzo) . . . . . . Z 58
Zévaco-Maire (R.) . . . . . . Z 60

Allex 26............267 BX71
Alleyrac 43.........247 BQ70
Alleyras 43.........246 BN70
Alleyrat 23.........207 BB58
Alleyrat 19.........225 BC63
Alzet-et-Cazeneuve 47...276 AP76
Alliancelles 51......63 BV26
Alliat 09...........336 AX93
Allibaudières 10.....91 BD29
Alichamps 52........92 BW29
Allier 65...........315 AL89
Allières 09.........335 AV91
Les Alliés 25.......180 CI47
Alligny-Cosne 58....156 BI42
Alligny-en-Morvan 58..158 BR44
Alimas (Col de l') 38..250 CC70
Allineuc 22.........78 O31
Allinges 74.........198 CJ53
Allogny 18..........155 BD44
Allondans 25........142 CK40
Allondaz 73.........216 CI60
Allondrelle-
  la-Malmaison 54....44 CA18
Allonne 79..........185 AI51
Allonne 60..........38 BB20
Allonnes 72.........107 AM36
Allonnes 49.........150 AL43
Allonnes 28.........86 AY32
Allons 47...........274 AK78
Allons 04...........288 CL79
Allonville 80.......22 BD14
Allonzier-la-Caille 74..215 CG57
Allos 04............288 CL77
Allos (Col d') 04...288 CL76
Allouagne 62........7 BE8
Alloue 16...........204 AP57
Allouis 18..........154 BC45
Allouville-Bellefosse 76..19 AR18
Les Allues 73.......234 CK63
Les Alluets-le-Roi 78..58 BA26
Alluy 58............175 BN46
Alluyes 28..........109 AV33
Ally 43.............246 BK67
Ally 15.............244 BD67
Almayrac 81.........259 AM79
Almenêches 61.......54 AM28
Almont-les-Junies 12..261 BC74
Alos 81.............277 AZ80
Alos 09.............335 AT92
Alos-Sibas-Abense 64..331 AD89
Alouettes (Mont des) 85..166 AD47
Aloxe-Corton 21.....177 BW46
Alpe-d'Huez 38......251 CG67
Alquines 62.........2 BA5
Alrance 12..........281 BG79
Alsting 57..........47 CL22

Altagnac 2A.........349 FE113
Alteckendorf 67.....68 CP26
Altenach 68.........143 CN39
Altenbach 68........120 CM36
Altenheim 67........68 CO26
Altenstadt 67.......69 CS23
Althen-des-Paluds 84..285 BY80
Altiani 2B..........347 FF108
Altier 48...........265 BP75
Altillac 19.........243 AZ69
Altkirch 68.........143 CO39
Altorf 67...........97 CP29
Altrippe 57.........67 CK23
Altviller 57........67 CJ23
Altwiller 67........67 CL24
Aluze 71............177 BV48
Alvignac 46.........260 AY71
Alvimare 76.........19 AQ18
Alzen 09............336 AW91
Alzi 2B.............347 FF107
Alzing 57...........46 CH21
Alzon 30............282 BM80
Alzonne 11..........319 BB88
Amage 70............141 CI37
Amagne 08...........42 BS19
Amagney 25..........162 CG43
Amailloux 79........168 AJ49
Amance 70...........141 CF37
Amance 54...........66 CG27
Amance 10...........91 BT32
Amancey 25..........180 CF46
Amancy 74...........216 CI56
Amange 39...........161 CG44
Amanlis 35..........104 AA35
Amanty 55...........93 CB29
Amanvillers 57......45 CE22
Amanzé 71...........193 BR54
Amareins 01.........213 BW57
Amarens 81..........214 CA58
Amathay-Vésigneux 25..180 CG46
Amayé-sur-Orne 14...33 AI23
Amayé-sur-Seulles 14..32 AG23
Amazy 58............157 BM43
Ambacourt 88........94 CF31
Ambarès-et-Lagrave 33..237 AG69
Ambax 31............316 AB87
Ambazac 87..........205 AX58
Ambel 38............269 CF71
Ambenay 27..........55 AR26
Ambérac 16..........203 AL59
Ambérieu-en-Bugey 01..214 CA58
Ambérieux 69........212 BV58
Ambérieux-en-Dombes 01..213 BX58
Ambernac 16.........204 AP58
Amberre 86..........168 AM49
Ambert 63...........229 BO63
Ambès 33............237 AG68

Ambeyrac 12.........261 BA74
Ambialet 81.........299 BD81
Ambiegna 2A.........348 FC110
Ambierle 42.........211 BP57
Ambiévillers 70.....118 CF35
Ambilly 74..........197 CH55
Amblaincourt 55.....63 BY25
Amblainville 60.....38 BB22
Amblans-et-Velotte 70..141 CH38
Ambleny 02..........40 BJ20
Ambléon 01..........214 CC60
Ambleteuse 62.......2 AY4
Ambleville 95.......37 AY23
Ambleville 16.......220 AJ63
Amblie 14...........33 AI21
Amblimont 08........30 BW17
Ambloy 41...........131 AS39
Ambly-Fleury 08.....42 BS19
Ambly-sur-Meuse 55..64 BZ24
Amboise 37..........152 AT42
Ambon 56............124 S39
Ambonil 26..........267 BX71
Ambonnay 51.........61 BQ24
Ambonville 52.......92 BX32
Ambrault 36.........172 BA49
Ambres 81...........298 AZ83
Ambricourt 62.......7 BC8
Ambrief 02..........40 BK21
Ambrières 51........63 BV28
Ambrières-les-Vallées 53..82 AH31
Ambrines 62.........13 BE10
Ambronay 01.........214 CA57
Ambrugeat 19........225 BB63
Ambrumesnil 76......20 AT15
Ambrus 47...........275 AM77
Ambutrix 01.........214 CA58
Amécourt 27.........37 AY20
Amel-sur-l'Étang 55..44 CB21
Amélécourt 57.......66 CH26
Amélie-les-Bains-
  Palalda 66........342 BF97
L'Amélie-sur-Mer 33..218 AC63
Amendeuix-Oneix 64..311 AB87
Amenoncourt 54......96 CK28
Amenucourt 95.......37 AY23
Ames 62.............7 BD7
Amettes 62..........7 BD8
Ameugny 71..........194 BV52
Ameuvelle 88........118 CE36
Amfreville 50.......29 AC19
Amfreville 14.......33 AK21
Amfreville-
  la-Campagne 27....35 AS22
Amfreville-la-Mi-Voie 76..36 AU20

Amfreville-les-Champs 76..19 AS17
Amfreville-les-Champs 27..36 AV21
Amfreville-
  sous-les-Monts 27..36 AV21
Amfreville-sur-Iton 27..36 AU23
Amfroipret 59.......15 BN10
Amiens 80...........22 BC15
Amifontaine 02......41 BO19
Amigny 50...........32 AD22
Amigny-Rouy 02......24 BK18
Amillis 77..........60 BJ27
Amilly 45...........112 BG36
Amilly 28...........86 AW31
Amions 42...........211 BO59
Amirat 06...........289 CN80
Ammerschwihr 68.....121 CO33
Ammerzwiller 68.....143 CN38
Ammeville 14........54 AM25
Amné 72.............107 AL35
Amnéville 57........45 CE21
Amoncourt 70........141 CF38
Amondans 25.........162 CF45
Amont-et-Effreney 70..119 CI36
Amorots-Succos 64...311 AB87
Amou 40.............293 AE84
Amphion-les-Bains 74..198 CJ53
Ampiac 12...........280 BE76
Ampilly-le-Sec 21...138 BT38
Ampilly-les-Bordes 21..138 BU40
Amplepuis 69........212 BS58
Amplier 62..........12 BD12
Ampoigné 53.........128 AF37
Amponville 77.......112 BE33
Ampriani 2B.........347 FG108
Ampuis 69...........231 BW63
Ampus 83............307 CJ85
Amuré 79............184 AG55
Amy 60..............23 BG17
Anais 17............183 AE55
Anais 16............203 AM60
Anan 31.............316 AO87
Ance 64.............331 AE89
Anceaumeville 76....20 AU18
Anceins 61..........55 AP26
Ancelle 05..........269 CH72
Ancemont 55.........64 BZ23
Ancenis 44..........148 AC42
Ancerville 57.......66 CG23
Ancerville 55.......63 BX25
Ancerviller 54......96 CK29
Ancey 21............159 BW43
Anchamps 08.........26 BU14
Anché 86............186 AN54
Anché 37............151 AN45
Anchenoncourt-
  et-Chazel 70......141 CF37
Ancienville 02......40 BJ22
Ancier 70...........161 CC41
Ancinnes 72.........83 AN31
Ancizan 65..........333 AM92
Les Ancizes-Comps 63..209 BG59
Ancône 26...........267 BW73
Ancourt 76..........10 AU14
Ancourteville-
  sur-Héricourt 76..19 AR17
Ancretiéville-
  Saint-Victor 76...20 AT17
Ancretteville-sur-Mer 76..19 AQ16
Anctoville 50.......31 AB23
Anctoville 14.......33 AH23
Anctoville-sur-Boscq 50..51 AA26
Ancy 69.............212 BU60
Ancy-le-Franc 89....137 BQ38
Ancy-le-Libre 89....137 BQ38
Ancy-sur-Moselle 57..65 CE23
Andaine (Bec d') 50..51 AA27
Andainville 80......21 AZ15
Andance 07..........249 BW66
Andancette 26.......249 BW66
Andard 49...........149 AI41
Andé 27.............36 AV22
Andechy 80..........23 BF17
Andel 22............78 T29
Andelain 02.........24 BK17
Andelaroche 03......193 BO55
Andelarre 70........141 CF40
Andelarrot 70.......141 CF40
Andelat 15..........245 BI68
Andelnans 90........142 CL39
Andelot 52..........117 BZ33
Andelot-en-Montagne 39..179 CE48
Andelot-lès-
  Saint-Amour 39....196 CA53
Andelu 78...........57 AZ26
Les Andelys 27......36 AW22
Andernay 55.........63 BX27
Andernos-les-Bains 33..254 AC71
Anderny 54..........45 CD20
Andert-et-Condon 01..214 CD60
Andevanne 08........43 BX20
Andeville 60........38 BB22
Andigné 49..........128 AF39
Andillac 81.........279 AZ80
Andilly 95..........58 BC25
Andilly 74..........215 CG57
Andilly 54..........65 CD27
Andilly 17..........183 AD55
Andilly-en-Bassigny 52..117 CB36
Andiran 47..........275 AM79
Andlau 67...........97 CO30
Andoins 64..........314 AI88

Andolsheim 68.......121 CP34
Andon 06............308 CN82
Andonville 45.......111 BA33
Andornay 70.........142 CJ39
Andouillé 53........106 AG33
Andouillé-Neuville 35..80 AA32
Andouque 81.........280 BD80
Andrein 64..........311 AC86
Andres 62...........2 BA4
Andrest 65..........315 AK87
Andrésy 78..........58 BC25
Andrezé 49..........148 AE44
Andrezel 77.........88 BG29
Andrézieux-Bouthéon 42..230 BS63
Andryes 89..........157 BL41
Anduze 30...........283 BQ79
Anéran-Camors 65....333 AN93
Anères 65...........333 AN90
Anet 28.............56 AW26
Anetz 44............148 AD42
Angais 64...........314 AI88
Angé 41.............152 AU43
Angeac-Champagne 16..220 AI62
Angeac-Charente 16..220 AK62
Angecourt 08........27 BW17
Angeduc 16..........220 AK63
Angely 89...........137 BP40
Angeot 90...........142 CM38
Angers 49...........149 AH41
Angerville 91.......87 BA32
Angerville 14.......34 AL22
Angerville-Bailleul 76..19 AP17
Angerville-la-Campagne 27..56 AU25
Angerville-la-Martel 76..19 AQ16
Angerville-l'Orcher 76..18 AO18
Angervilliers 91....87 BB29
Angeville 82........277 AS80
Angevillers 57......45 CE20
Angey 50............51 AB27
Angicourt 60........38 BE21
Angiens 76..........19 AS15
Angirey 70..........161 CD41
Angivillers 60......38 BE19
Anglade 33..........237 AF66
Anglards-
  de-Saint-Flour 15..245 BJ69
Anglards-de-Salers 15..244 BE67
Anglars 46..........261 AZ72
Anglars-Juillac 46..259 AU75
Anglars-Nozac 46....259 AV71
Anglars-Saint-Félix 12..261 BC75
Anglefort 01........215 CE58
Anglemont 88........95 CJ31
Angles 85...........182 AA53
Anglès 81...........300 BF85
Les Angles 66.......341 BB96
Les Angles 65.......333 AK90
Les Angles 30.......285 BW80
Angles 04...........288 CL80
Les Angles-
  sur-Corrèze 19....243 AZ66
Angles-sur-l'Anglin 86..170 AS50
Anglesqueville-
  la-Bras-Long 76...19 AS16
Anglesqueville-l'Esneval 76..18 AO17
Anglet 64...........292 Y85
Angliers 86.........168 AM47
Angliers 17.........183 AD55
Anglure 51..........90 BO29
Anglure-sous-Dun 71..193 BS55
Anglus 52...........92 BV31
Angluzelles-
  et-Courcelles 51..61 BO28
Angoisse 24.........223 AT43
Angomont 54.........96 CL29
Angos 65............315 AL89
Angoulême 16........221 AM62
Angoulins 17........200 AC56
Angoumé 40..........292 AB83
Angous 64...........313 AD88
Angoustrine 66......341 BA97
Angoville 14........53 AJ25
Angoville-au-Plain 50..32 AD20
Angoville-en-Saire 50..29 AC16
Angoville-sur-Ay 50..31 AA27
Angres 62...........8 BG9
Angresse 40.........292 Z83
Angrie 49...........127 AE40
Anguerny 14.........33 AJ21
Anguilcourt-le-Sart 02..24 BL17
Angviller-lès-Bisping 57..67 CK26
Angy 60.............38 BD21
Anhaux 64...........330 Z89
Anhiers 59..........9 BJ9
Aniane 34...........302 BN84
Aniche 59...........14 BJ10
Anisy 14............33 AJ21
Anizy-le-Château 02..40 BL19
Anjeux 70...........119 CG36
Anjony (Château d') 15..244 BE68
Anjou 38............231 BX65
Anjoutey 90.........142 CL38
Anla 65.............334 AO91
Anlezy 58...........175 BM47
Anlhiac 24..........223 AT65
Annay 62............8 BH8
Annay 58............156 BH41
Annay-la-Côte 89....157 BO41
Annay-sur-Serein 89..137 BP39
Annebault 14........34 AM21

Annebecq 14.........52 AE25
Annecy 74...........215 CG58
Annecy-le-Vieux 74..215 CG58
Annelles 08.........42 BS20
Annemasse 74........197 CH55
Annéot 89...........157 BO41
Annepont 17.........201 AG59
Annequin 62.........8 BG8
Annesse-et-Beaulieu 24..240 AP67
Annet-sur-Marne 77..59 BG25
Anneux 59...........14 BI12
Anneville-en-Saire 50..29 AD17
Annéville-la-Prairie 52..116 BX33
Anneville-sur-Mer 50..31 AA23
Anneville-sur-Scie 76..20 AU15
Anneville-sur-Seine 76..35 AS19
Anneyron 26.........249 BX66
Annezay 17..........201 AF57
Annezin 62..........8 BG7
Annœullin 59........8 BH8
Annoire 39..........178 BZ47
Annois 02...........24 BJ17
Annoisin-Chatelans 38..214 CA60
Annoix 18...........173 BE47
Annonay 07..........248 BV66
Annonville 52.......93 BY31
Annot 04............289 CM80
Annouville-Vilmesnil 76..19 AP17
Annoux 89...........137 BQ40
Annouville 50.......51 AA24
Anor 59.............15 BP13
Anos 64.............314 AH87
Anost 71............176 BQ46
Anould 88...........120 CL33
Anoux 54............45 CC21
Anoye 64............314 AJ87
Anquetierville 76...35 AQ19
Anrosey 52..........140 CC37
Ansac-sur-Vienne 16..204 AO58
Ansacq 60...........38 BD21
Ansan 32............296 AO83
Ansauvillers 54.....65 CC26
Ansauvillers 60.....22 BD18
Anse 69.............212 BV58
Anserville 60.......38 BC22
Ansignan 66.........338 BE94
Ansigny 73..........215 CF59
Ansost 65...........315 AL86
Ansouis 84..........306 CC83
Anstaing 59.........9 BJ7
Antagnac 47.........274 AK76
Anterrieux 15.......263 BI71
Anteuil 25..........163 CJ42
Antezant 17.........201 AH58
Anthé 47............277 AS76
Anthelupt 54........95 CH28
Anthenay 51.........41 BN23
Anthéor 83..........309 CO85
Antheuil 21.........159 BV45
Antheuil-Portes 60..39 BG19
Anthien 58..........157 BN43
Anthon 38...........213 BZ60
Anthy-sur-Léman 74..198 CI53
Antibes 06..........309 CP84
Antibes (Cap d') 06..309 CP84
Antichan 65.........334 AO91
Antichan-
  de-Frontignes 31..334 AP91
Antignac 31.........334 AO93
Antignac 17.........219 AH63
Antignac 15.........226 BE65
Antigny 86..........187 AR52
Antigny 85..........184 AF51
Antigny-la-Ville 21..159 BU45
Antilly 60..........39 BH23
Antilly 57..........45 CF22
Antin 65............315 AM87
Les Antiques 13.....304 BX82
Antisanti 2B........347 FG108
Antist 65...........333 AL90
Antogny le Tillac 37..169 AP47
Antoigné 49.........168 AK46
Antoigny 61.........82 AJ30
Antoingt 63.........227 BJ63
Antonaves 05........287 CE77
Antonne-et-Trigonant 24..240 AR67
Antony 92...........58 BC27
Antorpe 25..........161 CD44
Antraigues-sur-Volane 07..266 BT72
Antrain 35..........80 AA30
Antran 86...........169 AP48
Antras 32...........296 AO83
Antras 09...........334 AR93
Antrenas 48.........264 BK74
Antugnac 11.........337 BC92
Antully 71..........177 BT48
Anvéville 76........19 AR17
Anville 16..........202 AK60
Anvin 62............7 BC8
Any-Martin-Rieux 02..25 BQ15
Anzat-le-Luguet 63..227 BI65
Anzeling 57.........46 CH21
Anzème 23...........189 AZ55
Anzex 47............275 AL77
Anzin 59............9 BL9
Anzin-Saint-Aubin 62..13 BG10
Anzy-le-Duc 71......193 BQ54
Aoste 38............232 CC62
Aougny 51...........41 BN22
Aouste 08...........26 BR16

AMIENS

Aguesseau (Pl.) . . . . CY 3
Alsace-Lorraine (Bd d') . . . . . CY 5
Beauvais (R. de) . . . . BY
Briand (Pl. A.) . . . . CXY 10
Cange (Pt du) . . . . CY 15
Catelas (R. Jean) . . . . BY
Cauvin (R. E.) . . . . CY 17
Célestins (Bd des) . . . . CX 19
Chapeau-des-Violettes (R.) . . . BY 20
Châteaudun (Bd de) . . . . AZ 21
Chaudronniers (R. des) . . . . . CY 23

Cormont (R.) . . . . CY 27
Courbet (R. de l'Amiral) . . . . . CY 29
Défontaine (R. du Cdt) . . . . . . BY 31
Delambre (R.) . . . . BY 32
Denfert-Rochereau (R.) . . . . . AZ 33
Déportés (R. des) . . . . CX 34
Dodane (Pont de la) . . . . CY 36
Dodane (R. de la) . . . . CY 35
Don (Pl. du) . . . . CY 37
Duméril (R.) . . . . BY 38
Engoulvent (R. d') . . . . CY 41

Fil (Pl. au) . . . . BY 43
Fiquet (Pl. Alphonse) . . . . . . CZ 44
Flatters (R.) . . . . CY 45
Francs-Mûriers (R. des) . . . . . CY 51
Fusillés (Bd des) . . . . CX 52
Gambetta (Pl.) . . . . BY 53
Gde-Rue de la Veillère (R.) . . . BY 57
Gloriette (R.) . . . . CY 54
Goblet (Pl. René) . . . . CY 55
Granges (R. des) . . . . CY 58
Gresset (R.) . . . . BY 59

Henri-IV (R.) . . . . CY 60
Hocquet (R. du) . . . . CY 62
Jacobins (R. des) . . . . CY 65
Jardin-des-Plantes (Bd) . . . . . BX 67
Lattre-de-Tassigny (R. Mar.-de) . BY 76
Leclerc (R. du Gén.) . . . . BY 78
Lefèvre (R. Adéodat) . . . . CY 80
Leroux (R. Florimond) . . . . . . BY 81
Lin (R. au) . . . . BY 83

Majots (R. des) . . . . CY 85
Marché-aux-Chevaux (R. du) . . . BY 87
Marché-de-Lanselles (R.) . . . . . BY 88
Motte (R.) . . . . CY 89
Noyon (R. de) . . . . CZ 91
Oratoire (R. de l') . . . . CY 93
Otages (R. des) . . . . CZ 94
Parmentier (R.) . . . . CY 96

Prémontrées (R. des) . . . . AY 102
République (R. de la) . . . . BZ 105
Résistance (R. de la) . . . . BX 106
St-Fuscien (R.) . . . . CZ 108
Sergents (R. des) . . . . CY 115
Trois-Cailloux (R. des) . . . . . . CY 120
Vanmarcke (R.) . . . . CY 121
Vergeaux (R. des) . . . . BY 122
Victor-Hugo (R.) . . . . CY 123
2e-D.-B. (Av. de la) . . . . BY 124

Aouste-sur-Sye 26 . . . . . . 267 BY72
Aouze 88 . . . . 94 CD31
Apach 57 . . . . 46 CG19
Apchat 63 . . . . 227 BJ65
Apchon 15 . . . . 245 BG66
Apinac 42 . . . . 229 BQ65
Apothicairerie (Grotte de l') 56 . . . 144 N41
Appelle 81 . . . . 299 BA85
Appenai-sous-Bellême 61 . . 84 AQ32
Appenans 25 . . . . 142 CJ41
Appenwihr 68 . . . . 121 CP34
Appeville 50 . . . . 31 AC20
Appeville-Annebault 27 . . . . 35 AQ21
Appietto 2A 348 FC110
Appilly 60 . . . . 23 BI18
Appoigny 89 . . . . 136 BM37
Apprieu 38 . . . . 232 CC64
Appy 09 . . . . 336 AY94
Apremont 85 . . . . 165 Y49
Apremont 70 . . . . 161 CB42
Apremont 60 . . . . 38 BE22
Apremont 08 . . . . 43 BW21
Apremont 01 . . . . 196 CC55
Apremont-la-Forêt 55 . . . . . 64 CB26
Apremont-sur-Allier 18 . . . . 174 BI48
Aprey 52 . . . . 139 BY38
Apt 84 . . . . 305 CB81
Arabaux 09 . . . . 336 AX91
Arâches 74 . . . . 216 CK57
Araghju (Castellu d') 2A . . . 351 FG114
Aragnouet 65 . . . . 333 AL93
Aragon 11 . . . . 319 BD88
Aramits 64 . . . . 331 AE89

Aramon 30 . . . . 304 BW81
Aranc 01 . . . . 214 CB57
Arance 64 . . . . 313 AF86
Arancou 64 . . . . 311 AB86
Arandas 01 . . . . 214 CB59
Arandon 38 . . . . 232 CB61
Araujuzon 64 . . . . 313 AD87
Araules 43 . . . . 247 BR68
Araux 64 . . . . 313 AD87
Aravis (Col des) 74 . . . . . . 216 CJ59
Arbanats 33 . . . . 255 AH72
Arbas 31 . . . . 334 AR91
Arbecey 70 . . . . 140 CE38
Arbellara 2A 351 FE114
Arbent 01 . . . . 196 CD54
Arbéost 65 . . . . 332 AH91
Arbérats-Sillègue 64 . . . . . 311 AC87
Arbigny 01 . . . . 195 BX52
Arbigny-sous-Varennes 52 . . 140 CB37
Arbin 73 . . . . 233 CG63
Arbis 33 . . . . 256 AI72
Arblade-le-Bas 32 . . . . 294 AI83
Arblade-le-Haut 32 . . . . . . 294 AJ83
Arbois 39 . . . . 179 CD47
Arbois (Mont d') 74 . . . . . . 216 CK59
Arbon 31 . . . . 334 AQ91
Arbonne 64 . . . . 310 X86
Arbonne-la-Forêt 77 . . . . . . 88 BE31
Arboras 34 . . . . 302 BM83
Arbori 2A 348 FC109
Arbot 52 . . . . 139 BX37
Arbouans 25 . . . . 142 CK40
Arboucave 40 . . . . 294 AG84

Arbouet-Sussaute 64 . . . . . 311 AC87
Arbourse 58 . . . . 156 BJ44
Arboussols 66 . . . . 342 BE95
L'Arbresle 69 . . . . 212 BU59
L'Arbret 62 . . . . 13 BE11
Arbrissel 35 . . . . 105 AC36
Arbus 64 . . . . 314 AG87
Arbusigny 74 . . . . 215 CH56
Arc 1800 73 . . . . 234 CL62
Arc-en-Barrois 52 . . . . 116 BX36
Arc-et-Senans 25 . . . . 179 CD46
Arc-lès-Gray 70 . . . . 161 CE40
Arc-sous-Cicon 25 . . . . 162 CH45
Arc-sous-Montenot 25 . . . . . 180 CF47
Arc-sur-Tille 21 . . . . 160 BY43
Arcachon 33 . . . . 254 AB72
Arçais 79 . . . . 184 AF54
Arcambal 46 . . . . 260 AW75
Arcangues 64 . . . . 310 X86
Arçay 86 . . . . 168 AL47
Arçay 18 . . . . 173 BD47
Arceau 21 . . . . 160 BY42
Arcenant 21 . . . . 159 BW45
Arcens 07 . . . . 248 BS70
Arces 89 . . . . 114 BM35
Arces 17 . . . . 219 AE62
Arcey 25 . . . . 142 CJ40
Arcey 21 . . . . 159 BW43
Archail 04 . . . . 288 CJ78
Archamps 74 . . . . 215 CG56
Archelange 39 . . . . 161 CB45
Archéodrome 21 . . . . 177 BW47
Arches 88 . . . . 119 CI34
Arches 15 . . . . 244 BD66
Archettes 88 . . . . 119 CI33

Archiac 17 . . . . 220 AI63
Archiane (Cirque d') 26 . . . . 268 CC71
Archignac 24 . . . . 241 AV69
Archignat 03 . . . . 190 BD54
Archigny 86 . . . . 185 AQ50
Archingeay 17 . . . . 201 AF58
Archon 02 . . . . 25 BQ16
Arcier 25 . . . . 162 CF43
Arcine 74 . . . . 215 CE56
Arcinges 42 . . . . 212 BS56
Arcins 33 . . . . 237 AF68
Arcis-le-Ponsart 51 . . . . . . 41 BN22
Arcis-sur-Aube 10 . . . . 91 BQ30
Arcizac-Adour 65 . . . . 315 AK89
Arcizac-ez-Angles 65 . . . . . 333 AK90
Arcizans-Avant 65 . . . . 332 AJ91
Arcizans-Dessus 65 . . . . . . 332 AI91
Arcomie 48 . . . . 246 BK70
Arcomps 18 . . . . 173 BD50
Arçon 42 . . . . 211 BP65
Arçon 25 . . . . 180 CH47
Arconcey 21 . . . . 159 BT44
Arçonnay 72 . . . . 83 AM31
Arconsat 63 . . . . 210 BN59
Arconville 10 . . . . 116 BU34
L'Arcouest (Pointe de) 22 . . . 7 P25
Les Arcs 83 . . . . 308 CK85
Les Arcs 73 . . . . 234 CL61
Arcueil 94 . . . . 58 BD27
Arcy-Sainte-Restitue 02 . . . . 40 BL22
Arcy-sur-Cure 89 . . . . 136 BN40
Ardelles 28 . . . . 85 AU30
Ardelu 28 . . . . 86 BA32
Ardenais 18 . . . . 190 BD51
Ardenay-sur-Mérize 72 . . . . 108 AO36

Ardengost 65 . . . . 333 AN92
Ardenne (Abbaye d') 14 . . . . 33 AJ22
Ardentes 36 . . . . 172 AZ50
Ardes 63 . . . . 227 BJ65
Ardeuil-et-Montfauxelles 08 . 42 BU21
Ardevon 50 . . . . 51 AB28
Ardiège 31 . . . . 334 AP90
Les Ardillats 69 . . . . 212 BU56
Ardilleux 79 . . . . 202 AK57
Ardillières 17 . . . . 201 AE57
Ardin 79 . . . . 184 AG52
Ardizas 32 . . . . 297 AS83
L'Ardoise 30 . . . . 285 BW79
Ardoix 07 . . . . 249 BW67
Ardon 45 . . . . 133 AZ38
Ardon 39 . . . . 179 CE49
Ardouval 76 . . . . 20 AV16
Ardres 62 . . . . 2 BA4
Arèches 73 . . . . 234 CK61
Aregno 2B 346 FC105
Areines 41 . . . . 131 AT38
Aren 64 . . . . 313 AE88
Arenberg 59 . . . . 9 BL9
Arengosse 40 . . . . 273 AE80
Arenthon 74 . . . . 216 CI56
Arès 33 . . . . 254 P25
Ares (Col d') 66 . . . . 342 BE98
Ares (Col des) 31 . . . . 334 AP91
Areschès 39 . . . . 179 CE47
Aressy 64 . . . . 314 AH88
Arette 64 . . . . 331 AE90
Arette-Pierre-Saint-Martin 64 . 331 AE91
Arfeuille-Châtain 23 . . . . . . 208 BD57
Arfeuilles 03 . . . . 210 BN56

Arfons 81 . . . . 319 BB85
Argagnon 64 . . . . 313 AE86
Arganchy 14 . . . . 32 AG22
Argançon 10 . . . . 116 BD39
Argancy 57 . . . . 45 CF22
Argein 09 . . . . 335 AS92
Argelès 65 . . . . 333 AL90
Argelès-Gazost 65 . . . . 332 AJ91
Argelès-Plage 66 . . . . 343 BJ96
Argelès-sur-Mer 66 . . . . . . 343 BI96
Argeliers 11 . . . . 320 BH88
Argelliers 34 . . . . 302 BO83
Argelos 64 . . . . 314 AH86
Argelos 40 . . . . 293 AF84
Argelouse 40 . . . . 273 AE76
Argences 14 . . . . 33 AK23
Argens 04 . . . . 288 CK79
Argens-Minervois 11 . . . . . . 320 BG89
L'Argentière-la-Bessée 05 . . . 252 CK70
Argentan 61 . . . . 54 AL27
Argentat 19 . . . . 243 BA68
Argentenay 89 . . . . 137 BQ38
Argenteuil 95 . . . . 58 BC25
Argenteuil-sur-Armançon 89 . 137 BQ38
Argentière 73 . . . . 234 CI63
Argentière 77 . . . . 59 BH28
Argentine 73 . . . . 234 CI63
Argentolles 52 . . . . 116 BW33
Argenton 47 . . . . 275 AL76
Argenton 09 . . . . 70 C28
Argenton-Château 79 . . . . . 167 AI47
Argenton-l'Église 79 . . . . . . 168 AJ46
Argenton-Notre-Dame 53 . . . 128 AH38

ANGERS

Alsace (R. d') .... CZ
Aragon (Av. Yolande d') .... AY 2
Baudière (R.) .... BY 5
Beaurepaire (R.) .... AY
Bichat (R.) .... AY 8
Bon-Pasteur (Bd du) .... AY 9
Bout-du-Monde (Prom. du) .. AY 12
Bressigny (R.) .... BYZ 15
Chaperonnière (R.) .... BYZ
Commerce (R. du) .... CY 19
David-d'Angers (R.) .... CY 21
Denis-Papin (R.) .... BZ 22
Droits-de-l'Homme (Av. des) . CY 25
Espine (R. de l') .... BY 27
Estoile (Sq. J. de l') .... AY 28
Foch (Bd du Mar.) .... BCZ
Freppel (Pl.) .... BY 31
Gare (R. de la) .... BZ 32
Laiterie (Pl.) .... AY
Lenepveu (R.) .... CY 40
Lices (R. des) .... BZ
Lionnaise (R.) .... AY
Lise (R. P.) .... CY 43
Marceau (R.) .... AZ 45
Mirault (Bd) .... BY 49
Mondain-Chanloineau (Sq.) . BY 51
Oisellerie (R.) .... BY 53
Parcheminerie (R.) .... BY 54
Pasteur (Av.) .... CY 55
Pilori (Pl. du) .... CY 56
Plantagenêt (R.) .... BY 57
Pocquet-de-Livonnières (R.) . CY 58
Poëliers (R. des) .... CY 59
Pompidou (Allées) .... CY 60
Prés.-Kennedy (Place du) .. AZ 62
Ralliement (Pl. du) .... BY 66
Résistance-et-de-la-Déport.
  (Bd) .... CY 68
Robert (Bd) .... BY 69
La Rochefoucauld Liancourt
  (Pl.) .... ABY 38
Roë (R. de la) .... BY 70
Ronceray (Bd du) .... AY 71
Ste-Croix (Pl.) .... BZ 86
St-Aignan (R.) .... AY 72
St-Aubin (R.) .... BZ 73
St-Étienne (R.) .... CY 75
St-Julien (R.) .... BCZ
St-Laud (R.) .... BY 77
St-Lazare (R.) .... AY 79
St-Martin (R.) .... BZ 80
St-Maurice (Mtée) .... BY 82
St-Maurille (R.) .... CY 83
St-Michel (Bd) .... CY 84
St-Samson (R.) .... CZ 85
Talot (R.) .... BZ 89
Tonneliers (R. des) .... AY 90
Ursules (R. des) .... CY 91
Voltaire (R.) .... BZ 93
8-Mai-1945 (Av. du) .... CZ 94

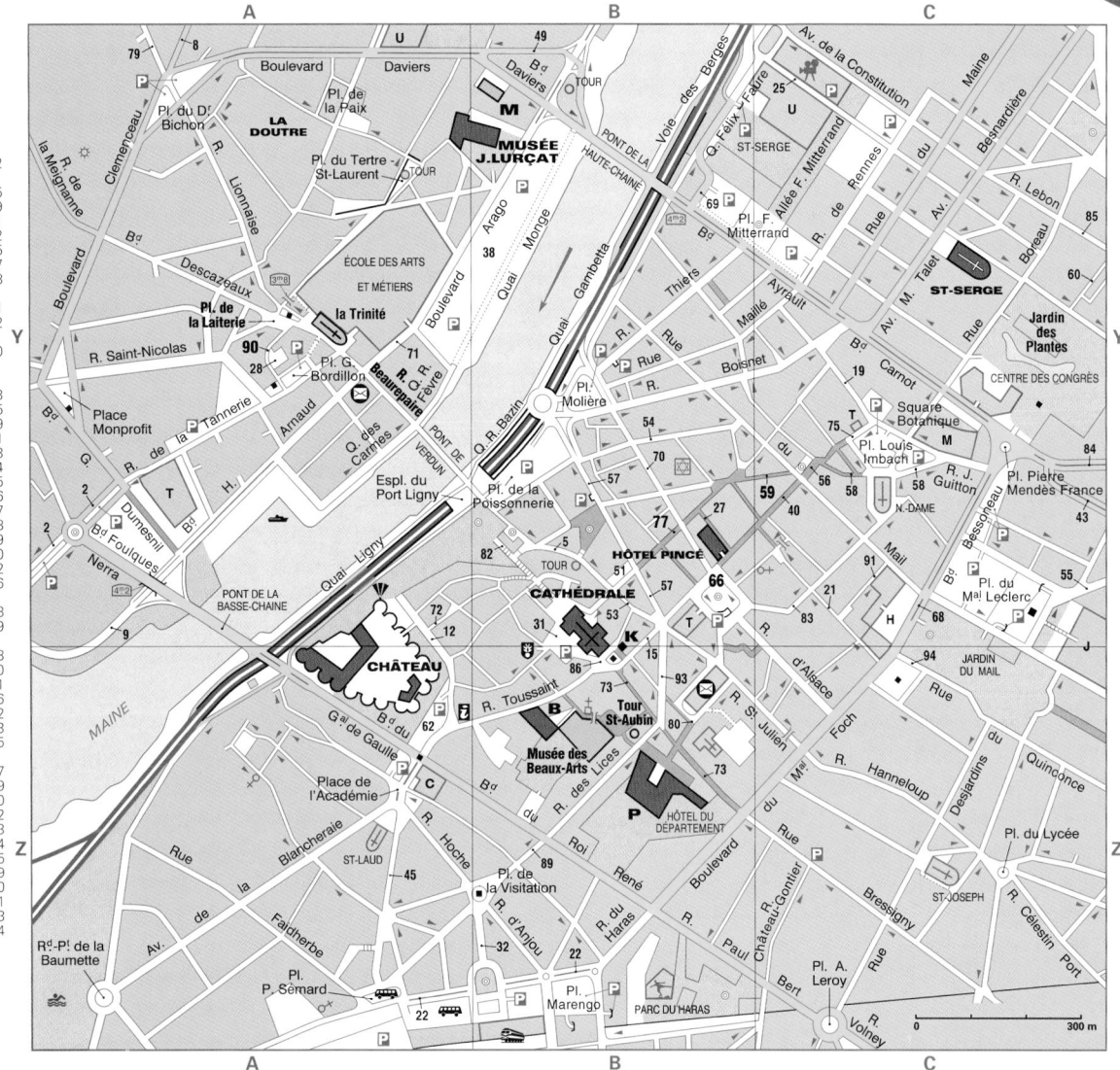

ANNECY

Chambéry (Av. de) ...... DY 23
Chappuis (Q. Eustache) . EY 26
Filaterie (R.) .... EY 43
Grenette (R.) .... EY 51
Hôtel-de-Ville (Pl. de l') . EY 53

Jean-Jacques-Rousseau
  (R.) .... DY 55
Lac (R. du) .... EY 57
Libération (Pl. de la) . EY 61
Pâquier (R. du) .... EY 71
Perrière (R.) .... EY 75
Pont-Morens
  (R. du) .... EY 76

Poste (R. de la) .... DY 78
République (R.) .... DY 83
Royale (R.) .... DY 85
Ste-Claire (Fg et R.) .. DY 91
St-François-de-Sales
  (Pl.) .... EY 87
St-François-de-Sales (R.) . DY 89
Tour-la-Reine (Ch.) .... EY 95

Argenton-sur-Creuse 36 .... 188 AW51
Argentré 53 .... 106 AH34
Argentré-du-Plessis 35 .... 105 AD34
Argenvières 18 .... 156 BI45
Argenvilliers 28 .... 109 AT33
Argers 51 .... 63 BV24
Arget 64 .... 294 AG85
Argiésans 90 .... 142 CK39
Argillières 70 .... 140 CC39
Argilliers 30 .... 284 BU80
Argilly 21 .... 178 BX46
Argis 01 .... 214 CB58
Argiusta-Moriccio 2A 349 FE112
Argœuves 80 .... 22 BC14
Argol 29 .... 75 F31
Argonay 74 .... 215 CG58
Argouges 80 .... 80 AB29
Argoules 80 .... 11 AZ10
Argueil 76 .... 37 AX19
Arguel 80 .... 21 AZ15
Arguel 25 .... 162 CF44
Arguenos 31 .... 334 AQ92
Argut-Dessous 31 .... 334 AP92
Argut-Dessus 31 .... 334 AQ92
Argy 36 .... 171 AW47
Arhansus 64 .... 311 AB88
Aries-Espénan 65 .... 316 AO88
Arifat 81 .... 299 BD83
Arignac 09 .... 336 AX93
Arinthod 39 .... 196 CC53
Arith 73 .... 215 CG60
Arjuzanx 40 .... 273 AD80
Arlanc 63 .... 229 BO64
Arlay 39 .... 179 CB49
Arlebosc 07 .... 248 BV68
Arlempdes 43 .... 247 BP70
Arles 13 .... 304 BV84
Arles-sur-Tech 66 .... 342 BF77
Arlet 43 .... 246 BL68
Arleuf 58 .... 176 BQ46
Arleux 59 .... 8 BI10
Arleux-en-Gohelle 62 ..... 8 BH9
Arlos 31 .... 334 AP92
Armaillé 49 .... 127 AD38
Armancourt 80 .... 23 BF17
Armancourt 60 .... 39 BG20
Armaucourt 54 .... 66 CG26
Armbouts-Cappel 59 .... 3 BD3
Armeau 89 .... 113 BK35
Armendarits 64 .... 311 AA87

Armenonville-
  les-Gâtineaux 28 .... 86 AY30
Armenteule 65 .... 333 AN93
Armentières 59 .... 8 BH6
Armentières-en-Brie 77 ... 59 BI25
Armentières-sur-Avre 27 .. 55 AR28
Armentières-sur-Ourcq 02 . 40 BK23
Armentieux 32 .... 295 AL85
Armes 58 .... 157 BM42
Armillac 47 .... 257 AN74
Armissan 11 .... 321 BJ89
Armistice
  (Clairière de l') 60 ... 39 BH20
Armix 01 .... 214 CC59
Armous-et-Cau 32 .... 295 AL85
Armoy 74 .... 198 CJ53
Arnac 15 .... 243 BC68
Arnac-la-Poste 87 .... 188 AV55
Arnac-Pompadour 19 .... 223 AV65
Arnac-sur-Dourdou 12 ..... 301 BI83
Arnage 72 .... 107 AN36
Arnancourt 52 .... 92 BW31
Arnas 69 .... 212 BV57
Arnaud-Guilhem 31 .... 334 AR90
Arnave 09 .... 336 AX93
Arnaville 54 .... 65 CE24
Arnay-le-Duc 21 .... 159 BT45
Arnay-sous-Vitteaux 21 ... 159 BT42
Arnayon 26 .... 268 CA74
Arné 65 .... 316 AO89
Arnéguy 64 .... 330 Z89
Arnèke 59 .... 3 BD4
Arnicourt 08 .... 26 BR18
Arnières-sur-Iton 27 ..... 56 AU25
Arnoncourt-
  sur-Apance 52 .... 118 CC35
Arnos 64 .... 313 AF86
Arnouville-lès-Gonesse 95 . 58 BD25
Arnouville-lès-Mantes 78 . 57 AY26
Aroffe 88 .... 94 CD31
Aromas 39 .... 196 CB54
Aron 53 .... 82 AH32
Arone (Plage d') 2A 348 FA109
Aroue 64 .... 311 AC87
Aroz 70 .... 140 CE39
Arpaillargues-
  et-Aureillac 30 .... 284 BT80
Arpajon 91 .... 87 BC29
Arpajon-sur-Cère 15 ...... 244 BE70

Arpavon 26 .... 286 CA76
Arpenans 70 .... 141 CH39
Arpenaz (Cascade d') 74 .. 216 CK57
Arpheuilles 36 .... 171 AV48
Arpheuilles 18 .... 173 BE49
Arpheuilles-Saint-Priest 03 . 190 BF55
Arphy 30 .... 282 BN80
Arquenay 53 .... 106 AH35
Arques 62 .... 3 BD5
Les Arques 46 .... 259 AU73
Arques 12 .... 281 BG77
Arques 11 .... 338 BB92
Arques-la-Bataille 76 .... 20 AU15
Arquettes-en-Val 11 ...... 338 BE90
Arquèves 80 .... 13 BE13
Arquian 58 .... 156 BI41
Arrabloy 45 .... 134 BG39
Arracourt 54 .... 66 CI27
Arradon 56 .... 124 Q39
Arraincourt 57 .... 66 CH24
Arrancourt 91 .... 87 BB32
Arrancy 02 .... 41 BN19
Arrancy-sur-Crusne 55 .... 44 CB19
Arrans 21 .... 137 BS39
Arras 62 .... 13 BG10
Arras-en-Lavedan 65 ...... 332 AJ91
Arras-sur-Rhône 07 .... 249 BW67
Arrast-Larrebieu 64 ...... 313 AD88
Arraute-Charritte 64 ..... 311 AB86
Arraye-et-Han 54 .... 66 CG26
Arrayou-Lahitte 65 .... 333 AK90
Arre 30 .... 282 BM80
Arreau 65 .... 333 AN92
Arrelles 10 .... 115 BR35
Arrembécourt 10 .... 91 BT29
Arrènes 23 .... 206 AX57
Arrens (Porte d') 65 ..... 332 AH91
Arrens-Marsous 65 .... 332 AI91
Arrentès-de-Corcieux 88 .. 120 CK33
Arrentières 10 .... 92 BV32
Arrest 80 .... 11 AY12
Arreux 08 .... 26 BT15
Arriance 57 .... 66 CH24
Arricau-Bordes 64 .... 314 AJ86
Arrien 64 .... 314 AI88
Arrien-en-Bethmale 09 .... 335 AS92
Arrigas 30 .... 282 BM80
Arrigny 51 .... 92 BU29
Arro 2A 348 FC110

Arrodets 65 .... 333 AM91
Arrodets-ez-Angles 65 .... 333 AK90
Arromanches-les-Bains 14 . 33 AH20
Arronnes 03 .... 210 BM57
Arronville 95 .... 38 BB23

Arros-de-Nay 64 .... 314 AH89
Arros-d'Oloron 64 .... 331 AF89
Arrosès 64 .... 294 AJ85
Arrou 28 .... 109 AU34
Arrouède 32 .... 316 AP87

Arrout 09 .... 335 AS92
Arry 80 .... 11 AY10
Arry 57 .... 65 CE24
Ars 23 .... 207 BB58
Ars 16 .... 220 AI62

Ars-en-Ré 17 ...... 182 Z55
Ars-Laquenexy 57 ...... 65 CF23
Ars-les-Favets 63 ...... 209 BG56
Ars-sur-Formans 01 ...... 213 BW58
Ars-sur-Moselle 57 ...... 65 CE23
Arsac 33 ...... 237 AF69
Arsac-en-Velay 43 ...... 247 BP69
Arsague 40 ...... 293 AD84
Arsans 70 ...... 161 CC42
L'Arsenal 42 ...... 211 BQ57
Arsonval 10 ...... 92 BU32
Arsure-Arsurette 39 ...... 180 CF49
Les Arsures 39 ...... 179 CD47
Arsy 60 ...... 39 BF20
Art-sur-Meurthe 54 ...... 95 CG28
Artagnan 65 ...... 315 AK87
Artaise-le-Vivier 08 ...... 27 BV18
Artaix 71 ...... 193 BQ55
Artalens-Souin 65 ...... 332 AJ91
Artannes-sur-Indre 37 ...... 151 AQ44
Artannes-sur-Thouet 49 ...... 150 AK44
Artas 38 ...... 231 BZ63
Artassenx 40 ...... 294 AH82
Artemare 01 ...... 214 CD59
Artemps 02 ...... 24 BJ16
Artenay 45 ...... 110 AZ35
Arthaz-Pont-Notre-Dame 74 ...... 197 CH55
Arthel 58 ...... 157 BL44
Arthémonay 26 ...... 249 BY67
Arthenac 17 ...... 220 AI63
Arthenas 39 ...... 196 CB51
Arthès 81 ...... 299 BC81
Arthez-d'Armagnac 40 ...... 294 AI81
Arthez-d'Asson 64 ...... 332 AI90
Arthez-de-Béarn 64 ...... 313 AF86
Arthezé 72 ...... 129 AK38
Arthies 95 ...... 57 AZ24
Arthon 36 ...... 171 AY50
Arthon-en-Retz 44 ...... 146 W45
Arthonnay 89 ...... 115 BR36
Arthous (Abbaye d') 40 ...... 292 AB85
Arthun 42 ...... 211 BQ60
Artigat 09 ...... 335 AV90
Artigue (Prieuré de l') 87 ...... 206 AW60
Artignosc-sur-Verdon 83 ...... 307 CH83
Artigue 31 ...... 334 AP93
Artiguedieu 32 ...... 316 AO86
Artigueloutan 64 ...... 314 AI88
Artiguelouve 64 ...... 314 AG87
Artiguemy 65 ...... 333 AM90
Artigues 83 ...... 306 CF84
Artigues 65 ...... 333 AK90
Artigues 11 ...... 337 BC93
Artigues 09 ...... 337 BA94
Artigues-Campan 65 ...... 333 AL92
Les Artigues-de-Lussac 33 ...... 238 AJ69
Artigues-près-Bordeaux 33 ...... 237 AG70
Artins 41 ...... 131 AR38
Artix 46 ...... 260 AX74
Artix 64 ...... 313 AF86
Artix 09 ...... 336 AW91
Artolsheim 67 ...... 97 CQ32
Artonges 02 ...... 60 BM25
Artonne 63 ...... 209 BJ58
Artres 59 ...... 14 BL10
Artuby (Pont de l') 83 ...... 307 CJ82
Artzenheim 68 ...... 121 CP33
Arudy 64 ...... 332 AG90
Arue 40 ...... 274 AH79
Arvant 43 ...... 228 BK65
Arvert 17 ...... 200 AC60
Arveyres 33 ...... 238 AI70
Arvieu 12 ...... 280 BF78
Arvieux 05 ...... 271 CM71
Arvigna 09 ...... 336 AY91
Arvillard 73 ...... 233 CG63
Arville 77 ...... 112 BE34
Arville 41 ...... 109 AS35
Arvillers 80 ...... 23 BF16
Arx 40 ...... 275 AL79
Arzacq-Arraziguet 64 ...... 294 AG85
Arzal 56 ...... 125 T40
Arzano 29 ...... 101 M35
Arzay 38 ...... 231 BZ64
L'Arzelier (Col de) 38 ...... 250 CC69
Arzembouy 58 ...... 157 BL44
Arzenc-d'Apcher 48 ...... 263 BJ71
Arzenc-de-Randon 48 ...... 264 BN73
Arzens 11 ...... 319 BC89
Arzillières-Neuville 51 ...... 62 BT28
Arzon 56 ...... 124 P39
Arzviller 57 ...... 67 CM27
Asasp 64 ...... 331 AF89
Ascain 64 ...... 310 X87
Ascarat 64 ...... 330 Z89
Aschbach 67 ...... 69 CS24
Aschères-le-Marché 45 ...... 111 BA34
Asclier (Col de l') 30 ...... 283 BO79
Asco 2B 346 FD106
Asco (Gorges de l') 2B 347 FE106
Ascou 09 ...... 336 AZ94
Ascou-Pailhères 09 ...... 337 BA94
Ascoux 45 ...... 111 BC34
Ascros 06 ...... 289 CO80
Asfeld 08 ...... 41 BQ19
Aslonnes 86 ...... 186 AN53
Asnan 58 ...... 157 BM43
Asnans 39 ...... 178 CA47

Asnelles 14 ...... 33 AI20
Asnières 27 ...... 35 AP22
Asnières (Ancienne Abbaye d') 49 ...... 150 AK45
Asnières-en-Bessin 14 ...... 32 AF20
Asnières-en-Montagne 21 ...... 137 BR39
Asnières-en-Poitou 79 ...... 202 AJ56
Asnières-la-Giraud 17 ...... 201 AH59
Asnières-les-Bourges 18 ...... 155 BD45
Asnières-lès-Dijon 21 ...... 160 BX42
Asnières-sous-Bois 89 ...... 157 BN41
Asnières-sur-Blour 86 ...... 204 AR56
Asnières-sur-Nouère 16 ...... 221 AL61
Asnières-sur-Oise 95 ...... 38 BD23
Asnières-sur-Saône 01 ...... 195 BW53
Asnières-sur-Seine 92 ...... 58 BC26
Asnières-sur-Vègre 72 ...... 129 AK37
Asnois 86 ...... 203 AO57
Asnois 58 ...... 157 BM42
Aspach 68 ...... 143 CO39
Aspach 57 ...... 67 CL27
Aspach-le-Bas 68 ...... 143 CN37
Aspach-le-Haut 68 ...... 143 CN37
Aspères 30 ...... 303 BQ82
Asperjoc 07 ...... 266 BT72
Aspet 31 ...... 334 AQ91
Aspin (Col d') 65 ...... 333 AM92
Aspin-Aure 65 ...... 333 AM92
Aspin-en-Lavedan 65 ...... 332 AJ90
Aspiran 34 ...... 302 BM85
Aspremont 05 ...... 269 CE74
Aspremont 05 ...... 269 CE74
Les Aspres 61 ...... 55 AQ28
Aspres-lès-Corps 05 ...... 269 CG71
Aspres-sur-Buëch 05 ...... 269 CE74
Aspret-Sarrat 31 ...... 334 AQ90
Asprières 12 ...... 261 BB74
Asque 65 ...... 333 AM91
Asques 82 ...... 277 BA59
Asques 33 ...... 237 AH69
Asquins 89 ...... 157 BN41
Assac 81 ...... 280 BE80
Assainvillers 80 ...... 23 BF18
Assais 79 ...... 168 AK49
Assas 34 ...... 302 BP83
Assat 64 ...... 314 AH88
Assay 37 ...... 169 AN46
Assé-le-Bérenger 53 ...... 106 AJ34
Assé-le-Boisne 72 ...... 83 AL32
Assé-le-Riboul 72 ...... 107 AM33
Assenay 10 ...... 115 BQ34
Assencières 10 ...... 91 BR32
Assenoncourt 57 ...... 67 CK26
Assérac 44 ...... 145 T41
Assevent 59 ...... 15 BP10
Assevillers 80 ...... 23 BG15
Assier 46 ...... 261 AZ73
Assieu 38 ...... 231 BX64
Assignan 34 ...... 320 BH87
Assigny 76 ...... 10 AV14
Assigny 18 ...... 155 BG42
Les Assions 07 ...... 265 BR75
Assis-sur-Serre 02 ...... 24 BM17
Asson 64 ...... 314 AI89
Asswiller 67 ...... 68 CN25
Assy 14 ...... 53 AK24
Astaffort 47 ...... 276 AP79
Astaillac 19 ...... 243 AZ70
Asté 65 ...... 333 AL91
Aste-Béon 64 ...... 332 AG91
Astet 07 ...... 265 BO72
Astillé 53 ...... 105 AF36
Astis 64 ...... 314 AH66
Astoin 04 ...... 269 CH75
Astugue 65 ...... 333 AK90
Athée 53 ...... 105 AE36
Athée 21 ...... 160 CA44
Athée-sur-Cher 37 ...... 152 AS43
Athesans 70 ...... 141 CI39
Athie 89 ...... 158 BP41
Athie 21 ...... 137 BR40
Athienville 54 ...... 66 CH27
Athies 80 ...... 23 BH15
Athies 62 ...... 13 BG10
Athies-sous-Laon 02 ...... 24 BM18
Athis 51 ...... 61 BQ24
Athis-de-l'Orne 61 ...... 53 AI26
Athis-Mons 91 ...... 58 BD28
Athos-Aspis 64 ...... 311 AC86
Athose 25 ...... 162 CH45
Attainville 95 ...... 58 BD24
Attancourt 52 ...... 92 BW30
Les Attaques 62 ...... 2 BA3
Attenschwiller 68 ...... 143 CP39
Attiches 59 ...... 8 BI8
Attichy 60 ...... 39 BI20
Attignat 01 ...... 195 BZ54
Attignat-Oncin 73 ...... 233 CE63
Attigneville 88 ...... 94 CC31
Attigny 08 ...... 118 CE24
Attigny 88 ...... 42 BT19
Attilloncourt 57 ...... 66 CG26
Attilly 57 ...... 24 BJ15
Attin 62 ...... 6 AZ8
Atton 54 ...... 65 CE25
Attray 45 ...... 111 BB34
Attricourt 70 ...... 160 CA41
Atur 24 ...... 240 AQ67
Aubagnan 40 ...... 294 AG83

ANTIBES

Albert 1er (Bd) .... CDY
Alger (R. d') .... CX 3
Arazy (R.) .... DXY 4
Barnaud (Pl. Amiral) .... DY 6
Barquier (Av.) .... DY 8
Bas-Castelet (R. du) .... DY 9
Bateau (R. du) .... DX 10
Clemenceau (R. G.) .... DX 14
Dames-Blanches (Av. des) .... CY 19
Directeur Chaudon (R.) .... CY 20
Docteur Rostan (R. du) .... DX 24
Gambetta (Av.) .... CX 30
Gaulle (Pl. du Gén.-de) .... CXY
Grand-Cavalier (Av. du) .... CX 37
Guynemer (Pl.) .... CX 40
Haut-Castelet (R. du) .... DY 42
Horloge (R. de l') .... DY 43
Martyrs-de-la-Résistance (Pl. des) .... CDX 51
Masséna (Cours) .... DX 52
Meissonnier (Av.) .... CDY 54
Nationale (Pl.) .... DX 55
Orme (R. de l') .... DX 57
République (R. de la) .... CDX 67
Revely (R. du) .... DX 68
Revennes (R. des) .... CX 69
St-Roch (Av.) .... CX 72
Saleurs (Rampe des) .... DY 75
Tourraque (R. de la) .... DY 83
Vautrin (Bd. du Gén.) .... CX 84
8-Mai 1945 (Square du) .... DX 90
24-Août (Av. du) .... CY 92

Aubagne 13 ...... 327 CD87
Aubaine 21 ...... 159 BV45
Aubais 30 ...... 303 BR83
Aubarède 65 ...... 315 AM88
Aubas 24 ...... 241 AU68
Aubazat 43 ...... 246 BL67
Aubazines 19 ...... 242 AY67
Aube 61 ...... 55 AQ27
Aube 57 ...... 66 CG24
Aubéguimont 76 ...... 21 AY16
Aubenas 07 ...... 266 BT73
Aubenas-les-Alpes 04 ...... 287 CE80
Aubenasson 26 ...... 267 BZ72
Aubencheul-au-Bac 59 ...... 14 BJ11
Aubencheul-aux-Bois 02 ...... 14 BJ13
Aubenton 02 ...... 25 BQ15
Aubepierre 77 ...... 88 BH29
Aubepierre-sur-Aube 52 ...... 116 BW36
L'Aubépin 39 ...... 196 CA53
Auberchicourt 59 ...... 14 BJ10
Aubercourt 80 ...... 23 BG16
Aubergenville 78 ...... 57 AZ25
Auberive 52 ...... 139 BX38
Aubérive 51 ...... 42 BS22
Auberives-en-Royans 38 ...... 250 CA68
Auberives-sur-Varèze 38 ...... 231 BW64
Aubermesnil-aux-Érables 76 ...... 21 AX15
Aubermesnil-Beaumais 76 ...... 20 AU15
Aubers 59 ...... 8 BG7
Aubertans 70 ...... 162 CG41
Aubertin 64 ...... 313 AF86
Auberville 14 ...... 34 AM21
Auberville-la-Campagne 76 ...... 19 AQ18
Auberville-la-Manuel 76 ...... 19 AQ15
Auberville-la-Renault 76 ...... 19 AP17
Aubervilliers 93 ...... 58 BD26
Aubeterre 10 ...... 91 BQ31
Aubeterre-sur-Dronne 16 ...... 239 AM66
Aubeville 16 ...... 220 AK63
Aubevoye 27 ...... 36 AV23
Aubiac 47 ...... 276 AP78
Aubiac 33 ...... 256 AI75
Aubiat 63 ...... 209 BJ58
Aubie-et-Espessas 33 ...... 237 AH68
Aubière 63 ...... 227 BJ61
Les Aubiers 79 ...... 167 AG47
Aubiet 32 ...... 296 AQ84
Aubignan 84 ...... 285 BY79

Aubignas 07 ...... 266 BV73
Aubigné 79 ...... 202 AK57
Aubigné 35 ...... 80 Z32
Aubigné-Racan 72 ...... 130 AN39
Aubigné-sur-Layon 49 ...... 149 AI44
Aubigny 70 ...... 161 CB43
Aubignosc 04 ...... 287 CG78
Aubigny 85 ...... 182 AA51
Aubigny 80 ...... 22 BE15
Aubigny 79 ...... 168 AK49
Aubigny 14 ...... 53 AK25
Aubigny 03 ...... 174 BJ50
Aubigny-au-Bac 59 ...... 14 BJ10
Aubigny-aux-Kaisnes 02 ...... 23 BI16
Aubigny-en-Artois 62 ...... 13 BF10
Aubigny-en-Laonnois 02 ...... 41 BN19
Aubigny-en-Plaine 21 ...... 160 BY45
Aubigny-la-Ronce 21 ...... 177 BU47
Aubigny-les-Pothées 08 ...... 26 BS16
Aubigny-lès-Sombernon 21 ...... 159 BU43
Aubigny-sur-Nère 18 ...... 155 BD41
Aubilly 51 ...... 41 BQ22
Aubin 64 ...... 314 AG86
Aubin 12 ...... 261 BC74
Aubin-Saint-Vaast 62 ...... 6 BA9
Aubinges 18 ...... 155 BF44
Aubisque (Col d') 64 ...... 332 AH91
Auboncourt-Vauzelles 08 ...... 26 BS18
Aubonne 25 ...... 180 CH46
Aubord 30 ...... 303 BT83
Auboué 54 ...... 45 CD22
Aubous 64 ...... 294 AJ85
Aubrac 12 ...... 263 BI73
Aubres 26 ...... 285 BZ76
Aubréville 55 ...... 43 BX23
Aubrives 08 ...... 17 BU12
Aubrometz 62 ...... 12 BC10
Aubry-du-Hainaut 59 ...... 9 BL9
Aubry-en-Exmes 61 ...... 54 AM27
Aubry-le-Panthou 61 ...... 54 AN26
Aubure 68 ...... 96 CN32
Aubussargues 30 ...... 284 BT80
Aubusson 61 ...... 53 AI27
Aubusson 23 ...... 207 BB58
Aubusson-d'Auvergne 63 ...... 228 BN61
Aubvillers 80 ...... 22 BE17
Auby 59 ...... 8 BI9

Aucaleuc 22 ...... 79 W30
Aucamville 82 ...... 297 AU82
Aucamville 31 ...... 297 AV84
Aucazein 09 ...... 335 AS92
Aucelon 26 ...... 268 CB73
Aucey-la-Plaine 50 ...... 80 AB29
Auch 32 ...... 296 AP84
Auchel 62 ...... 7 BE8
Auchonvillers 80 ...... 13 BF13
Auchy-au-Bois 62 ...... 7 BD7
Auchy-la-Montagne 60 ...... 22 BB18
Auchy-lès-Hesdin 62 ...... 7 BB9
Auchy-les-Mines 62 ...... 8 BG8
Auchy-lez-Orchies 59 ...... 9 BJ8
Audaux 64 ...... 312 AD87
Audéjos 64 ...... 313 AF86
Audelange 39 ...... 161 CB45
Audeloncourt 52 ...... 117 CA34
Audembert 62 ...... 2 AY4
Audencourt 59 ...... 14 BL12
Audenge 33 ...... 254 AC72
Auderville 50 ...... 28 Y16
Audes 03 ...... 190 BE53
Audeux 25 ...... 161 CD43
Audeville 45 ...... 111 BC33
Audierne 29 ...... 99 E33
Audignicourt 02 ...... 40 BJ19
Audignies 59 ...... 15 BN10
Audignon 40 ...... 293 AF83
Audigny 02 ...... 24 BM15
Audincourt 25 ...... 142 CL41
Audinghen 62 ...... 2 AY4
Audon 40 ...... 293 AD82
Audouville-la-Hubert 50 ...... 29 AD19
Audrehem 62 ...... 2 BA5
Audressein 09 ...... 335 AS92
Audresselles 62 ...... 2 AY4
Audrieu 14 ...... 33 AH22
Audrix 24 ...... 241 AS70
Audruicq 62 ...... 3 BB4
Audun-le-Roman 54 ...... 45 CD20
Audun-le-Tiche 57 ...... 45 CD19
Auenheim 67 ...... 69 CS27
Auffargis 78 ...... 57 AZ28
Auffay 76 ...... 20 AU17
Aufferville 77 ...... 112 BF33
Auffreville-Brasseuil 78 ...... 57 AY25

Auflance 08 ...... 27 BY17
Auga 64 ...... 314 AH86
Augan 56 ...... 103 U36
Augé 79 ...... 185 AJ53
Augé 23 ...... 190 BD55
Auge 08 ...... 26 BR15
Auge-Saint-Médard 16 ...... 202 AK59
Augea 39 ...... 196 CA51
Auger-Saint-Vincent 60 ...... 39 BG22
Augerans 39 ...... 179 CB46
Augères 23 ...... 206 AY57
Augerolles 63 ...... 228 BN61
Augers-en-Brie 77 ...... 60 BK28
Augerville-la-Rivière 45 ...... 111 BD33
Augicourt 70 ...... 140 CD38
Augignac 24 ...... 222 AQ62
Augirein 09 ...... 334 AR92
Augisey 39 ...... 196 CB51
Augnat 63 ...... 227 BJ64
Augnax 32 ...... 296 AQ83
Augne 87 ...... 206 AY60
Augny 57 ...... 65 CE23
Auguaise 61 ...... 55 AQ28
Augy 89 ...... 136 BM38
Augy 02 ...... 40 BL21
Augy-sur-Aubois 18 ...... 174 BH49
Aujac 30 ...... 283 BQ76
Aujac 17 ...... 201 AH59
Aujan-Mournède 32 ...... 316 AO89
Aujargues 30 ...... 303 BR82
Aujeurres 52 ...... 139 BY38
Aujols 46 ...... 278 AW76
Aulac (Col d') 15 ...... 244 BF67
Aulan 26 ...... 286 CB77
Aulas 30 ...... 282 BN80
Aulhat-Saint-Privat 48 ...... 228 BK63
Aullène 2A 349 FE113
Aulnat 63 ...... 209 BJ60
Aulnay 86 ...... 168 AM48
Aulnay 17 ...... 202 AI57
Aulnay 10 ...... 91 BS30
Aulnay-aux-Planches 51 ...... 61 BP26
Aulnay-la-Rivière 45 ...... 111 BD34
Aulnay-l'Aître 51 ...... 62 BT26
Aulnay-sous-Bois 93 ...... 58 BE25
Aulnay-sur-Iton 27 ...... 56 AT25
Aulnay-sur-Marne 51 ...... 61 BQ24

AVIGNON

...irande (Pl. de l')......... EY 2	Corps Saints (Pl. des).... EZ 20	Ledru-Rollin (R.)........ FY 47	Petite Saunerie (R. de la).... FY 70	Rouge (R.)................ EY 90	Sarraillerie (R. de la)...... EYZ 110
...oussaire (Av. de l').... FZ 3	David (R. Félicien)........ EY 22	Manivet (R.P.).......... EFZ 48	Pétramale (R.)............ EZ 72	Ste-Catherine (R.)........ FY 109	Taulignan (R. de)........ EY 113
...abanel (R. Théodore).... EZ 5	Dorée (R.)................ EZ 23	Marchands (R. des)...... EY 49	Peyrollerie (R.).......... FY 73	St-Agricol (R.)........... GY 94	Tour (R. de la).......... GY 116
...ance (R. de la)........ EY 7	Folco-de-Baroncelli (R.).. EZ 28	Masse (R. de la)........ EZ 52	Pont (R. du)............ EY 74	St-Christophe (R.)........ FY 97	Vernet (R. Horace)........ EY 118
...cassé (R.).............. EY 9	Fourbisseurs (R. des)...... EY 34	Monclar (Av.).......... EZ 55	Président-Kennedy (Cours) EZ 76	St-Dominique (Bd)........ DZ 98	Vernet (R. Joseph)........ EYZ
...rtrand (R.)............ FY 10	Four de la Terre (R. du).. EZ 35	Mons (R. de).......... GY 59	Prévot (R.).............. EZ 77	St-Étienne (R.).......... EY 99	Viala (R. Jean)........ EY 119
...n Martinet (R. du).... FZ 13	Four (R. du)............ FZ 33	Muguet (R.)............ GY 62	Rascas (R. de)........ GY 79	St-Jean le Vieux	Vice-Légat (R.)........ EY 120
...mpane (R.)............ FY 14	Galante (R.)............ EY 37	Ortolans (R. des)........ EZ 63	Rempart de l'Oulle (R. du) DY 82	(Pl.).................. FY 101	Vieux Sextier
...llege d'Annecy (R.).... EZ 18	Grande Fusterie (R. de la) EY 39	Palais (Pl. du)........ EY 64	Rempart du Rhône (R. du) EY 83	St-Jean le Vieux (R.).... FY 102	(R. du)............ EFY 122
...lège du Roure (R. du) EY 19	Grottes (R. des)........ EY 41	Palapharnerie (R.)...... EY 66	Rempart St-Michel (R. du) FY 84	St-Joseph (R.).......... FY 104	Vilar (R. Jean)........ EY 123
	Italiens (Av. des)........ GY 44	Petite Calade (R. de la).. EY 67	Rempart St-Roch (R. du). DEZ 86	St-Michel (R.).......... EZ 105	Violette (R. de la)...... EY 124
	Jean-Jaurès (Cours)...... EZ	Petite Fusterie (R. de la) EY 68	République (R. de la).... EYZ	St-Pierre (Pl.).......... EY 106	3 Pilats (R. des)........ FY 127
	Jérusalem (Pl.).......... FY 45		Rhône (Pte du)........ EY 88	St-Ruf (Av.)............ FZ 108	3 Faucons (R. des)...... EZ 126

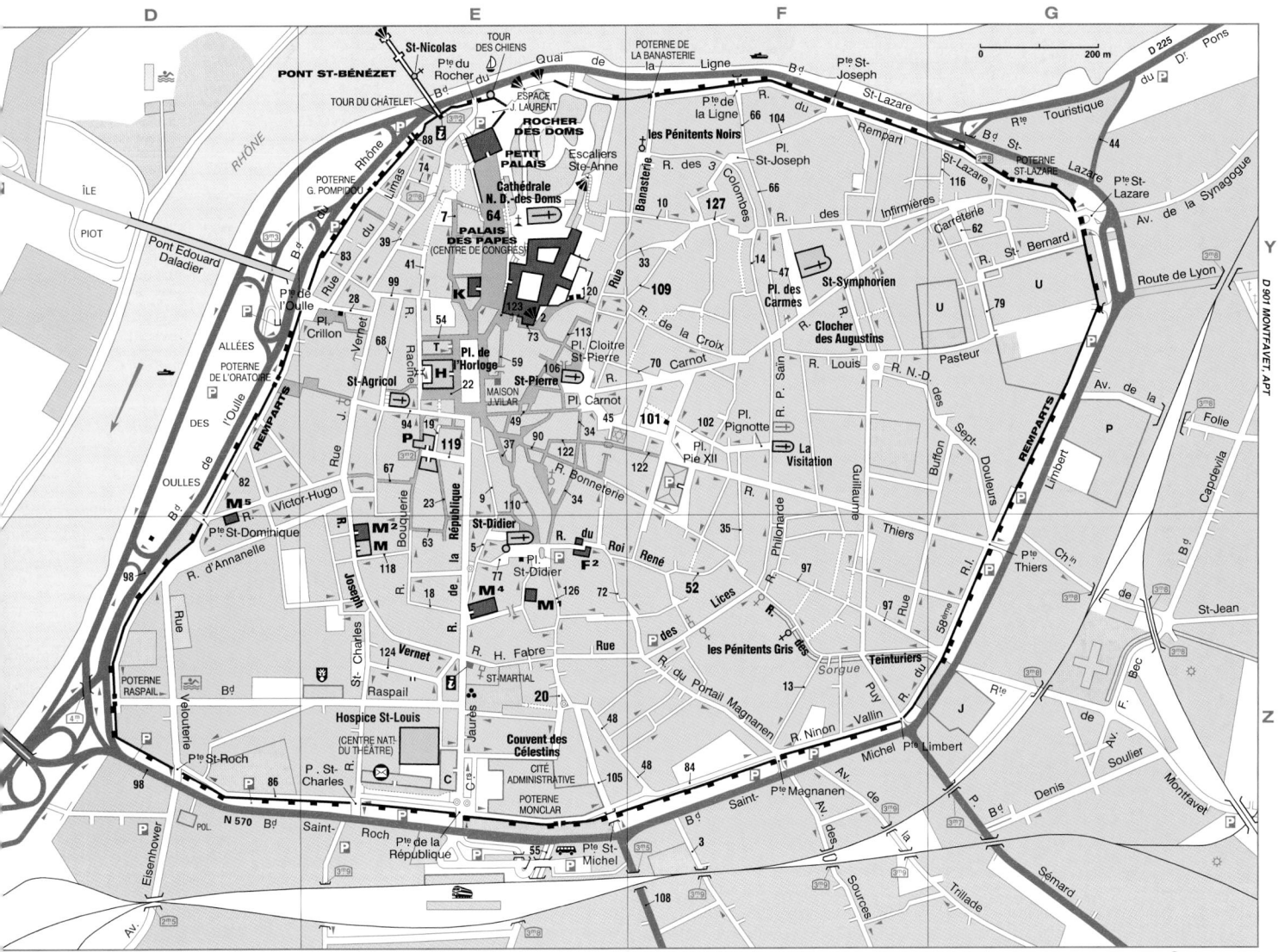

...ulnay-sur-Mauldre 78.....57 AZ25	Aumur 39.............178 CA46	Auriac-de-Bourzac 24....221 AM65	Aussonne 31...........297 AV84	Les Authieux-sur-le-
...es Aulneaux 72........84 AO31	Aunac 16.............203 AM59	Auriac-du-Périgord 24...241 AT68	Aussos 32.............316 AP87	Port-Saint-Ouen 76....36 AU21
...ulnizeux 51...........61 BO26	Aunat 11.............337 BB94	Auriac-Lagast 12......280 BF79	Aussurucq 64.........331 AC89	Authiou 58.............157 BL44
...ulnois 88.............94 CC32	Aunay-en-Bazois 58....157 BN45	Auriac-l'Église 15.....245 BJ66	Autainville 41.........132 AW37	Authoison 70..........162 CF41
...ulnois-en-Perthois 55..63 BX28	Aunay-les-Bois 61.....84 AO29	Auriac-sur-Dropt 47...257 AM73	Autechaux 25.........162 CH42	Authon 41............131 AS40
...ulnois-sous-Laon 02....24 BM18	Aunay-sous-Auneau 28..86 AZ31	Auriac-sur-Vendinelle 31..298 AZ85	Autechaux-Roide 25...142 CL41	Authon 17............201 AH59
...ulnois-sous-Vertuzey 55.64 CB27	Aunay-sous-Crécy 28...56 AV28	Auriat 23............206 AX59	Les Autels 02..........25 BQ16	Authon 04............287 CH77
...ulnois-sur-Seille 57...66 CG25	Aunay-sur-Odon 14....84 AH24	Auribail 31...........317 AV87	Les Autels-Saint-Bazile 14..54 AM25	Authon-du-Perche 28..109 AS33
...ulnoy 77.............59 BI26	Auneau 28............86 AZ31	Auribeau 84...........306 CC81	Les Autels-Villevillon 28..109 AT34	Authon-la-Plaine 91....87 BA31
...ulnoy-lez-Valenciennes 59..14 BL10	Aunou-le-Faucon 61....54 AM27	Auribeau-sur-Siagne 06..309 CO84	Auterive 82...........297 AS82	Authou 27.............35 AR22
...ulnoy-sur-Aube 52....139 BX37	Aunou-sur-Orne 61.....54 AN29	Aurice 40............293 AF82	Auterive 32...........296 AP85	Authuille 80..........13 BF13
...ulnoye-Aymeries 59.....15 BN11	Auppegard 76.........20 AT15	Auriébat 65...........315 AL86	Auterive 31..........318 AW87	Authume 39..........161 CB45
...ulon 65.............333 AM93	Aups 83............307 CI84	Aurières 63..........227 BH61	Auterrive 64.........331 AC86	Authumes 71.........178 BZ48
...ulon 31.............316 AQ89	Auquainville 14........54 AN24	Aurignac 31..........316 AR89	Autet 70............140 CC40	Autichamp 26........267 BY72
...ulon 23.............206 AY57	Auquemesnil 76.......10 AW14	Aurimont 32.........296 AQ85	Auteuil 78............57 AZ26	Autignac 34..........321 BKB6
...ulos 09.............336 AX94	Auradé 32............297 AS85	Auriol 13............327 CD87	Auteuil 60............38 BB21	Autigny 76...........19 AS16
...ult 80...............94 AW12	Auradou 47..........276 AR76	Auriolles 33.........257 AL72	Autevielle-Saint-Martin-	Autigny-la-Tour 88.....94 CC31
...ulterribe (Château d') 63..210 BM60	Auragne 31..........318 AW87	Aurions-Idernes 64....294 AJ85	Bideren 64..........311 AC86	Autigny-le-Grand 52....92 BX30
...ulus-les-Bains 09.....335 AV94	Auray 56............124 P38	Auris 38............251 CG68	Authe 08.............43 BV19	Autigny-le-Petit 52.....92 BX30
...umagne 17...........201 AH59	Aure 08..............42 BT21	Auron 06............289 CN77	Autheuil 61...........84 AO29	Autingues 62..........2 BA4
...umale 76.............21 AZ16	Aurec-sur-Loire 43....229 BR65	Aurons 13............305 BZ84	Autheuil 28..........109 AV36	Autoire 46...........261 AZ71
...umâtre 80............11 AZ14	Aureil 87............206 AX59	Aurons 33............256 AU71	Autheuil-Authouillet 27..36 AV23	Autoreille 70.........161 CD42
...umelas 34...........302 BN84	Aureilhan 65.........315 AL88	Aurouër 03...........174 BK50	Autheuil-en-Valois 60...39 BJ23	Autouillet 78..........57 AY22
...uménancourt 51.......41 BP20	Aureilhan 40.........272 AA77	Auroux 48...........265 BO72	Authevernes 27........37 AY22	Autrac 43............227 BJ65
...umerval 62............7 BD8	Aureille 13..........305 BY83	Aussac 81...........281 BA82	Authezat 63..........227 BJ62	Autrans 38...........152 AT41
...umes 34............322 BM86	Aurel 26............286 CA72	Aussac-Vadalle 16....203 AM60	Authie 80.............13 BE12	Autrèche 37..........152 AT41
...umessas 30.........282 BM80	Aurel 84............286 CB78	Ausseing 31.........335 AS90	Authie 14.............33 AJ22	Autrechêne 90........142 CL39
...umetz 57.............45 CD19	Aurelle-Verlac 12.....263 BI75	Aussevielle 64........314 AG87	Authieule 80..........13 BD12	Autrèches 60..........39 BI20
...umeville-Lestre 50.....29 AC18	Aurensan 65.........315 AK88	Aussillon 81.........319 BD86	Les Authieux 27.......56 AV26	Autrecourt-et-Pourron 08..22 BW17
...umont 80.............21 BA21	Aurensan 32.........294 AH84	Aussois 73..........252 CL66	Les Authieux-du-Puits 61...54 AO28	Autrécourt-sur-Aire 55...63 BX24
...umont 39............179 CC47	Aureville 31.........318 AW86	Auson 37............334 AP90	Les Authieux-Papion 14..54 AN25	Autremencourt 02......25 BN17
...umont-Aubrac 48.....264 BK72	Auriac 64............314 AH86	Aussonce 08.........42 BR21	Authieux-Ratiéville 76...20 AU18	Autrepierre 54........96 CK28
...umont-en-Halatte 60...38 BC22	Auriac 19............243 BB67		Les Authieux-	Autreppes 02.........25 BO14
...umontzey 88.........120 CK33	Auriac 11............338 BE92		sur-Calonne 14.....34 AO21	Autretot 76............19 AR17
			Autreville 88..........94 CD30	Autreville 02..........24 BJ18
				Autréville-
				Saint-Lambert 55.....27 BX18
				Autreville-sur-la-Renne 52..116 BW34
				Autreville-sur-Moselle 54..65 CE26
				Autrey 88.............95 CJ32
				Autrey 54.............94 CF29
				Autrey-le-Vay 70......141 CH40
				Autrey-lès-Cerre 70....141 CH39
				Autrey-lès-Gray 70....161 CB41
				Autricourt 21.........116 BU35
				Autruche 08...........43 BV19
				Autruy-sur-Juine 45...111 BB33
				Autry 08..............43 BV19
				Autry-Issards 03......191 BJ52
				Autry-le-Châtel 45....134 BF40
				Autun 71.............176 BS47
				Auty 82.............278 AW78
				Auvare 06............289 CN79
				Auve 51...............62 BU24
				Auvernaux 91.........88 BE30
				Auvers 50.............31 AC21
				Auvers 43............246 BL69
				Auvers-le-Hamon 72...106 AJ36
				Auvers-Saint-Georges 91..87 BC30
				Auvers-
				sous-Montfaucon 72..107 AL35
				Auvers-sur-Oise 95....58 BC24
				Auverse 49...........150 AM41
				Auvet-et-la-Chapelotte 70..161 CB41
				Auvillar 82............276 AR79
				Auvillars 14...........34 AM22
				Auvillars-sur-Saône 21..178 BY46
				Auvilliers-en-Gâtinais 45..112 BE31
				Auvillers-les-Forges 08..26 BR15
				Auvilliers 76..........21 AX16

Auvilliers-en-Gâtinais 45.....112 BE36
Aux-Aussat 32.....315 AM86
Aux Marais 60.....38 BB20
Auxais 50.....31 AC22
Auxange 39.....161 CC44
Auxant 21.....159 BU45
Auxelles-Bas 90.....142 CK38
Auxelles-Haut 90.....142 CK38
Auxerre 89.....136 BM38
Auxey-Duresses 21.....177 BV47
Auxi-le-Château 62.....12 BB11
Auxillac 48.....264 BK75
Auxon 70.....141 CF39
Auxon 10.....114 BP34
Auxon-Dessous 25.....161 CE43
Auxon-Dessus 25.....161 CE43
Auxonne 21.....160 CA44
Auxy 71.....176 BS47
Auxy 45.....112 BE34
Auzainvilliers 88.....118 CD33
Auzances 23.....208 BE58
Auzas 31.....316 AR89
Auzat 09.....336 AW94
Auzat-la-Combelle 63.....228 BK64
Auzay 85.....183 AE53
Auzebosc 76.....19 AR18
Auzécourt 55.....63 BW26
Auzelles 63.....228 BM62
Auzers 15.....244 BE66
Auzet 04.....288 CJ76
Auzéville-en-Argonne 55.....43 BX23
Auzeville-Tolosane 31.....298 AW85
Auzielle 31.....298 AX85
Auzits 12.....262 BD75
Auzon 43.....228 BL65
Auzouer-en-Touraine 37.....152 AS41
Auzouville-Auberbosc 76.....19 AQ18
Auzouville-l'Esneval 76.....19 AS17
Auzouville-sur-Ry 76.....36 AV20
Auzouville-sur-Saâne 76.....20 AT16
Availles-
en-Châtellerault 86.....169 AP49
Availles-Limouzine 86.....204 AQ56
Availles-sur-Chizé 79.....202 AI56
Availles-sur-Seiche 35.....54 AC36
Availles-Thouarsais 79.....168 AK48
Avajan 65.....333 AN93
Avallon 89.....158 BP41
Les Avanchers-
Valmorel 73.....234 CJ63
Avançon 08.....42 BR19
Avançon 05.....269 CH74
Avanne 25.....161 CE44
Avant-lès-Marcilly 10.....90 BM31
Avant-lès-Ramerupt 10.....91 BR31
Avanton 86.....169 AN50
Avapessa 2B.....346 FC105
Avaray 41.....132 AX39
Avaugour (Chapelle d') 22.....77 O29
Avaux 08.....41 BP19
Aveize 69.....230 BT61
Aveizieux 42.....230 BT63
Avelanges 21.....139 BX40
Avelesges 80.....11 BA14
Avelin 59.....8 BI7
Aveluy 80.....13 BF13
Aven Armand 48.....282 BL78
Avenas 69.....212 BU56
Avenay 14.....33 AI23
Avenay-Val-d'Or 51.....61 BP24
Avène 34.....301 BU83
Aveney 25.....161 CE44
Avenheim 67.....68 CP27
Les Avenières 38.....232 CC61
Avensac 32.....296 AR82
Avensan 33.....237 AE68
Aventignan 65.....334 AO90
Averan 65.....315 AK89
Averdoingt 62.....12 BD10
Averdon 41.....132 AV39
Avermes 03.....192 BK51
Avernes 95.....57 AZ24
Avernes-Saint-Gourgon 61.....54 AO25
Avernes-sous-Exmes 61.....54 AN27
Avéron-Bergelle 32.....295 AK83
Averton 53.....83 AK32
Avesnelles 59.....15 BO12
Avesnes 62.....6 BA7
Avesnes-Chaussoy 80.....21 AZ15
Avesnes-en-Bray 76.....37 AY19
Avesnes-en-Saosnois 72.....108 AO33
Avesnes-en-Val 76.....10 AW14
Avesnes-le-Comte 62.....13 BE10
Avesnes-le-Sec 59.....14 BK11
Avesnes-les-Aubert 59.....14 BK11
Avesnes-les-Bapaume 62.....13 BG12
Avesnes-sur-Helpe 59.....15 BO12
Avessac 44.....125 W39
Avessé 72.....106 AJ36
Aveux 65.....334 AO91
Avezac-Prat 65.....333 AM90
Avezan 32.....296 AO81
Avezé 72.....108 AQ33
Avèze 63.....226 BF62
Avèze 30.....282 BN80
Aviernoz 74.....215 CH57
Avignon 84.....285 BX80
Avignon-lès-
Saint-Claude 39.....197 CE53
Avignonet 38.....250 CD69
Avignonet-Lauragais 31.....318 AY87

Avillers 88.....94 CF32
Avillers 54.....44 CB20
Avillers-Sainte-Croix 55.....64 CB24
Avilley 25.....162 CG41
Avilly-Saint-Léonard 60.....38 BE22
Avion 62.....8 BG9
Avioth 55.....44 BZ18
Aviré 49.....128 AF39
Avirey-Lingey 10.....115 BR35
Aviron 27.....56 AU24
Avize 51.....61 BP25
Avocourt 55.....43 BX22
Avoine 61.....54 AL28
Avoine 37.....150 AM44
Avoise 72.....129 AK37
Avon 79.....185 AL53
Avon 77.....88 BG31
Avon-la-Pèze 10.....90 BN31
Avon-les-Roches 37.....151 AO45
Avondance 62.....7 BB8
Avord 18.....173 BF46
Avoriaz 74.....198 CL55
Avosnes 21.....159 BU42
Avot 21.....139 BX40
Avoudrey 25.....162 CI44
Avrainville 91.....87 BC29
Avrainville 88.....94 CF31
Avrainville 54.....65 CD27
Avrainville 52.....92 BX29
Avranches 50.....51 AC27
Avranville 88.....93 CA31
Avrechy 60.....38 BD20
Avrecourt 52.....117 CB36
Avrée 58.....175 BO49
Avregny 74.....215 CG57
Avremesnil 76.....20 AT15
Avressieux 73.....232 CD62
Avreuil 10.....114 BP35
Avricourt 60.....23 BH17
Avricourt 57.....66 CH25
Avricourt 54.....96 CK28
Avrieux 73.....252 CL66
Avrigney 70.....161 CD43
Avrigny 60.....39 BF20
Avril 54.....45 CD21
Avril-sur-Loire 58.....175 BL49
Avrillé 85.....182 Z52
Avrillé 49.....149 AH41
Avrillé-les-Ponceaux 37.....151 AN42
Avrilly 61.....82 AH29
Avrilly 27.....56 AU25
Avrilly 03.....193 BP54
Avroult 62.....7 BB6
Avy 17.....219 AG63
Awoingt 59.....14 BJ12
Ax-les-Thermes 09.....336 AZ94
Axat 11.....337 BC93
Axiat 09.....336 AY94
Ay 51.....61 BP24
Ay-sur-Moselle 57.....45 CF21
Ayat-sur-Sioule 63.....209 BH57
Aydat 63.....227 BI62
Aydie 64.....294 AJ85
Aydius 64.....331 AF91
Aydoilles 88.....119 CI33
Ayen 19.....241 AV66
Ayencourt 80.....22 BE18
Ayette 62.....13 BG11
Ayguade-Ceinturon 83.....328 CI89
Ayguatébia-Talau 66.....341 BC96
Ayguemorte-
les-Graves 33.....255 AG72
Ayguesvives 31.....318 AX86
Ayguetinte 32.....295 AN82
Ayherre 64.....311 AA86
Ayn 73.....232 CD62
Aynac 46.....261 AZ71
Les Aynans 70.....141 CI39
Ayrens 15.....244 BB69
Ayron 86.....168 AL50
Ayros-Arbouix 65.....332 AJ91
Ayse 74.....216 CI56
Ayssènes 12.....281 BG79
Aytré 17.....200 AC56
Les Ayvelles 08.....26 BU16
Ayzac-Ost 65.....332 AJ91
Ayzieu 32.....295 AK82
Azannes-
et-Soumazannes 55.....44 CA21
Azans 39.....161 CB45
Azas 31.....298 AX83
Azat-Châtenet 23.....206 AY57
Azat-le-Ris 87.....187 AT54
Azay-le-Brûlé 79.....185 AJ53
Azay-le-Ferron 36.....170 AT48
Azay-le-Rideau 37.....151 AP44
Azay-sur-Cher 37.....152 AR43
Azay-sur-Indre 37.....152 AS44
Azay-sur-Thouet 79.....185 AI51
Azé 71.....194 BV53
Azé 53.....128 AG37
Azé 41.....131 AT37
Azelot 54.....94 CF28
Azerables 23.....188 AW54
Azerailles 54.....95 CJ29
Azérat 43.....228 BL65
Azerat 24.....241 AT67
Azereix 65.....315 AK89
Azet 65.....333 AM93
Azeville 50.....29 AC19

Azillanet 34.....320 BG88
Azille 11.....320 BF88
Azilone-Ampaza 2A.....349 FE112
Azincourt 62.....7 BB8
Azolette 69.....212 BT56
Azoudange 57.....67 CK27
Azur 40.....292 Z82
Azy 18.....155 BG45
Azy-le-Vif 58.....174 BK49
Azy-sur-Marne 02.....60 BK25
Azzana 2A.....348 FD109

B

Baâlon 55.....43 BY19
Baâlons 08.....26 BU18
Babaou (Col de) 83.....328 CJ88
Babeau-Bouldoux 34.....320 BH86
Babœuf 60.....23 BI18
Le Babory-de-Blesle 43.....245 BJ66
Baby 77.....89 BK31
Baccarat 54.....95 CJ30
Baccon 45.....132 AX37
Bach 46.....278 AX76
Bachant 59.....15 BO11
La Bachellerie 24.....241 AT67
Bachivillers 60.....37 BA21
Bachos 31.....334 AP92
Bachy 59.....9 BJ7
Bacilly 50.....51 AB27
Le Bacon 48.....264 BK71
Baconnes 51.....42 BR23
La Baconnière 53.....105 AF33
Bacouel 60.....22 BD18
Bacouel-sur-Selle 80.....22 BC15
Bacourt 57.....66 CH25
Bacquepuis 27.....36 AT23
Bacqueville 27.....36 AW21
Bacqueville-en-Caux 76.....20 AT16
Badailhac 15.....244 BF70
Badaroux 48.....264 BM74
Badecon-le-Pin 36.....188 AX52
Badefols-d'Ans 24.....241 AU66
Badefols-
sur-Dordogne 24.....258 AR71
Baden 56.....124 P39
Badens 11.....320 BE89
Badevel 25.....142 CL40
Badinières 38.....232 CA63
Badménil-aux-Bois 88.....95 CI32
Badonviller 54.....96 CK29
Badonvilliers 55.....93 CB29
Baerendorf 67.....67 CM25
Baerenthal 57.....68 CP24
La Baffe 88.....119 CI33
Baffie 63.....229 BO64
Bagard 30.....283 BO79
Bagargui (Col) 64.....330 AB90
Bagas 33.....256 AK73
Bagat-en-Quercy 46.....277 AU76
Bagatelle (Parc de) 62.....6 AY9
Bâgé-la-Ville 01.....195 BS54
Bâgé-le-Châtel 01.....195 BS54
Bagert 09.....335 AT90
Bages 66.....343 BH96
Bages 11.....339 BJ90
Bagiry 31.....334 AP91
Bagnac-sur-célé 46.....261 BB73
Bagneaux 89.....114 BM33
Bagneaux-sur-Loing 77.....112 BF33
Bagneux 92.....58 BC27
Bagneux 79.....168 AJ46
Bagneux 54.....94 CD29
Bagneux 51.....90 BO29
Bagneux 49.....150 AK44
Bagneux 36.....153 AY45
Bagneux 03.....191 BJ51
Bagneux-la-Fosse 10.....115 BR36
Bagnizeau 17.....202 AI59
Bagnoles 11.....320 BE88
Bagnoles-de-l'Orne 61.....82 AI29
Bagnolet 93.....58 BD26
Bagnols 69.....212 BU59
Bagnols 63.....226 BF63
Bagnols-en-Forêt 83.....308 CM84
Bagnols-les-Bains 48.....264 BN74
Bagnols-sur-Cèze 30.....284 BV78
Baguer-Morvan 35.....80 Y29
Baguer-Pican 35.....80 Z29
Baho 66.....343 BH95
Bahus-Soubiran 40.....294 AH83
Baigneaux 41.....132 AV38
Baigneaux 33.....256 AJ72
Baigneaux 28.....110 AZ34
Baignes 70.....141 CF40
Baignes-
Sainte-Radegonde 16.....220 AJ64
Baigneux-les-Juifs 21.....138 BU40
Baignolet 28.....110 AX34
Baigts 40.....293 AE83
Baigts-de-Béarn 64.....293 AD85
Baillargues 34.....303 BQ84
Baillé 35.....80 AB31
Bailleau-le-Pin 28.....85 AV32

Bailleau-l'Évêque 28.....86 AW30
Bailleau-sous-Gallardon 28.....86 AY30
Baillestavy 66.....342 BG96
Baillet-en-France 95.....58 BC24
Bailleul 80.....11 AZ13
Le Bailleul 72.....129 AK38
Bailleul 61.....54 AM27
Bailleul 59.....4 BG5
Bailleul (Château de) 76.....19 AP17
Bailleul-aux-Cornailles 62.....7 BD9
Bailleul-la-Vallée 27.....35 AP22
Bailleul-le-Soc 60.....38 BE20
Bailleul-lès-Pernes 62.....7 BD8
Bailleul-Neuville 76.....20 AW16
Bailleul-Sir-Berthoult 62.....13 BG10
Bailleul-sur-Thérain 60.....38 BC20
Bailleulmont 62.....13 BF11
Bailleulval 62.....13 BF11
Bailleval 60.....38 BE21
Baillolet 76.....20 AW16
Baillou 41.....109 AS36
Bailly 78.....58 BB26
Bailly 60.....39 BH19
Bailly-aux-Forges 52.....92 BW30
Bailly-Carrois 77.....89 BI29
Bailly-en-Rivière 76.....10 AW14
Bailly-le-Franc 10.....92 BU30
Bailly-Romainvilliers 77.....59 BG26
Bain-de-Bretagne 35.....126 Z37
Baincthun 62.....6 AY6
Bainghen 62.....2 BA5
Bains 43.....247 BO69
Bains-de-Guitera 2A.....349 FE111
Bains-les-Bains 88.....119 CG35
Bains-sur-Oust 35.....125 W38
Bainville-aux-Miroirs 54.....95 CG30
Bainville-aux-Saules 88.....118 CF33
Bainville-sur-Madon 54.....94 CE29
Bairols 06.....289 CP79
Bais 53.....106 AJ33
Bais 35.....105 AC35
Baisieux 59.....9 BJ7
Baissey 52.....139 BZ38
Baives 59.....16 BQ13
Baix 07.....267 BW72
Baixas 66.....338 BH94
Baizieux 80.....22 BE14
Le Baizil 51.....61 BN25
Bajamont 47.....276 AQ77
Bajonnette 32.....296 AQ82
Bajus 62.....7 BE9
Balacet 09.....335 AS93
Baladou 46.....242 AX70
Balagny-sur-Thérain 60.....38 BD21
Balaguères 09.....335 AS92
Balaguier d'Olt 12.....261 BA74
Balaguier-sur-Rance 12.....300 BF81
Balaine (Arboretum de) 03.....174 BK50
Balaiseaux 39.....179 CB47
Balaives-et-Butz 08.....26 BU17
Balan 08.....27 BW17
Balan 01.....213 BY59
Balanod 39.....196 CA52
Balansun 64.....293 AE85
Balanzac 17.....201 AE60
Balaruc-le-Vieux 34.....323 BO86
Balaruc-les-Bains 34.....323 BO86
Balâtre 80.....23 BH17
Balazé 35.....105 AC33
Balazuc 07.....266 BT74
Balbigny 42.....211 BR60
Balbins 38.....231 BZ64
Balbronn 67.....97 CO28
Balcon de Merlet
(Parc du) 74.....216 CL58
Baldenheim 67.....97 CP32
Baldersheim 68.....143 CP37
La Baleine 50.....51 AC25
Baleines (Phare des) 17.....182 Z54
Baleix 64.....314 AJ87
Balesmes 37.....169 AQ47
Balesmes-sur-Marne 52.....139 BZ37
Balesta 31.....316 AO89
Baleyssagues 47.....257 AL72
Balgau 68.....121 CQ35
Balham 08.....41 BQ19
Balignac 82.....296 AR81
Balignicourt 10.....91 BS30
Bâlines 27.....56 AT27
Balinghem 62.....2 BA4
Baliracq-Maumusson 64.....294 AI85
Baliros 64.....314 AH88
Balizac 33.....255 AH74
Balizy 91.....58 BC28
Ballainvilliers 91.....58 BC28
Ballaison 74.....197 CH54
Ballan-Miré 37.....151 AQ43
Ballancourt-sur-Essonne 91.....87 BD30
Ballans 17.....202 AJ60
Ballay 08.....42 BU20
Balledent 87.....205 AU57
Ballée 53.....106 AI36
Balleray 58.....174 BK46
Balleroy 14.....32 AG22
Ballersdorf 68.....143 CN39
Balléville 88.....94 CD31
Ballon 72.....107 AN34
Ballon 17.....200 AD57
Ballon de Servance 70.....142 CK37
Ballons 26.....286 CD77
Ballore 71.....194 BS52

Ballots 53.....105 AD36
Balloy 77.....89 BJ31
La Balme 73.....232 CD61
La Balme-de-Sillingy 74.....215 CF58
La Balme-de-Thuy 74.....215 CH58
La Balme-d'Epy 39.....196 CA53
La Balme-les-Grottes 38.....214 CA59
Balmont 74.....215 CG59
Balnot-la-Grange 10.....115 BR36
Balnot-sur-Laignes 10.....115 BS35
Bologna 2A.....348 FC109
Balot 21.....137 BS38
Balsac 12.....280 BE76
Balschwiller 68.....143 CN38
Balsièges 48.....264 BM75
Baltzenheim 68.....121 CQ33
Balzac 16.....221 AM61
Bambecque 59.....3 BE3
Bambiderstroff 57.....66 CI23
Ban-de-Laveline 88.....96 CM32
Ban-de-Sapt 88.....96 CL31
Le Ban-Saint-Martin 57.....45 CF22
Ban-sur-
Meurthe-Clefcy 88.....120 CL33
Banassac 48.....264 BK75
Banat 09.....336 AW93
Bancarel (Site du) 12.....262 BD74
Bancigny 02.....25 BP16
Bancourt 62.....13 BH12
Bandol 83.....327 CF89
Baneins 01.....213 BX56
Baneuil 24.....258 AQ71
Bangor 56.....144 N42
Banhars 12.....262 BF73
Banios 65.....333 AM91
Banize 23.....207 BA59
Bannalec 29.....100 K35
Bannans 25.....180 CG47
Bannay 57.....46 CH22
Bannay 51.....61 BN26
Bannay 18.....156 BH43
Banne 07.....283 BR76
Bannegon 18.....173 BG49
Bannes 53.....106 AJ36
Bannes 71.....195 BY51
Bannes 52.....117 CB34
Bannes 51.....61 BO27
Bannes 46.....261 AZ71
Banneville-
la-Campagne 14.....33 AK22
Banneville-sur-Ajon 14.....33 AI23
Bannières 81.....298 AY84
Bannoncourt 55.....64 CA25
Bannost 77.....60 BJ28
Banogne-Recouvrance 08.....25 BQ18
Banon 04.....286 CD79
Banos 40.....293 AF83
Bans 39.....179 CB47
Bansat 63.....228 BL64
Bantanges 71.....195 BY54
Banteux 59.....14 BJ13
Banthelu 95.....37 AZ23
Bantheville 55.....43 BX20
Bantigny 59.....14 BJ11
Bantouzelle 59.....14 BJ13
Bantzenheim 68.....121 CP36
Banvillars 90.....142 CK39
Banville 14.....33 AI21
Banvou 61.....53 AH28
Banyuls-dels-Aspres 66.....343 BH96
Banyuls-sur-Mer 66.....343 BJ97
Baon 89.....137 BQ37
Baons-le-Comte 76.....19 AR17
Baou de 4 Oures 83.....328 CG89
Bapaume 62.....13 BG12
Bapeaume-lès-Rouen 76.....36 AT19
Bar 19.....225 AZ65
Bar-le-Duc 55.....63 BY27
Bar-lès-Buzancy 08.....43 BW19
Bar-sur-Aube 10.....116 BU33
Le Bar-sur-Loup 06.....309 CO82
Bar-sur-Seine 10.....115 BS34
Baracé 49.....128 AI39
Baracuchet (Col de) 63.....229 BP63
Baraigne 11.....318 AZ88
Baraize 36.....188 AX52
Baralle 62.....14 BI11
Baraqueville 12.....280 BD77
Barastre 62.....13 BH13
Baratier 05.....270 CK73
Barbachen 65.....314 AL86
Barbaggio 2B.....345 FG103
Barbaira 11.....320 BE89
Barbaise 08.....26 BT17
Barbas 54.....96 CK28
Barbaste 47.....275 AM78
Barbâtre 85.....164 U47
Barbazan 31.....334 AP91
Barbazan-Debat 65.....315 AL89
Barbazan-Dessus 65.....315 AL89
Barbechat 44.....148 AB43
La Barben 13.....305 CA84
Barbentane 13.....304 BW81
Barberaz 73.....233 CF62
Barberey-aux-Moines 10.....90 BP32
Barberey-Saint-Sulpice 10.....90 BP32
Barbery 60.....39 BF22
Barbery 14.....53 AJ24
Barbeville 14.....32 AG21

Barbey 77.....89 BI32
Barbey-Seroux 88.....120 CK33
Barbezières 16.....202 AK55
Barbezieux 16.....220 AJ64
Barbirey-sur-Ouche 21.....159 BV47
Barbizon 77.....88 BF31
Barbonne-Fayel 51.....61 BN27
Barbonval 02.....40 BM22
Barbonville 54.....95 CH29
Barbotan-les-Thermes 32.....274 AK80
Le Barboux 25.....163 CK45
Barbuise 10.....90 BM27
Barby 73.....233 CF62
Barby 08.....42 BR19
Barc 27.....55 AS24
Barcaggio 2B.....345 FF101
Le Barcarès 66.....339 BI94
Barcelonne 26.....249 BY70
Barcelonne-du-Gers 32.....294 AI83
Barcelonnette 04.....270 CL75
Barchetta 2B.....347 FG107
Barcillonnette 05.....269 CF73
Barcugnan 32.....315 AN87
Barcus 64.....331 AD91
Barcy 77.....59 BH24
Bard 42.....229 BQ62
Le Bard-le-Régulier 21.....158 BS49
Bard-lès-Époisses 21.....158 BR41
Bard-lès-Pesmes 70.....161 CC43
La Barde 17.....238 AK72
Bardenac 16.....220 AK65
Bardiana 2B.....346 FB107
Bardigues 82.....276 AR80
Bardos 64.....292 AA85
Bardou 24.....258 AQ72
Bardouville 76.....35 AS20
Barèges 65.....333 AK92
Bareilles 65.....333 AN92
Barembach 67.....96 CN29
Baren 31.....334 AP93
Barentin 76.....20 AT18
Barenton 50.....81 AF29
Barenton-Bugny 02.....24 BM17
Barenton-Cel 02.....24 BM17
Barenton-sur-Serre 02.....24 BM17
Barésia-sur-l'Ain 39.....196 CD51
Barfleur 50.....29 AD16
Barfleur (Pointe de) 50.....29 AD16
Bargème 83.....308 CL82
Bargemon 83.....308 CL83
Barges 70.....140 CD37
Barges 43.....265 BP71
Barges 21.....160 BX44
Bargny 60.....39 BH23
Barie 33.....256 AJ74
Les Barils 27.....55 AS27
Barinque 64.....314 AI86
Barisey-au-Plain 54.....94 CD29
Barisey-la-Côte 54.....94 CD29
Barisis 02.....24 BK18
Barizey 71.....177 BV49
Barjac 48.....264 BL74
Barjac 30.....284 BT77
Barjac 09.....335 AT90
Barjols 83.....307 CG84
Barjon 21.....138 BW44
Barjouville 28.....86 AW31
Barles 04.....288 CI76
Barlest 65.....314 AJ89
Barleux 80.....23 BH15
Barlieu 18.....155 BF41
Barlin 62.....8 BF8
Barly 80.....12 BC11
Barly 62.....13 BE11
Barmainville 28.....111 BA33
Barnas 07.....265 BR73
Barnave 26.....268 CB72
Barnay 71.....176 BS46
Barnenez (Tumulus de) 29.....71 J26
Barneville-Carteret 50.....31 Z20
Barneville-la-Bertran 14.....34 AN20
Barneville-sur-Seine 27.....35 AS20
La Baroche-Gondouin 53.....82 AI30
La Baroche-sous-Lucé 61.....82 AH29
Les Baroches 54.....45 CD21
Baromesnil 76.....10 AW14
Baron 71.....194 BS52
Baron 60.....39 BG23
Baron 33.....256 AI71
Baron 30.....284 BS79
Baron-sur-Odon 14.....33 AI23
Baronville 57.....66 CI24
Barou-en-Auge 14.....54 AL25
Baroville 10.....116 BU33
Le Barp 33.....255 AE73
La Barque 13.....306 CD85
Barquet 27.....55 AS24
Barr 67.....97 CP30
Barracone 2A.....348 FD111
Barrais-Bussolles 03.....192 BN55
Barran 32.....295 AN84
Barrancoueu 65.....333 AM91
Les Barraques-
en-Vercors 26.....250 CB69
Barras 04.....287 CH78
Barraute-Camu 64.....313 AD86
Barraux 38.....233 CG64
Barre 81.....300 BH83

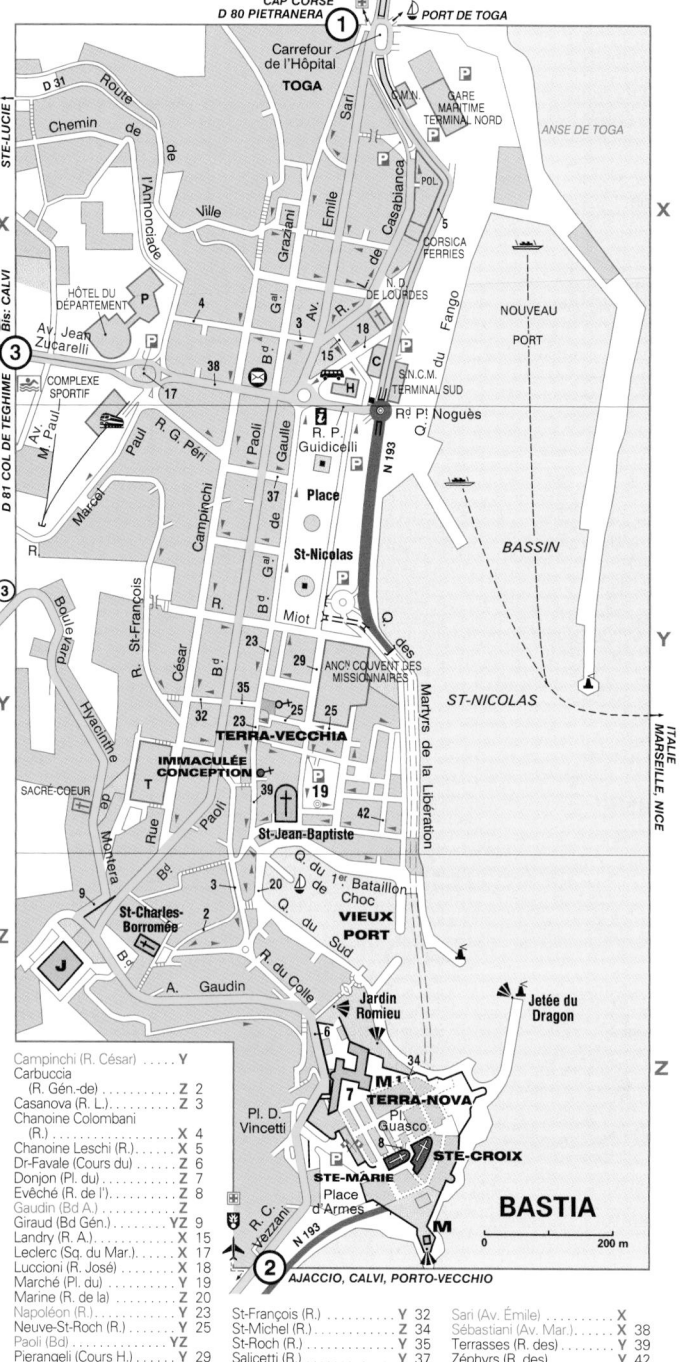

BASTIA

CAP CORSE
D 80 PIETRANERA
PORT DE TOGA
Carrefour de l'Hôpital
TOGA
GARE MARITIME TERMINAL NORD
ANSE DE TOGA
N.D. DE LOURDES
CORSICA FERRIES
NOUVEAU PORT
S.N.C.M. TERMINAL SUD
HÔTEL DU DÉPARTEMENT
COMPLEXE SPORTIF
R. P. Guidicelli
Place St-Nicolas
BASSIN
St-Nicolas
ANCⁿ COUVENT DES MISSIONNAIRES
ST-NICOLAS
ITALIE MARSEILLE, NICE
TERRA-VECCHIA
IMMACULÉE CONCEPTION
SACRÉ-COEUR
St-Jean-Baptiste
Martyrs de la Libération
St-Charles-Borromée
VIEUX PORT
A. Gaudin
Jardin Romieu
Jetée du Dragon
TERRA-NOVA
Pl. Guasco
Pl. D. Vincetti
STE-CROIX
STE-MARIE
Place d'Armes
BASTIA
AJACCIO, CALVI, PORTO-VECCHIO
0   200 m

Campinchi (R. César) ..... Y
Carbuccia (R. Gén.-de) ..... Z 2
Casanova (R. L.) ..... Z 3
Chanoine Colombani (R.) ..... X 4
Chanoine Leschi (R.) ..... X 5
Dr-Favale (Cours du) ..... Z 6
Donjon (Pl. du) ..... Z 7
Evêché de l' (R.) ..... Z 8
Gaudin (Bd A.) ..... Z
Giraud (Bd Gén.) ..... YZ
Landry (R. A.) ..... X 15
Leclerc (Sq. du Mar.) ..... X 17
Luccioni (R. José) ..... X 18
Marché (Pl. du) ..... Y 19
Marine (R. de la) ..... Y 20
Napoléon (R.) ..... Y 23
Neuve-St-Roch (R.) ..... Y 25
Paoli (Bd) ..... YZ
Pierangeli (Cours H.) ..... Y 29

St-François (R.) ..... Y 32
St-Michel (R.) ..... Z 34
St-Roch (R.) ..... Y 35
Salicetti (R.) ..... Y 42

Sari (Av. Émile) X
Sébastiani (Av. Mar.) ..... X 38
Terrasses (R. des) ..... Y 39
Zéphyrs (R. des) ..... Y 42

La Barre 70.........162 CG42
La Barre 39.........161 CC45
La Barre-de-Monts 85.........164 V47
La Barre-de-Semilly 50.........32 AC23
Barre-des-Cévennes 48.........282 BN77
La Barre-en-Ouche 27.........55 AQ25
Barrême 04.........288 CJ80
Barret 16.........220 AJ63
Barret-de-Lioure 26.........286 CC78
Barret-sur-Méouge 05.........287 CE77
Barretaine 39.........179 CE48
Barrettali 2B.........345 FF101
Barriac-les-Bosquets 15.........243 BC67
Barricourt 08.........43 BW19
Barro 16.........203 AM58
Barrou 37.........170 AR48
Le Barroux 84.........285 BZ78
Barry 84.........285 BW76
Barry 65.........315 AK89
Barry-d'Islemade 82.........277 AU79
Bars 32.........295 AM85
Bars 24.........241 AT68
Barsac 33.........256 AI73
Barsac 26.........268 CA72
Barsanges 19.........225 BA63
Bart 25.........142 CK40
Bartenheim 68.........143 CP39
Barthe 66.........57 CK23
Barthe (Barrage de la) 12.........263 BG71
La Barthe-de-Neste 65.........333 AN90
Bartherans 25.........179 CA56
Les Barthes 82.........277 AT79
Bartrès 65.........332 AJ90

Barville 76.........19 AR16
Barville 88.........94 CC31
Barville 61.........84 AO30
Barville 27.........35 AP23
Barville-en-Gâtinais 45.........111 BD34
Barzan 17.........219 AE63
Barzun 64.........314 AJ89
Barzy-en-Thiérache 02.........15 BN13
Barzy-sur-Marne 02.........60 BM24
Bas-en-Basset 43.........249 BR65
Bas-et-Lezat 63.........205 BK58
Bas-Lieu 59.........15 BO12
Bas-Mauco 40.........293 AF82
Bas-Rupts 88.........120 CL34
Bascons 40.........294 AH84
Bascous 32.........295 AL82
Basley 14.........33 AJ21
Bassac 16.........220 AK61
Bassan 34.........318 BK87
Bassanne 33.........256 AJ74
Basse-Goulaine 44.........147 AA44
Basse-Ham 57.........45 CF20
Basse-Indre 44.........147 Y44
Basse-Rentgen 57.........45 CF19
La Basse-Vaivre 70.........118 CF36
La Bassée 59.........8 BG7
Bassemberg 67.........96 CN31
Bassenville 14.........34 AL22
Bassens 73.........237 CF62
Bassens 33.........237 AG70

Bassercles 40.........293 AF85
Basses 86.........168 AM46
Basseux 62.........13 BF11
Bassevelle 77.........60 BK25
Bassignac 15.........244 BD66
Bassignac-le-Bas 19.........243 AZ69
Bassignac-le-Haut 19.........243 BB67
Bassigney 70.........141 CG37
Bassillac 24.........240 AR67
Bassillon-Vauzé 64.........314 AJ86
Bassing 57.........67 CK25
Bassoles-Aulers 02.........40 BK19
Bassoncourt 52.........117 CB34
Bassou 89.........114 BM36
Bassoues 32.........295 AM85
Bassu 51.........62 BU26
Bassuet 51.........62 BU27
Bassurels 48.........282 BN78
Bassussarry 64.........310 Y86
Bassy 74.........215 CE58
Bastanès 64.........313 AE87
Bastelica 2A.........349 FE110
Bastelicaccia 2A.........348 FC111
Bastennes 40.........293 AE84
Bastia 2B.........345 FG103
La Bastide 66.........308 CL82
La Bastide 48.........307 CF36
La Bastide 83.........66 AE23
La Bastide-Clairence 64.........311 AA86
La Bastide-de-Besplas 09.........317 AU89
La Bastide-de-Bousignac 09.........336 AZ91
La Bastide de Couloumat 11.........318 AY89
La Bastide-de-Lordat 09.........336 AY90

La Bastide-de-Sérou 09.........335 AV91
La Bastide-d'Engras 30.........284 BU79
La Bastide-des-Jourdans 84.........306 CD82
La Bastide-du-Salat 09.........335 AS91
La Bastide-l'Évêque 12.........279 BB76
La Bastide-Pradines 12.........281 BI80
La Bastide-Puylaurent 48.........265 BP73
La Bastide-Solages 12.........300 BE81
La Bastide-sur-l'Hers 09.........336 AZ92
La Bastidonne 84.........306 CD83
La Bastidonne 13.........327 CD88
La Bastie-d'Urfé (Château d') 42.........229 BQ61
Le Bastit 46.........260 AX72
Basville 23.........208 BD59
La Bataille 79.........202 AK57
Bataille (Col de la) 26.........250 CA70
La Batarelle 13.........327 CC87
Bataville 57.........67 CK27
Bathelémont-lès-Bauzemont 54.........66 CI27
Bathernay 26.........249 BY67
La Bâthie 73.........234 CJ61
La Bâtie-Crémezin 26.........268 CD73
La Bâtie-des-Fonds 26.........268 CD74
La Bâtie-Divisin 38.........232 CC63
La Bâtie-Montgascon 38.........232 CC62
La Bâtie-Montsaléon 05.........269 CE75
La Bâtie-Neuve 05.........269 CH73
La Bâtie-Rolland 26.........267 BX74
La Bâtie-Vieille 05.........269 CH73
Les Bâties 70.........161 CC60
Batilly 61.........53 AK27
Batilly 54.........45 CD22
Batilly-en-Gâtinais 45.........111 BD35
Batilly-en-Puisaye 45.........135 BH40
Bats 40.........294 AG84
Batsère 65.........333 AM90
Battenans-les-Mines 25.........162 CG41
Battenans-Varin 25.........163 CK43
Battenheim 68.........121 CO36
Battexey 88.........94 CF31
Battigny 54.........94 CE30
Battrans 70.........161 CC42
Batz (Île de) 29.........71 I26
Batz-sur-Mer 44.........145 S43
Batzendorf 67.........68 CQ26
Baubigny 50.........28 Z19
Baubigny 21.........177 BV47
La Bauche 73.........233 CE63
Baud 56.........101 P36
Baudement 51.........90 BN29
Baudemont 71.........194 BS55
Baudignan 40.........274 AK79
Baudignécourt 55.........93 CA29
Baudinard-sur-Verdon 83.........307 CH83
Baudoncourt 70.........141 CH37
Baudonvilliers 55.........63 BW28
Baudre 50.........32 AE23
Baudrecourt 57.........66 CH24
Baudrecourt 52.........92 BW31
Baudreix 64.........314 AI89
Baudrémont 55.........64 BZ26
Baudres 36.........171 AX46
Baudreville 50.........31 AA20
Baudreville 28.........87 BA32
Baudricourt 88.........94 CE32
Baudrières 71.........178 BX50
Bauduen 83.........307 CI82
Baugé 49.........129 AK40
Baugy 71.........193 BO55
Baugy 60.........39 BG19
Baugy 18.........173 BG46
Baulay 70.........140 CE37
Baule 45.........132 AY38
La Baule 44.........145 T43
La Baule-Escoublac 44.........145 T43
Baulme-la-Roche 21.........159 BV43
Baulne 91.........87 BD30
Baulne-en-Brie 02.........60 BM25
Baulny 55.........43 BW21
La Bazoge-de-Chemeré 53.........106 AI35
Baulou 09.........336 AW91
La Baume 74.........198 CK54
La Baume (Cirque de) 39.........179 CC50
La Baume-Cornillane 26.........268 CA75
La Baume-de-Transit 26.........285 BX76
La Baume-d'Hostun 26.........249 BZ68
Baume-les-Dames 25.........162 CH42
Baume-les-Messieurs 39.........179 CC50
Bauné 49.........150 AJ41
Baupte 50.........31 AC21
Bauquay 14.........53 AH24
Baurech 33.........255 AH72
La Baussaine 35.........79 X31
Bauvin 59.........8 BH8
Les Baux-de-Breteuil 27.........55 AO25
Les Baux-de-Provence 13.........304 BX83
Les Baux-Sainte-Croix 27.........56 AU25
Bauzemont 54.........66 CI27
Bauzy 41.........153 AX41
Bavans 25.........142 CK41
Bavay 59.........15 BN10
Bavelincourt 80.........22 BE14
Bavella (Col de) 2A.........349 FF112
Baverans 39.........161 CB45
Bavilliers 90.........142 CL39
Bavinchove 59.........3 BE5
Bavincourt 62.........13 BE11

Bax 31.........317 AU89
Bay 70.........161 CC43
Bay 08.........26 BR16
Bay-sur-Aube 52.........139 BX37
Bayac 24.........258 AQ71
Bayard (Château de) 38.........233 CG64
Bayard (Col) 05.........269 CG73
Bayas 33.........239 AJ68
Baye 51.........61 BN26
Baye 29.........100 K36
Bayecourt 88.........95 CI32
Bayel 10.........116 BV33
Bayencourt 80.........13 BE12
Bayenghem-lès-Éperlecques 62.........3 BB4
Bayenghem-lès-Seninghem 62.........7 BB6
Bayers 16.........203 AM59
Bayet 03.........192 BK55
Bayeux 14.........33 AH21
Bayon 54.........95 CG30
Bayon-sur-Gironde 33.........237 AG68
Bayonne 64.........292 Y85
Bayons 04.........287 CH76
Bayonville 08.........43 BW20
Bayonville-sur-Mad 54.........65 CE24
Bayonvillers 80.........23 BF15
Bazac 16.........239 AL66
Bazaiges 36.........188 AX52
Bazailles 54.........45 CC20
Bazainville 78.........57 AY27
Bazancourt 60.........21 AY18
Bazancourt 51.........41 BQ20
Bazarnes 89.........136 BN39
Bazas 33.........256 AI75
Bazauges 17.........202 AJ59
Bazegney 88.........95 CG32
Bazeilles 08.........27 BW17
Bazeilles-sur-Othain 55.........44 BZ19
Bazelat 23.........188 AX54
Bazemont 78.........57 AZ25
Bazens 47.........275 AN77
Bazentin 80.........13 BG13
Bazenville 14.........33 AH21
Bazet 65.........315 AK88
La Bazeuge 87.........187 AT55
Bazian 32.........295 AM84
Bazicourt 60.........39 BF21
Baziège 31.........318 AX86
Bazien 88.........95 CJ30
Bazillac 65.........315 AL87
Bazincourt-sur-Epte 27.........37 AZ21
Bazincourt-sur-Saulx 55.........63 BX28
Bazinghen 62.........2 AY4
La Bazoche-Gouet 28.........109 AT34
Bazoches 58.........157 BO43
Bazoches-au-Houlme 61.........53 AK26
Bazoches-en-Dunois 28.........110 AX35
Bazoches-lès-Bray 77.........89 BJ31
Bazoches-les-Gallerandes 45.........111 BB34
Bazoches-les-Hautes 28.........110 AZ34
Bazoches-sur-Guyonne 78.........57 AZ27
Bazoches-sur-Hoëne 61.........84 AP29
Bazoches-sur-le Betz 45.........113 BI34
Bazoches-sur-Vesles 02.........40 BM21
La Bazoge 72.........107 AM34
La Bazoge 50.........52 AE28
La Bazoge-Montpinçon 53.........82 AH32
Bazoges-en-Paillers 85.........166 AC47
Bazoges-en-Pareds 85.........166 AE50
Bazoilles-et-Ménil 88.........94 CF32
Bazoilles-sur-Meuse 88.........93 CB32
Bazolles 58.........157 BM45
Bazoncourt 57.........66 CG23
Bazonville 54.........65 CD20
La Bazoque 61.........53 AH26
La Bazoque 14.........32 AF22
Bazoques 27.........40 AQ23
Bazordan 65.........316 AO89
Bazouges-de-Chemeré 53.........106 AI35
La Bazouge-des-Alleux 53.........106 AH33
La Bazouge-du-Désert 35.........81 AD30
Bazougers 53.........106 AH35
Bazouges-la-Pérouse 35.........80 AA30
Bazouges-sur-Hédé 35.........80 Y31
Bazouges-sur-le-Loir 72.........128 AK39
Bazuel 59.........15 BM12
Bazugues 32.........315 AN86
Bazus 31.........298 AW83
Bazus-Aure 65.........333 AM93
Bazus-Neste 65.........333 AN91
Le Béage 07.........265 BR71
Béal (Col du) 63.........229 BO61
Béalcourt 80.........12 BC11
Béalencourt 62.........7 BB9
Béard 58.........157 BK48
Beaubec-la-Rosière 76.........21 AX17
Beaubery 71.........194 BT53
Beaubray 27.........55 AS25
Beaucaire 32.........295 AN82
Beaucaire 30.........304 BV82
Beaucamps-le-Jeune 80.........21 AZ16
Beaucamps-le-Vieux 80.........21 AZ15
Beaucamps-Ligny 59.........8 BH7
Beaucé 35.........81 AD31
Beaucens 65.........332 AJ91

Le Beaucet 84.........285 BZ80
Beauchalot 31.........334 AR90
Beauchamp 95.........58 BC24
Beauchamps 80.........11 AX13
Beauchamps 50.........51 AC26
Beauchamps-sur-Huillard 45.........112 BE36
Beaucharmoy 52.........118 CC35
Beauchastel 07.........267 BW71
Beauche 28.........56 AT28
Beauchêne 61.........52 AG28
Beauchêne 41.........109 AT36
Beauchery-Saint-Martin 77.........89 BL29
Beauclair 55.........43 BX19
Beaucoudray 50.........52 AD24
Beaucourt 90.........142 CL40
Beaucourt-en-Santerre 80.........23 BF16
Beaucourt-sur-l'Ancre 80.........13 BF13
Beaucourt-sur-l'Hallue 80.........22 BE14
Beaucouzé 49.........149 AG41
Beaucroissant 38.........232 CB65
Beaudéan 65.........333 AL91
Beaudéduit 60.........22 BB17
Beaudignies 59.........15 BM11
Beaudricourt 62.........12 BD11
Beaufai 61.........55 AP27
Beaufay 72.........108 AO34
Beauficel 50.........52 AE27
Beauficel-en-Lyons 27.........37 AX20
Beaufin 38.........269 CF71
Beaufort 73.........216 CK60
Beaufort 59.........15 BO11
Beaufort 39.........196 CB51
Beaufort 38.........231 BZ65
Beaufort 34.........320 BG88
Beaufort 31.........317 AT86
Beaufort-Blavincourt 62.........13 BE10
Beaufort-en-Argonne 55.........43 BX19
Beaufort-en-Santerre 80.........23 BF16
Beaufort-en-Vallée 49.........150 AJ42
Beaufort-sur-Gervanne 26.........267 BZ71
Beaufou 85.........165 Z48
Beaufour 14.........34 AM22
Beaufremont 88.........94 CC32
Beaugas 47.........258 AP74
Beaugeay 17.........200 AD59
Beaugency 45.........132 AX38
Beaugies-sous-Bois 60.........23 BI17
Beaujeu 69.........212 BU56
Beaujeu 04.........288 CJ77
Beaujeu-Saint-Vallier-et-Pierrejux 70.........161 CC41
Beaulac 33.........274 AI76
Beaulandais 61.........82 AH29
Beaulencourt 62.........13 BH13
Beaulieu 63.........228 BK64
Beaulieu 61.........55 AR28
Beaulieu 58.........157 BM44
Beaulieu 43.........247 BP68
Beaulieu 38.........250 CB66
Beaulieu 36.........188 AV54
Beaulieu 34.........303 BQ83
Beaulieu 25.........142 CL41
Beaulieu 21.........138 BV34
Beaulieu 15.........226 BE64
Beaulieu 14.........52 AG25
Beaulieu 08.........26 BR14
Beaulieu 07.........284 BS76
Beaulieu-en-Argonne 55.........63 BX24
Beaulieu-en-Rouergue (Abbaye de) 82.........279 AZ78
Beaulieu-les-Fontaines 60.........23 BI17
Beaulieu-lès-Loches 37.........152 AT45
Beaulieu-sous-Bressuire 79.........167 AH48
Beaulieu-sous-la-Roche 85.........165 Z50
Beaulieu-sous-Parthenay 79.........185 AJ51
Beaulieu-sur-Dordogne 19.........243 AZ69
Beaulieu-sur-Layon 49.........149 AH43
Beaulieu-sur-Loire 45.........155 BG41
Beaulieu-sur-Mer 06.........309 CR82
Beaulieu-sur-Oudon 53.........105 AE35
Beaulieu-sur-Sonnette 16.........203 AO59
Beaulon 03.........192 BN51
Beaumais 14.........54 AL25
Beaumarchés 32.........295 AL85
Beaumat 46.........260 AW73
La Beaume 05.........268 CD73
Beaumé 02.........25 BQ15
Beauménil 88.........119 CJ33
Beaumerie-Saint-Martin 62.........6 BA9
Beaumes-de-Venise 84.........285 BY78
Beaumesnil 27.........55 AR24
Beaumesnil 14.........52 AE25
Beaumettes 84.........305 CA81
Beaumetz 80.........12 BE12
Beaumetz-lès-Aire 62.........7 BC7
Beaumetz-lès-Cambrai 62.........13 BH12
Beaumetz-lès-Loges 62.........13 BE11
Beaumont 89.........136 BM37
Beaumont 86.........169 AO50
Beaumont 74.........215 CG56
Beaumont 63.........227 BI61
Beaumont 54.........65 CC26
Beaumont 43.........246 BL66
Beaumont 32.........295 AM81

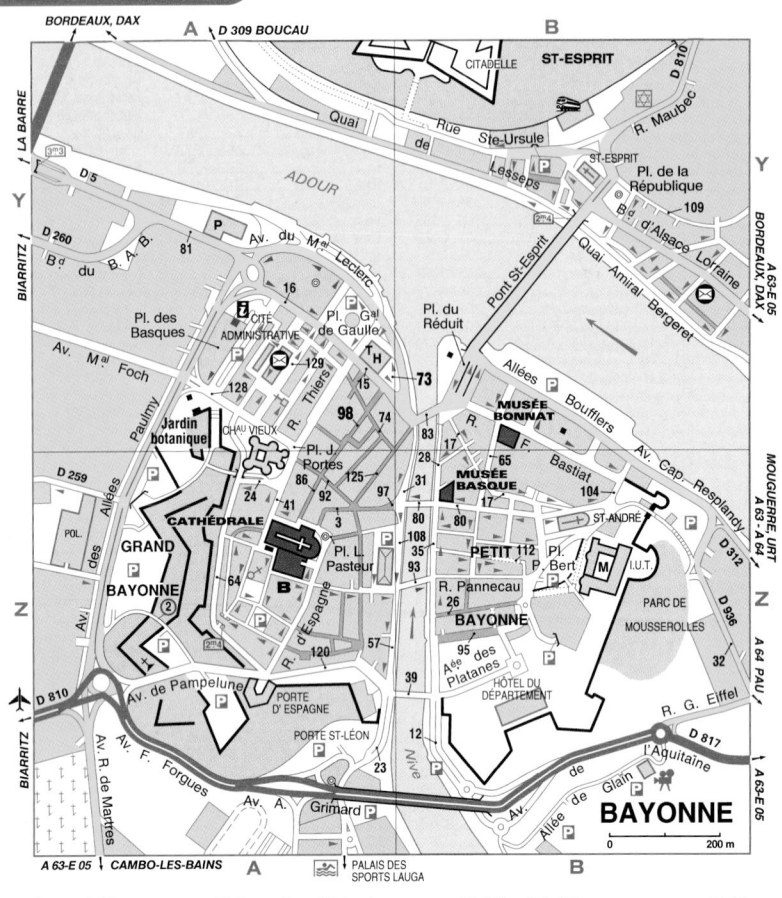

BAYONNE

Argenterie (R.) . . . . **AZ** 3
Bastion Royal (R. du) . . . . . . **BZ** 12
Bernède (R.) . . . . **AY** 15
Bonnat (Av. Léon) . . . . **AY** 16
Bourgneuf (R.) . . . . **BYZ** 17
Château-Vieux (Pl.) . . . . **AZ** 24
Cordeliers (R. des) . . . . **BZ** 26
Corsaires (Quai des) . . . . **BZ** 28
Dubourdieu (Q. Amiral) . . . . **BZ** 31
Duvergier-de-Hauranne
  (Av.) . . . . **BZ** 32
Galuperie (Quai) . . . . **BZ** 35
Génie (Pont du) . . . . **BZ** 39
Gouverneurs (R. des) . . . . . . **AZ** 41

Hugo (R. Victor) . . . . **AZ** 125
Jauréguiberry (Q.) . . . . **AZ** 57
Lachepaillet
  (Bd
  du Rempart) . . . . **AZ** 64
Laffitte (R. Jacques) . . . . **BYZ** 65
Lamarque
  (Av. du Chanoine) . . . . **AZ** 23
Liberté (Pl. de la) . . . . **BY** 73
Lormand (R.) . . . . **AY** 74
Marengo (Pont et R. de) . . **BZ** 80
Marines (Av. des Allées) . . . **AY** 81
Mayou (Pont) . . . . **BY** 83
Monnaie (R. de la) . . . . **AZ** 86

Orbe (R.) . . . . **AZ** 92
Pannecau (Pont) . . . . **BZ** 93
Pelletier (R.) . . . . **BZ** 95
Port-de-Castets
  (R.) . . . . **AZ** 97
Port-Neuf (R.) . . . . **AY** 98
Ravignan (R.) . . . . **BZ** 104
Roquebert (Q. du Cdt) . . . . **BZ** 108
Ste-Catherine (R.) . . . . **BY** 109
Thiers (R.) . . . . **AY**
Tonneliers (R. des) . . . . **BZ** 112
Tour-de-Sault (R.) . . . . **BZ** 120
11-Novembre (Av.) . . . . **AY** 128
49e (R. du) . . . . **AY** 129

Beaumont 19 ....225 AZ64
Beaumont 07 ....265 BR74
Beaumont-de-Lomagne 82 ...297 AS81
Beaumont-de-Pertuis 84 ...306 CE83
Beaumont-du-Gâtinais 77 ...112 BE34
Beaumont-du-Lac 87 ......207 AZ60
Beaumont-du-Périgord 24 ...258 AQ72
Beaumont-du-Ventoux 84 ...285 BZ78
Beaumont-en-Argonne 08 ...27 BW18
Beaumont-en-Auge 14 .....34 AN21
Beaumont-en-Beine 02 .....23 BI17
Beaumont-en-Cambrésis 59 ...14 BL12
Beaumont-en-Diois 26 ....268 CC73
Beaumont-en-Verdunois 55 ...44 BZ21
Beaumont-en-Véron 37 ....150 AM44
Beaumont-Hague 50 ....28 Z16
Beaumont-Hamel 80 ....13 BF13
Beaumont-la-Ferrière 58 ...156 BJ45
Beaumont-la-Ronce 37 ....130 AQ40
Beaumont-le-Hareng 76 ....20 AV17
Beaumont-le-Roger 27 .....55 AR24
Beaumont-les-Autels 28 ....AT33
Beaumont-les-Nonains 60 ...37 BA21
Beaumont-lès-Randan 63 ...210 BL58
Beaumont-lès-Valence 26 ...249 BX70
Beaumont-Monteux 26 ....249 BX69
Beaumont-Pied-de-Bœuf 72 ...130 AO38
Beaumont-Pied-de-Bœuf 53 ...106 AI36
Beaumont-Sardolles 58 ...175 BL48
Beaumont-sur-Dême 72 ...130 AO39
Beaumont-sur-Grosne 71 ...177 BW50
Beaumont-sur-Oise 95 .....38 BC23
Beaumont-sur-Sarthe 72 ...107 AM33
Beaumont-sur-Vesle 51 .....41 BQ22
Beaumont-sur-Vingeanne 21 ...160 CA41
Beaumont-Village 37 ......152 AU45
Beaumontel 27 ....35 AR23
Beaumotte-lès-Montbozon 70 ...162 CG41
Beaumotte-lès-Pin 70 .....161 CD43

Beaunay 51 ....61 BO26
Beaune 73 ....234 CJ65
Beaune 21 ....177 BW46
Beaune-d'Allier 03 ....191 BH55
Beaune-la-Rolande 45 ....111 BD35
Beaune-le-Froid 63 ......227 BH62
Beaune-les-Mines 87 ....205 AV59
Beaune-sur-Arzon 43 ....247 BO66
Beaunotte 21 ....138 BV39
Beaupont 01 ....195 BZ53
Beaupouyet 24 ....239 AM69
Beaupréau 49 ....148 AE44
Beaupuy 82 ....297 AS84
Beaupuy 47 ....257 AL74
Beaupuy 32 ....297 AS84
Beaupuy 31 ....298 AW84
Beauquesne 80 ....12 BD13
Beaurain 59 ....14 BL11
Beaurains 62 ....13 BG10
Beaurains-lès-Noyon 60 ...23 BH18
Beaurainville 62 ....6 BA9
Beaurecueil 13 ....306 CD85
Beauregard 46 ....278 AY76
Beauregard 01 ....212 BV58
Beauregard-Baret 26 ....249 BZ69
Beauregard-de-Terrasson 24 ...241 AU67
Beauregard-et-Bassac 24 ...240 AP69
Beauregard-l'Évêque 63 ...210 BK60
Beauregard-Vendon 63 ...209 BJ58
Beaurepaire 85 ....166 AD47
Beaurepaire 76 ....18 AN17
Beaurepaire 60 ....38 BE21
Beaurepaire 38 ....231 BY65
Beaurepaire-en-Bresse 71 ...178 CA50
Beaurepaire-sur-Sambre 59 ...15 BN13
Beaurevoir 02 ....14 BK13
Beaurières 26 ....268 CC73
Beaurieux 59 ....16 BQ11
Beaurieux 02 ....41 BN20
Beauronne 24 ....239 AN68
Beausemblant 26 ....249 BW66
Beausoleil 06 ....CS82
Beaussac 24 ....221 AO63
Beaussais 79 ....185 AK54
Beaussault 76 ....21 AX17
Beausse 49 ....148 AE43
Le Beausset 83 ....327 CF88

Beauteville 31 ....318 AY87
Beautheil 77 ....59 BI27
Beautiran 33 ....255 AH72
Beautor 02 ....24 BK17
Beautot 76 ....20 AT17
Beauvais 60 ....38 BB20
Beauvais-sur-Matha 17 ...202 AJ59
Beauvais-sur-Tescou 81 ...298 AX81
Beauval 80 ....12 BD12
Beauval-en-Caux 76 .....20 AT16
Beauvallon 26 ....249 BX70
Beauvau 49 ....129 AJ40
Beauvène 07 ....248 BU70
Beauvernois 71 ....178 CA48
Beauville 47 ....276 AR77
Beauville 31 ....318 AY86
Beauvilliers 89 ....158 BQ42
Beauvilliers 41 ....132 AV37
Beauvilliers 28 ....86 AY32
Beauvoir 89 ....135 BK38
Beauvoir 77 ....88 BH29
Beauvoir 60 ....22 BD18
Beauvoir 50 ....54 X81
Beauvoir (Château de) 03 ...192 BN53
Beauvoir-de-Marc 38 ....231 BY63
Beauvoir-en-Lyons 76 ....37 AX19
Beauvoir-en-Royans 38 ...250 CA67
Beauvoir-sur-Mer 85 ....164 V47
Beauvoir-sur-Niort 79 ...201 AH56
Beauvoir-sur-Sarce 10 ...115 BR36
Beauvois 62 ....12 BC11
Beauvois-en-Cambrésis 59 ...14 BK12
Beauvois-en-Vermandois 02 ...23 BI15
Beauvoisin 39 ....178 CA47
Beauvoisin 30 ....303 BT83
Beauvoisin 26 ....286 CA76
Beaux 43 ....247 BR67
Beauzac 43 ....247 BR67
Beauzée-sur-Aire 55 ....63 BY25
Beauzelle 31 ....297 AV84
Beben 80 ....13 BG12
Bébing 57 ....67 CL27
Beblenheim 68 ....121 CO33
Bec-de-Mortagne 76 ....19 AP17
Le Bec-Hellouin 27 .....35 AR22

Le Bec-Thomas 27 ......36 AT22
Beccas 32 ....315 AL86
Béceleuf 79 ....184 AH52
Béchamps 54 ....45 CC22
Bécheresse 16 ....221 AL63
Béchy 57 ....66 CG24
Bécon-les-Granits 49 ...149 AF41
Béconne 26 ....267 BY74
Bécordel-Bécourt 80 ...23 BF14
Bécourt 62 ....6 BA6
Becquigny 80 ....23 BF17
Becquigny 02 ....14 BL13
Bédarieux 34 ....301 BJ84
Bédarrides 84 ....285 BX79
Beddes 18 ....190 BC51
Bédéchan 57 ....296 AQ85
Bédée 35 ....103 X33
Bédeilhac-et-Aynat 09 ...336 AW93
Bédeille 64 ....314 AB77
Bédeille 09 ....335 AT90
Bedenac 17 ....238 AI67
Bédoin 84 ....286 CA78
Bédouès 48 ....282 BN76
Bedous 64 ....331 AZ91
Béduer 46 ....261 BA74
Beffes 18 ....174 BI46
Beffia 39 ....196 CB52
Beffu-et-le-Morthomme 08 ...43 BV20
Beg-Meil 29 ....99 H35
Bégaar 40 ....293 AD82
Bégadan 33 ....218 AD65
Béganne 56 ....125 U39
Bégard 22 ....72 N27
Bègles 33 ....255 AG71
Begnécourt 88 ....118 CF33
Bégole 65 ....336 AM89
Bégrolles-en-Mauges 49 ...148 AE45
La Bégude-de-Mazenc 26 ...267 BX74
Béguey 33 ....256 AI73
Béguios 64 ....311 AB87
Béhagnies 62 ....13 BG12
Béhasque-Lapiste 64 ...311 AC87
Béhen 80 ....12 BC9
Béhencourt 80 ....22 BE14
Béhéricourt 60 ......23 BI18
Béhobie 64 ....310 V87

Behonne 55 ....63 BY26
Béhorléguy 64 ....330 AB89
Béhoust 78 ....57 AY26
Behren-lès-Forbach 57 ...47 CK22
Béhuard 49 ....149 AG42
Beignon 56 ....103 V35
Beillé 72 ....108 AP35
Beine 89 ....136 BN38
Beine-Nauroy 51 ......41 BQ22
Beinheim 67 ....69 CT25
Beire-le-Châtel 21 .....160 BY42
Beire-le-Fort 21 ......160 BZ44
Beissat 23 ....207 BC60
Bel-Air 49 ....147 AE38
Bel-Homme (Col du) 83 ...308 CL83
Bélâbre 36 ....188 BU36
Belan-sur-Ource 21 .....116 BU36
Bélarga 34 ....302 BM85
Bélaye 46 ....259 AU75
Belberaud 31 ....318 AX86
Belbèse 82 ....297 AT81
Belbeuf 76 ....36 AU20
Belbèze-de-Lauragais 31 ...318 AW86
Belbèze-en-Comminges 31 ...335 AS90
Belcaire 11 ....337 BA93
Belcastel 81 ....298 AY84
Belcastel 12 ....280 BD76
Belcastel (Château de) 46 ...260 AW71
Belcastel-et-Buc 11 ....337 BD91
Belcodène 13 ....327 CD86
Bélesta 66 ....338 BF94
Bélesta 09 ....336 AZ92
Bélesta-en-Lauragais 31 ...318 AZ86
Beleymas 24 ....239 AO69
Belfahy 70 ....142 CK37
Belfays 25 ....163 CL43
Belflou 11 ....318 AY88
Belfonds 61 ....83 AM29
Belfort 90 ....142 CL39
Belfort-du-Quercy 46 ...278 AW77
Belfort-sur-Rebenty 11 ...337 BA93
Belgeard 53 ....82 AH32
Belgentier 83 ....328 CH88
Belgodère 2B 344 FD104
Belhade 40 ....273 AF76
Belhomert-Guéhouville 28 ...85 AT30
Le Béliou 25 ....163 CJ45
Béligneux 01 ....213 BY59
Belin-Béliet 33 ......254 AE74
Bélis 40 ....273 AG79
Bellac 87 ....205 AT57
Bellaffaire 04 ....269 CH75
Bellagranajo (Col de) 2B ...347 FF108
Bellaing 59 ....9 BL9
Bellancourt 80 ......11 BA12
Bellange 57 ....66 CI25
Bellavilliers 61 ......84 AP31
Le Bellay-en-Vexin 95 ...37 AZ23
Belle-Église 60 .....38 BC22
Belle-et-Houllefort 62 ...2 AZ5
Belle-Ile 56 ....144 N42
Belle-Isle-en-Terre 22 ...72 M28
Belleau 02 ....60 BK24
Belleau 54 ....66 CF26
Bellebat 33 ....256 AI72
Bellebrune 62 ......2 AZ5
Bellechassagne 19 ...225 BC62
Bellechaume 89 .....114 BM35
Bellecombe 73 ......234 CJ63
Bellecombe 39 ......197 CE54
Bellecombe-en-Bauges 73 ...215 CG60
Bellecombe-Tarendol 26 ...286 CB76
Bellefond 33 ....256 AJ71
Bellefond 21 ....160 BX42
Bellefonds 86 ......186 AP51
Bellefontaine 95 ....38 BE23
Bellefontaine 88 ....119 CH35
Bellefontaine 50 ....52 AE28
Bellefontaine 39 ....197 CF51
Bellefosse 67 ......96 CN30
Bellegarde 81 ......299 BC81
Bellegarde 45 ......111 BD36
Bellegarde 32 ......316 AP86
Bellegarde 30 ......304 BU83
Bellegarde-du-Razès 11 ...337 BA90
Bellegarde-en-Diois 26 ...268 CB74
Bellegarde-en-Forez 42 ...230 BS62
Bellegarde-en-Marche 23 ...207 BC58
Bellegarde-Poussieu 38 ...231 BX65
Bellegarde-Sainte-Marie 31 ...297 AT84
Bellegarde-sur-Valserine 01 ...215 CE56
Belleherbe 25 ......163 CJ43
Bellemagny 68 .....142 CM38
Bellême 61 ....84 AO31
Bellenaves 03 ......209 BI56
Bellencombre 76 ....20 AV17
Bellenevre 21 ......160 BZ42
Bellenglise 02 ......24 BJ14
Bellengreville 76 ...10 AV14
Bellengreville 14 ...48 AK23
Bellenod-sur-Seine 21 ...138 BU39
Bellentre 73 ....234 CL62
Belleray 55 ....64 BZ23
Bellerive-sur-Allier 03 ...210 BL57
Belleroche 42 ......212 BT56
Belleserre 81 ......319 BA86
Belleserre 31 ......297 AT82
Belleu 02 ....40 BK21

Belleuse 80 ....22 BB17
Bellevaux 74 ....198 CJ54
Bellevesvre 71 ....178 CA48
Belleville 79 ....201 AH56
Belleville 69 ....212 BV56
Belleville 54 ....65 CE26
Belleville-en-Caux 76 ...20 AT17
Belleville-sur-Bar 08 ...43 BV19
Belleville-sur-Loire 18 ...156 BH41
Belleville-sur-Mer 76 ...10 AU14
Belleville-sur-Meuse 55 ...44 BZ22
Belleville-sur-Vie 85 ...165 AA49
Bellevue 44 ....147 AA43
Bellevue (Grotte de) 46 ...260 AY74
Bellevue-Coëtquidan 56 ...103 V35
Bellevue-la-Montagne 43 ...247 BO66
Belley 10 ....91 BQ32
Belley 01 ....214 CD60
Belleydoux 01 ....196 CD55
Bellicourt 02 ....24 BJ14
La Bellière 76 ....21 AX18
La Bellière 61 ....54 AL28
Bellignat 01 ....196 CC55
Belligné 44 ....148 AD31
Bellignies 59 ....15 BN10
La Belliole 89 ......113 BI36
Belloc 09 ....336 AZ91
Belloc-Saint-Clamens 32 ...315 AN86
Bellocq 64 ....293 AC85
Bellon 16 ....221 AL65
Bellonne 62 ....14 BI10
Bellot 77 ....60 BK26
Bellou 14 ....54 AN25
Bellou-en-Houlme 61 ...53 AI28
Bellou-le-Trichard 61 ...108 AP33
Bellou-sur-Huisne 61 ...84 AR31
Belloy 60 ....37 BA19
Belloy-en-France 95 ...58 BD24
Belloy-en-Santerre 80 ...23 BG15
Belloy-Saint-Léonard 80 ...11 BA14
Belloy-sur-Somme 80 ...22 BB14
Belluire 17 ....219 AG63
Belmesnil 76 ....20 AT16
Belmont 70 ....141 CJ37
Belmont 67 ....96 CN30
Belmont 52 ....140 CB38
Belmont 39 ....179 CB46
Belmont 38 ....232 CA63
Belmont 32 ....295 AM83
Belmont 25 ....162 CH44
Belmont-Bretenoux 46 ...243 AZ70
Belmont-d'Azergues 69 ...212 BV59
Belmont-de-la-Loire 42 ...212 BS56
Belmont-lès-Darney 88 ...118 CE34
Belmont-Luthézieu 01 ...214 CD59
Belmont-Sainte-Foi 46 ...278 AX77
Belmont-sur-Buttant 88 ...96 CK32
Belmont-sur-Rance 12 ...300 BG82
Belmont-sur-Vair 88 ...94 CD32
Belmont-Tramonet 73 ...232 CD62
Belmontet 46 ......277 AT76
Belon 29 ....100 K36
Belonchamp 70 ....142 CJ37
Belpech 11 ....318 AY89
Belrain 55 ....64 BZ26
Belrupt 88 ....118 CF34
Belrupt-en-Verdunois 55 ...64 BZ23
Bélus 40 ....292 AB84
Belval 88 ....96 CM30
Belval 50 ....51 AC24
Belval 08 ....26 BT16
Belval-Bois-des-Dames 08 ...43 BW19
Belval-en-Argonne 51 ...63 BW25
Belval-sous-Châtillon 51 ...41 BP23
Belvédère 06 ......291 CR79
Belvédère-Campomoro 2A ...350 FC114
Belverne 70 ....142 CJ39
Belvès 24 ....259 AS71
Belvès-de-Castillon 33 ...238 AK70
Belvèze 82 ....277 AT76
Belvèze-du-Razès 11 ...337 BB90
Belvezet 48 ....265 BO74
Belvézet 30 ....284 BT79
Belvianes-et-Cavirac 11 ...337 BC92
Belvis 11 ....337 BB93
Belvoir 25 ....163 CJ42
Belz 56 ....123 N38
Bémécourt 27 .....55 AS26
Bénac 65 ....315 AK89
Bénac 09 ....336 AW92
Benagues 09 ......336 AX90
Benais 37 ....151 AN43
Bénaix 09 ....336 AZ92
Bénaménil 54 .....95 CJ29
Bénarville 76 .....19 AP17
Benassay 86 ......185 AL51
La Bénate 44 .....165 Z47
La Bénâte 17 .....201 AH56
Benauge (Château de) 33 ...256 AI72
Benay 02 ....24 BK16
Benayes 19 ....224 AW63
Bendejun 06 ......291 CR81
Bendorf 68 ....143 C040
Bénéjacq 64 ......314 AI89
Benerville-sur-Mer 14 ...34 AM20
Bénesse-lès-Dax 40 ...293 AC85
Bénesse-Maremne 40 ...292 Z84
Benest 16 ....203 A057
Bénestroff 57 .....67 CJ25

BEAUVAIS

Beauregard (R.) 2
Brière (Bd J.) 3
Carnot (R.) ....
Clemenceau (Pl.) 4
Dr-Gérard (R.) 5
Dr-Lamotte (Bd du) 6
Dreux (R. Ph. de) 7

Grenier-à-Sel (R.) 8
Guéhengnies (R. de) 9
Hachette (Pl. J.) 10
Halles (Pl. des) 12
Leclerc (R. Mar.) 13
Lignières (R. J. de) 15
Loisel (Bd A.) 16
Malherbe (R. de) 18
Nully-d'Hécourt
(R.) 19
République (Av. de la) ... 20

St-André (Bd) 22
St-Laurent (R.) 23
St-Pierre (R.) 24
Scellier (Cours) 27
Taillerie (R. de la) 29
Tapisserie (R. de la) 30
Villiers-de-l'Isle-Adam.
(R.) 35
Vincent-de-Beauvais (R.) . 26
Watrin (R. du Gén.) 36
27-Juin (R. du) 38

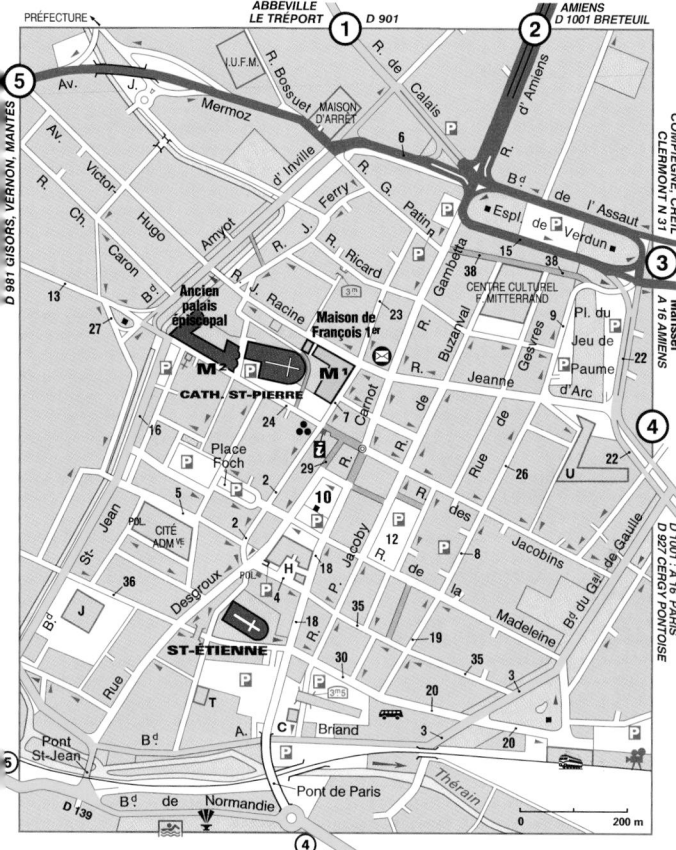

ienesville 76 ....19 AS16
net 85 ....184 AG53
neuvre 21 ....138 BW39
névent-et-Charbillac 05..269 CG72
névent-l'Abbaye 23 ......206 AX57
ney-en-Woëvre 55 ....65 CC24
nfeld 97 CQ30
ngy-sur-Craon 18 ....173 BG47
nifontaine 62 ....8 BG8
ning-lès-Saint-Avold 57 ...47 CK22
Bénisson-Dieu 42 ....211 BQ56
nivay-Ollon 26 ....285 BZ76
nnecourt 78 ....57 AX24
nnetot 76 ....19 AQ17
nnery 54 ....94 CF29
nnwihr 68 ....121 CO33
nodet 29 ....99 H35
noisey 21 ....137 BS40
noîtville 50 ....28 Z18
non 17 ....183 AE55
nonces 01 ....214 CD59
nouville 76 ....18 AO16
nouvile 14 ....33 AK22
nqué 65 ....333 AM90
nque 31 ....316 AR88
nque-Dessous-
et-Dessus 31 ....334 AO93
nquet 40 ....294 AG82
ntayou-Sérée 64 ....314 AJ87
ny 01 ....195 BZ34
Bény-Bocage 14 ....52 AF25
ny-sur-Mer 14 ....33 AJ21
on 89 ....113 BK36
on 01 ....214 CD59
ost 64 ....332 AG91
Bérarde 38 ....252 CI69
rat 31 ....317 AN81
raut 32 ....295 AN81
rbérust-Lias 65 ....332 AJ90
rbezit 43 ....246 BN56
rbiguières 24 ....259 AT71
rche 48 ....264 BK71
rcenay-en-Othe 10 ......114 BO33
rcenay-le-Hayer 10 .....90 BM32
rche 25 ....114 CK41
rchères-la-Maingot 28 ...86 AW30
rchères-les-Pierres 28 ...86 AX31
rck-Plage 62 ....6 AX9
rck-sur-Mer 62 ....6 AX9
rclaux 17 ....201 AH59
rd'Huis 61 ....84 AR32

Berdoues 32 ....315 AN86
Bérelles 59 ....15 BP11
Bérengeville-
la-Campagne 27 ....36 AT23
Berentzwiller 68 ....143 CP39
Bérenx 64 ....293 AD85
Béréziat 01 ....195 BY53
Berfay 72 ....108 AR36
Berg 67 ....67 CM25
Berg-sur-Moselle 57 .....46 CG19
Berganty 46 ....260 AX75
Bergbieten 67 ....97 CP28
Bergerac 24 ....257 AO71
Bergères 10 ....116 BU33
Bergères-lès-Vertus 51 ...61 BP26
Bergères-
sous-Montmirail 51 ....60 BM26
Bergesserin 71 ....194 BU53
Bergheim 68 ....97 CO32
Bergholtz 68 ....120 CN35
Bergholtzzell 68 ....120 CN35
Bergicourt 80 ....22 BB16
Bergnicourt 08 ....42 BR20
Bergonne 63 ....228 BK63
Bergouey 64 ....311 AB86
Bergouey 40 ....293 AE83
La Bergue 74 ....197 CH55
Bergueneuse 62 ....7 BC8
Bergues 59 ....3 BD3
Bergues-sur-Sambre 02 ..15 BN13
Berguette 62 ....7 BE7
Berhet 22 ....N26
Bérig-Vintrange 57 ......67 CJ24
Bérigny 50 ....32 AF22
Berjou 61 ....53 AI26
Berlaimont 59 ....15 BN11
Berlancourt 60 ....23 BI17
Berlancourt 02 ....25 BN16
Berlats 81 ....300 BF84
Berlencourt-le-Cauroy 62..12 BD10
Berles-au-Bois 62 ....13 BF11
Berles-Monchel 62 ......12 BE10
La Berlière 08 ....27 BV18
Berling 57 ....68 CN26
Berlou 34 ....321 BJ86
Bermerain 59 ....14 BL11
Berméricourt 51 ....41 BP20
Bermeries 59 ....15 BN10
Bermering 57 ....67 CJ24
Bermesnil 80 ....21 AY15
Bermicourt 62 ....7 BC9

Bermont 90 ....142 CL39
Bermonville 76 ....19 AQ17
Bernac 81 ....299 BA81
Bernac 16 ....203 AM57
Bernac-Debat 65 ......315 AL89
Bernac-Dessus 65 .....315 AL89
Bernadets 64 ....314 AH87
Bernadets-Debat 65 ...315 AM87
Bernadets-Dessus 65 ..315 AM89
Le Bernard 85 ....182 Z52
La Bernardière 85 ....166 BA46
Bernardswiller 67 ......97 CP29
Bernardvillé 67 ....97 CO30
Bernâtre 80 ....12 BB11
Bernaville 80 ....12 BC12
Bernay 72 ....107 AL35
Bernay 27 ....35 AQ23
Bernay 17 ....201 AG57
Bernay-en-Brie 77 ......59 BH28
Bernay-en-Ponthieu 80 ..11 AY10
Berné 56 ....101 M34
Bernécourt 54 ....65 CC26
Bernède 32 ....294 AI84
La Bernerie-en-Retz 44 ..146 W45
Bernes 80 ....23 BI14
Bernes-sur-Oise 95 ......38 BC23
Bernesq 14 ....32 AF21
Berneuil 87 ....205 AT57
Berneuil 80 ....12 BC12
Berneuil 17 ....219 AG61
Berneuil 16 ....220 AK64
Berneuil-en-Bray 60 .....38 BB21
Berneuil-sur-Aisne 60 ...39 BI20
Berneval-le-Grand 76 ....10 AU14
Berneville 62 ....13 BF10
Bernex 74 ....198 CK53
Berniéres 76 ....19 AP17
Bernières-d'Ailly 14 .....54 AL25
Bernières-le-Patry 14 ....52 AG26
Bernières-sur-Mer 14 ....33 AJ21
Bernières-sur-Seine 27 ...36 AV22
Bernieulles 62 ....7 AZ7
Bernin 38 ....233 CI65
Bernis 30 ....303 BS83
Bernolsheim 67 ....68 CO26
Bernon 10 ....114 BP36
Bernot 02 ....24 BL15
Bernouil 89 ....136 BO37
Bernouville 27 ....37 AV21
Bernwiller 68 ....143 CN38

Berny-en-Santerre 80 ....23 BG15
Berny-Rivière 02 ....40 BJ20
Bérou-la-Mulotière 28 ....56 AT27
Berrac 32 ....275 AO80
Berre-les-Alpes 06 .....291 CR81
Berre-l'Étang 13 ....326 CA86
Berriac 11 ....319 BD89
Berric 56 ....124 S39
Berrie 86 ....168 AK46
Berrien 29 ....76 K29
Berrieux 02 ....41 BO19
Berrogain-Laruns 64 ....313 AD88
Berru 51 ....41 BQ21
Berrwiller 68 ....120 CN36
Berry-au-Bac 02 ....41 BO20
Berry-Bouy 18 ....172 BC46
Le Bersac 05 ....269 CE75
Bersac-sur-Rivalier 87 ..206 AW57
Bersaillin 39 ....179 CC48
Bersée 59 ....8 BI8
Bersillies 59 ....15 BP10
Berson 33 ....237 AG67
Berstett 67 ....68 CQ27
Berstheim 67 ....68 CQ26
Bert 03 ....192 BN54
Bertangles 80 ....22 BC14
Bertaucourt-Epourdon 02..24 BK18
Berteaucourt-les-Dames 80..12 BB13
Berteaucourt-
lès-Thennes 80 ....22 BE16
Bertheauville 76 ....19 AQ16
Berthecourt 60 ....38 BC21
Berthegon 86 ....169 AN48
Berthelange 25 ....161 CD44
Berthelming 57 ....67 CL26
Berthen 59 ....4 BF5
Berthenay 37 ....151 AP43
Berthenicourt 02 ....24 BK16
Berthenonville 27 ......37 AY23
La Berthenoux 36 .....189 BB51
Berthez 33 ....256 AJ74
Bertholène 12 ....281 BG76
Berthouville 27 ....35 AQ22
Bertignat 63 ....228 BN62
Bertignolles 10 ....115 BT34
Bertincourt 62 ....13 BH12
Bertoncourt 08 ....26 BS18
Bertrambois 54 ....96 CL28
Bertrancourt 80 ....13 BE12
Bertrange 57 ....45 CF20
Bertre 81 ....298 AZ85
Bertren 65 ....319 AP91
Bertreville 76 ....19 AQ16
Bertreville-Saint-Ouen 76...20 AT16
Bertric-Burée 24 ......221 AN65
Bertrichamps 54 ....96 CK30
Bertricourt 02 ....41 BP20
Bertrimont 76 ....20 AT17
Bertrimoutier 88 ....96 CM32
Bertry 59 ....14 BL12
Béru 89 ....136 BO38
Béruges 86 ....186 AM51
Bérulle 10 ....114 BN34
Bérus 72 ....83 AM31
Berven 29 ....71 H27
Berville 95 ....38 BB22
Berville 76 ....19 AS17
Berville 14 ....54 AM24
Berville-en-Roumois 27 ...35 AS21
Berville-la-Campagne 27 ..55 AS24
Berville-sur-Mer 27 ......34 AO20
Berville-sur-Seine 76 .....35 AS19
Berviller-en-Moselle 57 ...46 CJ17
Berzé-la-Ville 71 ....194 BV54
Berzé-le-Châtel 71 ......194 BV53
Berzème 07 ....266 BU73
Berzieux 51 ....43 BV22
Berzy-le-Sec 02 ....40 BK21
La Besace 08 ....27 BW18
Besain 39 ....179 CD49
Besançon 25 ....162 CF43
Bésayes 26 ....238 BY69
Bescat 64 ....314 AG89
Bésignan 26 ....286 CB76
Bésingrand 64 ....313 AF87
Beslé 44 ....126 X38
La Besliére 50 ....51 AB26
Beslon 50 ....52 AD26
Besmé 02 ....40 BJ19
Besmont 02 ....25 BQ15
Besnans 70 ....162 CG41
Besné 44 ....146 V41
Besneville 50 ....31 AA20
Besny-et-Loizy 02 ......24 BM18
Bessac 16 ....220 AK64
Bessais-le-Fromental 18 ..173 BG50
Bessamorel 43 ....247 BR68
Bessan 34 ....322 BM87
Bessancourt 95 ....38 BC24
Bessans 73 ....235 CN64
Le Bessat 42 ....230 BU65
Bessay 85 ....182 AC51
Bessay-sur-Allier 03 ....183 BL53
Besse 38 ....251 CH68
Besse 24 ....259 AT73
Bessé 16 ....203 AL58
Besse 15 ....244 BD68
La Besse 19 ....243 BB67
Besse-en-Chandesse 63 ..227 BH63

Berny-en-Santerre 80 ....
Bessé-sur-Braye 72 .....131 AR37
Besse-sur-Issole 83 ....328 CI87
Bessède-de-Sault 11 ....337 BB94
Bessèges 30 ....283 BR77
Bessenay 69 ....212 BU60
Bessens 82 ....297 AU81
Besset 09 ....336 AZ90
Bessey 42 ....230 BV64
Bessey-en-Chaume 21 ...177 BV46
Bessey-la-Cour 21 .....159 BU45
Bessey-lès-Cîteaux 21 ..160 BY45
La Besseyre-
Saint-Mary 43 ....246 BL69
Bessières 31 ....298 AX82
Bessines 79 ....184 AH54
Bessines-
sur-Gartempe 87 .....205 AV57
Bessins 38 ....250 CA66
Besson 03 ....192 BK53
Bessoncourt 90 ....142 CL39
Bessonies 46 ....261 BB71
Les Bessons 48 ....264 BK72
Bessuéjouls 12 ....263 BG74
Bessy 10 ....90 BP29
Bessy-sur-Cure 89 .....136 BN40
Bestiac 09 ....336 AY94
Bétaille 46 ....242 AY70
Betaucourt 70 ....140 CE37
Betbèze 65 ....316 AO88
Betbezer-d'Armagnac 40..274 AJ80
Betcave-Aguin 32 .....316 AP86
Betchat 09 ....335 AS90
Bétête 23 ....189 BB54
Béthancourt-en-Valois 60..39 BH21
Béthancourt-en-Vaux 02...24 BJ18
Bétharram
(Grottes de) 64 ......332 AI90
Béthelainville 55 ....43 BY22
Béthemont-la-Forêt 95 ...58 BC24
Béthencourt 59 ....14 BL12
Béthencourt-sur-Mer 80 ..11 AX13
Béthencourt-
sur-Somme 80 ....23 BH16
Bétheniville 51 ....42 BS21
Bétheny 51 ....41 BP21
Béthincourt 55 ....43 BY21
Béthines 86 ....187 AS52
Béthisy-Saint-Martin 60 ..39 BG21
Béthisy-Saint-Pierre 60 ..39 BG21
Bethmale 09 ....335 AS92
Béthon 72 ....83 AM31
Béthon 51 ....90 BM29
Bethoncourt 25 ......142 CK40
Béthonsart 62 ....7 BE9
Bethonvilliers 90 .....142 CL38
Béthonvilliers 28 .....109 AS33
Béthune 62 ....8 BF8
Bétignicourt 10 ....91 BS31
Beton-Bazoches 77 .....60 BJ28
Betoncourt-
lès-Ménétriers 70 ....140 CD39
Betoncourt-
Saint-Pancras 70 ....118 CF36
Betoncourt-sur-Mance 70..140 CC37
Bétous 32 ....295 AK83
Betplan 32 ....315 AL86

Betpouey 65 ....333 AK92
Betpouy 65 ....315 AN88
Bétracq 64 ....294 AJ85
Betschdorf 67 ....69 CS24
Bettaincourt-sur-Rognon 52.93 BY32
Bettainvillers 54 ....45 CD21
Bettancourt-la-Ferrée 52 ..63 BW28
Bettancourt-la-Longue 51 ..63 BV26
Bettange 57 ....46 CH21
Bettant 01 ....214 CA58
Bettborn 57 ....67 CL26
Bettegney-Saint-Brice 88 ..95 CG32
Bettelainville 57 ....46 CG21
Bettembos 80 ....21 AZ16
Bettencourt-Rivière 80 ..11 BA13
Bettencourt-Saint-Ouen 80..12 BB13
Bettendorf 68 ....143 CO39
Bettes 65 ....333 AL90
Betteville 76 ....19 AS18
Bettignies 59 ....15 BO10
Betting 57 ....47 CJ22
Bettlach 68 ....143 CP40
Betton 35 ....104 Z33
Betton-Bettonet 73 ....233 CH62
Bettoncourt 88 ....94 CF31
Bettoncourt-le-Haut 52 ..93 BZ31
Bettrechies 59 ....15 BN10
Bettviller 57 ....68 CN23
Bettwiller 67 ....67 CM25
Betz 60 ....39 BH23
Betz-le-Château 37 ....170 AS47
Beugin 62 ....7 BE9
Beugnâtre 62 ....13 BH12
Beugneux 02 ....40 BL22
Beugnies 59 ....15 BP12
Beugnon 89 ....114 BO35
Le Beugnon 79 ....184 AH51
Beugny 62 ....13 BH12
Beuil 06 ....289 CO78
Le Beulay 88 ....96 CM31
Beulotte-Saint-Laurent 70..119 CJ36
Beure 25 ....162 CF44
Beurey 10 ....115 BT33
Beurey-Bauguay 21 ....159 BT44
Beurey-sur-Saulx 55 ....63 BX27
Beurières 63 ....229 BO64
Beurizot 21 ....159 BT43
Beurlay 17 ....201 AE59
Beurville 52 ....92 BV32
Beussent 62 ....8 AZ7
Beuste 64 ....314 AI89
Beutal 25 ....142 CJ41
Beuvardes 02 ....40 BL23
Beuveille 54 ....44 CB19
Beuvillers 54 ....45 CD20
Beuvillers 14 ....34 AN23
Beuvrages 59 ....9 BL9
Beuvraignes 80 ....23 BG17
Beuvrequen 62 ....2 AY5
Beuvreuil 76 ....37 AY19
Beuvrigny 50 ....52 AE24
Beuvron 58 ....157 BL43
Beuvron-en-Auge 14 ....34 AL22
Beuvry 62 ....8 BF8

BELFORT

Ancêtres (Fg des) .... Y 3
Armes (Pl. d') .... Y 5
As-de-Carreau (R. de l') ...... Z 6
Bourgeois (Pl. des) .... Z 12
Carnot (Bd) .... Z 15
Clemenceau (R. G.) .... Y 20
Denfert-Rochereau (R.) ...... Z 21
Dr-Corbis (Pl. du) .... Y 22
Dr-Fréry (R. du) .... Y 24
Dreyfus-Schmidt (R.) .... Y 25
Espérance (Av. de l') .... Z 28
Foch (Av. Mar.) .... Z 29
France (Fg de) .... Z 30

Gaulard (R. du Gén.) .... Z 31
Grande-Fontaine (Pl. de la) ... Z 32
Grande-Fontaine (R.) .... Y 33
Grand'Rue .... Y 34
Joffre (Bd du Mar.) .... VY 37
Lebleu (R. F.) .... Z 40
Magasin (Q. du) .... Y 43
Metz-Juteau (R.) .... Y 45
Mulhouse (R. de) .... Y 46
Pompidou (R.) .... Y 48
République (Pl. de la) .... Y 49
Roussel (R. de la) .... Z 50
Roussel (R. du Gén.) .... Z 51
Sarrail (Av. du Gén.) .... Z 52
Vauban (Q.) .... Y 60

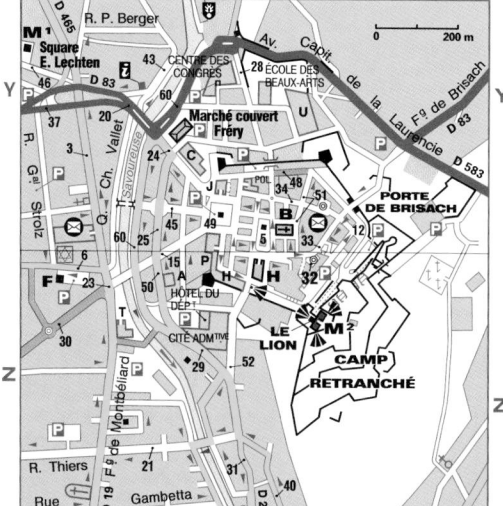

BESANÇON

Battant (Pont) . . . . AY 3
Battant (R.) . . . . AY
Bersot (R.) . . . . BY
Carnot (Av.) . . . . BYX 7
Castan (Sq.) . . . . BZ 8
Chapitre (R. du) . . . . BZ 14
Convention (R. de la) . . . . . . BZ 4
Denfert-Rochereau (Av.) . . . . BY 17
Denfert-Rochereau (Pont) . . . BY 18
Fusillés-de-la-Résistance
(R. des) . . . . BZ 20

Gambetta (R.) . . . . ABY 21
Gare-d'eau (Av. de la) . . . . . AZ 22
Gaulle (Bd Ch.de) . . . . AZ 23
Girod-de-Chantrans
(R.) . . . . AYZ 24
Grande-Rue . . . . ABYZ
Granges (R. des) . . . . ABY
Krug (R. Ch.) . . . . BY 26
Lycée (R. du) . . . . AY 28
Madeleine (R. de la) . . . . AY 29
Martelots (Pl. des) . . . . BZ 30
Mégevand (R.) . . . . ABZ 32
Moncey (R.) . . . . BY 33

Orme-de-Chamars
(R. de l') . . . . AZ 36
Pouillet (R. C.) . . . . AY 39
République (R. de la) . . . . . . ABY 40
Révolution (Pl. de la) . . . . . . AY 41
Rivotte (Faubourg) . . . . AY 42
Ronchaux (R.) . . . . BZ 43
Rousseau (R. J. J.) . . . . AY 45
Saint-Amour (Sq.) . . . . AY 48
Sarrail (R. Gén.) . . . . ABY 52
Vauban (Q.) . . . . AY 56
1ère-Armée-Française
(Pl. de la) . . . . BY 58

Beuvry-la-Forêt 59 . . . . 9 BJ8
Beux 57 . . . . 66 CG24
Beuxes 86 . . . . 168 AM46

Beuzec-Cap-Sizun 29 . . . . . 99 E33
Beuzeville 27 . . . . 34 AO21
Beuzeville-au-Plain 50 . . . . . 29 AC19

Beuzeville-la-Bastille 50 . . . . 31 AC20
Beuzeville-la-Grenier 76 . . . . 19 AP18
Beuzeville-la-Guérard 76 . . . . 19 AQ17

Beuzevillette 76 . . . . 19 AQ18
Bévenais 38 . . . . 232 CB64
Beveuge 70 . . . . 141 CI40

BÉZIERS

Abreuvoir (R. de l') . . . . BZ 2
Albert-1er (Av.) . . . . CY 3
Bonsi (R. de) . . . . BZ 4
Brousse (Av. Pierre) . . . . . . BZ 5
Canterelles (R.) . . . . BZ 6
Capus (R. du) . . . . BZ 7
Citadelle (R. de la) . . . . BZ 9

Drs-Bourguet (R. des) . . . . . BZ 13
Estienne-d'Orves (Av. d') . . . BZ 22
Flourens (R.) . . . . BY 23
Garibaldi (Pl.) . . . . CZ 26
Joffre (Av. Mar.) . . . . CZ 32
Massol (R.) . . . . BZ 43
Moulins (Rampe des) . . . . . . BY 44
Orb (R. de l') . . . . BZ 47
Péri (Pl. G.) . . . . BYZ 49
Puits-des-Arènes (R. du) . . . . BZ 54

République (R. de la) . . . . . . BY 55
Révolution (Pl. de la) . . . . . . BZ 57
Riquet (R. P.) . . . . BY 58
St-Jacques (R.) . . . . BZ 60
Strasbourg (Bd de) . . . . CY 64
Tourventouse (Bd.) . . . . BZ 65
Victoire (Pl. de la) . . . . BCY 68
Viennet (R.) . . . . BZ 69
4-Septembre (R. du) . . . . . . BY 72
11-Novembre (Pl. du) . . . . . CY 74

Béville-le-Comte 28 . . . . . 86 AY31
Bévillers 59 . . . . 14 BK12
Bevons 04 . . . . 287 CF78
Bévy 21 . . . . 159 BW45
Bey 71 . . . . 178 BX48
Bey 01 . . . . 195 BW55
Bey-sur-Seille 54 . . . . 66 CG26
Beychac-et-Caillau 33 . . . 237 AH70
Beychevelle 33 . . . . 237 AF67
Beylongue 40 . . . . 293 AD81
Beynac 05 . . . . 205 AU60
Beynac-et-Cazenac 24 . . . 259 AT71
Beynat 19 . . . . 242 AY68
Beynes 78 . . . . 57 AZ26
Beynes 04 . . . . 288 CI80
Beynost 01 . . . . 213 BX59
Beyrède (Col de) 65 . . . . 333 AM91
Beyrède-Jumet 65 . . . . . 333 AN92
Beyren-lès-Sierck 57 . . . . 45 CF19
Beyrie-en-Béarn 64 . . . . 314 AG87
Beyrie-sur-Joyeuse 64 . . . 311 AB87
Beyries 40 . . . . 293 AF84
Beyssac 19 . . . . 223 AV65
Beyssac (Château de) 24 . . 241 AT70
Beyssenac 19 . . . . 223 AU64
Le Bez 81 . . . . 300 BE85
Bez-et-Esparon 30 . . . . . 282 BM80
Bézac 09 . . . . 336 AX90
Bezalles 77 . . . . 60 BJ28
Bézancourt 76 . . . . 37 AY20
Bezange-la-Grande 54 . . . 66 CH27
Bezange-la-Petite 57 . . . . 66 CI27
Bezannes 51 . . . . 41 BP22
Les Bézards 45 . . . . 134 BG38
Bézaudun-les-Alpes 06 . . . 309 CP81
Bézaudun-sur-Bîne 26 . . . 267 BZ73
Bezaumont 54 . . . . 65 CE26
Bèze 21 . . . . 160 BZ41
Bézenac 24 . . . . 259 AT71
Bézenet 03 . . . . 191 BH54
Bézéril 32 . . . . 296 AR85
Béziers 34 . . . . 321 BK87
Bezinghem 62 . . . . 6 AZ7
Bezins-Garraux 31 . . . . . 334 AP92
La Bezole 11 . . . . 337 BB91
Bezolles 32 . . . . 295 AN82
Bezons 95 . . . . 58 BC25
Bezonvaux 55 . . . . 44 CA22
Bezouce 30 . . . . 304 BU81
Bézouotte 21 . . . . 160 BZ42
Bézu-la-Forêt 27 . . . . . . 37 AY20
Bézu-le-Guéry 02 . . . . . . 60 BJ24
Bézu-Saint-Éloi 27 . . . . . 37 AY21
Bézu-Saint-Germain 02 . . . 40 BL23
Bézues-Bajon 32 . . . . . . 316 AP87
Biache-Saint-Vaast 62 . . . 13 BH10
Biaches 80 . . . . 23 BH14
Bians-les-Usiers 25 . . . . 180 CH47
Biard 86 . . . . 186 AN51
Les Biards 50 . . . . 81 AD29
Biarne 39 . . . . 160 CA45
Biarre 80 . . . . 23 BH17
Biarritz 64 . . . . 310 X85
Biarritz-Bayonne-Anglet
(Aéroport de) 64 . . . . . 310 X85
Biarrotte 40 . . . . 292 AA84
Biars-sur-Cère 46 . . . . . 243 AZ70
Bias 47 . . . . 258 AP75
Bias 40 . . . . 292 Z84
Biaudos 40 . . . . 292 Z84
Bibiche 57 . . . . 46 CH20
Biblisheim 67 . . . . 69 CR24
Bibost 69 . . . . 212 BU60
Bichancourt 02 . . . . 24 BJ18
Biches 58 . . . . 175 BN47
Bickenholtz 57 . . . . 67 CM26
Bicqueley 54 . . . . 94 CD28
Bidache 64 . . . . 292 AB85
Bidarray 64 . . . . 311 Z88
Bidart 64 . . . . 310 X86
Bidestroff 57 . . . . 67 CJ25
Biding 57 . . . . 67 CJ23
Bidon 07 . . . . 284 BU76
Bidos 64 . . . . 331 AF89
Biécourt 88 . . . . 94 CE31
Biederthal 68 . . . . 143 CP40
Bief 25 . . . . 163 CK42
Bief-des-Maisons 39 . . . . 180 CF49
Bief-du-Fourg 39 . . . . . . 180 CG48
Biefmorin 39 . . . . 179 CB47
Biefvillers-lès-Bapaume 62 . . 13 BG12
Bielle 64 . . . . 332 AG90
Bielsa (Tunnel de) 65 . . . 333 AL94
Bienassis (Château de) 22 . . 78 T28
Biencourt 80 . . . . 11 AY14
Biencourt-sur-Orge 55 . . . 93 BZ29
Bienville 60 . . . . 39 BG20
Bienville-la-Petite 54 . . . . 95 CH28
Bienvillers-au-Bois 62 . . . 13 BF11
Biermes 08 . . . . 42 BS19
Biermont 60 . . . . 23 BG18
Bierne 59 . . . . 3 BD3
Bierné 53 . . . . 128 AH37
Biernes 52 . . . . 92 BW32
Bierre-lès-Semur 21 . . . . 158 BS42
Bierry-les-
Belles-Fontaines 89 . . . 137 BR40
Biert 09 . . . . 335 AU92
Bierville 76 . . . . 36 AV19
Biesheim 68 . . . . 121 CP40
Biesles 52 . . . . 117 BZ34

Bietlenheim 67 . . . . 69 CR26
Bieujac 33 . . . . 256 AJ74
Bieuxy 02 . . . . 40 BJ20
Bieuzy 56 . . . . 101 O35
Bieuzy-Lanvaux 56 . . . . . 124 P37
Biéville 50 . . . . 32 AF23
Biéville-Beuville 14 . . . . . 33 AJ22
Biéville-en-Auge 14 . . . . 34 AL23
Biéville-Quétiéville 14 . . . 34 AJ23
Biéville-sur-Orne 14 . . . . 33 AJ22
Bièvres 91 . . . . 58 BC27
Bièvres 08 . . . . 27 BY18
Bièvres 02 . . . . 41 BN19
Biffontaine 88 . . . . 96 CK32
Biganos 33 . . . . 254 AC72
Bignac 16 . . . . 203 AL60
Bignan 56 . . . . 102 R36
Bignay 17 . . . . 201 AG58
La Bigne 14 . . . . 52 AG24
Bignicourt 08 . . . . 42 BS20
Bignicourt-sur-Marne 51 . . 62 BT28
Bignicourt-sur-Saulx 51 . . 63 BV27
Le Bignon 44 . . . . 147 AA45
Le Bignon-du-Maine 53 . . 106 AH36
Le Bignon-Mirabeau 45 . . 112 BH34
Bignoux 86 . . . . 186 AO51
Bigny 18 . . . . 173 BD49
Bigorno 2B 347 FF10
La Bigottière 53 . . . . . . 105 AF33
Biguglia 2B 345 FG10
Bihorel 76 . . . . 36 AU19
Bihucourt 62 . . . . 13 BG12
Bilazais 79 . . . . 168 AK47
Bile (Pointe du) 56 . . . . 145 S41
Bilhères 64 . . . . 332 AG90
Bilia 2A 350 FD11
Bilieu 38 . . . . 232 CC64
Billac 19 . . . . 242 AY70
Billancelles 28 . . . . 85 AU30
Billancourt 80 . . . . 23 BH16
Les Billanges 87 . . . . . . 206 AX58
Billaude
(Cascade de la) 39 . . . 179 CE50
Les Billaux 33 . . . . 238 AI69
Billé 35 . . . . 81 AC32
Billecul 39 . . . . 180 CF49
Billère 64 . . . . 314 AH87
Billey 21 . . . . 160 CA45
Billezois 03 . . . . 210 BM50
Billiat 01 . . . . 214 CD57
Billième 73 . . . . 215 CE60
Billière 31 . . . . 334 AO93
Billiers 56 . . . . 124 S40
Billio 56 . . . . 102 S36
Billom 63 . . . . 228 BL61
Billy 41 . . . . 153 AX43
Billy 14 . . . . 33 AK23
Billy 03 . . . . 192 BL55
Billy-Berclau 62 . . . . 8 BH8
Billy-Chevannes 58 . . . . 175 BL47
Billy-le-Grand 51 . . . . . . 42 BR23
Billy-lès-Chanceaux 21 . . 138 BV40
Billy-Montigny 62 . . . . . . 8 BH9
Billy-sous-les-Côtes 55 . . 64 CB24
Billy-sous-Mangiennes 55 . . 44 CA20
Billy-sur-Aisne 02 . . . . . 40 BK21
Billy-sur-Oisy 58 . . . . . . 157 BL41
Billy-sur-Ourcq 02 . . . . . 40 BK22
Biltzheim 68 . . . . 121 CO35
Bilwisheim 67 . . . . 68 CQ26
Bimont 62 . . . . 6 BA7
Binarville 51 . . . . 43 BV22
Binas 41 . . . . 132 AW37
Bindernheim 67 . . . . 97 CQ31
Binges 21 . . . . 160 BZ43
Binic 22 . . . . 73 R28
Bining 57 . . . . 68 CN23
Biniville 50 . . . . 29 AB19
Binos 31 . . . . 334 AP92
Binson-et-Orquigny 51 . . . 41 BN23
Bio 46 . . . . 260 AY71
Biol 38 . . . . 232 CB63
La Biolle 73 . . . . 215 CF60
Biollet 63 . . . . 208 BF58
Bion 50 . . . . 81 AF28
Bioncourt 57 . . . . 66 CG26
Bionville 54 . . . . 96 CL29
Bionville-sur-Nied 57 . . . . 66 CH23
Le Biot 74 . . . . 198 CK54
Biot 06 . . . . 309 CP83
Bioule 82 . . . . 278 AW7
Bioussac 16 . . . . 203 AN5
Biozat 03 . . . . 210 BK5
Birac 33 . . . . 256 AJ75
Birac 16 . . . . 220 AK6
Birac-sur-Trec 47 . . . . . 257 AM7
Biran 32 . . . . 295 AN8
Biras 24 . . . . 240 AP6
Biriatou 64 . . . . 310 W87
Birieux 01 . . . . 213 BY58
Birkenwald 67 . . . . 68 CO2
Birlenbach 67 . . . . 69 CR2
Biron 64 . . . . 313 AE86
Biron 24 . . . . 258 AR7
Biron 17 . . . . 219 AH6
Bisanne (Signal de) 73 . . . 216 CJ60
Biscarrosse 40 . . . . 254 AB7
Biscarrosse-Plage 40 . . . 254 AA7
Bischheim 67 . . . . 97 CR2
Bischholtz 67 . . . . 68 CP2
Bischoffsheim 67 . . . . . . 97 CP2

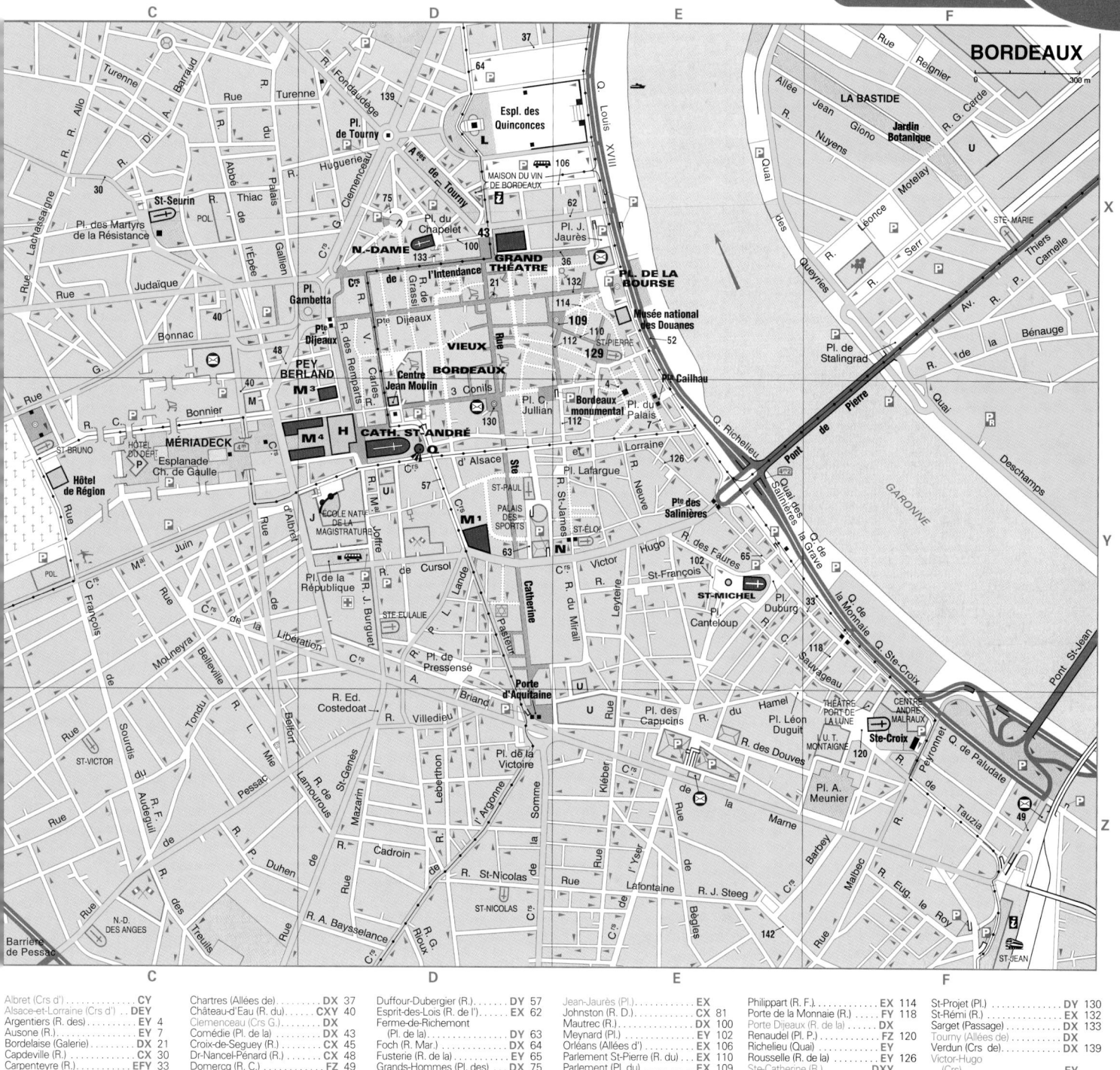

BORDEAUX

Albret (Crs d') .... CY
Alsace-et-Lorraine (Crs d') . DEY
Argentiers (R. des) .... EY 4
Ausone (R.) .... EY 7
Bordelaise (Galerie) .... DX 21
Capdeville (R.) .... CX 30
Carpenteyre (R.) .... EFY 33
Chapeau-Rouge (Crs) .... EX 36

Chartres (Allées de) .... DX 37
Château-d'Eau (R. du) .... CXY 40
Clemenceau (Crs G.) .... DX
Comédie (Pl. de la) .... DX 43
Croix-de-Seguey (R.) .... CX 45
Dr-Nancel-Pénard (R.) .... CX 48
Domercq (R. C.) .... FZ 49
Douane (Quai de la) .... EX 52

Duffour-Dubergier (R.) .... DY 57
Esprit-des-Lois (R. de l') ... EX 62
Ferme-de-Richemont
  (Pl. de la) .... DY 63
Foch (R. Mar.) .... DX 64
Fusterie (R. de la) .... EX 65
Grands-Hommes (Pl. des) ...... DX 75
Intendance (Crs de l') .... DX

Jean-Jaurès (Pl.) .... EX
Johnston (R. D.) .... CX 81
Mautrec (R.) .... DX 100
Meynard (Pl.) .... EY 102
Orléans (Allées d') .... EX 106
Parlement St-Pierre (R. du) .. EX 109
Parlement (Pl. du) .... EX 112
Pas-St-Georges (R. du) .... EXY 112

Philippart (R. F.) .... EX 114
Porte de la Monnaie (R.) ..... FY 118
Porte Dijeaux (R. de la) ..... DX
Renaudel (Pl. P.) .... FZ 120
Richelieu (Quai) .... EY
Rousselle (R. de la) .... EY 126
Ste-Catherine (R.) .... DXY
St-Pierre (Pl.) .... EX 129

St-Projet (Pl.) .... DY 130
St-Rémi (R.) .... EX 132
Sarget (Passage) .... DX 133
Tourny (Allées de) .... DX
Verdun (Crs de) .... DX 139
Victor-Hugo (Crs) .... EY
Vilaris (R.) .... EZ 142

schtroff-sur-Sarre 67 ....67 CL25
schwihr 68 ....121 CP33
schwiller 67 ....69 CR26
sel 68 ....143 CN40
sinao 2A 348 FD112
sinchi 2B 347 FF105
slée 55 ....64 CA26
sping 57 ....67 CK26
ssert 67 ....67 CL24
sseuil 51 ....61 BQ24
ssey-la-Côte 21 ....116 BU36
ssey-la-Pierre 21 ....137 BS37
ssey-sous-Cruchaud 71 ....177 BV50
sseze ele 59 ....3 BD3
ssières 14 ....34 AL23
ssy-la-Mâconnaise 71 ....195 BW52
ssy-sous-Uxelles 71 ....194 BV51
ssy-sur-Fley 71 ....177 BU50
sten-en-Lorraine 57 ....46 CI22
stroff 57 ....67 CJ24
itche 57 ....68 CO23
try 60 ....39 BI20
try 58 ....156 BI41
tschhoffen 67 ....68 CO25
tschwiller-lès-Thann 68 ......142 CM37
ver 13 ....327 CG14
ves 32 ....296 AQ82
viers 38 ....251 CE66
ville 50 ....28 ZI7
ville-la-Baignarde 76 ....20 AT16

Biville-la-Rivière 76 ....20 AT16
Biville-sur-Mer 76 ....10 AV14
Bivilliers 61 ....84 AQ29
Bizanet 11 ....320 BH89
Bizanos 64 ....314 AH88
Bize 65 ....334 AO91
Bize 52 ....140 CB37
Bize-Minervois 11 ....320 BH88
Bizeneuille 03 ....191 BG53
Biziat 01 ....195 BX55
Bizonnes 38 ....232 CB64
Le Bizot 25 ....163 CK44
Les Bizots 71 ....176 BS49
Bizou 61 ....84 AR30
Bizous 65 ....333 AN90
Blacé 69 ....212 BV57
Blaceret 69 ....212 BV57
Blacourt 60 ....37 AZ19
Blacqueville 76 ....19 AS18
Blacy 89 ....137 BQ40
Blacy 51 ....62 BT27
Blaesheim 67 ....97 CQ29
Blagnac 31 ....297 AV84
Blagny 08 ....27 BX17
Blagny-sur-Vingeanne 21 ......160 CA42
Blaignac 33 ....256 AK74
Blaignan 33 ....219 AE65
Blain 44 ....147 Y41
Blaincourt-lès-Précy 60 ....38 BD22

Blaincourt-sur-Aube 10 ....91 BS31
Blainville-Crevon 76 ....36 AV19
Blainville-sur-l'Eau 54 ....95 CH29
Blainville-sur-Mer 50 ....31 AA23
Blainville-sur-Orne 14 ....33 AK22
Blairville 62 ....13 BF11
Blaise 52 ....92 BW32
Blaise 08 ....42 BU20
Blaise-sous-Arzillières 51 ....62 BT28
Blaison 49 ....149 AI42
Blaisy 52 ....116 BX33
Blaisy-Bas 21 ....159 BV42
Blaisy-Haut 21 ....159 BV43
Blajan 31 ....316 AN89
Blajoux 48 ....282 BM76
Blâmont 54 ....96 CK28
Blamont 25 ....163 CL42
Blan 81 ....299 BA85
Le Blanc 36 ....187 AT51
Blanc (Lac) 68 ....120 CM33
Blanc-Mesnil 93 ....58 BE25
Blanc-Misseron 59 ....9 BM9
Blanc-Nez (Cap) 62 ....2 AY3
Blancafort 18 ....155 BE41
Blancey 21 ....159 BT43
Blancfossé 60 ....22 BC17
Blanche-Église 57 ....67 CJ26
Blanchefontaine 25 ....163 CK43
Blanchefosse 08 ....25 BQ16
Blancherupt 67 ....96 CN30

Blancheville 52 ....117 BY33
Blandainville 28 ....85 AV32
Blandas 30 ....302 BM81
Blandin 38 ....232 CB63
Blandouet 53 ....106 AJ35
Blandy 91 ....87 BC32
Blandy 77 ....88 BG29
Blangermont 62 ....12 BC10
Blangerval 62 ....12 BC10
Blangy-le-Château 14 ....34 AO22
Blangy-sous-Poix 80 ....21 BA16
Blangy-sur-Bresle 76 ....11 AY14
Blangy-sur-Ternoise 62 ....7 BC9
Blangy-Tronville 80 ....22 BD15
Blannay 89 ....157 BO41
Blanot 71 ....194 BV52
Blanot 21 ....176 BR45
Blanquefort 33 ....237 AF70
Blanquefort 32 ....296 AQ84
Blanquefort-
  sur-Briolance 47 ....259 AS73
Blanzac 87 ....205 AT56
Blanzac 43 ....247 BP68
Blanzac 16 ....221 AL63
Blanzac-lès-Matha 17 ....202 AI59
Blanzaguet-
  Saint-Cybard 16 ....221 AN64
Blanzat 63 ....209 BI60
Blanzay 86 ....186 AN55
Blanzay-sur-Boutonne 17 ......201 AH57

Blanzée 55 ....44 CA22
Blanzy 71 ....176 BS50
Blanzy-la-Salonnaise 08 ....41 BQ19
Blanzy-lès-Fismes 02 ....40 BM21
Blargies 60 ....21 AZ17
Blarians 25 ....162 CG42
Blaringhem 59 ....7 BD6
Blars 46 ....260 AY74
Blaru 78 ....56 AW24
Blaslay 86 ....169 AN50
Blassac 43 ....246 BL61
Blaudeix 23 ....189 BB55
Blausasc 06 ....291 CR81
Blauvac 84 ....286 CA79
Blauzac 30 ....284 BT80
Blavignac 48 ....246 BK70
Blavozy 43 ....247 BQ68
Blay 14 ....32 AG21
Blaye 33 ....237 AF67
Blaye-les-Mines 81 ....279 BB80
Blaymont 47 ....276 AR77
Blaziert 32 ....296 AO81
Blécourt 59 ....14 BJ11
Blécourt 52 ....92 BX31
Blégiers 04 ....288 CJ77
Bleigny-le-Carreau 89 ....136 BN37
Bleine (Col de) 06 ....308 CN81
Blémerey 88 ....94 CE31
Blémerey 54 ....95 CJ28

Blendecques 62 ....3 BC5
Bléneau 89 ....135 BH39
Blennes 77 ....113 BI33
Blénod-lès-
  Pont-à-Mousson 54 ....65 CE25
Blénod-lès-Toul 54 ....94 CD28
Bléquin 62 ....6 BA6
Blérancourt 02 ....40 BJ19
Blercourt 55 ....43 BY23
Bléré 37 ....152 AT43
Blériot-Plage 62 ....2 AZ3
Blésignac 33 ....256 AI71
Blesle 43 ....227 BJ65
Blesme 51 ....63 BV27
Blesmes 02 ....40 BL24
Blessac 23 ....207 BB58
Blessey 21 ....159 BU41
Blessonville 52 ....116 BX35
Blet 18 ....173 BG48
Bletterans 39 ....179 CB49
Bleurville 88 ....118 CE34
Bleury 28 ....86 AY30
Blevaincourt 88 ....118 CC34
Blèves 72 ....84 AO30
Blévy 28 ....85 AU29
Le Bleymard 48 ....265 BO75
Blicourt 60 ....22 BB18
Blienschwiller 67 ....97 CO31

Blies-Ébersing 57 ... 47 CM22
Blies-Guersviller 57 ... 47 CL22
Bliesbruck 57 ... 47 CM22
Blieux 04 ... 307 CJ81
Blignicourt 10 ... 91 BT30
Bligny 51 ... 41 BO22
Bligny 10 ... 116 BU34
Bligny-en-Othe 89 ... 114 BM35
Bligny-le-Sec 21 ... 159 BV42
Bligny-lès-Beaune 21 ... 177 BW47
Bligny-sur-Ouche 21 ... 159 BU45
Blincourt 60 ... 39 BF20
Blingel 62 ... 7 BB9
Blis-et-Born 24 ... 241 AS67
Blismes 58 ... 157 BO45
Blodelsheim 68 ... 121 CQ36
Blois 41 ... 132 AV40
Blois-sur-Seille 39 ... 179 CC49
Blomac 11 ... 320 BF89
Blomard 03 ... 191 BI55
Blombay 08 ... 26 BS15
Blond 87 ... 205 AT57
Blondefontaine 70 ... 118 CD36
Blonville-sur-Mer 14 ... 34 AM21
Blosseville 76 ... 19 AS15
Blosville 50 ... 31 AC20
Blot-l'Église 63 ... 209 BI57
Blotzheim 68 ... 143 CP39
Blou 49 ... 150 AL42
Blousson-Sérian 32 ... 315 AL86
La Bloutière 50 ... 52 AD25
Bloye 74 ... 215 CF59
Bluffy 74 ... 215 CH59
Blumeray 52 ... 92 BV31
Blussangeaux 25 ... 142 CJ41
Blussans 25 ... 142 CJ41
Blye 39 ... 179 CC50
Blyes 01 ... 213 BZ59
Le Bô 14 ... 53 AI25
Bobigny 93 ... 58 BE26
Bobital 22 ... 79 W30
Le Bocasse 76 ... 20 AU18
La Bocca 06 ... 309 CO84
Bocca Bassa (Col de) 2B ... 346 FA106
Bocca di Vezzu 2B ... 345 FE104
Bocé 49 ... 150 AL41
Bocognano 2A ... 349 FE110
Bocquegney 88 ... 119 CG33
Bocquencé 61 ... 55 AP26
Le Bodéo 22 ... 78 Q31
Bodilis 29 ... 71 H28
Boé 47 ... 276 AP78
Boëcé 61 ... 84 AP30
Boëge 74 ... 198 CI55
Boeil-Bezing 64 ... 314 AI88
Le Boël 35 ... 104 Y35
Boën 42 ... 229 BQ61
Bœrsch 67 ... 97 CO29
Boeschepe 59 ... 4 BF5
Boëseghem 59 ... 7 BD6
Bœsenbiesen 67 ... 97 CQ32
Boësse 79 ... 167 AH47
Boëssé-le-Sec 72 ... 108 AQ34
Boësses 45 ... 112 BE34
Bœurs-en-Othe 89 ... 114 BN34
Boffles 62 ... 12 BC11
Boffres 07 ... 248 BV70
Bogève 74 ... 198 CI55
Bogny-sur-Meuse 08 ... 26 BU15
Bogros 63 ... 226 BF62
Bogy 07 ... 249 BW66
Bohain-en-Vermandois 02 ... 24 BL14
Bohal 56 ... 125 T37
La Bohalle 49 ... 149 AI42
Bohars 29 ... 75 E29
Bohas 01 ... 214 CA56
Boigneville 91 ... 87 BD32
Boigny-sur-Bionne 45 ... 111 BA36
Boinville-en-Mantois 78 ... 57 AY25
Boinville-en-Woëvre 55 ... 44 CB22
Boinville-le-Gaillard 78 ... 86 AZ30
Boinvilliers 78 ... 57 AY25
Boiry-Becquerelle 62 ... 13 BG11
Boiry-Notre-Dame 62 ... 13 BH10
Boiry-Saint-Martin 62 ... 13 BG11
Boiry-Sainte-Rictrude 62 ... 13 BG11
Le Bois 73 ... 234 CJ63
Bois 17 ... 219 AG63
Bois-Anzeray 27 ... 55 AR25
Bois-Arnault 27 ... 55 AR27
Bois-Aubry
(Abbaye de) 37 ... 169 AP47
Bois-Bernard 62 ... 8 BH9
Bois-Chenu
(Basilique du) 88 ... 93 CB30
Bois-Chevalier
(Château de) 44 ... 165 Z47
Bois-Colombes 92 ... 58 BC26
Bois-d'Amont 39 ... 197 CG51
Bois-d'Arcy 89 ... 157 BN41
Bois-d'Arcy 78 ... 58 BB27
Bois-de-Céné 85 ... 165 X47
Bois-de-Champ 88 ... 96 CK32
Bois-de-Gand 39 ... 179 CB48
Bois-de-la-Chaize 85 ... 164 U46
Bois-de-la-Pierre 31 ... 317 AT87
Bois-d'Ennebourg 76 ... 36 AV20
Le Bois-d'Oingt 69 ... 212 BU59
Bois Dousset
(Château du) 86 ... 186 AP51
Bois-du-Four 12 ... 281 BI77
Bois-Grenier 59 ... 8 BH6
Bois-Guilbert 76 ... 20 AW18
Bois-Guillaume 76 ... 36 AU19
Le Bois-Hellain 27 ... 35 AP21
Bois-Héroult 76 ... 20 AW18
Bois-Herpin 91 ... 87 BC32
Bois-Himont 76 ... 19 AR18
Bois-Jérôme-
Saint-Ouen 27 ... 37 AX23
Bois-la-Ville 25 ... 162 CH42
Bois-le-Roi 77 ... 88 BF30
Bois-le-Roi 27 ... 56 AV26
Bois-lès-Pargny 02 ... 24 BM16
Bois-l'Évêque 76 ... 36 AV20
Bois Noirs 42 ... 210 BN59
Bois-Normand-
près-Lyre 27 ... 55 AR26
Le Bois-Plage-en-Ré 17 ... 182 AA55
Le Bois-Robert 76 ... 20 AU15
Bois-Sainte-Marie 71 ... 194 BS54
Bois-Sir-Amé
(Château de) 18 ... 173 BE48
Bois-Thibault
(Château de) 53 ... 82 AI30
Boisbergues 80 ... 12 BC12
Boisbreteau 16 ... 220 AJ65
Boiscommun 45 ... 111 BD35
Boisdinghem 62 ... 3 BB5
Boisdon 77 ... 60 BJ28
Boisemont 95 ... 57 BA24
Boisemont 27 ... 37 AX21
Boisgasson 28 ... 109 AU35
Boisgervilly 35 ... 103 W33
Boisjean 62 ... 6 AZ9
Le Boisle 80 ... 11 BA10
Boisleux-au-Mont 62 ... 13 BG11
Boisleux-Saint-Marc 62 ... 13 BG11
Boismé 79 ... 167 AI49
Boismont 80 ... 11 AY12
Boismont 54 ... 44 CB20
Boismorand 45 ... 134 BG38
Boisney 27 ... 35 AQ23
Boisrault 80 ... 21 AZ15
Boisredon 17 ... 219 AG65
Boisroger 50 ... 31 AA23
Boissay 76 ... 36 AW19
Boisse 24 ... 258 AP72
La Boisse 01 ... 213 BY59
Boisse-Penchot 12 ... 261 BC74
Boisseau 41 ... 132 AV38
Boisseaux 45 ... 111 BA33
Boissède 31 ... 316 AQ87
Boissei-la-Lande 61 ... 54 AM28
Boisserolles 79 ... 201 AH56
Boisseron 34 ... 303 BR83
Les Boisses 73 ... 235 CN62
Boisset 43 ... 229 BQ65
Boisset 34 ... 320 BG87
Boisset 15 ... 261 BC71
Boisset-et-Gaujac 30 ... 283 BQ80
Boisset-lès-Montrond 42 ... 229 BR62
Boisset-les-Prévanches 27 ... 56 AV25
Boisset-Saint-Priest 42 ... 229 BR63
Boissets 78 ... 57 AX26
Boissettes 77 ... 88 BF30
Boisseuil 87 ... 205 AV60
Boisseuilh 24 ... 241 AU66
Boissey 14 ... 54 AM24
Boissey 01 ... 195 BX53
Boissey-le-Châtel 27 ... 35 AR21
Boissezon 81 ... 299 BD85
Boissia 39 ... 196 CD51
La Boissière 53 ... 127 AE38
La Boissière 39 ... 196 CB53
La Boissière 34 ... 302 BN84
La Boissière 27 ... 56 AW25
La Boissière 14 ... 34 AN23
La Boissière
(Ancienne Abbaye) 49 ... 129 AM40
La Boissière-d'Ans 24 ... 241 AS66
La Boissière-
de-Montaigu 85 ... 166 AC47
La Boissière-
des-Landes 85 ... 182 AA51
La Boissière-du-Doré 44 ... 148 AC44
La Boissière-École 78 ... 57 AY28
La Boissière-en-Gâtine 79 ... 185 AI51
La Boissière-sur-Èvre 49 ... 148 AD43
Boissières 46 ... 259 AV74
Boissières 30 ... 303 BS82
Boissise-la-Bertrand 77 ... 88 BF30
Boissise-le-Roi 77 ... 88 BE30
Boissy-aux-Cailles 77 ... 88 BE32
Boissy-en-Drouais 28 ... 56 AV28
Boissy-Fresnoy 60 ... 39 BH23
Boissy-la-Rivière 91 ... 87 BB32
Boissy-l'Aillerie 95 ... 57 BA24
Boissy-Lamberville 27 ... 35 AQ23
Boissy-le-Bois 60 ... 37 BA22
Boissy-le-Châtel 77 ... 60 BJ27
Boissy-le-Cutté 91 ... 87 BC30
Boissy-le-Repos 51 ... 60 BM26
Boissy-le-Sec 91 ... 87 BB30
Boissy-lès-Perche 28 ... 55 AS28
Boissy-Maugis 61 ... 84 AR31
Boissy-Mauvoisin 78 ... 57 AX25
Boissy-Saint-Léger 94 ... 58 BE27
Boissy-sans-Avoir 78 ... 57 AZ27
Boissy-sous-Saint-Yon 91 ... 87 BC30
Boissy-sur-Damville 27 ... 56 AU26
Boistrudan 35 ... 104 AB35
Boisville-la-Saint-Père 28 ... 86 AY32
Boisyvon 50 ... 52 AD26
Boitron 77 ... 60 BK26
Boitron 61 ... 83 AN29
Bolandoz 25 ... 180 CF46
Bolazec 29 ... 76 L29
Bolbec 76 ... 19 AP18
Bollène 84 ... 285 BW77
La Bollène-Vésubie 06 ... 291 CR79
Bolleville 76 ... 19 AQ18
Bolleville 50 ... 31 AA21
Bollezeele 59 ... 3 BD4
La Bolline 06 ... 289 CP78
Bollwiller 68 ... 121 CO36
Bologne 52 ... 117 BY33
Bolozon 01 ... 196 CB55
Bolquère 66 ... 341 BB97
Bolsenheim 67 ... 97 CQ30
Bombannes 33 ... 236 AB67
Bombon 77 ... 88 BH29
Bommes 33 ... 255 AH74
Bommiers 36 ... 172 BA49
Bompas 66 ... 339 BI94
Bompas 09 ... 336 AX93
Bomy 62 ... 7 BC7
Bon-Encontre 47 ... 276 AP78
Bona 58 ... 175 BL46
Bonac-Irazein 09 ... 335 AS93
Bonaguil (Château de) 47 ... 259 AS74
Bonas 32 ... 295 AN82
Bonascre (Plateau de) 09 ... 340 AY95
Bonboillon 70 ... 161 CC43
Boncé 28 ... 86 AX32
Bonchamp-lès-Laval 53 ... 106 AG34
Boncourt 54 ... 45 CC22
Boncourt 28 ... 56 AW26
Boncourt 27 ... 56 AV24
Boncourt 02 ... 25 BO18
Boncourt-le-Bois 21 ... 160 BX45
Boncourt-sur-Meuse 55 ... 64 CA26
Bondaroy 45 ... 111 BC34
Bondeval 25 ... 142 CL41
Bondigoux 31 ... 298 AW82
Les Bondons 48 ... 282 BN76
Bondoufle 91 ... 87 BD29
Bondues 59 ... 8 BI6
Bondy 93 ... 58 BE26
Bonen 22 ... 77 N32
Bonette (Cime de la) 04 ... 289 CM76
Bongheat 63 ... 228 BL61
Le Bonhomme 68 ... 120 CM33
Bonhomme (Col du) 88 ... 120 CM33
Bonifacio 2A ... 351 FF116
Bonifato (Cirque de) 2B ... 346 FC106
Bonlier 60 ... 38 BB19
Bonlieu 39 ... 197 CE51
Bonlieu-sur-Roubion 26 ... 267 BX73
Bonloc 64 ... 311 Z87
Bonnac 15 ... 245 BJ67
Bonnac 09 ... 318 AX89
Bonnac-la-Côte 87 ... 205 AV59
Bonnal 25 ... 141 CH40
Bonnard 89 ... 114 BM36
Bonnat 23 ... 189 AZ54
Bonnatrait 74 ... 198 CI53
Bonnaud 39 ... 196 CA51
Bonnay 80 ... 22 BE14
Bonnay 71 ... 194 BU52
Bonnay 25 ... 162 CF42
Bonne 74 ... 197 CH55
Bonne-Fontaine 57 ... 68 CN26
Bonne-Fontaine
(Château de) 35 ... 80 AA30
Bonnebosq 14 ... 34 AM22
Bonnecourt 52 ... 117 CA36
Bonnée 45 ... 134 BD38
Bonnefamille 38 ... 231 BZ62
Bonnefoi 61 ... 55 AQ28
Bonnefond 19 ... 225 BA63
Bonnefont 65 ... 315 AN88
Bonnefontaine 39 ... 179 CD49
Bonnefontaine (Ancienne
Abbaye de) 08 ... 25 BQ16
Bonnegarde 40 ... 293 AE84
Bonneil 02 ... 60 BK24
Bonnelles 78 ... 87 BA29
Bonnemain 35 ... 80 Y30
Bonnemaison 14 ... 53 AH24
Bonnemazon 65 ... 333 AM90
Bonnencontre 21 ... 178 BY46
Bonnes 86 ... 186 AP51
Bonnes 16 ... 239 AM66
Bonnesvalyn 02 ... 40 BK23
Bonnet 55 ... 93 CA29
Bonnétable 72 ... 108 AP34
Bonnétage 25 ... 163 CK44
Bonnetan 33 ... 255 AH71
Bonneuil 36 ... 188 AU54
Bonneuil 16 ... 220 AJ62
Bonneuil-en-France 95 ... 58 BD25
Bonneuil-en-Valois 60 ... 39 BH21
Bonneuil-les-Eaux 60 ... 22 BC17
Bonneuil-Matours 86 ... 169 AP50
Bonneuil-sur-Marne 94 ... 58 BE27
Bonneval 73 ... 234 CJ62
Bonneval 43 ... 247 BO66
Bonneval 28 ... 110 AW34
Bonneval-en-Diois 26 ... 268 CD73
Bonneval-sur-Arc 73 ... 235 CO64
Bonnevaux 74 ... 198 CK54
Bonnevaux 30 ... 283 BQ76

BOULOGNE-SUR-MER

Aumont (R. d') ... Z 7
Beaucerf (Bd) ... Z 8
Bras-d'Or (R. du) ... Z 13
Dutertre (R.) ... Y 20
Entente-Cordiale (Pont de l') Z 23
Faidherbe (R.) ... Y
Grande-Rue ... Z
Lampe (R. de la) ... Z 32
Lattre-de-Tassigny (Av. de) . Y 33
Lille (R. de) ... Y 37
Marguet (Pont) ... Z 38
Mitterrand (Bd F.) ... Z 40
Perrochel (R. de) ... Z 48
Porte-Neuve (R.) ... Y 49
Puits-d'Amour (R.) ... Z 53
Résistance (Pl.) ... Y 55
Ste-Beuve (Bd) ... Y 59
St-Louis (R.) ... Y 56
Thiers (R. A.) ... YZ 60
Tour-N.-Dame (R.) ... Y 61
Victoires (R. des) ... Y 63
Victor-Hugo (R.) ... YZ

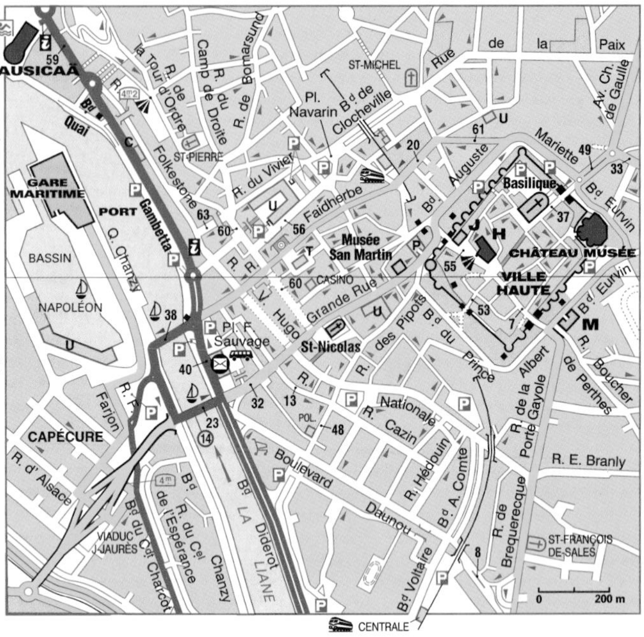

Bonnevaux 25 ... 180 CG48
Bonnevaux-le-Prieuré 25 ... 162 CG45
Bonneveau 41 ... 131 AR38
Bonnevent-Velloreille 70 ... 161 CE42
Bonneville 80 ... 12 BC13
Bonneville 74 ... 216 CI56
La Bonneville 50 ... 31 AB20
Bonneville 16 ... 202 AK59
Bonneville-Aptot 27 ... 35 AR22
Bonneville-et-Saint-Avit-
de-Fumadières 24 ... 239 AL70
Bonneville-la-Louvet 14 ... 34 AO21
La Bonneville-sur-Iton 27 ... 56 AT25
Bonneville-sur-Touques 14 ... 34 AN21
Bonnières 62 ... 12 BC11
Bonnières 60 ... 37 BA19
Bonnières-sur-Seine 78 ... 57 AX24
Bonnieux 84 ... 305 CB82
Bonningues-lès-Ardres 62 ... 2 BA5
Bonningues-lès-Calais 62 ... 2 AZ4
Bonnœil 14 ... 53 AJ25
Bonnœuvre 44 ... 127 AC40
Bonnut 64 ... 293 AE85
Bonny-sur-Loire 45 ... 156 BH41
Bono 56 ... 124 P38
Bonrepos 65 ... 315 AN89
Bonrepos-Riquet 31 ... 298 AX84
Bonrepos-
sur-Aussonnelle 31 ... 297 AT85
Bons-en-Chablais 74 ... 198 CI54
Bons-Tassilly 14 ... 53 AK25
Bonsecours 76 ... 36 AU20
Bonsmoulins 61 ... 55 AP28
Bonson 42 ... 229 BR63
Bonson 06 ... 291 CQ80
Bonvillard 73 ... 234 CI62
Bonvillaret 73 ... 234 CI62
Bonviller 54 ... 95 CH28
Bonvillers 60 ... 22 BD18
Bonvillet 88 ... 118 CE34
Bonvouloir (Tour de) 61 ... 82 AI29
Bony 02 ... 24 BJ14
Bonzac 33 ... 238 AJ69
Bonzée-en-Woëvre 55 ... 64 CB23
Boô-Silhen 65 ... 332 AJ91
Boofzheim 67 ... 97 CQ31
Boos 76 ... 36 AU20
Boos 40 ... 293 AC81
Bootzheim 67 ... 97 CQ32
Boqueho 22 ... 78 Q29
Boquen (Abbaye de) 22 ... 78 T31
Bor-et-Bar 12 ... 279 BB78
Boran-sur-Oise 60 ... 38 BD23
Borce 64 ... 331 AF92
Borcq-sur-Airvault 79 ... 168 AK48
Bord-Saint-Georges 23 ... 190 BC55
Bordeaux 33 ... 237 AG70
Bordeaux-en-Gâtinais 45 ... 112 BE35
Bordeaux-Mérignac
(Aéroport de) 33 ... 237 AF70
Bordeaux-Saint-Clair 76 ... 18 AO17
Bordères 64 ... 314 AI89
Bordères-et-
Lamensans 40 ... 294 AH82
Bordères-Louron 65 ... 333 AN92
Bordères-sur-l'Échez 65 ... 315 AK88
Les Bordes 89 ... 113 BL35
Les Bordes 71 ... 178 BX48
Bordes 65 ... 315 AM89
Bordes 64 ... 314 AH88
Les Bordes 45 ... 134 BD38
Les Bordes 36 ... 172 BA47
Les Bordes-Aumont 10 ... 115 BQ33
Bordes-de-Rivière 31 ... 334 AP90
Les Bordes-sur-Arize 09 ... 335 AV90
Les Bordes-sur-Lez 09 ... 335 AS92
Bordezac 30 ... 283 BR77
Bords 17 ... 201 AE59
Borée 07 ... 248 BS70
Le Boréon 06 ... 291 CQ78
Boresse-et-Martron 17 ... 238 AK66
Borest 60 ... 39 BF23
Borey 70 ... 141 CH39
Borgo 2B ... 347 FG105
Bormes-les-Mimosas 83 ... 328 CJ89
Le Born 48 ... 264 BM74
Le Born 31 ... 298 AW81
Born-de-Champs 24 ... 258 AQ72
Bornambusc 76 ... 18 AO17
Bornay 39 ... 196 CB51
Borne 43 ... 247 BO68
La Borne 18 ... 155 BF44
Borne 07 ... 265 BQ73
Bornel 60 ... 38 BC22
Borny 57 ... 65 CF23
Boron 90 ... 142 CM40
Borre 59 ... 3 BE5
Borrèze 24 ... 241 AV70
Bors 16 ... 220 AJ65
Bors 16 ... 221 AM65
Bort-les-Orgues 19 ... 226 BE65
Bort-l'Étang 63 ... 210 BL60
Borville 54 ... 95 CH30
Le Bosc 34 ... 301 BL83
Le Bosc 09 ... 336 AW92
Bosc-Bénard-Commin 27 ... 35 AS21
Bosc-Bénard-Crescy 27 ... 35 AS21
Bosc-Bérenger 76 ... 20 AV17
Bosc-Bordel 76 ... 20 AW18
Bosc-Édeline 76 ... 20 AW18
Bosc-Guérard-
Saint-Adrien 76 ... 20 AU18
Bosc-Hyons 76 ... 37 AY20
Bosc-le-Hard 76 ... 20 AU18
Bosc-Mesnil 76 ... 20 AW17
Le Bosc-Morel 27 ... 55 AQ24
Le Bosc-Renoult 61 ... 54 AO25
Bosc-Renoult-en-Ouche 27 ... 55 AR25
Bosc-Renoult-
en-Roumois 27 ... 35 AR21
Le Bosc-Roger-
en-Roumois 27 ... 35 AS21
Bosc-Roger-sur-Buchy 76 ... 20 AW18
Boscamnant 17 ... 238 AK67
Boscherville 27 ... 35 AS21
Boscodon (Abbaye de) 05 ... 270 CK74
Bosdarros 64 ... 314 AH89
Bosgouet 27 ... 35 AS20
Bosguérard-
de-Marcouville 27 ... 35 AS21
Bosjean 71 ... 178 CA49
Bosmie-l'Aiguille 87 ... 223 AU61
Bosmont-sur-Serre 02 ... 25 BO16
Bosmoreau-les-Mines 23 ... 206 AY58
Bosnormand 27 ... 35 AS21
Le Bosquel 80 ... 22 BC16
Bosquentin 27 ... 37 AX20
Bosrobert 27 ... 35 AR22
Bosroger 23 ... 207 BC58
Bossancourt 10 ... 92 BU32
Bossay-sur-Claise 37 ... 170 AS49
La Bosse 72 ... 108 AP34
La Bosse 41 ... 132 AV37
La Bosse 25 ... 163 CJ44
La Bosse-de-Bretagne 35 ... 104 Z36
Bossée 37 ... 152 AR45
Bosselshausen 67 ... 68 CP25
Bossendorf 67 ... 68 CP26
Bosserville 54 ... 94 CF28
Bosset 24 ... 239 AN69
Bosseval-et-Briancourt 08 ... 27 BV16
Bossey 74 ... 215 CG56
Bossieu 38 ... 231 BZ64
Les Bossons 74 ... 217 CM58
Bossugan 33 ... 256 AK71
Bossus-lès-Rumigny 08 ... 26 BR15
Bost 03 ... 210 BM56
Bostens 40 ... 274 AH80
Bostz (Château du) 03 ... 192 BK53
Bosville 76 ... 19 AR16
Botans 90 ... 142 CL39
Botforn 29 ... 99 G35
Botmeur 29 ... 76 I30
Botsorhel 29 ... 72 L28
Les Bottereaux 27 ... 55 AQ26
Botz-en-Mauges 49 ... 148 AE43
Bou 45 ... 133 BB37
Bouafle 78 ... 57 BA25
Bouafles 27 ... 36 AW22
Bouan 09 ... 336 AX94
Bouaye 44 ... 147 Y44
Boubers-lès-Hesmond 62 ... 6 BA8
Boubers-sur-Canche 62 ... 12 BC10
Boubiers 60 ... 37 AZ22
Bouc-Bel-Air 13 ... 327 CC86
Boucagnères 32 ... 296 AP85
Boucard (Château de) 18 ... 155 BF43
Boucau 64 ... 292 Y85
Boucé 61 ... 54 AL28
Boucé 03 ... 192 BM54
Boucey 50 ... 80 AA29
Le Bouchage 38 ... 232 CC61
Le Bouchage 16 ... 203 AO57
Bouchain 59 ... 14 BK10
Bouchamps-lès-Craon 53 ... 127 AE37
Le Bouchaud 39 ... 179 CC48
Le Bouchaud 03 ... 193 BP54
Bouchavesnes-Bergen 80 ... 23 BH14
Bouchemaine 49 ... 149 AH42
Boucheporn 57 ... 46 CI22
Le Bouchet 74 ... 216 CI59
Bouchet 26 ... 285 BX77
Bouchet (Château du) 36 ... 170 AU50
Bouchet (Lac du) 43 ... 247 BO70
Le Bouchet-
Saint-Nicolas 43 ... 247 BO70
Bouchevilliers 27 ... 37 AY20
Bouchoir 80 ... 23 BF16

Les Boucholeurs 17 ....200 AC57
Bouchon 80 ....12 BB13
Le Bouchon-sur-Saulx 55....63 BY28
Les Bouchoux 39 ....197 CE54
Bouchy-Saint-Genest 51 ....60 BL28
Boucieu-le-Roi 07 ....248 BN36
Bouclans 25 ....162 CG43
Boucoiran-et-Nozières 30 ..284 BS80
Bouconville 08 ....42 BU21
Bouconville-sur-Madt 55 ...65 CC26
Bouconville-Vauclair 02 ....41 BN19
Bouconvillers 60 ....37 BA23
Boucq 54 ....65 CC27
Boudes 63 ....227 BJ64
Boudeville 76 ....19 AS16
Boudin 73 ....234 CK61
Boudou 82 ....277 AS79
Boudrac 31 ....316 A089
Boudreville 21 ....116 BV36
Boudy-de-Beauregard 47 ..258 AP74
Boué 02 ....15 BN13
Bouée 44 ....147 X42
Boueilh-Boueilho-
  Lasque 64 ....294 AH85
Bouelles 76 ....21 AX17
Bouër 72 ....108 AQ35
Bouère 53 ....128 AI37
Bouessay 53 ....128 AI37
Bouesse 36 ....189 AY51
Bouëx 16 ....221 AN62
La Bouëxière 35 ....104 AB33
Bouffémont 95 ....58 BC24
Boufféré 85 ....166 AB47
Bouffignereux 02 ....41 BO20
Boufflers 80 ....11 BA11
Bouffry 41 ....109 AT36
Bougainville 80 ....22 BB15
Bougarber 64 ....314 AG86
Bougé-Chambalud 38 ......255 BX65
Bouges-le-Château 36 ....171 AY46
Bougey 70 ....140 CD38
Bougival 78 ....58 BC26
Bouglainval 28 ....86 AX29
Bougligny 77 ....112 BF33
Bouglon 47 ....275 AL76
Bougneau 17 ....219 AG62
Bougnon 70 ....141 CF38
Bougon 79 ....185 AK54
Bougue 40 ....294 AH81
Bouguenais 44 ....147 Z44
Bougy 14 ....33 AI23
Bougy-lez-Neuville 45 ....111 BA35
Bouhans 71 ....178 BZ49
Bouhans-et-Feurg 70 ....161 CB41
Bouhans-lès-Lure 70 ....141 CH38
Bouhans-
  lès-Montbozon 70 .....162 CG41
Bouhet 17 ....201 AE56
Bouhey 21 ....159 BU44
Bouhy 21 ....58 BJ41
Bouilh (Château du) 33 ...237 AH69
Bouilh-Devant 65 ....315 AM87
Bouilh-Péreuilh 65 ......315 AL88
Bouilhonnac 11 ....320 BE89
Bouillac 82 ....297 AT82
Bouillac 24 ....259 AS72
Bouillac 12 ....261 BB74
La Bouilladisse 13 .....327 CD86
Bouillancourt-en-Séry 80 ..11 AY14
Bouillancourt-la-Bataille 80..22 BE17
Bouillancy 60 ....39 BD43
Bouilland 21 ....159 BV45
Bouillargues 30 ....304 BU82
La Bouille 76 ....36 AT21
Bouillé-Courdault 85 ....184 AF53
Bouillé-Loretz 79 ....168 AJ46
Bouillé-Ménard 49 ......127 AC38
Bouillé-Saint-Paul 79 ...167 AI46
La Bouillie 22 ....79 U28
Bouillon 64 ....294 AG85
Le Bouillon 61 ....83 AM29
Bouillonville 54 ....65 CC25
Bouillouses (Lac des) 66 ..341 BA96
Bouilly 89 ....114 BN36
Bouilly 51 ....41 B022
Bouilly 10 ....114 BP33
Bouilly-en-Gâtinais 45 ...111 BC35
Bouin 85 ....164 W46
Bouin 79 ....203 AL57
Bouin 62 ....6 BA9
Bouin-Plumoison 62 ......6 BA9
Bouisse 11 ....338 BE91
Bouix 21 ....138 BT37
Boujailles 25 ....180 CF47
Boujan-sur-Libron 34 ...321 BK87
Boujeons 25 ....180 CG49
Boulages 10 ....90 BO29
Boulaincourt 88 ....94 CE31
Boulancourt 77 ....111 BD33
Boulange 57 ....45 CD20
Boulaur 32 ....296 AQ85
Le Boulay 72 ....119 CJ33
Le Boulay 37 ....131 AS40
Boulay-les-Ifs 53 ....83 AK31
Boulay-les-Barres 45 ....110 AZ36
Boulay-Moselle 57 ......46 CH22
La Boulaye 71 ....176 BQ50
Boulazac 24 ....240 AQ67
Boulbon 13 ....304 BW81
Boulc 26 ....268 CC72

Boule d'Amont 66 ......342 BF96
Bouleternère 66 ....342 BF95
Bouleurs 77 ....59 BH26
Bouleuse 51 ....41 B022
Bouliac 33 ....255 AG71
Boulieu-lès-Annonay 07 ..248 BN65
Bouligneux 01 ....213 BX57
Bouligney 70 ....119 CG36
Bouligny 55 ....45 CC21
Boulin 65 ....315 AL88
Boullarre 60 ....39 BI23
Le Boullay-
  les-Deux-Églises 28 ...85 AV29
Boullay-les-Troux 91 .....58 BB28
Le Boullay-Mivoye 28 ....56 AW28
Le Boullay-Thierry 28 ....86 AW29
Boulleret 18 ....156 BH42
Boulleville 27 ....35 AP20
Bouloc 82 ....277 AT77
Bouloc 31 ....297 AV83
Boulogne 85 ....166 AB48
Boulogne (Château de) 07.266 BT72
Boulogne-Billancourt 92 ..58 BC26
Boulogne-la-Grasse 60 ...23 BF18
Boulogne-sur-Gesse 31 ..316 AP88
Boulogne-sur-Helpe 59 ...15 BO12
Boulogne-sur-Mer 62 .....2 AY5
Bouloire 72 ....108 AP36
Boulon 14 ....53 AJ24
Boulot 70 ....161 CE42
Le Boulou 66 ....343 BH97
Boulouris 83 ....329 CN86
La Boulouze 50 ....52 AD28
Boult 70 ....161 CE42
Boult-aux-Bois 08 ......43 BV19
Boult-sur-Suippe 51 ....41 BQ20
Le Boulvé 46 ....259 AT75
Boulzicourt 08 ....26 BU17
Boumois (Château de) 49..150 AE43
Boumourt 64 ....314 AG86
Bouniagues 24 ....257 AO72
Le Boupère 85 ....166 AE49
Bouquehault 62 ....2 BA4
Bouquelon 27 ....35 AP20
Bouquemaison 80 ......12 BD11
Bouquemont 55 ....64 CA24
Bouquet 30 ....284 BS78
Bouquetot 27 ....35 AR20
Bouqueval 95 ....58 BD24
Bouranton 10 ....91 BQ32
Bouray-sur-Juine 91 .....87 BC30
Bourbach-le-Bas 68 ....142 CM37
Bourbach-le-Haut 68 ...142 CM37
La Bourbansais
  (Château de) 35 ....79 X30
Bourberain 21 ....160 BZ41
Bourbévelle 70 ....118 CE36
Bourbon-Lancy 71 .....193 BO51
Bourbon-l'Archambault 03..191 BI51
Bourbonne-les-Bains 52 .118 CC36
La Bourboule 63 ......227 BG62
Bourbourg 59 ....3 BC3
Bourbriac 22 ....77 O29
Bourcefranc-
  le-Chapus 17 ....200 AC59
Bourcia 39 ....196 CA54
Bourcq 08 ....42 BT20
Bourdainville 76 ....20 AT17
Bourdalat 40 ....294 AI82
Bourdeau 73 ....233 C661
Bourdeaux 26 ....267 BZ73
Bourdeilles 24 ....222 AP65
Le Bourdeix 24 ......222 AP62
Bourdelles 33 ....256 AK14
Bourdenay 10 ....90 BM32
Le Bourdet 79 ....184 AG55
Bourdettes 64 ....314 AH89
Bourdic 30 ....284 BT80
La Bourdinière-
  Saint-Loup 28 ....86 AW32
Bourdon 80 ....20 BB14
Bourdonnay 57 ....67 CJ27
Bourdonné 78 ....57 AY27
Bourdons-sur-Rognon 52 .117 BZ33
Bourecq 62 ....7 BD7
Bouresches 02 ....60 BK24
Bouresse 86 ....186 AP54
Bouret-sur-Canche 62 ...12 BD10
Boureuilles 55 ....43 BW22
Bourg 52 ....139 BZ38
Le Bourg 46 ....261 AZ72
Bourg 33 ....255 AG68
Bourg-Achard 27 ......35 AS21
Bourg-Archambault 86 ..187 AS54
Bourg-Argental 42 ....248 BU66
Bourg-Beaudouin 27 ....36 AV20
Bourg-Blanc 29 ....70 E28
Bourg-Bruche 67 ......96 CM31
Le Bourg-d'Arud 38 ....261 CH68
Bourg-de-Bigorre 65 ...315 AM90
Bourg-de-Péage 26 ....249 BY68
Bourg-de-Sirod 39 ....180 CE49
Bourg-de-Thizy 69 ....212 BS57
Bourg-de-Visa 82 ....277 AS77
Le Bourg-d'Hem 23 ...189 AZ55
Le Bourg-d'Iré 49 .....127 AE39
Le Bourg-d'Oisans 38 ..251 CG68
Bourg-d'Oueil 31 .....334 AO93

Bourg-du-Bost 24 ....239 AM66
Le Bourg-Dun 76 ....19 AS15
Bourg-en-Bresse 01 ....195 BZ55
Bourg-et-Comin 02 ......40 BM20
Bourg-Fidèle 08 ....26 BT14
Bourg-la-Reine 92 ......58 BD27
Bourg-Lastic 63 ....226 BE62
Bourg-le-Comte 71 .....193 BP54
Bourg-le-Roi 72 ....83 AM32
Bourg-lès-Valence 26 ..249 BX69
Bourg-l'Évêque 49 .....127 AE38
Bourg-Madame 66 .....341 BA98
Bourg-Saint-Andéol 07 ..284 BV76
Bourg-Saint-Bernard 31 .298 AY85
Bourg-Saint-Christophe 01..213 BZ59
Le Bourg-Saint-Léonard 61..54 AM27
Bourg-Sainte-Marie 52 ..117 CB33
Bourg-sous-Châtelet 90 ..142 CL38
Bourgaltroff 57 ....67 CJ25
Bourganeuf 23 ....206 AY58
Bourgbarré 35 ....104 Z35
Bourgeauville 14 ....34 AM21
Bourges 18 ....173 BD46
Le Bourget-du-Lac 73 ..233 CE61
Bourget-en-Huile 73 ...233 CH63
Bourgheim 67 ....97 CP30
Bourghelles 59 ....9 BJ7
Bourgnac 24 ....239 AN69
Bourgneuf 73 ....233 CH62
Bourgneuf 17 ....183 AD55
Bourgneuf-en-Mauges 49..149 AF43
Bourgneuf-en-Retz 44 ..146 W45
Le Bourgneuf-la-Forêt 53..105 AE33
Bourgneuf-Val-d'Or 71 ...177 BV48
Bourgogne 51 ....41 BP21
Bourgoin-Jallieu 38 ....232 CA62
Bourgon 53 ....105 AD33
La Bourgonce 88 ....96 CK31
La Bourgonnière
  (Chapelle de) 49 .....148 AD42
Bourgougnague 47 ....257 AN73
Bourgtheroulde-
  Infreville 27 ....35 AS21
Bourguébus 14 ....33 AK23
Bourgueil 37 ....150 AM43
Bourguenolles 50 ......51 AC26
Le Bourguet 83 ....308 CK82
Bourguignon 25 ......142 CK41
Bourguignon-
  lès-Conflans 70 .....141 CF37
Bourguignon-
  lès-la-Charité 70 ....161 CE41
Bourguignon-
  lès-Morey 70 ....140 CC38
Bourguignon-
  sous-Coucy 02 ....24 BJ18
Bourguignon-
  sous-Montbavin 02 ...40 BL19
Bourguignons 10 ......115 BS34
Bourgvilain 71 ....194 BU54
Bourideys 33 ....273 AG76
Bouriège 11 ....337 BB91
Bourigeole 11 ....337 BB91
Bourisp 65 ....333 AM93
Bourlens 47 ....259 AS75
Bourlon 62 ....14 BI11
Bourmont 52 ....117 CB33
Bournainville-
  Faverolles 27 ....35 AP23
Bournan 37 ....170 AR46
Bournand 86 ....168 AM46
Bournazel 81 ....279 BA79
Bournazel 12 ....261 BC75
Bourneau 85 ....184 AF51
Bournel 47 ....258 AQ73
Bourneville 27 ....35 AQ20
Bournezeau 85 ......166 AC50
Bourniquel 24 ....258 AQ71
Bournois 25 ....141 CI40
Bournoncle-
  Saint-Pierre 43 .....228 BK65
Bournoncles 15 ......245 BJ70
Bournonville 62 ....6 AZ6
Bournos 64 ....314 AH86
Bourogne 90 ....142 CL40
Bourran 47 ....274 AN76
Bourré 41 ....152 AU43
Bourréac 65 ....333 AK90
Bourret 82 ....297 AT81
Bourriot-Bergonce 40 ..274 AI78
Bourron-Marlotte 77 ...88 BF32
Bourrou 24 ....240 AP68
Bourrouillan 32 ......295 AK82
Bours 65 ....315 AK88
Bours 62 ....7 BD8
Boursault 51 ....61 B024
Boursay 41 ....109 AT35
Bourscheid 57 ....67 CM26
Bourseul 22 ....79 V29
Bourseville 80 ....11 AX12
Boursières 70 ....141 CF39
Boursin 62 ....2 AZ5
Boursonne 60 ....39 BI22
Bourth 62 ....38 BA7
Bourthes 62 ....6 AZ7
Bourtzwiller 68 ......143 CO37
Bourville 76 ....19 AS16
Boury-en-Vexin 60 .....37 AY22

Bousbach 57 ....47 CK22
Le Bouscat 33 ....237 AG70
Bousbecque 59 ....4 BI5
Bousies 59 ....15 BM12
Bousignies 59 ....9 BK9
Bousignies-sur-Roc 59 ..16 BQ10
Le Bousquet 11 ......337 BB94
Le Bousquet-d'Orb 34 ..301 BJ83
Boussac 46 ....261 AZ72
La Boussac 35 ....80 Z29
Boussac 23 ....190 BC54
Boussac 12 ....280 BD77
Boussac-Bourg 23 ....190 BC54
Boussais 79 ....168 AJ48
Boussan 31 ....316 AR88
Boussay 44 ....166 AC46
Boussay 37 ....170 AS48
Bousse 72 ....129 AL38
Bousse 57 ....45 CF21
Bousselange 21 ......178 BZ47
Bouttevilingem 62 ....3 BB5
Boussenac 09 ....335 AV92
Boussenois 21 ....139 BY39
Boussens 31 ....317 AS89
Bousseraucourt 70 ....118 CE36
Boussès 47 ....275 AL78
Bousseviller 57 ....48 CO22
Boussey 21 ....159 BT42
Boussicourt 80 ....22 BE17
Boussières 25 ....161 CE44
Boussières-
  en-Cambrésis 59 .....14 BK12
Boussières-sur-Sambre 59..15 BO11
Boussois 59 ....15 BP10
Boussy 74 ....215 CF59
Boussy-Saint-Antoine 91 ..58 BE28
Boust 57 ....45 CF19
Boustroff 57 ....66 CI24
Bout-d'Oye 62 ....3 BB2
Bout-du-Lac 74 ......215 CH59
Bout du Monde
  (Cirque du) 21 ......177 BU47
Bout-du-Pont-de-Larn 81..319 BD86
Boutancourt 08 ....26 BU17
Boutavent 60 ....21 AZ17
Boutenac 11 ....338 BG90
Boutenac-Touvent 17 ..219 AF63
Boutencourt 60 ....37 AZ21
Boutervilliers 91 ....87 BB31
Bouteville 16 ....220 AJ62
Bouthéon 42 ....230 BS63
Boutiers-Saint-Trojan 16 ..220 AI61
Boutigny 77 ....59 BH25
Boutigny-sur-Essonne 91..87 BD31
Boutigny-sur-Opton 28 ..57 AX27
Bouttencourt 80 ....11 AY14
Bouttville 50 ....32 AD20
Boutx 31 ....334 AQ92
Bouvaincourt-sur-Bresle 80..11 AX13
Bouvancourt 51 ....40 B021
Bouvante 26 ....250 CA69
Bouvante-le-Haut 26 ..250 CA70
Bouvellingham 62 ......3 BB5
Bouvellemont 08 ....26 BU18
Bouvent 01 ....196 CC54
Bouverans 25 ....180 CG48
Bouvesse-Quirieu 38 ..214 CB60
Bouvignies 59 ....9 BJ9
Bouvigny-Boyeffles 62 ...8 BF9
Bouville 91 ....87 BC31
Bouville 76 ....18 AS18
Bouville 28 ....110 AW33
Bouvincourt-
  en-Vermandois 80 ....23 BI15
Bouvines 59 ....9 BJ7
Bouvresse 60 ....21 AZ17
Bouvron 54 ....65 CD27
Bouvron 44 ....147 X41
Boux-sous-Salmaise 21 .159 BU41
Bouxières-aux-Bois 88 ..95 CG32
Bouxières-aux-Chênes 54..66 CG26
Bouxières-aux-Dames 54 ..65 CF27
Bouxières-
  sous-Froidmont 54 ....65 CE24
Bouxurulles 88 ....95 CG31
Bouxwiller 68 ....143 CO40
Bouxwiller 67 ....68 CO25

Bouy 51 ....42 BR23
Bouy-Luxembourg 10 ...91 BR31
Bouy-sur-Orvin 10 ......89 BL31
Bouyon 06 ....309 CP81
Le Bouyssou 46 ......261 BA72
Bouzais 28 ....173 BE50
Bouzancourt 52 ....92 BW32
Bouzanville 54 ....94 CF31
Bouze-lès-Beaune 21 ..177 BV46
Bouzèdes
  (Belvédère des) 30 ..283 BK60
Bouzemont 88 ....95 CG32
Bouzeron 71 ....177 BV48
Bouzic 24 ....259 AU72
Bouziès 46 ....260 AX75
Bouziguès 34 ....322 BN86
Bouzillé 49 ....148 AD42
Bouzin 31 ....316 AR89
Bouzincourt 80 ....13 BE15
Bouzon-Gellenaze 32 ..295 AK83
Bouzonville 57 ....46 CH21
Bouzonville-aux-Bois 45 ..111 BC35
Bouzonville-en-Beauce 45..111 BC33
Bouzy 51 ....61 BQ24
Bouzy-la-Forêt 45 ....134 BD37
Bovée-sur-Barboure 55 ..93 CA28
Bovel 35 ....103 X35
Bovelles 80 ....22 BB15
Boves 80 ....22 BD15
Boviolles 55 ....93 BZ28
Boyardville 17 ....200 AB58
Boyaval 62 ....7 BD8
Boyelles 62 ....8 BG11
Boyer 71 ....195 BW51
Boyer 42 ....211 BR51
Boyeux-Saint-Jérôme 01..214 CB57
Boynes 45 ....111 BD34
Boz 01 ....195 BX53
Bozas 07 ....248 BV68
Bozel 73 ....234 CK63
Bozouls 12 ....262 BC75
Brabant-en-Argonne 55....43 BX23
Brabant-le-Roi 55 .....63 BW26
Brabant-sur-Meuse 55 ..43 BY21

BOURGES

Armuriers (R. des) .... Z 2
Auron (Bd d') .... Z
Barbès (R.) .... Z 4
Beaux-Arts (R. des) .... Y 5
Bourbonnoux (Prom.) .... YZ
Calvin (R.) .... Y 7
Cambournac (R.) .... Y 8
Champ-de-Foire (R. du) ..... Z 12
Commerce (R. du) .... Y 13
Coursarlon (R.) .... Y
Cujas (Pl.) .... Y 15
Dr-Témoin (R. du) .... Y 17

Dormoy (Av. Marx) .... Y 19
Équerre (R. de l') .... Y 20
George-Sand (Escalier) ..... Y 27
Hémerettes (R. des) .... Y 29
Jacobins (Cour des) .... Z 31
Jacques-Coeur (R.) .... Y 32
Jean-Jaurès (Av.) .... Y
Joyeuse (R.) .... Y 35
Juranville (Pl.) .... Z 36
J.-J. Rousseau (R.) .... Z 42
Leblanc (R. N.) .... YZ 40
Linières (R. de) .... Z 42
Louis XI (Av.) .... Z 43
Mallet (R. L.) .... Z 44
Marceau (Rampe) .... Z 45

Mirebeau (R.) .... Y
Moyenne (R.) .... YZ
Orléans (Av. d') .... Y 48
Pelvoysin (R.) .... Y 52
Poissonnerie (R. de la) .... Y 52
Prinal (R. du) .... Y 55
Rimbault (R. J.) .... Z 61
Strasbourg (Bd de) .... Z 71
Thaumassière
  (R. de la) .... Y 72
Tory (R. G.) .... Y 73
Victor-Hugo (R.) .... Z 74
3-Maillets (R. des) .... Z 75
4-Piliers (Pl. des) .... Z 76
95-de-Ligne (Av. du) .... Z 78

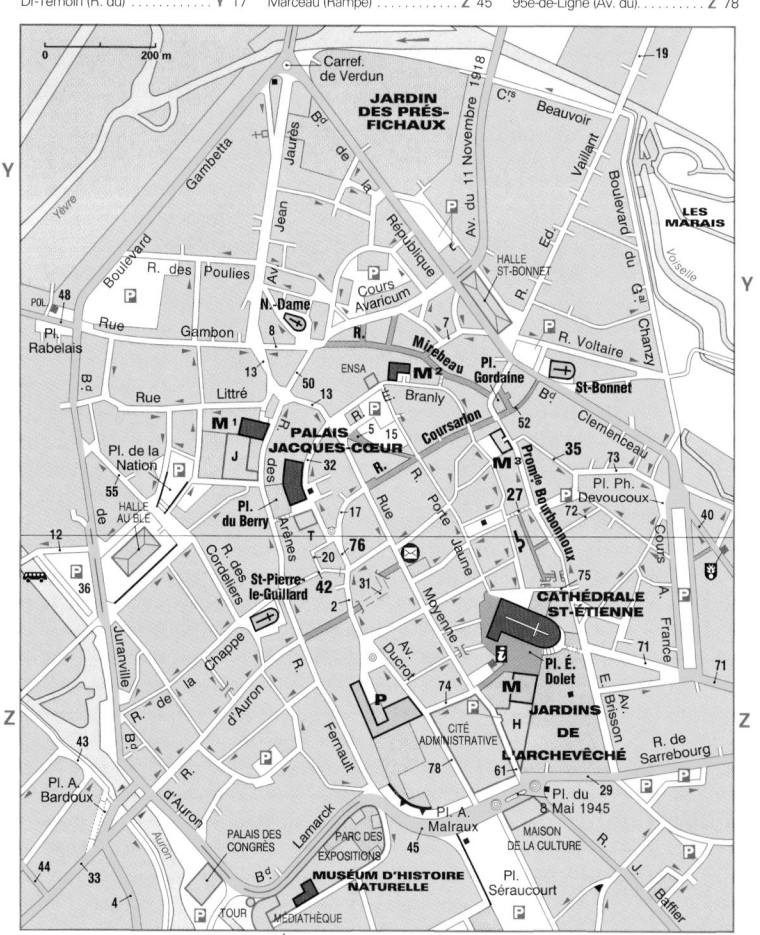

Brach 33....236 AD68
Brachay 52....92 BX31
Braches 80....22 BE16
Brachy 76....20 AT15
Bracieux 41....153 AX41
Bracon 39....179 CE47
Bracquemont 76....10 AU14
Bracquetuit 76....20 AU17
Bradiancourt 76....20 AW17
Braffais 50....51 AC27
Bragassargues 30....303 BR81
Bragayrac 31....317 AS86
Brageac 15....243 BC67
Bragelogne 10....115 BR36
Bragny-sur-Saône 71....178 BX47
La Brague 06....309 CP83
Brahic 07....283 BR76
Braillans 25....162 CF43
Brailly-Cornehotte 80....11 BA11
Brain 21....159 BT41
Brain-sur-Allonnes 49....150 AM43
Brain-sur-l'Authion 49....149 AI42
Brain-sur-Longuenée 49....128 AF40
Brain-sur-Vilaine 35....126 X38
Brainans 39....179 CC48
Braine 02....40 BL21
Brains 44....147 Y44
Brains-sur-Gée 72....107 AL35
Brains-sur-les-Marches 53....105 AC36
Brainville 54....65 CC23
Brainville 50....31 AB23
Brainville-sur-Meuse 52....CB33
Braisnes 60....39 BG19
Braize 03....173 BF50
Bralleville 54....94 CF31
Bram 11....319 BB89
Bramabiau
  (Abîme du) 30....282 BM79
Bramans 73....253 CM66
Brametot 76....19 AS16
Bramevaque 65....334 AO91
Bran 17....220 AI65
Brancilles 19....242 AY69
Branches 89....136 BL37
Brancion 71....195 BW52
Brancourt-en-Laonnois 02....40 BL19
Brancourt-le-Grand 02....24 BK14
Brandérion 56....123 N37
Brandeville 55....43 BY20
Brandivy 56....124 P37
Brando 2B....345 FG102
Brandon 71....194 BU54
Brandonnet 12....279 BB76
Brandonvillers 51....91 BT29
Branféré (Parc
  zoologique de) 56....125 T39
Branges 71....178 BY50
Branges 02....40 BL22

Brangues 38....232 CC61
Brannay 89....113 BJ33
Branne 33....256 AJ71
Branne 25....162 CI42
Brannens 33....256 AJ74
Branoux-les-Taillades 30....283 BO78
Brans 39....161 CB44
Bransat 03....192 BK54
Branscourt 51....41 BO21
Bransles 77....112 BG34
Brantigny 88....95 CG31
Brantôme 24....222 AQ65
Branville 14....34 AM21
Branville-Hague 50....28 Z17
Braquis 55....44 CB22
Bras 83....307 CG85
Bras-d'Asse 04....287 CH80
Bras-sur-Meuse 55....44 BZ22
Brasc 12....280 BF80
Braslou 37....169 A047
Brasparts 29....76 I30
Brassac 82....277 AS78
Brassac 81....300 BE84
Brassac 09....336 AW92
Brassac-les-Mines 63....228 BK64
Brasseitte 55....64 CA26
Brassempouy 40....293 AE84
Brasseuse 60....39 BF22
Brassy 80....22 BB16
Brassy 58....158 BP44
Bratte 54....65 CF26
Braucourt 52....92 BV29
Braud-et-Saint-Louis 33....237 AF66
Braus (Col de) 06....291 CR80
Brauvilliers 55....92 BX29
Braux 08....26 BU15
Braux 21....159 BT42
Braux 10....91 BT30
Braux 04....289 CM79
Braux-le-Châtel 52....116 BW34
Braux-Saint-Remy 51....63 BV24
Braux-Sainte-Cohière 51....43 BV23
Bravone 2B....347 FH108
Brax 47....275 A078
Brax 31....297 AU84
Bray 71....194 BV52
Bray 27....35 AS23
Bray-Dunes 59....3 BE1
Bray-en-Val 45....134 BD38
Bray-et-Lû 95....37 AY23
Bray-la-Campagne 14....33 AK23
Bray-lès-Mareuil 80....11 AZ13
Bray-Saint-Christophe 02....24 BJ16
Bray-sur-Seine 77....89 BJ31
Bray-sur-Somme 80....23 BF14
Braye 02....40 BK20

Braye-en-Laonnois 02....40 BM20
Braye-en-Thiérache 02....25 BO16
Braye-sous-Faye 37....169 A047
Braye-sous-Maulne 37....130 AN40
Brazey-en-Morvan 21....158 BS45
Brazey-sur-Plaine 21....160 BZ45
Bréal-sous-Montfort 35....103 X34
Bréal-sous-Vitré 35....105 AD34
Bréançon 95....37 AY23
Bréau 77....88 BH29
Bréau-et-Salagosse 30....282 BN80
Bréauté 76....19 AP17
Bréban 51....91 BS29
Brebières 62....14 BI10
Brebotte 90....142 CM39
Brécé 53....82 AG31
Brécé 35....104 AA34
Brech 56....124 P37
Brechainville 88....93 CA31
Bréchamps 28....57 AX28
Bréchaumont 68....142 CM38
Brèche au Diable 14....33 AK25
Brèches 37....130 A040
Breconchaux 25....162 CG42
Brectouville 50....52 AE24
Brécy 18....155 BF45
Brécy 02....40 BL23
Brécy-Brières 08....42 BU21
La Brède 33....255 AG72
Brée 53....106 AH34
La Brée-les-Bains 17....200 AA57
Bréel 61....53 AJ26
Brégnier-Cordon 01....212 BV73
Brégy 60....59 BH24
Bréhain 57....66 CI25
Bréhain-la-Ville 54....45 CC19
Bréhal 50....51 AB25
Bréhan 56....102 R34
Bréhand 22....73 Q25
Bréhec-en-Plouha 22....73 Q24
Bréhémont 37....151 A043
Bréhéville 55....43 BY20
Breidenbach 57....48 CO22
Breil 49....150 AM41
Le Breil-sur-Mérize 72....108 AP35
Breil-sur-Roya 06....291 CS79
La Breille-les-Pins 49....150 AM43
Breilly 80....22 BC14
Breistroff-la-Grande 57....45 CF19
Breitenau 67....96 CN31
Breitenbach 67....96 CN31
Breitenbach-Haut-Rhin 68....120 CM34
Brélès 29....70 D28
Brélidy 22....73 O27
Brem-sur-Mer 85....165 X50
Bréménil 54....96 CL29

Brêmes 62....2 BA4
Bremmelbach 67....69 CR23
Bremondans 25....162 CI43
Brémontier-Merval 76....37 AX19
Brémoy 14....52 AG24
Brémur-et-Vaurois 21....138 BU38
Bren 26....249 BX67
Brenac 11....337 BB92
Brenas 34....301 BK84
Brenat 63....228 BK63
Brenelle 02....40 BL20
Brengues 46....261 AZ74
Brennes 52....139 BZ38
Brennilis 29....76 J30
Brénod 01....214 CC57
Brenon 83....308 CL82
Brenouille 60....38 BE21
Brenoux 48....264 BM75
Brens 81....298 AZ81
Brens 01....214 CD60
Brenthonne 74....198 CI54
Breny 02....40 BK22
La Bréole 04....270 CI74
Brères 25....179 CB49
Bresdon 17....202 AI59
Le Brévedent 14....34 AO22
Les Bréseux 25....163 CL43
Bresilley 70....161 CC43
Bresle 80....22 BE14
Bresles 60....38 BC20
Bresnay 03....192 BK53
La Bresse 88....120 CL35
Bresse-sur-Grosne 71....194 BV51
Bressey-sur-Tille 21....160 BY43
Bressieux 38....232 CA65
Bressolles 03....192 BK52
Bressolles 01....213 BY59
Bressols 82....277 AV80
Bresson 38....251 CE67
Bressoncourt 52....93 BZ30
Bressuire 79....167 AH48
Brest 29....75 E29
Brestot 27....35 AR21
Bretagne 90....142 CM39
Bretagne 36....171 AY47
Bretagne-d'Armagnac 32....295 AL81
Bretagne-de-Marsan 40....294 AK83
Bretagnolles 27....56 AW25
Breteau 45....135 BH39
Breteil 35....103 X33
La Bretenière 39....161 CC45
La Bretenière 25....162 CG42
Bretenière 21....160 BY44
Bretenières 39....179 CB47
Bretenoux 46....243 AZ70
Breteuil 60....22 BC18
Breteuil (Château de) 78....57 BA28
Breteuil-sur-Iton 27....55 AS26
Brethel 61....55 AO28
Brethenay 52....117 BY34
Le Brethon 03....191 BG52
Bretigney 25....142 CJ41
Bretigney-Notre-Dame 25....162 CH43
Bretignolles 79....167 AG48
Brétignolles
  (Château de) 37....151 AN45
Brétignolles-le-Moulin 53....82 AI30
Bretignolles-sur-Mer 85....165 X50
Brétigny 60....23 BI18
Brétigny 27....35 AR22
Brétigny 21....160 BY42
Brétigny-sur-Orge 91....87 BD29
Bretoncelles 61....85 AS31
La Bretonnière-
  La Claye 85....183 AB52
Bretonvillers 25....163 CJ44
Brette 26....268 CA73
Brette-les-Pins 72....108 AO36
Bretten 68....142 CM38
Brettes 16....203 AL58
Bretteville 50....29 AB17
Bretteville-
  du-Grand-Caux 76....19 AP17
Bretteville-le-Rabet 14....53 AK24
Bretteville-
  l'Orgueilleuse 14....33 AI22
Bretteville-Saint-Laurent 76....19 AS16
Bretteville-sur-Ay 50....31 AA21
Bretteville-sur-Dives 14....54 AL24
Bretteville-sur-Laize 14....53 AJ24
Bretteville-sur-Odon 14....33 AJ22
Brettnach 57....46 CH21
Bretx 31....297 AU83
Breuches 70....141 CH37
Breuchotte 70....141 CI37
Breugnon 58....157 BL42
Breuil 80....23 BH16
Le Breuil 71....177 BT49
Le Breuil 69....212 BU59
Breuil 51....41 BN21
Le Breuil 51....60 BM25
Le Breuil 03....210 BN56
Breuil-Barret 85....167 AG50
Le Breuil-Bernard 79....167 AH50
Breuil-Bois-Robert 78....57 AY25
Breuil-Chaussée 79....167 AH48
Le Breuil-en-Auge 14....34 AN22
Le Breuil-en-Bessin 14....32 AF21

Breuil-la-Réorte 17....201 AF57
Breuil-le-Sec 60....38 BE20
Breuil-le-Vert 60....38 BD21
Breuil-Magné 17....200 AD58
Breuil-Mingot
  (Château du) 86....186 A051
Le Breuil-
  sous-Argenton 79....167 AI47
Le Breuil-sur-Couze 63....228 BK64
Breuil-sur-Marne 52....92 BX30
Breuilaufa 87....205 AT57
Breuilh 24....240 A068
Breuillet 91....87 BC29
Breuillet 17....218 AC45
Breuilpont 27....56 AW25
Breurey-lès-Faverney 70....141 CF38
Breuschwickersheim 67....97 CQ28
Breuvannes 52....117 CB34
Breuville 50....29 AA18
Breux 55....44 BZ18
Breux-Jouy 91....87 BC29
Breux-sur-Avre 27....56 AU27
Brévainville 41....109 AV36
Bréval 78....57 AX25
Brévands 50....32 AD20
Brevans 39....161 CB45
Le Brévedent 14....34 AO22
Les Bréviaires 78....57 AZ28
Bréviandes 10....115 BO33
La Brévière 14....54 AN25
Bréville 16....202 AJ60
Bréville 14....33 AK22
Bréville-sur-Mer 50....51 AA25
Brévillers 80....12 BD11
Brévillers 62....12 BA10
Brévilliers 70....142 CK39
Brévilly 08....27 BX17
Brévonnes 10....91 BS32
Bréxent-Énocq 62....6 AY8
Brey-et-
  Maison-du-Bois 25....180 CH49
Brézal (Moulin de) 29....71 H28
Brézé 49....150 AL45
Brézellec (Pointe de) 29....98 D33
Bréziers 05....270 CI75
Brézilhac 11....337 BB89
Brézins 38....232 CA65
Brézolles 28....56 AT28
Brezons 15....245 BG69
Le Brézouard 68....96 CM32
Brianny 21....158 BS42
Briançon 05....252 CL69
Briançonnet 06....308 CM81
Briant 21....193 BR54
Briantes 36....189 BA52
Briare 45....134 BG40
Briarres-sur-Essonne 45....111 BD33
Brias 62....7 BD9
Briastre 59....14 BL31
Briatexte 81....298 AZ83
Briaucourt 70....141 CG37
Briaucourt 52....117 BY33
Bricon 52....116 BW35
Briconville 28....86 AW30
Bricquebec 50....29 AA19
Bricquebosq 50....28 Z18
Bricqueville 14....32 AF21
Bricqueville-la-Blouette 50....51 AB24
Bricqueville-sur-Mer 50....51 AA25
Bricy 45....110 AZ36
Brides-les-Bains 73....234 CK63
La Bridoire 73....232 CD63
Bridoire (Château de) 24....257 A071
Bridoré 37....170 AT46
Brie 80....23 BH15
Brie 79....168 AL47
Brie 35....104 AA36
Brie 16....221 AM61
Brie 09....318 AW89
Brie 24....241 BL18
Brie-Comte-Robert 77....59 BF28
Brié-et-Angonnes 38....251 CE67
Brie-sous-Archiac 17....220 AI63
Brie-sous-Barbezieux 16....220 AK64
Brie-sous-Chalais 16....220 AK65
Brie-sous-Matha 17....202 AJ60
Brie-sous-Mortagne 17....219 AF63
Briec 29....100 I33
Briel-sur-Barse 10....115 BS33
Brielles 35....105 AD35
Brienne 71....195 BX51
Brienne-la-Vieille 10....BT31
Brienne-le-Château 10....91 BT31
Brienne-sur-Aisne 08....41 BP20
Briennon 42....211 BO56
Brienon-sur-Armançon 89....114 BM36
Brières-les-Scellés 91....87 BB31
Brieuil-sur-Chizé 79....202 AI56
Brieulles-sur-Bar 08....43 BV19
Brieulles-sur-Meuse 55....43 BX20
Brieux 61....54 AL26
Briey 54....45 CD21
Briffons 63....226 BF61
Brignac 87....206 AW59
Brignac 56....103 U33
Brignac 34....302 BM84
Brignac-la-Plaine 19....241 AV67
Brignais 69....231 BW61

Brignancourt 95....37 BA23
Brigné 49....149 AI44
Brignemont 31....297 AS83
Brignogan-Plages 29....71 G26
Brignoles 83....328 CH86
Le Brignon 43....247 BP70
Brignon 30....284 BS80
Brignoud 38....251 CF66
La Brigue 06....291 CT78
Briguel-le-Chantre 86....187 AR58
Brigueuil 16....204 AR58
Briis-sous-Forges 91....87 BB31
Brillac 16....204 AR57
La Brillanne 04....287 CH80
Brillecourt 10....91 BS30
Brillevast 50....29 AC17
Brillon 59....9 BJ9
Brillon-en-Barrois 55....63 BX27
Brimeux 62....6 AZ8
Brimont 51....41 BP21
Brin-sur-Seille 54....66 CG26
Brinay 58....175 BN47
Brinay 18....154 BB45
Brinckheim 68....143 CP39
Brindas 69....231 BV61
Bringolo 22....73 P28
Brinon-sur-Beuvron 58....157 BL44
Brinon-sur-Sauldre 18....154 BC41
Briod 39....179 CC50
Briollay 49....128 AH40
Brion 89....113 BL36
Brion 86....186 A054
Brion 71....176 BR48
Brion 49....150 AK42
Brion 48....263 BJ72
Brion 38....232 CA65
Brion 36....171 AY47
Brion 01....214 CC56
Brion (Pont de) 38....250 CD70
Brion-près-Thouet 79....168 AK46
Brion-sur-Ource 21....116 BU36
Brionne 27....35 AR22
La Brionne 23....206 AY56
Briord 01....214 CB60
Briosne-lès-Sables 72....108 AO34
Briot 60....21 BA17
Briou 41....132 AW38
Brioude 43....246 BL66
Brioux-sur-Boutonne 79....202 AJ56
Briouze 61....53 AJ28
Briquemesnil-Floxicourt 80....22 BB15
Briquenay 08....43 BV20
Briscous 64....292 Z85
Brison 73....215 CE60
Brison-Saint-Innocent 73....215 CE60
Brissac 34....302 B081
Brissac (Château de) 49....149 AI43
Brissac-Quincé 49....149 AI43
Brissarthe 49....128 AI39
Brissay-Choigny 02....24 BK19
Brissy-Hamégicourt 02....24 BK16
Brive-la-Gaillarde 19....242 AW67
Brives 36....172 BA49
Brives-Charensac 43....247 BP68
Brives-sur-Charente 17....219 AH61
Brivezac 19....243 AZ69
Brix 50....29 AA18
Brixey-aux-Chanoines 55....94 CC30
Brizambourg 17....201 AH60
Brizay 37....169 AO48
Brizeaux 55....63 BX24
Brizon 74....216 CJ57
Le Broc 63....228 BK63
Broc 49....129 AM40
Le Broc 06....291 C081
Brocas 40....273 AG79
Brochon 21....160 BX44
Brocottes 14....34 AL22
Brocourt 80....21 AZ15
Brocourt-en-Argonne 55....43 BX23
Broglie 27....55 AQ24
Brognard 25....142 CL40
Brognon 21....160 BY42
Brognon 08....26 BR14
Broin 21....178 BY46
Broindon 21....160 BX44
Broissia 39....196 CB53
Brombos 80....21 AZ17
Bromeilles 45....112 BE34
Brommat 12....262 BF71
Bromont-Lamothe 63....209 BG60
Bron 69....231 BX61
Broncourt 52....140 CC38
Bronvaux 57....45 CC22
Broons 22....79 V31
Broons-sur-Vilaine 35....104 AB34
La Broque 67....96 CN29
Broquiers 60....21 AZ17
Broquiès 12....280 BF80
Brossac 16....220 AK65
Brossainc 07....230 BV65
Brossay 49....150 AJ45
La Brosse-Montceaux 77....89 BI32
Brosses 89....157 BN41
Brosville 27....36 AU22
Brotonne (Pont de) 76....35 AR19
Brotte-lès-Luxeuil 70....141 CH38
Brotte-lès-Ray 70....140 CC40
Brottes 52....117 BY34
Brou 28....109 AU33
Brou 01....195 BZ55

BREST

Algésiras (R. d')....EY 2
Clemenceau (Av. G.)....EY
Colbert (R.)....EY 5
Foch (Av. Mar.)....EY 14
Français-Libres
  (Bd des)....DZ 16
Frégate-La-Belle-Poule
  (R. de la)....EZ 17
Jean-Jaurès (R.)....EY
Kérabécam (R. de)....EY 22
Liberté (Pl. de la)....EY
Lyon (R. de)....DEY
Marine (Bd de la)....DZ 25
Réveillère (Av. Amiral)....EY 33
Roosevelt (Av. Fr.)....DZ 34
Siam (R. de)....EY
11-Martyrs (R. des)....EY 42

Brou-sur-Chantereine 77.....59 BF26
Brouage 17.....200 AC59
Brouains 50.....52 AE27
Broualan 35.....80 Z30
Brouay 14.....33 AI22
Brouchaud 24.....241 AS67
Brouchy 80.....23 BI17
Brouck 57.....46 CH22
Brouckerque 59.....3 BC3
Brouderdorff 57.....67 CM27
Broué 28.....57 AX27
Brouennes 55.....27 BY18
Le Brouilh-Monbert 32.....295 AN84
Brouilla 66.....343 BH96
Brouillet 51.....41 BN22
Brouis (Col de) 06.....291 CS80
Brouqueyran 33.....256 AJ74
Brousse 81.....299 BB83
Brousse 63.....228 BL62
Brousse 23.....208 BE58
La Brousse 17.....202 AI59
Brousse-le-Château 12.....280 BF80
Brousses-et-Villaret 11.....319 BC87
Brousseval 52.....92 BW30
Broussey-en-Blois 55.....93 CA28
Broussey-en-Woëvre 55.....64 CB26
Broussy-le-Grand 51.....61 BO27
Broussy-le-Petit 51.....61 BO27
Broût-Vernet 03.....210 BK56
Brouthières 52.....93 BZ31
Brouvelieures 88.....95 CJ32
Brouville 54.....95 CJ29
Brouviller 57.....67 CM26
Brouy 91.....87 BC32
Brouzet-lès-Alès 30.....284 BS78
Brouzet-lès-Quissac 30.....303 BO82
Les Brouzils 85.....166 AB47
Brovès 83.....308 CL83
Broxeele 59.....3 BD4
Broye 71.....176 BS48
Broye-les-Loups-et-Verfontaine 70.....160 CA41
Broye 60.....22 BE18
Broyes 51.....61 BN27
Broze 81.....298 AZ82
Brû 88.....95 CJ31
Bruailles 71.....195 BZ51
Bruay-la-Buissière 62.....7 BE8
Bruay-sur-l'Escaut 59.....9 BL9
Bruc-sur-Aff 35.....125 W37
Brucamps 80.....12 BB13
Bruch 47.....275 AN78
Brucheville 50.....32 AD20
Brucourt 14.....34 AL22
Brue-Auriac 83.....307 CG85
Bruebach 68.....143 CO38
Brueil-en-Vexin 78.....57 AZ24
Bruère-Allichamps 18.....173 BD49
La Bruère-sur-Loir 72.....130 AO39
La Bruffière 85.....166 AC46
Brugairolles 11.....337 BB90
Le Brugeron 63.....228 BN61
Bruges 64.....332 AH90
Bruges 33.....237 AF70
Brugheas 03.....210 BL57
Brugnac 47.....257 AO75
Brugnens 32.....296 AQ82
Brugny-Vaudancourt 51.....61 BO24
La Bruguière 30.....284 BT79
Bruguières 31.....297 AX83
Bruille-lez-Marchiennes 59.....9 BJ9
Bruille-Saint-Amand 59.....9 BL8
Bruis 05.....268 CC74
Brûlain 79.....185 AI55
Les Brulais 35.....103 W36
Brulange 57.....66 CI24
La Brûlatte 53.....105 AE34
Bruley 54.....65 CD27
Brullemail 61.....54 AO28
Brullioles 69.....212 BU60
Brûlon 72.....107 AK36
Brumath 67.....68 CQ26
Brumetz 02.....40 BJ23
Brunehamel 02.....25 BQ16
Brunelles 28.....85 AS32
Les Brunels 11.....319 BA87
Brunembert 62.....2 BA5
Brunémont 59.....14 BI10
Brunet 04.....307 CG81
Bruniquel 82.....278 AX80
Brunissard 05.....253 CM70
Brunoy 91.....58 BE28
Brunstatt 68.....143 CO38
Brunville 76.....10 AV14
Brunvillers-la-Motte 60.....22 BE18
Le Brusc 83.....327 CF90
Brusque 12.....301 BJ83
Le Brusquet 04.....288 CJ78
Brussey 70.....161 CD43
Brussieu 69.....230 BU61
Brusson 51.....62 BU27
Brusvily 22.....79 W30
Brutelles 80.....11 AX12
Bruville 54.....65 CD23
Brux 86.....186 AM55
La Bruyère 70.....141 CI37
Bruyères 88.....95 CJ32
Bruyères-et-Montbérault 02.....40 BM19
Bruyères-le-Châtel 91.....87 BC29
Bruyères-sur-Fère 02.....40 BL22

Bruyères-sur-Oise 95.....38 BD23
Bruys 02.....40 BM21
Bruz 35.....104 Y35
Bry 59.....15 BM10
Bry-sur-Marne 94.....58 BD26
Bû 28.....57 AX27
Le Bû-sur-Rouvres 14.....53 AK24
Buais 50.....81 AA29
Buanes 40.....294 AG83
Bubertré 61.....84 AO29
Bubry 56.....101 O35
Buc 90.....142 CK39
Buc 78.....58 BB27
Bucamps 60.....38 BD19
Bucéels 14.....33 AH22
Bucey-en-Othe 10.....114 BO33
Bucey-lès-Gy 70.....161 CD42
Bucey-lès-Traves 70.....140 CE39
Buchelay 78.....57 AY25
Buchères 10.....115 BO33
Buchey 52.....92 BW32
Buchy 76.....20 AW18
Buchy 57.....66 CG24
Bucilly 02.....25 BP15
Bucquoy 62.....13 BF12
Bucy-le-Long 02.....40 BK20
Bucy-le-Roi 45.....111 BA35
Bucy-lès-Cerny 02.....24 BL18
Bucy-lès-Pierrepont 02.....25 BO17
Bucy-Saint-Liphard 45.....110 AY36
Budelière 23.....190 BE55
Buding 57.....46 CG20
Budling 57.....46 CG20
Budos 33.....255 AH74
Bué 18.....155 BG43
Bueil 27.....56 AW25
Bueil-en-Touraine 37.....130 AP40
Buellas 01.....195 BY55
Le Buet 74.....217 CM57
Buethwiller 68.....143 CN38
Buffard 25.....179 CD46
Buffières 71.....194 BU53
Buffignécourt 70.....140 CE37
Buffon 21.....137 BR39
Bugarach 11.....337 BD93
Bugard 65.....315 AM88
Bugeat 19.....225 BA62
Bugnein 64.....313 AD87
Bugnicourt 59.....14 BJ10
Bugnières 52.....116 BX36
Bugny 25.....180 CH46
Le Bugue 24.....241 AS70
Buhl 68.....120 CN35
Buhl 67.....69 CS24
Buhl-Lorraine 57.....67 CM27
Buhy 95.....37 AY22
Buicourt 60.....37 AZ19
Buigny-l'Abbé 80.....11 BA12
Buigny-lès-Gamaches 80.....11 AX13
Buigny-Saint-Maclou 80.....11 AZ12
Buire 02.....25 BP14
Buire-au-Bois 62.....12 BB11
Buire-Courcelles 80.....23 BI14
Buire-le-Sec 62.....6 AZ9
Buire-sur-l'Ancre 80.....23 BF14
Buironfosse 02.....25 BN14
Le Buis 87.....205 AU57
Buis-les-Baronnies 26.....286 CA77
Buis-sur-Damville 27.....56 AU26
Buissard 05.....269 CH72
La Buisse 38.....232 CC65
La Buissière 38.....233 CF64
Buisson 84.....285 BY77
Le Buisson 51.....62 BU27
Le Buisson 48.....264 BK73
Le Buisson-de-Cadouin 24.....258 AR71
Buissoncourt 54.....66 CG27
Buissy 62.....14 BI11
Bujaleuf 87.....206 AX60
Bulainville 55.....63 BY24
Bulan 65.....333 AM91
Bulat-Pestivien 22.....77 N29
Bulcy 58.....156 BI44
Buléon 56.....102 R35
Bulgnéville 88.....118 CD33
Bulhon 63.....210 BL55
Bullainville 28.....110 AX34
Bulle 25.....180 CG47
Bullecourt 62.....13 BH11
Bulles 60.....38 BD19
Bulligny 54.....94 CD29
Bullion 78.....87 BA29
Bullou 28.....109 AV33
Bully 76.....20 AW16
Bully 69.....212 BU59
Bully 42.....211 BQ59
Bully 14.....33 AJ23
Bully-les-Mines 62.....8 BF8
Bulson 08.....27 BV17
Bult 88.....95 CJ32
Bun 65.....332 AI91
Buncey 21.....138 BT37
Buneville 62.....12 BD10
Buno-Bonnevaux 91.....87 BD32
Bunodière (Hêtre de la) 76.....37 AY19
Bunus 64.....311 AB88
Bunzac 16.....221 AN61
Buoux 84.....305 CB82
Burbach 67.....67 CM25
La Burbanche 01.....214 CC59

Burbure 62.....7 BE7
Burcin 38.....232 CB64
Burcy 77.....112 BE33
Burcy 14.....52 AG26
Burdignes 42.....248 BU66
Burdignin 74.....198 CI55
Buré 61.....84 AO30
Bure 57.....45 CD19
Bure 55.....93 BZ30
Bure-les-Templiers 21.....138 BW38
Burelles 02.....25 BO16
Bures 61.....84 AO29
Bures 54.....66 CI27
Bures-en-Bray 76.....20 AV16
Bures-les-Monts 14.....52 AF25
Bures-sur-Dives 14.....33 AK22
Bures-sur-Yvette 91.....58 BB28
Le Buret 53.....106 AH36
Burey-en-Vaux 55.....93 CB29
Burey-la-Côte 55.....94 CC30
Burg 65.....315 AM89
Burgalays 31.....334 AP92
Burgaronne 64.....311 AC86
Le Burgaud 31.....297 AT82
Burgnac 87.....223 AU61
Burgy 71.....195 BW53
Burie 17.....201 AH60
Buriville 54.....95 CJ29
Burlats 81.....299 BD84
Burlioncourt 57.....66 CI25
Burnand 71.....194 BU51
Burnevillers 25.....163 CM42
Burnhaupt-le-Bas 68.....143 CN38
Burnhaupt-le-Haut 68.....143 CN38
Buron 63.....228 BK62
Buros 64.....314 AH61
Burosse-Mendousse 64.....294 AI85
Burret 09.....336 AW92
Bursard 61.....83 AN30
Burthecourt-aux-Chênes 54.....95 CG28
Burtoncourt 57.....46 CG21
Bury 60.....38 BD21
Burzet 07.....266 BS72
Burzy 71.....194 BU51
Bus 62.....13 BH13
Bus-la-Mésière 80.....23 BF17
Bus-lès-Artois 80.....13 BE12
Bus-Saint-Rémy 27.....37 AY23
Busca-Maniban (Château de) 32.....295 AM81
Buschwiller 68.....143 CO39
Busigny 59.....14 BL13
Busloup 41.....131 AU37
Busnes 62.....7 BE7
Busque 81.....299 BA83
Bussac 24.....240 AP66
Bussac-Forêt 17.....237 AH66
Bussac-sur-Charente 17.....201 AG60
Bussaglia (Plage de) 2A.....346 FB108
Bussang 88.....120 CL36
Bussang (Col de) 88.....120 CL36
Le Busseau 79.....184 AG51
Busseaut 21.....138 BU38
Busséol 63.....228 BK61
Busserolles 24.....222 AQ61
Busserotte-et-Montenaille 21.....139 BX39
Bussiares 02.....40 BM17
Bussière-Badil 24.....222 AP62
Bussière-Boffy 87.....204 AR57
Bussière-Dunoise 23.....189 AY55
Bussière-Galant 87.....223 AT62
Bussière-Nouvelle 23.....208 BD58
Bussière-Poitevine 87.....187 AS55
Bussière-Saint-Georges 23.....189 BB53
La Bussière-sur-Ouche 21.....159 BV44
Bussières 89.....158 BQ42
Bussières 77.....60 BJ25
Bussières 71.....195 BV54
Bussières 70.....161 CE42
Bussières 63.....208 BF57
Bussières 42.....212 BS60
Bussières 21.....138 BW39
Bussières-et-Pruns 63.....210 BK58
Busson 52.....93 BZ32
Bussu 80.....23 BH14
Bussunarits-Sarrasquette 64.....330 AA89
Bussurel 70.....142 CK40
Bussus-Bussuel 80.....11 BA12
Bussy 60.....23 BH18
Bussy 18.....173 BF48
Bussy-Albieux 42.....211 BQ60
Bussy-en-Othe 89.....114 BM35
Bussy-la-Côte 55.....63 BX26
Bussy-la-Pesle 58.....157 BL44
Bussy-la-Pesle 21.....159 BV42
Bussy-le-Château 51.....62 BT24
Bussy-le-Grand 21.....138 BT40
Bussy-le-Repos 89.....113 BJ35
Bussy-le-Repos 51.....63 BV25
Bussy-lès-Daours 80.....13 BD14
Bussy-lès-Poix 80.....21 BA15

Bussy-Lettrée 51.....62 BR27
Bussy-Rabutin (Château de) 21.....138 BT40
Bussy-Saint-Georges 77.....59 BF26
Bussy-Saint-Martin 77.....59 BF26
Bust 67.....68 CN25
Bustanico 2B.....347 FF107
Bustince-Iriberry 64.....330 AA89
Buswiller 67.....68 CP25
Busy 25.....161 CE44
Butgnéville 55.....64 CB23
Buthiers 77.....111 BD33
Buthiers 70.....162 CF42
Butot 76.....20 AT18
Butot-Vénesville 76.....19 AQ15
Butry-sur-Oise 95.....38 BC24
Butteaux 89.....114 BO36
Butten 67.....68 CN24
Buverchy 80.....23 BH16
Buvilly 39.....179 CC48
La Buxerette 36.....189 AZ72
Buxerolles 86.....186 AO51
Buxerolles 21.....138 BW38
Buxeuil 86.....169 AQ47
Buxeuil 36.....153 AY45
Buxeuil 10.....115 BS35
Buxières-d'Aillac 36.....189 AY51
Buxières-lès-Clefmont 52.....117 CA34
Buxières-les-Mines 03.....191 BI53
Buxières-lès-Villiers 52.....116 BX34
Buxières-sous-les-Côtes 55.....64 CB25
Buxières-sous-Montaigut 63.....209 BH56
Buxières-sur-Arce 10.....115 BT34
Buxy 71.....177 BV50
Buysscheure 59.....3 BD4
Buzan 09.....335 AS92
Buzançais 36.....171 AW48
Buzancy 08.....43 BW20
Buzancy 02.....40 BK21
Buzeins 12.....281 BI76
Buzet-sur-Baïse 47.....275 AM77
Buzet-sur-Tarn 31.....298 AX83
Buziet 64.....314 AG89
Buzignargues 34.....303 BO83
Buzon 65.....315 AL86
Buzy 64.....314 AG89
Buzy 55.....44 CB22
By 25.....179 CE46
Byans-sur-Doubs 25.....161 CD45

C

Cabanac 65.....315 AM88
Cabanac-Cazaux 31.....334 AQ91
Cabanac-et-Villagrains 33.....255 AG73
Cabanac-Séguenville 31.....297 AS82
La Cabanasse 66.....341 BB97
Cabanès 81.....299 BB83
Cabanès 12.....280 BC78
Les Cabanes-de-Fitou 11.....339 BI92
Le Cabanial 31.....318 AZ86
Les Cabannes 81.....279 BA79
Les Cabannes 13.....305 BY81
Les Cabannes 09.....336 AX94
Cabara 33.....256 AJ71
Cabariot 17.....201 AE58
Cabas-Loumassès 32.....316 AP87
Cabasse 83.....328 CI86
Cabasson 83.....328 CJ89
Le Cabellou 29.....100 I35
Cabestany 66.....343 BI95
Cabidos 64.....294 AG85
Cabourg 14.....34 AL21
Cabre (Col de) 05.....268 CD74
Cabrerets 46.....260 AX75
Cabrerolles 34.....301 BJ85
Cabrespine 11.....320 BE87
Cabrières 34.....301 BL85
Cabrières 30.....304 BU81
Cabrières-d'Aigues 84.....306 CC82
Cabrières-d'Avignon 84.....305 BZ81
Cabriès 13.....326 CB86
Cabris 06.....308 CN83
Cachan 94.....58 BD27
Cachen 40.....274 AH79
Cachy 80.....22 BE15
Cadalen 81.....299 BA82
Cadarache (Barrage de) 13.....306 CE83
Cadarcet 09.....336 AW91
Cadarsac 33.....238 AI70
Cadaujac 33.....255 AG71
Cadéac 65.....333 AM92
Cadeilhan 32.....296 AQ82
Cadeilhan-Trachère 65.....333 AM93
Cadeillan 32.....316 AR86
Cademène 25.....162 CF45
Caden 56.....125 U39
Les Cadeneaux 13.....326 CB86
Cadenet 84.....305 CB83
Caderousse 84.....285 BW79
La Cadière-d'Azur 83.....327 CF89
La Cadière-et-Cambo 30.....302 BP81
Cadillac 33.....256 AI73
Cadillac-en-Fronsadais 33.....237 AH69
Cadillon 64.....294 AH85
Cadix 81.....280 BE80

Cadolive 13.....327 CD86
Cadouin 24.....258 AR71
Cadours 31.....297 AS83
Cadrieu 46.....261 AZ75
Caen 14.....33 AJ22
Caëstre 59.....4 BF5
Caffiers 62.....2 AZ4
Cagnac-les-Mines 81.....279 BB80
Cagnano 2B.....345 FG101
Cagnes-sur-Mer 06.....309 CQ83
Cagnicourt 62.....13 BH11
Cagnoncles 59.....14 BK11
Cagnotte 40.....292 AB84
Cagny 80.....22 BD15
Cagny 14.....33 AK23
Cahagnes 14.....32 AG23
Cahagnolles 14.....32 AG22
Cahaignes 27.....37 AX22
Cahan 61.....53 AI26
Caharet 65.....315 AM89
Cahors 46.....260 AW75
Cahus 46.....243 AZ70
Cahuzac 81.....319 BB86
Cahuzac 47.....258 AP73
Cahuzac 11.....318 AZ89
Cahuzac-sur-Adour 32.....295 AK84
Cahuzac-sur-Vère 81.....279 AZ80
Caignac 31.....318 AY88
Le Cailar 30.....303 BS84
Cailhau 11.....337 BB90
Cailhavel 11.....319 BB89
Cailla 11.....337 BC93
Caillac 46.....259 AV75
Caillavet 32.....295 AN83
Caille 06.....308 CM82
Caille (Ponts de la) 74.....215 CG57
La Caillère 85.....183 AE51
Cailleville 76.....19 AR15
Caillouël-Crépigny 02.....23 BI18
Caillouet-Orgeville 27.....56 AV24
Cailloux-sur-Fontaines 69.....213 BW59
Cailly 76.....20 AV18
Cailly-sur-Eure 27.....36 AV23
La Caine 14.....53 AI24
Cairanne 84.....285 BX77
Le Caire 04.....269 CG75
Cairon 14.....33 AI22
Caisnes 60.....39 BI19
Caissargues 30.....284 BT82
Caix 80.....23 BF15
Caixas 66.....342 BG96
Caixon 65.....315 AK86
Cajarc 46.....261 AZ75
Cala Rossa 2A.....351 FG114
Calacuccia 2B.....346 FD107
Calais 62.....2 AZ3
Calamane 46.....259 AV74
Calan 56.....101 M36
Calanhel 22.....77 M29
Calas 13.....326 CB86
Calavanté 65.....315 AL89
Calcatoggio 2A.....348 FC110
Calce 66.....338 BG94
Caldégas 66.....341 BA97
Calenzana 2B.....346 FC105
Calès 46.....260 AW71
Calès 24.....258 AR71
Calignac 47.....275 AN79
Caligny 61.....53 AH26
Callac 56.....124 S37
Callac 22.....77 M30
Callas 83.....308 CL84
Callen 40.....273 AG76
Callengeville 76.....21 AX15
Calleville 27.....35 AR22
Calleville-les-Deux-Églises 76.....20 AT17
Callian 83.....308 CM83
Callian 32.....295 AM84
Calmeilles 66.....342 BG96
Calmels-et-le-Viala 12.....300 BG81
La Calmette 30.....284 BS81
Calmont 31.....318 AX88
Calmont 12.....280 BE77
Calmoutier 70.....141 CG39
Caloire 42.....230 BS64
Calonges 47.....275 AM76
Calonne-Ricouart 62.....7 BE8
Calonne-sur-la-Lys 62.....8 BF7
Calorguen 22.....79 W30
La Calotterie 62.....6 AY8
Caluire-et-Cuire 69.....213 BW60
Calvaire des Dunes 50.....28 Z17
Calvi 2B.....346 FB105
Calviac-en-Périgord 24.....259 AV71
Calvignac 46.....260 AY75
Calvinet 15.....262 CF45
Calzan 09.....336 AY91
Camalès 65.....315 AK87
Camarade 09.....335 AU90
Camarès 12.....300 BG83
Camaret-sur-Aigues 84.....285 BX78
Camaret-sur-Mer 29.....74 D30
Camarsac 33.....255 AH71
Cambayrac 46.....259 AU75
La Cambe 14.....32 AE20
Cambernard 31.....317 AT86
Cambernon 50.....31 AC23

Cambes 47.....257 AM73
Cambes 46.....261 BA73
Cambes 33.....255 AH72
Cambes-en-Plaine 14.....33 AJ22
Cambia 2B.....347 FF107
Cambiac 31.....318 AY86
Cambieure 11.....337 BB90
Camblain-Châtelain 62.....7 BE8
Camblain-l'Abbé 62.....8 BF9
Camblanes-et-Meynac 33.....255 AG71
Camblignuel 62.....8 BF9
Cambo-les-Bains 64.....310 Y87
Cambon 81.....299 BC81
Cambon-et-Salvergues 34.....300 BH84
Cambon-lès-Lavaur 81.....298 AZ85
Camboulazet 12.....280 BE78
Camboulit 46.....261 BA74
Cambounet-sur-le-Sor 81.....299 BB85
Le Cambout 22.....102 S34
Cambrai 59.....14 BJ11
Cambremer 14.....34 AM23
Cambrin 62.....8 BG8
Cambron 80.....11 AZ12
Cambronne-lès-Clermont 60.....38 BD21
Cambronne-lès-Ribécourt 60.....39 BH19
Camburat 46.....261 BA73
Came 64.....292 AB85
Camélas 66.....342 BG95
Camelin 02.....40 BJ19
Camembert 61.....54 AN26
Cametours 50.....31 AC23
Camiac-et-Saint-Denis 33.....256 AI71
Camiers 62.....6 AY7
Camiran 33.....256 AK73
Camjac 12.....280 BD78
Camlez 22.....72 N26
Les Cammazes 81.....319 BB87
Camoël 56.....125 T40
Camon 80.....22 BD15
Camon 09.....337 BA91
Camors 56.....101 P36
Camou-Cihigue 64.....331 AC89
Camou-Mixe-Suhast 64.....311 AC87
Camous 65.....333 AN92
Le Camp-du-Castellet 83.....327 CE88
Campagna-de-Sault 11.....338 BA94
Campagnac 81.....279 AZ80
Campagnac 12.....263 BJ75
Campagnac-les-Quercy 24.....259 AU72
Campagnan 34.....302 BM85
Campagne 40.....293 AF81
Campagne 34.....303 BO82
Campagne 24.....241 AS70
Campagne-d'Armagnac 32.....295 AK81
Campagne-lès-Boulonnais 62.....6 BA7
Campagne-lès-Guînes 62.....2 BA4
Campagne-lès-Hesdin 62.....6 AZ9
Campagne-lès-Wardrecques 62.....3 BD5
Campagne-sur-Arize 09.....335 AV90
Campagne-sur-Aude 11.....337 BC92
Campagnolles 14.....52 AF25
Campan 65.....333 AL91
Campana 2B.....347 FG106
Campandré-Valcongrain 14.....53 AH24
Camparan 44.....146 W41
Campbon 44.....146 W41
Campeaux 60.....21 AZ18
Campeaux 14.....52 AF25
Campel 35.....103 W36
Campénéac 56.....103 U35
Campes 81.....279 BA79
Campestre-et-Luc 30.....301 BL81
Campet-et-Lamolère 40.....293 AF81
Camphin-en-Carembault 59.....8 BH8
Camphin-en-Pévèle 59.....9 BJ7
Campi 2B.....347 FG107
Campigneulles-les-Grandes 62.....6 AY9
Campigneulles-les-Petites 62.....6 AY8
Campigny 27.....35 AQ21
Campigny 14.....32 AG21
Campile 2B.....347 FG105
Campistrous 65.....315 AN89
Campitello 2B.....347 FF105
Camplong 34.....301 BJ84
Camplong-d'Aude 11.....338 BF90
Campneuseville 76.....21 AY15
Campo 2A.....348 FD111
Campoloro (Port de) 2B.....347 FH107
Campôme 66.....342 BD95
Campouriez 12.....262 BF72
Campoussy 66.....342 BE95
Campremy 60.....22 BD18
Camprond 50.....31 AC23
Camps 19.....243 BA69
Camps-en-Amiénois 80.....21 BA15
Camps-la-Source 83.....328 CH86
Camps-sur-l'Agly 11.....338 BE93
Camps-sur-l'Isle 33.....238 AK69
Campsas 82.....297 AV81

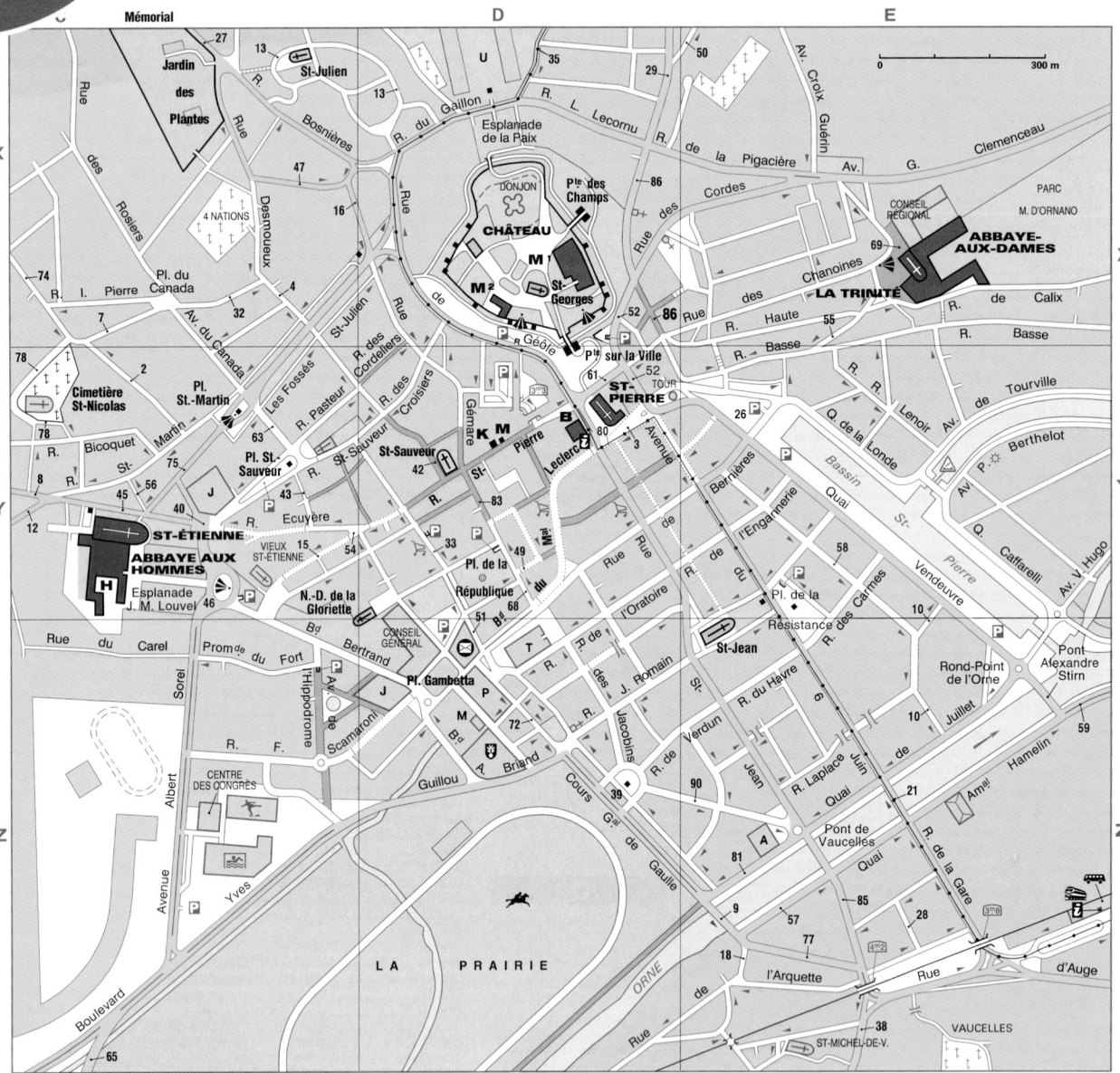

CAEN

Académie (R. de l') . . . . CY
Alliés (Bd des) . . . . DY
Bagatelle (Av. de) CX
Barbey-d'Aurevilly (R.) CX
Bayeux (R. de) CX
Bir-Hakeim (Pont de) . . . . EZ
Brunet (R. H.) . . . . EYZ
Caponière (R.) . . . . CY
Carrières-St-Julien
(R. des) . . . . CDX
Caumont (R. A. de) . . . . CY
Chanoine X. de St-Paul
(R.) . . . . CDX
Chaussée-Ferrée
(R. de la) . . . . EZ
Churchill (Pont) . . . . EZ
Courtonne (Pl.) . . . . EY
Creully (R. de) CX
Decaen (R. Gén.) . . . . EZ
Délivrande (R. de la) . . . . DX
Docteur-Rayer (R.) . . . . DY
Doumer (R. Paul) . . . . DY
Écuyère (R.) . . . . CY
Édimbourg (Av. d') . . . . DX
Falaise (R. de) . . . . EZ
Foch (Pl. Mar.) . . . . DZ
Fontette (Pl.) . . . . CY
Froide (R.) . . . . DY
Fromages (R. aux) . . . . CY
Guillaume-le-Conquérant
(R.) . . . . CY
Guillouard (Pl. L.) . . . . CY
Juifs (R. aux) CX
Lair (R. P.-A.) . . . . DY
Lebisey (R. de) . . . . EX
Lebret (R. G.) . . . . DYZ
Leclerc (Bd Mar.) . . . . DYZ
Libération (Av. de la) . . . . DXY
Malherbe (Pl.) . . . . CDY
Manissier (R.) . . . . EX
Marot (R. J.) . . . . CY
Meslin (Q. E.) . . . . EZ
Miséricorde (R. de la) . . . . EYZ
Montalivet (Cours) . . . . EZ
Montoir-Poissonnerie (R.) . . . . CY
Pémagnie (R.) CX
Petit-Vallerent (Bd du) . . . . . . CZ
Pont-St-Jacques (R. du) . . . . . CY
Reine-Mathilde (Pl.) . . . . EX
Sadi-Carnot (R.) . . . . DZ
St-Gabriel (R.) . . . . CY
St-Jean (R.) . . . . DEYZ
St-Manvieu (R.) . . . . CY
St-Michel (R.) . . . . EZ
St-Nicolas (R.) . . . . CY
St-Pierre (Pl.) . . . . DY
St-Pierre (R.) . . . . DY
Sévigné (Prom. de) . . . . EZ
Strasbourg (R. de) . . . . DY
Vaucelles (R. de) . . . . EZ
Vaugueux (R. du) . . . . DX
6-Juin (Av. du) . . . . DEYZ
11-Novembre (R. du) . . . . DEZ

Campsegret 24 . . . . 240 AP70
Campuac 12 . . . . 262 BF74
Campugnan 33 . . . . 237 AG67
Campuzan 65 . . . . 315 AN88
Camurac 11 . . . . 336 AZ94
Can Parterre 66 . . . . 342 BF97
Canadel (Col du) 83 . . . . 329 CK89
Canadel-sur-Mer 83 . . . . 329 CK89
Canaille (Cap) 13 . . . . . . 327 CD89
Canale-di-Verde 2B 347 FH107
Canals 82 . . . . 297 AU82
Canaples 80 . . . . 12 BC13
Canappeville 27 . . . . 36 AU23
Canapville 61 . . . . 54 AQ25
Canapville 14 . . . . 34 AN21
Canari 2B 345 FF102
Canaules-
et-Argentières 30 . . . . . 283 BR80
Canavaggia 2B 347 FF105
Canaveilles 66 . . . . 341 BG94
Cancale 35 . . . . 50 Y27
Canchy 80 . . . . 11 AZ11
Canchy 14 . . . . 32 AF20
Cancon 47 . . . . 258 AP74
Candas 80 . . . . 12 BC12
Candé 49 . . . . 127 AD40
Candé-sur-Beuvron 41 . . 153 AV41
Candes-Saint-Martin 37 . . 150 AM44
Candillargues 34 . . . . 303 BR84
Candor 60 . . . . 23 BH18
Candresse 40 . . . . 293 AC83
Canehan 76 . . . . 10 AW14
Canéjan 33 . . . . 255 AF71
Canens 31 . . . . 317 AV89
Canenx-et-Réaut 40 . . . . 273 AG80
Canet 34 . . . . 302 BM85
Canet 11 . . . . 320 BH89
Canet-de-Salars 12 . . . . 281 BG78
Canet-en-Roussillon 66 . . 343 BI95
Canet-Plage 66 . . . . 343 BI95
Canettemont 62 . . . . 12 BD10
Cangey 37 . . . . 152 AT42
Caniac-du-Causse 46 . . . 260 AX73

Canigou (Pic du) 66 . . . . 342 BE96
Canihuel 22 . . . . 77 O31
Canilhac 48 . . . . 263 BJ75
Canisy 50 . . . . 32 AD23
Canlers 62 . . . . 7 BB8
Canly 60 . . . . 39 BF20
Cannectancourt 60 . . . . . . 23 BH18
Cannelle 2B 345 FF100
Cannelle 2A 348 FC110
Cannes 06 . . . . 309 CP84
Cannes-Écluse 77 . . . . 89 BI32
Cannes-et-Clairan 30 . . . 303 BR81
Cannessières 80 . . . . 11 AZ14
Cannet 32 . . . . 294 AB84
Le Cannet 06 . . . . 309 CP84
Le Cannet-
des-Maures 83 . . . . 328 CJ86
Canny-sur-Matz 60 . . . . . . 23 BG18
Canny-sur-Thérain 60 . . . . 21 AY18
Canohès 66 . . . . 343 BH95
Le Canon 33 . . . . 254 AA72
Canon 14 . . . . 34 AL23
La Canonica 2B 347 FH105
La Canonica (Ancienne
Cathédrale de) 2B 347 FH105
La Canourgue 48 . . . . 264 BK75
Canouville 76 . . . . 19 AQ15
Cantaing-sur-Escaut 59 . . 14 BJ12
Cantaous 33 . . . . 333 AN90
Cantaron 06 . . . . 309 CR82
Canté 09 . . . . 318 AW88
Cantebonne 54 . . . . 45 CD19
Canteleu 76 . . . . 36 AT20
Canteleux 62 . . . . 12 BD11
Canteloup 50 . . . . 29 AC17
Canteloup 14 . . . . 34 AL23
Cantenac 33 . . . . 237 AF68
Cantenay-Épinard 49 . . . 128 AH40
Cantiers 27 . . . . 37 AX22
Cantigny 80 . . . . 22 BE17
Cantillac 24 . . . . 222 AP64
Cantin 59 . . . . 14 BI10
Cantobre 12 . . . . 282 BL80

Cantoin 12 . . . . 263 BH71
Cantois 33 . . . . 256 AI72
Canville-la-Rocque 50 . . . . 31 AA20
Canville-
les-Deux-Églises 76 . . . 19 AS16
Caorches-Saint-Nicolas 27 . . 35 AQ23
Caouënnec-Lanvézéac 22 . . 72 N26
Caours 80 . . . . 11 AZ12
Cap-Coz 29 . . . . 100 I35
Le Cap-d'Agde 34 . . . . . 322 BM88
Cap-d'Ail 06 . . . . CS82
Cap-de-Long
(Barrage de) 65 . . . . . . 333 AL93
Cap Ferrat 06 . . . . 309 CR82
Cap-Ferret 33 . . . . 254 AA73
Cap-Martin 06 . . . . CS82
Cap Sizun (Réserve du) 29 . . 98 D33
Capbreton 40 . . . . 292 Y83
Capdenac 46 . . . . 261 BB74
Capdenac-Gare 12 . . . . . 261 BB74
Capdrot 24 . . . . 259 AS73
Capelle 59 . . . . 14 BL11
La Capelle 48 . . . . 282 BL76
La Capelle-Balaguier 12 . . 261 BA75
La Capelle-Bleys 12 . . . . 279 BC77
La Capelle-Bonance 12 . . 263 BI75
La Capelle-
et-Masmolène 30 . . . . 284 BU79
La Capelle-Fermont 62 . . . . 8 BD9
La Capelle-lès-Boulogne 62 . . 2 AY5
La Capelle-lès-Hesdin 62 . . 11 BA10
Capendu 11 . . . . 320 BF89
Capens 31 . . . . 317 AU87
Capestang 34 . . . . 321 BJ88
Capian 33 . . . . 256 AI72
Capinghem 59 . . . . 8 BH6
Caplong 33 . . . . 257 AL71

Capoulet-et-Junac 09 . . . 336 AX94
Cappel 57 . . . . 67 CK23
Cappelle-Brouck 59 . . . . . . 3 BC3
Cappelle-en-Pévèle 59 . . . . 9 BJ8
Cappelle-la-Grande 59 . . . . 3 BD2
Cappy 80 . . . . 23 BG14
La Capte 83 . . . . 328 CI90
Captieux 33 . . . . 274 AI77
Capula (Castello de) 2A . . 349 FF113
Capvern 65 . . . . 333 AM90
Capvern-les-Bains 65 . . . 333 AM90
Carabès (Col de) 05 . . . . 268 CD74
Caradeuc
(Château de) 35 . . . . . 103 X32
Caragoudes 31 . . . . 318 AY86
Caraman 31 . . . . 298 AY85
Caramany 66 . . . . 338 BF94
Carantec 29 . . . . 71 J26
Carantilly 50 . . . . 32 AD23
Carayac 46 . . . . 261 AZ74
Carbay 49 . . . . 127 AC38
Carbes 81 . . . . 299 BB84
Carbini 2A 351 FF114
Carbon-Blanc 33 . . . . 237 AG70
Carbonne 31 . . . . 317 AU88
Carbuccia 2A 348 FD110
Carcagny 14 . . . . 33 AH22
Carcanières 09 . . . . 337 BB94
Carcans 33 . . . . 236 AC68
Carcarès-Sainte-Croix 40 . . 293 AE81
Carcassonne 11 . . . . 319 BD89
Carcen-Ponson 40 . . . . . 293 AD81
Carcès 83 . . . . 307 CI85
Carcheto-Brustico 2B . . . 347 FG106
Cardaillac 46 . . . . 261 BA73
Cardan 33 . . . . 255 AH72
Cardeilhac 31 . . . . 316 AP89
Cardesse 64 . . . . 313 AF88
Cardet 30 . . . . 283 BR80
Cardo-Torgia 2A 348 FD112
Cardonnette 80 . . . . 22 BD14
Le Cardonnois 80 . . . . 22 BE18

Cardonville 14 . . . . 32 AE20
Cardroc 35 . . . . 103 X32
Careil 44 . . . . 145 T42
Carelles 53 . . . . 81 AF31
Carency 62 . . . . 8 BF9
Carennac 46 . . . . 242 AY70
Carentan 50 . . . . 32 AD21
Carentoir 56 . . . . 125 V37
Cargèse 2A 348 FA109
Cargiaca 2A 349 FE113
Carhaix-Plouguer 29 . . . . 76 L31
Carignan 08 . . . . 27 BX17
Carignan-
de-Bordeaux 33 . . . . . 255 AG71
Carisey 89 . . . . 114 BO36
Carla-Bayle 09 . . . . 335 AV90
Carla-de-Roquefort 09 . . 336 AY92
Le Carlaret 09 . . . . 336 AY90
Carlat 15 . . . . 244 BF70
Carlencas-et-Levas 34 . . 301 BK84
Carlepont 60 . . . . 38 BI19
Carling 57 . . . . 47 CJ22
Carlipa 11 . . . . 319 BB88
Carlucet 24 . . . . 241 AV69
Carlucet 46 . . . . 242 AX72
Carlus 81 . . . . 299 BB81
Carlux 24 . . . . 241 AV70
Carly 62 . . . . 6 AY6
Carmaux 81 . . . . 279 BB80
Carnac 56 . . . . 123 O39
Carnac-Plage 56 . . . . 123 O39
Carnac-Rouffiac 46 . . . . . 260 AU76
Carnas 30 . . . . 303 BQ82
Carneille 61 . . . . 54 AK27
Carnet 50 . . . . 80 AB29
Carnetin 77 . . . . 59 BF26
Carneville 50 . . . . 28 AB16
Carnières 59 . . . . 14 BK12
Carnin 59 . . . . 8 BH8
Carniol 04 . . . . 286 CD80
Carnoët 22 . . . . 76 L30
Carnon-Plage 34 . . . . 303 BQ85

Carnoux-en-Provence 13 . . 327 CD88
Carnoy 80 . . . . 23 BG14
Caro 64 . . . . 330 AA89
Caro 56 . . . . 103 U36
Carolles 50 . . . . 51 AA27
Caromb 84 . . . . 285 BZ79
Carpentras 84 . . . . 285 BY79
Carpineto 2B 347 FG107
Carpiquet 14 . . . . 33 AI22
Carquebut 50 . . . . 31 AC20
Carquefou 44 . . . . 147 AA43
Carqueiranne 83 . . . . 328 CH90
La Carquois 22 . . . . 79 U27
Carrépuis 80 . . . . 23 BG17
Carrère 64 . . . . 314 AI86
Carresse 64 . . . . 293 AC85
Carri (Col de) 26 . . . . 250 CB69
Carrières-sous-Bois 78 . . 58 BB25
Carrières-sous-Poissy 78 . . 58 BB25
Carrières-sur-Seine 78 . . . 58 BC26
Carro 13 . . . . 325 BZ87
Carros 06 . . . . 309 CQ82
Carrouges 61 . . . . 83 AK29
Les Carroz-d'Arâches 74 . . 216 CK85
Carry-le-Rouet 13 . . . . . . 326 CA87
Les Cars 87 . . . . 223 AT61
Cars 33 . . . . 237 AF67
Les Cars (Ruines
gallo-romaines) 19 . . . 225 BA62
Carsac-Aillac 24 . . . . 259 AU71
Carsac-de-Gurson 24 . . . 239 AL69
Carsan 30 . . . . 284 BV77
Carsix 27 . . . . 35 AR23
Carspach 68 . . . . 143 CN39
Cartelègue 33 . . . . 237 AG67
Carteret 50 . . . . 31 Z20
Carticasi 2B 347 FF107
Cartignies 59 . . . . 15 BO12
Cartigny 80 . . . . 23 BI14
Cartigny-l'Épinay 14 . . . . . 32 AE21
Carves 24 . . . . 259 AT71
Carville 14 . . . . 52 AZ25
Carville-la-Folletière 76 . . 19 AS18

CALAIS

Amsterdam (R. d') . . . . DXY 3
Angleterre (Pl. d') . . . . DX 4
Barbusse (Pl. Henri) . . . . DX 6
Bonnigue (R. du Cdt) . . . . . . DX 7
Bruxelles (R. de) . . . . DX 10
Chanzy (R. du Gén.) . . . . DY 13
Commune-de-Paris (R. de la) CDY 16
Escaut (Quai de l') . . . . CY 21
La-Fayette (Bd) . . . . DY

Foch (Pl. Mar.) . . . . CXY 22
Fontinettes (R. des) . . . . . . CDY 24
Gambetta (Bd Léon) . . . . DY
Georges-V (Pont) . . . . CY 31
Jacquard (Bd) . . . . CDY
Jacquard (Pont) . . . . CY 36
Jean-Jaurès (R.) . . . . DX 37
Londres (R. de) . . . . DX 42
Mer (R. de la) . . . . DX 45
Notre-Dame (R.) . . . . CDX 46
Paix (R. de la) . . . . CX 48
Pasteur (Bd) . . . . DY

Paul-Bert (R.) . . . . CDY 49
Prés.-Wilson (Av. du) . . . . . . CY 54
Quatre-Coins (R. des) . . . . . . CY 55
Rhin (Quai du) . . . . CY 58
Richelieu (R.) . . . . CX 60
Rome (R. de) . . . . CY 61
Royale (R.) . . . . CX 63
Soldat-Inconnu (Pl. du) . . . . . CY 64
Tamise (Quai de la) . . . . CY 66
Thermes (R. des) . . . . CX 67
Varsovie (R. de) . . . . DY 70
Vauxhall (R. du) . . . . CY 72

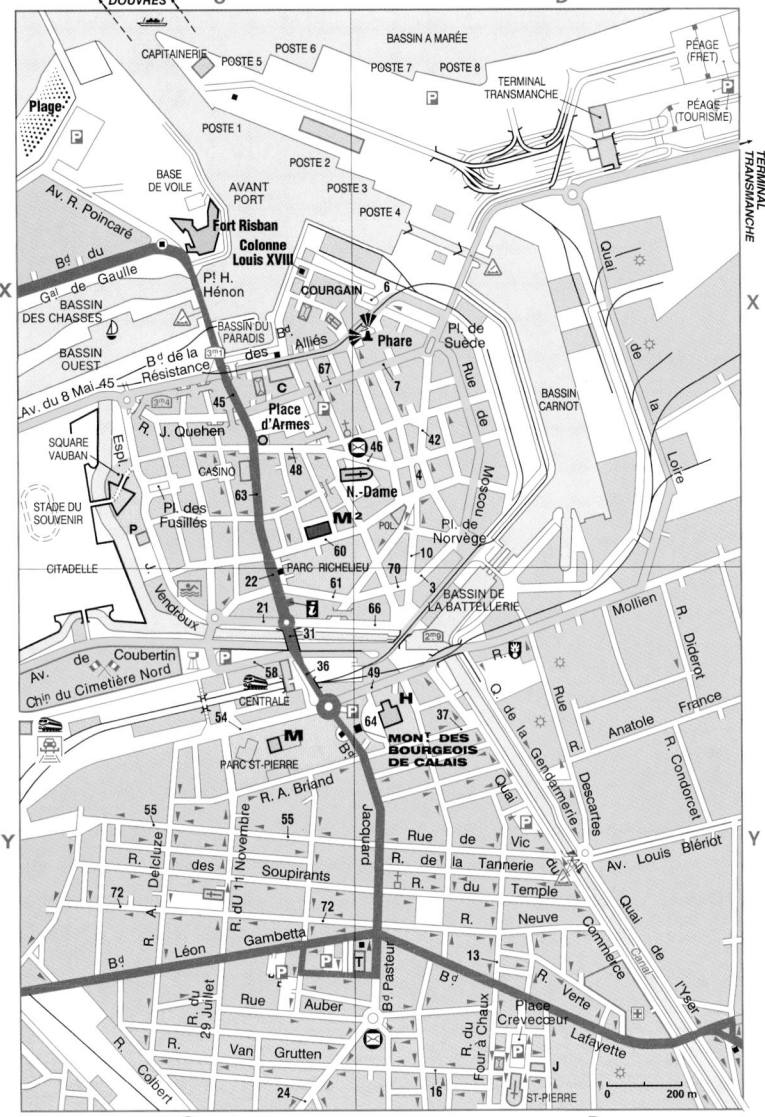

Carville-Pot-de-Fer 76 . . . . 19 AR16
Carvin 62 . . . . 8 BH8
Cas (Château de) 82 . . . . 278 AY78
Casabianca 2B 347 FG106
Casaglione 2A 348 FC110
Casalabriva 2A 348 FD113
Casalta 2B 347 FG106
Casamaccioli 2B 346 FD107
Casamozza 2B 347 FG105
Casanova 2B 347 FE108
Casardo (Col de) 2B 347 FE107
Casatorra 2B 345 FG104
Cascastel-
des-Corbières 11 . . . . 338 BG91
Casefabre 66 . . . . 342 BF96
Caseneuve 84 . . . . 306 CC81
Cases-de-Pène 66 . . . . 338 BG94
Casevecchie 2B 349 FG109
Cassaber 64 . . . . 293 AC85
Cassagnabère-
Tournas 31 . . . . 316 AQ89
Cassagnas 48 . . . . 283 BO77
Cassagne 31 . . . . 335 AS90
La Cassagne 24 . . . . 241 AV68
Cassagnes 66 . . . . 338 BF94
Cassagnes 46 . . . . 259 AT74
Cassagnes-Bégonhès 12 . . . 280 BE78
Cassagnoles 34 . . . . 320 BF87
Cassagnoles 30 . . . . 283 BR80
La Cassaigne 11 . . . . 319 BA89
Cassaignes 11 . . . . 337 BC92
Cassaniouze 15 . . . . 262 BD72
Cassano 2B 346 FC105

Cassel 59 . . . . 3 BE5
Cassen 40 . . . . 293 AD82
Casseneuil 47 . . . . 258 AP75
Les Cassés 11 . . . . 318 AZ87
Casset (Cascade du) 05 . . . 252 CI70
Casseuil 33 . . . . 256 AJ73
Cassignas 47 . . . . 276 AQ77
La Cassine 08 . . . . 27 BV18
Cassis 13 . . . . 327 CD88
Casson 44 . . . . 147 Z42
Cassuéjouls 12 . . . . 263 BA80
Cast 29 . . . . 75 H32
Castagnac 31 . . . . 317 AV89
Castagnède 64 . . . . 311 AC86
Castagnède 31 . . . . 335 AS91
Castagniers 06 . . . . 291 CQ81
Castaignos-Souslens 40 . . . 293 AF84
Castandet 40 . . . . 294 AH82
Castanet 82 . . . . 279 BA77
Castanet 81 . . . . 279 BA80
Castanet 12 . . . . 279 BC77
Castanet-le-Haut 34 . . . . . . 301 BI84
Castanet-Tolosan 31 . . . . . . 318 AW86
Castans 11 . . . . 320 BE87
Casteide-Cami 64 . . . . 314 AG86
Casteide-Doat 64 . . . . 315 AK87
Casteil 66 . . . . 342 BD97
Castel-Sarrazin 40 . . . . 293 AD84
Castel Vendon
(Rocher du) 50 . . . . 28 Z16
Castelbajac 65 . . . . 315 AM89
Castelbiague 31 . . . . 334 AR91

Castelbouc
(Château de) 48 . . . . 282 BM76
Castelculier 47 . . . . 276 AQ78
Le Castelet 09 . . . . 336 AY94
Castelferrus 82 . . . . 277 AT80
Castelfranc 46 . . . . 259 AU75
Castelgaillard 31 . . . . 316 AR87
Castelginest 31 . . . . 297 AV84
Casteljaloux 47 . . . . 275 AL76
Casteljau 07 . . . . 284 BS76
Castella 47 . . . . 276 AQ77
Castellane 04 . . . . 308 CK81
Le Castellard 04 . . . . 291 CH77
Castellar 06 . . . . 291 CS81
Castellare-di-Casinca 2B . . . 347 FG105
Castellare-di-Mercurio 2B . . 347 FF107
Castellet 84 . . . . 306 CC81
Le Castellet 83 . . . . 327 CF88
Le Castellet 04 . . . . 287 CG80
Castellet-les-Sausses 04 . . . 289 CM79
Castelli (Pointe du) 44 . . . . 145 S42
Castello 2B 345 FF101
Castello-di-Rostino 2B 347 FF106
Castelmary 82 . . . . 279 BA77
Castelmaurou 31 . . . . 298 AW84
Castelmayran 82 . . . . 277 AS80
Castelmoron-d'Albret 33 . . . 256 AK72
Castelmoron-sur-Lot 47 . . . 275 AO76
Castelnau-Barbarens 32 . . . 296 AQ85
Castelnaudary 11 . . . . 318 AW88
Castelnau-Chalosse 40 . . . . 293 AD83
Castelnau-d'Anglès 32 . . . . 295 AM84
Castelnau-d'Arbieu 32 . . . . 296 AQ81

Castelnau-d'Aude 11 . . . . . . 320 BF89
Castelnau-d'Auzan 32 . . . . . 275 AL80
Castelnau-de-Brassac 81 . . 300 BE84
Castelnau-de-Guers 34 . . . . 322 BM86
Castelnau-de-Lévis 81 . . . . 299 BB81
Castelnau-
de-Mandailles 12 . . . . 263 BH74
Castelnau-de-Médoc 33 . . . 237 AE68
Castelnau-
de-Montmiral 81 . . . . 298 AZ81
Castelnau-
d'Estréfonds 31 . . . . 297 AV83
Castelnau-Durban 09 . . . . . . 335 AV91
Castelnau-le-Lez 34 . . . . . . 302 BP84
Castelnau-Magnoac 65 . . . . 316 AO88
Castelnau-Montratier 46 . . 277 AX78
Castelnau-Pégayrols 12 . . . . 281 BH79
Castelnau-Picampeau 31 . . . 317 AS88
Castelnau-
Rivière-Basse 65 . . . . 295 AK85
Castelnau-sur-Gupie 47 . . . 257 AL74
Castelnau-
sur-l'Auvignon 32 . . . . 275 AO80
Castelnau-Valence 30 . . . . . 284 BS80
Castelnaud-
de-Gratecambe 47 . . . . . . 258 AQ74
Castelnaud-
la-Chapelle 24 . . . . 259 AT71
Castelnavet 32 . . . . 295 AL84
Castelner 40 . . . . 293 AF85
Castelnou 66 . . . . 342 BG96
Castelpers 12 . . . . 280 BD79

Castelreng 11 . . . . 337 BB91
Castels 24 . . . . 241 AT70
Castelsagrat 82 . . . . 277 AS78
Castelsarrasin 82 . . . . 277 AT80
Castelvieilh 65 . . . . 315 AL88
Castelviel 33 . . . . 256 AJ72
Castennec (Site de) 56 . . . . 101 P35
Le Castéra 31 . . . . 297 AT84
Castéra-Bouzet 82 . . . . 276 AR80
Castéra-Lanusse 65 . . . . 315 AM89
Castéra-Lectourois 32 . . . . . 276 AR80
Castéra-Lou 65 . . . . 315 AL87
Castéra-Loubix 64 . . . . 314 AJ87
Castéra-Verduzan 32 . . . . . . 295 AN82
Castéra-Vignoles 31 . . . . . . 316 AQ88
Castéras 09 . . . . 335 AV90
Casterets 09 . . . . 317 AP88
Castéron 32 . . . . 296 AR81
Castet 64 . . . . 332 AG90
Castet-Arrouy 32 . . . . 276 AQ80
Castetbon 64 . . . . 313 AD86
Castétis 64 . . . . 313 AE86
Castetnau-Camblong 64 . . . 313 AD87
Castetner 64 . . . . 313 AE86
Castetpugon 64 . . . . 294 AH87
Castets 40 . . . . 292 AB81
Castets-en-Dorthe 33 . . . . . 256 AH74
Castex 32 . . . . 315 AM87
Castex 09 . . . . 317 AU89
Castex-d'Armagnac 32 . . . . 294 AJ81
Casties-Labrande 31 . . . . . . 317 AS88
Castifao 2B 347 FE105
Castiglione 2B 347 FE106
Castillon 65 . . . . 333 AL90
Castillon 64 . . . . 314 AJ86
Castillon 64 . . . . 313 AF86
Castillon 14 . . . . 32 AG22
Castillon 06 . . . . 291 CS81
Castillon (Barrage de) 04 . . 308 CL81
Castillon (Col de) 06 . . . . . . 291 CS81
Castillon-de-Castets 33 . . . . 256 AJ74
Castillon-de-Larboust 31 . . 334 AO93
Castillon-
de-Saint-Martory 31 . . . . . 334 AR90
Castillon-Debats 32 . . . . 295 AM83
Castillon-du-Gard 30 . . . . . . 284 BV80
Castillon-en-Auge 14 . . . . 54 AM24
Castillon-en-Couserans 09 . 335 AS92
Castillon-la-Bataille 33 . . . . 238 AK70
Castillon-Massas 32 . . . . 296 AO83
Castillon-Savès 32 . . . . 297 AS85
Castillonnès 47 . . . . 258 AP73
Castilly 14 . . . . 32 AE21
Castin 32 . . . . 296 AO83
Castineta 2B 347 FF106
Castirla 2B 347 FE107
Castres 81 . . . . 299 BC85
Castres 02 . . . . 24 BJ16
Castres-Gironde 33 . . . . 255 AH72
Castries 34 . . . . 303 BQ84
Le Cateau-Cambrésis 59 . . . . 14 BL12
Le Catelet 02 . . . . 14 BJ13
Le Catelier 76 . . . . 20 AU16
Catenay 76 . . . . 36 AV19
Catenoy 60 . . . . 38 BE20
Cateri 2B 346 FC105
Cathervielle 31 . . . . 334 AO93
Catheux 60 . . . . 22 BB17
Catigny 60 . . . . 23 BH17
Catillon-Fumechon 60 . . . . . . 38 BD19
Catillon-sur-Sambre 59 . . . . . 15 BM13
Catllar 66 . . . . 342 BD95
Les Catons 73 . . . . 233 CE61
Catonvielle 32 . . . . 297 AS84
Cattenières 59 . . . . 14 BK12
Cattenom 57 . . . . 45 CF19
Catteville 50 . . . . 31 AA20
Catus 46 . . . . 259 AV74
Catz 50 . . . . 32 AD21
Caubeyres 47 . . . . 275 AM77
Caubiac 31 . . . . 297 AT83
Caubios-Loos 64 . . . . 314 AH86
Caubon-
Saint-Sauveur 47 . . . . 257 AM73
Caubous 65 . . . . 316 AO88
Caubous 31 . . . . 334 AO93
Caucalières 81 . . . . 299 BD85
La Cauchie 62 . . . . 13 BF11
Cauchy-à-la-Tour 62 . . . . 7 BE8
Caucourt 62 . . . . 7 BE9
Caudan 56 . . . . 101 M36
Caudebec-en-Caux 76 . . . . . . 35 AR19
Caudebec-lès-Elbeuf 76 . . . . 36 AT21
Caudebronde 11 . . . . 319 BD87
Caudecoste 47 . . . . 276 AQ79
Caudéran 33 . . . . 236 AF70
Caudeval 11 . . . . 337 BA90
Caudiès-de-Conflent 66 . . . 341 BB96
Caudiès-
de-Fenouillèdes 66 . . . . . . 337 BD93
Caudon-de-Vitrac 24 . . . . . . 259 AU71
Caudos 33 . . . . 254 AC73
Caudrot 33 . . . . 256 AJ73
Caudry 59 . . . . 14 BK12
Cauffry 60 . . . . 38 BE21
Caugé 27 . . . . 56 AT24
Caujac 31 . . . . 318 AW88
Caulaincourt 02 . . . . 23 BI15
Le Caule-Sainte-Beuve 76 . . 21 AX16
Caulières 80 . . . . 21 AZ16
Caullery 59 . . . . 14 BK12

Caulnes 22 . . . . 103 V32
La Caume
(Panorama de) 13 . . . . 304 BX83
Caumont 82 . . . . 277 AS80
Caumont 62 . . . . 12 BB10
Caumont 33 . . . . 256 AK72
Caumont 32 . . . . 294 AJ83
Caumont 27 . . . . 35 AS20
Caumont 09 . . . . 335 AT91
Caumont 02 . . . . 24 BJ18
Caumont
(Château de) 32 . . . . 297 AS85
Caumont-l'Éventé 14 . . . . . . 32 AG23
Caumont-sur-Durance 84 . . 305 BY81
Caumont-sur-Garonne 47 . . 257 AM75
Caumont-sur-Orne 14 . . . . . . 53 AI25
Cauna 40 . . . . 293 AF82
Caunay 79 . . . . 185 AL55
Cauneille 40 . . . . 292 AB85
Caunes-Minervois 11 . . . . . . 320 BE88
La Caunette 34 . . . . 320 BG87
Caunette-sur-Lauquet 11 . . 337 BD91
Caunettes-en-Val 11 . . . . . . 338 BF91
Caupenne 40 . . . . 293 AE83
Caupenne-
d'Armagnac 32 . . . . 294 AJ82
La Caure 51 . . . . 61 BN25
Caurel 51 . . . . 41 BQ21
Caurel 22 . . . . 77 P32
Cauria
(Mégalithes de) 2A 350 FD115
Cauro 2A 348 FD111
Cauroir 59 . . . . 14 BK11
Cauroy 08 . . . . 42 BS21
Cauroy-lès-Hermonville 51 . . 41 BO21
Le Causé 82 . . . . 297 AS82
Cause-de-Clérans 24 . . . . . . 240 AQ70
Caussade 82 . . . . 278 AW78
Caussade-Rivière 65 . . . . . . 295 AK85
Causse-Bégon 30 . . . . 282 BL79
Causse-de-la-Selle 34 . . . . . 302 BN82
Causse Noir
(Corniche du) 12 . . . . 282 BK78
Caussens 32 . . . . 295 AN81
Causses-et-Veyran 34 . . . . . 321 BJ86
Caussidières 31 . . . . 318 AX87
Caussiniojouls 34 . . . . 301 BJ85
Caussols 06 . . . . 309 CO82
Caussou 09 . . . . 336 AY94
Cauterets 65 . . . . 332 AJ92
Cauverville-en-Roumois 27 . . 35 AQ21
Cauvicourt 14 . . . . 53 AK24
Cauvignac 33 . . . . 256 AJ75
Cauvigny 60 . . . . 38 BC21
Cauville 14 . . . . 53 AH25
Cauville-sur-Mer 76 . . . . 18 AN18
La Cauvinière (Haras) 14 . . . 54 AO24
Caux 34 . . . . 321 BL86
Caux-et-Sauzens 11 . . . . 319 BC89
Cauzac 47 . . . . 276 AR77
Cavagnac 46 . . . . 242 AX69
Cavaillon 84 . . . . 305 BZ82
Cavalaire-sur-Mer 83 . . . . . . 329 CL88
La Cavalerie 12 . . . . 281 BJ80
Cavalière 83 . . . . 329 CK82
Cavaliers (Falaise des) 83 . . 307 CJ82
Cavan 22 . . . . 72 N27
Cavanac 11 . . . . 319 BD89
Cavarc 47 . . . . 258 AP72
Caveirac 30 . . . . 303 BS82
Caves 11 . . . . 339 BI92
Cavignac 33 . . . . 237 AH68
Cavigny 50 . . . . 32 AE22
Cavillargues 30 . . . . 284 BU79
Cavillon 80 . . . . 22 BB14
Cavron-Saint-Martin 62 . . . . . 6 BA9
Caychax 09 . . . . 336 AY94
Cayeux-en-Santerre 80 . . . . 23 BF15
Cayeux-sur-Mer 80 . . . . 11 AX11
Le Cayla (Musée) 81 . . . . . . 279 AZ80
Le Caylar 34 . . . . 301 BL82
Caylus 82 . . . . 278 AX78
La Cayolle (Col de) 06 . . . . . 289 CM76
Cayrac 82 . . . . 278 AW79
Cayres 43 . . . . 247 BO70
Cayriech 82 . . . . 278 AX78
Le Cayrol 12 . . . . 263 BG74
Cayrols 15 . . . . 261 BC71
Cazac 31 . . . . 316 AR87
Cazalis 40 . . . . 293 AE84
Cazalis 33 . . . . 274 AH76
Cazalrenoux 11 . . . . 319 BA89
Cazals 82 . . . . 278 AY79
Cazals 46 . . . . 259 AU73
Cazals-des-Baylès 09 . . . . . 337 BA90
Cazaril-Laspènes 31 . . . . . . 334 AO93
Cazaril-Tambourès 31 . . . . . 316 AO89
Cazarilh 65 . . . . 334 AO92
Cazats 33 . . . . 256 AJ75
Cazaubon 32 . . . . 294 AJ81
Cazaugitat 33 . . . . 256 AK72
Cazaunous 31 . . . . 334 AQ91
Cazaux 33 . . . . 254 AB74
Cazaux 09 . . . . 336 AW90
Cazaux-d'Anglès 32 . . . . 295 AM84
Cazaux-Debat 65 . . . . 333 AN92
Cazaux-Fréchet 65 . . . . 333 AN93
Cazaux-Layrisse 31 . . . . 334 AP93
Cazaux-Savès 32 . . . . 297 AS85
Cazaux-Villecomtal 32 . . . . 315 AL86
Cazavet 09 . . . . 335 AS91

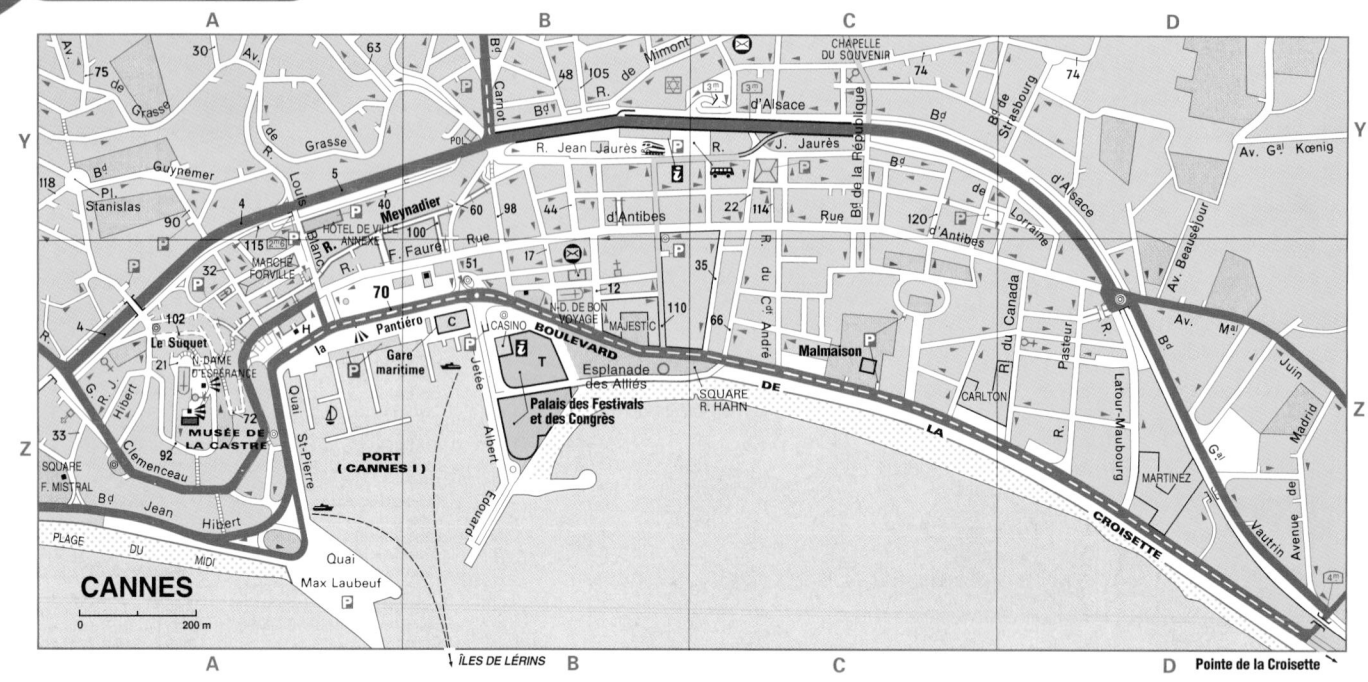

CANNES

0 — 200 m

Anc.-Combattants-d'Afrique-du-Nord (Av.) ... AYZ 4
André (R. du Cdt) ... CZ
Antibes (R. d') ... BCY
Bachaga-Saïd-Boualam (Av.) ... AY 5
Belges (R. des) ... BZ 12
Buttura (R.) ... BZ 17
Castre (Pl. de la) ... AZ 21
Chabaud (R.) ... CY 22
Croisette (Bd de la) ... BDZ
Delaup (Bd) ... AY 30
Dr-Pierre Gazagnaire (R.) ... AZ 32
Dollfus (R. Jean) ... AZ 33
États-Unis (R. des) ... CZ 35
Félix-Faure ... ABZ
Ferrage (Bd de la) ... ABY 40
Foch (R. du Mar.) ... BY 44
Gallieni (R. du Mar.) ... BY 48
Gaulle (Pl. Gén.-de) ... BZ 51
Joffre (R. du Mar.) ... BY 60
Lattre-de-Tassigny (Av. de) ... AY 63
Liberté-Charles de Gaulle (A. de la) ... AZ 70
Macé (R.) ... CZ 66
Montfleury (Bd) ... CDY 74
Monti (R. Marius) ... AY 75
Mont-Chevalier (R. du) ... AZ 72
Pastour (R. Louis) ... AY 90
Perrissol (R. Louis) ... AZ 92
Riouffe (R. Jean de) ... BY 98
Rouguière (R.) ... BY 100
St-Antoine (R.) ... AZ 102
St-Nicolas (Av.) ... BY 105
Serbes (R. des) ... BZ 110
Teisseire (R.) ... CY 114
Tuby (Bd Victor) ... AYZ 115
Vallombrosa (Bd) ... AY 118
Vidal (R. du Cdt) ... CY 120

La Caze (Château de) 48 ... 282 BL76
Cazeaux-de-Larboust 31 ... 334 A093
Cazedarnes 34 ... 321 BI87
Cazenave-Serres-et-Allens 09 ... 336 AX93
Cazeneuve 32 ... 295 AL81
Cazeneuve-Montaut 31 ... 316 AR89
Cazères 31 ... 317 AT89
Cazères-sur-l'Adour 40 ... 294 AH82
Cazes-Mondenard 82 ... 277 AU78
Cazevieille 34 ... 302 B083
Cazideroque 47 ... 277 A576
Cazilhac 34 ... 302 B081
Cazilhac 11 ... 319 BD89
Cazilhac (Château de) 34 ... 301 BJ83
Cazilhac 46 ... 242 AX69
Cazoulès 24 ... 242 AW70
Cazouls-d'Hérault 34 ... 322 BM86
Cazouls-lès-Béziers 34 ... 321 BJ87
Ceaucé 61 ... 82 AH30
Ceaulmont 36 ... 188 AX52
Céaux 50 ... 51 AB28
Céaux-d'Allègre 43 ... 247 B067
Ceaux-en-Couhé 86 ... 186 AN54
Ceaux-en-Loudun 86 ... 169 AN46
Cébazan 34 ... 321 BJ87
Cébazat 63 ... 209 BJ60
Ceccia (Site préhistorique) 2A ... 351 FG115
Ceffia 39 ... 196 CB54
Ceffonds 52 ... 92 BV30
Ceignac 12 ... 280 BE77
Ceignes 01 ... 214 CB56
Ceilhes-et-Rocozels 34 ... 301 BJ82
Ceillac 05 ... 271 CH72
Ceilloux 63 ... 228 BM62
Ceintrey 54 ... 94 CF29
La Celette 18 ... 190 BE51
La Celle 83 ... 328 CH86
La Celle 63 ... 208 BE60
Cellé 41 ... 131 AR37
La Celle 18 ... 173 BE49
La Celle 03 ... 191 BG55
La Celle-Condé 18 ... 172 BC49
La Celle-Dunoise 23 ... 189 AY54
La Celle-en-Morvan 71 ... 176 BR47
La Celle-Guenand 37 ... 170 AS47
La Celle-les-Bordes 78 ... 58 BA29
Celle-Lévescault 86 ... 186 AM53
La Celle-Saint-Avant 37 ... 169 AQ46
La Celle-Saint-Cloud 78 ... 58 BC42
La Celle-Saint-Cyr 89 ... 113 BK36
La Celle-sous-Chantemerle 51 ... 90 BN29
La Celle-sous-Gouzon 23 ... 207 BC56
La Celle-sous-Montmirail 02 ... 60 BL26
La Celle-sur-Loire 58 ... 156 BH42
La Celle-sur-Morin 77 ... 59 BH27
La Celle-sur-Nièvre 58 ... 156 BJ44
La Celle-sur-Seine 77 ... 88 BG31
Cellefrouin 16 ... 203 A059
Celles 34 ... 301 BL84
Celles 24 ... 239 A066
Celles 17 ... 220 AI62
Celles 15 ... 245 BE48
Celles 09 ... 336 AX92

Celles-en-Bassigny 52 ... 117 CB36
Celles-lès-Condé 02 ... 60 BM24
Celles-sur-Aisne 02 ... 40 BL20
Celles-sur-Belle (R.) ... 185 AJ55
Celles-sur-Durolle 63 ... 210 BN59
Celles-sur-Ource 10 ... 115 CL30
Celles-sur-Plaine 88 ... 96 CL30
La Cellette 63 ... 209 BG57
La Cellette 23 ... 189 BA53
Cellettes 41 ... 153 AM44
Cellettes 16 ... 203 AM59
Le Cellier 44 ... 148 AB43
Cellier-du-Luc 07 ... 265 BP72
Celliers 73 ... 234 CJ63
Cellieu 42 ... 230 BU63
Cellule 63 ... 209 BJ58
Celon 36 ... 188 AW52
Celony 51 ... 306 CC85
Celoux 15 ... 246 BK67
Celsoy 52 ... 139 CA37
Cély 77 ... 88 BE31
Cembaing 70 ... 140 CD37
Cempuis 60 ... 21 BA17
Cénac 33 ... 255 AH71
Cénac-et-Saint-Julien 24 ... 259 AU71
Cenans 70 ... 162 CG41
Cendras 30 ... 283 BR78
Le Cendre 63 ... 227 BJ61
Cendrecourt 70 ... 140 CE37
Cendrey 25 ... 162 CG42
Cendrieux 24 ... 240 AR69
Cénevières 46 ... 260 AY75
Cenne-Monestiés 11 ... 319 BB88
Cenomes 12 ... 301 BI82
Cenon 33 ... 237 AG70
Cenon-sur-Vienne 86 ... 170 AP49
Censeau 39 ... 180 CF49
Censerey 21 ... 158 BS44
Censy 89 ... 137 BQ39
Les Cent-Acres 76 ... 20 AU16
Centeilles (Chapelle de) 34 ... 320 BF88
Centrès 12 ... 280 BD78
Centuri 2B ... 345 FF100
Centuri-Port 2B ... 345 FF100
Cenves 69 ... 195 BV55
Cépet 31 ... 297 AV83
Cépie 11 ... 337 BC90
Cepoy 45 ... 112 BG35
Céran 32 ... 296 AP82
Cérans-Foulletourte 72 ... 129 AM37
Cerbère 66 ... 343 BK97
Cerbois 18 ... 172 BB46
Cercié 69 ... 212 BV56
Cercier 74 ... 215 CF57
Cercles 24 ... 221 A065
Cercottes 45 ... 110 AZ36
Cercoux 17 ... 238 AJ67
Le Cercueil 61 ... 83 AM29
Cercy-la-Tour 58 ... 175 BN48
Cerdon 45 ... 134 BD40
Cerdon 01 ... 214 CB56
Cerdon (Grottes du) 01 ... 214 CB56
Cère 40 ... 273 AG80
Cère (Pas de) 15 ... 244 BF69
Céré-la-Ronde 37 ... 152 AU44

Cerelles 37 ... 151 AQ41
Cérences 50 ... 51 AB25
Céreste 04 ... 306 CD81
Céret 66 ... 342 BG97
Cerfontaine 59 ... 15 BP10
Le Cergne 42 ... 212 BS56
Cergy 95 ... 58 BB24
Cergy-Pontoise (Ville nouvelle) 95 ... 58 BB24
Cérilly 89 ... 114 BM34
Cérilly 21 ... 138 BT37
Cérilly 03 ... 191 BG51
Cerisé 61 ... 83 AM31
Cerisières 52 ... 92 BX32
Cerisiers 89 ... 113 BL34
Cerisy 80 ... 23 BF15
Cerisy-Belle-Étoile 61 ... 53 AH26
Cerisy-Buleux 80 ... 32 AF22
Cerisy-la-Forêt 50 ... 32 AF22
Cerisy-la-Salle 50 ... 51 AC24
Cerizay 79 ... 167 AG48
Cérizols 09 ... 335 AS90
Cerizy 02 ... 24 BK16
La Cerlangue 76 ... 35 AP19
La Cerleau 08 ... 26 BR15
Cernans 39 ... 179 CE47
Cernay 86 ... 169 AN48
Cernay 68 ... 143 CN37
Cernay 28 ... 85 AV31
Cernay 14 ... 54 A024
Cernay-en-Dormois 51 ... 42 BU22
Cernay-la-Ville 78 ... 57 BA28
Cernay-l'Église 25 ... 163 CL43
Cernay-lès-Reims 51 ... 41 BQ22
Cerneux 77 ... 60 BK28
Cernex 74 ... 215 CF57
Cerniébaud 39 ... 180 CG49
Cernion 08 ... 26 BS16
Cernon 51 ... 62 BR26
Cernon 39 ... 196 CC53
Cernoy 60 ... 38 BE20
Cernoy-en-Berry 45 ... 155 BF41
Cernusson 49 ... 149 AH44
Cerny 91 ... 87 BD30
Cerny-en-Laonnois 02 ... 40 BM20
Cerny-lès-Bucy 02 ... 24 BM18
Céron 71 ... 193 BP55
Cérons 33 ... 256 AI73
Les Cerqueux 49 ... 167 AG46
Les Cerqueux 14 ... 54 A024
Les Cerqueux-sous-Passavant 49 ... 149 AH45
Cerre-lès-Noroy 70 ... 141 CH39
Cers 34 ... 321 BL88
Cersay 79 ... 167 AI46
Cerseuil 02 ... 40 BL21
Cersot 71 ... 177 BU50
Certémery 39 ... 179 CD47
Certilleux 88 ... 94 CC32
Certines 01 ... 213 BZ56
Cervières 42 ... 211 B060
Cervières 05 ... 252 CL70
Cerville 54 ... 66 CG27
Cervione 2B ... 347 FH107
Cervon 58 ... 157 BN44

Cerzat 43 ... 246 BM67
Cesancey 39 ... 196 CB55
Césarches 73 ... 216 CI60
Césarville-Dossainville 45 ... 111 BC33
Cescau 64 ... 314 AG86
Cescau 09 ... 335 AS92
Cesny-aux-Vignes 14 ... 34 AL23
Cesny-Bois-Halbout 14 ... 53 AJ24
Cessac 33 ... 256 AJ72
Cessales 31 ... 318 AY86
Cesse 55 ... 43 BX19
Cessenon-sur-Orb 34 ... 321 BJ86
Cessens 73 ... 215 CE60
Cesseras 34 ... 320 BG88
Cesset 03 ... 192 BK55
Cesseville 27 ... 36 AT22
Cessey 25 ... 161 CE45
Cessey-sur-Tille 21 ... 160 BZ43
Cessières 02 ... 24 BL18
Cessieu 38 ... 232 CA62
Cesson 77 ... 88 BF29
Cesson 22 ... 78 R29
Cesson-Sévigné 35 ... 104 Z34
Cessoy-en-Montois 77 ... 89 BJ30
Cessy 01 ... 197 CF54
Cessy-les-Bois 58 ... 156 BJ43
Cestas 33 ... 255 AF71
Cestayrols 81 ... 279 BA80
Ceton 61 ... 108 AR33
Cette-Eygun 64 ... 331 AF92
Céüze 05 ... 269 CF74
Cevins 73 ... 234 CJ62
Ceyras 34 ... 302 BM84
Ceyrat 63 ... 227 BI61
Ceyreste 13 ... 327 CE88
Ceyroux 23 ... 206 AY57
Ceyssac 43 ... 247 BP69
Ceyssat 63 ... 227 BH61
Ceyzériat 01 ... 214 CA56
Ceyzérieu 01 ... 214 CD59
Cézac 46 ... 277 AV76
Cézac 33 ... 237 AH68
Cezais 85 ... 184 AF51
Cézan 32 ... 296 A082
Cezay 42 ... 211 B060
Cézens 15 ... 245 BH69
Cézia 39 ... 196 CC53
Cézy 89 ... 113 BK36
Chaalis (Abbaye de) 60 ... 39 BF23
Chabanais 16 ... 204 A059
La Chabanne 03 ... 211 B058
La Chabasse (Église de) 63 ... 228 BN61
Chabestan 05 ... 269 CE74
Chabeuil 26 ... 249 BY70
Chablis 89 ... 136 B038
Chabons 38 ... 232 CB64
La Chabossière 44 ... 147 Y44
La Chabotterie (Château de) 85 ... 165 AA47
Chabottes 05 ... 269 CH72
Chabournay 86 ... 169 AN50
Chabrac 16 ... 204 A059
Chabreloche 63 ... 210 BN59
Chabrières 04 ... 288 CI79

Chabrignac 19 ... 223 AV65
Chabrillan 26 ... 267 BX72
Chabris 36 ... 153 AY44
Chacé 49 ... 150 AK44
Chacenay 10 ... 115 BT34
Chacrise 02 ... 40 BK21
Chadeleuf 63 ... 227 BJ63
Chadenac 17 ... 219 AH63
Chadenet 48 ... 264 BN74
Chadrac 43 ... 247 BP68
Chadron 43 ... 247 BP69
Chadurie 16 ... 221 AM63
Le Chaffal 26 ... 249 BZ70
Le Chaffaut-Saint-Jurson 04 ... 287 CH79
Chaffois 25 ... 180 CH47
Chagey 70 ... 142 CK39
Chagnolet 17 ... 183 AC55
Chagnon 42 ... 230 BU63
Chagny 71 ... 177 BV47
Chagny 08 ... 26 BU18
Les Chalesmes 39 ... 180 CF50
Chahaignes 72 ... 130 AP38
Chahains 61 ... 83 AL29
Chaignay 21 ... 160 BX41
Chaignes 27 ... 56 AW24
Chail 79 ... 185 AK55
Chaillac 36 ... 188 AV53
Chaillac-sur-Vienne 87 ... 204 AR59
Chaillé-sous-les-Ormeaux 85 ... 182 AA51
Chailles 41 ... 153 AV41
Chaillevette 17 ... 200 AC60
Chaillevois 02 ... 40 BL19
Chailley 89 ... 114 BN35
Chaillol 05 ... 269 CH72
Chaillon 55 ... 64 CB25
Chailloué 61 ... 54 AN28
Chailly-en-Bière 77 ... 88 BF31
Chailly-en-Brie 77 ... 60 BJ27
Chailly-en-Gâtinais 45 ... 112 BE36
Chailly-lès-Ennery 57 ... 45 CF22
Chailly-sur-Armançon 21 ... 159 BT44
Chainaz-les-Frasses 74 ... 215 CF60
Chaînée-des-Coupis 39 ... 178 CA47
Chaingy 45 ... 133 AZ37
Chaintré 71 ... 194 BV55
Chaintreaux 77 ... 112 BG33
Chaintrix-Bierges 51 ... 61 BQ26
La Chaise 10 ... 92 BV37
La Chaise-Baudouin 50 ... 51 AC27
La Chaise-Dieu 43 ... 228 BN65
Chaise-Dieu-du-Theil 27 ... 55 AR27
Chaix 85 ... 183 AE53
La Chaize-Giraud 85 ... 165 X50
La Chaize-le-Vicomte 85 ... 166 AB50
Chalabre 11 ... 337 BA91
Chalagnac 24 ... 240 AQ68
Chalain (Lac de) 39 ... 179 CD50
Chalain-d'Uzore 42 ... 229 BQ61
Chalain-le-Comtal 42 ... 229 BR62
Chalaines 55 ... 93 CB28
Chalais 86 ... 168 AM47
Chalais 36 ... 188 AU52
Chalais 16 ... 239 AL66

Chalam (Crêt de) 01 ... 197 CE55
Chalamont 01 ... 213 BZ58
Chalampé 68 ... 121 CQ36
Chalancey 52 ... 139 BY39
Chalancon 26 ... 268 CB74
Chalandray 86 ... 168 AL50
Chalandrey 50 ... 52 AD28
Chalandry 02 ... 24 BM17
Chalandry-Élaire 08 ... 26 BU15
Le Chalange 61 ... 84 A029
Le Chalard 87 ... 223 AT63
Chalautre-la-Grande 77 ... 89 BL30
Chalautre-la-Petite 77 ... 89 BK30
Chalautre-la-Reposte 77 ... 89 BI30
Chalaux 58 ... 158 BP43
La Chaldette 48 ... 263 BI72
Chaleins 01 ... 213 BW57
Chaleix 24 ... 223 AS63
Chalencon 07 ... 248 BU70
Chalencon (Château de) 43 ... 247 BQ66
Les Chalesmes 39 ... 180 CF50
Châlette-sur-Loing 45 ... 112 BG36
Chalette-sur-Voire 10 ... 91 BS31
Chaley 01 ... 214 CB58
Chalèze 25 ... 162 CF43
Chalezeule 25 ... 162 CF43
Chaliers 15 ... 246 BK69
Chalifert 77 ... 59 BG26
Chaligny 54 ... 94 CE28
Chalinargues 15 ... 245 BH67
Chalindrey 52 ... 139 CA37
Chalivoy-Milon 18 ... 173 BG48
Challain-la-Potherie 49 ... 127 AD39
Challans 85 ... 165 X48
Challement 58 ... 157 BM43
Challerange 08 ... 42 BU21
Challes 72 ... 108 A036
Challes-la-Rivière 01 ... 214 CB56
Challes-les-Eaux 73 ... 233 CF62
Challet 28 ... 86 AW29
Challex 01 ... 197 CF55
Challignac 16 ... 220 AK63
Challonges 74 ... 215 CE57
Challuy 58 ... 174 BJ47
Chalmaison 77 ... 89 BK30
Chalmazel 42 ... 229 BP61
Chalmessin 52 ... 139 BX39
Chalmoux 71 ... 193 B051
Chalo-Saint-Mars 91 ... 87 BB31
Le Chalon 26 ... 249 BY67
Chalon-sur-Saône 71 ... 177 BW49
Chalonnes-sous-le-Lude 49 ... 129 AM40
Chalonnes-sur-Loire 49 ... 149 AF42
Châlons 38 ... 231 BX64
Châlons-du-Maine 53 ... 106 AD33
Châlons-en-Champagne 51 ... 62 BS25
Châlons-sur-Vesle 51 ... 41 B021
Châlonvillars 70 ... 142 CK39
Chalou-Moulineux 91 ... 87 BA31
La Chalp 05 ... 271 CM71
Chaltrait 51 ... 61 B025
Châlus 87 ... 223 AS62

CHÂLONS EN CHAMPAGNE

Arche-de-Mauvillain (Pt de l') . . **BZ** 2
Bourgeois (R. Léon) . . . . **ABY**
Chastillon (R. de) . . . . **ABZ** 6
Croix-des-Teinturiers (R.) . . . . **AZ** 9
Flocmagny (R. du) . . . . **BZ** 12

Foch (Pl. du Maréchal) . . . . . . **AY** 13
Gantelet (Rue du) . . . . **AY** 14
Gaulle (Av. du Gén. Charles-de) **BZ** 15
Godart (Pl.) . . . . **AY** 17
Jean-Jaurès
(R.) . . . . **AZ** 20
Jessaint (R. de) . . . . **BZ** 22
Libération (Pl. de la) . . . . **AZ** 24
Mariniers (Pt des) . . . . **AY** 26
Marne (R. de la) . . . . **AY**

Martyrs-de-la-Résistance
(R. des) . . . . **BY** 29
Orfeuil (R. d') . . . . **AZ** 31
Ormesson (Cours d') . . . . **AZ** 32
Prieur-de-la-Marne (R.) . . . . . **BY** 36
Récamier (R. Juliette) . . . . . . **AZ** 38
République (Pl. de la) . . . . . . **AZ** 39
Vaux (R. de) . . . . **AY** 47
Vinetz (R. de) . . . . **BZ** 49
Viviers (Pt des) . . . . **AY** 50

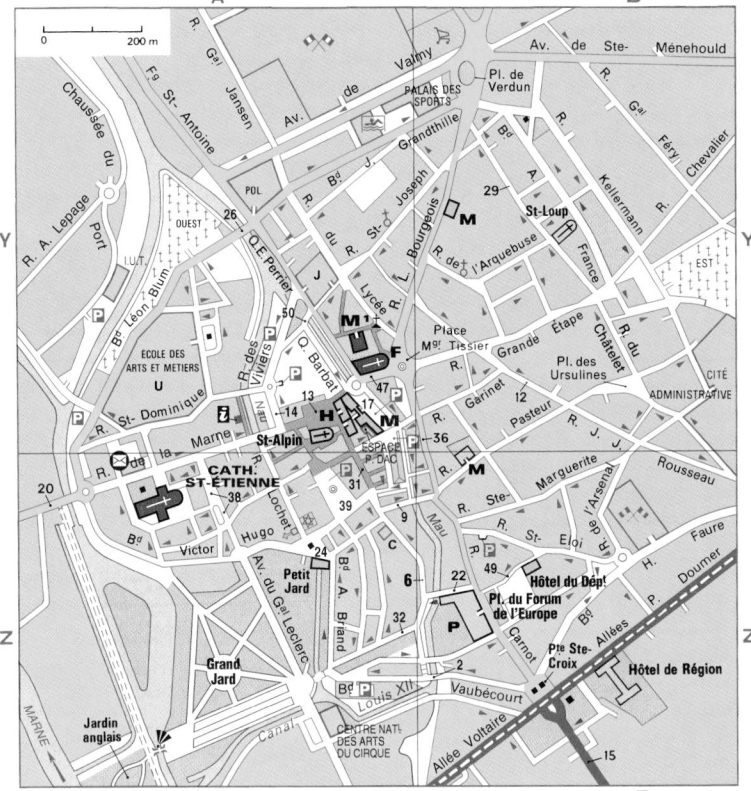

Chambéry-le-Vieux 73 . . . . . 233 CF62	Chambretaud 85 . . . . 166 AE47
Chambeugle 89 . . . . 135 BI37	Chambrey 57 . . . . 66 CH26
Chambezon 43 . . . . 228 BK65	Chambroncourt 52 . . . . 93 BZ31
Chambilly 71 . . . . 193 BQ55	Chambroutet 79 . . . . 167 AH48
Chamblac 27 . . . . 55 AQ25	Chambry 77 . . . . 59 BH25
Chamblanc 21 . . . . 178 BY46	Chambry 02 . . . . 24 BM18
Chamblay 39 . . . . 179 CC46	Chaméane 63 . . . . 228 BL63
Chambles 42 . . . . 230 BS64	Chamelet 69 . . . . 212 BU58
Chamblet 03 . . . . 191 BG54	Chameroy 52 . . . . 139 BY37
Chambley-Bussières 54 . . . 65 CD23	Chamery 51 . . . . 41 BP23
Chambly 60 . . . . 38 BC23	Chamesey 25 . . . . 163 CJ43
Chambœuf 42 . . . . 230 BS62	Chamesol 25 . . . . 163 CL42
Chambœuf 21 . . . . 159 BW44	Chamesson 21 . . . . 138 BT38
Chambois 61 . . . . 54 AM27	Chameyrat 19 . . . . 242 AY66
Chambolle-Musigny 21 . . . 160 BX44	Chamigny 77 . . . . 60 BJ25
Chambon 37 . . . . 170 AR48	Chamilly 71 . . . . 177 BV48
Chambon 30 . . . . 283 BQ77	Chammes 53 . . . . 106 AI35
Chambon 18 . . . . 173 BD49	Chamole 39 . . . . 179 CD48
Chambon 17 . . . . 201 AE56	Chamonix-Mont-Blanc 74 . . . 217 AH48
Le Chambon 07 . . . . 266 BS71	Chamouillac 17 . . . . 219 AH65
Chambon	Chamouille 02 . . . . 40 BM19
(Barrage du) 38 . . . . . . 251 CH68	Chamouilley 52 . . . . 92 BX29
Chambon (Lac) 63 . . . . . . 227 BH63	Chamousset 73 . . . . 233 CH62
Chambon (Lac de) 36 . . . . 188 AX53	Chamoux 89 . . . . 157 BN42
Le Chambon-	Chamoux-sur-Gelon 73 . . . 233 CH62
Feugerolles 42 . . . . 230 BS64	Chamoy 10 . . . . 114 BP34
Chambon-la-Forêt 45 . . . . 111 BC35	Champ de Bataille
Chambon-le-Château 48 . . 264 BN71	(Château du) 27 . . . . . . 35 AS23
Chambon-	Le Champ-de-la-Pierre 61 . . 83 AK29
Sainte-Croix 23 . . . . . . 189 AY54	Champ-d'Oiseau 21 . . . . 137 BS40
Chambon-sur-Cisse 41 . . . 152 AU41	Champ-Dolent 27 . . . . 56 AT25
Chambon-sur-Dolore 63 . . 228 BN63	Champ-Dolent
Chambon-sur-Lac 63 . . . . 227 BH63	(Menhir du) 35 . . . . 80 Z29
Le Chambon-	Champ-du-Boult 14 . . . . . 52 AE26
sur-Lignon 43 . . . . 248 BS68	Champ du Feu 67 . . . . 96 CN30
Chambon-sur-Voueize 23 . . 208 BD56	Champ-Haut 61 . . . . 54 AO27
Chambonas 07 . . . . 265 BR75	Champ-Laurent 73 . . . . . 233 CH63
Chambonchard 23 . . . . . 208 BE56	Champ-le-Duc 88 . . . . . . 119 CJ33
La Chambonie 42 . . . . . . 229 BO61	Le Champ-
Chamborand 23 . . . . 206 AX56	près-Froges 38 . . . . . . 233 CF65
Chambord 41 . . . . 132 AX40	Le Champ-Saint-Père 85 . . 182 AA52
Chambord 27 . . . . 55 AQ26	Champ-sur-Barse 10 . . . . 115 BS33
Chamboret 87 . . . . 205 AT58	Champ-sur-Drac 38 . . . . 250 CD68
Chamborigaud 30 . . . . . 283 BQ77	Le Champ-sur-Layon 49 . . 149 AH43
Chambornay-	Champagnac 17 . . . . 219 AH64
lès-Bellevaux 70 . . . . . 162 CF42	Champagnac 15 . . . . 226 BD65
Chambornay-lès-Pin 70 . . 161 CE42	Champagnac-
Chambors 60 . . . . 37 AZ22	de-Belair 24 . . . . 222 AQ65
Chambost-Allières 69 . . . . 212 BT58	Champagnac-
Chambost-	la-Noaille 19 . . . . 243 BA66
Longessaigne 69 . . . . . 212 BT60	Champagnac-la-Prune 19 . 243 BA67
La Chambotte 73 . . . . . . 215 CE60	Champagnac-
Chamboulive 19 . . . . 224 AY64	la-Rivière 87 . . . . 223 AS61
Chambourcy 78 . . . . 58 BB26	Champagnac-le-Vieux 43 . 228 BM65
Chambourg-sur-Indre 37 . . 152 AS45	Champagnat 71 . . . . 196 CA52
Chambray 27 . . . . 56 AT26	Champagnat 23 . . . . 207 BC58
Chambray 27 . . . . 56 AV24	Champagnat-le-Jeune 63 . 228 BL64
Chambray-lès-Tours 37 . . . 151 AQ43	Champagné 72 . . . . 108 AO35
La Chambre 73 . . . . 234 CI64	Champagne 28 . . . . 57 AX27
Chambrecy 51 . . . . 41 BO22	Champagné 61 . . . . 201 AE59
Les Chambres 50 . . . . . . 51 AB27	Champagne 07 . . . . 249 BW66

CHALON-SUR-SAÔNE

Chalus 63 . . . . 228 BK64	Chamagnieu 38 . . . . 231 BZ61	Chamaret 26 . . . . 267 BX75	Chambéraud 23 . . . . 207 BA57
Chalusset	Chamalières 63 . . . . 209 BI60	La Chamba 42 . . . . 229 BO61	Chamberet 19 . . . . 224 AY63
(Château de) 87 . . . . . . 223 AV61	Chamalières-sur-Loire 43 . 247 BQ67	Chambain 21 . . . . 138 BW38	Chambéria 39 . . . . 196 CB52
Chalvignac 15 . . . . 243 BC66	Chamaloc 26 . . . . 268 CB71	Chambeire 21 . . . . 160 BZ43	Chambéry 73 . . . . 233 CF62
Chalvraines 52 . . . . 117 CA33	Chamant 60 . . . . 39 BF22	Chambellay 49 . . . . 128 AG39	
Chamadelle 33 . . . . 238 AK68	Chamarande 91 . . . . 87 BC30	Chambéon 42 . . . . 229 BR61	
Chamagne 88 . . . . 95 CG30	Chamarandes 52 . . . . . . 117 BY34	Chambérat 03 . . . . 190 BD53	

CHALON-SUR-SAÔNE

Banque (R. de la) . . . . **BZ** 3
Châtelet (Pl. du) . . . . **BZ** 5
Châtelet (R. du) . . . . **CZ** 6
Citadelle (R. de la) . . . . . . **BY** 7
Couturier (R. Ph.-L.) . . . . . **BZ** 9
Duhesme (R. du Gén.) . . . . **AY** 12
Évêché (R. de l') . . . . **CZ** 15

Fèvres (R. aux) . . . . **CZ** 16
Gaulle (Pl. Gén.-de) . . . . . **BZ** 17
Grande-R. . . . . **BCZ** 18
Hôtel-de-Ville
(Pl. de l') . . . . **BZ** 19
Leclerc (R. Gén.) . . . . **BZ**
Lyon (R. de) . . . . **BZ** 21
Messiaen (R. O.) . . . . **AZ** 24
Obélisque (Pl. de l') . . . . . **BY** 27
Pasteur (R.) . . . . **BZ** 28
Poissonnerie (R. de la) . . . **CZ** 31
Pompidou (Av. G.) . . . . . . **AZ** 32

Pont (R. du) . . . . **CZ** 35
Porte-de-Lyon
(R.) . . . . **BZ** 36
Port-Villiers (R. du) . . . . . . **BZ** 37
Poterne (R. de la) . . . . **CZ** 38
Pretet (R. René) . . . . **AZ** 40
République (Bd) . . . . **ABZ** 42
Ste-Marie (Prom.) . . . . . . **CZ** 47
St-Georges (R.) . . . . **BZ** 45
St-Vincent (Pl. et R.) . . . . . **CZ** 46
Strasbourg (R. de) . . . . . . **CZ** 48
Trémouille (R. de la) . . . . . **BCY** 51

CHAMBÉRY

Allobroges (Q. des) . . . . . . **A** 2
Banque (R. de la) . . . . **B** 3
Basse-du-Château (R.) . . . . **A** 4
Bernardines (Av. des) . . . . . **A** 6
Boigne (R. de) . . . . **AB**
Borrel (Q. du Sénateur A.) . . **B** 7
Charvet (R. F.) . . . . **B** 9
Château (Pl. du) . . . . **A** 10
Colonne (Bd de la) . . . . . . **B**

Ducis (R.) . . . . **B** 13
Ducs-de-Savoie (Av. des) . . **B** 14
Europe (Espl. de l') . . . . . . **B** 16
Freizier (R.) . . . . **AB** 17
Gaulle (Av. Gén.-de) . . . . . **B** 18
Italie (R. d') . . . . **B** 20
Jean-Jaurès (Av.) . . . . **A** 21
Jeu-de-Paume (Q. du) . . . . **A** 23
Juiverie (R.) . . . . **A**
Lans (R. de) . . . . **A** 24
Libération (Pl. de la) . . . . . **B** 25
Maché (Pl.) . . . . **A** 27

Maché (R. du Fg) . . . . **A** 28
Martin (R. Cl.) . . . . **B** 30
Métropole (Pl.) . . . . **B** 31
Michaud (R.) . . . . **B** 32
Mitterrand (Pl. F.) . . . . **B** 33
Musée (Bd du) . . . . **AB** 34
Ravet (Q. Ch.) . . . . **B** 35
St-François (R.) . . . . **B** 38
St-Léger (R.) . . . . **B**
St-Antoine (R.) . . . . **A** 36
Théâtre (Bd du) . . . . **B** 39
Vert (Av. du Comte) . . . . . **A** 40

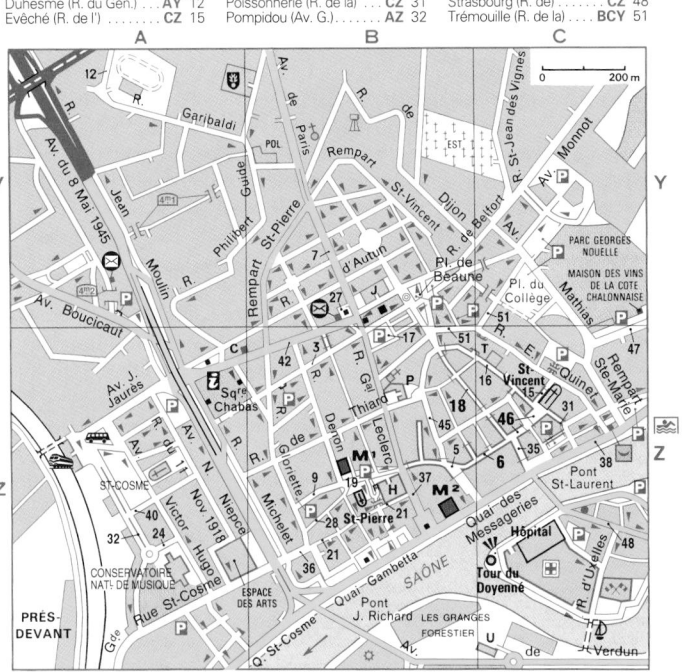

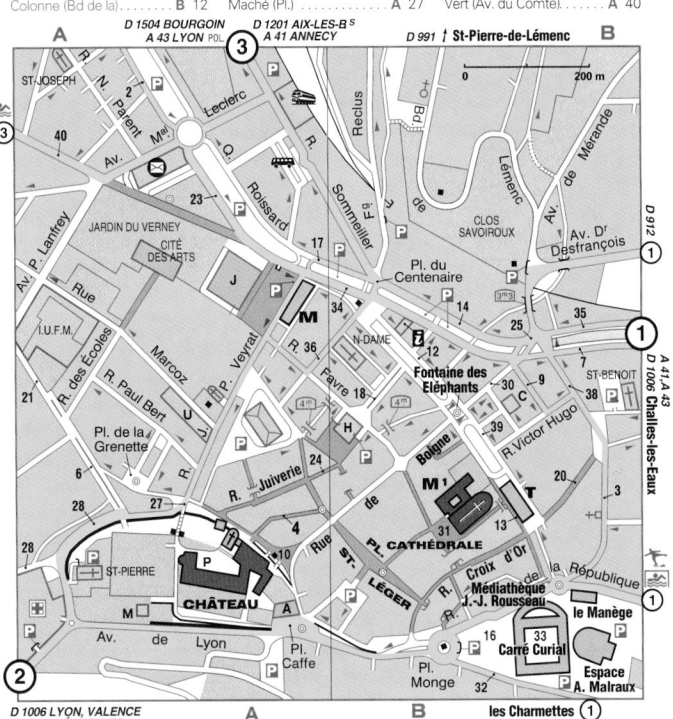

Champagne-au-Mont-d'Or 69 ... 213 BW60
Champagne-en-Valromey 01 ... 214 CD58
Champagne-et-Fontaine 24 ... 221 AN64
Champagné-le-Sec 86 ... 203 AM56
Champagné-les-Marais 85 ... 183 AC53
Champagne-Mouton 16 ... 203 AO58
Champagné-Saint-Hilaire 86 ... 186 AN54
Champagne-sur-Loue 39 ... 179 CD46
Champagne-sur-Oise 95 ... 38 BC23
Champagne-sur-Seine 77 ... 88 BG31
Champagne-sur-Vingeanne 21 ... 160 CA41
Champagne-Vigny 16 ... 221 AL63
Champagneux 73 ... 232 CD62
Champagney 70 ... 142 CJ38
Champagney 39 ... 161 CB43
Champagney 25 ... 161 CE43
Champagnier 38 ... 250 CD67
Champagnole 39 ... 179 CE49
Champagnolles 17 ... 219 AG63
Champagny 39 ... 179 CE47
Champagny 21 ... 159 BV41
Champagny-en-Vanoise 73 ... 234 CL63
Champagny-sous-Uxelles 71 ... 194 BV51
Champallement 58 ... 157 BL44
Champanges 74 ... 198 CJ53
Champaubert 51 ... 61 BN26
Champcella 05 ... 270 CK71
Champcenest 77 ... 60 BK28
Champcerie 61 ... 53 AK27
Champcervon 50 ... 51 AB26
Champcevinel 24 ... 240 AQ67
Champcevrais 89 ... 135 BH39
Champcey 50 ... 51 AB27
Champclause 43 ... 247 BR69
Champcourt 52 ... 92 BW32
Champcueil 91 ... 88 BE30
Champdeniers-Saint-Denis 79 ... 185 AI52
Champdeuil 77 ... 88 BG29
Champdieu 42 ... 229 BQ62
Champdivers 39 ... 178 CA46
Champdolent 17 ... 201 AE58
Champdor 01 ... 214 CC57
Champdôtre 21 ... 160 BZ44
Champdray 88 ... 120 CK33
Champeau-en-Morvan 21 ... 158 BQ44
Champeaux 79 ... 185 AI52
Champeaux 77 ... 88 BG29
Les Champeaux 61 ... 54 AN26
Champeaux 50 ... 51 AA27
Champeaux 35 ... 105 AC33
Champeaux-et-la-Chapelle-Pommier 24 ... 222 AP64
Champeaux-sur-Sarthe 61 ... 84 AP29
Champeix 63 ... 227 BJ62
Champenard 27 ... 36 AV23
La Champenoise 36 ... 172 AZ47
Champenoux 54 ... 66 CG27
Champéon 53 ... 82 AI31
Champétières 63 ... 228 BN63
Champey 70 ... 142 CJ39
Champey-sur-Moselle 54 ... 65 CE24
Champfleur 72 ... 83 AM31
Champfleury 51 ... 41 BP22
Champfleury 10 ... 90 BP29
Champforgeuil 71 ... 177 BW48
Champfrémont 53 ... 83 AL31
Champfromier 01 ... 197 CE55
Champgenéteux 53 ... 82 AJ32
Champguyon 51 ... 60 BM27
Champhol 28 ... 86 AX30
Champien 80 ... 23 BG17
Champier 38 ... 232 CA64
Champigné 49 ... 128 AH39
Champignelles 89 ... 135 BI38
Champigneul-Champagne 51 ... 61 BQ25
Champigneul-sur-Vence 08 ... 26 BT17
Champigneulle 08 ... 43 BW20
Champigneulles 54 ... 65 CF27
Champigneulles-en-Bassigny 52 ... 117 CB34
Champignol-lez-Mondeville 10 ... 116 BU34
Champignolles 27 ... 55 AR25
Champignolles 21 ... 177 BU46
Champigny 89 ... 89 BJ32
Champigny 51 ... 41 BP21
Champigny-en-Beauce 41 ... 132 AV39
Champigny-la-Futelaye 27 ... 56 AV26
Champigny-le-Sec 86 ... 168 AM50
Champigny-lès-Langres 52 ... 117 BZ36
Champigny-sous-Varennes 52 ... 140 CB37
Champigny-sur-Aube 10 ... 91 BQ29
Champigny-sur-Marne 94 ... 58 BE27
Champigny-sur-Veude 37 ... 169 AN46
Champillet 36 ... 189 BB52
Champillon 51 ... 61 BP24
Champis 07 ... 249 BW69
Champlan 91 ... 58 BC28
Champlat-et-Boujacourt 51 ... 41 BO23
Champlay 89 ... 113 BL36
Champlecy 71 ... 193 BR53
Champlemy 58 ... 156 BK44
Champlieu 71 ... 194 BV51
Champlieu (Ruines gallo-romaines de) 60 ... 39 BG21
Champlin 58 ... 157 BL44
Champlin 08 ... 26 BR15
Champlitte-et-le-Prélot 70 ... 140 CB39
Champlitte-la-Ville 70 ... 140 CB40
Champlive 25 ... 162 CG43
Champlon 55 ... 64 CB23
Champlost 89 ... 114 BN35
Champmillon 16 ... 221 AL62
Champmotteux 91 ... 87 BD32
Champnétery 87 ... 206 AX60
Champneuville 55 ... 44 BZ22
Champniers 86 ... 186 AN55
Champniers 16 ... 221 AM61
Champniers-et-Reilhac 24 ... 222 AQ61
Champoléon 05 ... 270 CI71
Champoly 42 ... 211 BO59
Champosoult 61 ... 54 AN26
Champougny 55 ... 94 CC29
Champoulet 45 ... 135 BH39
Champoux 25 ... 162 CF42
Champrenault 21 ... 159 BU42
Champrepus 50 ... 51 AC26
Champrond 72 ... 108 AR35
Champrond-en-Gâtine 28 ... 85 AT31
Champrond-en-Perchet 28 ... 85 AS32
Champrosay 91 ... 58 BD28
Champrougier 39 ... 179 CB48
Champs 63 ... 209 BJ57
Champs 61 ... 84 AQ29
Champs 02 ... 40 BJ19
Champs (Col des) 06 ... 289 CM77
Les Champs-de-Losque 50 ... 32 AD22
Les Champs-Géraux 22 ... 79 X30
Champs-Romain 24 ... 222 AR63
Champs-sur-Marne 77 ... 59 BF26
Champs-sur-Tarentaine 15 ... 226 BE65
Champs-sur-Yonne 89 ... 136 BM39
Champsac 87 ... 223 AS61
Champsanglard 23 ... 189 AZ55
Champsecret 61 ... 82 AH29
Champseru 28 ... 86 AY30
Champsevraine 52 ... 140 CB38
Champtercier 04 ... 287 CH78
Champteussé-sur-Baconne 49 ... 128 AG39
Champtocé-sur-Loire 49 ... 149 AF42
Champtoceaux 49 ... 148 AC42
Champtonnay 70 ... 161 CC42
Champvallon 89 ... 113 BK36
Champvans 70 ... 161 CB42
Champvans 39 ... 160 CA45
Champvans-les-Baume 25 ... 162 CH42
Champvans-les-Moulins 25 ... 161 CE43
Champvert 58 ... 175 BM48
Champvoisy 51 ... 40 BM23
Champvoux 58 ... 156 BI45
Chamrousse 38 ... 251 CF67
Chamvres 89 ... 113 BK36
Chanac 48 ... 264 BL75
Chanac-les-Mines 19 ... 243 AZ66
Chanaleilles 43 ... 264 BM71
Chanas 38 ... 231 BW65
Chanat-la-Mouteyre 63 ... 209 BI60
Chanay 01 ... 214 CD57
Chanaz 73 ... 215 CE59
Chançay 37 ... 152 AS42
Chancé 35 ... 104 AB35
Chanceaux 21 ... 159 BV41
Chanceaux-près-Loches 37 ... 152 AS45
Chanceaux-sur-Choisille 37 ... 151 AQ41
Chancelade 24 ... 240 AQ67
Chancenay 52 ... 63 BW28
Chancey 70 ... 161 CC43
Chancia 39 ... 196 CC54
Chandai 61 ... 55 AR27
Chandolas 07 ... 284 BS76
Chandon 42 ... 211 BR56
Chanéac 07 ... 248 BS70
Chaneins 01 ... 213 BW57
Chânes 71 ... 194 BV55
Changé 72 ... 107 AN36
Change 71 ... 177 BU47
Changé 53 ... 105 AF34
Le Change 24 ... 240 AR67
Changey 52 ... 117 BZ36
Changis-sur-Marne 77 ... 59 BI25
Changy 51 ... 62 BU27
Changy 42 ... 211 BP56
Changy-Tourny 71 ... 193 BR53
Chaniat 43 ... 228 BM65
Chaniaux 48 ... 265 BP73
Chaniers 17 ... 219 AG61
Channay 21 ... 137 BS37
Channay-sur-Lathan 37 ... 151 AN41
Channes 10 ... 115 BR36
Chanonat 63 ... 227 BJ61
Chanos-Curson 26 ... 249 BX68
Chanousse 05 ... 286 CD76
Chanoy 52 ... 117 BZ36
Chanoz-Châtenay 01 ... 213 BX56
Chanteau 45 ... 111 BA36
Chantecoq 45 ... 112 BH35
Chantecorps 79 ... 185 AK52
Chanteheux 54 ... 95 CI28
Chanteix 19 ... 242 AX66
Chantelle 03 ... 191 BJ55
Chanteloup 79 ... 167 AH49
Chanteloup 50 ... 51 AB25
Chanteloup 35 ... 104 Z35
Chanteloup 27 ... 56 AT26
Chanteloup (Pagode de) 37 ... 152 AS42
Chanteloup-en-Brie 77 ... 59 BG26
Chanteloup-les-Bois 49 ... 149 AG45
Chanteloup-les-Vignes 78 ... 57 BA25
Chantelouve 38 ... 251 CF69
Chantemerle 51 ... 90 BM29
Chantemerle 05 ... 252 CK69
Chantemerle-les-Blés 26 ... 249 BX67
Chantemerle-lès-Grignan 26 ... 267 BX75
Chantemerle-sur-la-Soie 17 ... 201 AG58
Chantemesle 95 ... 57 AY24
Chantenay-Saint-Imbert 58 ... 174 BJ50
Chantenay-Villedieu 72 ... 107 AK36
Chantepie 35 ... 104 Z34
Chantérac 24 ... 239 AO67
Chanterelle 15 ... 227 BG65
Chantes 70 ... 140 CE39
Chantesse 38 ... 250 CB66
Chanteuges 43 ... 246 BM68
Chantillac 16 ... 220 AI65
Chantilly 60 ... 38 BE22
Chantôme 36 ... 188 AX53
Chantonnay 85 ... 166 AD50
Chantraine 88 ... 119 CH33
Chantraines 52 ... 117 BY33
Chantrans 25 ... 180 CG46
Chantrigné 53 ... 82 AH31
Chanturgue (Plateau de) 63 ... 209 BJ60
Chanu 61 ... 53 AH27
Chanville 57 ... 66 CH23
Chanzeaux 49 ... 149 AG43
Chaon 41 ... 133 BC40
Chaouilley 54 ... 94 CE30
Chaource 10 ... 115 BQ35
Chaourse 02 ... 25 BP17
Chapaize 71 ... 194 BV51
Chapareillan 38 ... 233 CF63
Chaparon 74 ... 215 CH59
Chapdes-Beaufort 63 ... 209 BH59
Chapdeuil 24 ... 221 AO65
Chapeau 03 ... 192 BM52
Chapeauroux 48 ... 265 BO71
Chapeiry 74 ... 215 CF59
Chapelaine 51 ... 91 BT29
La Chapelaude 03 ... 190 BE53
La Chapelle 73 ... 234 CI64
La Chapelle 19 ... 225 BC64
La Chapelle 16 ... 203 AL59
La Chapelle 08 ... 27 BW16
La Chapelle 03 ... 210 BM57
La Chapelle-Achard 85 ... 182 Y51
La Chapelle-Agnon 63 ... 228 BN62
La Chapelle-Anthenaise 53 ... 106 AG34
La Chapelle-au-Mans 71 ... 193 BP51
La Chapelle-au-Moine 61 ... 53 AH27
La Chapelle-au-Riboul 53 ... 82 AI32
La Chapelle-Aubareil 24 ... 241 AU69
La Chapelle-aux-Bois 88 ... 119 CH35
La Chapelle-aux-Brocs 19 ... 242 AX67
La Chapelle-aux-Chasses 03 ... 175 BM50
La Chapelle-aux-Choux 72 ... 130 AN40
La Chapelle-aux-Filtzméens 35 ... 80 Y31
La Chapelle-aux-Lys 85 ... 184 AG51
La Chapelle-aux-Naux 37 ... 151 AO43
La Chapelle-aux-Saints 19 ... 242 AY69
La Chapelle-Baloue 23 ... 188 AX54
La Chapelle-Basse-Mer 44 ... 148 AB43
La Chapelle-Bâton 86 ... 203 AO56
La Chapelle-Bâton 79 ... 185 AI52
La Chapelle-Bâton 17 ... 201 AH57
La Chapelle-Bayvel 27 ... 35 AP21
La Chapelle-Bertin 43 ... 246 BN67
La Chapelle-Bertrand 79 ... 185 AK51
La Chapelle-Biche 61 ... 53 AH27
La Chapelle-Blanche 73 ... 233 CG63
La Chapelle-Blanche 22 ... 103 W32
La Chapelle-Blanche-Saint-Martin 37 ... 170 AR46
La Chapelle-Bouëxic 35 ... 103 X36
La Chapelle-Caro 56 ... 102 T36
La Chapelle-Cécelin 50 ... 52 AD26
La Chapelle-Chaussée 35 ... 80 Y32
La Chapelle-Craonnaise 53 ... 105 AE36
La Chapelle-d'Abondance 74 ... 198 CL54
La Chapelle-d'Alagnon 15 ... 245 BH68
La Chapelle-d'Aligné 72 ... 129 AJ38
La Chapelle-d'Andaine 61 ... 82 AI29
La Chapelle-d'Angillon 18 ... 155 BD43
La Chapelle-d'Armentières 59 ... 8 BH6
La Chapelle-d'Aunainville 28 ... 86 AZ31
La Chapelle-d'Aurec 43 ... 229 BR65
La Chapelle-de-Bragny 71 ... 194 BV51
La Chapelle-de-Brain 35 ... 126 X38
La Chapelle-de-Guinchay 71 ... 194 BV55
La Chapelle-de-la-Tour 38 ... 232 CB62
La Chapelle-de-Mardore 69 ... 212 BS57
La Chapelle-de-Surieu 38 ... 231 BX64
Chapelle-des-Bois 25 ... 197 CG51
La Chapelle-des-Fougeretz 35 ... 104 Y33
La Chapelle-des-Marais 44 ... 146 U41
La Chapelle-des-Pots 17 ... 201 AG60
La Chapelle-devant-Bruyères 88 ... 120 CK33
Chapelle-d'Huin 25 ... 180 CG47
La Chapelle-du-Bard 38 ... 233 CG64
La Chapelle-du-Bois 72 ... 108 AQ33
La Chapelle-du-Bois-des-Faulx 27 ... 36 AU23
La Chapelle-du-Bourgay 76 ... 20 AU15
La Chapelle-du-Châtelard 01 ... 213 BY57
La Chapelle-du-Chêne 85 ... 129 AJ37
La Chapelle-du-Fest 50 ... 32 AF23
La Chapelle-du-Genêt 49 ... 148 AD44
La Chapelle-du-Lou 35 ... 103 X32
La Chapelle-du-Mont-de-France 71 ... 194 BU53
La Chapelle-du-Mont-du-Chat 73 ... 233 CE61
La Chapelle-du-Noyer 28 ... 109 AV35
La Chapelle-en-Juger 50 ... 32 AD23
La Chapelle-en-Lafaye 42 ... 229 BQ64
La Chapelle-en-Serval 60 ... 38 BE23
La Chapelle-en-Valgaudémar 05 ... 251 CH70
La Chapelle-en-Vercors 26 ... 250 CB69
La Chapelle-en-Vexin 95 ... 37 AY23
La Chapelle-Enchérie 41 ... 131 AU38
La Chapelle-Engerbold 14 ... 53 AH25
La Chapelle-Erbrée 35 ... 105 AD34
La Chapelle-Faucher 24 ... 222 AQ65
La Chapelle-Felcourt 51 ... 62 BU24
La Chapelle-Forainvilliers 28 ... 57 AX28
La Chapelle-Fortin 28 ... 55 AS28
La Chapelle-Gaceline 56 ... 125 V37
La Chapelle-Gaudin 79 ... 167 AI47
La Chapelle-Gaugain 72 ... 130 AQ38
La Chapelle-Gauthier 77 ... 88 BH30
La Chapelle-Gauthier 27 ... 55 AP25
La Chapelle-Geneste 43 ... 228 BN65
La Chapelle-Glain 44 ... 127 AC39
La Chapelle-Gonaguet 24 ... 240 AP66
La Chapelle-Grésignac 24 ... 221 AN64
Chapelle-Guillaume 28 ... 109 AS34
La Chapelle-Hareng 27 ... 35 AP23
La Chapelle-Haute-Grue 14 ... 54 AN25
La Chapelle-Hermier 85 ... 165 Y50
La Chapelle-Heulin 44 ... 148 AB44
La Chapelle-Hugon 18 ... 174 BH48
La Chapelle-Hullin 49 ... 127 AD38
La Chapelle-Huon 72 ... 131 AR37
La Chapelle-Iger 77 ... 59 BI28
La Chapelle-Janson 35 ... 81 AD31
La Chapelle-la-Reine 77 ... 88 BE32
La Chapelle-Largeau 79 ... 167 AF47
La Chapelle-Lasson 51 ... 90 BO29
La Chapelle-Launay 44 ... 146 W42
La Chapelle-Laurent 15 ... 246 BK67
La Chapelle-lès-Luxeuil 70 ... 141 CH37
La Chapelle-Marcousse 63 ... 227 BJ64
La Chapelle-Montabourlet 24 ... 221 AO64
La Chapelle-Montbrandeix 87 ... 222 AR62
La Chapelle-Monthodon 02 ... 60 BM24
La Chapelle-Montligeon 61 ... 84 AQ30
La Chapelle-Montlinard 18 ... 156 BI45
La Chapelle-Montmartin 41 ... 153 AY44
La Chapelle-Montmoreau 24 ... 222 AP64
La Chapelle-Montreuil 86 ... 186 AM52
Chapelle-Morthemer 86 ... 186 AP52
La Chapelle-Moulière 86 ... 186 AP51
La Chapelle-Moutils 77 ... 60 BK27
La Chapelle-Naude 71 ... 195 BZ51
La Chapelle-Neuve 56 ... 101 P36
La Chapelle-Neuve 22 ... 77 M29
La Chapelle-Onzerain 45 ... 110 AX35
La Chapelle-Orthemale 36 ... 171 AW49
La Chapelle-Palluau 85 ... 165 Z48
La Chapelle-Péchaud 24 ... 259 AT71
La Chapelle-Pouilloux 79 ... 203 AL56
La Chapelle-près-Sées 61 ... 83 AN29

CHARLEVILLE-MÉZIÈRES

Arches (Av. d') ... BYZ
Arquebuse (R. de l') ... BX 2
Bérégovoy (R. P.) ... BX 3
Bourbon (R.) ... BX 4
Carré (R. Irénée) ... BX 5
Corneau (Av. G.) ... BY 6
Droits-de-l'Homme (Pl. des) ... BX 7
Fg de Pierre (R. du) ... BZ 8
Flandre (R. de) ... BX 9
Hôtel de Ville (Pl. de l') ... BZ 10
Jean-Jaurès (Av.) ... BY
Leclerc (Av. Mar.) ... BY 19
Manchester (Av. de) ... AY 20
Mantoue (R. de) ... BX 21
Mitterrand (Av. F.) ... AX 22
Monge (R.) ... BZ 23
Montjoly (R. de) ... AX 24
Moulin (R. du) ... BX 25
Nevers (Pl. de) ... BX 27
Petit-Bois (Av. du) ... BX 28
République (R. de la) ... BX 30
Résistance (Pl. de la) ... BZ 31
St-Julien (Av. de) ... AY 32
Sévigné (R. Mme de) ... BY 33
Théâtre (R. du) ... BX 34
91e-Régt-d'Infanterie (Av. du) ... BZ 36

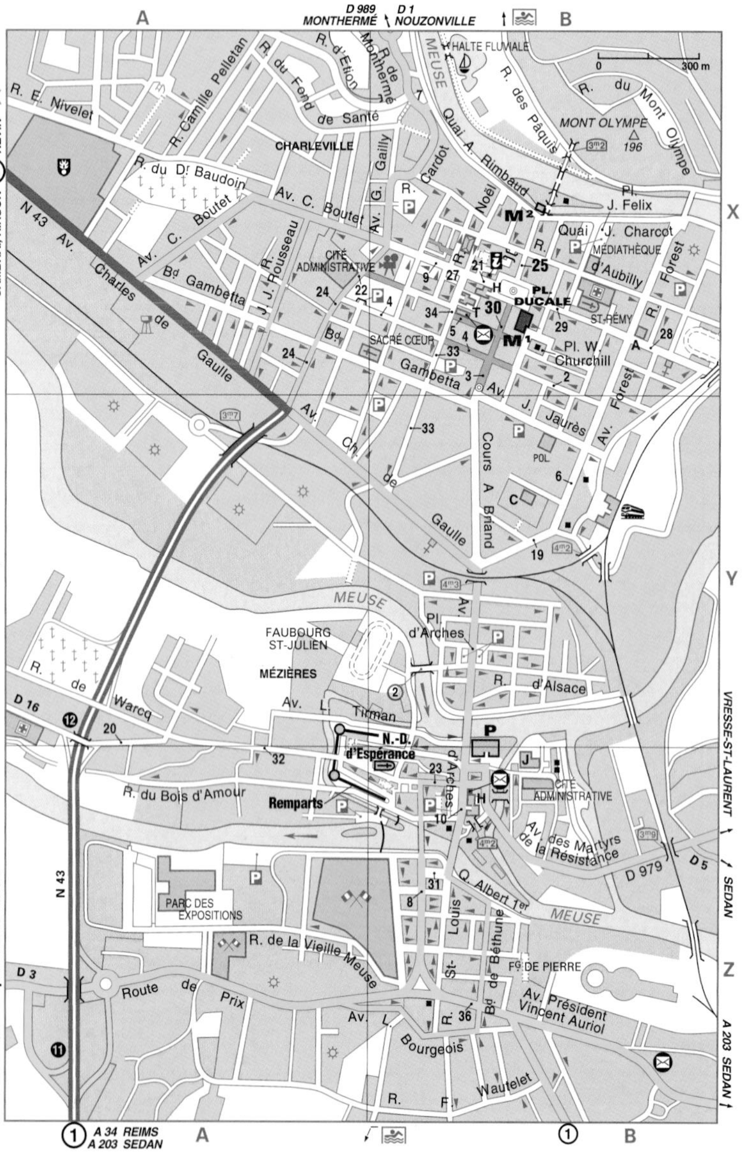

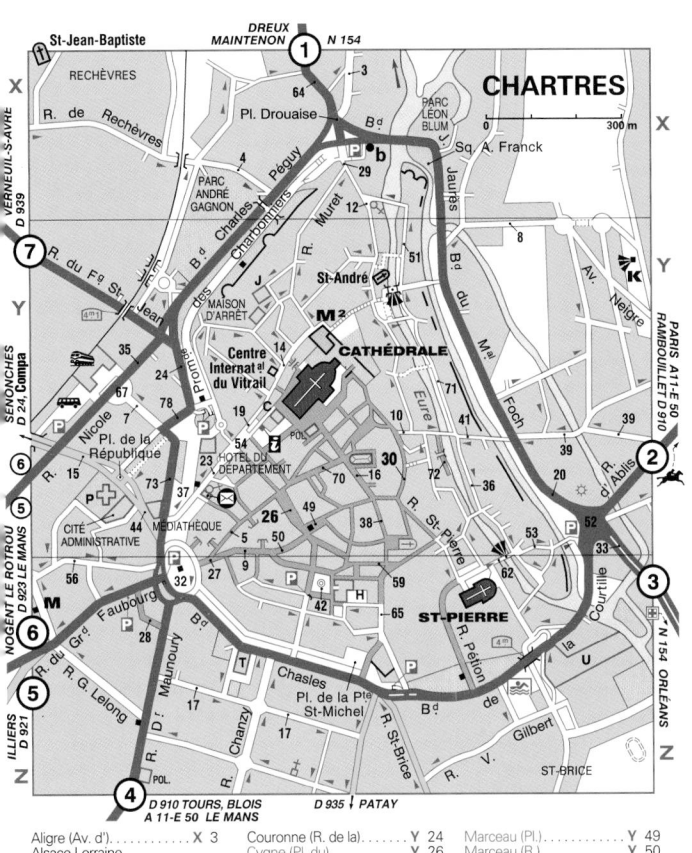

CHARTRES

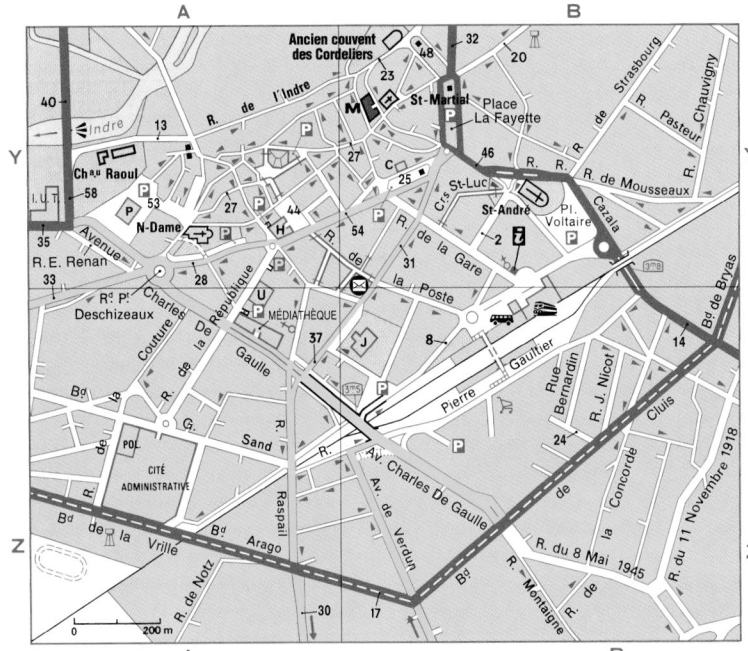

CHÂTEAUROUX

Aligre (Av. d'). . . . . X 3
Alsace-Lorraine (Av. d'). . . . . X 4
Ballay (R. Noël). . . . . Y 5
Beauce (Av. Jehan-de). . . . . . Y 7
Bethouard (Av.). . . . . Y 8
Bois-Merrain (R. du). . . . . . Y 9
Bourg (R. de). . . . . X 10
Brèche (R. de la). . . . . X 12
Cardinal-Pie (R. du). . . . . . Y 14
Casanova (R. Danièle). . . . . Y 15
Changes (R. des). . . . . Y 16
Châteaudun (R. de). . . . . . Z 17
Châtelet (Pl.). . . . . Y 18
Cheval-Blanc (R. du). . . . . Y 19
Clemenceau (Bd). . . . . Y 20
Collin-d'Harleville (R.). . . . Y 23

Couronne (R. de la). . . . . . Y 24
Cygne (Pl. du). . . . . Y 26
Delacroix (R. Jacques). . . . . Y 27
Dr-Gibert (R. du). . . . . . . Z 28
Drouaise (R. Porte). . . . . . X 29
Écuyers (R. des). . . . . Y 30
Épars (Pl. des). . . . . Z 32
Faubourg La Grappe (R. du). . . . . Y 33
Félibien (R.). . . . . Y 35
Fessard (R. G.). . . . . Y 78
Foulerie (R. de la). . . . . . Y 36
Gaulle (Pl. Gén.-de). . . . . Y 37
Grenets (R. des). . . . . . . Y 38
Guillaume (R. du Fg). . . . . Y 39
Guillaume (R. Porte). . . . . Y 41
Halles (Pl. des). . . . . Z 42
Koenig (R. du Gén.). . . . . Y 44

Marceau (Pl.). . . . . Y 49
Marceau (R.). . . . . Y 50
Massacre (R. du). . . . . . . Y 51
Morard (Pl.). . . . . Y 52
Morard (R. de la Porte). . . . Y 53
Moulin (Pl. Jean). . . . . . . Y 54
Péri (R. Gabriel). . . . . Z 56
Poêle-Percée (R. de la). . . . . Z 56
St-Hilaire (R. du Pont). . . . Y 62
St-Maurice St-Michel (R.). . . . . X 64
Semard (Pl. Pierre). . . . . . Z 65
Soleil-d'Or (R. du). . . . . . Y 67
Tannerie (R. de la). . . . . . Y 70
Teinturiers (Q. des). . . . . . Y 71
Violette (Bd Maurice). . . . . Y 72
Y 73

La Chapelle-Rablais 77.....88 BH30
La Chapelle-Rainsouin 53...106 AH34
La Chapelle-Rambaud 74...215 CH56
La Chapelle-Réanville 27...36 AW23
La Chapelle-Rousselin 49....149 AF44
La Chapelle-Royale 28........109 AT34
La Chapelle-Saint-André 58........156 BK42
La Chapelle-Saint-Aubert 35........81 AC32
La Chapelle-Saint-Aubin 72........107 AM35
La Chapelle-Saint-Étienne 79........167 AG50
La Chapelle-Saint-Florent 49........148 AD43
La Chapelle-Saint-Fray 72...107 AM34
La Chapelle-Saint-Géraud 19........243 BA69
La Chapelle-Saint-Jean 24........241 AU67
La Chapelle-Saint-Laud 49........129 AJ40
La Chapelle-Saint-Laurent 79........167 AH49
La Chapelle-Saint-Laurian 36........172 AZ46
La Chapelle-Saint-Luc 10...90 BP32
La Chapelle-Saint-Martial 23........207 BA58
La Chapelle-Saint-Martin 73........232 CD61
La Chapelle-Saint-Martin-en-Plaine 41........132 AW39
La Chapelle-Saint-Maurice 74........215 CG60
La Chapelle-Saint-Mesmin 45........133 AZ37
La Chapelle-Saint-Ouen 76...36 AW19
La Chapelle-Saint-Quillain 70........161 CD41
La Chapelle-Saint-Rémy 72........108 AP34
La Chapelle-Saint-Sauveur 71...178 BZ48
La Chapelle-Saint-Sauveur 44...148 AE41
La Chapelle-Saint-Sépulcre 45........112 BH35

La Chapelle-Saint-Sulpice 77........89 BJ30
La Chapelle-Saint-Ursin 18........173 BD46
La Chapelle-Saint-Ursin 18........173 BD46
La Chapelle-Souëf 61........84 AQ32
La Chapelle-sous-Brancion 71........195 BW52
La Chapelle-sous-Dun 71...194 BS55
La Chapelle-sous-Orbais 51..61 BN25
La Chapelle-sous-Uchon 71........176 BR48
Chapelle-Spinasse 19........225 BA65
La Chapelle-sur-Aveyron 45........135 BH37
La Chapelle-sur-Chézy 02...60 BK25
La Chapelle-sur-Coise 69...230 BU62
La Chapelle-sur-Crécy 77...59 BH26
La Chapelle-sur-Dun 76........19 AS15
La Chapelle-sur-Erdre 44...147 Z43
La Chapelle-sur-Furieuse 39........179 CD46
La Chapelle-sur-Loire 37...151 AN44
La Chapelle-sur-Oreuse 89..89 BK32
La Chapelle-sur-Oudon 49........128 AF39
La Chapelle-sur-Usson 63........228 BL64
La Chapelle-sur-Vire 50........59 BH24
La Chapelle-Taillefert 23...207 AZ57
La Chapelle-Thècle 71...195 BY51
La Chapelle-Thémer 85........183 AD51
La Chapelle-Thireuil 79........184 AH51
La Chapelle-Thouarault 35........103 X33
La Chapelle-Urée 50........52 AD28
Chapelle-Vallon 10........90 BP31
La Chapelle-Vaupelteigne 89........136 BN37
La Chapelle-Vendômoise 41........131 AU39
La Chapelle-Vicomtesse 41...109 AT36
La Chapelle-Viel 61........55 AQ33
La Chapelle-Villars 42........230 BV63
Chapelle-Viviers 86........187 AQ52
La Chapelle-Voland 39........178 CA49
La Chapelle-Yvon 14........54 AO24
Les Chapelles 73........234 CL62
Les Chapelles 53........82 AJ30

Les Chapelles-Bourbon 77..59 BG27
Chapelon 45........112 BF35
La Chapelotte 18........155 BF43
Chapet 78........57 BA25
Les Chapieux 73........216 CL60
Chapois 39........179 CE48
Chaponnay 69........231 BX62
Chaponost 69........230 BV61
Chaponost (Arches de) 69...231 BW61
Chappes 63........210 BK59
Chappes 10........115 BR34
Chappes 08........26 BR18
Chaptelat 87........205 AU59
Chaptuzat 63........209 BJ58
Charade 63........227 BI61
Charancieu 38........232 CC63
Charancin 01........214 CC58
Charantonnay 38........231 BY63
Charavines 38........232 CC64
Charbogne 08........42 BT19
Charbonnat 71........176 BQ49
Charbonnier-les-Mines 63........228 BK64
Charbonnières 71........195 BW53
Charbonnières 28........109 AS33
Charbonnières-les-Bains 69........212 BV60
Charbonnières-les-Sapins 25........162 CG44
Charbonnières-les-Varennes 63........209 BI59
Charbonnières-les-Vieilles 63........209 BI58
Charbuy 89........136 BL38
La Charce 26........268 CC74
Charcé-Saint-Ellier-sur-Aubance 49........149 AI43
Charcenne 70........161 CD42
Charchigné 53........82 AI31
Charchilla 39........196 CD52
Charcier 39........179 CD50
Chard 23........208 BG59
Chardeny 08........42 BT20
Chardes 17........219 AH65
Chardogne 55........63 BX26
Chardonnay 71........195 BW52
Chareil-Cintrat 03........192 BK55

Charencey 21........159 BU42
Charency 39........180 CF49
Charency-Vezin 54........44 CA19
Charens 26........268 CC74
Charensat 63........208 BF58
Charentay 69........212 BV57
Charentenay 89........136 BM40
Charentenay 70........140 CD40
Charentilly 37........151 AQ41
Charenton 58........156 BI44
Charenton-du-Cher 18...173 BF50
Charenton-le-Pont 94...58 BD27
Charentonnay 18........156 BH45
Charette 38........214 CA60
Charette-Varennes 71...178 BZ47
Charey 54........65 CD24
Charézier 39........196 CD51
Chargé 37........152 AT42
Chargey-lès-Gray 70...161 CB41
Chargey-lès-Port 70...140 CE38
Chariez 70........141 CF39
Charigny 21........158 BS42
La Charité-sur-Loire 58...156 BI45
Charix 01........196 CD55
Charlas 31........316 AP89
Charleval 27........36 AW20
Charleval 13........305 CA83
Charleville 51........61 BN27
Charleville-Mézières 08......26 BU16
Charleville-sous-Bois 57...46 CG22
Charlieu 42........211 BR56
Charly 69........231 BW62
Charly 18........173 BG48
Charly-Oradour 57........45 CF22
Charly-sur-Marne 02...60 BK25
Charmant 16........221 AM63
Charmauvillers 25........163 CL43
Le Charme 45........135 BI38
La Charme 39........179 CB48
Charmé 16........203 AM58
La Charmée 71........177 BV50
Charmeil 03........210 BL56
Le Charmel 02........40 BM23
Charmensac 15........245 BJ67
Charmentray 77........59 BG25
Charmes 88........95 CG31
Charmes 52........117 BZ36
Charmes 21........160 BZ42
Charmes 03........210 BK57
Charmes-en-l'Angle 52......94 CC28
Charmes-la-Côte 54........94 CC28
Charmes-la-Grande 52......92 BW31
Charmes-Saint-Valbert 70.140 CE38
Charmes-sur-l'Herbasse 26........249 BY67
Charmes-sur-Rhône 07...249 BW70
Charmette (Col de la) 38..232 CD65
Les Charmettes 73........233 CF62
Charmoille 70........141 CF39
Charmoille 25........163 CK43
Charmoilles 52........117 BZ36
Charmois 90........142 CL39
Charmois 54........95 CH29

Charmois-devant-Bruyères 88........119 CI33
Charmois-l'Orgueilleux 88..119 CG34
Charmont 95........37 AZ23
Charmont-en-Beauce 45...111 BB33
Charmont-sous-Barbuise 10........91 BQ31
Les Charmontois 51........63 BW25
Charmoy 89........113 BL36
Charmoy 71........176 BS49
Charmoy 52........140 CB37
Charmoy 10........90 BM31
Charnas 07........231 BW65
Charnat 63........210 BL58
Charnay 89........212 BV59
Charnay 25........161 CE45
Charnay-lès-Chalon 71...178 BY47
Charnay-lès-Mâcon 71...195 BW54
Charnècles 38........232 CC65
Charnizay 37........170 AS48
Charnod 39........196 CB54
Charnois 08........17 BV12
Charnoz-sur-Ain 01........213 BZ59
Charny 89........135 BI37
Charny 77........59 BG25
Charny 21........158 BS43
Charny-le-Bachot 10...90 BP29
Charny-sur-Meuse 55...44 BZ22
Charolles 71........194 BS53
Charols 26........267 BY73
Charonville 28........109 AV33
Chârost 18........172 BB47
Charousse 74........216 CK58
Charpentry 55........43 BW21
Charpey 26........249 BY69
Charpont 28........56 AW28
Charquemont 25........163 CL43
Charrais 86........168 AM50
Charraix 43........246 BM69
Charras 16........221 AO63
Charray 28........109 AV36
Charre 64........313 AD87
Charrecey 71........177 BU48
Charrey-sur-Saône 21...160 BY45
Charrey-sur-Seine 21...115 BT36
Charrin 58........175 BM49
Charritte-de-Bas 64........313 AD87
Charron 85........183 AC54
Charron 17........183 AC54
Charroux 86........203 AO56
Charroux 03........209 BJ56
Chars 95........37 BA23
Charsonville 45........110 AX36
Chartainvilliers 28........86 AX30
Chartèves 02........60 BL24
La Chartre-sur-le-Loir 72...130 AP39
Chartrené 49........150 AK41
Chartres 28........86 AW31
Chartres-de-Bretagne 35...104 Z34
Chartrettes 77........88 BF30
Chartrier-Ferrière 19...242 AW68
Chartronges 77........60 BK27
Chartuzac 17........219 AH65

Charvieu-Chavagneux 38..213 BZ60
Charvonnex 74........215 CG57
Chas 63........228 BK61
Chaserey 10........115 BQ36
Chasnais 85........183 AB52
Chasnans 25........162 CH45
Chasnay 58........156 BJ44
Chasné-sur-Illet 35........80 AA32
La Chassagne 39........179 CB48
Chassagne-Montrachet 21...177 BV47
Chassagne-Saint-Denis 25...162 CF45
Chassagnes 43........246 BM67
Chassagnes 07........265 BR75
Chassagny 69........230 BV62
Chassaignes 24........239 AM66
Chassal 39........196 CD53
Chassant 28........85 AT32
Chassé 72........83 AN31
Chasse-sur-Rhône 38...231 BW62
Chasseguey 50........52 AE28
Chasselas 71........194 BV55
Chasselay 69........213 BW59
Chasselay 38........250 CA66
Chassemy 02........40 BL20
Chassenard 03........193 BP53
Chasseneuil 36........188 AW51
Chasseneuil-du-Poitou 86..186 AO51
Chasseneuil-sur-Bonnieure 16...203 AO60
Chassenon 16........204 AR59
Chasseradès 48........265 BP74
Chassey 21........159 BT41
Chassey-Beaupré 55........93 CA32
Chassey-le-Camp 71...177 BV48
Chassey-lès-Montbozon 70...141 CH40
Chassey-lès-Scey 70...140 CE39
Chassezac (Belvédère du) 48...265 BP75
Chassiecq 16........203 AO58
Chassiers 07........266 BS74
Chassieu 69........213 BX60
Chassignelles 89........137 BR38
Chassignieu 38........232 CB63
Chassignolles 43........228 BM65
Chassignolles 36........189 BA52
Chassigny 52........139 CA38
Chassigny-sous-Dun 71...194 BS55
Chassillé 72........107 AK35
Chassiron (Phare de) 17...200 AA57
Chassors 16........220 AJ61
Chassy 89........135 BK37
Chassy 71........193 BQ51
Chassy 18........174 BH46
Le Chastang 19........242 AY67
Chastanier 48........265 BP74
Chastel 43........247 BP68
Chastenay 89........135 BL36
Chasteaux 19........242 AW68

CHÂTEAUROUX

Albert 1er (R.). . . . . BY 2
Bourdillon (R.). . . . . BZ 8
Cantrelle (R.). . . . . ABZ 10
Château-Raoul (R. du). . . . . AY 13
Châtre (Av. de la). . . . . BZ 14
Croix-Normand (Bd). . . . . . BZ 17
États-Unis (R. des). . . . . . . BY 20
Fournier (R. A.). . . . . BY 23

Gallieni (R.). . . . . BZ 24
Gambetta (Pl.). . . . . BY 25
Gare (R. de la). . . . . BY 26
Grande (R.). . . . . BY 27
Jeux-Marins (Av. des). . . . . BY 29
J.-J.-Rousseau (R.). . . . . . . AY 28
Kennedy (Av. J.-F.). . . . . . . AZ 30
Ledru-Rollin (R.). . . . . BY 31
Lemoine (Av. Marcel). . . . . AY 32
Marins (Av. des). . . . . AY 33
Mitterrand (Av. F.). . . . . . . AY 35

Palais-de-Justice (R. du). . . . ABZ 37
Paris (Av. de). . . . . BY 38
Pont-Neuf (Av. du). . . . . . . AY 40
République (Pl. de la). . . . . AY 44
Ste-Hélène (Pl.). . . . . BY 48
St-Luc (R.). . . . . BY 46
Victoire et des Alliés (Pl. de la). . . . . AY 53
Victor-Hugo (R.). . . . . ABY 54
6-Juin 1944 Débarquement Allié (Av. du). . . . . AY 58

Chastel 43.....246 BL68
Chastel-Arnoux 26.....268 CA72
Chastel-Nouvel 48.....264 BM74
Chastel-sur-Murat 15.....245 BH68
Chastenay 89.....136 BL39
Chasteuil 04.....308 CK81
Chastreix 63.....227 BG63
La Châtaigneraie 85.....167 AF50
Chatain 86.....203 A057
Châteaucourt 28.....56 AV28
Châtas 88.....96 CM31
Château 71.....194 BU53
Château-Arnoux-
  Saint-Auban 04.....287 CG78
Château-Bas 13.....305 CA83
Château-Bernard 38.....250 CC69
Château-Bréhain 57.....66 CH25
Château-Chalon 39.....179 CC49
Château-Chervix 87.....223 AV62
Château-Chinon 58.....176 BP46
Le Château-
  d'Almenêches 61.....54 AM28
Château-des-Prés 39.....197 CE52
Le Château-d'Oléron 17...200 AB59
Château-d'Olonne 85.....182 X51
Château-du-Loir 72.....130 A039
Château-Farine 25.....161 CE44
Château-Gaillard 28.....111 BA34
Château-Gaillard 27.....86 AW22
Château-Gaillard 01.....214 CA58
Château-Garnier 86.....186 A055
Château-Gombert 13.....327 CC87
Château-Gontier 53.....128 AG37
Château-Guibert 85.....183 AB51
Château-Guillaume 36.....188 AU53
Château-la-Vallière 37.....151 A041
Château-l'Abbaye 59.....9 BL8
Château-Lambert 70.....120 CK36
Château-Landon 77.....112 BF34
Château-Larcher 86.....186 AN53
Château-l'Évêque 24.....240 AQ66
Château-l'Hermitage 72.....130 AN38
Château-Porcien 08.....42 BR19
Château-Queyras 05.....271 CM71
Château-Regnault 08.....26 BU15
Château-Renard 45.....112 BH36
Château-Renault 37.....131 AS40
Château-Rouge 57.....46 CI21
Château-Salins 57.....66 CH26
Château-sur-Allier 03.....174 BI49
Château-sur-Cher 63.....208 BE57
Château-sur-Epte 27.....37 AY22
Château-Thébaud 44.....147 AA45
Château-Thierry 02.....60 BL24
Château-Verdun 09.....336 AX94
Château-Ville-Vieille 05...271 CM71
Château-Voué 57.....66 CI25
Châteaubernard 16.....220 AI61
Châteaubleau 77.....89 BI29
Châteaubourg 35.....104 AB34
Châteaubourg 07.....249 BW69
Châteaubriant 44.....127 AB38
Châteaudouble 83.....308 CKB4
Châteaudouble 26.....249 BY70
Châteaudun 28.....109 A033
Châteaufort 78.....58 BB28
Châteaufort 04.....287 CG76
Châteaugay 63.....209 BJ60
Châteaugiron 35.....104 AA34
Châteaulin 29.....75 H32
Châteaumeillant 18.....190 BC52
Châteauneuf 85.....164 W47
Châteauneuf 73.....233 CH62
Châteauneuf 71.....194 BS55
Châteauneuf 42.....230 BV63
Châteauneuf 39.....161 CC44

Châteauneuf 21.....159 BU44
Châteauneuf-
  de-Bordette 26.....285 BZ76
Châteauneuf-
  de-Chabre 05.....287 CF76
Châteauneuf-
  de-Gadagne 84.....305 BY81
Châteauneuf-
  de-Galaure 26.....249 BX66
Châteauneuf-
  de-Randon 48.....264 BN73
Châteauneuf-
  de-Vernoux 07.....248 BV70
Châteauneuf-
  d'Entraunes 06.....289 CN78
Châteauneuf-
  d'Ille-et-Vilaine 35.....79 X29
Châteauneuf-d'Oze 05.....269 CF74
Châteauneuf-du-Faou 29...271 CM73
Châteauneuf-du-Pape 84...285 BX79
Châteauneuf-
  du-Rhône 26.....267 BW74
Châteauneuf-
  en-Thymerais 28.....85 AV29
Châteauneuf-Grasse 06.....309 C083
Châteauneuf-la-Forêt 87...224 AX61
Châteauneuf-le-Rouge 13...306 CD85
Châteauneuf-les-Bains 63.209 BH58
Châteauneuf-
  les-Martigues 13.....326 CA87
Châteauneuf-
  lès-Moustiers 04.....307 CJ81
Châteauneuf-Miraval 04...287 CE78
Châteauneuf-
  sur-Charente 16.....220 AK62
Châteauneuf-sur-Cher 18...173 BD48
Châteauneuf-sur-Isère 26...249 BX69
Châteauneuf-sur-Loire 45...133 BC37
Châteauneuf-
  sur-Sarthe 49.....128 AI39
Châteauneuf-
  Val-de-Bargis 58.....156 BJ44
Châteauneuf-
  Val-Saint-Donat 04.....287 CG78
Châteauneuf-Villevieille 06.291 CR81
Châteauponsac 87.....205 AV56
Châteauredon 04.....288 CJ79
Châteaurenard 13.....304 BX81
Châteaurenaud 71.....178 BZ50
Châteauroux 36.....171 AY49
Châteauroux-les-Alpes 05.270 CK72
Châteauvert 83.....307 CH85
Châteauvieux 83.....308 CL82
Châteauvieux 41.....153 AV44
Châteauvieux 05.....269 CG74
Châteauvieux-
  les-Fossés 25.....162 CG45
Châteauvilain 38.....232 CA63
Châteauvillain 52.....116 BW35
Châtel 74.....198 CL54
Le Châtel 73.....234 CI65
Chatel-Chéhéry 08.....43 BW21
Châtel-de-Joux 39.....196 CD52
Châtel-de-Neuvre 03.....192 BK53
Châtel-Gérard 89.....137 BQ40
Châtel-Montagne 03.....210 BN57
Châtel-Moron 71.....177 BU49
Châtel-Saint-Germain 57...45 CE23
Châtel-sur-Moselle 88.....95 CH31
Châtelaillon-Plage 17.....200 AC57
Châtelain 53.....128 AH37
Châtelais 49.....127 AE38
Le Châtelard 73.....233 CG61
Châtelard 38.....251 CG68
Châtelard 23.....208 BE58

Châtelaudren 22.....73 Q28
Chatelay 39.....179 CC46
Châtelblanc 25.....180 CG50
Châteldon 63.....210 BM58
Le Châtelet 18.....190 BC51
Le Châtelet (Pont du) 04...271 CM73
Le Châtelet-en-Brie 77.....88 BG30
Le Châtelet-sur-Retourne 08..42 BR20
Le Châtelet-
  sur-Sormonne 08.....26 BS15
Les Châtelets 28.....56 AV28
Le Chateley 39.....179 CB48
Châtelguyon 63.....209 BI59
Le Châtelier 51.....63 BW25
Châtellenot 21.....159 BT44
Châtellerault 86.....169 AP49
Le Châtellier 61.....83 AH28
Le Châtellier 35.....81 AC30
Les Châtelliers-
  Châteaumur 85.....167 AF48
Les Châtelliers-
  Notre-Dame 28.....85 AU32
Châtelneuf 42.....229 BQ62
Châtelneuf 39.....179 CE50
Châteloy 03.....191 BG52
Châtelperron 03.....192 BN53
Châtelraould-
  Saint-Louvent 51.....62 BT28
Châtelus 42.....230 BT62
Châtelus 38.....250 CB68
Châtelus 03.....211 B056
Châtelus-le-Marcheix 23...206 AX58
Châtelus-Malvaleix 23.....189 BA55
Châtenay 71.....194 BS55
Châtenay 38.....231 BZ65
Châtenay 28.....162 AZ32
Châtenay 01.....213 BZ57
Châtenay-en-France 95.....58 BE24
Châtenay-Mâcheron 52.....139 CA37
Châtenay-Malabry 92.....58 BC27
Châtenay-sur-Seine 77.....89 BI31
Chatenay-Vaudin 52.....139 CA37
Le Châtenet-
  en-Dognon 87.....206 AW59
Châteney 70.....141 CH38
Châtenois 70.....141 CH38
Châtenois 88.....94 CD32
Châtenois 70.....141 CH38
Châtenois 67.....96 CI64
Châtenois 39.....161 CB45
Châtenois-les-Forges 90...142 CL40
Châtenoy 77.....112 BF33
Châtenoy 45.....134 BD37
Châtenoy-en-Bresse 71.....177 BW49
Châtenoy-le-Royal 71.....177 BW49
Châtignac 16.....220 AK65
Chatignonville 91.....87 BA30
Châtillon 92.....58 BC27
Châtillon 86.....186 AM54
Châtillon 69.....212 BV59
Châtillon 39.....179 CD50
Châtillon 03.....191 BJ53
Châtillon (Crêt de) 74.....215 CG59
Châtillon-Coligny 45.....135 BH38
Châtillon-en-Bazois 58.....175 BN46
Châtillon-en-Diois 26.....268 CC72
Châtillon-en-Dunois 28...109 AU34
Châtillon-en-Michaille 01...214 CD56
Châtillon-en-Vendelais 35...105 AD33
Châtillon-Guyotte 25.....162 CG42
Châtillon-la-Borde 77.....88 BG30
Châtillon-la-Palud 01.....213 BZ58
Châtillon-le-Duc 25.....161 CE43
Châtillon-le-Roi 45.....111 BB34
Châtillon-lès-Sons 02.....24 BM16
Châtillon-Saint-Jean 26...249 BZ69
Châtillon-sous-les-Côtes 55..44 CA22
Châtillon-sur-Bar 08.....43 BV19
Châtillon-sur-Broué 51.....92 BU29
Châtillon-sur-Chalaronne 01.213 BX56
Châtillon-sur-Cher 41.....153 AW44
Châtillon-sur-Cluses 74...216 CK56
Châtillon-sur-Colmont 53...82 AG32
Châtillon-sur-Indre 36.....170 AU47
Châtillon-sur-Lison 25.....161 CE43
Châtillon-sur-Loire 45.....134 BG40
Châtillon-sur-Marne 51.....41 BN23
Châtillon-sur-Morin 51.....60 BM28
Châtillon-sur-Oise 02.....24 BL16
Châtillon-sur-Saône 88.....118 BJ18
Châtillon-sur-Seine 21.....138 BT37
Châtillon-sur-Thouet 79...168 AJ50
Châtin 58.....175 B046
Chatonnay 39.....196 CB53
Chatonnay 38.....231 BZ63
Chatonrupt 52.....92 BX30
Chatou 78.....58 BB26
La Châtre 36.....189 BA51
La Châtre-Langlin 36.....188 AV53
Châtres 77.....59 BG28
Châtres 24.....241 AU67
Châtres 10.....90 B030
Châtres-la-Forêt 53.....106 AI34
Châtres-sur-Cher 41.....154 AZ44
Châtrices 51.....63 BW24
Chattancourt 55.....43 BZ22
Chatte 38.....250 CA67
Chatuzange-le-Goubet 26.249 BY69
Chaucenne 25.....161 CE43
Chauchailles 48.....263 BJ71

Chauché 85.....166 AB48
Le Chauchet 23.....208 BD57
Chauchigny 10.....90 BP31
Chauconin 77.....59 BG25
Chauconin-
  Neufmontiers 77.....59 BG25
Chaucre 17.....200 AA57
Chaudanne
  (Barrage de) 04.....308 CL81
Chaudardes 02.....41 BN20
Chaudebonne 26.....268 CA74
Chaudefonds-
  sur-Layon 49.....149 AG43
Chaudefontaine 51.....43 BV23
Chaudefontaine 25.....162 CG42
Chaudenay 71.....177 BV47
Chaudenay 52.....139 CA37
Chaudenay-la-Ville 21.....159 BU45
Chaudenay-le-Château 21..159 BU45
Chaudeney-sur-Moselle 54..94 CD28
Chaudes-Aigues 15.....263 BI71
Chaudeyrac 48.....265 B073
Chaudeyrolles 43.....247 BR69
La Chaudière 26.....268 CA73
Chaudière (Col de la) 26...267 BZ72
Chaudon 28.....57 AX28
Chaudon-Norante 04.....288 CJ80
Chaudrey 10.....91 BR30
Chaudron-en-Mauges 49...148 AE43
Chaudun 02.....40 BI21
Chauffailles 71.....194 BS55
Chauffayer 05.....269 CG71
Chauffecourt 88.....94 CF31
Chauffour-lès-Bailly 10.....115 BS33
Chauffour-lès-Étréchy 91...87 BB30
Chauffour-sur-Vell 19.....242 AX69
Chauffours 28.....85 AV31
Chauffourt 52.....117 CA36
Chauffry 77.....60 BJ27
Chaufour-lès-Bonnières 78..56 AW24
Chaufour-Notre-Dame 72...107 AN40
Chaugey 21.....178 BZ46
Chaulgnes 58.....156 BJ45
Chaulhac 48.....246 BG70
Chaulieu 50.....52 AF27
La Chaulme 63.....229 BP64
La Chaume 85.....182 X51
La Chaume 21.....138 BV37
Chaume-et-Courchamp 21.139 BZ40
Chaume-lès-Baigneux 21...138 BU40
Chaumeil 19.....225 AZ64
Chaumercenne 70.....161 CC43
Chaumeré 25.....104 AB35
Chaumergy 39.....179 CB48
Chaumes-en-Brie 77.....59 BG28
Chaumesnil 10.....91 BT31
Chaumont 89.....89 BI32
Chaumont 74.....215 CF57
Chaumont 61.....54 A026
Chaumont 52.....117 BY34
Chaumont 39.....197 CE53
Chaumont 18.....173 BG49
Chaumont
  (Château de) 71.....194 BT52
Chaumont-d'Anjou 49.....129 AJ40
Chaumont-
  devant-Damvillers 55.....44 BZ21
Chaumont-en-Vexin 60.....37 AZ22
Chaumont-la-Ville 52.....117 CB34
Chaumont-le-Bois 21.....115 BT36
Chaumont-le-Bourg 63.....229 B064
Chaumont-Porcien 08.....26 BR17
Chaumont-sur-Aire 55.....63 BY25
Chaumont-sur-Loire 41.....152 AU41
Chaumont-
  sur-Tharonne 41.....133 BA40
Chaumontel 95.....38 BD23
Chaumot 89.....113 BJ35
Chaumot 58.....157 BN44
Chaumousey 88.....119 CG33
Chaumoux-Marcilly 18.....155 BG45
Chaumussay 37.....170 AR48
La Chaumusse 39.....197 CE51
Chaumuzy 51.....41 B023
Chaunac 17.....220 AI65
Chaunay 86.....186 AM55
Chauny 02.....24 BJ18
Chauray 79.....185 AI54
Chauriat 63.....228 BK61
Chausey (Îles) 50.....50 Y25
La Chaussade 23.....207 BC58
La Chaussaire 49.....148 AC44
Chaussan 69.....230 BV62
La Chaussée 86.....168 AM48
La Chaussée 76.....20 AU15
La Chaussée-d'Ivry 28.....56 AW26
La Chaussée-
  Saint-Victor 41.....132 AV40
La Chaussée-sur-Marne 51..62 BT26
La Chaussée-Tirancourt 80..22 BB14
Chaussenac 15.....243 BC67
Chaussin 39.....178 CA47
Chaussoy-Epagny 80.....22 BD16
Chaussy 95.....37 AY23
Chaussy 45.....111 BA34

Chauvac 26.....286 CC76
Chauvé 44.....146 W44
Chauve d'Aspremont
  (Mont) 06.....291 CQ81
Chauvency-le-Château 55...27 BY18
Chauvency-Saint-Hubert 55.27 BY18
Chauvigné 35.....80 AB31
Chauvigny 86.....187 AQ51
Chauvigny-du-Perche 41...109 AT36
Chauvincourt 27.....37 AY21
Chauvirey-le-Châtel 70.....140 CC37
Chauvirey-le-Vieil 70.....140 CC38
Chauvoncourt 55.....64 CA25
Chauvry 95.....58 BC24
Chaux 90.....142 CK38
La Chaux 71.....178 BZ48
La Chaux 61.....83 AK29
La Chaux 25.....180 CI46
Chaux 71.....159 BU46
Chaux-Champagny 39.....179 CE47
Chaux-des-Crotenay 39...180 CE50
Chaux-des-Prés 39.....197 CE52
La Chaux-du-Dombief 39...197 CE51
La Chaux-en-Bresse 39.....179 CB48
Chaux-la-Lotière 70.....161 CE42
Chaux-lès-Clerval 25.....142 CI42
Chaux-lès-Passavant 25...162 CH43
Chaux-lès-Port 70.....140 CE38
Chaux-Neuve 25.....180 CG50
Chauzon 07.....266 BT75
Chavagnac 24.....241 AV68
Chavagnac 15.....245 BH67
Chavagne 35.....104 Y34
Chavagnes 49.....149 AI43
Chavagnes-en-Paillers 85...166 AB47
Chavagnes-les-Redoux 85.166 AE49
Chavagneux-
  Montbertand 38.....231 BZ61
Chavagnes 49.....150 AL41
Chavanac 19.....225 BB62
Chavanat 23.....207 BA58
Chavanatte 90.....142 CM39
Chavanay 42.....231 BW64
Chavanges 10.....91 BT30
Chavaniac-Lafayette 43...246 BM67
Chavannaz 74.....215 CF57
La Chavanne 73.....233 CG63
Chavanne 70.....142 CJ40
Chavanne 39.....179 CB50
Chavannes 26.....249 BX68
Chavannes 18.....173 BD48
Les Chavannes-
  en-Maurienne 73.....234 CI64
Chavannes-les-Grands 90.142 CM39
Chavannes-sur-l'Étang 68..142 CM39
Chavannes-
  sur-Reyssouze 01.....195 BX53
Chavannes-sur-Suran 01...196 CB55
Chavanod 74.....215 CF59
Chavanoz 38.....213 BZ60
Les Chavants 74.....216 CL58
Chavaroux 63.....210 BK60
La Chavatte 80.....23 BG16
Chaveignes 37.....169 AQ46
Chavelot 88.....95 CH32
Chavenat 16.....221 AM64
Chavenay 78.....58 BA26
Chavençon 60.....37 BA22
Chaveroche 19.....225 BC63
Chaveyriat 01.....195 BY55
Chavignol 18.....155 BG43
Chavignon 02.....40 BL19
Chavigny 54.....94 CF28
Chavigny 02.....40 BK20
Chavigny (Château de) 37..150 AM45
Chavigny-Bailleul 27.....56 AU26
Chaville 92.....58 BC27
Chavin 36.....188 AX52
Chavoire 74.....215 CG58
Chavonne 02.....40 BM20
Chavornay 01.....214 CD59
Chavot-Courcourt 51.....61 B024
Chavoy 50.....51 AC27
Chavroches 03.....192 BM54
Chay 25.....179 CD46
Chazay-d'Azergues 69.....212 BV59
La Chaze-de-Peyre 48.....264 BK72
Chazé-Henry 49.....127 AD38
Chazé-sur-Argos 49.....127 AE39
Le Chazelet 05.....252 CI68
Chazelet 36.....188 AW52
Chazelles 43.....246 BM69
Chazelles 39.....196 CA53
Chazelles 16.....221 AN62
Chazelles-d'Ivry 28.....56 AW24
Chazelles-
  Saint-Victor 54.....96 CK28
Chazelles-sur-Albe 54.....96 CK28
Chazelles-sur-Lavieu 42...229 B063
Chazelles-sur-Lyon 42.....230 BT62
Chazelot 25.....162 CH41
Chazeuil 58.....157 BL44
Chazeuil 21.....139 BZ40
Chazey-Bons 01.....214 CD60
Chazey-sur-Ain 01.....213 BZ59
Chazilly 21.....159 BU45
Chazot 25.....163 CJ42
Chazoy 25.....161 CD43

La Chebuette 44.....147 AA43
Chécy 45.....133 BA37
Chedde 74.....216 CL58
Chédigny 37.....152 AT44
Chef-Boutonne 79.....202 AK56
Chef-du-Pont 50.....31 AC20
Chef-Haut 88.....94 CE31
Cheffes 49.....128 AH40
Cheffois 85.....167 AF50
Cheffreville-
  Tonnencourt 14.....54 AN24
Le Chefresne 50.....52 AD25
Chéhéry 08.....27 BV17
Cheignieu-la-Balme 01.....214 CC59
Cheillé 37.....151 A044
Cheilly-lès-Maranges 71...177 BU48
Chein-Dessus 31.....334 AR91
Cheissoux 87.....206 AX60
Le Cheix 83.....227 BEI63
Le Cheix 63.....209 BJ58
Cheix-en-Retz 44.....147 X44
Chélan 32.....316 A007
Chelers 62.....7 BE9
Chélieu 38.....232 CB63
Chelle-Debat 65.....315 AM88
Chelle-Spou 65.....333 AM90
Chelles 77.....59 BF26
Chelles 60.....39 BI21
Chelun 35.....127 AC37
Chemaudin 25.....161 CE44
Chemazé 53.....128 AF38
Chemellier 49.....149 AI43
Chemenot 39.....179 CB48
Chéméré 44.....146 W44
Chéméré-le-Roi 53.....106 AI43
Chémery 57.....66 CI24
Chémery 41.....153 AW43
Chémery-les-Deux 57.....46 CI20
Chémery-sur-Bar 08.....27 BV18
Chemillé 36.....196 CC53
Chemillé 49.....149 AG44
Chemillé-sur-Dême 37.....130 A039
Chemillé-sur-Indrois 37...152 AU45
Chemilli 61.....84 AP31
Chemilly 70.....140 CE39
Chemilly 03.....192 BK52
Chemilly-sur-Serein 89.....136 B038
Chemilly-sur-Yonne 89.....136 BM37
Le Chemin 51.....63 BW24
Chemin 39.....178 BZ47
Chemin-d'Aisey 21.....138 BT38
Cheminas 07.....249 BW67
Cheminot 51.....63 BW27
Cheminot 57.....65 CF24
Chemiré-en-Charnie 72...107 AK35
Chemiré-le-Gaudin 72.....107 AL36
Chemiré-sur-Sarthe 49.....128 AI38
Chemy 59.....8 BH8
Chenac-
  Saint-Seurin-d'Uzet 17..219 AE63
La Chenalotte 25.....163 CK45
Chênas 69.....194 BV55
Chenaud 24.....239 AL66
Chenay 79.....185 AK54
Chenay 72.....83 AN30
Chenay 51.....41 B021
Chenay-le-Châtel 71.....193 BP55
Le Chêne 10.....91 BQ29
Chêne-Arnoult 89.....135 BI37
Chêne-Bernard 39.....179 CA47
Chêne-Chenu 28.....85 AV29
Chêne-en-Semine 74.....215 CE57
Chêne-Sec 39.....178 CA48
Chenebier 70.....142 CK39
Chenecey-Buillon 25.....161 CE45
Cheneché 86.....169 AN49
Chenedollé 14.....52 AG26
Chenedouit 61.....53 AJ27
Chênehutte-
  les-Tuffeaux 49.....150 AK43
Chénelette 69.....212 BT56
Chénerailles 23.....207 BC57
Cheneilles 43.....248 BS67
Chenereilles 42.....229 B064
Chénerilles 04.....287 CH79
Chenevelles 86.....169 AQ50
Chenevières 54.....95 CI29
Chenevrey-et-Morogne 70.161 CC43
Chênex 74.....215 CF56
Cheney 89.....137 BP37
Chenicourt 54.....66 CG25
Chenières 54.....45 CC19
Cheniers 51.....62 BR26
Cheniers 23.....189 AZ54
Chenillé-Changé 49.....128 AG39
Cheniménil 88.....119 CI33
Chennebrun 27.....55 AR28
Chennegy 10.....114 B033
Chennevières 55.....93 BZ28
Chennevières-
  lès-Louvres 95.....58 BE24
Chennevières-
  sur-Marne 94.....58 BE27

CHOLET

Abreuvoir (Av. de l') . . . . Z 2
Bons Enfants (R. des) . . . . Z 3
Bourg Baudry (R. du) . . . . Z 6
Bretonnaise (R.) . . . . Z 7
Clemenceau (R. G.) . . . . Z 10
Guérineau (Pl. A.) . . . . Z 20
Hôtel de Ville (R. de l') . . . . . . Z 22
Maudet (Av.) . . . . Z 30
Moine (R. de la) . . . . Z 36

Montfort (R. G.-de) . . . . Z 37
Nantaise (R.) . . . . Z 39
Nationale (R.) . . . . Z
Puits de l'Aire (R. du) . . . . Z 45
Richard (Bd G.) . . . . Z 46
Sablerie (R.) . . . . Z 49
Sardinerie (R. de la) . . . . Z 50
Travot (Pl.) . . . . Z 52
Travot (R.) . . . . Z 53
Vieux Greniers (R. des) . . . . . . Z 56
8-Mai-1945 (Pl. du) . . . . Z 58

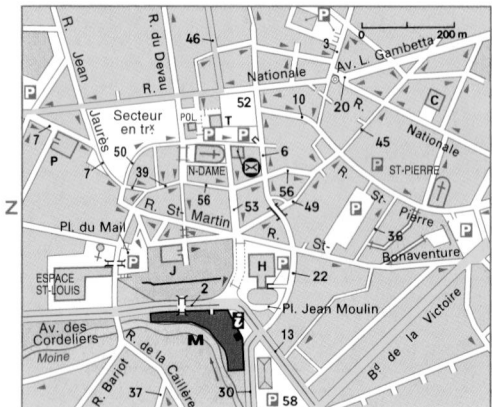

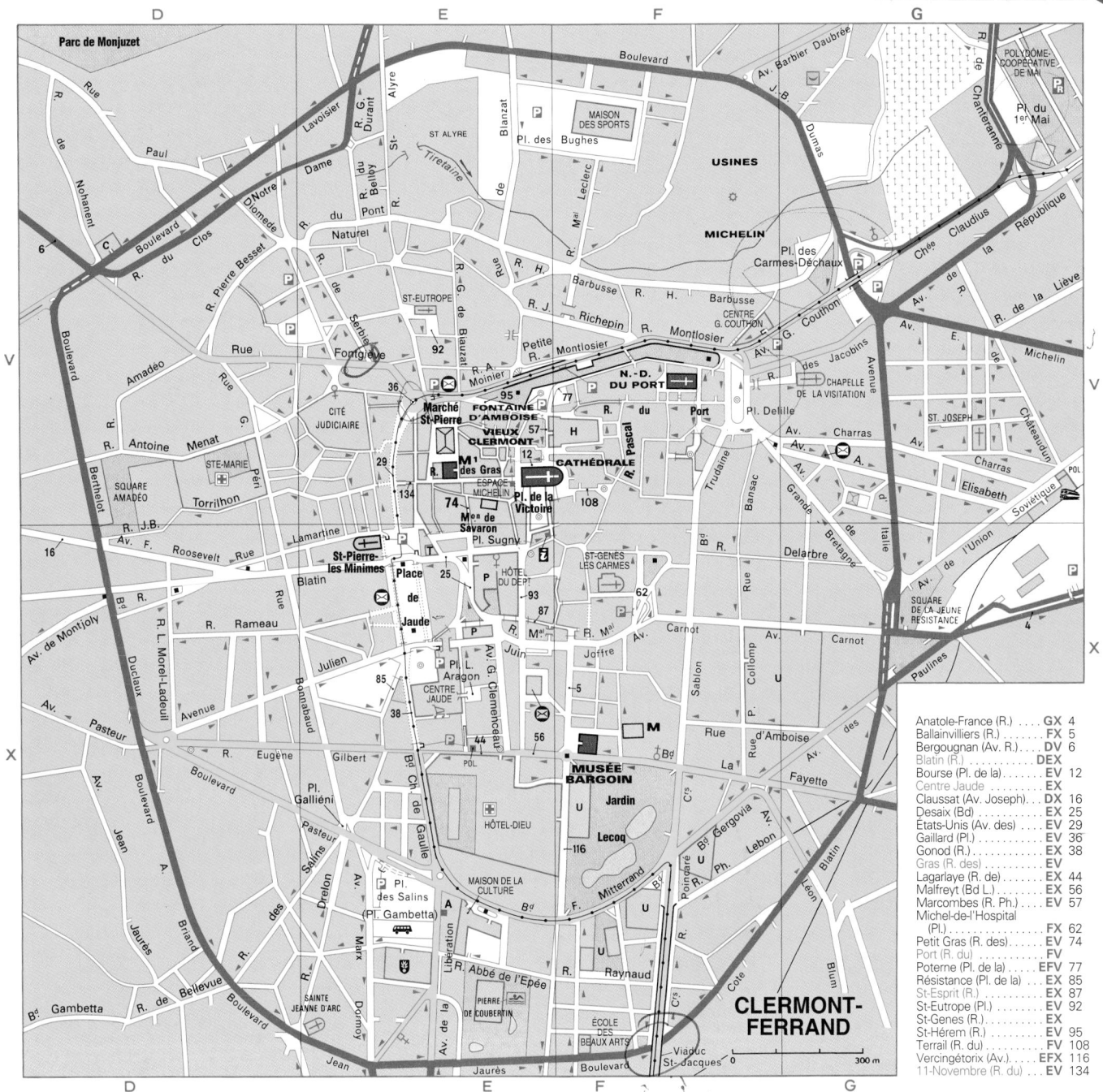

Anatole-France (R.) .... GX 4
Ballainvilliers (R.) .... FX 5
Bergougnan (Av. R.) .... DV 6
Blatin (R.) .... DEX
Bourse (Pl. de la) ...... EV 12
Centre Jaude .... EX
Claussat (Av. Joseph). .. DX 16
Desaix (Bd) .... EV 25
États-Unis (Av. des) ... EV 29
Gaillard (Pl.) .... EV 36
Gonod (R.) .... EX 38
Gras (R. des) .... EV
Lagarlaye (R. de) ...... EX 44
Malfreyt (Bd L.) .... EX 56
Marcombes (R. Ph.) ... EV 57
Michel-de-l'Hospital
   (Pl.) .... FX 62
Petit Gras (R. des) ..... EV 74
Port (R. du) .... FV
Poterne (Pl. de la) .... EFV 77
Résistance (Pl. de la) .. EX 85
St-Esprit (R.) .... EX 87
St-Eutrope (Pl.) .... EX 92
St-Genes (R.) .... EX
St-Hérem (R.) .... EV 95
Terrail (R. du) .... FV 108
Vercingétorix (Av.). ... EFX 116
11-Novembre (R. du) ... EV 134

CLERMONT-FERRAND

Chenonceaux 37...............152 AT43
Chenou 77......................112 BF34
Chenôve 21....................160 BX43
Chenôves 71...................177 BV50
Chens-sur-Léman 74....197 CH54
Chenu 72........................130 AO40
Cheny 89........................114 BM36
Chepniers 17..................238 AI66
Chepoix 60......................22 BD18
La Cheppe 51..................62 BT24
Cheppes-la-Prairie 51....62 BS26
Cheppy 55.......................43 BX22
Cheptainville 91................87 BC30
Chépy 80..........................11 AY13
Chepy 51..........................62 BS26
Chérac 17.......................219 AH61
Chérance 72......................83 AN32
Chérancé 53....................127 AE37
Chérauté 64.....................313 AD88
Chéray 17........................200 AA58
Cherbonnières 17..........202 AI58
Cherbourg-Octeville 50...29 AA17
Chérence 95.....................57 AY24
Chérencé-le-Héron 50....52 AD26
Chérencé-le-Roussel 50...44 AE27
Chereng 59.........................9 BJ7
Les Chères 69................212 BV59
Chérêt 02..........................40 BM19
Chériennes 62..................12 BB10
Cherier 42.......................211 BP58
Les Chéris 50...................51 AC28
Chérisay 72.......................83 AM32
Chérisey 57.......................65 CF24
Chérisy 62.........................13 BH11
Cherisy 28........................56 AW27

Chérizet 71.....................194 BU52
Chermignac 17...............219 AF61
Chermisey 88...................93 CB31
Chéronnac 87.................204 AR60
Chéronvilliers 27..............55 AR27
Chevagny-
   les-Chevrières 71.......194 BV54
Chevagny-sur-Guye 71...194 BT52
Chevaigné 35..................104 Z33
Chevaigné-du-Maine 53...82 AJ31
Le Chevain 72...................83 AM31
Cheval-Blanc 84.............305 BZ82
La Chevalerie 17.............200 AB59
Chevaline 74...................215 CH60
La Chevallerais 44.........147 Z41
Le Chevalon 38...............232 CD65
Chevanceaux 17.............220 AJ65
Chevannay 21.................159 BU42
Chevannes 89.................136 BL38
Chevannes 45.................136 BH34
Chevannes 21.................159 BW45
Chevannes 02...................26 BN15
Chevannes-Changy 58...157 BL44
Chevennes 02...................26 BN15
Chevenon 58...................174 BK48
Chevenoz 74...................198 CK53
Cheverny 41.....................132 AW41
Cheveuges 08....................27 BV17
Chevières 08......................43 BV21
Chevigney 70...................161 CB43
Chevigny-lès-Vercel 25...162 CH44
Chevigny-St-Sauveur 21.161 CB43
Chevigny 39.....................161 CB44
Chevigny-en-Valière 21..178 BX47
Chevigny-
   Saint-Sauveur 21........160 BY43

Chéu 89...........................114 BN36
Cheuge 21.......................160 CA42
Cheust 65........................333 AK90
Cheux 14............................33 AI22
Chevagnes 03.................192 BM51
Chevaigné 35..................104 Z33
Chéroy 89.........................113 BI33
Cherré 72.........................108 AQ34
Cherré 49.........................128 AH39
Cherreau 72.....................108 AQ33
Cherrueix 35......................51 Z28
Charval 24........................221 AN64
Cherveix-Cubas 24..........241 AT66
Cherves 86........................168 AL50
Cherves-Châtelars 16.....204 AP60
Cherves-de-Cognac 16....203 AI60
Chervettes 17..................201 AF57
Cherveux 79.....................185 AI53
Chervey 10........................115 BT34
Cherville 51.......................61 BQ24
Chervinges 69.................212 BV58
Chéry 18...........................154 BB45
Chéry-Chartreuve 02........40 BM22
Chéry-lès-Pouilly 02.........24 BM17
Chéry-lès-Rozoy 02...........25 BP16
Chesley 10........................115 BQ36
Le Chesnay 78...................58 BB26
Le Chesne 27.....................56 AT26
Le Chesne 08.....................42 BU19
Chesnel 17.......................202 AI60
Chesnois-Auboncourt 08...26 BT18
Chesny 57..........................65 CF23
Chessenaz 74...................215 CE57
Chessy 77...........................59 BG26
Chessy 69........................212 BU59
Chessy-les-Prés 10..........114 BO35

Chevillard 01....................214 CC56
Chevry-Cossigny 77...........59 BF28
Chevillon 89.....................135 BJ37
Chevry-en-Sereine 77.....112 BH33
Chevillon 52.......................92 BX29
Chevry-sous-le-Bignon 45...112 BH34
La Chevillotte 25.............162 CG44
Chey 79............................185 AK54
Chevilly 45.......................110 AZ35
Cheylade 15.....................245 BG67
Chevilly-Larue 94..............58 BD27
Le Cheylard 07................248 BT70
Chevinay 69.....................212 BU60
Cheylard-l'Évêque 48.....265 BO73
Chevincourt 60...................39 BG19
Le Cheylas 38..................233 CF64
Cheviré-le-Rouge 49........129 AK40
Cheyssieu 38....................231 BW64
Chevrainvilliers 77...........112 BF33
Chezal-Benoît 18.............172 BB49
Chèvre (Cap de la) 29........75 E32
Chèze 65..........................332 AJ92
Chevreaux 39...................196 CA52
La Chèze 22.....................102 S33
Chevregny 02.....................40 BM19
Chézeaux 52....................140 CC37
Chezelle 03.......................191 BJ55
Chézelles 37....................169 AO46
Chèvreville 60....................39 BH23
Chezelles 36.....................171 AX48
La Chèvrerie 16...............203 AM57
Chézeneuve 38................231 BZ62
Chèvrerie
   (Vallon de la) 74.........198 CJ55
Chézery-Forens 01..........235 CE55
Chèvremont 90................142 CL39
Chézy 03..........................192 BL51
Chevresis-les-Dames 02...24 BL16
Chézy-en-Orxois 02..........40 BJ23
Chevresis-Monceau 02....24 BM16
Chézy-sur-Marne 02..........60 BK25
Chevreuse 78....................58 BB28
Chiappa (Pointe de la) 2A..351 FG114
Chèvreville 60....................39 BH23
Chiatra 2B.......................347 FH107
Chevrier 74......................215 CE56
Chiché 79.........................167 AI49
Chevrières 60.....................39 BF21
Chichaboville 14...............23 AK23
Chevrières 42...................230 BT62
Chichée 89.......................136 BO38
Chevrières 38...................250 CA67
Chichée 89.......................136 BM37
Chevroches 58.................157 BM42
Chichey 51..........................61 BN28
La Chevrolière 44............147 Z45
Chichilianne 38...............268 CC71
Chevrotaine 39.................179 CE50
Chicourt 57........................66 CH25
Chevroux 01.....................195 BX53
Chiddes 71.......................194 BT53
Chevroz 25.......................161 CE42
Chiddes 58.......................176 BP48
Chevru 77.........................60 BJ27
Chidrac 63.......................227 BJ63
Cheverny 41.....................52 AD24
Chierry 02..........................60 BL24
Chevry 50..........................52 AD24
Chieulles 57.......................45 CF22

Chigné 49.........................129 AM40
Chignin 73.......................233 CF62
La Chignolle 16...............203 AM60
Chigny 02...........................25 BN14
Chigny-les-Roses 51..........61 BP23
Chigy 89...........................113 BL33
Chilhac 43........................246 BL67
Chillac 16.........................220 AK65
Chille 39...........................179 CB50
Chilleurs-aux-Bois 45......111 BB35
Le Chillou 79...................168 AK49
Chilly 80.............................23 BG16
Chilly 74...........................215 CF57
Chilly 08.............................26 BS15
Chilly-le-Vignoble 39.......179 CB50
Chilly-Mazarin 91..............58 BD28
Chilly-sur-Salins 39.........179 CE47
Chimilin 38.......................232 CC62
Le Chinaillon 74..............216 CJ57
Chindrieux 73..................215 CE59
Chinon 37........................151 AN45
Chinon (Centre de production
   nucléaire) 37...............150 AM44
Chioula (Col de) 09.........336 AZ94
Chipilly 80...........................23 BF14
Chirac 48.........................264 BK74
Chirac 16.........................204 AQ59
Chirac-Bellevue 19.........226 BD64
Chirassimont 42..............212 BS59
Chirat-l'Église 03............191 BI55
Chiré-en-Montreuil 86....186 AM51
Chirens 38........................232 CC64
Chirmont 80......................22 BD17
Chirols 07........................266 BS72
Chiroubles 69.................212 BV56
Chiry-Ourscamp 60..........23 BH18

Chis 65	.315 AL88	Choisy 74	.215 CG57
Chisa 2B	.349 FF111	Choisy-au-Bac 60	.39 BH20
Chissay-en-Touraine 41	.152 AU43	Choisy-en-Brie 77	.60 BJ27
Chisseaux 37	.152 AT43	Choisy-la-Victoire 60	.39 BF20
Chisséria 39	.196 CC53	Choisy-le-Roi 94	.58 BD27
Chissey-en-Morvan 71	.158 BR45	Cholet 49	.166 AE46
Chissey-lès-Mâcon 71	.194 BV52	Cholonge 38	.251 CE68
Chissey-sur-Loue 39	.179 CC46	Choloy-Ménillot 54	.94 CC28
Chitenay 41	.153 AV41	Chomelix 43	.247 BO66
Chitray 36	.188 AV51	Chomérac 07	.266 BV72
Chitry 89	.136 BN38	La Chomette 43	.246 BM66
Chitry-les-Mines 58	.157 BN44	Chonas-l'Amballan 38	.231 BW64
Chiuni (Plage de) 2A	.348 FA109	Chonville 55	.64 CA27
Chives 17	.202 AK58	Chooz 08	.17 BU12
Chivres 21	.158 BY47	Choqueuse-les-Bénards 60	.22 BB17
Chivres-en-Laonnois 02	.25 BO17	Choranche 38	.250 CB68
Chivres-Val 02	.40 BL20	Chorey 21	.177 BW46
Chivy-lès-Étouvelles 02	.40 BM19	Chouain 14	.33 AH22
Chizé 79	.202 AI56	Chouday 36	.172 BB48
Chocques 62	.7 BE7	Choue 41	.109 AS36
Choignes 52	.117 BY34	Chougny 58	.175 BO46
Choilley 52	.139 BZ39	Chouilly 51	.61 BP24
Choisel 78	.57 BA28	Chouppes 86	.168 AM49
Choiseul 52	.117 CB35	Chourgnac 24	.241 AT66
Choisey 39	.178 CA46	Choussy 41	.153 AV43
Choisies 59	.15 BP11		

Chouvigny 03	.209 BI57	Cierges 02	.40 BM23
Chouvigny		Cierges-	
(Gorges de) 63	.209 BI57	sous-Montfaucon 55	.43 BX21
Les Choux 45	.134 BF38	Cierp-Gaud 31	.334 AP92
Choux 39	.196 CD54	Cierrey 27	.56 AV24
Chouy 02	.40 BJ22	Cierzac 17	.220 AI62
Chouzé-sur-Loire 37	.150 AM44	Cieurac 46	.278 AW76
Chouzelot 25	.161 CE45	Cieutat 65	.333 AL60
Chouzy-sur-Cisse 41	.152 AU41	Cieux 87	.205 AT58
Choye 70	.161 CD42	Ciez 58	.156 BJ42
Chozeau 38	.231 BZ61	Cigné 53	.82 AH31
Chuelles 45	.112 BH36	Cigogné 37	.152 AS44
Chuffilly-Roche 08	.42 BT19	Cilly 02	.25 BO16
Chuignes 80	.23 BG15	Cinais 37	.150 AM45
Chuignolles 80	.23 BG15	Cindré 03	.192 BM54
Chuisnes 28	.85 AU31	Cinq-Chemins 74	.198 CI53
Chusclan 30	.285 BW78	Cinq-Mars-la-Pile 37	.151 AP43
Chuyer 42	.230 BV64	Cinquétral 39	.197 CE53
Chuzelles 38	.231 BX62	Cinqueux 60	.38 BE21
Ciadoux 31	.316 AQ88	Cintegabelle 31	.318 AW88
Ciamannace 2A	.349 FE111	Cintray 27	.56 AV25
Cians (Gorges du) 06	.289 CO80	Cintray 28	.86 AW31
Ciboure 64	.310 W86	Cintré 35	.103 X34
Cideville 76	.19 AS18	Cintheaux 14	.53 AK24
Ciel 71	.178 BX48	Ciral 61	.83 AK30
Cier-de-Luchon 31	.334 AP93	Ciran 37	.170 AS46
Cier-de-Rivière 31	.334 AP90	Circourt 88	.95 CG32

Ciral 61	.83 AK30	Citerne 80	.11 AZ14
Ciran 37	.170 AS46	Citers 70	.141 CH38
Circourt 88	.95 CG32	Citey 70	.161 CD41
Circourt-sur-Mouzon 88	.94 CC32	Citou 11	.320 BE87
Ciré-d'Aunis 17	.200 AD57	Citry 77	.60 BJ25
Cirès 31	.334 AO93	Civaux 86	.187 AG53
Cires-lès-Mello 60	.38 BD22	Civens 42	.212 BS60
Cirey 70	.162 CF42	Civières 27	.37 AX23
Cirey 21	.177 BU47	Civrac-de-Blaye 33	.237 AH67
Cirey-lès-Mareilles 52	.117 BZ33	Civrac-en-Médoc 33	.218 AD65
Cirey-lès-Pontailler 21	.160 BZ43	Civrac-sur-Dordogne 33	.256 AK71
Cirey-sur-Blaise 52	.92 BW32	Civray 86	.203 AN56
Cirey-sur-Vezouze 54	.96 CL28	Civray 18	.172 BC47
Cirfontaines-en-Azois 52	.116 BW34	Civray-de-Touraine 37	.152 AT43
Cirfontaines-en-Ornois 52	.93 BZ30	Civray-sur-Esves 37	.169 AQ46
Cirières 79	.167 AG48	Civrieux 01	.213 BW58
Ciron 36	.188 AU51	Civrieux-d'Azergues 69	.213 BW59
Cirque (Belvédère du) 05	.271 CO71	Civry 28	.110 AW35
Ciry-le-Noble 71	.194 BS51	Civry-en-Montagne 21	.159 BU43
Ciry-Salsogne 02	.40 BL20	Civry-la-Forêt 78	.57 AX26
Cisai-Saint-Aubin 61	.54 AO27	Civry-sur-Serein 89	.137 BP40
Cisery 89	.158 BO41	Cizancourt 80	.23 BH15
Cissac-Médoc 33	.237 AE66	Cizay-la-Madeleine 49	.150 AK43
Cissé 86	.169 AN50	Cize 39	.179 CE49
Cisternes-la-Forêt 63	.209 BG60	Cize 01	.196 CB55
Cistrières 43	.228 BN65	Cizely 58	.175 BL47
Cîteaux (Abbaye de) 21	.160 BY45	Cizos 65	.316 AO88

COLMAR

Augustins (R. des)	BZ 3	Chauffour (R.)	BZ 20
Bains (R. des)	BY 5	Clefs (R. des)	BCY
Blés (R. des)	BZ 9	Écoles (R. des)	BZ 22
Boulangers (R. des)	BY 12	Fleurent (R. J.-B.)	BY 24
Brasseries (R. des)	CY 13	Florimont (R. du)	AY 25
Bruat (R.)	BZ 14	Grand'Rue	BCZ 31
Cathédrale (Pl. de la)	BY 17	Grenouillère (R. de la)	CYZ 32
Champ-de-Mars (Bd du)	BYZ 18	Herse (R. de la)	BZ 33
		Kléber (R.)	BY 35
		Ladhof (R. du)	CY 36

Lasch (R. Georges)	AZ 37	Poissonnerie (R. de la)	BCZ 62
Lattre-de-Tassigny		Preiss (R. Jacques)	BZ 63
(Av. J. de)	ABY 43	Reims (R. de)	BZ 65
Leclerc (Bd du Gén.)	BZ 45	République (Av. de la)	BZ
Manège (R. du)	AY 49	Ribeauvillé (R. de)	BY 67
Marchands (R. des)	YZ 50	Roesselman (R.)	BY 69
Marché-aux-Fruits (Pl. du)	BZ 51	St-Jean (R.)	BZ 71
Messimy (R.)	BZ 52	St-Nicolas (R.)	BY 73
Molly (R. Berthe)	BYZ 54	Serruriers (R. des)	BY 75
Mouton (R. du)	CY 57	Sinn (Quai de la)	BY 77

Six-Montagnes-Noires		Tanneurs (R. des)	CZ 82
(Pl. des)	BZ 79	Têtes (R. des)	BY 83
		Unterlinden (Pl. d')	BY 85
		Vauban (R.)	CY
		Weinemer (R.)	BZ 86
		2 Février (Pl. du)	CY 87
		5e Division-Blindée (R. de la)	BY 95
		18 Novembre (Pl. du)	BY 97

acy-et-Thierret 02 ....24 BM18
adech 24 ....259 AT71
aira 66 ....339 BN34
airac 47 ....275 AN76
airavaux 23 ....207 BB60
airefontaine-
en-Yvelines 78 ....87 BA29
airefougère 61 ....52 AG26
airegoutte 70 ....142 CJ39
airfayts 59 ....16 BQ12
airfontaine 02 ....25 BP14
airmarais 62 ....3 BC5
airoix 60 ....39 BG20
airvaux 10 ....116 BV34
airvaux-d'Aveyron 12 ....262 BD75
airvaux-les-Lacs 39 ....196 CD51
airy-Saulchoix 80 ....22 BC15
ais 76 ....20 AW16
aix 38 ....250 CD67
aix 16 ....221 AL63
am 17 ....219 AH63
amanges 51 ....61 BO26
amart 92 ....58 BC27
amecy 58 ....157 BM42
amecy 02 ....40 BK20
amensane 04 ....287 CH76
amerey 21 ....159 BT42
amouse (Grotte de) 34 ....302 BN83
ans 70 ....141 CF39
ans 06 ....289 CP79
ansayes 26 ....285 BW76
e Claon 55 ....43 BW23
aouey 31 ....254 AB71
e Clapier 12 ....301 BJ82
apiers 34 ....302 BP84
a Claquette 67 ....96 CN30
ara 66 ....342 BC96
arac 65 ....315 AM89
arac 31 ....334 AP90
aracq 64 ....294 AH85
arafond 74 ....215 CE57
arbec 14 ....34 AN22
arens 25 ....315 AN89
aransac 30 ....303 BS82
aret 34 ....302 BP82
aret 04 ....269 CG75
arques 62 ....7 BC6
a Clarté 22 ....72 M25
ary 14 ....14 BK13
assun 40 ....294 AH83
astres 02 ....24 BJ16
asville 76 ....19 AQ16
e Clat 11 ....337 BB94
audon 88 ....118 CE35
e Claux 15 ....245 BG67
es Claux 05 ....270 CL73
avans-
en-Haut-Oisans 38 ....251 CH68
avé 79 ....185 AU32
aveisolles 69 ....212 BT57
avette 17 ....200 AD56
aveyson 26 ....249 BX67
avières 15 ....246 BK69
aviers 83 ....308 CL84
aville 27 ....56 AT24
aville-Motteville 76 ....20 AU18
avy-Warby 08 ....26 BT16
a Claye 85 ....183 AB52
aye-Souilly 77 ....59 BF25
ayes 35 ....104 Y33
es Clayes-sous-Bois 78 ....57 BA27
a Clayette 71 ....194 BS55
ayeures 54 ....95 CH30
azay 79 ....167 AH49
écy 14 ....53 AI25
éden-Cap-Sizun 29 ....98 D33
éden-Poher 29 ....76 K31
eder 29 ....71 H26
èdes 40 ....294 AH84
eebourg 67 ....69 CR23
efmont 52 ....117 CA34
es Clefs 74 ....216 CI59
efs 49 ....129 AL40
éguer 56 ....101 M36
éguérec 56 ....101 P33
elles 38 ....250 CD70
émencey 21 ....159 BW44
émensat 63 ....227 BJ63
émery 54 ....65 CF25
émont 18 ....133 BC40
énay 21 ....160 BY42
enieu 62 ....6 AZ8
éon 76 ....36 AT21
éon-d'Andran 26 ....267 BX73
eppé 42 ....211 BR60
érac 17 ....238 AJ67
éré-du-Bois 36 ....170 AT48
éré-les-Pins 37 ....151 AO42
éré-sur-Layon 49 ....149 AI45
ères 76 ....20 AU18
érey 10 ....115 BR33
érey-la-Côte 88 ....94 CC30
érey-sur-Brenon 54 ....94 CF29
ergoux 19 ....243 BA66
érieux 26 ....249 BX68
es Clérimois 89 ....113 BD33
e Clerjus 88 ....119 CH35
lerlande 63 ....209 BJ59
lermain 71 ....194 BU54
lermont 74 ....215 CE58

Clermont 60 ....38 BD20
Clermont 40 ....293 AC84
Clermont 09 ....339 BI94
Clermont (Abbaye de) 53 ..105 AE34
Clermont-Créans 72 ....129 AL39
Clermont-
de-Beauregard 24 ....240 AP69
Clermont-Dessous 47 ....275 AN77
Clermont-d'Excideuil 24 ....AT65
Clermont-en-Argonne 55 ....43 BX23
Clermont-en-Auge 14 ....34 AM22
Clermont-Ferrand 63 ....209 BJ60
Clermont-le-Fort 31 ....317 AV86
Clermont-les-Fermes 02 ....25 BO17
Clermont-l'Hérault 34 ....302 BM84
Clermont-Pouyguillès 32 ...316 AO86
Clermont-Savès 32 ....297 AS84
Clermont-Soubiran 47 ....278 AR78
Clermont-sur-Lauquet 11 ...337 BD91
Cléron 25 ....162 CF45
Clerques 62 ....2 BA5
Clerval 25 ....162 CI42
Cléry 73 ....234 CI61
Cléry 21 ....161 CB43
Cléry-en-Vexin 95 ....37 AZ23
Cléry-le-Grand 55 ....43 BX20
Cléry-le-Petit 55 ....43 BX20
Cléry-Saint-André 45 ....132 AY38
Cléry-sur-Somme 80 ....23 BH14
Clesles 51 ....90 BO30
Clessé 39 ....167 AI50
Clessé 71 ....195 BW53
Clessy 71 ....193 BQ52
Cléty 62 ....7 BC6
Cleurie 88 ....119 CJ34
Cleuville 76 ....19 AQ17
Cléville 76 ....19 AQ18
Cléville 14 ....34 AL23
Clévilliers 28 ....86 AW30
Cleyrac 33 ....256 AK72
Cleyzieu 01 ....214 CB58
Clézentaine 88 ....95 CI30
Clichy 92 ....58 BD26
Clichy-sous-Bois 93 ....58 BD26
Climbach 67 ....69 CR23
Le Climont 67 ....96 CN31
Clinchamp 52 ....117 CA33
Clinchamps-sur-Orne 14 ...33 AJ23
Clion 86 ....170 AU41
Clion 17 ....219 AH63
Le Clion-sur-Mer 44 ....146 V45
Cliousclat 26 ....267 BX72
Cliponville 76 ....19 AR17
Cliron 08 ....26 BT15
Clis 14 ....145 S42
La Clisse 17 ....201 AF60
Clisson 44 ....148 AB45
Clitourps 50 ....29 AC17
Clohars-Carnoët 29 ....100 K36
Clohars-Fouesnant 29 ....99 H35
Le Cloître-Pleyben 29 ....76 J31
Le Cloître-
Saint-Thégonnec 29 ....76 J29
Clomot 21 ....159 BT44
Clonas-sur-Varèze 38 ....231 BW64
Clos (Futaie des) 72 ....130 AP38
Clos-Fontaine 77 ....89 BI29
La Clotte 17 ....238 AJ67
Clouange 57 ....45 CE21
Cloué 86 ....186 AM53
Les Clouzeaux 85 ....165 Z50
Cloyes-sur-le-Loir 28 ....109 AU36
Cloyes-sur-Marne 51 ....62 BU28
Clucy 39 ....179 CE47
Clugnat 23 ....189 BB54
Cluis 36 ....189 AY52
Clumanc 04 ....288 CJ79
Cluny 71 ....194 BV53
La Clusaz 74 ....216 CI58
La Cluse 74 ....216 CF72
La Cluse 01 ....214 CC56
La Cluse-et-Mijoux 25 ....180 CI47
Cluses 74 ....216 CK56
Les Cluses 66 ....343 BH97
Clussais-
la-Pommeraie 79 ....203 AL56
Clux 71 ....178 BY47
Coadout 22 ....73 O28
Coaraze 06 ....291 CR80
Coarraze 64 ....314 AI89
Coat-Méal 29 ....70 E28
Coatascorn 22 ....73 O27
Coatfréc (Château de) 22 ..72 M26
Coatréven 22 ....72 N26
Cobonne 26 ....267 BY71
Cobrieux 59 ....9 BJ7
Cocalière
(Grotte de la) 30 ....283 BR77
La Cochère 61 ....54 AN27
Cocherel 77 ....59 BI24
Cocherel 27 ....56 AV24
Cocheren 57 ....47 CK22
Coclois 10 ....91 BR30
Cocquerel 80 ....11 BA13
Cocumont 47 ....258 AK75
Cocurès 48 ....282 BN76
Codalet 66 ....342 BD96
Codognan 30 ....303 BS83
Codolet 30 ....285 BW78
Coémont 72 ....130 AO39
Coësmes 35 ....104 AB36

Coëtlogon 22 ....102 S33
Coëtmieux 22 ....78 S29
Coëtquidan-Saint-Cyr
(Camp de) 56 ....103 V35
Cœuilly 94 ....58 BE27
Cœuvres-et-Valsery 02 ....40 BJ21
Coëx 85 ....165 X49
Coggia 2A 348 FB109
Coglès 35 ....80 AB30
Cogna 39 ....196 CD51
Cognac 16 ....220 AI61
Cognac-la-Forêt 87 ....205 AS60
Cognat-Lyonne 03 ....210 BK57
Cognières 70 ....162 CH41
Cognin 73 ....233 CE62
Cognin-les-Gorges 38 ....250 CB67
Cognocoli-Monticchi 2A ..348 FD112
Cogny 69 ....212 BU58
Cogny 18 ....173 BF48
Cogolin 83 ....329 CL88
Cohade 43 ....228 BL65
Cohan 02 ....40 BM22
Cohennoz 73 ....216 CJ60
Cohiniac 22 ....78 Q29
Cohons 52 ....139 BZ38
Coiffy-le-Bas 52 ....118 CC36
Coiffy-le-Haut 52 ....118 CC36
Coigneux 80 ....13 BE50
Coignières 78 ....57 BA27
Coigny 50 ....31 AC20
Coimères 33 ....256 AI74
Coin-lès-Cuvry 57 ....65 CF23
Coin-sur-Seille 57 ....65 CF23
Coinces 45 ....110 AY36
Coinches 88 ....96 CM32
Coincourt 54 ....66 CI27
Coincy 57 ....66 CG23
Coincy 02 ....40 BL23
Coings 36 ....171 AY48
Coingt 02 ....25 BP16
Coirac 33 ....256 AJ72
Coise 69 ....230 BT62
Coise-Saint-Jean-
Pied-Gauthier 73 ....233 CG62
Coiserette 39 ....197 CE54
Coisevaux 70 ....142 CK39
Coisia 39 ....196 CC54
Coisy 80 ....22 BD14
Coivert 17 ....201 AH57
Coivrel 60 ....22 BE18
Coizard-Joches 51 ....61 BO26
Colayrac-Saint-Cirq 47 ....275 AO78
Colembert 62 ....2 BA5
Coligny 39 ....161 BP26
Coligny 01 ....196 CA53
Colincamps 80 ....13 BF12
Collan 89 ....136 BO37
La Collancelle 58 ....157 BN45
Collandres 15 ....244 BF66
Collandres-Quincarnon 27 ...55 AS24
Collanges 63 ....228 BK64
Collat 43 ....246 BN66
La Colle-sur-Loup 06 ....309 CP82
Collégien 77 ....59 BF26
Colleret 59 ....15 BP10
Le Collet 88 ....120 CM34
Le Collet-d'Allevard 38 ....233 CG64
Le Collet-de-Dèze 48 ....283 BP77
Colletot 27 ....35 AQ21
Colleville 76 ....19 AP16
Colleville-Montgomery 14 ...33 AK21
Colleville-sur-Mer 14 ....32 AG20
Collias 30 ....284 BU80
Colligis-Crandelain 02 ....40 BM19
Colligny 57 ....66 CG23
Colline-Beaumont 62 ....11 AY10
Collinée 22 ....78 T31
Collioure 66 ....343 BJ97
Collobrières 83 ....328 CJ88
Collonge-en-Charollais 71 ..194 BU51
Collonge-la-Madeleine 71 ...177 BT47
Collonges 01 ....215 CE56
Collonges-
au-Mont-d'Or 69 ....213 BW60
Collonges-la-Rouge 19 .....242 AX68
Collonges-lès-Bévy 21 .....159 BW45
Collonges-
lès-Premières 21 ....160 BZ44
Collonges-sous-Salève 74 ...215 CG56
Collongues 65 ....315 AL88
Collongues 06 ....289 CN80
Collorec 29 ....76 J31
Collorgues 30 ....284 BS80
Colmar 68 ....121 CO34
Colmars 04 ....288 CL77
Colmen 57 ....46 CH20
Colméry 58 ....156 BK43
Colmesnil-Manneville 76 ....20 AT15
Colmey 54 ....44 CA19
Colmier-le-Bas 52 ....138 BW38
Colmier-le-Haut 52 ....138 BW38
Colognac 30 ....283 BP80
Cologne 32 ....297 AS83
Colomars 06 ....309 CQ82
La Colombe 50 ....52 AD25
La Colombe 41 ....132 AW37
Colombe 38 ....232 CB64
Colombé-la-Fosse 10 ....92 BV32

Colombé-le-Sec 10 ....116 BV33
Colombe-lès-Bithaine 70 ....141 CH38
Colombe-lès-Vesoul 70 ......141 CG39
Colombelles 14 ....33 AK22
Colombes 92 ....58 BC25
Colombey-les-Belles 54 .....94 CD29
Colombey-lès-Choiseul 52 ...117 CB34
Colombey-
les-Deux-Églises 52 ....116 BW33
Colombier 70 ....141 CG39
Colombier 42 ....230 BV65
Colombier 24 ....257 AO71
Colombier 21 ....159 BU45
Colombier 03 ....191 BG55
Colombier-Châtelot 25 ....142 CJ41
Colombier-
en-Brionnais 71 ....194 BS54
Colombier-Fontaine 25 .....142 CK41
Colombier-le-Cardinal 07 ..249 BW66
Colombier-le-Jeune 07 .....248 BV69
Colombier-le-Vieux 07 .....248 BV68
Colombier-Saugnieu 69 ....231 BY61
Colombières 14 ....32 AF21
Colombières-sur-Orb 34 ...301 BI85
Colombiers 86 ....169 AO49
Colombiers 61 ....83 AM30
Colombiers 34 ....321 BJ88
Colombiers 18 ....173 BE50
Colombiers 17 ....219 AG62
Colombiers-du-Plessis 53 ...81 AF31
Colombiers-sur-Seulles 14 ...33 AI21
Colombiès 12 ....280 BD76
Colombotte 70 ....141 CG39
Colomby 50 ....29 AC18
Colomby de Gex (Mont) 01 ..197 CF54
Colomby-sur-Thaon 14 ......33 AJ21
Colomiers 31 ....297 AV84
Colomieu 01 ....214 CC60
Colonard-Corubert 61 ....84 AQ31
Colondannes 23 ....188 AX55
Colonfay 02 ....25 BN17
Colonne 39 ....179 CB48
Colonzelle 26 ....267 BX75
Colpo 56 ....102 Q36
Colroy-la-Grande 88 ....96 CM31
Colroy-la-Roche 67 ....96 CN30
Coltainville 28 ....86 AX30
Coltines 15 ....245 BI68
Coly 24 ....241 AU68
Combaillaux 34 ....302 BO84
Combas 30 ....303 BR82
La Combe-de-Lancey 38 ....251 CF66
La Combe des Eparres 38 ...232 CA63
Combe Laval 26 ....249 BZ69
Combeaufontaine 70 ....140 CD38
Combefa 81 ....279 BB80
La Combelle 63 ....228 BK64
Comberanche-
et-Épeluche 24 ....239 AN66
Comberjon 70 ....141 CG39
Comberouger 82 ....297 AT82
Combéroumal
(Prieuré de) 12 ....281 BI78
Combertault 21 ....177 BW47
Combes 34 ....301 BJ85
Les Combes 25 ....163 CJ45
Combiers 16 ....221 AO63
Comblanchien 21 ....159 BW45
Combles 80 ....13 BH13
Combles-en-Barrois 55 ....63 BX27
Comblessac 35 ....103 W36
Combleux 45 ....133 BA37
Comblot 61 ....84 AO30
Combloux 74 ....216 CK58
Combon 27 ....35 AS23
Combourg 35 ....80 Y30
Combourtillé 35 ....81 AC32
Combovin 26 ....249 BY70
Combrailles 63 ....208 BF60
Combrand 79 ....167 AG48
Combray 14 ....53 AI25
Combre 42 ....212 BS57
Combrée 49 ....127 AD38
Combres 28 ....85 AT32
Combres-sous-
les-Côtes 55 ....64 CB23
Combressol 19 ....225 BB64
Combret 12 ....300 BF82
Combreux 45 ....111 BD36
Combrimont 88 ....96 CM32
Combrit 29 ....99 G35
Combronde 63 ....209 BJ58
Combs-la-Ville 77 ....58 BE28
La Comelle 71 ....176 BQ48
Comiac 46 ....243 BA70
Comigne 11 ....320 BF89
Comines 59 ....4 BH5
Commana 29 ....76 I29
Commarin 21 ....159 BU44
Commeaux 61 ....54 AL27
Commelle 38 ....231 BZ64
Commelle-Vernay 42 ....211 BQ58
Commenailles 39 ....178 CA49
Commenchon 02 ....24 BJ17
Commensacq 40 ....273 AD77
Commentry 03 ....191 BG55
Commeny 95 ....37 AZ23
Commequiers 85 ....165 X49
Commer 53 ....106 AH33
Commercy 55 ....64 CB27

Commerveil 72 ....84 AO32
Commes 14 ....32 AG20
Commissey 89 ....137 BQ37
Communailles-
en-Montagne 39 ....180 CF48
Communay 69 ....231 BW62
Compaing (Pas de) 15 .....245 BG69
Compains 63 ....227 BH64
Compainville 76 ....21 AX17
Le Compas 23 ....208 BE58
Compertrix 51 ....62 BR25
Compeyre 12 ....281 BJ78
Compiègne 60 ....39 BG20
Compigny 89 ....89 BK32
Compolibat 12 ....279 BC76
La Compôte 73 ....233 CH61
Comprégnac 12 ....281 BI79
Compreignac 87 ....205 AV58
Comps 33 ....237 AG68
Comps 30 ....304 BV82
Comps 26 ....282 BZ74
Comps-la-Grand-Ville 12 ...280 BF78
Comps-sur-Artuby 83 ....308 CK82
Le Comté 62 ....7 BE9
Comus 11 ....336 AZ93
Conan 41 ....132 AV38
Conand 01 ....214 CB59
Conat 66 ....342 BD96
Conca 2A 349 FG113
Concarneau 29 ....100 I35
Concevreux 02 ....41 BN20
Concèze 19 ....223 AV65
Conches-en-Ouche 27 ....56 AT25
Conches-sur-Gondoire 77 ...59 BG26
Conchez-de-Béarn 64 ....294 AH85
Conchil-le-Temple 62 ....6 AY9
Conchy-les-Pots 60 ....23 BG18
Conchy-sur-Canche 62 .....12 BC10
Les Concluses 30 ....284 BT78
Concoret 56 ....103 V34
Concots 46 ....278 AX76
Concoules 30 ....283 BQ76
Concourson-sur-Layon 49 ...149 AI45
Concremiers 36 ....187 AT51
Concressault 18 ....155 BF41
Concriers 41 ....132 AW38
Condal 71 ....195 BZ52
Condamine 39 ....178 CA50
Condamine 01 ....214 CC56
La Condamine-
Châtelard 04 ....271 CM74
Condat 46 ....242 AX69
Condat 15 ....227 BG65
Condat-lès-
Montboissier 63 ....228 BM63
Condat-sur-Ganaveix 19 ...224 AX64
Condat-sur-Trincou 24 .....222 AQ65
Condat-sur-Vézère 24 .....241 AU68
Condat-sur-Vienne 87 .....205 AU60
Condé 36 ....172 BA48
Condé-en-Barrois 55 ....63 BY26
Condé-en-Brie 02 ....60 BM24
Condé-Folie 80 ....11 BA13
Condé-lès-Autry 08 ....43 BV21
Condé-lès-Herpy 08 ....41 BQ19
Condé-Northen 57 ....46 CH22
Condé-Sainte-Libiaire 77 ...59 BG26
Condé-sur-Aisne 02 ....40 BL20
Condé-sur-Huisne 61 ....85 AS31
Condé-sur-Ifs 14 ....54 AL24
Condé-sur-Iton 27 ....56 AT26
Condé-sur-l'Escaut 59 ....9 BM8
Condé-sur-Marne 51 ....61 BQ24
Condé-sur-Noireau 61 ....53 AI26
Condé-sur-Risle 27 ....35 AQ21
Condé-sur-Sarthe 61 ....83 AM31
Condé-sur-Seulles 14 ....33 AH22
Condé-sur-Suippe 02 ....41 BO20
Condé-sur-Vesgre 78 ....57 AY27
Condé-sur-Vire 50 ....32 AE23
Condeau 61 ....85 AS31
Condécourt 95 ....57 BA24
Condeissiat 01 ....213 BY56
Condéon 16 ....220 AJ64
Condes 52 ....117 BY34
Condes 39 ....196 CC54
Condette 62 ....6 AY6
Condezaygues 47 ....258 AR75
Condillac 26 ....267 BW73
Condom 32 ....275 AN80
Condom-d'Aubrac 12 ....263 BH73
Condorcet 26 ....268 CA75
Condren 02 ....24 BK18
Condrieu 69 ....231 BW64
Conflandey 70 ....141 CF38
Conflans-en-Jarnisy 54 .....45 CC22
Conflans-
Sainte-Honorine 78 ....58 BB25
Conflans-sur-Anille 72 .....108 AR36
Conflans-sur-Lanterne 70 ...141 CG37
Conflans-sur-Loing 45 .....112 BG36
Conflans-sur-Seine 51 ....90 BN29
Confolens 16 ....204 AQ58
Confolens
(Cascade de) 38 ....251 CG69
Confolent-Port-Dieu 19 ....226 BE63
Confort 01 ....215 CE56

Confort-Meilars 29 ....99 E33
Confracourt 70 ....140 CD39
Confrançon 01 ....195 BY55
Congé-sur-Orne 72 ....107 AN33
Congénies 30 ....303 BR82
Congerville 91 ....87 BA31
Congerville-Thionville 91 ...87 BA31
Congis-sur-Thérouanne 77 ...59 BH24
Congrier 53 ....127 AD37
Congy 51 ....61 BO26
Conie-Molitard 28 ....110 AW34
Conilhac-Corbières 11 .....320 BG89
Conilhac-
de-la-Montagne 11 ....337 BC92
Conjux 73 ....215 CE60
Conlie 72 ....107 AL34
Conliège 39 ....179 CC50
Connac 12 ....280 BF80
Connangles 43 ....246 BN66
Connantray-Vaurefroy 51 ...61 BP27
Connantre 51 ....61 BO28
Connaux 30 ....284 BV79
Conne-de-Labarde 24 ......258 AP71
Connelles 27 ....36 AV22
Connerré 72 ....108 AP35
Connezac 24 ....222 AP63
Connigis 02 ....60 BL24
Conquereuil 44 ....126 Y39
Conques 12 ....262 BD74
Conques-sur-Orbiel 11 ....319 BD88
Le Conquet 29 ....74 C29
Conqueyrac 30 ....302 BP81
Cons-la-Grandville 54 ....44 CB19
Cons-Sainte-Colombe 74 ...216 CI60
Consac 17 ....219 AG64
Conségudes 06 ....309 CP81
Consenvoye 55 ....43 BY21
Consigny 52 ....117 CA33
Consolation
(Cirque de) 25 ....163 CJ44
Consolation-
Maisonnettes 25 ....163 CJ44
Contalmaison 80 ....13 BG13
Contamine-Sarzin 74 ....215 CF57
Contamine-sur-Arve 74 ....216 CI56
Les Contamines-
Montjoie 74 ....216 CL59
Contault 51 ....63 BV25
Contay 80 ....13 BE13
Conte 39 ....180 CF49
Contes 62 ....6 BA9
Contes 06 ....291 CR81
Contescourt 02 ....24 BJ16
Contest 53 ....82 AH32
Conteville 80 ....12 BB11
Conteville 76 ....21 AY17
Conteville 60 ....22 BB17
Conteville 27 ....35 AP20
Conteville 14 ....33 AK23
Conteville-en-Ternois 62 ...7 BD9
Conteville-lès-Boulogne 62 ...2 AY5
Conthil 57 ....66 CI25
Contigné 49 ....128 AH38
Contigny 03 ....192 BK54
Continvoir 37 ....151 AN42
Contis-Plage 40 ....272 Z78
Contoire 80 ....22 BE17
Contramoulins 76 ....19 AP16
Contrazy 09 ....335 AU91
Contre 80 ....12 BB16
Contré 17 ....202 AI57
Contréglise 70 ....140 CE37
Contremoulins 76 ....19 AP16
Contres 41 ....153 AW42
Contres 18 ....173 BE48
Contreuve 08 ....42 BT20
Contrevoz 01 ....214 CC60
Contrexéville 88 ....118 CD33
Contrières 50 ....51 AB24
Contrisson 55 ....63 BW26
Conty 80 ....22 BB16
Contz-les-Bains 57 ....46 CG19
Conzieu 01 ....214 CC60
Coole 51 ....62 BS27
Coolus 51 ....62 BR26
La Copechagnière 85 ....166 AB48
Copponex 74 ....215 CG57
Coq (Col du) 38 ....233 CG65
Coquainvilliers 14 ....34 AN22
Coquelles 62 ....2 AZ3
La Coquille 24 ....223 AS63
Corancez 28 ....86 AX32
Corancy 58 ....176 BP46
Coray 29 ....100 J33
Corbara 2B 344 FC104
Corbarieu 82 ....297 AV81
Corbas 69 ....231 BX61
Corbehem 62 ....14 BI10
Corbeil 51 ....91 BO27
Corbeil-Cerf 60 ....38 BB21
Corbeil-Essonnes 91 ....88 BE29
Corbeilles 45 ....112 BE35
Corbel 73 ....233 CE64
Corbelin 38 ....232 CC62
Corbenay 70 ....119 CH36
Corbeny 02 ....41 BO19
Corbère 66 ....342 BF95
Corbère-Abères 64 ....314 AJ86
Corbère-les-Cabanes 66 ...342 BF95
Corberon 21 ....178 BX46
Corbès 30 ....283 BQ79

Corbie 80	22	BE15
Le Corbier 73	252	CI66
La Corbière 70	141	CI37
Corbières 11	337	BA91
Corbières 04	306	CE82
Corbigny 58	157	BN44
Corbon 61	84	AQ31
Corbon 14	34	AL23
Corbonod 01	215	CE58
Corbreuse 91	87	BA30
Corcelle-Mieslot 25	162	CG42
Corcelles 70	142	CJ40
Corcelles 58	174	BI47
Corcelles 01	214	CC57
Corcelles-en-Beaujolais 69	195	BV56
Corcelles-Ferrières 25	161	CD44
Corcelles-les-Arts 21	177	BV47
Corcelles-lès-Cîteaux 21	160	BY45
Corcelles-les-Monts 21	159	BW43
Corcieux 88	120	CL33
Corcondray 25	161	CD44
Corconne 30	303	BO81
Corcoué-sur-Logne 44	165	Z46
Corcy 02	40	BJ22
Cordéac 38	251	CE70
Cordebugle 14	34	AO23
Cordelle 42	211	BO58
Cordemais 44	147	X43
Cordes-sur-Ciel 81	279	BA79
Cordes-Tolosannes 82	277	AT80
Cordesse 71	176	BS46
Cordey 14	53	AK26
Cordieux 01	213	BY59
Cordiron 25	161	CD43
Cordon 74	216	CK58
Cordonnet 70	161	CE42
Coren 15	245	BJ68
Corenc 38	251	CE66
Corfélix 51	61	BN26
Corgengoux 21	178	BX47
Corgenon 01	195	BY55
Corgirnon 52	139	CA37
Corgnac-sur-l'Isle 24	223	AS65
Corgoloin 21	177	BW46
Corignac 17	237	AH66
Corlay 22	77	P31
Corlée 52	139	BZ37
Corlier 01	214	CB57
Cormainville 28	110	AX34
Cormaranche-en-Bugey 01	214	CC58
Cormatin 71	194	BV52
Corme-Écluse 17	219	AE61
Corme-Royal 17	201	AE60
Cormeilles 60	22	BC17
Cormeilles 27	34	AO22
Cormeilles-en-Parisis 95	58	BC25
Cormeilles-en-Vexin 95	37	BA23
Cormelles-le-Royal 14	33	AJ23
Le Cormenier 79	184	AH55
Cormenon 41	109	AS36
Cormeray 50	80	AB29
Cormeray 41	153	AW41
Cormery 37	152	AR44
Cormes 72	108	AR34
Cormet de Roselend 73	216	CL60
Cormicy 51	41	BO20
Le Cormier 27	56	AV25
Cormolain 14	32	AF23
Cormont 62	6	AY7
Cormontreuil 51	41	BP22
Cormoranche-sur-Saône 01	195	BW55
Cormost 10	115	BO34
Cormot-le-Grand 21	177	BU47
Cormoyeux 51	41	BO23
Cormoz 01	195	BZ53
Corn 46	261	AZ73
Cornac 46	243	AZ70
Cornant 89	113	BJ34
Cornas 07	249	BX69
Cornay 08	43	BW21
Corné 49	149	AI41
Cornebarrieu 31	297	AV84
Corneilhan 34	321	BK87
Corneilla-de-Conflent 66	342	BD96
Corneilla-del-Vercol 66	343	BI95
Corneilla-la-Rivière 66	342	BG95
Corneillan 32	294	AI84
Corneuil 27	56	AU26
Corneville-la-Fouquetière 27	35	AR24
Corneville-sur-Risle 27	35	AQ21
Cornier 74	215	CH56
Corniéville 55	66	CB27
Cornil 19	242	AY67
Cornillac 26	268	CB75
Cornille 24	240	AR66
Cornillé-les-Caves 49	150	AJ41
Cornillon 30	284	BU77
Cornillon-Confoux 13	305	BZ85
Cornillon-en-Trièves 38	250	CD70
Cornillon-sur-l'Oule 26	268	CB75
Cornimont 88	120	CK35
Cornod 39	196	CB54
Cornot 70	140	CD39
La Cornuaille 49	148	AE41
Cornus 12	301	BK81
Cornusse 18	173	BG47
Cornusson (Château de) 82	279	AZ78
Corny 27	36	AW21
Corny-Machéroménil 08	26	BS18
Corny-sur-Moselle 57	65	CE24
Coron 49	149	AG45
Corong (Gorges du) 22	77	M30
Corpe 85	183	AC52
Corpeau 21	177	BV47
Corpoyer-la-Chapelle 21	159	BU41
Corps 38	251	CF70
Corps-Nuds 35	104	Z35
Corquilleroy 45	112	BF35
Corquoy 18	172	BC48
Corrano 2A	349	FE111
Corravillers 70	119	CJ36
Corre 70	118	CE36
Corrençon-en-Vercors 38	250	CC68
Correns 83	307	CH85
Corrèze 19	225	AZ65
Corribert 51	61	BN25
Corrobert 51	60	BM25
Corrombles 21	158	BR41
Corronsac 31	318	AW86
Corroy 51	61	BO28
Corsaint 21	158	BR41
Corsavy 66	342	BF97
Corscia 2B	346	FD107
Corsept 44	146	V43
Corseul 22	79	V29
Cortambert 71	194	BV52
Corte 2B	347	FE107
Cortevaix 71	194	BU52
Cortone (Col de) 2A	348	FC113
Cortrat 45	134	BG37
Les Corvées-les-Yys 28	85	AU32
Corveissiat 01	196	CB55
Corvol-d'Embernard 58	157	BL44
Corvol-l'Orgueilleux 58	157	BL42
Corzé 49	128	AI40
Cos 09	336	AW91
Cosges 39	178	CA49
Coslédaà-Lube-Boast 64	314	AI86
Cosmes 53	105	AF36
Cosnac 19	242	AX68
Cosne-d'Allier 03	191	BH53
Cosne-sur-Loire 58	156	BH42
Cosnes-et-Romain 54	44	CB18
Cosqueville 50	29	AC16
Cossaye 58	175	BL50
Cossé-d'Anjou 49	149	AG45
Cossé-en-Champagne 53	106	AJ36
Cossé-le-Vivien 53	105	AF36
Cossesseville 14	53	AI25
Cosswiller 67	97	CO28
Costa 2B	346	FD105
Costaros 43	247	BP70
Les Costes 05	269	CG71
Les Costes-Gozon 12	281	BG60
La Côte 70	141	CI38
Cote 304 55	43	BY22
La Côte-d'Aime 73	234	CL62
La Côte-d'Arbroz 74	198	CK55
La Côte-en-Couzan 42	211	BO60
La Côte-Saint-André 38	232	CA64
Le Coteau 42	211	BO58
Côtebrune 25	162	CH43
Les Côtes-d'Arey 38	231	BX64
Les Côtes-de-Corps 38	251	CF70
Coti-Chiavari 2A	348	FC113
Cotignac 83	307	CI85
La Cotinière 17	200	AA58
Cottance 42	212	BS60
Cottenchy 80	22	BD16
Cottévrard 76	20	AV17
Cottier 25	161	CD44
Cottun 14	32	AG21
Cou (Col de) 74	198	CI54
La Couarde 79	185	AK54
La Couarde-sur-Mer 17	182	AA55
Couargues 18	156	BH44
Coubert 77	59	BF28
Coubeyrac 33	257	AL71
Coubisou 12	263	BG74
Coubjours 24	241	AU66
Coublanc 71	212	BS56
Coublanc 52	139	CA39
Coublevie 38	232	CC65
Coublucq 64	294	AH85
Coubon 43	247	BP69
La Coubre (Phare de) 17	218	AB61
Coubron 93	58	BC26
Couches 71	177	BU48
Couchey 21	160	BX44
La Coucourde 26	267	BW73
Coucouron 07	207	BO71
Coucy 02	42	BS19
Coucy-la-Ville 02	40	BK19
Coucy-le-Château-Auffrique 02	40	BK19
Coucy-lès-Eppes 02	25	BN18
Couddes 41	153	AW43
Coudehard 61	54	AN26
Coudekerque 59	3	BD2
Coudekerque-Branche 59	3	BD2
Coudes 63	228	BG42
Coudeville-sur-Mer 50	51	AA25
Le Coudon 83	328	CH89
Coudons 11	337	BB93
Coudoux 13	305	CA85
Coudray 53	128	AG38
Coudray 45	111	BD33
Le Coudray 44	126	X40
Le Coudray 28	85	AX31
Coudray 27	37	AX21
Le Coudray 27	37	AX21
Coudray-au-Perche 28	109	AS33
Le Coudray-Macouard 49	150	AK44
Le Coudray-Montceaux 91	88	BD29
Coudray-Rabut 14	34	AN21
Le Coudray-Saint-Germer 60	37	AZ20
Coudray-Salbart (Château de) 79	184	AH53
Coudray-sur-Thelle 60	38	BB21
La Coudre 79	167	AH47
Les Coudreaux 77	59	BF26
Coudreceau 28	85	AS32
Coudres 27	56	AV26
Coudroy 45	134	BE37
Coudun 60	39	BG19
Coudures 40	294	AG83
Coueilles 31	316	AR87
Couëlan (Château de) 22	103	V32
Couesme 37	130	AO40
Couesmes-en-Froulay 53	82	AG30
Couesque (Barrage de) 12	262	BF72
Les Couets 44	147	Z44
Couffé 44	148	AB42
Couffoulens 11	337	BC90
Couffy 41	153	AW44
Coufouleux 81	298	AY82
Cougnac (Grottes de) 46	259	AV72
Couhé 86	186	AM54
Couilly-Pont-aux-Dames 77	59	BH26
Couin 62	13	BE12
Couiza 11	337	BC92
Couladère 31	317	AT89
Coulaines 72	107	AN35
Coulandon 03	192	BK52
Coulangeron 89	136	BL39
Coulanges 41	152	AU41
Coulanges 03	183	BO52
Coulanges-la-Vineuse 89	136	BM39
Coulanges-lès-Nevers 58	174	BJ47
Coulanges-sur-Yonne 89	157	BM41
Coulans-sur-Gée 72	107	AL35
Coulans-sur-Lizon 25	180	CF46
Coulaures 24	241	AS66
Couledoux 31	334	AQ92
Couleuvre 03	173	BH47
Coulevon 70	141	CG39
Coulgens 16	203	AN60
Coulimer 61	84	AP30
Coullemelle 80	22	BD17
Coullemont 62	13	BE11
Coullons 45	134	BE40
Coulmer 61	54	AO27
Coulmier-le-Sec 21	158	BT38
Coulmiers 45	110	AY36
Coulobres 34	321	BK86
Coulogne 62	3	BA3
Couloisy 60	39	BI20
Coulombiers 86	186	AM52
Coulombiers 72	83	AM32
Coulombs 28	57	AX28
Coulombs 14	33	AI21
Coulombs-en-Valois 77	60	BJ24
Coulomby 62	6	BA6
Coulommes-et-Marqueny 08	42	BT19
Coulommes-la-Montagne 51	41	BO22
Coulommiers 77	59	BH27
Coulommiers-la-Tour 41	131	AU38
Coulon 79	184	AG54
Coulonces 61	54	AM26
Coulonces 14	47	AF26
La Coulonche 61	53	AI28
Coulonge-sur-Charente 17	201	AF59
Coulonges 86	188	AU53
Coulonges 27	56	AU26
Coulonges 17	219	AH62
Coulonges 16	203	AL59
Coulonges-Cohan 02	40	BM22
Coulonges-les-Sablons 61	85	AS31
Coulonges-sur-l'Autize 79	184	AG52
Coulonges-sur-Sarthe 61	84	AO30
Coulonges-Thouarsais 79	167	AI47
Coulonvillers 80	11	BA12
Couloumé-Mondebat 32	295	AL83
Coulounieix-Chamiers 24	240	AQ67
Couloutre 58	156	BM34
Couloutre 89	136	BM34
Coulouvray-Boisbenâtre 50	52	AD26
Coulvain 14	52	AG24
Coulx 47	256	AK73
Coume 57	46	CI22
Counozouls 11	337	BC94
Coupelle-Neuve 62	7	BA8
Coupelle-Vieille 62	7	BB8
Coupesarte 14	54	AM24
Coupetz 51	62	BS26
Coupéville 51	62	BU25
Coupiac 12	300	BF81
Coupray 52	116	BW36
Coupru 02	60	BK24
Couptrain 53	82	AJ30
Coupvray 77	59	BG26
Couquèques 33	219	AE65
Cour-Cheverny 41	153	AW41
Cour-et-Buis 38	231	BY64
Cour-l'Évêque 52	116	BW36
La Cour-Marigny 45	134	BF37
Cour-Saint-Maurice 25	163	CK43
Cour-sur-Loire 41	132	AW40
Courances 91	88	BE31
Courant 17	201	AG57
Courban 21	116	BV36
La Courbe 61	53	AK27
Courbehaye 28	110	AX34
Courbépine 27	35	AO23
Courbes 02	24	BL17
Courbesseaux 54	66	CH27
Courbette 39	196	CB51
Courbeveille 53	105	AF35
Courbevoie 92	58	BC26
Courbiac 47	277	AS76
Courbillac 16	202	AJ60
Courboin 02	60	BL25
Courbons 04	288	CI78
Courbouzon 41	132	AX39
Courbouzon 39	179	CB50
Courboyer (Manoir de) 61	84	AO31
Courçais 03	190	BD53
Courçay 37	152	AS44
Courceaux 89	89	BK31
Courcebœufs 72	107	AN34
Courcelette 80	13	BG13
Courcelle 91	58	BB28
Courcelles 90	142	CM40
Courcelles 58	157	BL42
Courcelles 54	94	CE31
Courcelles 45	111	BD35
Courcelles 25	161	CC45
Courcelles 17	201	AH58
Courcelles-au-Bois 80	13	BF12
Courcelles-Chaussy 57	46	CA26
Courcelles-de-Touraine 37	151	AN41
Courcelles-en-Barrois 55	64	CA26
Courcelles-en-Bassée 77	89	BI31
Courcelles-en-Montagne 52	139	BY37
Courcelles-Epayelles 60	23	BF18
Courcelles-Frémoy 21	158	BR42
Courcelles-la-Forêt 72	126	AL38
Courcelles-le-Comte 62	13	BG12
Courcelles-lès-Gisors 60	37	AY22
Courcelles-lès-Lens 62	8	BI9
Courcelles-lès-Montbard 21	137	BS40
Courcelles-lès-Montbéliard 25	142	CK40
Courcelles-lès-Semur 21	158	BS42
Courcelles-Sapicourt 51	41	BO22
Courcelles-sous-Châtenois 88	94	CD31
Courcelles-sous-Moyencourt 80	22	BB16
Courcelles-sous-Thoix 80	22	BB17
Courcelles-sur-Aire 55	63	BY25
Courcelles-sur-Aujon 52	139	BX37
Courcelles-sur-Blaise 52	92	BW31
Courcelles-sur-Nied 57	66	CG23
Courcelles-sur-Seine 27	36	AW22
Courcelles-sur-Vesles 02	40	BM21
Courcelles-sur-Viosne 95	57	BA24
Courcelles-sur-Voire 10	91	BT30
Courcelles-Val-d'Esnoms 52	139	BY39
Courcemain 51	90	BO29
Courcemont 72	108	AO34
Courcerac 17	202	AI59
Courcerault 61	84	AO31
Courceroy 10	89	BL30
Courchamp 77	89	BK29
Courchamp 21	139	CA40
Courchamps 49	150	AK44
Courchamps 02	40	BJ23
Courchapon 25	161	CD43
Courchaton 70	141	CI40
Courchelettes 59	8	BI9
Courchevel 73	234	CK64
Courcité 53	83	AK32
Courcival 72	108	AO33
Courçon 17	183	AE55
Courcoué 37	169	AO46
Courcoury 17	201	AF58
Courcuire 70	161	CD42
Courcy 50	31	AB23
Courcy 51	41	BP21
Courcy 14	54	AL25
Courcy-aux-Loges 45	111	BC35
Courdemanche 72	130	AP38
Courdemanche 27	56	AV27
Courdemanges 51	62	BT28
Courdimanche 95	57	BA24
Courdimanche-sur-Essonne 91	87	BD31
Couret 31	334	AQ91
Courgains 72	83	AN32
Courgeac 16	221	AL64
Courgenard 72	108	AR34
Courgenay 89	90	BM32
Courgent 78	57	AY26
Courgeon 61	84	AQ30
Courgeoût 61	84	AP30
Courgis 89	136	BN38
Courgivaux 51	60	BL28
Courgoul 63	227	BI63
Courjeonnet 51	61	BO26
Courlac 16	221	AL65
Courlandon 51	41	BN21
Courlans 39	179	CB50
Courlaoux 39	179	CB50
Courlay 79	167	AH49
Courlay-sur-Mer 17	218	AC61
Courléon 49	150	AM42
Courlon 21	139	BX39
Courlon-sur-Yonne 89	89	BJ32
Courmangoux 01	196	CA54
Courmas 51	41	BO22
Courmelles 02	40	BK21
Courmemin 41	153	AX42
Courménil 61	54	AN27
Courmes 06	309	CO82
Courmont 70	142	CJ39
Courmont 02	60	BM23
Cournanel 11	337	BC91
La Courneuve 93	58	BC25
Courniou 34	320	BG86
Cournols 63	227	BI62
Cournon 56	125	V38
Cournon-d'Auvergne 63	227	BJ61
Cournonsec 34	302	BO85
Cournonterral 34	302	BO85
La Couronne 16	221	AL62
La Couronne 13	325	BZ87
Courouvre 55	87	BZ25
Courpalay 77	59	BH28
Courpiac 33	256	AJ71
Courpière 63	228	BM61
Courpignac 17	219	AH65
Courquetaine 77	59	BG28
Courrensan 32	295	AM82
Courrières 62	8	BH8
Courris 81	299	BD81
Courry 30	283	BR77
Cours 79	185	AI52
Cours 69	212	BS57
Cours 58	156	BI42
Le Cours 56	124	S37
Cours 47	258	AP76
Cours 46	260	AW74
Cours-de-Monségur 33	257	AL73
Cours-de-Pile 24	258	AP71
Cours-les-Bains 33	274	AK76
Cours-les-Barres 18	174	BI47
Coursac 24	240	AP67
Coursan 11	321	BJ89
Coursan-en-Othe 10	114	BO35
Coursegoules 06	309	CP81
Courset 62	2	AZ6
Courseulles-sur-Mer 14	33	AI21
Courson 14	52	AE26
Courson (Château de) 91	87	BB29
Courson-les-Carrières 89	136	BL40
Courson-Monteloup 91	87	BB29
Courtacon 77	61	BK28
Courtagnon 51	41	BO23
Courtalain 28	109	AU35
Courtangis (Château de) 72	108	AR34
Courtaoult 10	114	BO35
Courtauly 11	337	BA91
Courtavon 68	143	CN41
Courteilles 27	56	AV27
Courtefontaine 39	161	CD45
Courtefontaine 25	163	CL42
Courteilles 27	28	AT28
Courteix 19	226	BD62
Courtelevant 90	142	CM40
Courtemanche 80	22	BE17
Courtemaux 45	112	BH35
Courtémont 51	43	BV23
Courtemont-Varennes 02	60	BM24
Courtempierre 45	112	BF35
Courtenay 45	112	BH35
Courtenay 38	214	CA60
Courtenot 10	115	BR34
Courteranges 10	115	BR33
Courteron 10	115	BR34
Courtes 01	195	BY52
Courtesoult-et-Gatey 70	140	CB39
Courtetain-et-Salans 25	162	CI43
La Courtète 11	337	BA90
Courteuil 60	38	BE22
Courthézon 84	285	BX79
Courthiézy 51	60	BM24
Courties 32	295	AL85
Courtieux 60	39	BI20
Courtillers 72	129	AJ38
Courtils 50	51	AB28
La Courtine 23	226	BC61
Courtivron 21	139	BX36
Courtoin 89	113	BI34
Courtois-sur-Yonne 89	113	BK33
Courtomer 77	59	BH28
Courtomer 61	84	AO29
Courtonne-la-Meurdrac 14	34	AO23
Courtonne-les-Deux-Églises 14	34	AO23
Courtrizy-et-Fussigny 02	41	BN19
Courtry 77	59	BF25
Courvaudon 14	53	AH24
Courvières 25	180	CF48
Courville 51	41	BN31
Courville-sur-Eure 28	85	AV33
Courzieu 69	230	BU61
Cousance 39	196	CB54
Cousances-au-Bois 55	64	CA27
Cousances-les-Forges 55	92	BX29
Cousolre 59	16	BQ11
Coussa 09	336	AW91
Coussac-Bonneval 87	223	AV63
Coussan 65	315	AL88
Coussay 86	168	AM48
Coussay-les-Bois 86	170	AR49
Coussegrey 10	114	BP36
Coussey 88	94	CC31
Coust 18	173	BF50
Coustaussa 11	337	BC92
Coustellet 84	305	BZ81
Coustouge 11	338	BG91
Coustouges 66	342	BF98
Coutances 50	31	AB23
Coutansouze 03	209	BI56
Coutarnoux 89	137	BP40
Coutençon 77	89	BI30
Coutens 09	336	AZ90
Couterne 61	82	AI30
Couternon 21	160	BY43
Couteuges 43	246	BM67
Coutevroult 77	59	BH26
Couthenans 70	142	CK39
Couthures-sur-Garonne 47	257	AL74
Coutiches 59	9	BJ8
Coutières 79	185	AK52
Coutouvre 42	211	BR57
Coutras 33	238	AJ68
La Couture 85	183	AB51
La Couture 62	8	BF7
Couture 16	203	AN58
La Couture-Boussey 27	56	AW26
Couture-d'Argenson 79	202	AK54
Couture-sur-Loir 41	130	AQ38
Couturelle 62	13	BE11
Coutures 82	297	AS81
Coutures 57	156	BI42
Coutures 49	149	AI42
Coutures 33	256	AK73
Coutures 24	221	AN65
Couvains 61	55	AQ26
Couvains 50	32	AE22
La Couvertoirade 12	301	BL81
Couvertpuis 55	93	BZ29
Couvignon 10	116	BU33
Couville 50	50	AA18
Couvonges 55	63	BX27
Couvrelles 02	40	BL21
Couvron-et-Aumencourt 02	24	BL17
Couvrot 51	62	BT27
Coux 17	219	AH65
Coux 07	266	BV72
Coux-et-Bigaroque 24	259	AS71
Couy 18	173	BG46
La Couyère 35	104	AA36
Couzan (Château de) 42	229	BP61
Couze-et-Saint-Front 24	258	AQ71
Couzeix 87	205	AU59
Couziers 37	150	AM45
Couzon 03	191	BJ51
Couzon-au-Mont-d'Or 69	213	BW59
Couzou 46	260	AX72
Cox 31	297	AS83
Coye-la-Forêt 60	38	BE23
Coyecques 62	7	BC7
Coyolles 60	39	BI22
Coyrière 39	197	CE54
Coyron 39	196	CC52
Coyviller 54	95	CG28
Cozes 17	219	AE62
Cozzano 2A	349	FF111
Crach 56	124	P39
Craches 78	86	AZ29
Crachier 38	231	BZ63
Crain 89	157	BM41
Craincourt 57	66	CG25
Craintilleux 42	230	BS62
Crainvilliers 88	118	CD34
Cramaille 02	40	BL22
Cramans 39	179	CD43
Cramant 51	61	BP25
Cramchaban 17	184	AF55
Craménil 61	53	AJ27
Cramoisy 60	38	BD22
Cramont 80	12	BB12
Crampagna 09	336	AX91
Cran-Gevrier 74	215	CG58
Crancey 10	90	BM30
Crancot 39	179	CC50
Crandelles 15	244	BD69
Crannes-en-Champagne 72	107	AL36
Crans 39	180	CF49
Crans 01	213	BZ58
Cransac 12	261	BC74
Crantenoy 54	95	CG30
Cranves-Sales 74	197	CH55
Craon 86	168	AL49
Craon 53	127	AE37

Craonne 02....41 BN20
Craonnelle 02....41 BN20
Crapeaumesnil 60....23 BG17
Craponne 69....230 BV61
Craponne-sur-Arzon 43....229 BP65
Cras 46....260 AW74
Cras 38....250 CB66
Cras-sur-Reyssouze 01...195 BY54
Crasville 50....29 AC18
Crasville 27....36 AU22
Crasville-la-Mallet 76....19 AR16
Crasville-la-Rocquefort 76....19 AS16
La Crau 83....328 CH89
Cravanche 90....142 CL39
Cravans 17....219 AF62
Cravant 89....136 BN39
Cravant 45....138 AX38
Cravant-les-Côteaux 37....151 AO45
Cravencères 32....295 AK83
Cravent 78....57 AX25
Crayssac 46....259 AV74
Craywick 59....3 BC3
Craz 01....214 CD57
Crazannes 17....201 AF59
Cré 72....128 AK39
Créac'h (Phare de) 29....74 A28
Créances 50....31 AA22
Créancey 52....116 BW35
Créancey 21....159 BU44
Crécey-sur-Tille 21....139 BY40
La Crèche 79....185 AI54
Crèches-sur-Saône 71...195 BW55
Créchets 65....334 A091
Créchy 03....192 BL55
Crécy-au-Mont 02....40 BK19
Crécy-Couvé 28....56 AV26
Crécy-en-Ponthieu 80....11 AZ11
Crécy-la-Chapelle 77....59 BH26
Crécy-sur-Serre 02....24 BM17
Crédin 56....102 R34
Crégols 46....260 AY75
Crégy-lès-Meaux 77....59 BH25
Créhange 57....66 CI23
Créhen 22....79 V29
Creil 60....38 BE22
Creissan 34....321 BI87
Creissels 12....281 BJ79
Cremarest 62....6 AZ6
Crémeaux 42....211 BP59
Crémery 80....23 BG16
Crémieu 38....231 BZ61
Crempigny-
  Bonneguête 74....215 CE58
Cremps 46....278 AX76
Crenans 39....196 CD52
Crenay 52....117 BY35
Creney-près-Troyes 10....91 BQ32
Crennes-sur-Fraubée 53....82 AJ31
Creno (Lac de) 2A....346 FD108
Créon 33....255 AH71
Créon-d'Armagnac 40....274 AJ80
Créot 71....177 BU47
Crépand 21....137 BS40
Crépey 54....94 CE29
Crépieux-la-Pape 69....213 BX60
Crépion 55....44 BZ21
Crépol 26....249 BY67
Crépon 14....33 AI21
Crépy 62....7 BC8
Crépy 02....24 BL18
Crépy-en-Valois 60....39 BH22
Créquy 62....7 BB8
Le Crès 34....303 BQ84
Cresancey 70....161 CC42
Crésantignes 10....114 BP34
Les Cresnays 50....52 AD27
Crespian 30....303 BR81
Crespières 78....57 BA26
Crespin 81....279 BC80
Crespin 59....9 BM9
Crespin 12....279 BC78
Crespinet 81....299 BC81
Crespy-le-Neuf 10....91 BT31
Cressac-Saint-Genis 16....221 AL64
Cressanges 03....191 BJ53
Cressat 23....207 BB56
Cressé 17....202 AJ59
La Cresse 12....281 BJ78
Cressely 78....58 BB28
Cressensac 46....242 AW69
Cresserons 14....33 AJ21
Cresseveuille 14....34 AM22
Cressia 39....196 CB52
Cressin-Rochefort 01....214 CD60
La Cressonnière 14....54 AO24
Cressonsacq 60....38 BE19
Cressy 76....20 AU16
Cressy-Omencourt 60....23 BH17
Cressy-sur-Somme 71....175 BO50
Le Crest 63....227 BJ61
Crest 26....267 BY72
Creste 63....227 BI63
Le Crestet 07....248 BV69
Crestet 84....285 BZ77
Crestot 27....36 AT22
Créteil 94....58 BE27
Crêton 27....56 AU26
Cretteville 50....31 AC20

Creuë 55....64 CB24
Creully 14....33 AI21
Creuse 80....22 BB15
La Creuse 70....141 CH39
Le Creusot 71....177 BT49
Creutzwald 57....46 CI21
Creuzier-le-Neuf 03....210 BL56
Creuzier-le-Vieux 03....210 BL56
Crevans-et-la-Chapelle-
  lès-Granges 70....142 CJ40
Crevant 36....189 BA53
Crevant-Laveine 63....210 BL59
Crévéchamps 54....95 CG29
Crèvecœur-en-Auge 14....34 AM23
Crèvecœur-en-Brie 77....59 BH27
Crèvecœur-le-Grand 60....22 BB18
Crèvecœur-le-Petit 60....22 BE18
Crèvecœur-sur-l'Escaut 59....14 BJ12
Creveney 70....141 CG38
Crévic 54....95 CH28
Crevoux 05....270 CL73
Creys-Mépieu 38....214 CB60
Creyssac 24....222 AP65
Creysse 46....242 AX70
Creysse 24....240 AP70
Creysseilles 07....266 BU72
Creyssensac-et-Pissot 24....240 AQ68
Crézançay-sur-Cher 18....173 BD49
Crézancy 02....60 BL24
Crézancy-en-Sancerre 18....155 BG43
Crézières 79....202 AK57
Crézilles 54....94 CD29
Cricquebœuf 14....34 AN20
Cricqueville-en-Auge 14....34 AL22
Cricqueville-en-Bessin 14....32 AF20
Criel-sur-Mer 76....10 AV13
Crillat 39....196 CD51
Crillon 60....37 BA19
Crillon-le-Brave 84....285 BZ78
Crimolois 21....160 BY43
Crion 54....95 CI28
La Crique 76....20 AU17
Criquebeuf-en-Caux 76....18 AO16
Criquebeuf-
  la-Campagne 27....36 AT22
Criquebeuf-sur-Seine 27....36 AU21
Criquetot-
  le-Mauconduit 76....19 AQ16
Criquetot-l'Esneval 76....18 AO17
Criquetot-
  sur-Longueville 76....20 AU16
Criquetot-sur-Ouville 76....19 AS17
Criquiers 76....21 AY17
Crisenoy 77....88 BG29
Crisolles 60....23 BI18
Crissay-sur-Manse 37....151 AP45
Crissé 72....107 AL34
Crissey 71....177 BW49
Crissey 39....179 CB46
Cristinacce 2A....346 FC108
Cristot 14....33 AH22
Criteuil-la-Magdeleine 16..220 AJ63
Critot 76....20 AV18
Croce 2B....347 FG106
Crochte 59....3 BD3
Crocicchia 2B....347 FG105
Le Crocq 60....22 BC18
Crocq 23....208 BD59
Crocy 14....54 AL26
Crœttwiller 67....49 C524
Croignon 33....255 AH71
Croisances 43....246 BN70
La Croisette 74....215 CG56
Croisette 62....12 BC10
Le Croisic 44....145 S42
La Croisière 23....205 AV56
Croisilles 27....56 AT25
La Croisille-
  sur-Briance 87....224 AX62
Croisilles 62....13 BH11
Croisilles 61....54 AN27
Croisilles 28....57 AX28
Croisilles 53....104 AI24
Croismare 54....95 CI28
Croissanville 14....34 AL23
Croissy-Beaubourg 77....59 BF26
Croissy-sur-Celle 60....22 BC17
Croissy-sur-Seine 78....58 BB28
Le Croisty 56....101 M33
Croisy 18....173 BG47
Croisy-sur-Andelle 76....36 AW19
Croisy-sur-Eure 27....56 AV24
Croix 90....142 CM41
Croix 59....9 BJ6
Croix (Col de la) 2A....346 FA107
Croix (Plateau de la) 74....216 CL59
La Croix-aux-Bois 08....43 BV20
La Croix-aux-Mines 88....96 CM32
La Croix-Avranchin 50....80 AB29
La Croix-Blanche 71....194 BV54
La Croix-Blanche 47....276 AQ77
Croix-Caluyau 59....15 BM12
Croix-Chapeau 17....200 AD56
La Croix-Comtesse 17....201 AH57
Croix-de-Bauzon
  (Col de) 07....265 BR73
La Croix-de-Berny 92....58 BD27
La Croix-de-Fer
  (Col de) 73....251 CH66

La Croix-
  de-la-Rochette 73....233 CG63
Croix-de-l'Homme-Mort
  (Col de la) 42....229 BP63
Croix-de-Vie 85....164 W49
Croix-du-Bac 59....8 BG4
La Croix-du-Perche 28....109 AT33
La Croix-en-Brie 77....89 BI29
Croix-en-Champagne 51..62 BU24
Croix-en-Ternois 62....7 BC9
La Croix-en-Touraine 37....152 AT43
Croix-Fonsommes 02....24 BK14
Croix-Fry (Col de) 74....216 CI58
Croix-Haute
  (Col de la) 26....268 CD72
La Croix-Helléan 56....102 T35
Croix-Mare 76....19 AS18
Croix-Moligneaux 80....23 BI15
Croix-Morand ou de Diane
  (Col de la) 63....227 BH62
Croix-Rampau 69....213 BW59
La Croix-Saint-Leufroy 27....36 AV23
Croix-Saint-Robert
  (Col de la) 63....227 BH63
Croix Saint-Thomas 21....158 BS43
Croix-Sainte 13....325 BY86
La Croix-sur-Gartempe 87..205 AS56
La Croix-sur-Ourcq 02....40 BK23
La Croix-sur-Roudoule 06..289 CN79
La Croix-Valmer 83....329 CL88
Croixanvec 56....102 O33
Croixdalle 76....20 AW15
La Croixille 53....105 AE33
Croixrault 80....21 BA16
Croizet-sur-Gand 42....211 BR59
Crolles 38....233 CF65
Crollon 50....80 AB29
Cromac 87....188 AV54
Cromary 70....162 CF42
Cronat 71....175 BN50
Cronce 43....246 BL68
La Cropte 53....106 AI36
Cropus 76....20 AU16
Cros 63....226 BF64
Le Cros 34....301 BL82
Cros 30....283 BP80
Cros-de-Cagnes 06....309 CQ83
Cros-de-Géorand 07....265 BR71
Cros-de-Montvert 15....243 BB68
Cros-de-Ronesque 15....244 BF70
Crosey-le-Grand 25....162 CI42
Crosey-le-Petit 25....162 CI42
Crosmières 72....129 AK38
Crosne 91....58 BE28
Crossac 44....146 V41
Crosses 18....173 BF47
Crosville-la-Vieille 27....36 AT23
Crosville-sur-Douve 50....31 AB20
Crosville-sur-Scie 76....20 AU15
Crotelles 37....152 AR41
Crotenay 39....179 CD49
Croth 27....56 AW26
Le Crotoy 80....11 AY11
Crots 05....270 CK73
Crottes-en-Pithiverais 45....111 BB34
Crottet 01....195 BW55
Le Crouais 35....103 V32
Crouay 14....32 AG21
La Croupte 14....34 AO24
Crouseilles 64....294 AJ85
Croutelle 86....186 AN52
Les Croûtes 10....114 BO36
Croutoy 60....39 BI20
Crouttes 61....54 AN25
Crouttes-sur-Marne 02....60 BJ25
Crouy 80....22 BB14
Crouy 02....40 BK20
Crouy-en-Thelle 60....38 BD22
Crouy-sur-Cosson 41....132 AX40
Crouy-sur-Ourcq 77....59 BI24
Le Crouzet 25....180 CG49
Crouzet-Migette 25....180 CF47
La Crouzille 87....205 AV58
La Crouzille 63....209 BG56
Crouzilles 37....151 AO45
Crozant 23....188 AX54
Croze 23....207 BB60
Crozes-Hermitage 26....249 BX68
Le Crozet 42....211 BO56
Crozet 01....197 CF54
Les Crozets 39....196 CD52
Crozon 29....75 E31
Crozon-sur-Vauvre 36....189 AZ52
Cruas 07....267 BW73
Crucey 28....56 AT28
Crucheray 41....131 AT39
Cruéjouls 12....263 BH75
Cruet 73....233 CG63
Crugey 21....159 BU45
Crugny 51....41 BN22
Cruguel 56....102 S36
Cruis 04....287 CF79
Crulai 61....55 AQ28
Crupies 26....267 BZ74
Crupilly 02....25 BN14
Cruscades 11....320 BH89
Cruseilles 74....215 CF58
Crusnes 54....45 CD19
Crussol (Château de) 07....249 BX69
Cruviers-Lascours 30....284 BS80
Crux-la-Ville 58....157 BM45

Cruzille 71....195 BW52
Cruzilles-lès-Mépillat 01....195 BW55
Cruzy 34....321 BI87
Cruzy-le-Châtel 89....137 BR37
Cry 89....137 BN39
Cubelles 43....246 BN69
Cubières 48....265 BO75
Cubières-sur-Cinoble 11....338 BG93
Cubiérettes 48....265 BO75
Cubjac 24....241 AS66
Cublac 19....241 AV67
Cublize 69....212 BT58
Cubnezais 33....237 AH68
Cubrial 25....162 CI41
Cubry 25....162 CI41
Cubry-lès-Faverney 70....141 CF37
Cubry-lès-Soing 70....140 CE39
Cubzac-les-Ponts 33....237 AH69
Cucharmoy 77....89 BJ29
Cuchery 51....41 BO23
Cucuron 84....306 CC82
Cucuruzzu
  (Castellu de) 2A....349 FF113
Cudos 33....274 AK76
Cudot 89....113 BJ36
Cuébris 06....289 CO80
Cuélas 32....315 AM87
Cuers 83....328 CH88
Cuffies 02....40 BK20
Cuffy 18....174 BI47
Cugand 85....148 AB45
Cuges-les-Pins 13....327 CE88
Cugnaux 31....297 AV85
Cugney 70....161 CC42
Cugny 02....24 BJ17
Cugny-lès-Crouttes 02....40 BL22
Cuguen 35....80 Z30
Cuguron 31....334 AO90
Cuhon 86....168 AM49
Cuignières 60....38 BE20
Cuigy-en-Bray 60....37 AZ20
Cuillé 53....105 AD35
Cuinchy 62....8 BG8
Cuincy 59....8 BI9
Le Cuing 31....316 AP89
Cuinzier 42....212 BS56
Cuirieux 02....25 BN17
Cuiry-Housse 02....40 BL21
Cuiry-lès-Chaudardes 02....41 BN20
Cuiry-lès-Iviers 02....25 BQ16
Cuis 51....61 BP25
Cuise-la-Motte 60....39 BI20
Cuiseaux 71....196 CA52
Cuiserey 21....160 BZ42
Cuisery 71....195 BX51
Cuisia 39....196 CA51
Cuisiat 01....196 CA54
Cuisles 51....41 BN23
Cuissai 61....83 AM30
Cuissy-et-Geny 02....41 BN20
Cuisy 77....59 BG24
Cuisy 55....43 BX21
Cuisy-en-Almont 02....40 BJ20
La Cula 42....230 BU63
Culan 18....190 BD52
Culètre 21....159 BU45
Culey 55....63 BY27
Culey-le-Patry 14....53 AI25
Culhat 63....210 BK59
Culin 38....232 CA63
Culles-les-Roches 71....177 BU50
Cully 14....33 AI21
Culmont 52....139 CA37
Culoison 10....91 BQ32
Culoz 01....214 CD59
Cult 70....161 CC43
Cultures 48....264 BL75
Cumières 51....61 BO24
Cumières-
  le-Mort-Homme 55....43 BY22
Cumiès 11....318 AZ88
Cumont 82....296 AR81
Cunac 81....299 BC81
Cunault 49....150 AK43
Cuncy-lès-Varzy 58....157 BL43
Cunèges 24....257 AN71
Cunel 55....43 BX20
Cunelières 90....142 CM39
Cunfin 10....116 BU35
Cunlhat 63....228 BM62
Cuntorba
  (Castello de) 2A....348 FD113
Cuon 49....150 AK41
Cuperly 51....62 BS24
Cuq 81....299 BB84
Cuq 47....276 AQ79
Cuq-Toulza 81....298 AZ86
Cuqueron 64....313 AF87
Curac 16....239 AL66
Curan 12....281 BH78
Curbans 04....269 CG75
Curbigny 71....194 BS54
Curçay-sur-Dive 86....168 AL46
Curchy 80....23 BG16
Curciat-Dongalon 01....195 BY52
Curcy-sur-Orne 14....53 AI24
Curdin 71....193 BP51
La Cure 39....197 CF52

Curebourse (Col de) 15....244 BF69
Curel 52....92 BX30
Curel 04....286 CD78
Curemonte 19....242 AY69
Cures 72....107 AL34
Curey 50....80 AB29
Curgies 59....15 BM10
Curgy 71....176 BS47
Curienne 73....233 CF62
Curières 12....263 BH73
Curis-au-Mont-d'Or 69....213 BW59
Curley 21....159 BW44
Curlu 80....23 BG14
Curmont 52....92 BW32
Curnier 26....268 CA75
Cursan 33....256 AI71
Curtafond 01....195 BY55
Curtil-Saint-Seine 21....159 BW41
Curtil-sous-Buffières 71....194 BU53
Curtil-sous-Burnand 71....194 BU51
Curtil-Vergy 21....159 BW45
Le Curtillard 38....233 CG65
Curtin 38....232 CB61
Curvalle 81....300 BE81
Curzay-sur-Vonne 86....185 AL52
Curzon 85....183 AB52
Cusance 25....162 CI42
Cuse-et-Adrisans 25....162 CH41
Cusey 52....139 BZ39
Cussac 87....222 AR61
Cussac 15....245 BH69
Cussac-Fort-Médoc 33....237 AF67
Cussac-sur-Loire 43....247 BP69
Cussangy 10....115 BO35
Cussay 37....170 AR46
Cusset 03....210 BL56
Cussey-les-Forges 21....139 BX39
Cussey-sur-Lison 25....161 CE45
Cussey-sur-l'Ognon 25....161 CE42
Cussy 14....32 AG21
Cussy-en-Morvan 71....176 BR46
Cussy-la-Colonne 21....177 BU46
Cussy-le-Châtel 21....159 BU45
Cussy-les-Forges 89....158 BP41
Custines 54....65 CF26
Cusy 89....137 BO38
Cusy 74....215 CF60
Cutry 54....44 CB19
Cutry 02....40 BJ21
Cuts 60....39 BI19
Cutting 57....67 CK25
Cuttoli-Corticchiato 2A....348 FD111
Cuttura 39....196 CD53
Cuvat 74....215 CG57
Cuve 70....119 CG36
Cuvergnon 60....39 BI23
Cuverville 76....18 AO17
Cuverville 27....36 AW21
Cuverville 14....33 AK22
Cuverville-sur-Yères 76....10 AW14
Cuvéry (Col de) 01....214 CD56
Cuves 52....117 CA34
Cuves 50....52 AD27
Cuvier 39....180 CF48
Cuvillers 59....14 BJ11
Cuvilly 60....23 BF18
Cuvry 57....65 CF23
Cuxac-Cabardès 11....319 BC87
Cuxac-d'Aude 11....321 BI89
Cuy 89....113 BK33
Cuy 60....39 BH18
Cuy-Saint-Fiacre 76....37 AY19
Cuzac 46....260 BB74
Cuzals (Musée de) 46....260 AY74
Cuzance 46....242 AW69
Cuzieu 42....230 BS62
Cuzieu 01....214 CD59
Cuzion 36....188 AX53
Cuzorn 47....259 AS74
Cuzy 71....176 BO49
Cys-la-Commune 02....40 BM20
Cysoing 59....9 BJ7

D

Dabisse 04....287 CG80
Dabo 57....68 CN27
Dabo (Rocher de) 57....68 CN27
Dachstein 67....97 CP28
Dadonville 45....111 BC34
Daglan 24....259 AU72
Dagneux 01....213 BY59
Dagny 77....60 BJ28
Dagny-Lambercy 02....25 BP16
Dagonville 55....64 BZ26
La Daguenière 49....149 AI42
Dahlenheim 67....97 CP28
Daignac 33....256 AI71
Daigny 08....27 BW16
Daillancourt 52....92 BW32
Daillecourt 52....117 CA34
Dainville 62....13 BF10
Dainville-Bertheléville 55....93 CA30
Daix 21....160 BX43
Dalem 57....46 CI21
Dalhain 57....66 CI25
Dalhunden 67....69 CS26
Dallet 63....210 BK60
Dallon 02....24 BJ15

Dalou 09....336 AX91
Dalstein 57....46 CG20
Daluis 06....289 CN79
Damas-aux-Bois 88....95 CH30
Damas-et-Bettegney 88....119 CG33
Damazan 47....275 AM77
Dambach 67....68 CP23
Dambach-la-Ville 67....97 CO31
Dambelin 25....163 CJ42
Dambenois 25....142 CL40
Dambenoît-
  lès-Colombe 70....141 CH38
Damblain 88....117 CB34
Damblainville 14....54 AL25
Dambron 28....110 AZ34
Dame-Marie 61....84 AQ32
Dame-Marie 27....56 AT27
Dame-Marie-les-Bois 37....152 AT41
Damelevières 54....95 CH29
Daméraucourt 60....21 BA17
Damerey 71....178 BX48
Damery 80....23 BG16
Damery 51....61 BO24
Damgan 56....124 S40
Damiatte 81....299 BA84
Damigny 61....83 AM30
Damloup 55....44 CA22
Dammard 02....40 BJ23
Dammarie 28....86 AW32
Dammarie-en-Puisaye 45....135 BK40
Dammarie-les-Lys 77....88 BF30
Dammarie-sur-Loing 45....135 BH38
Dammarie-sur-Saulx 55....93 BY29
Dammartin-en-Goële 77....59 BF24
Dammartin-en-Serve 78....57 AX26
Dammartin-
  les-Templiers 25....162 CG43
Dammartin-Marpain 39....161 CB43
Dammartin-sur-Meuse 52....117 CB35
Dammartin-sur-Tigeaux 77..59 BH27
Damousies 59....15 BP11
Damouzy 08....26 BU15
Damparis 39....178 CA46
Dampierre 52....117 CA36
Dampierre 39....161 CD45
Dampierre 14....52 AF24
Dampierre 10....91 BS29
Dampierre-au-Temple 51....62 BS24
Dampierre-en-Bray 76....37 AY19
Dampierre-en-Bresse 71....178 BZ48
Dampierre-en-Burly 45....134 BE38
Dampierre-en-Crot 18....155 BF42
Dampierre-en-Graçay 18....154 BA45
Dampierre-
  en-Montagne 21....159 BT42
Dampierre-en-Yvelines 78....57 BA28
Dampierre-et-Flée 21....160 CA41
Dampierre-le-Château 51....63 BV24
Dampierre-les-Bois 25....142 CL40
Dampierre-
  lès-Conflans 70....141 CG37
Dampierre-
  Saint-Nicolas 76....20 AV15
Dampierre-
  sous-Bouhy 58....156 BJ41
Dampierre-sous-Brou 28....109 AU33
Dampierre-sur-Avre 28....56 AU27
Dampierre-sur-Blévy 28....85 AU29
Dampierre-
  sur-Boutonne 17....201 AH57
Dampierre-
  sur-le-Doubs 25....142 CK41
Dampierre-sur-Linotte 70....141 CG40
Dampierre-sur-Loire 49....150 AL44
Dampierre-sur-Moivre 51....62 BT26
Dampierre-sur-Salon 70....140 CC40
Dampjoux 25....163 CK42
Dampleux 02....40 BJ22
Dampmart 77....59 BG26
Dampniat 19....242 AX67
Damprichard 25....163 CL43
Les Damps 27....36 AU21
Dampsmesnil 27....37 AY23
Dampvalley-
  lès-Colombe 70....141 CG39
Dampvalley-
  Saint-Pancras 70....119 CG36
Dampvitoux 54....65 CC24
Damrémont 52....117 CB36
Damville 27....56 AT26
Damvillers 55....44 BZ20
Damvix 85....184 AF54
Dancé 61....84 AR32
Dancé 42....211 BQ59
Dancevoir 52....116 BW36
Dancharia 64....310 X87
Dancourt 76....21 AX15
Dancourt-Popincourt 80....23 BG17
Dancy 28....110 AW34
Danestal 14....34 AM21
Dangé-Saint-Romain 86....169 AQ47
Dangeau 28....109 AV33
Dangers 28....85 AV30
Dangeul 72....107 AM33
Dangolsheim 67....97 CP28
Dangu 27....37 AY22
Dangy 50....52 AD24
Danizy 02....24 BK17
Danjoutin 90....142 CL39
Danne-et-Quatre-Vents 57....68 CN26
Dannelbourg 57....68 CN26

Dannemarie 78	57	AX27
Dannemarie 68	143	CN39
Dannemarie 25	142	CL41
Dannemarie-sur-Crète 25	161	CD44
Dannemoine 89	137	BP37
Dannemois 91	88	BE31
Dannes 62	6	AY7
Dannevoux 55	43	BY21
Danvou-la-Ferrière 14	53	AH25
Danzé 41	131	AT37
Daon 53	128	AG38
Daoulas 29	75	G30
Daoulas (Gorges du) 22	77	O32
Daours 80	22	BE15
Darazac 19	243	BB67
Darbonnay 39	179	CC48
Darbres 07	266	BU73
Darcey 21	138	BU40
Dardenac 33	256	AI71
Dardenay 52	139	BZ39
Dardez 27	56	AU24
Dardilly 69	213	BW60
Dareizé 69	212	BT59
Dargies 60	21	BA17
Dargilan (Grotte de) 48	282	BL78
Dargnies 80	11	AX13
Dargoire 42	230	BV63
Darmannes 52	117	BY33
Darmont 55	44	CB22
Darnac 87	187	AS55
Darnétal 76	36	AU20
Darnets 19	225	BB64
Darney 88	118	CE34
Darney-aux-Chênes 88	94	CD32
Darnieulles 88	119	CH33
Darois 21	159	BW42
Darvault 77	112	BG33
Darvoy 45	133	BB37
Dasle 25	142	CL40
Daubensand 67	97	CR30

Daubeuf-la-Campagne 27	36	AT22
Daubeuf-près-Vatteville 27	36	AV22
Daubeuf-Serville 76	19	AP17
Daubèze 33	256	AJ72
Dauendorf 67	68	CQ25
Daumazan-sur-Arize 09	335	AU90
Daumeray 49	128	AI39
Dauphin 04	306	CE81
Dausse 47	276	AR76
Daux 31	297	AU84
Davayat 63	209	BJ59
Davayé 71	194	BV54
Davejean 11	338	BF92
Davenescourt 80	23	BF17
Davézieux 07	248	BV66
Davignac 19	225	BB64
Davrey 10	114	BP35
Davron 78	57	BA26
Deauville 14	34	AM20
Deaux 30	283	BR79
Débats-Rivière-d'Orpra 42	211	BP60
Decazeville 12	261	BC74
Dechy 59	8	BI9
Décines-Charpieu 69	213	BX60
Decize 58	175	BL49
Dédeling 57	66	CI25
La Défense 92	58	BE26
Dégagnac 46	259	AV73
Degré 72	107	AM35
Dehault 72	108	AO33
Déhéries 59	14	BK13
Dehlingen 67	67	CM24
Deinvillers 88	95	CI30
Delain 70	140	CC40
Delettes 62	7	BC7
Delincourt 60	37	AZ22
Delle 90	142	CM40
Delme 57	66	CG25

Delouze 55	93	CA29
Le Déluge 60	38	BB21
Delut 55	44	BZ20
Deluz 25	162	CG43
Demandolx 04	308	CL81
Demange-aux-Eaux 55	93	CA29
Demangevelle 70	118	CE36
Demi-Quartier 74	216	CK58
La Demie 70	141	CG40
Demigny 71	177	BW47
Demoiselle Coiffée 05	271	CM71
Demoiselles (Grotte des) 34	302	BO81
Demoiselles Coiffées 05	269	CH74
Démouville 14	33	AK22
Dému 32	295	AL83
Demuin 80	22	BE15
Dénat 81	299	BC82
Denazé 53	128	AF37
Dénecourt (Tour) 77	88	BG31
Denée 49	149	AH42
Dénestanville 76	20	AU16
Deneuille-lès-Chantelle 03	191	BJ55
Deneuille-les-Mines 03	191	BG64
Deneuvre 54	95	CJ30
Denèvre 70	140	CC40
Dénezé-sous-Doué 49	150	AJ44
Dénezé-sous-le-Lude 49	150	AM41
Denezières 39	196	CD51
Denguin 64	314	AG87
Denicé 69	212	BV58
Denier 62	13	BE10
Denipaire 88	96	CL31
Dennebrœucq 62	7	BB7
Dennemont 78	57	AY24
Denneville 50	31	AA20
Dennevy 71	177	BU48
Denône (Château de) 63	210	BK57

Denonville 28	86	AZ31
Denting 57	46	CH22
Déols 36	171	AY49
Der-Chantecoq (Lac du) 51	92	BU29
Derbamont 88	95	CG32
Dercé 86	169	AN47
Derchigny 76	10	AV14
Dercy 02	24	BM17
Dernacueillette 11	338	BF92
Dernancourt 80	23	BF14
Derval 44	126	Z39
Désaignes 07	248	BU69
Désandans 25	142	CJ40
Descartes 37	169	AQ47
Le Deschaux 39	179	CB47
Le Désert 38	251	CG70
Le Désert 14	52	AG25
Désertines 53	81	AF30
Désertines 03	190	BF54
Les Déserts 73	233	CF61
Déservillers 25	180	CF46
Desges 43	246	BM69
Desingy 74	215	CE57
Desmonts 45	112	BE33
Desnes 39	179	CB49
Desseling 57	67	CK26
Dessenheim 68	121	CP35
Dessia 39	196	CD53
Destord 88	95	CJ32
La Destrousse 13	327	CD87
Destry 57	66	CI24
Détain-et-Bruant 21	159	BV45
Détrier 73	233	CG63
Le Détroit 14	53	AJ26
Les Détroits 48	282	BK77
Dettey 71	176	BR49
Dettwiller 67	68	CO26
Deuil-la-Barre 95	58	BD25
Deuillet 02	24	BK17

Deûlémont 59	4	BH5
Les Deux-Alpes 38	251	CH68
Deux Amants (Côte des) 27	36	AV21
Deux-Chaises 03	191	BI54
Deux-Évailles 53	106	AH33
Les Deux-Fays 39	179	CB48
Deux-Jumeaux 14	32	AF20
Les Deux-Verges 15	263	BI71
Les Deux-Villes 08	27	BY17
Deuxnouds-aux-Bois 55	64	CB24
Deuxnouds-devant-Beauzée 55	63	BY24
Deuxville 54	95	CH28
Devay 58	175	BM49
Devecey 25	161	CE43
Devesset 07	248	BT68
Devèze 65	316	AO88
Devèze (Grotte de la) 34	320	BG86
Deviat 16	221	AL64
Dévillac 47	258	AR73
Deville 08	26	BU14
Déville-lès-Rouen 76	36	AT19
La Devinière (Musée) 37	150	AM45
Devise 80	23	BI15
Devrouze 71	178	BY49
Deycimont 88	119	CJ33
Deyme 31	318	AW86
Deyvillers 88		CI33
Le Dézert 50	32	AD22
Dezize-lès-Maranges 71	177	BU48
Dhuisy 77	60	BJ24
Dhuizel 02	40	BN20
Dhuizon 41	132	AY40
Diable (Roche du) 88	120	CL34
Diable (Roches du) 29	100	L35
Diancey 21	158	BS45
Diant 77	113	BG23
Diarville 54	94	CF31

Le Diben 29	71	J26
Diconne 71	178	BY49
Dicy 89	113	BB35
Didenheim 68	143	CO38
Die 26	268	CB71
Diebling 57	47	CK23
Diebolsheim 67	97	CQ31
Diedendorf 67	67	CL25
Dieffenbach-au-Val 67	97	CO31
Dieffenbach-lès-Wœrth 67	69	CR24
Dieffenthal 67	97	CO31
Diefmatten 68	143	CN38
Dielette 50	28	Y16
Diémeringen 67	67	CM24
Diémoz 38	231	BY62
Diénay 21	160	BX41
Dienne 86	186	AP53
Dienne 15	245	BG67
Diennes-Aubigny 58	175	BM48
Dienville 10	91	BT42
Dieppe 76	10	AU14
Dieppe-sous-Douaumont 55	44	CA22
Dieppedalle-Croisset 76	36	AT20
Dierre 37	152	AS43
Dierrey-Saint-Julien 10	90	BO32
Dierrey-Saint-Pierre 10	90	BO32
Diesen 57	46	CI22
Dietwiller 68	143	CP38
Dieudonné 60	38	BC22
Dieue-sur-Meuse 55	64	BZ23
Dieulefit 26	267	BY74
Dieulivol 33	257	AL72
Dieulouard 54	65	CE26
Dieupentale 82	297	AU82
Dieuze 57	67	CJ26
Diéval 62	7	BE9
Diffembach-lès-Hellimer 57	67	CK24
Diges 89	136	BL39
Digna 39	196	CA52
Dignac 16	221	AN63
La Digne-d'Amont 11	337	BB91
La Digne-d'Aval 11	337	BB91
Digne-les-Bains 04	288	CI78
Dignonville 88	95	CI32
Digny 28	85	AU30
Digoin 71	193	BP52
Digoine (Château de) 71	193	BR52
Digosville 50	29	AB17
Digulleville 50	28	Y16
Dijon 21	160	BX35
Dilo 89	114	BM39
Dimancheville 45	111	BD33
Dimbsthal 67	68	CO27
Dimechaux 59	15	BP10
Dimont 59	15	BP10
Dinan 22	79	W30
Dinan (Pointe de) 29	75	E31
Dinard 35	50	W28
Dinéault 29	75	G31
Dingé 35	80	Z31
Dingsheim 67	68	CQ27
Dingy-en-Vuache 74	215	CF56
Dingy-Saint-Clair 74	215	CF58
Dinozé 88	119	CI33
Dinsac 87	187	AT55
Dinsheim 67	97	CO28
Dinteville 52	116	BV35
Dio-et-Valquières 34	301	BK84
Dionay 38	249	BZ66
Dions 30	303	BS81
Diors 36	172	AZ49
Diou 36	172	BA46
Diou 03	193	BO52
Dirac 16	221	AM62
Dirinon 29	75	G29
Dirol 58	157	BN43
Disneyland Paris 77	59	BG26
Dissais 85	183	AC51
Dissangis 89	137	BP40
Dissay 86	168	AO50
Dissay-sous-Courcillon 72	130	AP39
Dissé-sous-Ballon 72	108	AO33
Dissé-sous-le-Lude 72	129	AM40
Distré 49	150	AK44
Distroff 57	45	CF20
Diusse 64	294	AI85
Divajeu 26	267	BY72
Dives 60	23	BH18
Dives-sur-Mer 14	34	AL21
Division 62	7	BE8
Divonne-les-Bains 01	197	CG53
Dixmont 89	113	BL35
Dizimieu 38	232	CA61
Dizy 51	61	BP24
Dizy-le-Gros 02	25	BP17
Doazit 40	293	AF83
Doazon 64	313	AG86
Docelles 88	119	CJ33
Doëlan 29	100	K36
Dœuil-sur-le-Mignon 17	201	AG56
Dognen 64	313	AE88
Dogneville 88	95	CI32
Dohem 62	7	BC6
Dohis 02	25	BQ10
Doignies 59	14	BI12
Doingt 80	23	BH14
Doissat 24	259	AT72
Doissin 38	232	CB63
Doix 85	184	AF53

DIJON

Briand (Av. A.)	EX 8
Brosses (Bd de)	CY 9
Champagne (Bd de)	EX 14
Charrue (R.)	DY 18
Chouette (R. de la)	DY 21
Comte (R. A.)	DY 27
Darcy (Pl.)	DY
Dr-Chaussier (R.)	CY 32
Dubois (Pl. A.)	CY 33
École-de-Droit (R.)	DY 35
Foch (Av. Mar.)	CY 43
Godrans (R. des)	DY 51
Grangier (Pl.)	DY 54
Libération (Pl. de la)	DY 57
Liberté (R. de la)	CY
Magenta (R.)	EZ 58
Michelet (R.)	CY 64
Petit-Potet (R. du)	DY 71
Rameau (R.)	DY 77
Rude (R. F.)	DY 81
St-Bénigne (Pl.)	CY 82
St-Bernard (Pl.)	DY 83
St-Michel (Pl.)	DY 86
Vaillant (R.)	DY 92
Verdun (Bd de)	EX 93
1er-Mai (Pl. du)	CZ 94
1re-Armée-Française (Av.)	CY 95
26e-Dragons (R. du)	EX 98

City map of DIJON (grid columns C, D, E; rows X, Y, Z). Notable labels: ST-JOSEPH, Palais des Expositions, Palais des Congrès, Auditorium, Montchapet, Pl. J. Bouhey, Cité Judiciaire, Pl. R. Jardillier, Pl. de la République, Hôtel du Département, Hôtel de Région, Square Darcy, Pl. Darcy, Dijon-Ville, Cathédrale St-Bénigne, St-Philibert, N-Dame, Forges, Palais des Ducs, St-Michel, Pl. du Théâtre, Pl. Bossuet, Pl. E. Zola, Pl. des Cordeliers, Cité Administrative, Jardin de l'Arquebuse, Pl. de la Perspective, Pl. Suquet, Pl. J. Prévert, Obélisque, Port du Canal, Quai N. Rolin, Pl. Henri-Barabant, Pl. Président Wilson, ST-PIERRE, Maison d'Arrêt, B'd du Castel.

Doizieux 42 ....230 BU64
Dol-de-Bretagne 35 ....80 Y29
Dolaincourt 88 ....94 CD31
Dolancourt 10 ....92 BU32
Dolcourt 54 ....94 CE30
Dole 39 ....161 CB45
Dolignon 02 ....25 BP16
Dolleren 68 ....142 CL37
Dollon 72 ....108 AQ35
Dollot 89 ....113 BI33
Dolmayrac 47 ....276 AP76
Dolo 22 ....79 U30
Dolomieu 38 ....232 CB62
Dolus-d'Oléron 17 ....200 AB58
Dolus-le-Sec 37 ....152 AS45
Dolving 57 ....67 CL26
Dom-le-Mesnil 08 ....27 BV17
Domagné 35 ....104 AB34
Domaize 63 ....228 BM61
Domalain 35 ....105 AC35
Domancy 74 ....216 CK58
Domarin 38 ....231 BZ62
Domart-en-Ponthieu 80 ...12 BB13
Domart-sur-la-Luce 80 ....22 BE15
Domats 89 ....113 BI34
Domazan 30 ....304 BV81
Dombasle-
  devant-Darney 88 ......118 CF34
Dombasle-en-Argonne 55 ..43 BY23
Dombasle-en-Xaintois 88 ..94 CE32
Dombasle-sur-Meurthe 54 ..95 CG28
Domblain 52 ....92 BW30
Domblans 39 ....179 CC49
Dombras 55 ....44 BZ20
Dombrot-le-Sec 88 ....118 CD33
Dombrot-sur-Vair 88 .....94 CD32
Domecy-sur-Cure 89 ......157 BO42
Domecy-sur-le-Vault 89 ..157 BO41
Doméliers 60 ....22 BB18
Domène 38 ....251 CE66
Domérat 03 ....190 BG54
Domesmont 80 ....12 BB12
Domessargues 30 ....283 BR80
Domessin 73 ....232 CD62
Domèvre-en-Haye 54 .....65 CD26
Domèvre-sous-Montfort 88 ..94 CE32
Domèvre-sur-Avière 88 ...119 CH33
Domèvre-sur-Durbion 88 ..95 CH32
Domèvre-sur-Vezouze 54 ..96 CK29
Domeyrat 43 ....246 BM66
Domeyrot 23 ....189 BB55
Domezain-Berraute 64 ....311 AC87
Domfaing 88 ....96 CK32
Domfessel 67 ....67 CM24
Domfront 61 ....82 AH29
Domfront 60 ....22 BE18
Domfront-
  en-Champagne 72 ......107 AM34
Domgermain 54 ....94 CC28
La Dominelais 35 ....126 Z38
Domino 17 ....200 AA58
Dominois 80 ....11 AZ10
Domjean 50 ....52 AE24
Domjevin 54 ....95 CJ28
Domjulien 88 ....94 CE32
Domléger 88 ....12 BB12
Domloup 35 ....104 AA34
Dommarie-Eulmont 54 ....94 CE30
Dommarien 52 ....139 BZ39
Dommartemont 54 ....65 CF27
Dommartin 80 ....22 BD16
Dommartin 69 ....212 BV60
Dommartin 58 ....175 BO46
Dommartin 25 ....180 CH47
Dommartin 01 ....195 BX54
Dommartin-aux-Bois 88 ..119 CG33
Dommartin-Dampierre 51 ..43 BV23
Dommartin-
  la-Chaussée 54 ....65 CD24
Dommartin-
  la-Montagne 55 ....64 CB24
Dommartin-le-Coq 10 ....91 BS30
Dommartin-le-Franc 52 ...92 BW31
Dommartin-
  le-Saint-Père 52 ....92 BW31
Dommartin-
  lès-Cuiseaux 71 ....195 BZ52
Dommartin-
  lès-Remiremont 88 .....119 CJ35
Dommartin-lès-Toul 54 ...94 CD28
Dommartin-lès-Vallois 88 ..118 CF33
Dommartin-Lettrée 51 ....62 BR27
Dommartin-
  sous-Amance 54 ....66 CG27
Dommartin-sous-Hans 51 ..43 BV23
Dommartin-Varimont 51 ..43 BV25
Dommary-Baroncourt 55 ..44 CB21
Domme 24 ....259 AU71
Dommery 08 ....26 BS17
Dommiers 02 ....40 BJ21
Domnon-lès-Dieuze 57 ...67 CK25
Domont 95 ....58 BD24
Dompaire 88 ....119 CG33
Dompcevrin 55 ....64 CA25
Dompierre 88 ....95 CI32
Dompierre 61 ....81 AH28
Dompierre 60 ....22 BE18
Dompierre-aux-Bois 55 ..64 CB24
Dompierre-
  Becquincourt 80 ....23 BG14

Dompierre-du-Chemin 35 ..81 AD32
Dompierre-en-Morvan 21 ..158 BR42
Dompierre-les-Églises 87 ..184 AU55
Dompierre-les-Ormes 71 ..194 BT54
Dompierre-les-Tilleuls 25 ..180 CG48
Dompierre-
  sous-Sanvignes 71 ....176 BR50
Dompierre-sur-Authie 80 ..11 BA10
Dompierre-sur-Besbre 03 ..192 BN52
Dompierre-
  sur-Chalaronne 01 ....213 BX56
Dompierre-
  sur-Charente 17 ......219 AH61
Dompierre-sur-Helpe 59 ..15 BO12
Dompierre-sur-Héry 58 ..157 BM44
Dompierre-sur-Mer 17 ....183 AK55
Dompierre-sur-Mont 39 ..196 CC51
Dompierre-sur-Nièvre 58 ..156 BK44
Dompierre-sur-Veyle 01 ..213 BZ57
Dompierre-sur-Yon 85 ....165 AA49
Dompnac 07 ....265 BR74
Domprel 25 ....162 CI44
Dompremy 51 ....62 BU27
Domprix 54 ....45 CC20
Domps 87 ....224 AY62
Domptail 88 ....95 CI30
Domptail-en-l'Air 54 ....95 CG29
Domptin 02 ....60 BK24
Domqueur 80 ....12 BB12
Domremy-aux-Bois 55 ..64 BZ27
Domremy-en-Ornois 52 ..93 BY31
Domremy-la-Canne 55 ..44 CB21
Domremy-la-Pucelle 88 ..93 CB30
Domsure 01 ....195 BZ53
Domvallier 88 ....94 CF32
Domvast 80 ....11 BA11
Don 59 ....8 BH7
Donazac 11 ....337 BB90
Donchery 08 ....27 BV17
Doncières 88 ....95 CJ30
Doncourt-aux-Templiers 55 ..64 CB23
Doncourt-lès-Conflans 54 ..45 CD22
Doncourt-lès-Longuyon 54 ..44 CB19
Doncourt-sur-Meuse 52 ..117 CB34
Dondas 47 ....276 AR77
Donges 44 ....146 V42
Donjeux 52 ....93 BY31
Donjeux 57 ....66 CH25
Le Donjon 03 ....193 BO54
Donnay 14 ....53 AJ25
Donnazac 81 ....279 BA80
Donnelay 57 ....67 CJ26
Donnemain-
  Saint-Mamès 28 ......110 AW34
Donnemarie 52 ....117 CA34
Donnemarie-Dontilly 77 ..89 BJ30
Donnement 10 ....91 BS30
Donnenheim 67 ....68 CQ26
Donnery 45 ....133 BB37
Donneville 31 ....318 AW86
Donnezac 33 ....237 AH66
Donon (Col du) 67 .....96 CM29
Dontreix 23 ....208 BE58
Dontrien 51 ....42 BS22
Donville-les-Bains 50 ...51 AA55
Donzac 82 ....276 AR79
Donzac 33 ....256 AI73
Donzacq 40 ....293 AD83
Le Donzeil 23 ....207 BA58
Donzenac 19 ....242 AW66
Donzère 26 ....267 BW75
Donzy 58 ....156 BJ43
Donzy-le-National 71 ...194 BU53
Donzy-le-Pertuis 71 ....194 BV53
Donzy-le-Pré 58 ....156 BJ43
Doranges 63 ....228 BN60
Dorans 90 ....142 CL39
Le Dorat 87 ....187 AT55
Dorat 63 ....210 BM59
Dorceau 61 ....84 AR31
Dordives 45 ....112 BG34
Dore-l'Église 63 ....229 BO65
La Dorée 53 ....81 AE30
Dorengt 02 ....24 BM14
Dorignies 59 ....8 BI9
Dorlisheim 67 ....97 CP29
Dormans 51 ....60 BM24
Dormelles 77 ....88 BH32
La Dornac 24 ....241 AV68
Dornas 07 ....248 BT70
Dornecy 58 ....157 BM42
Dornes 58 ....175 BL50
Dornot 57 ....65 CC23
Dorres 66 ....341 AZ97
Dortan 01 ....196 CC54
Dosches 10 ....91 BR32
Dosnon 10 ....91 BR29
Dossenheim-
  Kochersberg 67 ....68 CP27
Dossenheim-sur-Zinsel 67 ..68 CO26
Douadic 36 ....170 AT50
Douai 59 ....8 BI9
Douains 27 ....56 AW24
Douarnenez 29 ....99 F33
Douaumont 55 ....44 BZ22
Doubs 25 ....180 CH47
Doucelles 72 ....107 AN33
Douchapt 24 ....239 AO66
Douchy 45 ....113 BI36
Douchy 02 ....21 BI16
Douchy-lès-Ayette 62 ..13 BF11

Douchy-les-Mines 59 ..14 BK10
Doucier 39 ....179 CD50
Doucy 73 ....234 CJ63
Doucy-en-Bauges 73 ..233 CH61
Doudeauville 76 ....21 AY18
Doudeauville 62 ....6 AZ7
Doudeauville-en-Vexin 27 ..37 AX21
Doudelainville 80 ......11 AZ13
Doudeville 76 ....19 AS16
Doudrac 47 ....258 AQ73
Doue 77 ....60 BJ26
Doué-la-Fontaine 49 ..150 AJ44
Douelle 46 ....259 AV75
Le Douhet 17 ....201 AG60
Douillet 72 ....83 AL32
Douilly 80 ....23 BI16
Doulaincourt 52 ....93 BY32
Doulaize 25 ....179 CE46
Doulcon 55 ....43 BX20
Doulevant-le-Château 52 ..92 BW31
Doulevant-le-Petit 52 ..92 BW30
Doulezon 33 ....256 AK71
Le Doulieu 59 ....8 BF6
Doullens 80 ....12 BD12
Doumely-Bégny 08 ....26 BR17
Doumy 64 ....314 AH86
Dounoux 88 ....118 CH34
Les Dourbes 04 ....288 CJ79
Dourbies 30 ....282 BM79
Dourdain 35 ....104 AB33
Dourdan 91 ....87 BA30
Dourges 62 ....8 BH9
Dourgne 81 ....319 BB86
Douriez 62 ....11 AZ10
Dourlers 59 ....15 BO11
Le Dourn 81 ....280 BE20
Dournazac 87 ....223 AS62
Dournon 39 ....179 CE47
Dours 65 ....315 AL88
Doussard 74 ....215 CH60
Doussay 86 ....166 AN48
Douvaine 74 ....197 CH54
Douville 24 ....240 AP69
Douville-en-Auge 14 ..34 AM21
Douville-sur-Andelle 27 ..36 AV21
Douvrend 76 ....20 AV15
Douvres 01 ....214 CA58
Douvres-la-Délivrande 14 ..33 AJ21
Douvrin 62 ....8 BG8
Doux 79 ....168 AL49
Doux 08 ....42 BS19
Douy 28 ....109 AV35
Douy-la-Ramée 77 ....59 BH24
Douzains 47 ....257 AO73
La Douze 24 ....240 AR68
Douzens 11 ....320 BF89
Douzies 59 ....15 BO10
Douzillac 24 ....239 AO68
Douzy 08 ....27 BW17
Doville 50 ....31 AB20
La Doye 39 ....197 CF52
Doye 39 ....180 CF49
Doyet 03 ....191 BG54
Dozulé 14 ....34 AL22
Dracé 69 ....212 BV56
Draché 37 ....169 AO46
Drachenbronn 67 .....69 CR23
Dracy 89 ....135 BK38
Dracy-le-Fort 71 .....177 BV49
Dracy-lès-Couches 71 ..177 BU48
Dracy-Saint-Loup 71 ..176 BS46
Dragey 50 ....51 AB27
Draguignan 83 ....308 CK84
Draillant 74 ....198 CI54
Drain 49 ....148 AC42
Draix 04 ....288 CJ78
Drambon 21 ....160 CA43
Dramelay 39 ....196 CB53
Le Dramont 83 ....329 CN86
Drancy 93 ....58 BE25
Drap 06 ....309 CR82
Dravegny 02 ....40 BM22
Draveil 91 ....58 BD28
Drée 21 ....159 BV43
Drée (Château de) 71 ..194 BS54
Dréfféac 44 ....88 W41
Drémil-Lafage 31 ....298 AX85
Le Drennec 29 ....70 F28
Dreslincourt 60 ....39 BH19
Dreuil-Hamel 80 ......11 BA14
Dreuil-lès-Amiens 80 ..22 BC14
Dreuil-lès-Molliens 80 ..22 BB15
Dreuilhe 09 ....336 AZ92
Dreux 28 ....56 AW27
Drevant 18 ....173 BE50
Dricourt 08 ....42 BT20
Driencourt 80 ....23 BI14
Drignac 15 ....244 BD67
Drincham 59 ....3 BD3
Drocourt 78 ....57 AZ24
Drocourt 62 ....8 BH9
Droisy 27 ....56 AW27
Droisy 74 ....215 CE58
Droitaumont 54 ......45 CD22
Droitfontaine 25 ......181 CK43
Droiturier 03 ....192 BN55
Droizy 02 ....40 BK21
Drom 01 ....196 CA55
Dromesnil 80 ....21 AZ15

Drosay 76 ....19 AR16
Drosnay 51 ....92 BU29
Droué 41 ....109 AT35
Droue-sur-Drouette 28 ..86 AY29
Drouges 35 ....105 AC36
Drouilly 51 ....62 BT27
Droupt-Saint-Basle 10 ..90 BP30
Droupt-Sainte-Marie 10 ..90 BO30
Drouville 54 ....66 CH27
Drouvin-le-Marais 62 ..8 BF8
Droux 87 ....205 AU56
Droyes 52 ....92 BU30
Drubec 14 ....34 AN22
Drucat 80 ....11 AZ12
Drucourt 27 ....35 AP23
Drudas 31 ....297 AT83
Druelle 12 ....280 BE76
Drugeac 15 ....244 BD67
Druillat 01 ....214 CA57
Drulhe 12 ....261 BB75
Drulingen 67 ....67 CM25
Drumettaz-Clarafond 73 ..233 CF61
Drusenheim 67 ....69 CS26
Druval 14 ....34 AN22
Druy-Parigny 58 ......175 BL48
Druye 37 ....151 AP43
Druyes-les-
  Belles-Fontaines 89 ..157 BL41
Dry 45 ....132 AY38
Duault 22 ....77 M30
Ducey 50 ....51 AC28
Duclair 76 ....35 AS19
Ducy-Sainte-Marguerite 14 ..33 AH22
Duerne 69 ....230 BU61

Duesme 21 ....138 BU39
Duffort 32 ....95 AN87
Dugny 93 ....58 BD25
Dugny-sur-Meuse 55 ..64 BZ23
Duhort-Bachen 40 ....294 AH83
Duilhac-
  sous-Peyrepertuse 11 ..338 BH93
Duingt 74 ....215 CH59
Duisans 62 ....13 BF10
Dullin 73 ....232 CD62
Dumes 40 ....293 AF83
Dun 09 ....336 AY91
Dun-le-Palestel 23 ...189 AY54
Dun-le-Poëlier 36 ....153 AY45
Dun-les-Places 58 ....158 BP44
Dun-sur-Auron 18 ....173 BF48
Dun-sur-Grandry 58 ..176 BO46
Dun-sur-Meuse 55 ....43 BX20
Duneau 72 ....108 AP35
Dunes 82 ....276 AQ79
Dunet 36 ....188 AV53
Dung 25 ....142 CK40
Dunière-sur-Eyrieux 07 ..266 BV71
Dunières 43 ....248 BT66
Dunkerque 59 ....3 BD2
Duntzenheim 67 ......68 CP27
Duppigheim 67 ....68 CP29
Duran 32 ....296 A084
Durance 47 ....275 AL78
Duranus 06 ....291 CR81
Duranville 27 ....35 AP23
Duras 47 ....257 AM72
Duravel 46 ....259 AT74
Durban 32 ....296 A085

Durban-Corbières 11 ..338 BH91
Durban-sur-Arize 09 ..335 AV91
Durbans 46 ....260 AY73
Durbelière
  (Château de la) 79 ..167 AG47
Durcet 61 ....53 AI27
Durdat-Larequille 03 ..191 BG55
Dureil 72 ....129 AK37
Durenque 12 ....280 BF79
Durette 69 ....212 BU56
Durfort 81 ....319 BB86
Durfort 09 ....318 AW89
Durfort-et-Saint-Martin-
  de-Sossenac 30 ......283 BQ80
Durfort-Lacapelette 82 ..277 AT78
Durlinsdorf 68 ....143 C040
Durmenach 68 ....143 C040
Durmignat 63 ....209 BH56
Durnes 25 ....162 CG45
Durningen 67 ....68 CP27
Durrenbach 67 ......69 CR24
Durrenentzen 68 ....121 CP33
Durstel 67 ....67 CM25
Durtal 49 ....128 AJ39
Durtol 63 ....209 BI60
Dury 80 ....22 BC15
Dury 62 ....8 BI11
Dury 02 ....23 BI16
Dussac 24 ....223 AT65
Duttlenheim 67 .....68 CP29
Duvy 60 ....39 BH22
Duzey 55 ....44 CB20
Dyé 89 ....136 BO37
Dyo 71 ....194 BS54

DUNKERQUE

Albert-1er (R.) .... CZ 2
Alexandre-III (Bd) .... CZ 3
Arbres (R. des) .... CDY 6
Asseman (Pl. P.) .... DY 8
Bergues (R. du Canal de) .. CZ 9
Bollaert (Pl. Émile) ...... CZ 12
Calonne (Pl.) .... DZ 16
Carnot (Bd) .... DY 18
Carton-Lurat (Av.) ...... DZ 19
Clemenceau (R.) .... CZ 21
Écluse-de-Bergues (R.) .. CZ 26
Faidherbe (Av.) .... DY

Fusillés-Marins (R.) ...... CZ 30
Gare (Pl. de la) .... CZ 32
Gaulle (Pl. du Gén.-de) ... CZ 33
Geeraert (Av. Adolphe) ... DY
Hermitte (R. l') .... CY 35
Hollandais (Quai des) .... CZ 36
Hôtel-de-Ville (R. de l') ... DY 37
Jardins (Quai des) .... CZ 38
Jean-Bart (Pl.) .... CZ 41
Jean-Jaurès (R.) .... CZ 40
Jeu-de-Paume (R. du) .... CZ 42
Leclerc (R. du Mar.) ..... CY 43
Leughenaer (R. du) ...... CY 45
Lille (R. de) .... CZ 45
Magasin-Général (R.) .... CZ 48

Malo (Av. Gaspard) .... DY 49
Mar.-de-France (Av. des) .... DY 51
Mer (Digue de) .... DY
Minck (Pl. du) .... CY 53
Paris (R. de) .... CZ 54
Prés.-Poincaré (R. du) ..... CZ 57
Prés.-Wilson (R. du) .... CZ 58
Quatre-Écluses
  (Quai) .... CZ 59
Thiers (R.) .... CZ 65
Turenne (Pl.) .... DY 67
Valentin (Pl. C.) .... DY 68
Verley (Bd Paul) .... DY 69
Victoire (Pl. et R. de la) .... CDY 70
Victor-Hugo (Bd) .... DY 72

E

Eancé 35.....127 AC37
Eaubonne 95.....58 BC25
Eaucourt-sur-Somme 80.....11 BA13
Eaunes 31.....317 AV87
Eaux-Bonnes 64.....332 AG91
Eaux-Chaudes 64.....332 AG91
Eaux-Puiseaux 10.....114 BO34
Eauze 32.....295 AL81
Ébange 57.....45 CE20
Ébaty 21.....177 BV47
Ebaupinaye (Château d') 79.....167 AI46
Ebblinghem 59.....3 BD5
Ébéon 17.....201 AH59
Eberbach-Seltz 67.....69 CT24
Eberbach-Wœrth 67.....68 CQ24
Ebersheim 67.....97 CP31
Ebersmunster 67.....97 CP31
Ébersviller 57.....46 CG21
Éblange 57.....46 CH21
Ébouleau 02.....25 BO17
Ébréon 16.....203 AL58
Ébreuil 03.....209 BJ57
L'Écaille 08.....41 BQ20
Écaillon 59.....9 BJ9
Écajeul 14.....54 AL24
Écalgrain (Baie d') 50.....28 Y16
Écalles-Alix 76.....19 AS18
Écaquelon 27.....35 AR21
Écardenville-la-Campagne 27.....35 AS23
Écardenville-sur-Eure 27.....36 AV23
Écausseville 50.....29 AC19
Écauville 27.....36 AT23
Eccica-Suarella 2A.....348 FD111
Eccles 15.....15 BP11
Échalas 69.....230 BV63
Échallat 16.....220 AK61
Échallon 01.....196 CD55
Échalot 21.....138 BW40
Échalou 61.....53 AI27
Échandelys 63.....228 BM63
Échannay 21.....159 BU43
Écharcon 91.....87 BD29
Les Écharmeaux 69.....212 BT56
Échassières 03.....209 BH56
Échauffour 61.....54 AO27
Échavanne 70.....142 CK39
Échay 25.....179 CE46
Échebrune 17.....219 AH62
L'Échelle 08.....26 BS15
L'Échelle-Saint-Aurin 80.....23 BF17
Les Échelles 73.....232 CD64
Échemines 10.....90 BO31
Échemiré 49.....129 AK40
Échenans 25.....142 CK40
Échenans-sous-Mont-Vaudois 70.....142 CK39
Échenay 52.....93 BZ30
Échenevex 01.....197 CF54
Échenon 21.....160 BZ45
Échenoz-la-Méline 70.....141 CF39
Échenoz-le-Sec 70.....141 CF40
Échery 68.....96 CN32
Échevanne 70.....161 CC42
Échevannes 25.....162 CG45
Échevannes 21.....160 BY41
Échevis 26.....250 CB68
Échevronne 21.....159 BW45
Échigey 21.....160 BY44
Échillais 17.....200 AD59
Échilleuses 45.....112 BE34
Échinghen 62.....6 AY6
Échiré 79.....185 AI53
Échirolles 38.....250 CD67
Échouboulains 77.....88 BH31
Échourgnac 24.....239 AM67
Eckartswiller 67.....68 CO26
Eckbolsheim 67.....97 CQ28
Eckmühl (Phare d') 29.....99 F36
Eckwersheim 67.....68 CQ27
Éclaibes 59.....15 BO11
Éclaires 51.....63 BW24
Éclance 10.....92 BU32
Éclans 39.....161 CB45
Éclaron 52.....92 BV29
Éclassan 07.....249 BW67
Écleux 39.....179 CD46
Éclimeux 62.....7 BC9
Éclose 38.....232 CA63
Écluse (Défilé de l') 74.....215 CE56
Éclusier-Vaux 80.....22 BH16
Écluzelles 28.....56 AW28
Écly 08.....26 BR18
Écoche 42.....212 BS56
Écoivres 62.....12 BC10
École 73.....233 CH61
École-Valentin 25.....161 CE43
Écollemont 51.....92 BU29
Écoman 41.....109 AY37
Écommoy 72.....130 AN37
Écomusée de Haute-Alsace 68.....121 CO36
Écoquenéauville 50.....31 AC20
Écorcei 61.....55 AQ28
Les Écorces 25.....163 CL43
Écorches 61.....54 AM26

Écordal 08.....26 BT18
Écorpain 72.....108 AQ36
Écos 27.....37 AX23
Écot 25.....142 CK41
Écot-la-Combe 52.....117 BZ33
Écotay-l'Olme 42.....229 BQ62
Écots 14.....54 AM24
Écouché 61.....54 AL27
Écouen 95.....58 BD24
Écouflant 49.....149 AH41
Écouis 27.....36 AW21
Écourt-Saint-Quentin 62.....14 BI11
Écoust-Saint-Mein 62.....13 BH11
Écouves (Forêt d') 61.....83 AN29
Écouviez 55.....44 BZ18
L'Écouvotte 25.....162 CG42
Écoyeux 17.....201 AH60
Ecquedecques 62.....7 BE7
Ecques 62.....7 BC6
Ecquetot 27.....36 AT23
Ecquevilly 78.....57 BA25
Écrainville 76.....18 AO17
Écrammeville 14.....32 AF20
Les Écrennes 77.....88 BH30
Écretteville-lès-Baons 76.....19 AP16
Écretteville-sur-Mer 76.....19 AP16
Écriennes 51.....62 BU28
Écrille 39.....196 CC52
Écromagny 70.....141 CI37
Écrosnes 28.....86 AY30
Écrouves 54.....94 CD28
Ectot-l'Auber 76.....20 AT17
Ectot-lès-Baons 76.....19 AS17
Écublé 28.....85 AV29
Écueil 51.....41 BP22
Écueillé 36.....171 AV46
Écuélin 59.....15 BO11
Écuelle 70.....140 CB40
Écuelles 77.....88 BG32
Écuelles 71.....178 BX47
Écuillé 49.....128 AH40
Écuires 62.....6 AZ8
Écuisses 71.....177 BU49
Éculleville 50.....28 Z16
Écully 69.....213 BW60
Écuras 16.....222 AP61
Écurat 17.....201 AF60
Écurcey 25.....142 CK41
Écurey-en-Verdunois 55.....44 BZ20
Écurie 62.....13 BG10
Écury-le-Repos 51.....61 BP27
Écury-sur-Coole 51.....62 BR26
Écutigny 21.....177 BU46
Écuvilly 60.....23 BH17
Edern 29.....100 I33
Les Éduts 17.....202 AJ58
Eecke 59.....4 BF5
Effiat 63.....210 BK57
Effincourt 52.....93 BY30
Effry 02.....25 BP14
Égat 66.....341 BA97
Égleny 89.....135 BK38
Égletons 19.....225 BA65
Égligny 77.....89 BJ31
Eglingen 68.....143 CN38
L'Église-aux-Bois 19.....225 AZ62
Église-Neuve-de-Vergt 24.....240 AQ68
Église-Neuve-d'Issac 24.....239 AO69
Égliseneuve-d'Entraigues 63.....227 BH65
Égliseneuve-des-Liards 63.....228 BL63
Égliseneuve-près-Billom 63.....228 BL61
Les Églises d'Argenteuil 17.....201 AH58
Églisolles 63.....229 BP64
Les Églisottes-et-Chalaures 33.....238 AK68
Égly 91.....87 BC29
Égreville 77.....112 BH34
Égriselles-le-Bocage 89.....113 BJ34
Égry 45.....111 BD35
Éguelshardt 57.....68 CO23
Éguenigue 90.....142 CL38
L'Éguille 17.....218 AD61
Éguilles 13.....305 CB85
Éguilly 21.....159 BT43
Éguilly-sous-Bois 10.....115 BT34
Éguisheim 68.....121 CO34
Éguzon 36.....188 AX53
Éguzon (Barrage d') 36.....188 AX53
Éhuns 70.....141 CH37
Eichhoffen 67.....97 CO30
Eincheville 57.....66 CI24
Einvaux 54.....95 CH29
Einville-au-Jard 54.....95 CH28
Eix 55.....44 CA22
Élan 08.....26 BU17
Élancourt 78.....57 BA27
Elbach 68.....142 CM39
Elbeuf 76.....36 AT21
Elbeuf-en-Bray 76.....36 AY19
Elbeuf-sur-Andelle 76.....36 AW19
Élencourt 60.....21 BA17
Élesmes 59.....15 BP10
Életot 76.....19 AP16
Éleu-Dit-Leauwette 62.....8 BG9
Élincourt 59.....14 BK13

Élincourt-Sainte-Marguerite 60.....39 BG19
Élisabethville 78.....57 AZ25
Élise-Daucourt 51.....63 BV24
Élizaberry 64.....310 Y86
Elliant 29.....100 I34
Ellon 14.....33 AH22
Elne 66.....343 BI96
Elnes 62.....7 BB6
Éloie 90.....142 CL38
Éloise 74.....215 CE56
Elsenheim 67.....121 CP33
Elvange 57.....66 CI23
Elven 56.....124 S38
Elzange 57.....45 CF20
Émagny 25.....161 CD43
Émalleville 27.....35 AP21
Émancé 78.....86 AY29
Émanville 76.....20 AT18
Émanville 27.....35 AS24
Emberménil 54.....95 CJ28
Embourie 16.....203 AL57
Embres-et-Castelmaure 11.....338 BH92
Embreville 80.....11 AX13
Embrun 05.....270 CK73
Embry 62.....6 BA8
Émerainville 77.....59 BF27
Émerchicourt 59.....14 BJ10
Émeringes 69.....194 BV55
Émiéville 14.....33 AK23
Émlingen 68.....143 CO39
Emmerin 59.....8 BH7
Émondeville 50.....29 AC19
Empeaux 31.....297 AT85
Empurany 07.....248 BV69
Empuré 16.....203 AL57
Empury 58.....157 BO43
Encausse 32.....297 AS83
Encausse-les-Thermes 31.....334 AQ91
Enchanet (Barrage d') 15.....243 BC68
Enchastrayes 04.....271 CM75
Enchenberg 57.....68 CN23
L'Enclave-de-la-Martinière 79.....185 AK54
Encourtiech 09.....335 AT92
Encrenaz (Col de l') 74.....198 CL55
Endoufielle 32.....297 AS85
Énencourt-le-Sec 60.....37 AZ19
Énencourt-Léage 60.....37 AZ21
Enfer (Gouffre d') 42.....230 BT64
Enfer (Portes d') 86.....187 AS54
Enfonvelle 52.....118 CD36
Engarran (Château de l') 34.....302 BP85
Engayrac 47.....276 AR77
Engayresque (Col d') 12.....281 BI77
Engente 10.....92 BV32
Engenthal 67.....68 CN27
Engenville 45.....111 BC33
Enghien-les-Bains 95.....58 BD25
Engins 38.....250 CD67
Englancourt 02.....25 BN14
Englebelmer 80.....13 BF13
Englefontaine 59.....15 BM11
Englesqueville-en-Auge 14.....34 AN21
Englesqueville-la-Percée 14.....32 AF20
Englos 59.....8 BH6
Engomer 09.....335 AS92
Engraviès 09.....336 AY91
Enguinegatte 62.....7 BD7
Engwiller 67.....68 CP25
Ennemain 80.....23 BH15
Ennery 95.....58 BB24
Ennery 57.....45 CF21
Ennetières-en-Weppes 59.....8 BH6
Ennevelin 59.....8 BI7
Ennezat 63.....210 BK59
Ennordres 18.....155 BD42
Enquin-les-Mines 62.....7 BC7
Enquin-sur-Baillons 62.....6 AZ7
Ens 33.....333 AM93
Ensérune (Oppidum d') 34.....321 BJ88
Ensigné 79.....202 AJ57
Ensisheim 68.....121 CO36
Ensuès-la-Redonne 13.....326 CA87
Entrages 04.....288 CI79
Entraigues 63.....210 BK59
Entraigues 38.....251 CF69
Entraigues-sur-la-Sorgue 84.....285 BY80
Entrains-sur-Nohain 58.....156 BK42
Entrammes 53.....106 AG35
Entrange 57.....45 CE19
Entraunes 06.....289 CN80
Entraygues-sur-Truyère 12.....262 BF73
Entre-deux-Eaux 88.....96 CL32
Entre-deux-Guiers 38.....232 CD64
Entre-deux-Monts 39.....180 CG52
Entrecasteaux 83.....307 CI85
Entrechaux 84.....285 BZ77
Entremont 74.....215 CI58
Entremont-le-Vieux 73.....233 CE63
Entrepierres 04.....287 CG77
Entressen 13.....305 BY84
Entrevaux 04.....289 CN80

Entrevennes 04.....287 CG80
Entrevernes 74.....215 CH59
Entzheim 67.....97 CQ28
Enval 63.....209 BI59
Enveitg 66.....341 AZ97
Envermeu 76.....20 AV15
Envronville 76.....19 AR17
Éoulx 04.....288 CI79
Éourres 05.....287 CE77
Eoux 31.....316 AR88
Épagne 10.....91 BS31
Épagne-Épagnette 80.....11 AZ13
Épagny 74.....215 CG58
Épagny 21.....160 BX45
Épagny 02.....40 BJ19
Épaignes 27.....35 AP21
Épaney 14.....53 AK25
Épannes 79.....184 AG55
Éparcy 02.....25 BP15
Les Éparges 55.....64 CB23
Épargnes 17.....219 AE63
Les Éparres 38.....232 CA63
Épau (Abbaye de l') 72.....107 AN36
Épaumesnil 80.....11 AZ14
Épaux-Bézu 02.....40 BK23
Épeautrolles 28.....85 AV32
Épécamps 80.....12 BB12
Épégard 27.....35 AS22
Épehy 80.....14 BI13
Épeigné-les-Bois 37.....152 AT44
Épeigné-sur-Dême 37.....130 AD39
Épénancourt 80.....23 BH15
Épénède 16.....204 AP57
Épenouse 25.....162 CH44
Épenoy 25.....162 CH45
Épense 51.....63 BU25
Épercieux-Saint-Paul 42.....211 BR60
Éperlecques 62.....3 BB4
Épernay 51.....61 BP24
Épernay-sous-Gevrey 21.....160 BX44
Épernon 28.....86 AY29
Éperrais 61.....84 AP31
Épertully 71.....177 BU47
Épervans 71.....177 BW49
Les Epesses 85.....166 AE48
Épeugney 25.....162 CF45
Épfig 67.....97 CP31
Épiais 41.....132 AV30
Épiais-lès-Louvres 95.....58 BE24
Épiais-Rhus 95.....38 BB23
Épieds 49.....150 AL45
Épieds 27.....56 AW25
Épieds 02.....40 BL23
Épieds-en-Beauce 45.....110 AX36
Épierre 73.....234 CI63
Épiez-sur-Chiers 54.....44 CA19
Épiez-sur-Meuse 55.....93 CB29
Épinac 71.....177 BT47
Épinal 88.....119 CH33
Épinant 52.....117 CA35
Épinay 27.....55 AQ25
Épinay-Champlâtreux 95.....58 BD23
L'Épinay-le-Comte 61.....81 AF30
Épinay-sous-Sénart 91.....58 BE28
Épinay-sur-Duclair 76.....35 AS19
Épinay-sur-Odon 14.....33 AH23
Épinay-sur-Orge 91.....58 BD28
Épinay-sur-Seine 93.....58 BD25
L'Épine 85.....164 U46
L'Épine 51.....62 BS25
L'Épine 05.....268 CD75
Épine (Col de l') 73.....233 CE62
L'Épine-aux-Bois 02.....60 BL26
Épineau-les-Voves 89.....113 BL36
Épineu-le-Chevreuil 72.....107 AK35
Épineuil 89.....137 BP37
Épineuil-le-Fleuriel 18.....190 BF52
Épineuse 60.....38 BE20
Épineux-le-Seguin 53.....106 AJ36
Épiniac 35.....80 Z29
Épinonville 55.....43 BX21
Épinouze 26.....231 BX65
Épinoy 62.....14 BJ11
Épire 49.....149 AG42
Épiry 58.....157 BN45
Épisy 77.....88 BG32
Épizon 52.....93 BZ31
Éplessier 80.....21 BA14
Épluches 95.....58 BB24
Éply 54.....65 CF25
Époisses 21.....158 BR41
Épône 78.....57 AZ25
Épothémont 10.....92 BU31
Épouville 76.....18 AN18
Époye 51.....42 BR21
Eppe-Sauvage 59.....16 BQ12
Eppes 02.....25 BN18
Eppeville 80.....23 BH16
Epping 57.....48 CN22
Épretot 76.....18 AN17
Épreville 76.....19 AP17
Épreville-en-Lieuvin 27.....35 AQ22
Épreville-en-Roumois 27.....35 AR21
Épreville-près-le-Neubourg 27.....35 AS23
Épron 14.....33 AJ22
Eps 62.....7 BC8
Épuisay 41.....131 AS37
Équancourt 80.....14 BI13
Équemauville 14.....34 AN20

Équennes-Éramecourt 80.....21 BA16
Équeurdreville-Hainneville 50.....29 AA17
Équevilley 70.....141 CG38
Équevillon 39.....179 CE49
Équihen-Plage 62.....6 AX6
Équilly 50.....51 AB26
Équirre 62.....7 BC8
Éragny 95.....58 BB24
Éragny-sur-Epte 60.....37 AZ21
Eraines 14.....53 AK25
Éramecourt 80.....21 BA17
Éraville 16.....220 AK62
Erbajolo 2B.....347 FF108
Erbalunga 2B.....345 FG102
Erbéviller-sur-Amezule 54.....66 CH27
Erbray 44.....127 AB39
Erbrée 35.....105 AD34
Ercé 09.....335 AU93
Ercé-en-Lamée 35.....126 AA37
Ercé-près-Liffré 35.....80 AA32
Erceville 45.....111 BB33
Erches 80.....23 BF17
Ercheu 80.....23 BH17
Erchin 59.....14 BJ10
Erching 57.....48 CN22
Erckartswiller 67.....68 CO25
Ercourt 80.....11 AY13
Ercuis 60.....38 BC22
Erdeven 56.....123 N38
Éréac 22.....103 U32
Ergersheim 67.....97 CP28
Ergnies 80.....12 BB12
Ergny 62.....6 BA7
Ergué-Gabéric 29.....99 H34
Érigné 49.....149 AH42
Érin 62.....7 BC9
Éringes 21.....138 BT40
Eringhem 59.....3 BD3
Érize-la-Brûlée 55.....63 BY26
Érize-la-Grande 55.....63 BY25
Érize-la-Petite 55.....63 BY25
Érize-Saint-Dizier 55.....63 BY26
Erlon 02.....25 BN16
Erloy 02.....25 BN14
Ermenonville 60.....39 BF23
Ermenonville-la-Grande 28.....86 AW32
Ermenonville-la-Petite 28.....85 AV32
Ermenouville 76.....19 AS16
Ermitage-du-Frère-Joseph 88.....120 CL36
Ermont 95.....58 BC25
Ernecourt 55.....64 BZ27
Ernée 53.....81 AE32
Ernemont-Boutavent 60.....22 AZ18
Ernemont-la-Villette 76.....37 AY19
Ernemont-sur-Buchy 76.....36 AW19
Ernes 14.....54 AL24
Ernestviller 57.....67 CL23
Erneville-aux-Bois 55.....64 BZ27
Erny-Saint-Julien 62.....7 BC7
Érôme 26.....249 BW67
Érondelle 80.....11 AZ13
Érone 2B.....347 FF106
Éroudeville 50.....29 AC19
Erp 09.....335 AT92
Erquery 60.....38 BE20
Erquières 62.....12 BB10
Erquinghem-le-Sec 59.....8 BH7
Erquinghem-Lys 59.....8 BH6
Erquinvillers 60.....38 BE19
Erquy 22.....78 T28
Err 66.....341 BA98
Erre 59.....9 BK9
Errevet 70.....142 CK38
Erreville 54.....45 CD19
Ersa 2B.....345 FF100
Erstein 67.....97 CQ30
Erstroff 57.....67 CJ24
Ervauville 45.....113 BI35
Ervillers 62.....13 BG12
Ervy-le-Châtel 10.....114 BO35
Esbareich 65.....334 AO92
Esbarres 21.....160 BZ45
Esbly 77.....59 BG26
Esboz-Brest 70.....141 CH37
Escala 65.....333 AN90
Escalans 40.....274 AK80
Les Escaldes 66.....341 BA97
L'Escale 04.....287 CG79
Escalette (Pas de l') 34.....301 BL82
Escalles 62.....2 AY3
Escalquens 31.....318 AW86
Escames 60.....21 AZ18
Escamps 89.....136 BL39
Escamps 46.....278 AX76
Escandolières 12.....262 BD75
Escanecrabe 31.....316 AQ88
Escardes 51.....60 BL28
L'Escarène 06.....291 CR81
Escarmain 59.....15 BM11
Escaro 66.....342 BD96
Escassefort 47.....257 AM74
Escatalens 82.....317 AU88
Escaudain 59.....14 BK10
Escaudes 33.....274 AI76
Escaudœuvres 59.....14 BJ11
Escaufourt 59.....14 BL13

Escaunets 65.....314 AJ87
Escautpont 59.....9 BL9
Escazeaux 82.....297 AS83
Eschau 67.....97 CQ29
Eschbach 67.....68 CQ25
Eschbach-au-Val 68.....120 CN34
Eschbourg 67.....68 CO25
Eschêne-Autrage 90.....142 CL39
Eschentzwiller 68.....143 CO38
Esclagne 09.....336 AZ91
Esclainvillers 80.....22 BD17
Esclanèdes 48.....264 BL75
Esclangon 04.....288 CI77
Esclassan-Labastide 32.....316 AO86
Esclauzels 46.....260 AX75
Esclavelles 76.....20 AW17
Esclavolles-Lurey 51.....90 BN29
Escles 88.....118 CF34
Escles-Saint-Pierre 60.....21 AZ16
Esclimont 28.....86 AZ30
Esclottes 47.....257 AL72
Escobecques 59.....8 BH6
Escœuilles 62.....2 BA5
Escoire 24.....240 AR67
Escolives-Sainte-Camille 89.....136 BM39
Escombres-et-le-Chesnois 08.....27 BX17
Esconac 33.....255 AG72
Escondeaux 65.....315 AL87
Esconnets 65.....333 AM90
Escorailles 15.....244 BD67
Escornebœuf 32.....296 AR84
Escorpain 28.....56 AU28
Escos 64.....311 AC86
Escosse 09.....336 AW90
Escot 64.....331 AF90
Escots 65.....333 AM90
Escou 64.....331 AF90
Escoubès 64.....314 AI86
Escoubès-Pouts 65.....333 AM90
Escoulère (Manoir de l') 53.....128 AH38
Escoulis 31.....335 AS90
Escouloubre 11.....337 BB96
Escource 40.....272 AC78
Escoussans 33.....256 AI72
Escoussens 81.....319 BC85
Escout 64.....331 AF89
Escoutoux 63.....210 BM60
Escoville 14.....33 AK22
Escragnolles 06.....308 CN82
Escrennes 45.....111 BD34
Escrignelles 45.....134 BG39
Escrinet (Col de l') 07.....266 BU72
Escroux 81.....300 BA93
Escueillens 11.....337 BA90
Escurès 64.....314 AI86
Escurolles 03.....210 BK56
Escures-sur-Favières 14.....54 AL24
Ésery 74.....215 CH56
Eslettes 76.....20 AT18
Esley 88.....118 CG33
Eslourenties-Daban 64.....314 AJ88
Esmans 77.....88 BH32
Esmery-Hallon 80.....23 BI17
Esmoulières 70.....119 CJ36
Esmoulins 70.....161 CB42
Esnandes 17.....183 AC55
Esnans 25.....162 CH42
Esnes 59.....14 BK12
Esnes-en-Argonne 55.....43 BY24
Esnoms-au-Val 52.....139 BY39
Esnon 89.....114 BM36
Esnouveaux 52.....117 BZ34
Espagnac 19.....243 AZ66
Espagnac-Sainte-Eulalie 46.....261 AZ74
Espagnols (Pointe des) 29.....75 E30
Espalais 82.....276 AR79
Espalem 43.....246 BK66
Espalion 12.....263 BG74
Espaly-Saint-Marcel 43.....247 BP68
Espanès 31.....318 AW86
Espaon 32.....316 AR87
Esparron 83.....306 CF84
Esparron 31.....316 AQ88
Esparron 05.....269 CF74
Esparron-de-Verdon 04.....307 CG82
Esparron-la-Bâtie 04.....287 CH76
Esparros 65.....333 AM91
Esparsac 82.....297 AS81
Espartignac 19.....224 AX64
Espas 32.....295 AK82
Espaubourg 60.....37 AZ20
Espèche 65.....333 AM90
Espéchède 64.....314 AI87
Espédaillac 46.....260 AY73
Espelette 64.....310 Y87
Espeluche 26.....267 BX74
Espenel 26.....268 CA72
Espérausses 81.....300 BE84
Espéraza 11.....337 BC92
Esperce 31.....317 AX88
Espère 46.....259 AV74
L'Espérou 30.....282 BM79
Espès-Undurein 64.....313 AD88
Espeyrac 12.....262 BE73

Espeyroux 46 ... 261 AZ72
Espezel 11 ... 337 BA93
Espieilh 65 ... 333 AM90
Espiens 47 ... 275 AN78
Espiet 33 ... 256 AI71
Espinas 82 ... 279 AZ78
Espinasse 63 ... 209 BG58
Espinasse 15 ... 245 BI70
Espinasse-Vozelle 03 ... 210 BK57
Espinasses 05 ... 270 CI74
Espinchal 63 ... 227 BH65
Espinouse 04 ... 287 CH79
Espins 14 ... 53 AJ24
Espira-de-Conflent 66 ... 342 BE96
Espira-de-l'Agly 66 ... 338 BH94
Espirat 63 ... 228 BL61
Espiute 64 ... 311 AC87
Esplantas 43 ... 246 BM70
Esplas 09 ... 318 AW89
Esplas-de-Sérou 09 ... 335 AV92
Espoey 64 ... 314 AI88
Espondeilhan 34 ... 321 BK86
Esprels 70 ... 141 CH40
Esquay-Notre-Dame 14 ... 33 AI23
Esquay-sur-Seulles 14 ... 33 AH21
Esquéhéries 02 ... 25 BN14
Esquelbecq 59 ... 3 BD4
Esquennoy 60 ... 22 BC17
Esquerchin 59 ... 8 BI9
Esquerdes 62 ... 7 BC6
Esquibien 29 ... 98 D33
Esquièze-Sère 65 ... 333 AK92
Esquillon (Pointe de l') 06 ... 309 CO85
Esquiule 64 ... 331 AE89
Essalois (Château d') 42 ... 230 BS64
Les Essards 37 ... 151 AN43
Les Essards 17 ... 201 AF60
Les Essards 16 ... 239 AL66
Les Essards-
Taignevaux 39 ... 178 CA47
Essarois 21 ... 138 BV38
Essars 62 ... 8 BF7
Les Essarts 85 ... 166 AC49
Les Essarts 76 ... 36 AT21
Les Essarts 41 ... 131 AR39
Les Essarts 27 ... 56 AT26
Les Essarts-le-Roi 78 ... 57 AZ28
Les Essarts-le-Vicomte 51 ... 60 BM28
Les Essarts-lès-Sézanne 51 ... 60 BM27
Les Essarts-Varimpré 76 ... 21 AX15
Essavilly 39 ... 180 CF49
Essay 61 ... 83 AN29
Essé 35 ... 104 AB36
Esse 16 ... 204 AQ57
Essegney 88 ... 95 CG31
Les Esseintes 33 ... 256 AK73
Essert 90 ... 142 CK39
Essert 89 ... 136 BO40
Essert-Romand 74 ... 198 CK55
Essertaux 80 ... 22 BC16
Essertenne 71 ... 177 BU49
Essertenne-et-Cecey 70 ... 160 CA42
Essertines-
en-Châtelneuf 42 ... 229 BQ62
Essertines-en-Donzy 42 ... 212 BS60
Esserts-Blay 73 ... 234 CJ61
Esserts-Salève 74 ... 215 CH56
Esserval-Combe 39 ... 180 CF48
Esserval-Tartre 39 ... 180 CF48
Essey 21 ... 159 BT44
Essey-et-Maizerais 54 ... 65 CC25
Essey-la-Côte 54 ... 95 CH30
Essey-les-Eaux 52 ... 117 CA35
Essey-lès-Nancy 54 ... 65 CF27
Essey-les-Ponts 52 ... 116 BW35
Essia 39 ... 196 CB51
Essigny-le-Grand 02 ... 24 BK16
Essigny-le-Petit 02 ... 24 BK15
Essises 02 ... 60 BL25
Essômes-sur-Marne 02 ... 60 BK24
Esson 14 ... 53 AI25
Essoyes 10 ... 115 BT35
Essuiles 60 ... 38 BC19
Estables 48 ... 264 BM73
Les Estables 43 ... 247 BR70
Establet 26 ... 268 CB74
Estadens 31 ... 334 AR91
Estagel 66 ... 338 BG94
Estaing 65 ... 332 AI92
Estaing 12 ... 262 BF74
Estaires 59 ... 8 BG6
Estal 46 ... 243 AZ70
Estampes 32 ... 315 AM87
Estampures 65 ... 315 AM87
Estancarbon 31 ... 334 AQ90
Estandeuil 63 ... 228 BL61
Estang 32 ... 294 AJ81
L'Estaque 13 ... 326 CB87
Estarvielle 65 ... 333 AN93
Estavar 66 ... 341 BA97
Esteil 63 ... 228 BL64
Estenc 06 ... 289 CM77
Esténos 31 ... 334 AP92
Estensan 65 ... 333 AM93
Estérençuby 64 ... 330 AA89
Esternay 51 ... 60 BM27
Esterre 65 ... 333 AK92
Estevelles 62 ... 8 BH8
Esteville 76 ... 20 AV18
Estézargues 30 ... 304 BV81
Estialescq 64 ... 313 AF88
Estibeaux 40 ... 293 AD84
Estigarde 40 ... 274 AJ80
Estillac 47 ... 276 AP78
Estipouy 32 ... 295 AN85
Estirac 65 ... 295 AK85
Estissac 10 ... 114 BO33
Estivals 19 ... 242 AW69
Estivareilles 42 ... 229 BQ64
Estivareilles 03 ... 190 BF53
Estivaux 19 ... 242 AW66
Estoher 66 ... 342 BE96
Estos 64 ... 331 AF89
Estoublon 04 ... 288 CI80
Estouches 91 ... 87 BB32
Estourmel 59 ... 14 BK12
Éstouteville-Écalles 76 ... 20 AV18
Estouy 45 ... 111 BD34
Estrablin 38 ... 231 BX63
Estramiac 32 ... 296 AR82
Estrebay 08 ... 26 BR15
Estrébœuf 80 ... 11 AY12
L'Estréchure 30 ... 283 BO79
Estrée 62 ... 6 AZ8
Estrée-Blanche 62 ... 7 BD7
Estrée-Cauchy 62 ... 8 BF9
Estrée-Wamin 62 ... 12 BD10
Estréelles 62 ... 6 AZ8
Estrées 59 ... 14 BI10
Estrées 02 ... 24 BK14
Estrées-Deniécourt 80 ... 23 BG15
Estrées-en-Chaussée 80 ... 23 BI15
Estrées-la-Campagne 14 ... 53 AK24
Estrées-lès-Crécy 80 ... 11 BA11
Estrées-Saint-Denis 60 ... 39 BF20
Estrées-sur-Noye 80 ... 22 BD16
Estrennes 88 ... 94 CE32
Estreux 59 ... 9 BM9
Estrun 59 ... 14 BK11
Estry 14 ... 52 AG25
Esves-le-Moutier 37 ... 170 AS46
Esvres 37 ... 152 AR44
Eswars 59 ... 14 BJ11
Étable 73 ... 233 CH63
Étables 07 ... 249 BW68
Étables-sur-Mer 22 ... 73 R27
Étagnac 16 ... 204 AR59
Étaimpuis 76 ... 20 AU17
Étain 55 ... 44 CB22
Étaing 62 ... 13 BH10
Étainhus 76 ... 18 AO18
Étais 21 ... 137 BS39
Étais-la-Sauvin 89 ... 156 BK41
Étalans 25 ... 162 CH44
Étalante 21 ... 138 BV39
Étalle 08 ... 26 BS15
Étalleville 76 ... 19 AS16
Étalon 80 ... 23 BG16
Étalondes 76 ... 10 AW13
Étampes 91 ... 87 BB31
Étampes-sur-Marne 02 ... 60 BL24
L'Étang-Bertrand 50 ... 29 AA19
L'Étang-la-Ville 78 ... 58 BB26
Étang-sur-Arroux 71 ... 176 BR48
L'Étang-Vergy 21 ... 159 BW45
Les Étangs 57 ... 46 CG22
Étaples 62 ... 6 AY8
Étaule 89 ... 158 BP41
Étaules 21 ... 159 BW42
Étaules 17 ... 200 AC60
Étauliers 33 ... 237 AG66
Étaves-et-Bocquiaux 02 ... 24 BL14
Étavigny 60 ... 39 BH23
Etcharry 64 ... 311 AC87
Etchebar 64 ... 331 AC90
Eteaux 74 ... 215 CH56
Éteignières 08 ... 26 BS15
Eteimbes 68 ... 142 CM38
Étel 56 ... 123 N38
Ételfay 80 ... 23 BF17
L'Etelon 03 ... 190 BF51
Étercy 74 ... 215 CF58
Éternoz 25 ... 180 CF46
Éterpigny 80 ... 23 BH15
Éterpigny 62 ... 13 BH11
Éterville 14 ... 33 AJ23
Étevaux 21 ... 160 BZ43
Eth 59 ... 15 BM10
Étienville 50 ... 31 AB20
Étigny 89 ... 113 BK34
Les Étilleux 28 ... 108 AR33
Étinehem 80 ... 23 BF14
Étiolles 91 ... 88 BE29
Étival 39 ... 196 CD52
Étival-Clairefontaine 88 ... 96 CK31
Étival-lès-le-Mans 72 ... 107 AM36
Étivey 89 ... 137 BQ39
Étobon 70 ... 142 CJ39
Étoges 51 ... 61 BO26
L'Étoile 80 ... 12 BB13
L'Étoile 39 ... 179 CB49
Étoile-Saint-Cyrice 05 ... 286 CD76
Étoile-sur-Rhône 26 ... 267 BX71
Éton 55 ... 44 CB21
Étormay 21 ... 138 BU40
Étouars 24 ... 222 AP62
Étourvy 10 ... 115 BQ36
Étoutteville 76 ... 19 AR17
Étouvans 25 ... 142 CK41
Étouvelles 02 ... 40 BM19
Étouvy 14 ... 52 AF25
Étouy 60 ... 38 BD20
Étrabonne 25 ... 161 CD44
Étrappe 25 ... 142 CJ41
L'Étrat 42 ... 230 BT63
Étray 25 ... 162 CH45
Étraye 55 ... 44 BZ20
Étréaupont 02 ... 25 BO14
Étrechet 36 ... 172 AZ49
Étréchy 91 ... 87 BC30
Étréchy 51 ... 61 BP26
Étréchy 18 ... 155 BG45
Étréham 14 ... 32 AG21
Étreillers 02 ... 24 BJ15
Étréjust 80 ... 11 BA14
Étrelles 35 ... 105 AC34
Étrelles-
et-la-Montbleuse 70 ... 161 CD41
Étrelles-sur-Aube 10 ... 90 BO29
Étrembières 74 ... 197 CH55
Étrépagny 27 ... 37 AX21
Étrepigney 39 ... 161 CC45
Étrépigny 08 ... 26 BU17
Étrépilly 77 ... 59 BH24
Étrépilly 02 ... 60 BK24
Étrepy 51 ... 63 BV27
Étretat 76 ... 18 AN16
Étreux 02 ... 15 BM13
Étreval 54 ... 94 CE30
Étréville 27 ... 35 AQ20
Étrez 01 ... 195 BZ54
Étriac 16 ... 220 AK63
Étriché 49 ... 128 AI39
Étricourt-Manancourt 80 ... 13 BH13
Étrigny 71 ... 195 BW51
Étrochey 21 ... 138 BT37
Étrœungt 59 ... 15 BO13
Étroitefontaine 70 ... 141 CI40
Étroussat 03 ... 192 BK55
Étrun 62 ... 13 BF10
Etsaut 64 ... 331 AF92
Ettendorf 67 ... 68 CP25
Etting 57 ... 67 CM23
Étueffont 90 ... 142 CL38
Étupes 25 ... 142 CL40
Éturqueraye 27 ... 35 AR20
Étusson 79 ... 167 AH46
Étuz 70 ... 161 CE42
Etzling 57 ... 47 CK22
Eu 76 ... 10 AW13
Euffigneix 52 ... 116 BX34
Eugénie-les-Bains 40 ... 294 AH83
Euilly-et-Lombut 08 ... 27 BX17
Eulmont 54 ... 65 CF27
Eup 31 ... 334 AP92
Eurre 26 ... 267 BY71
Eurville-Bienville 52 ... 92 BX29
Eus 66 ... 342 BE95
Euvezin 54 ... 65 CC25
Euville 55 ... 64 CB27
Euvy 51 ... 61 BP28
Euzet 30 ... 284 BS79
Évaillé 72 ... 130 AQ37
Évans 39 ... 161 CD44
Évaux-et-Ménil 88 ... 95 CG31
Évaux-les-Bains 23 ... 208 BE56
Ève 60 ... 59 BF24
Évecquemont 78 ... 57 BA24
Évenos 83 ... 327 CF89
Évergnicourt 02 ... 41 BP20
Everly 77 ... 89 BK30
Évette-Salbert 90 ... 142 CK38
Éveux 69 ... 212 BV60
Évian-les-Bains 74 ... 198 CJ53
Évigny 08 ... 26 BU16
Évillers 25 ... 180 CG46
Évin-Malmaison 62 ... 8 BI9
Évires 74 ... 215 CH57
Évisa 2A ... 346 FC108
Évosges 01 ... 214 CB58
Évran 22 ... 79 X31
Évrange 57 ... 45 CF18
Évrecy 14 ... 33 AI23
Èvres 55 ... 63 BX24
Évreux 27 ... 56 AU24
Évricourt 60 ... 23 BH18
Évriguet 56 ... 102 T34
Évron 53 ... 106 AI34
Évry 91 ... 87 BD29
Évry 89 ... 113 BK33
Évry-Grégy-sur-Yerres 77 ... 59 BF28
Excenevex 74 ... 198 CI53
Excideuil 24 ... 223 AT65
Exermont 08 ... 43 BW21
Exideuil 16 ... 204 AQ59
Exincourt 25 ... 142 CL40
Exireuil 79 ... 185 AJ53
Exmes 61 ... 54 AN27
Exoudun 79 ... 185 AK54
Expiremont 17 ... 220 AI65
Expo Faune Lorraine 88 ... 120 CL34
Eybens 38 ... 251 CE67
Eybouleuf 87 ... 206 AW60
Eyburie 19 ... 224 AX64
Eycheil 09 ... 335 AT92
Eydoche 38 ... 232 CA64
Eygalayes 26 ... 286 CD77
Eygalières 13 ... 305 BY82
Eygaliers 26 ... 286 CA77
Eygliers 05 ... 270 CL72
Eygluy-Escoulin 26 ... 267 BZ71
Eyguians 05 ... 287 CE76
Eyguières 13 ... 305 BY83
Eygurande 19 ... 226 BE62
Eygurande-Gardedeuil 24 ... 239 AL68
Eyharce 64 ... 311 Z88
Eyjeaux 87 ... 205 AV60
Eyliac 24 ... 240 AR67
Eymet 24 ... 257 AN73
Eymeux 26 ... 249 BZ68
Eymouthiers 16 ... 222 AP62
Eymoutiers 87 ... 224 AY61
Eyne 66 ... 341 BB97
Eyne 2600 66 ... 341 BB97
Eynesse 33 ... 257 AL71
Eyragues 13 ... 304 BX82
Eyrans 33 ... 237 AG67
Eyrein 19 ... 225 BA65
Eyrenville 24 ... 258 AP72
Eyres-Moncube 40 ... 293 AF83
Eyrignac (Jardins d') 24 ... 241 AV70
Eyroles 26 ... 268 CA75
Eysines 33 ... 237 AF70
Eysson 25 ... 162 CI44
Eysus 64 ... 331 AF89
Eyvirat 24 ... 222 AQ65
Eywiller 67 ... 67 CM25
Eyzahut 26 ... 267 BY74
Eyzerac 24 ... 223 AS65
Les Eyzies-de-Tayac 24 ... 241 AS70
Eyzin-Pinet 38 ... 231 BY63
Ézanville 95 ... 58 BD24
Èze 06 ... 309 CR82
Ézy-sur-Eure 27 ... 56 AW26

F

Fa 11 ... 337 BC92
Fabas 82 ... 297 AV82
Fabas 31 ... 316 AR88
Fabas 09 ... 335 AT90
Fabras 07 ... 266 BS73
Fabrègues 34 ... 302 BO85
Fabrezan 11 ... 338 BG90
Faches-Thumesnil 59 ... 8 BI7
Fâchin 58 ... 176 BP47
Facture 33 ... 254 AC72
Fades (Viaduc des) 63 ... 209 BG58
Fage (Gouffre de la) 19 ... 242 AW68
La Fage-Montivernoux 48 ... 263 BJ72
La Fage-Saint-Julien 48 ... 264 BK71
Fageole (Col de la) 15 ... 245 BJ68
Le Faget 31 ... 298 AZ85
Faget-Abbatial 32 ... 316 AP86
Fagnières 51 ... 62 BR25
Fagnon 08 ... 26 BT16
Fahy-lès-Autrey 70 ... 160 CA41
Failly 57 ... 45 CF22
Faimbe 25 ... 142 CJ41
Fain-lès-Montbard 21 ... 137 BS40
Fain-lès-Moutiers 21 ... 137 BR40
Fains 27 ... 56 AW25
Fains-la-Folie 28 ... 110 AY33
Fains-les-Sources 55 ... 63 BX27
Faissault 08 ... 26 BS18
Fajac-en-Val 11 ... 338 BE90
Fajac-la-Relenque 11 ... 318 AY88
Fajoles 46 ... 259 AV71
La Fajolle 11 ... 337 BA94
Fajolles 82 ... 277 AS80
La Falaise 78 ... 57 AZ25
Falaise 14 ... 53 AK25
Falaise 08 ... 42 BU20
Falck 57 ... 46 CI21
Faleyras 33 ... 256 AI71
Falga 31 ... 318 AZ86
Le Falgoux 15 ... 244 BF67
Falgueyrat 24 ... 257 AO72
Falicon 06 ... 309 CR82
Falkwiller 68 ... 143 CN38
Fallencourt 76 ... 21 AX15
Fallerans 25 ... 162 CH45
Falleron 85 ... 165 Y47
Falletans 39 ... 161 CB45
Fallières 88 ... 119 CI35
Fallon 70 ... 141 CI40
La Faloise 80 ... 22 BD17
Fals 47 ... 276 AP79
Falvy 80 ... 23 BH15
Famars 59 ... 14 BL10
Famechon 80 ... 22 BB16
Famechon 62 ... 13 BE12
Fameck 57 ... 45 CE21
Familly 14 ... 54 AO25
Fampoux 62 ... 13 BH10
Fanget (Col du) 04 ... 288 CJ76
Fanjeaux 11 ... 319 BA89
Fanlac 24 ... 241 AT68
Le Faou 29 ... 75 G30
Le Faouët 56 ... 100 L34
Le Faouët 22 ... 73 P27
Faramans 38 ... 231 BZ64
Faramans 01 ... 213 BY59
Farbus 62 ... 8 BG9
Farceaux 27 ... 37 AX21
Farcheville (Château de) 91 ... 87 BC31
La Fare-en-Champsaur 05 ... 269 CG72
La Fare-les-Oliviers 13 ... 305 CA85
Farébersviller 57 ... 47 CK22
Fareins 01 ... 213 BW57
Faremoutiers 77 ... 59 BI27
Les Farges 24 ... 241 AU68
Farges 01 ... 197 CE55
Farges-Allichamps 18 ... 173 BD49
Farges-en-Septaine 18 ... 173 BF46
Farges-lès-Chalon 71 ... 177 BW48
Farges-lès-Mâcon 71 ... 195 BW52
Fargniers 02 ... 24 BK17
Fargues 46 ... 277 AU76
Fargues 40 ... 294 AG83
Fargues 33 ... 256 AI74
Fargues-Saint-Hilaire 33 ... 255 AH71
Fargues-sur-Ourbise 47 ... 275 AL77
Farincourt 52 ... 140 CC39
Farinole 2B ... 345 FF103
La Farlède 83 ... 328 CH89
Farnay 42 ... 230 BU63
Faron (Mont) 83 ... 328 CG89
Faronville 45 ... 111 BB33
Farrou 12 ... 279 BA76
Farschviller 57 ... 67 CK23
Fatines 72 ... 108 AO35
Fatouville-Grestain 27 ... 34 AO20
Le Fau 15 ... 244 BF68
Fau-de-Peyre 48 ... 264 BK72
Fauch 81 ... 299 BC82
Faucigny 74 ... 216 CI56
La Faucille (Col de) 01 ... 197 CF53
Faucogney-et-la-Mer 70 ... 141 CI37
Faucompierre 88 ... 119 CJ33
Faucon 84 ... 285 BZ77
Faucon-
de-Barcelonnette 04 ... 270 CL75
Faucon-du-Caire 04 ... 269 CH75
Fauconcourt 88 ... 95 CI31
Faucoucourt 02 ... 40 BL19
Faudoas 82 ... 297 AS82
Le Fauga 31 ... 317 AU87
Faugères 34 ... 301 BK85
Faugères 07 ... 265 BR75
Fauguernon 14 ... 34 AO22
Fauguerolles 47 ... 257 AM75
Fauillet 47 ... 257 AM75
Le Faulq 14 ... 34 AO22
Faulquemont 57 ... 66 CI23
Faulx 54 ... 65 CF26
Faumont 59 ... 8 BI8
Fauquembergues 62 ... 7 BB7
La Faurie 05 ... 269 CE73
Faurilles 24 ... 258 AQ72
Fauroux 82 ... 277 AS77
Faussergues 81 ... 280 BE80
La Faute-sur-Mer 85 ... 183 AB54
Fauverney 21 ... 160 BY44
Fauville 27 ... 56 AU24
Fauville-en-Caux 76 ... 19 AQ17
Faux 24 ... 258 AP71
Faux 08 ... 26 BS18
Faux de Verzy 51 ... 41 BQ23
Faux-Fresnay 51 ... 61 BP28
Faux-la-Montagne 23 ... 225 BA61
Faux-Mazuras 23 ... 206 AY59
Faux-Vésigneul 51 ... 62 BS27
Faux-Villecerf 10 ... 90 BN32
Favalello 2B ... 347 FF107
Favars 19 ... 242 AY66
La Favède 30 ... 283 BQ78
Faveraye-Mâchelles 49 ... 149 AH44
Faverdines 18 ... 190 BE51
Faverelles 45 ... 135 BH40
Faverges 74 ... 216 CI60
Faverges-de-la-Tour 38 ... 232 CC62
Faverney 70 ... 141 CF38
Faverois 90 ... 142 CM40
Faverolles 80 ... 23 BF17
Faverolles 61 ... 53 AJ28
Faverolles 52 ... 117 BY36
Faverolles 36 ... 153 AW45
Faverolles 28 ... 57 AX28
Faverolles 15 ... 245 BJ70
Faverolles 02 ... 40 BJ22
Faverolles-et-Coëmy 51 ... 41 BN22
Faverolles-la-Campagne 27 ... 55 AS24
Faverolles-lès-Lucey 21 ... 138 BW37
Faverolles-les-Mares 27 ... 35 AP23
Faverolles-sur-Cher 41 ... 152 AU43
La Favière 83 ... 329 CK89
La Favière 39 ... 180 CF49
La Favière (Plage de) 83 ... 329 CK89
Favières 80 ... 11 AY11
Favières 77 ... 59 BG27
Favières 54 ... 94 CD30
Favières 28 ... 85 AV30
Favone 2A ... 349 FH112
Favresse 51 ... 62 BU27
Favreuil 62 ... 13 BG12
Favrieux 78 ... 57 AY25
Le Favril 59 ... 15 BN12
Le Favril 28 ... 85 AU30
Le Favril 27 ... 35 AQ22
Fay 80 ... 23 BG15
Fay 72 ... 107 AM35
Le Fay 71 ... 178 CA50
Fay 61 ... 55 AP28
Fay-aux-Loges 45 ... 111 BB36
Fay-de-Bretagne 44 ... 147 Y41
Fay-en-Montagne 39 ... 179 CD49
Fay-le-Clos 26 ... 249 BX66
Fay-les-Étangs 60 ... 37 BA22
Fay-lès-Marcilly 10 ... 90 BM31
Fay-lès-Nemours 77 ... 112 BF33
Le Fay-Saint-Quentin 60 ... 38 BC20
Fay-sur-Lignon 43 ... 248 BS69
Faycelles 46 ... 261 BA74
Faye 41 ... 131 AU38
La Faye 16 ... 203 AM57
La Faye (Pas de) 06 ... 308 CN82
Faye-d'Anjou 49 ... 149 AH43
Faye-la-Vineuse 37 ... 169 AO47
Faye-l'Abbesse 79 ... 167 AI48
Faye-sur-Ardin 79 ... 184 AH53
Le Fayel 60 ... 39 BF20
Fayence 83 ... 308 CM83
Le Fayet 74 ... 216 CL58
Fayet 12 ... 301 BI82
Fayet 02 ... 24 BJ15
Fayet-le-Château 63 ... 228 BL61
Fayet-Ronaye 63 ... 228 BM64
Fayl-Billot 52 ... 140 CB38
Faymont 70 ... 142 CJ39
Faymoreau 85 ... 184 AG51
Fayrac 24 ... 259 AT71
Fays 88 ... 119 CJ33
Fays 52 ... 92 BX30
Fays-la-Chapelle 10 ... 114 BP34
Fayssac 81 ... 299 BA81
Féas 64 ... 331 AE89
Febvin-Palfart 62 ... 7 BD7
Fécamp 76 ... 19 AP16
Féchain 59 ... 14 BJ10
Fêche-l'Église 90 ... 142 CM40
La Féclaz 73 ... 233 CF61
Fécocourt 54 ... 94 CE31
Fédry 70 ... 140 CD39
Fegersheim 67 ... 97 CQ29
Fégréac 44 ... 125 W39
Feigères 74 ... 215 CG56
Feigneux 60 ... 39 BH22
Feignies 59 ... 15 BO10
Feillens 01 ... 195 BW54
Feings 61 ... 84 AQ29
Feings 41 ... 153 AV42
Feins 35 ... 80 Z31
Feins-en-Gâtinais 45 ... 135 BH39
Feissons-sur-Isère 73 ... 234 CJ62
Feissons-sur-Salins 73 ... 234 CK63
Fel 61 ... 54 AM27
Le Fel 12 ... 262 BE73
Felce 2B ... 347 FG107
Feldbach 68 ... 143 CO40
Feldkirch 68 ... 121 CO36
Feliceto 2B ... 346 FC105
Félines 43 ... 247 BO66
Félines 07 ... 231 BW65
Félines-Minervois 34 ... 320 BF88
Félines-
sur-Rimandoule 26 ... 267 BY73
Félines-Termenès 11 ... 338 BF91
Felleries 59 ... 15 BP12
Fellering 68 ... 120 CL36
Felletin 23 ... 207 BB59
Felluns 66 ... 338 BE94
Felon 90 ... 142 CM38
Felzins 46 ... 261 BB73
Fenain 59 ... 9 BK9
Fénay 21 ... 160 BX44
Fendeille 11 ... 319 BA88
Fénery 79 ... 167 AI50
Fénétrange 57 ... 67 CL25
Feneu 49 ... 128 AH40
Féneyrols 82 ... 279 AZ79
Féniers 23 ... 225 BB61
Féniers (Abbaye de) 15 ... 227 BG65
Fenioux 79 ... 184 AH52
Fenioux 17 ... 201 AG59
Fenneviller 54 ... 96 CK29
Fénols 81 ... 299 BA82
Le Fenouiller 85 ... 164 W49
Fenouillet 66 ... 337 BD94
Fenouillet 31 ... 297 AV84
Fenouillet
(Sommet du) 83 ... 328 CH89
Fenouillet-du-Razès 11 ... 337 BA90
Fépin 08 ... 17 BU13
Fer à Cheval
(Cirque du) 74 ... 217 CM56
Ferayola 2B ... 346 FB106
Fercé 44 ... 127 AB37
Fercé-sur-Sarthe 72 ... 129 AL37
Ferdrupt 88 ... 119 CJ36
La Fère 02 ... 24 BK17
Fère (Château de) 02 ... 40 BL22
Fère-Champenoise 51 ... 61 BP27
Fère-en-Tardenois 02 ... 40 BL22
Fèrebrianges 51 ... 61 BO26
La Férée 08 ... 26 BR16
Férel 56 ... 125 T40
Ferfay 62 ... 7 BD8
Féricy 77 ... 88 BG31
Férin 59 ... 14 BI10
Fermanville 50 ... 29 AB16
Ferme de Navarin
(Monument de la) 51 ... 42 BT22
La Fermeté 58 ... 174 BK47
Ferney-Voltaire 01 ... 197 CG54
Fernoël 63 ... 208 BD60
Férolles 45 ... 133 BB38
Férolles-Attilly 77 ... 59 BF28
Féron 59 ... 15 BP13
Ferques 62 ... 2 AZ4
Ferrals-les-Corbières 11 ... 338 BG90
Ferrals-les-Montagnes 34 ... 320 BF87
Ferran 11 ... 337 BB90
Ferrassières 26 ... 286 CC78

Le Ferré 35.....81 AC30
Ferrensac 47.....258 AP73
Ferrère 65.....334 AO92
Les Ferres 06.....309 CP81
Ferreux 10.....90 BM31
La Ferrière 85.....166 AB49
La Ferrière 38.....233 CG65
La Ferrière 31.....131 AR40
La Ferrière 22.....102 S33
La Ferrière-Airoux 86.....186 AO54
La Ferrière-au-Doyen 61.....55 AP28
La Ferrière-au-Doyen 14.....52 AG24
La Ferrière-aux-Étangs 61.....53 AI28
La Ferrière-Béchet 61.....83 AM29
La Ferrière-Bochard 61.....83 AL31
La Ferrière-de-Flée 49.....128 AF38
La Ferrière-Duval 14.....53 AH25
La Ferrière-en-Parthenay 79.....168 AK50
Ferrière-et-Lafolie 52.....92 BX31
La Ferrière-Harang 14.....54 AF24
La Ferrière-la-Grande 59.....15 BP10
La Ferrière-la-Petite 59.....15 BP11
Ferrière-Larçon 37.....215 CF58
Ferrière-sur-Beaulieu 37.....152 AT45
La Ferrière-sur-Risle 27.....55 AR25
Ferrières 81.....300 BE84
Ferrières 80.....22 BC15
Ferrières 74.....215 CG58
Ferrières 65.....332 AH91
Ferrières 60.....22 BE18
Ferrières 54.....95 CG29
Ferrières 50.....81 AE29
Ferrières 17.....183 AE55
Ferrières-en-Bray 76.....21 AY19
Ferrières-en-Brie 77.....59 BF27
Ferrières-en-Gâtinais 45.....112 BG35
Ferrières-Haut-Clocher 27.....55 AQ24
Ferrières-la-Verrerie 61.....54 AO28
Ferrières-le-Lac 25.....163 CL43
Ferrières-les-Bois 25.....161 CD44
Ferrières-lès-Ray 70.....140 CD40
Ferrières-lès-Scey 70.....140 CE39
Ferrières-les-Verreries 34.....302 BO81
Ferrières-Poussarou 34.....320 BH86
Ferrières-Saint-Hilaire 27.....55 AQ24
Ferrières-Saint-Mary 15.....245 BI67
Ferrières-sur-Ariège 09.....336 AX92
Ferrières-sur-Sichon 03.....210 BN58
Ferrussac 43.....246 BL68
Fertans 25.....180 CF46
La Ferté 39.....179 CC47
La Ferté-Alais 91.....87 BD30
La Ferté-Beauharnais 41.....154 AZ41
La Ferté-Bernard 72.....108 AQ33
La Ferté-Chevresis 02.....24 BM16
La Ferté-Frênel 61.....55 AP26
La Ferté-Gaucher 77.....60 BK27
La Ferté-Hauterive 03.....192 BK53
La Ferté-Imbault 41.....154 BA43
La Ferté-Loupière 89.....135 BJ37
La Ferté-Macé 61.....82 AJ29
La Ferté-Milon 02.....38 BI23
La Ferté-Saint-Aubin 45.....133 BA39
La Ferté-Saint-Cyr 41.....132 AY39
La Ferté-Saint-Samson 76.....21 AX18
La Ferté-sous-Jouarre 77.....60 BJ25
La Ferté-sur-Chiers 08.....27 BY18
La Ferté-Vidame 28.....85 AS29
La Ferté-Villeneuil 28.....109 AV36
Fertrève 58.....175 BM47
Fervaches 50.....52 AE24
Fervaques 14.....54 AO24
Fescamps 80.....23 BF17
Fesches-le-Châtel 25.....142 CL40
Fesmy-le-Sart 02.....15 BM13
Fesques 76.....21 AX16
Fessanvilliers-Mattanvilliers 28.....56 AT28
Fessenheim 68.....121 CQ35
Fessenheim-le-Bas 67.....68 CP27
Fessevillers 25.....163 CL43
Les Fessey 70.....141 CI37
Fessy 74.....198 CI54
Festalemps 24.....239 AM66
Festes-et-Saint-André 11.....337 BB92
Festieux 02.....41 BN19
Festigny 89.....157 BM41
Festigny 51.....61 BN24
Festre (Col du) 05.....269 CF72
Festubert 62.....8 BG7
Le Fête 21.....159 BT45
Féternes 74.....198 CJ53
Fétigny 39.....196 CC52
Feucherolles 78.....57 BA26
Feuchy 62.....13 BG10
Feugarolles 47.....275 AN78
Feugères 50.....31 AC22
Feuges 10.....91 BQ31
Feuguerolles 27.....36 AT23
Feuguerolles-sur-Orne 14.....33 AJ23
Feuilla 11.....338 BH92
La Feuillade 24.....241 AV68
Feuillade 16.....221 AO62
La Feuillée 76.....76 J30
La Feuillie 76.....37 AX19
La Feuillie 50.....31 AB22

Feule 25.....163 CK42
Feuquières 60.....21 AZ17
Feuquières-en-Vimeu 80.....11 AX13
Feurs 42.....229 BR61
Feusines 36.....189 BB52
Feux 18.....156 BH44
Fèves 57.....45 CE22
Féy 57.....65 CE24
Fey-en-Haye 54.....65 CD25
Feyt 19.....226 BE61
Feytiat 87.....205 AV60
Feyzin 69.....231 BW61
Fiac 81.....298 AZ83
Ficaja 2B.....347 FG106
Ficajola 2A.....346 FA108
Ficheux 62.....13 BG11
Le Fidelaire 27.....55 AS25
Le Fied 39.....179 CD49
Le Fief-Sauvin 49.....148 AD44
Fieffes 80.....12 BC13
Fiefs 62.....7 BD8
Fiennes 62.....2 AZ4
Fienvillers 80.....12 BC12
Fier (Gorges du) 74.....215 CF58
Fierville-la-Campagne 14.....53 AK24
Fierville-les-Mines 50.....29 AA19
Fierville-les-Parcs 14.....34 AN22
Le Fieu 33.....224 AK68
Fieulaine 02.....24 BL15
Fieux 47.....275 AN79
Figanières 83.....308 CK84
Figareto 2B.....347 FH106
Figari 2A.....351 FF115
Figarol 31.....334 AR90
Figeac 46.....261 BA73
Fignévelle 88.....118 CD35
Fignières 80.....23 BF17
Filain 71.....141 CG40
Filain 02.....40 BM19
Filitosa (Station Préhistorique de) 2A.....348 FD113
Fillé 72.....129 AM37
Fillières 54.....45 CC20
Fillièvres 62.....12 BB10
Fillinges 74.....198 CI55
Fillols 66.....342 BD96
Filstroff 57.....46 CH20
Fiménil 88.....119 CJ33
Findrol 74.....215 CH56
Finestret 66.....342 BE96
Finhan 82.....297 AU81
Finiels (Col de) 48.....265 BO75
Fins 80.....14 BI13
Les Fins 25.....163 CJ45
Fiquefleur-Équainville 27.....34 AO20
Firbeix 24.....223 AS62
Firfol 14.....34 AO23
Firmi 12.....262 BD74
Firminy 42.....230 BS65
Fislis 68.....143 CP40
Fismes 51.....40 BM21
Fitignieu 01.....214 CD58
Fitilieu 38.....232 CC62
Fitou 11.....339 BI92
Fitz-James 60.....38 BD20
Fix-Saint-Geneys 43.....246 BN67
Fixem 57.....45 CF19
Fixin 21.....160 BX44
Flabas 55.....44 BZ21
Flacé-lès-Mâcon 71.....195 BW54
Flacey 28.....109 AV34
Flacey 21.....160 BY42
Flacey-en-Bresse 71.....196 CA51
La Flachère 38.....232 CF64
Flachères 38.....232 CA63
Flacourt 78.....57 AY25
Flacy 89.....114 BM33
Flagey 52.....139 BZ38
Flagey 25.....180 CF46
Flagey-Echézeaux 21.....160 BX45
Flagey-lès-Auxonne 21.....160 CA45
Flagey-Rigney 25.....162 CG41
Flagnac 12.....261 BC73
Flagy 77.....88 BH32
Flagy 71.....194 BU52
Flagy 70.....141 CG38
Flaignes-Havys 08.....26 BS15
Flaine 74.....216 CK57
Flainval 54.....95 CH28
Flamanville 76.....136 AS17
Flamanville 50.....28 Y18
Flamarens 32.....276 AQ80
La Flamengrie 59.....15 BN10
La Flamengrie 02.....15 BO13
Flamets-Frétils 76.....21 AX16
Flammerans 21.....160 CA44
Flammerécourt 52.....92 BX31
Flancourt-Catelon 27.....35 AR21
Flangebouche 25.....162 CI44
Flaran (Abbaye de) 32.....295 AN81
Flassan 84.....286 CD80
Flassans-sur-Issole 83.....328 CI86
Flassigny 55.....44 BZ19
Flastroff 57.....46 CH20
Flat 63.....228 BK63
Flaucourt 80.....23 BH14
Flaugeac 24.....240 AO72
Flaugnac 46.....260 AY77
Flaujac-Gare 46.....260 AY72
Flaujac-Poujols 46.....278 AW76

Flaujagues 33.....257 AL71
Flaumont-Waudrechies 59.....15 BO12
Flaux 30.....284 BU80
Flavacourt 60.....37 AZ21
Flaviac 07.....266 BV72
Flavignac 87.....223 AT61
Flavignerot 21.....159 BW43
Flavigny 51.....61 BP25
Flavigny 18.....173 BG47
Flavigny-le-Grand-et-Beaurain.....24 BM15
Flavigny-sur-Moselle 54.....94 CF29
Flavigny-sur-Ozerain 21.....159 BT41
Flavin 12.....280 BF77
Flavy-le-Martel 02.....24 BJ17
Flavy-le-Meldeux 60.....23 BI17
Flaxieu 01.....214 CD59
Flaxlanden 68.....143 CO38
Flayat 23.....208 BD60
Flayosc 83.....308 CK85
Fléac 16.....221 AL61
Fléac-sur-Seugne 17.....219 AG63
La Flèche 72.....129 AL39
Fléchères (Château de) 01.....212 BV57
Fléchin 62.....7 BC7
Fléchy 60.....22 BC17
Fleckenstein (Château de) 67.....68 CQ23
Flée 72.....130 AP38
Flée 21.....158 BS42
Fleigneux 08.....27 BW16
Fleisheim 57.....67 CM26
Flers 62.....8 BE9
Flers 80.....12 BC10
Le Fleix 24.....239 AM70
Flers 61.....53 AH27
Flers-en-Escrebieux 59.....8 BJ9
Flers-sur-Noye 80.....22 BC16
Flesquières 59.....14 BI12
Flesselles 80.....12 BC12
Flétrange 57.....66 CI23
Flêtre 59.....4 BF5
Fléty 58.....176 BP49
Fleurac 24.....241 AS69
Fleurac 16.....220 AK61
Fleurance 32.....296 AP82
Fleurat 23.....189 AY55
Fleurbaix 62.....8 BG6
Fleuré 86.....186 AP52
Fleuré 61.....54 AL28
Fleurey 25.....163 CK42
Fleurey-lès-Faverney 70.....141 CF38
Fleurey-lès-Lavoncourt 70.....140 CD39
Fleurey-Saint-Loup 70.....119 CG36
Fleurey-sur-Ouche 21.....159 BW43
Fleurie 69.....212 BV56
Fleuriel 03.....191 BJ55
Fleurieu-sur-Saône 69.....213 BW59
Fleurieux-sur-l'Arbresle 69.....212 BV59
Fleurigné 35.....81 AD31
Fleurigny 89.....89 BK32
Fleurines 60.....39 BF22
Fleurville 71.....195 BW53
Fleury-les-Aubrais 45.....111 BA36
Fleury 80.....23 BE31
Fleury 62.....7 BC9
Fleury 60.....37 BA22
Fleury 57.....65 CE24
Fleury 51.....54 AC26
Fleury 50.....51 AC26
Fleury 11.....321 BJ89
Fleury 02.....40 BJ22
Fleury-devant-Douaumont 55.....44 BZ22
Fleury-en-Bière 77.....88 BE31
Fleury-la-Forêt 27.....37 AX20
Fleury-la-Montagne 71.....201 BR56
Fleury-la-Rivière 51.....41 BO23
Fleury-la-Vallée 89.....136 BL37
Fleury-les-Aubrais 45.....111 BA36
Fleury-Mérogis 91.....87 BD29
Fleury-sur-Aire 55.....63 BX24
Fleury-sur-Andelle 27.....36 AW20
Fleury-sur-Loire 58.....174 BK49
Fleury-sur-Orne 14.....33 AJ23
Flévieu 01.....214 CB60
Fléville 08.....43 BW21
Fléville-devant-Nancy 54.....94 CF28
Fléville-Lixières 54.....45 CC21
Flévy 57.....45 CF21
Flexanville 78.....57 AZ26
Flexbourg 67.....97 CO28
Fley 71.....177 BU50
Fleys 89.....136 BO38
Flez-Cuzy 58.....157 BM43
Fligny 08.....26 BR15
Flin 54.....95 CJ29
Flines-lès-Mortagne 59.....9 BL8
Flines-lez-Raches 59.....9 BJ9
Flins-Neuve-Église 78.....57 AX26
Flins-sur-Seine 78.....57 AZ25
Flipou 27.....36 AW21
Flirey 54.....65 CC25
Flixecourt 80.....12 BB13
Flize 08.....27 BU17
La Flocellière 85.....166 AE48
Flocourt 57.....65 CG23
Flocques 76.....10 AW13
Flogny-la-Chapelle 89.....114 BO36
Floing 08.....27 BV16
Floirac 46.....242 AX70

Floirac 33.....237 AG70
Floirac 17.....219 AF63
Florac 48.....282 BN76
Florange 57.....45 CE20
Florémont 88.....95 CG31
Florensac 34.....322 BM81
Florent-en-Argonne 51.....43 BW23
Florentia 39.....196 CA53
Florentin 81.....299 BA81
Florentin-la-Capelle 12.....262 BF73
Floressas 46.....259 AT75
Floringhem 62.....7 BD8
Florimont 90.....142 CM40
Florimont-Gaumier 24.....259 AU72
Flornoy 52.....92 BW30
La Flotte 17.....183 AB55
Flottemanville 50.....29 AB19
Flottemanville-Hague 50.....28 Z17
Floudès 33.....256 AK74
Floure 11.....320 BE89
Flourens 31.....298 AW85
Floursies 59.....15 BO11
Floyon 59.....15 BO13
Flumet 73.....216 CJ59
Fluquières 02.....24 BJ16
Fluy 80.....22 BB15
Foameix 55.....44 CB21
Foce 2A.....351 FE114
Focicchia 2B.....347 FF108
Foëcy 18.....154 BB45
Le Fœil 22.....78 Q30
Foisches 08.....17 BU12
Foissac 30.....284 BS79
Foissac 12.....261 BA74
Foissiat 01.....195 BZ53
Foissy 21.....159 BU45
Foissy-lès-Vézelay 89.....157 BN42
Foissy-sur-Vanne 89.....113 BL33
Foix 09.....336 AX92
Folcarde 31.....318 AY87
Folembray 02.....40 BK19
Folgensbourg 68.....143 CP39
Le Folgoët 29.....71 G27
La Folie 14.....32 AF21
Folies 80.....23 BF16
Folkling 57.....47 CM22
Follainville-Dennemont 78.....57 AY24
Folles 87.....206 AW57
La Folletière (Château de) 27.....56 AW25
La Folletière-Abenon 14.....55 AP25
Folleville 80.....22 BD17
Folleville 27.....35 AP23
Folligny 50.....51 AB26
Folschviller 57.....66 CI23
Fomerey 88.....95 CG33
Fomperron 79.....185 AK52
Fonbeauzard 31.....298 AW84
Foncegrive 21.....139 BY40
Fonches-Fonchette 80.....23 BG16
Foncine-le-Bas 39.....180 CF50
Foncine-le-Haut 39.....180 CF50
Foncquevillers 62.....13 BF12
Fond-de-France 38.....233 CG65
Fondamente 12.....301 BJ81
Fondettes 37.....151 AQ42
Fondremand 70.....162 CF41
Fongalop 24.....259 AS72
Fongrave 47.....275 AO76
Fongueusemare 76.....18 AO17
Fonroque 24.....257 AO72
Fons 46.....261 BA73
Fons 30.....303 BS81
Fons 07.....266 BT73
Fons-sur-Lussan 30.....284 BT78
Fonsommes 02.....24 BK14
Fonsorbes 31.....297 AU85
Font-Romeu-Odeillo-Via 66.....341 BA97
Fontain 25.....162 CF44
Fontaine 90.....143 CM38
Fontaine 38.....250 CD66
Fontaine 10.....116 BU33
Fontaine-au-Bois 59.....15 BM12
Fontaine-au-Pire 59.....14 BK12
Fontaine-Bellenger 27.....36 AV22
Fontaine-Bonneleau 60.....22 BB17
Fontaine-Chaalis 60.....39 BF23
Fontaine-Chalendray 17.....202 AJ58
Fontaine-Couverte 53.....105 AD36
Fontaine-Daniel 53.....81 AN18
Fontaine-de-Vaucluse 84.....305 BZ81
Fontaine-Denis-Nuisy 51.....90 BN29
Fontaine-en-Bray 76.....20 AW17
Fontaine-en-Dormois 51.....42 BU22
Fontaine-Étoupefour 14.....33 AJ23
Fontaine-Fourches 77.....89 BL31
Fontaine-Française 21.....160 CA41
Fontaine-Guérard (Abbaye de) 27.....36 AV21
Fontaine-Guérin 49.....150 AK41
Fontaine-Henry 14.....33 AJ21
Fontaine-Heudebourg 27.....36 AV23
Fontaine-la-Gaillarde 89.....113 BK33
Fontaine-la-Guyon 28.....85 AV30
Fontaine-la-Louvet 27.....35 AP23
Fontaine-la-Mallet 76.....18 AN18
Fontaine-la-Rivière 91.....87 BB32

Fontaine-la-Soret 27.....35 AR23
Fontaine-l'Abbé 27.....35 AR23
Fontaine-Lavaganne 60.....21 BA18
Fontaine-le-Bourg 76.....20 AU18
Fontaine-le-Comte 86.....186 AN52
Fontaine-le-Dun 76.....19 AS15
Fontaine-le-Pin 14.....53 AK25
Fontaine-le-Port 77.....88 BG30
Fontaine-le-Puits 73.....234 CJ63
Fontaine-le-Sec 80.....11 AZ14
Fontaine-les-Bassets 61.....54 AM26
Fontaine-lès-Boulans 62.....7 BC8
Fontaine-lès-Cappy 80.....23 BG15
Fontaine-lès-Clercs 02.....24 BJ16
Fontaine-lès-Clerval 25.....162 CI41
Fontaine-les-Coteaux 41.....131 AR38
Fontaine-lès-Croisilles 62.....13 BH11
Fontaine-lès-Dijon 21.....160 BX43
Fontaine-les-Grès 10.....90 BO31
Fontaine-lès-Hermans 62.....7 BD8
Fontaine-lès-Luxeuil 70.....141 CH37
Fontaine-les-Ribouts 28.....56 AV28
Fontaine-lès-Vervins 02.....25 BO15
Fontaine-l'Étalon 62.....12 BB10
Fontaine-Luyères 10.....91 BO31
Fontaine-Mâcon 10.....89 BL30
Fontaine-Milon 49.....150 AJ41
Fontaine-Notre-Dame 59.....14 BJ12
Fontaine-Notre-Dame 02.....24 BL15
Fontaine-Raoul 41.....109 AU36
Fontaine-Saint-Lucien 60.....38 BB19
La Fontaine-Saint-Martin 72.....129 AM38
Fontaine-Simon 28.....85 AT30
Fontaine-sous-Jouy 27.....56 AV24
Fontaine-sous-Montaiguillon 77.....89 BL29
Fontaine-sous-Montdidier 80.....22 BE17
Fontaine-sous-Préaux 76.....36 AU19
Fontaine-sur-Ay 51.....61 BP24
Fontaine-sur-Coole 51.....62 BS27
Fontaine-sur-Maye 80.....11 BA11
Fontaine-sur-Somme 80.....11 BA13
Fontaine-Uterte 02.....24 BK14
Fontainebleau 77.....88 BF31
Fontainebrux 39.....178 CA50
Fontaines 89.....135 BK39
Fontaines 85.....183 AE53
Fontaines 71.....177 BV48
Fontaines-d'Ozillac 17.....219 AH64
Fontaines-en-Duesmois 21.....138 BT39
Fontaines-en-Sologne 41.....153 AX41
Fontaines-les-Sèches 21.....137 BS38
Fontaines-Saint-Clair 55.....43 BY20
Fontaines-Saint-Martin 69.....213 BW59
Fontaines Salées (Fouilles des) 89.....157 BO42
Fontaines-sur-Marne 52.....92 BX29
Fontaines-sur-Saône 69.....213 BW59
Les Fontainettes 60.....37 BA20
Fontains 77.....89 BI30
Fontan 06.....291 CT79
Fontanes 48.....265 BO71
Fontanes 46.....278 AW77
Fontanès 34.....302 BP82
Fontanes 30.....303 BR82
Fontanès-de-Sault 11.....337 BB94
Fontanes-du-Causse 46.....260 AX73
Fontanges 15.....244 BE68
Fontangy 21.....158 BS43
Fontanières 23.....208 BE57
Fontanil-Cornillon 38.....250 CD66
Fontannes 43.....246 BL66
Fontans 48.....264 BL72
Fontarèches 30.....284 BU79

Fontenay-Saint-Père 78.....57 AY24
Fontenay-sous-Bois 94.....58 BE26
Fontenay-sous-Fouronnes 89.....136 BM40
Fontenay-sur-Conie 28.....110 AY34
Fontenay-sur-Eure 28.....86 AW31
Fontenay-sur-Loing 45.....112 BG35
Fontenay-sur-Mer 50.....29 AC18
Fontenay-sur-Vègre 72.....107 AK36
Fontenay-Torcy 60.....21 AZ18
Fontenay-Trésigny 77.....59 BH28
Fontenelle 90.....142 CL39
Fontenelle 21.....137 AT35
La Fontenelle 41.....109 AT35
La Fontenelle 35.....80 AA30
Fontenelle 21.....160 CA41
Fontenelle 02.....15 BO13
Fontenelle (Château de) 04.....287 CH79
Fontenelle-en-Brie 02.....60 BL25
Fontenelle-Montby 25.....162 CH41
Les Fontenelles 25.....163 CK43
Fontenelles (Abbaye des) 85.....165 Z50
Fontenermont 14.....52 AD26
Fontenet 17.....201 AH56
Fontenille 79.....202 AK54
Fontenille 16.....203 AM59
Fontenilles 31.....297 AR85
Les Fontenis 70.....162 CF41
Fontenois-lès-Montbozon 70.....162 CG41
Fontenotte 25.....162 CH42
Fontenouilles 89.....135 BI37
Fontenoy 89.....135 BK39
Fontenoy 02.....40 BJ20
Fontenoy-la-Joûte 54.....95 CJ30
Fontenoy-le-Château 88.....119 CG35
Fontenoy-sur-Moselle 54.....65 CD30
Fontenu 39.....179 CD50
Fonteny 57.....66 CH25
Fonteny 39.....179 CC47
Fonters-du-Razès 11.....318 AZ88
Fontès 34.....301 BL85
Fontet 33.....256 AK73
Fontette 10.....116 BU35
Fontevraud-l'Abbaye 49.....150 AL45
Fontfreide 63.....227 BI62
Fontfroide (Abbaye de) 11.....338 BH90
Fontgombault 36.....170 AS50
Fontguenand 36.....153 AX44
Fontienne 04.....287 CE79
Fontiers-Cabardès 11.....319 BC91
Fontiès-d'Aude 11.....320 BE89
Fontjoncouse 11.....338 BG91
Fontoy 57.....45 CD20
Fontpédrouse 66.....341 BB97
Fontrabiouse 66.....341 BB95
Fontrailles 65.....315 AN87
Fontvannes 10.....90 BO32
Fontvieille 13.....304 BW83
Forbach 57.....47 CK22
Forca Réal (Ermitage de) 66.....338 BG94
Forcalqueiret 83.....328 CI87
Forcalquier 04.....287 CE80
Forcé 53.....106 AG35
La Force 24.....239 AN70
La Force 11.....319 BC90
Forcelles-Saint-Gorgon 54.....94 CF30
Forcelles-sous-Gugney 54.....94 CE31
Forceville 80.....13 BE13
Forceville-en-Vimeu 80.....11 AZ14
Forcey 52.....117 BZ34
Forciolo 2A.....349 FE112
La Forclaz 74.....198 CL53
Forclaz (Col de la) 74.....215 CH59
Forest-en-Cambrésis 59.....15 BM12
Forest-l'Abbaye 80.....11 AZ12
La Forest-Landerneau 29.....75 G29
Forest-Montiers 80.....11 AY11
Forest-Saint-Julien 05.....269 CH72
Forest-sur-Marque 59.....9 BJ6
Foreste 02.....23 BI16
La Forestière 51.....60 BM28
Forestière (Aven de la) 30.....284 BT76
La Forêt 23.....237 AF70
La Forêt-Auvray 61.....53 AJ26
La Forêt-de-Tessé 16.....203 AL57
La Foret-du-Parc 27.....56 AV25
La Forêt-du-Temple 23.....189 AZ53
La Forêt-Fouesnant 29.....100 I35
Forêt-la-Folie 27.....37 AX22
La Forêt-le-Roi 91.....87 BB30
La Forêt-Sainte-Croix 91.....87 BC31
La Forêt-sur-Sèvre 79.....167 AG43
Forfry 77.....59 BG24
La Forge 88.....119 CJ34
Les Forges 88.....119 CH33
Les Forges 79.....185 AL52
Forges 77.....88 BH31
Forges 61.....83 AM30
Les Forges 56.....102 S34
Forges 49.....150 AJ44
Les Forges 23.....207 BC56
Forgès 19.....243 AZ67
Forges 17.....201 AE56
Les Forges-de-Paimpont 35.....103 V35
Forges-la-Forêt 35.....127 AC37

orges-les-Bains 91.........87 BB29
orges-les-Eaux 76.........21 AX18
orges-sur-Meuse 55.........43 BY21
orgeveille 23.........188 AX54
orgues 31.........317 AS86
La Forie 63.........229 BO62
orléans 21.........158 BR41
ormentin 14.........34 AN22
ormerie 60.........21 AY17
ormigny 14.........32 AF20
ormiguères 66.........341 BB96
ornex 09.........317 AU89
ors 79.........185 AI55
orstfeld 67.........69 CT25
orsuesheim 67.........68 CQ24
orges 31.........317 AS86
Fort-Bloqué 56.........123 L37
Fort-du-Plasne 39.........180 CF50
Fort-Louis 67.........69 CT25
Fort-Mahon-Plage 80.........11 AX10
Fort-Mardyck 59.........3 BD2
Fort-Médoc 33.........237 AF67
Fort-Moville 27.........35 AP21
Fortan 41.........131 AS37
Fortel-en-Artois 62.........12 BC11
La Forteresse 38.........232 CB65
Fortschwihr 68.........121 CP33
Fos 34.........301 BK85
Fos 31.........334 AQ93
Fos-sur-Mer 13.........325 BY86
Le Fossat 09.........317 AV89
Le Fossé 76.........21 AX18
Fossé 66.........338 BE94
Fossé 41.........132 AV40
Fossé 08.........43 BW19
La Fosse (Hameau troglodytique) 49.........150 AJ44
La Fosse Arthour 50.........52 AG28
La Fosse-Corduan 10.........90 BM31
La Fosse-de-Tigné 49.........144 AI44
Fossemagne 24.........241 AS68
Fossemanant 80.........22 BC16
Fosses 95.........38 BC22
Les Fosses 79.........202 AI56
Fossès-et-Baleyssac 33.........257 AL73
La Fossette 83.........329 CK89
Fosseuse 60.........38 BC22
Fosseux 62.........13 BE11
Fossieux 57.........66 CG25
Fossoy 02.........60 BL24
Fou (Gorges de la) 66.........342 BD97
Foucarmont 76.........21 AX15
Foucart 02.........19 AQ18
Foucarville 50.........40 AD19
Foucaucourt-en-Santerre 80.........23 BG15
Foucaucourt-Hors-Nesle 80.........11 AY14
Foucaucourt-sur-Thabas 55.........63 BX24
Fouchécourt 88.........118 CD35
Fouchécourt 70.........140 CE37
Foucherans 39.........160 CA45
Foucherans 25.........162 CG44
Fouchères 89.........113 BJ34
Fouchères 10.........115 BR34
Fouchères-aux-Bois 55.........63 BY28
Foucherolles 45.........113 BI35
Fouchy 67.........96 CN31
Foucrainville 27.........56 AV25
Fouday 67.........96 CN30
Fouencamps 80.........22 BD15
Fouesnant 29.........99 H35
Foufflin-Ricametz 62.........12 BD10
Foug 54.........94 CC28
Fougaron 31.........334 AR91
Fougax-et-Barrineuf 09.........336 AZ93
Fougères 35.........166 AB50
Fougeré 49.........129 AK40
Fougères 85.........81 AD31
Fougères-sur-Bièvre 41.........153 AV42
Les Fougerêts 56.........125 V38
Fougerolles 70.........119 CH36
Fougerolles 36.........189 AZ52
Fougerolles-du-Plessis 53.........81 AE30
Fougueyrolles 24.........239 AM70
La Fouillade 12.........279 BA78
Fouilleuse 60.........38 BE20
La Fouillouse 42.........230 SB63
Fouillouse 05.........269 CG74
Le Fouilloux 17.........238 AJ67
Fouillouze 04.........271 CM73
Fouilloy 80.........22 BE15
Fouilloy 60.........21 AZ16
Fouju 77.........88 BG29
Foulain 52.........117 BY35
Foulangues 60.........38 BD22
Foulayronnes 47.........276 AP77
Foulbec 27.........35 AP20
Foulcrey 57.........96 CK28
Fouleix 24.........240 AQ69
Foulenay 39.........179 CB48
Fouligny 57.........66 CH23
Foulognes 14.........32 AG23
Foulzy 08.........26 BR15
Fouquebrune 16.........221 AM63
Fouquenies 60.........38 BB19
Fouquereuil 62.........8 BF8
Fouquerolles 60.........38 BC19
Fouquescourt 80.........23 BG15
Fouqueure 16.........203 AL59
Fouqueville 27.........36 AT22
Fouquières-lès-Béthune 62.........8 BF8
Fouquières-lès-Lens 62.........8 BH9

Four 38.........231 BZ62
Fouras 17.........200 AC58
Fourbanne 25.........162 CH42
Fourcatier-et-Maison-Neuve 25.........180 CH49
Fourcès 32.........275 AM80
Fourchambault 58.........174 BI47
Fourchaud (Château de) 03.........192 BK53
Fourches 14.........54 AL26
Fourcigny 80.........21 AZ16
Fourdrain 02.........24 BL18
Fourdrinoy 80.........22 BB14
Fourg 25.........161 CD45
Les Fourgs 25.........180 CI48
Fourilles 03.........191 BJ55
Fourmagnac 46.........261 BA73
Fourmetot 27.........35 AQ20
Fourmies 59.........15 BP13
Fournaudin 89.........113 BM34
Fourneaux 73.........252 CL66
Fourneaux 50.........52 AE24
Fourneaux 45.........133 AZ37
Fourneaux 42.........212 BS58
Fourneaux 23.........207 BB58
Fourneaux-le-Val 14.........53 AK26
Fournels 48.........263 BJ71
Fournès 30.........304 BV81
Fournes-Cabardès 11.........319 BD87
Fournes-en-Weppes 59.........8 BH7
Le Fournet 14.........34 AM22
Fournet-Blancheroche 25.........163 CL44
Fournets-Luisans 25.........163 CJ45
Fourneville 14.........34 AN20
Fournival 60.........38 BD19
Fournols 63.........228 BN63
Fournoulès 15.........261 BC73
Fouronnes 89.........136 BM40
Fourques 66.........342 BG96
Fourques 30.........304 BV83
Fourques-sur-Garonne 47.........257 AL73
Fourqueux 78.........58 BB26
Fourquevaux 31.........318 AX86
Fours 58.........175 BN49
Fours 33.........237 AF67
Fours-en-Vexin 27.........37 AX22
Fourtou 11.........337 BD92
Foussais-Payré 85.........184 AG52
Foussemagne 90.........142 CM39
Le Fousseret 31.........317 AS68
Foussignac 16.........220 AK61
Foussignargues 30.........283 BR77
Fouvent-le-Bas 70.........140 CC39
Fouvent-le-Haut 70.........140 CC39
La Foux 83.........329 CL87
La Foux-d'Allos 04.........288 CL76
Fouzilhon 34.........321 BK86
Foville 57.........66 CG25
Fox-Amphoux 83.........307 CH84
La Foye-Monjault 79.........184 AH55
Fozières 34.........301 BL83
Fozzano 2A.........349 FE113
Fragnes 71.........177 BW48
Frahier-et-Chatebier 70.........142 CK39
Fraignot-et-Vesvrotte 21.........138 BW39
Fraillicourt 08.........25 BO17
Fraimbois 54.........95 CI29
Frain 88.........118 CD34
Frais 90.........142 CM39
Frais-Marais 59.........8 BI9
Fraisans 39.........161 CD45
Fraisnes-en-Saintois 54.........94 CE31
Fraisse 24.........239 AN70
Fraisse-Cabardès 11.........319 BC88
Fraissé-des-Corbières 11.........338 BH92
Fraisse-sur-Agout 34.........300 BG85
Fraisses 42.........230 SB65
Fraissines 81.........300 BG81
Fraissinet-de-Fourques 48.........282 BM78
Fraissinet-de-Lozère 48.........283 BO76
Fraize 88.........120 CL33
Fralignes 10.........115 BS34
La Framboisière 28.........85 AT29
Frambouhans 25.........163 CK43
Framecourt 62.........12 BD10
Framerville-Rainecourt 80.........23 BF15
Framicourt 80.........11 AY14
Framont 70.........140 CB40
Frampas 52.........92 BV30
Francalmont 70.........141 CG37
Francaltroff 57.........67 CJ24
Francardo 2B.........347 FE106
Francarville 31.........298 AY85
Francastel 60.........22 BB18
Françay 41.........131 AU40
Francazal 31.........335 AS91
Francescas 47.........275 AN79
Francheleins 01.........213 BW57
Franchesse 03.........191 BI51
Francheval 08.........27 BW16
Franchevelle 70.........141 CI38
Francheville 69.........231 BW61
Francheville 61.........54 AL28
Francheville 54.........65 CD27
Francheville 51.........62 BT26
Francheville 39.........179 CB48
Francheville 27.........159 BW41
Francheville 21.........159 BW41
La Francheville 08.........26 BU16
Francières 80.........11 BA13
Francières 60.........39 BF20

Francillon 36.........171 AX47
Francillon-sur-Roubion 26.........267 BZ73
Francilly-Selency 02.........24 BJ15
Francin 73.........233 CG63
Franclens 74.........215 CE57
Françon 79.........185 AI53
Francon 31.........317 AS88
Franconville 95.........58 BC25
Franconville 54.........95 CH29
Francoulès 46.........260 AW74
Francourt 70.........140 CC39
Francourville 28.........86 AY31
Francs 33.........238 AK69
Francueil 37.........152 AT43
Franey 25.........161 CD43
Frangy 74.........215 CF57
Frangy-en-Bresse 71.........178 CA49
Franken 68.........143 CO39
Franleu 80.........11 AY12
Franois 25.........161 CE44
Franqueville-Saint-Pierre 76.........36 AU20
La Franqui 11.........339 BI92
Frans 01.........213 BW58
Fransart 80.........23 BG16
Fransèches 23.........207 BA58
Fransu 80.........12 BB12
Fransures 80.........22 BC17
Franvillers 80.........22 BE14
Franxault 21.........178 BZ46
Frapelle 88.........96 CM31
Fraquelfing 57.........96 CL28
Fraroz 39.........180 CF49
Frasnay-Reugny 58.........175 BM47
Frasne 25.........180 CG48
Frasne-le-Château 70.........161 CE41
Frasne-les-Meulières 39.........161 CB44
La Frasnée 39.........196 CD51
Le Frasnois 39.........179 CE50
Frasnoy 59.........15 BM10
La Frasse 74.........216 CK56
Frasseto 2A.........349 FE111
Frauenberg 57.........47 CM22
Frausseilles 81.........279 AZ80
Fravaux 10.........116 BU33
Frayssinet 46.........260 AW73
Frayssinet-le-Gélat 46.........259 AT74
Frayssinhes 46.........243 BA70
Frazé 28.........109 AU33
Frebécourt 88.........93 CB31
Frébuans 39.........179 CB50
La Frèche 40.........294 AI81
Fréchède 65.........315 AM87
Fréchencourt 80.........22 BD14
Fréchendets 65.........330 AM90
Le Fréchet 31.........316 AR89
Fréchet-Aure 65.........333 AN92
Le Fréchou 47.........275 AN79
Fréchou-Fréchet 65.........315 AL89
Frécourt 52.........117 CA36
Frédéric-Fontaine 70.........142 CJ39
La Frédière 17.........201 AG59
Frégimont 47.........275 AO77
Frégouville 32.........297 AS85
Fréhel 22.........79 U28
Fréhel (Cap) 22.........79 U27
Freigné 49.........127 AD40
Freissinières 05.........270 CK71
La Freissinouse 05.........269 CG74
Freistroff 57.........46 CH21
Freix-Anglards 15.........244 BB69
Fréjairolles 81.........299 BC81
Fréjeville 81.........299 BB85
Fréjus 83.........329 CM86
Fréjus (Parc zoologique) 83.........308 CM85
Fréjus (Tunnel du) 73.........252 CL66
Fréland 68.........120 CN33
Frelinghien 59.........4 BH5
Frémainville 95.........57 AZ24
Frémécourt 95.........37 BA23
Fréménil 54.........95 CJ29
Frémeréville-sous-les-Côtes 55.........64 CB26
Frémery 57.........66 CH25
Frémestroff 57.........67 CJ23
Frémicourt 62.........13 BH12
Fremifontaine 88.........95 CJ32
Frémontiers 80.........22 BB16
Frémonville 54.........96 CK28
La Frénaye 76.........35 AQ19
Frencq 62.........6 AY7
Frêne (Col du) 73.........233 CG62
Frenelle-la-Grande 88.........94 CF31
Frenelle-la-Petite 88.........94 CE31
Frênes 61.........53 AH27
Freneuse 78.........57 AX24
Freneuse 76.........36 AU21
Freneuse-sur-Risle 27.........35 AR22
Le Freney-d'Oisans 38.........251 CK68
Fréniches 60.........23 BI17
Frénois 88.........118 CF33
Frénois 21.........159 BW41

Frénouse (Musée de la) 53.........105 AF36
Frénouville 14.........33 AK23
Frépillon 95.........58 BC24
La Fresnaie-Fayel 61.........54 AN26
La Fresnais 35.........50 Y28
Fresnay 10.........92 BV32
Fresnay-en-Retz 44.........165 X46
Fresnay-le-Comte 28.........86 AW32
Fresnay-le-Gilmert 28.........86 AW30
Fresnay-le-Long 76.........20 AU17
Fresnay-le-Samson 61.........54 AN26
Fresnay-l'Evêque 28.........110 AZ33
Fresnay-sur-Sarthe 72.........83 AM32
La Fresnaye-au-Sauvage 61.........53 AK27
La Fresnaye-sur-Chédouet 72.........83 AN31
Le Fresne 51.........62 BU25
Le Fresne 27.........56 AT25
Le Fresne-Camilly 14.........33 AI21
Fresne-Cauverville 27.........35 AP22
Fresné-la-Mère 14.........54 AL25
Fresne-l'Archevêque 27.........36 AW21
Fresne-le-Plan 76.........36 AV20
Fresne-Léguillon 60.........37 BA22
Le Fresne-Poret 50.........52 AF27
Fresne-Saint-Mamès 70.........140 CD40
Le Fresne-sur-Loire 44.........148 AE42
Fresneaux-Montchevreuil 60.........37 BA21
Fresnes 94.........58 BD27
Fresnes 89.........137 BP38
Fresnes 41.........153 AW42
Fresnes 21.........138 BT40
Fresnes 02.........24 BK18
Fresnes-au-Mont 55.........63 BX24
Fresnes-en-Saulnois 57.........66 CH26
Fresnes-en-Tardenois 02.........40 BM23
Fresnes-en-Woëvre 55.........64 CB23
Fresnes-lès-Montauban 62.........13 BH10
Fresnes-lès-Reims 51.........41 BQ21
Fresnes-Mazancourt 80.........23 BG15
Fresnes-sur-Apance 52.........118 CD36
Fresnes-sur-Escaut 59.........9 BM9
Fresnes-sur-Marne 77.........59 BG25
Fresnes-Tilloloy 80.........11 AZ14
Fresneville 80.........21 AZ15
Fresney 27.........56 AV25
Fresney-le-Puceux 14.........53 AJ24
Fresney-le-Vieux 14.........53 AJ24
Fresnicourt-le-Dolmen 62.........8 BF9
Fresnières 60.........23 BG18
Fresnois-la-Montagne 54.........46 CB19
Fresnoy 62.........7 BB9
Fresnoy-Andainville 80.........11 AZ14
Fresnoy-au-Val 80.........22 BC16
Fresnoy-en-Bassigny 52.........118 CC35
Fresnoy-en-Chaussée 80.........23 BF16
Fresnoy-en-Gohelle 62.........8 BH9
Fresnoy-en-Thelle 60.........38 BC22
Fresnoy-Folny 76.........20 AW15
Fresnoy-la-Rivière 60.........39 BH21
Fresnoy-le-Château 10.........115 BR33
Fresnoy-le-Grand 02.........24 BK14
Fresnoy-le-Luat 60.........39 BG22
Fresnoy-lès-Roye 80.........23 BG16
Frespech 47.........276 AR77
Fresquiennes 76.........20 AT18
Fressac 30.........283 BP80
Fressain 59.........14 BJ10
Fressancourt 02.........24 BL17
Fresse 70.........142 CK39
Fresse-sur-Moselle 88.........120 CK36
Fresselines 23.........189 AY54
Fressenneville 80.........11 AX13
Fressies 59.........14 BJ11
Fressin 62.........7 BB8
Fressines 79.........185 AI54
Le Frestoy-Vaux 60.........23 BF18
Fresville 50.........29 AC19
Le Fret 29.........75 E30
Fréterive 73.........233 CH62
Frétéval 41.........131 AU37
Fréthun 62.........2 AZ3
Fretigney-et-Velloreille 70.........161 CE41
Frétigny 28.........85 AT31
Fretin 59.........8 BI7
Frétoy 77.........60 BJ28
Frétoy-le-Château 60.........23 BH17
La Frette 71.........178 BX50
La Frette 38.........232 CA64
La Frette-sur-Seine 95.........58 BC25
Frettecuisse 80.........11 AZ14
Frettemeule 80.........11 AY13
Frettemolle 80.........21 AZ16
Fretterans 71.........178 BZ47
Frettes 70.........140 CD39
Le Fréty 08.........26 BR16
Freulleville 76.........20 AV15
Frévent 62.........12 BC10
Fréville 88.........93 CB32
Fréville 76.........19 AS18
Fréville-du-Gâtinais 45.........112 BE35
Frévillers 62.........7 BE9
Frévin-Capelle 62.........8 BF9
Freybouse 57.........67 CJ24
Freycenet-la-Cuche 43.........247 BR70
Freycenet-la-Tour 43.........247 BQ70
Freychenet 09.........336 AY92

Freyming-Merlebach 57.........47 CJ22
Freyssenet 07.........266 BU72
Friaize 28.........85 AU31
Friardel 14.........54 AO24
Friaucourt 80.........11 AX12
Friauville 54.........45 CC22
Fribourg 57.........67 CK26
Fricamps 80.........21 BA15
Frichemesnil 76.........20 AU18
Fricourt 80.........13 BF13
Fridefont 15.........245 BJ70
Friedolsheim 67.........68 CP27
Frières-Faillouël 02.........24 BJ17
Friesen 68.........143 CN39
Friesenheim 67.........97 CQ31
Frignicourt 51.........62 BT28
Le Friolais 25.........163 CK43
Frise 80.........23 BG14
Friville-Escarbotin 80.........11 AX12
Frizon 88.........95 CH32
Froberville 76.........18 AO16
Frocourt 60.........38 BB20
Froeningen 68.........143 CO38
Froeschwiller 67.........68 CQ24
Froges 38.........233 CF65
Frohen-le-Grand 80.........12 BC11
Frohen-le-Petit 80.........12 BC11
Frohmuhl 67.........68 CN24
Froideconche 70.........141 CH37
Froidefontaine 90.........142 CL40
Froidefontaine 39.........180 CG49
Froidestrées 02.........25 BO14
Froideterre 70.........141 CI38
Froidevaux 25.........163 CK43
Froideville 39.........179 CB48
Froidfond 85.........165 Y47
Froidmont-Cohartille 02.........25 BN17
Froidos 55.........63 BX24
Froissy 60.........22 BC18
Frolois 54.........94 CF29
Frôlois 21.........159 BU41
Fromelennes 08.........17 BV12
Fromelles 59.........8 BG7
Fromental 87.........205 AV56
Fromentières 53.........128 AG37
Fromentières 51.........61 BN26
Fromentine 85.........164 V47
Fromentine (Pont de) 85.........164 V47
Fromeréville-les-Vallons 55.........43 BY22
Fromezey 55.........44 CA22
Fromont 77.........112 BE33
Fromy 08.........27 BY18
Froncles-Buxières 52.........93 BY32
Fronsac 33.........238 AI70
Fronsac 31.........334 AP92
Frontenac 46.........261 BA74
Frontenac 33.........256 AJ72
Frontenard 71.........178 BY47
Frontenas 69.........212 BU58
Frontenaud 71.........195 BZ51
Frontenay 39.........179 CC49
Frontenay-Rohan-Rohan 79.........184 AH55
Frontenay-sur-Dive 86.........168 AL48
Frontenex 73.........234 CI61
Frontignan 34.........323 BO86
Frontignan-de-Comminges 31.........334 AP91
Frontignan-Plage 34.........323 BO86
Frontignan-Savès 31.........316 AR87
Fronton 31.........297 AV82
Frontonas 38.........231 BZ61
Fronville 52.........93 BY31
Frossay 44.........146 W43
Frotey-lès-Lure 70.........141 CI39
Frotey-lès-Vesoul 70.........141 CG39
Frouard 54.........65 CF27
Frouville 95.........38 BB23
Frouzins 31.........317 AV86
Froville 54.........95 CG30
Froyelles 80.........11 BA11
Frozes 86.........168 AM50
Frucourt 80.........11 AZ13
Frugères-les-Mines 43.........228 BK65
Fruges 62.........7 BB8
Frugières-le-Pin 43.........246 BM66
Fruncé 28.........85 AV31
Fry 76.........36 AV20
Fuans 25.........163 CJ45
Fublaines 77.........59 BH25
Le Fugeret 04.........288 CL79
Le Fuilet 49.........148 AD43
Fuilla 66.........342 BB96
Fuissé 71.........194 BV55
Fuligny 10.........92 BU32
Fulleren 68.........143 CN39
Fultot 76.........19 AS16
Fulvy 89.........137 BQ38
Fumay 08.........17 BU13
Fumel 47.........259 AS75
Fumichon 14.........34 AO22
Furchhausen 67.........68 CO26
Furdenheim 67.........97 CP28
Fures 38.........232 CB65
Furiani 2B.........345 FG103
Furmeyer 05.........269 CF74
Fussey 21.........159 BW45
Fussy 18.........80 BD45
La Fuste 04.........306 CF82
Fustérouau 32.........295 AK83
Fustignac 31.........317 AS88

Futeau 55.........43 BW23
Futuroscope 86.........169 AO50
Fuveau 13.........327 CD85
Fyé 89.........136 BO38
Fyé 72.........83 AM32

G

Gaas 40.........292 AB84
Gabarnac 33.........256 AJ73
Gabarret 40.........274 AK80
Gabas 64.........332 AG92
Gabaston 64.........314 AI87
Gabat 64.........311 AB87
Gabian 34.........321 BK86
Gabillou 24.........241 AR67
Gabre 09.........335 AV90
Gabriac 48.........283 BO78
Gabriac 12.........263 BG75
Gabrias 48.........264 BL74
Gacé 61.........54 AO27
La Gacilly 56.........125 V37
Gadancourt 95.........57 AZ24
Gadencourt 27.........56 AW25
Gaël 35.........103 V33
Gageac-et-Rouillac 24.........257 AN71
Gages-le-Haut 12.........281 BG76
Gagnac-sur-Cère 46.........243 BA70
Gagnac-sur-Garonne 31.........297 AV83
Gagnières 30.........283 BR77
Gagny 93.........58 BC26
Gahard 35.........80 AA32
Gailhan 30.........303 BQ82
Gaillac 81.........298 AZ81
Gaillac-d'Aveyron 12.........281 BH76
Gaillac-Toulza 31.........318 AW88
Gaillagos 65.........332 AI91
Gaillan-en-Médoc 33.........218 AD65
Gaillard 74.........197 CH55
Gaillardbois-Cressenville 27.........36 AW21
La Gaillarde 76.........19 AS15
Gaillefontaine 76.........21 AY17
Gaillères 40.........274 AK80
Gaillon 27.........36 AV23
Gaillon-sur-Montcient 78.........57 AZ24
Gainneville 76.........34 AO19
Gaja-et-Villedieu 11.........337 BC90
Gaja-la-Selve 11.........318 AZ89
Gajac 33.........256 AJ75
Gajan 30.........303 BS81
Gajan 09.........335 AT91
Gajoubert 87.........204 AR57
Galametz 62.........12 BB10
Galamus (Gorges de) 11.........338 BE93
Galan 65.........315 AN89
Galapian 47.........275 AN77
Galargues 34.........303 BQ83
La Galère 06.........309 CO85
Galéria 2B.........346 FA106
Galey 09.........334 AR92
Galez 65.........315 AN89
Galfingue 68.........143 CN38
Galgan 12.........261 BB75
Galgon 33.........238 AI69
Galiax 32.........295 AK84
Galibier (Col du) 05.........252 CJ68
Galié 31.........334 AP91
Galinagues 11.........337 BA93
Gallardon 28.........86 AY30
Gallargues-le-Montueux 30.........303 BR83
Gallerande (Château de) 72.........129 AL39
Le Gallet 60.........22 BB18
Galluis 78.........57 AZ27
Gamaches 80.........11 AX14
Gamaches-en-Vexin 27.........37 AY22
Gamarde-les-Bains 40.........293 AD83
Gamarthe 64.........311 AA88
Gambais 78.........57 AY27
Gambaiseuil 78.........57 AZ27
Gambsheim 67.........69 CS27
Gan 64.........314 AH88
Ganac 09.........336 AW92
Ganagobie 04.........287 CF79
Ganagobie (Prieuré de) 04.........287 CF80
Gancourt-Saint-Étienne 76.........21 AY18
Gandelain 61.........83 AL30
Gandelu 02.........40 BJ23
Gandrange 57.........45 CE21
Ganges 34.........302 BO81
Gannat 03.........209 BJ57
Gannay-sur-Loire 03.........175 BM50
Les Gannes 63.........226 BE62
Gannes 60.........22 BD18
Gans 33.........256 AJ75
Ganties 31.........334 AQ90
Ganzeville 76.........19 AP16
Gap 05.........269 CH73
Gâprée 61.........84 AO29
Garabit (Viaduc de) 15.........245 BJ69
Garac 31.........297 AT84
Garancières 78.........57 AY27
Garancières-en-Beauce 28.........87 BA31
Garancières-en-Drouais 28.........56 AV28
Garanou 09.........336 AY94

Garat 16....221 AN62
Garcelles-Secqueville 14....33 AK23
Garche 57....45 CF20
Garches 92....58 BC26
Garchizy 58....174 BJ46
Garchy 58....156 BJ44
Gardanne 13....327 CC86
La Garde 83....328 CH89
La Garde 48....246 BK70
La Garde 38....251 CG68
La Garde 04....308 CL81
La Garde-Adhémar 26....285 BW76
La Garde-Freinet 83....329 CK87
La Garde-Guérin 48....265 BP75
Gardefort 18....155 BG44
Gardères 65....314 AJ88
Les Gardes 49....149 AF45
Gardes-le-Pontaroux 16....221 AN63
Gardie 11....337 BC90
Gardonne 24....257 AN71
Gardouch 31....318 AX87
Garein 40....273 AF79
Garencières 27....56 AV25
La Garenne-Colombes 92....58 BC26
Garennes-sur-Eure 27....56 AW26
Garentreville 77....112 BE33
Garéoult 83....328 CH87
La Garette 79....184 AG54
Gargan (Mont) 87....224 AX62
Garganvillar 82....277 AT80
Gargas 31....298 AW83
Gargas 84....305 CB81
Gargenville 78....57 AZ25
Garges-lès-Gonesse 95....58 BD25
Gargilesse-Dampierre 36....188 AX52
Garidech 31....298 AW83
Gariès 82....297 AS82
Garigny 18....174 BH46
Garin 31....334 AO93
Garindein 64....311 AC88
Garlan 29....72 K27
Garlède-Mondebat 64....294 AH85
Garlin 64....294 AH85
Le Garn 30....284 BU77
La Garnache 85....165 X47
Garnat-sur-Engièvre 03....192 BN51
Garnay 28....56 AV28
Garnerans 01....195 BW55
Garnetot 14....54 AM25
La Garonne 83....328 CH90
Garons 30....304 BU82
Garos 64....294 AG85
Garravet 32....316 AR87
Garrebourg 57....68 CN27
Garrevaques 81....319 BA86
Garrey 40....293 AD83
Le Garric 81....279 BB80
Garrigues 81....298 AY84
Garrigues 34....303 BQ82
Garrigues-Sainte-Eulalie 30....284 BT80
Garris 64....311 AB87
Garrosse 40....273 AD80
Gars 06....308 CN81
Gartempe 23....206 AY56
Gas 28....86 AY29
Gaschney 68....120 CM34
Gasny 27....57 AX24
Gasques 82....276 AR78
Gassin 83....329 CL88
Le Gast 14....52 AE26
Gastes 40....272 AB76
Gastines 53....105 AD36
Gastins 77....89 BI29
Gasville-Oisème 28....86 AX30
Gâtelles 28....85 AV30
Gatey 39....178 CA47
Gathemo 50....52 AE27
Gatteville-le-Phare 50....29 AD16
Gattières 06....309 CQ82
Gatuzières 48....282 BM78
Gaubertin 45....111 BD34
La Gaubretière 85....166 AD47
Gauchin-Légal 62....7 BE9
Gauchin-Verloingt 62....7 BD9
Gauchy 02....24 BJ15
Gauciel 27....56 AV24
La Gaudaine 28....85 AS32
La Gaude 06....309 CQ82
Gaudechart 60....21 BA18
Gaudent 65....334 AO91
Gaudiempré 62....13 BE11
Gaudiès 09....318 AY89
Gaudonville 32....296 AR81
Gaudreville-la-Rivière 27....56 AT25
Gaugeac 24....258 AR73
Gaujac 47....257 AL74
Gaujac 32....316 AR86
Gaujac 30....284 BV79
Gaujacq 40....293 AE84
Gaujan 32....316 AQ87
Le-Gault-du-Perche 41....109 AT35
Le Gault-Saint-Denis 28....110 AW33
Le Gault-Soigny 51....60 BM27
Gauré 31....298 AX84
Gauriac 33....237 AG68
Gauriaguet 33....237 AH68
Gaussan 65....316 AO89
Gausson 22....78 R31
Les Gautherets 71....194 BS51

Gauville 80....21 AZ16
Gauville 61....55 AQ26
Gauville-la-Campagne 27....56 AU24
Gavarnie 65....332 AJ94
Gavarnie (Port de) 65....332 AJ94
Gavarret-sur-Aulouste 32....296 AP83
Gavaudun 47....258 AR74
Gavet 38....251 CF68
Gavignano 2B....347 FF106
Gavisse 57....45 CF19
La Gavotte 13....326 CB87
Gavray 50....51 AC25
Gavrelle 62....13 BH10
Gâvres 56....123 M38
Gavrus 14....33 AI23
Gayan 65....315 AK88
Gaye 51....61 BO28
Gayon 64....314 AI86
Gazaupouy 32....275 AO80
Gazave 65....333 AN91
Gazax-et-Baccarisse 32....295 AL84
Gazeran 78....86 AZ29
Gazinet 33....255 AE71
Gazost 65....333 AK91
Geaune 40....294 AH84
Geay 17....167 AA18
Geay 79....201 AF59
Gèdre 65....333 AK93
Gée 49....150 AJ41
Gée-Rivière 32....294 AI83
Geffosses 50....31 AA23
Géfosse-Fontenay 14....32 AE20
Gehée 36....171 AW46
Geishouse 68....120 CM36
Geispitzen 68....143 CP38
Geispolsheim 67....97 CQ29
Geiswasser 68....121 CQ35
Geiswiller 67....68 CP26
Gélacourt 54....95 CJ29
Gélannes 10....90 BN30
Gélaucourt 54....94 CE30
Gellainville 28....86 AX31
Gellenoncourt 54....66 CH27
Gelles 63....209 BG60
Gellin 25....180 CH49
Gelos 64....314 AH88
Gelucourt 57....66 CJ26
Gelvécourt-et-Adompt 88....118 CF33
Gémages 61....84 AQ32
Gemaingoutte 88....96 CM32
Gembrie 65....334 AO91
Gemeaux 21....160 BY41
Gémenos 13....327 CD87
Gémil 31....298 AX83
Gemmelaincourt 88....94 CE32
Gémonval 25....142 CJ40
Gémonville 54....94 CD31
Gémozac 17....214 AF62
Genac 16....203 AL60
Genainville 95....37 AY23
Genas 69....231 BY61
Génat 09....336 AW93
Genay 69....213 BW59
Gençay 86....186 AO54
Gendreville 88....118 CC33
Gendrey 39....161 CC44
Gené 49....128 AF39
Génébrières 82....278 AW80
Genech 59....8 BJ7
Génelard 71....193 BR51
Générac 33....237 AG67
Générac 30....303 BT83
Générargues 30....283 BQ79
Générest 65....334 AO91
Generville 11....318 AZ89
Geneslay 61....82 AI30
Le Genest 53....105 AF34
Genestelle 07....266 BT72
Geneston 44....147 AA45
La Genête 71....195 BX51
La Génétouze 85....165 Z49
La Génétouze 17....238 AK66
Geneuille 25....161 CE43
La Genevraie 61....54 AO28
La Genevraye 77....88 BG32
Geneveuille 70....141 CH39
Genevrey 70....141 CH38
Genevrières 52....140 CB38
La Genevroye 52....92 BX32
Geney 25....142 CJ41
La Geneytouse 87....206 AW60
Génicourt 95....58 BB24
Génicourt-sous-Condé 55....63 BX26
Génicourt-sur-Meuse 55....64 BZ24
Genilac 42....231 BU63
Genillé 37....152 AT45
Genin (Lac) 01....196 CD55
Génis 24....240 AU65
Génissac 33....238 AI70
Génissiat (Barrage de) 01....215 CC57
Génissieux 26....249 BY68
Genlis 21....160 BZ44
Gennes 49....150 AJ43
Gennes 25....162 CF43

Gennes-Ivergny 62....12 BB10
Gennes-sur-Glaize 53....128 AH37
Gennes-sur-Seiche 35....105 AD35
Genneteil 49....129 AM40
Gennetines 03....192 BL51
Genneton 79....167 AA46
Gennevilliers 92....58 BC25
Genod 39....196 CB54
Génois (Pont) 2B....347 FF106
Génois (Pont) 2B....346 FD106
Génolhac 30....283 BQ76
Génos 65....333 AN93
Génos 31....334 AP91
Genouillac 23....189 BA54
Genouillac 16....204 AP59
Genouillé 86....203 AN57
Genouillé 17....201 AF57
Genouilleux 01....213 BW56
Genouilly 71....177 BU50
Genouilly 18....154 AZ45
Genrupt 52....118 CC36
Gensac 82....297 AS81
Gensac 65....315 AK86
Gensac 33....257 AL71
Gensac-de-Boulogne 31....316 AP88
Gensac-la-Pallue 16....220 AJ61
Gensac-sur-Garonne 31....317 AT89
Genté 16....220 AI62
Gentelles 80....22 BE15
Gentilly 94....58 BD27
Gentioux 23....207 BA60
Genvry 60....23 BH18
Georfans 70....141 CI40
Géovreisset 01....196 CC55
Géovreissiat 01....196 CC55
Ger 65....332 AJ90
Ger 64....314 AJ88
Ger 50....52 AG28
Geraise 39....179 CE47
Gérardmer 88....120 CL34
Géraudot 10....91 BR32
Gérauvilliers 55....93 CB29
Gerbaix 73....232 CD62
Gerbamont 88....120 CK35
Gerbécourt 57....66 CH25
Gerbécourt-et-Haplemont 54....94 CF30
Gerbépal 88....120 CL33
Gerberoy 60....37 AZ19
Gerbéviller 54....95 CI29
Gerbier de Jonc (Mont) 07....266 BS71
Gercourt-et-Drillancourt 55....43 BY21
Gercy 02....25 BO15
Gerde 65....333 AL90
Gerderest 64....314 AI86
Gère-Bélesten 64....332 AG91
Gergny 02....25 BO14
Gergovie (Plateau de) 63....227 BJ61
Gergueil 21....159 BW44
Gergy 71....178 BX48
Gerland 21....160 BX45
Germ 65....333 AN93
Germagnat 01....196 CB54
Germagny 71....177 BU50
Germaine 51....41 BP23
Germaine 02....23 BI16
Germainville 28....56 AW27
Germainvilliers 52....117 CB34
Germay 52....93 BZ31
Germéfontaine 25....162 CI43
Germenay 58....157 BM44
Germignac 17....220 AI62
Germigney 70....161 CB42
Germigney 39....179 CC46
Germignonville 28....110 AY34
Germigny 89....114 BO36
Germigny 51....41 BP23
Germigny-des-Prés 45....133 BC37
Germigny-l'Évêque 77....59 BH25
Germigny-l'Exempt 18....174 BH48
Germigny-sous-Coulombs 77....60 BJ24
Germigny-sur-Loire 58....174 BI46
Germinon 51....61 BQ26
Germiny 54....94 CC29
Germisay 52....93 BZ31
Germolles (Château de) 71....177 BV49
Germolles-sur-Grosne 71....194 BU55
Germond-Rouvre 79....185 AI53
Germondans 25....162 CG42
Germont 08....43 BV19
Germonville 54....94 CD30
Germs-sur-l'Oussouet 65....333 AK90
Gernelle 08....27 BV16
Gernicourt 02....41 BO20
Géronce 64....313 AE88
Gerponville 76....19 AQ16
Gerrots 14....34 AM22
Gerstheim 67....97 CQ30
Gertwiller 67....97 CP30
Geruge 39....179 CB50
Gervans 26....249 BW68
Gerville-la-Forêt 50....31 AB21
Géry 55....63 BY27
Gerzat 63....209 BJ60
Gesnes 53....106 AH34

Gesnes-en-Argonne 55....43 BX21
Gesnes-le-Gandelin 72....83 AM32
Gespunsart 08....27 BV15
Gestas 64....313 AD87
Gesté 49....148 AD44
Gestel 56....100 L36
Gestiès 09....336 AW94
Gesvres 53....83 AK31
Gesvres-le-Chapitre 77....59 BH24
Gétigné 44....148 AC45
Les Gets 74....198 CK55
Geu 65....332 AJ91
Geudertheim 67....69 CR26
Géus-d'Arzacq 64....294 AG85
Geüs-d'Oloron 64....313 AE88
Gévezé 35....80 Y32
Gevigney-et-Mercey 70....140 CE37
Gevingey 39....179 CB50
Gevresin 25....180 CF47
Gevrey-Chambertin 21....160 BX44
Gevrolles 21....116 BV36
Gevry 39....178 CA46
Gex 01....197 CF54
Geyssans 26....249 BY67
Gez 65....332 AJ91
Gez-ez-Angles 65....333 AK90
Gézaincourt 80....12 BD17
Gezier-et-Fontenelay 70....161 CE42
Gézoncourt 54....65 CC26
Ghisonaccia 2B....349 FG110
Ghisoni 2B....349 FF109
Ghissignies 59....15 BM11
Ghyvelde 59....3 BE2
Giat 63....208 BE60
Gibeaumeix 54....94 CC29
Gibel 31....318 AX88
Gibercourt 02....24 BK16
Giberville 14....33 AK22
Gibles 71....194 BS54
Gibourne 17....202 AI58
Gibret 40....293 AD83
Le Gicq 17....202 AJ58
Gidy 45....110 AZ36
Giel-Courteilles 61....53 AK27
Gien 45....134 BF39
Gien-sur-Cure 58....158 BQ45
Giens 83....328 CI90
Gières 38....251 CE66
La Giettaz 73....216 CJ59
Giéville 50....52 AE24
Gièvres 41....153 AY44
Giey-sur-Aujon 52....116 BX36
Giez 74....215 CH60
Gif-sur-Yvette 91....58 BB28
Giffaumont-Champaubert 51....92 BV29
Gigean 34....323 BO86
Gignac 84....306 CC81
Gignac 46....242 AW69
Gignac 34....302 BN84
Gignac-la-Nerthe 13....326 CA86
Gignat 63....228 BK64
Gignéville 88....118 CD34
Gigney 88....95 CG32
Gigny 89....137 BR38
Gigny 39....196 CB52
Gigny-Bussy 51....91 BT29
Gigny-sur-Saône 71....178 BX50
Gigondas 84....285 BY78
Gigors 04....269 CH75
Gigors-et-Lozeron 26....267 BZ71
Gigouzac 46....260 AW71
Gijounet 81....300 BF83
Gildwiller 68....143 CN38
Gilette 06....291 CQ81
Gilhac-et-Bruzac 07....249 BW70
Gilhoc-sur-Ormèze 07....248 BV69
Gillancourt 52....116 BW34
Gillaumé 52....93 BZ30
Gilles 28....57 AX26
Gilley 52....140 CB39
Gilley 25....162 CI45
Gillois 39....180 CF49
Gillonnay 38....232 CA64
Gilly-lès-Cîteaux 21....160 BX45
Gilly-sur-Isère 73....234 CI61
Gilly-sur-Loire 71....193 BO52
Gilocourt 60....39 BH21
Gimat 82....297 AS82
Gimbrède 32....276 AQ80
Gimbrett 67....68 CQ27
Gimeaux 63....209 BJ59
Gimécourt 55....64 BZ26
Gimel-les-Cascades 19....243 AZ66
Gimeux 16....220 AI62
La Gimond 42....230 BT63
Gimont 32....296 AR84
Gimouille 58....174 BI47
Ginai 61....54 AN27
Ginals 82....279 AZ78
Ginchy 80....13 BG13
Gincla 11....337 BB93
Gincrey 55....44 CA21
Gindou 46....259 AU73
Ginestas 11....320 BH88
Ginestet 24....239 AO70
Gingsheim 67....68 CP26
Ginoles 11....337 BB93
Ginouillac 46....260 AW72
Gintrac 46....242 AY70

Giocatojo 2B....347 FG106
Gionges 51....61 BP25
Giou-de-Mamou 15....244 BE70
Gioux 23....207 BB60
Gipcy 03....191 BI52
Girac 46....243 AZ70
Girancourt 88....119 CG33
Giraumont 60....39 BG19
Giraumont 54....45 CD22
Girauvoisin 55....64 CB26
Gircourt-lès-Viéville 88....94 CF31
Girecourt-sur-Durbion 88....95 CI32
Girefontaine 70....119 CF36
Giremoutiers 77....59 BI26
Girgols 15....244 BE69
Giriviller 54....95 CH30
Girmont 88....95 CH32
Girmont-Val-d'Ajol 88....119 CI35
Girolles 89....157 BO41
Girolles 45....112 BG35
Giromagny 90....142 CK38
Giron 01....196 CD55
Gironcourt-sur-Vraine 88....94 CD32
Gironde-sur-Dropt 33....256 AJ73
Girondelle 08....26 BS15
Gironville 77....112 BE34
Gironville-et-Neuville 28....86 AW29
Gironville-sous-les-Côtes 55....64 CB26
Gironville-sur-Essonne 91....87 BD32
Le Girouard 85....182 Z51
Giroussens 81....298 AY83
Giroux 36....172 BA46
Girovillers-sous-Montfort 88....94 CE32
Giry 58....157 BL44
Gisay-la-Coudre 27....55 AQ25
Giscaro 32....296 AR84
Giscos 33....274 AJ77
Gisors 27....37 AZ21
Gissac 12....301 BI82
Gissey-le-Vieil 21....159 BT43
Gissey-sous-Flavigny 21....159 BU41
Gissey-sur-Ouche 21....159 BV44
Gisy-les-Nobles 89....113 BJ33
Giuncaggio 2B....347 FG108
Giuncheto 2A....350 FD115
Givardon 18....173 BG49
Givarlais 03....190 BF53
Givenchy-en-Gohelle 62....8 BG9
Givenchy-le-Noble 62....13 BE10
Givenchy-lès-la-Bassée 62....8 BG8
Giverny 27....57 AX24
Giverville 27....35 AQ22
Givet 08....17 BV12
Givonne 08....27 BW16
Givors 69....231 BW62
Givraines 45....111 BD34
Givrand 85....164 W50
Givrauval 55....93 BZ28
Le Givre 85....182 AA52
Givrezac 17....219 AG63
Givron 08....26 BR17
Givry 08....42 BT19
Givry 89....157 BO41
Givry 71....177 BV49
Givry-en-Argonne 51....62 BV25
Givry-lès-Loisy 51....61 BO26
Givrycourt 57....67 CK24
Gizaucourt 51....63 BV24
Gizay 86....186 AO53
Gizeux 37....151 AN42
Gizia 39....196 CA52
Gizy 02....25 BN18
La Glacerie 50....29 AA17
Glacière (Grotte de la) 25....162 CH43
Glageon 59....15 BP13
Glaignes 60....39 BG22
Glainans 25....163 CJ42
Glaine-Montaigut 63....228 BL61
Glaire 08....27 BV16
Le Glaizil 05....269 CG71
Glamondans 25....162 CH43
Gland 89....137 BR38
Gland 02....60 BL24
Glandage 26....268 CD72
Glandon 87....223 AU64
Glandon (Col du) 73....251 CG66
Glanes 46....243 AZ70
Glanges 87....224 AW62
Glannes 51....62 BT28
Glanon 21....178 BY46
Glanville 14....34 AM21
Glatens 82....296 AR81
Glatigny 60....37 BA19
Glatigny 57....46 CG22
Glatigny 50....31 AA21
Glay 25....142 CL41
Gleizé 69....212 BV58
Glénac 56....125 V38
Glénat 15....243 BC70
Glénay 79....168 AJ48
Glénic 23....189 BA55
Glennes 02....41 BN21
Glénouze 86....168 AL47
Glère 25....163 CM42
Glicourt 76....10 AV14
Glisolles 27....56 AT25
Glisy 80....22 BD15
Glomel 22....77 M32
Glonville 54....95 CJ30

Glorianes 66....342 BF96
Glos 14....34 AO23
Glos-la-Ferrière 61....55 AQ26
Glos-sur-Risle 27....35 AR21
Gluges 46....242 AX70
Gluiras 07....266 BU71
Glun 07....249 BW69
Glux-en-Glenne 58....176 BO47
Goas 82....297 AS82
La Godefroy 50....51 AC27
Godenvillers 60....22 BE18
Goderville 76....19 AP17
Godewaersvelde 59....4 BF5
Godisson 61....54 AN28
La Godivelle 63....227 BH65
Godoncourt 88....118 CD35
Goerlingen 67....67 CM26
Goersdorf 67....69 CR24
Goès 64....331 AF89
Goetzenbruck 57....68 CO24
Gœulzin 59....14 BI10
Gogney 54....96 CK28
Gognies-Chaussée 59....15 BO10
La Gohannière 50....51 AC27
Gohier 49....149 AI42
Gohory 28....109 AV34
Goin 57....65 CF24
Goincourt 60....38 BB20
Golancourt 60....23 BI17
Golbey 88....119 CH33
Goldbach 68....120 CM36
Golfe-Juan 06....309 CR89
Golfech 82....276 AR79
Golinhac 12....262 BF73
Golleville 50....29 AB16
Gombergean 41....131 AT40
Gomelange 57....46 CH21
Gomené 22....102 T33
Gomer 64....314 AI88
Gometz-la-Ville 91....58 BB28
Gometz-le-Châtel 91....58 BB28
Gomiécourt 62....13 BG12
Gommecourt 78....57 AX24
Gommecourt 62....13 BF12
Gommegnies 59....15 BN10
Gommenec'h 22....73 P27
Gommersdorf 68....143 CN39
Gommerville 76....18 AO18
Gommerville 28....87 BA32
Gommeville 21....115 BT36
Gomont 08....41 BO19
Gonaincourt 52....117 CB33
Goncelin 38....233 CF65
Goncourt 52....117 CB33
Gond-Pontouvre 16....221 AM61
Gondecourt 59....8 BH7
Gondenans-les-Moulins 25....162 CH41
Gondenans-Montby 25....162 CI41
Gondeville 16....220 AJ61
Gondrecourt-Aix 54....45 CC21
Gondrecourt-le-Château 55....93 CB33
Gondreville 60....39 BH22
Gondreville 54....65 CD27
Gondreville 45....112 BF35
Gondrexange 57....67 CL27
Gondrexon 54....95 CJ28
Gondrin 32....295 AM81
Les Gonds 17....219 AG61
Gonesse 95....58 BC25
Gonez 65....315 AL88
Gonfaron 83....328 CJ87
Gonfreville 50....31 AC21
Gonfreville-Caillot 76....19 AP17
Gonfreville-l'Orcher 76....34 AN19
La Gonfrière 61....55 AP26
Gonnehem 62....7 BE7
Gonnelieu 59....14 BJ13
Gonnetot 76....19 AS16
Gonneville 50....29 AB16
Gonneville-en-Auge 14....33 AK21
Gonneville-la-Mallet 76....18 AN17
Gonneville-sur-Honfleur 14....34 AO20
Gonneville-sur-Mer 14....34 AL21
Gonneville-sur-Scie 76....20 AU16
Gonsans 25....162 CH43
Gontaud-de-Nogaret 47....257 AM75
La Gonterie-Boulouneix 24....222 AP65
Gonvillars 70....142 CJ40
Gonzeville 76....19 AS16
Goos 40....293 AD84
Gorbio 06....291 CS81
Gorcy 54....44 CB18
Gordes 84....305 CA81
Gorenflos 80....12 BB12
Gorges 80....12 BC12
Gorges 50....31 AB21
Gorges 44....148 AA45
La Gorgue 59....8 BF6
Gorhey 88....119 CG33
Gornac 33....256 AJ72
Gorniès 34....302 BN81
Gorre 87....223 AS61
Gorrevod 01....195 BX53
Gorron 53....81 AF31
Gorses 46....261 BA71
Gorze 57....65 CE23
Gosnay 62....7 BE8
Gosné 35....80 AB32
Gosselming 57....67 CL26

Gotein-Libarrenx 64........331 AC89
Gottenhouse 67..............68 CO27
Gottesheim 67.................68 CP26
Gouaix 77........................89 BK30
Goualade 33..................274 AJ76
Gouarec 22.......................77 O32
Gouaux 65.....................333 AN93
Gouaux-de-Larboust 31...334 AO93
Gouaux-de-Luchon 31.....334 AP93
Gouberville 50.................29 AC16
Gouchaupre 76................10 AV14
Goudargues 30..............284 BU78
Goudelancourt-
  lès-Berrieux 02...............41 BO19
Goudelancourt-
  lès-Pierrepont 02...........25 BO17
Goudelin 22......................73 P28
Goudet 43.....................247 BP70
Goudex 31.....................317 AS87
Goudon 65.....................315 AM88
Goudourville 82.............276 AR79
Gouesnach 29..................99 H35
La Gouesnière 35.............50 Y28
Gouesnou 29...................70 E28
Gouex 86.......................187 AQ54
Gouézec 29......................76 I32
Gougenheim 67................68 CP27
Gouhelans 25.................162 CH41
Gouhenans 70...............141 CI39
Gouillons 28....................86 AZ32
Gouise 03......................192 BL53
Goujounac 46................259 AU74
La Goulafrière 27.............55 AP25
Goulaine (Château de) 44..147 AA44
Goulet 61.........................54 AL27
Goulien 29........................98 D33
Goulier 09......................336 AW94

Les Goulles 21................138 BW37
Goulles 19......................243 BB69
Gouloux 58....................158 BQ44
Goult 84.........................305 CA81
Goulven 29.......................71 G27
Goumois 25...................163 CM43
Goupillières 78.................57 AZ26
Goupillières 76.................20 AT18
Goupillières 27.................35 AR23
Goupillières 14...............225 AI24
Gouraincourt 55...............44 CB21
Le Gouray 22....................78 T31
Gourbera 40...................292 AB82
Gourbesville 50................29 AC19
Gourbit 09.....................336 AW93
Gourchelles 60.................21 AZ16
Gourdan-Polignac 31......334 AO90
Gourdièges 15................245 BH70
Gourdon 71....................194 BT51
Gourdon 46....................259 AV72
Gourdon 07....................266 BT72
Gourdon 06....................309 CO82
Gourdon-Murat 19..........225 AZ63
Gourette 64....................332 AH91
Gourfaleur 50...................32 AE23
Gourfouran
  (Gouffre de) 05............270 CK71
Gourgançon 51.................61 BP28
Gourgé 79......................168 AK50
Gourgeon 70..................140 CD38
Gourgue 65....................333 AM90
Gourhel 56.....................103 U35
Gourin 56.........................76 K32
Gourlizon 29....................99 G33
Gournay 79....................202 AK56
Gournay 76......................34 AN19
Gournay 36....................189 AY51

Gournay-en-Bray 76..........37 AY19
Gournay-le-Guérin 27.......55 AR28
Gournay-sur-Aronde 60.....39 BF19
Gournay-sur-Marne 93......58 BE26
Gours 33.......................238 AK69
Les Gours 16..................202 AK58
Gourvieille 11.................318 AY88
Gourville 16....................202 AK60
Gourvillette 17...............202 AJ59
Goury 50...........................28 Y16
Gourzon 52......................92 BX29
Goussaincourt 55..............94 CC30
Goussainville 95...............58 BE24
Goussainville 28................57 AX27
Goussancourt 02...............40 BM23
Gousse 40......................293 AD82
Goussonville 78................57 AZ25
Goustranville 14................34 AL22
La Goutelle 63................209 BG60
Goutevernisse 31............317 AT89
Goutrens 12...................262 BD75
Gouts 82........................277 AS76
Gouts 40........................293 AD82
Gouts-Rossignol 24.........221 AN64
Gouttières 63.................209 BG57
Gouttières 27...................55 AR24
Goutz 32........................296 AQ82
Gouvernes 77...................59 BF26
Gouves 62.........................13 BF10
Gouvieux 60.....................38 BD22
Gouville 27.......................56 AT26
Gouville-sur-Mer 50...........31 AC26
Gouvix 14.........................53 AJ24
Goux 39........................179 CB46
Goux 70.........................163 CJ42

Goux-les-Usiers 25.........180 CH46
Goux-sous-Landet 25.......161 CE45
Gouy 76...........................36 AU21
Gouy 02...........................14 BJ13
Gouy-en-Artois 62............13 BF11
Gouy-en-Ternois 62.........12 BD10
Gouy-les-Groseillers 60....22 BC17
Gouy-l'Hôpital 80..............21 BA15
Gouy-Saint-André 62..........6 BA9
Gouy-Servins 62.................8 BF9
Gouy-sous-Bellonne 62.....14 BI10
Gouzangrez 95.................37 BA23
Gouze 64........................313 AE86
Gouzeaucourt 59...............14 BI13
Gouzens 31....................317 AT89
Gouzon 23......................207 BC56
Gouzougnat 23...............207 BC56
Goven 35........................104 Y35
Goviller 54........................94 CE30
Goxwiller 67......................97 CP30
Goyencourt 80.................23 BG16
Goyrans 31.....................317 AV86
Grabels 34......................302 BP84
Graçay 18.......................154 AZ45
Grâce-Uzel 22.................102 R32
Grâces 22.........................73 O28
Gradignan 33..................255 AF71
Graffigny-Chemin 52........117 CB33
Gragnague 31.................298 AX84
Graignes 50......................32 AD21
Grailhen 65....................333 AN93
Graimbouville 76..............18 AO18
Graincourt-
  lès-Havrincourt 62..........14 BI12
Grainville 27.....................36 AW21
Grainville-la-Teinturière 76...19 AZ20
Grainville-Langannerie 14...53 AK24

Grainville-sur-Odon 14......33 AI23
Grainville-sur-Ry 76..........36 AV19
Grainville-Ymauville 76......19 AP17
Le Grais 61......................53 AJ28
Graissac 12....................263 BG72
Graissessac 34...............301 BJ84
Graix 42.........................230 BU65
Le Grallet 17..................218 AC61
Gramat 46......................260 AY72
Gramazie 11...................337 BB90
Grambois 84...................306 CD82
Grammond 42.................230 BT63
Grammont 70..................141 CI40
Gramond 12....................280 BD77
Gramont 82.....................296 AQ81
Granace 2A.....................351 FE114
Grancey-le-Château 21.....139 BX39
Grancey-sur-Ource 21......116 BU35
Le Grand-Abergement 01...214 CD57
Grand-Auverné 44...........127 AB40
Grand-Ballon 68...............CM36
Grand Bois ou de la République
  (Col du) 42..................230 BU65
Le Grand-Bornand 74......216 CI58
Le Grand-Bourg 23.........206 AX56
Grand-Brassac 24...........239 AO66
Grand-Camp 76.................53 AQ18
Grand-Camp 27................55 AP24
Grand-Castang 24...........240 AQ70
Le Grand-Celland 50.........52 AD28
Grand-Champ 56.............124 Q37
Grand-Charmont 25.........142 CL40
Grand-Châtel 39.............196 CD53
La Grand-Combe 30.........283 BQ78
Grand-Corent 01.............196 CB55
Grand-Couronne 76..........36 AT21

La Grand-Croix 42...........230 BU63
Grand-Failly 54.................44 CA19
Grand-Fayt 59..................15 BN12
Grand Fenestrez 01.........214 CD59
Grand-Fort-Philippe 59........3 BB2
Grand-Fougeray 35.........126 Y38
Grand-Laviers 80...............11 AZ12
Le Grand-Lemps 38.........232 CB64
Le Grand-Lucé 72............130 AP37
Le Grand-Madieu 16........203 AO58
Grand Phare 85...............164 T49
Le Grand Piquey 33.........254 AB72
Le Grand-Pressigny 37.....170 AR48
Grand-Puch
  (Château du) 33...........238 AI70
Le Grand-Quevilly 76........36 AT20
Grand-Rozoy 02................40 BK22
Grand-Rullecourt 62..........13 BE11
Le Grand-Serre 26...........249 BY66
Grand Taureau 25............180 CI47
Grand-Vabre 12...............262 BD73
Le Grand-Valtin 88...........120 CL34
Grand-Verly 02..................24 BM14
Le Grand-Village-
  Plage 17......................200 AB59
Grandcamp-Maisy 14.........32 AG26
Grandchain 27..................55 AR24
Grandchamp 89...............135 BJ38
Grandchamp 78.................57 AX28
Grandchamp 72.................83 AN32
Grandchamp 52...............139 CA38
Grandchamp 08.................26 BS17
Grandchamp-
  des-Fontaines 44..........147 Z42
Grandchamp-
  le-Château 14................34 AM23

GRENOBLE

Alsace-Lorraine (Av.).....DYZ 3
Barnavel (R.).............EFY 5
Bayard (R.).................FY 6
Belgique
  (Av. Albert-1er-de)....EFZ 7

Belgrade (R. de)........EY 9
Bistesi (R.)..............FZ 10
Blanchard (R. P.).......EYZ
Bonne (R. de)..........EZ 12
Brenier (R. C.).........DY 13
Brocherie (R.).........EY 15
Casimir-Périer (R.)....EZ 16
Champollion (R.)......FZ 17

Chenoise (R.).........EFY 18
Clot-Bey (R.)..........EYZ 21
Diables-Bleus (Bd des)...AZ 24
Dr-Girard (Pl.)........FY 26
Driant (Bd Col.)......FZ 27
Dubedout (Pl. H.).....DY 28
Fantin-Latour (R.)....FZ 32
Flandrin (R. J.)......GZ 33

Foch (Bd Mar.).......DEZ
Fourier (R.)..........FZ 34
Grande-Rue...........EY 37
Grenette (Pl.)........EY
Lavalette (R.).........FY 40
La Fayette (R.).......EY 39
L'Herminier (R. Cdt)..FY 41
Lyautey (Bd Mar.)....EZ 42

Montorge (R.).........EY 43
Palanka (R.)..........EY 44
Pasteur (R.)..........FZ 45
Perrière (Q.).........EY 46
Poulat (R. F.)........EY 48
Rivet (Pl. G.)........EZ 53
Rousseau (R. J.-J.)...EY 55
Ste-Claire (Pl.)......EY 57

St-André (Pl.)........EY 56
Servan (R.)..........FY 59
Strasbourg (R. de)...EFZ 62
Très-Cloître (R.)....FY 63
Vicat (R.)...........EZ 66
Victor-Hugo
  (Pl.)..............EZ
Voltaire (R.)........FY 68

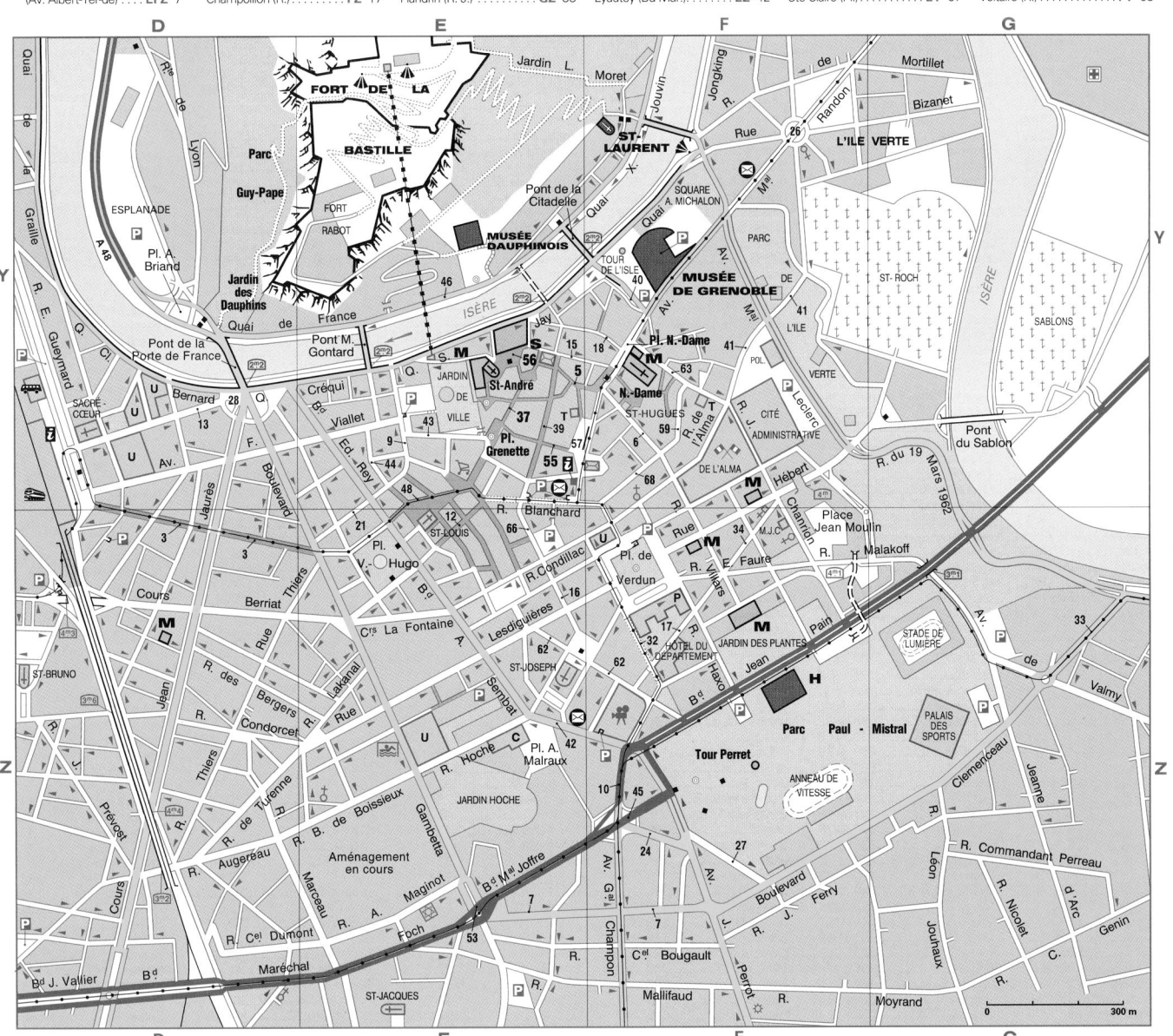

Grand'Combe-
Châteleu 25......181 CJ46
Grand'Combe-
des-Bois 25......163 CL44
Grandcourt 80......13 BF13
Grandcourt 76......11 AX14
Grande Chartreuse
(Couvent de la) 38......233 CE65
La Grande-Fosse 88......96 CM31
La Grande-Motte 34......303 BR85
La Grande-Paroisse 77......88 BH31
La Grande-Résie 70......161 CB43
Grande-Rivière 39......197 CE51
Grande-Synthe 59......3 BC2
La Grande-Verrière 71......176 BQ47
Grandecourt 70......140 CD39
Les Grandes-Armoises 08......27 BV18
Les Grandes-Chapelles 10......90 BP30
Les Grandes-Dalles 76......19 AQ15
Les Grandes-Loges 51......62 BR24
Les Grandes-Rivières 17......183 AD55
Les Grandes-Ventes 76......20 AV16
Grandeyrolles 63......227 BI63
Grandfontaine 67......96 CM29
Grandfontaine 25......161 CE44
Grandfontaine-
sur-Creuse 25......162 CI44
Grandfresnoy 60......39 BF20
Grandham 08......43 BV21
Grandjean 17......201 AG59
Grand'Landes 85......165 Y48
Grandlup-et-Fay 02......25 BN17
Grandmesnil 94......CC28
Grandmesnil 14......54 AM25
Grandouet 14......34 AM23
Grandpré 08......43 BV21
Grandpuits 77......88 BH29
Grandrieu 48......264 BN71
Grandrieux 02......26 BQ16
Grandrif 63......229 BO63
Grandris 69......212 BT57
Grandrû 60......23 BI18
Grandrupt 88......96 CM31
Grandrupt-de-Bains 88......118 CF34
Les Grands-Chézeaux 87......188 AV54
Grandsaigne 19......225 AZ64
Grandval 63......228 BN62
Grandval (Barrage de) 15......245 BJ70
Grandvals 48......263 BI72
Grandvaux 71......194 BS52
Grandvelle-
et-le-Perrenot 70......161 CE41
Grandvillars 90......142 CM40
Grandville 10......91 BR29
La Grandville 08......26 BU16
Grandvillers 88......95 CJ32
Grandvillers-aux-Bois 60......39 BF20
Grandvilliers 60......21 BA17
Grandvilliers 27......56 AT27
Grane 26......267 BX72
Granès 11......337 BC92
La Grange 25......163 CJ43
Grange-de-Vaivre 39......179 CD46
Grange-le-Bocage 89......89 BL32
Grangent (Barrage de) 42......230 BS64
Grangermont 45......111 BD34
Granges 71......177 BV49
Les Granges 10......115 BQ35
Granges 01......196 CB55
Les Granges (Château) 58......156 BI43
Granges-d'Ans 24......241 AT67
Granges-de-Vienney 25......162 CG44
Les Granges-
Gontardes 26......267 BW75
Granges-la-Ville 70......142 CJ40
Granges-le-Bourg 70......142 CJ40
Les Granges-le-Roi 91......86 BA30
Granges-l'Église 25......180 CH47
Granges-
les-Beaumont 26......249 BY68
Granges-lès-Valence 07......249 BX69
Granges-Maillot 25......180 CG46
Granges-Narboz 25......180 CH47
Granges-Sainte-Marie 25......180 CH48
Granges-sur-Aube 51......90 BO29
Granges-sur-Baume 39......179 CC49
Granges-sur-Lot 47......275 AO76
Granges-sur-Vologne 88......120 CK33
Les Grangettes 25......180 CH48
Grangues 14......34 AL21
Granier 73......234 CK62
Granier (Col du) 73......233 CK63
Granieu 38......232 CC62
Granon (Col de) 05......252 CK69
Grans 13......305 BZ84
Granville 50......51 AA26
Granzay-Gript 79......184 AH55
Les Gras 25......181 CJ46
Gras 07......266 BU75
Gras (Plateau des) 07......284 BU76
Grassac 16......214 AO62
Grasse 06......309 CO83
Grassendorf 67......68 CP25
Grateloup-
Saint-Gayrand 47......257 AN75
Gratens 31......317 AT88
Gratentour 31......297 AV83
Gratibus 80......22 BE17
Gratot 50......31 AB23
Gratreuil 51......42 BU22
Grattepanche 80......22 BC16

Le Gratteris 25......162 CG44
Grattery 70......141 CF39
Le Grau-d'Agde 34......322 BM88
Grau de Maury 66......338 BF93
Le Grau-du-Roi 30......303 BR85
Graufthal 67......68 CN25
Les Graulges 24......221 AO63
Graulhet 81......299 BA83
Grauves 51......61 BP25
Graval 76......21 AX16
La Grave 06......291 CR81
La Grave 17......252 CI68
Grave (Pointe de) 33......218 AC62
Gravelines 59......3 BB2
La Gravelle 53......105 AE34
Gravelotte 57......65 CE23
La Graverie 14......52 AF25
Graveron-Sémerville 27......36 AT23
Graves-Saint-Amant 16......220 AK62
Graveson 13......304 BW82
Gravières 07......265 BR75
Gravigny 27......56 AU24
Gravon 77......89 BJ31
Gray 70......161 CB41
Gray-la-Ville 70......161 CB41
Grayan-et-l'Hôpital 33......218 AC64
Graye-et-Charnay 39......196 CB52
Graye-sur-Mer 14......33 AI21
Grayssas 47......276 AR78
Grazac 43......298 AX82
Grazac 43......247 BR67
Grazac 31......318 AW88
Grazay 53......82 AI32
Gréalou 46......241 AZ74
Gréasque 13......327 CD86
Grébault-Mesnil 80......11 AY13
Grécourt 80......23 BH17
Gredisans 39......161 CB45
La Grée-Penvins 56......124 R40
La Grée-Saint-Laurent 56......102 T35
Gréez-sur-Roc 72......108 AK34
Greffeil 11......337 BD90
Grèges 76......10 AU14
Grégy-sur-Yerres 77......59 BF28
Grémecey 57......66 CH26
Grémévillers 60......21 BA18
Gremilly 55......44 CA21
Grémonville 76......19 AS17
Grenade 31......297 AU83
Grenade-sur-l'Adour 40......294 AG82
Grenant 52......139 CA38
Grenant-
lès-Sombernon 21......159 BV44
Grenay 62......8 BG8
Grenay 38......231 BY61
Grendelbruch 67......97 CO29
Greneville-en-Beauce 45......111 BB34
Grenier-Montgon 43......245 BJ66
Gréning 57......67 CK24
Grenoble 38......250 CD66
Grenois 58......157 BM43
Grentheville 14......33 AK23
Grentzingen 68......143 CO39
Greny 76......10 AV14
Gréolières 06......309 CO81
Gréolières-les-Neiges 06......309 CO81
Gréoux-les-Bains 04......306 CF82
Grépiac 31......318 AW87
Grésigny-Sainte-Reine 21......138 BT40
Gresin 73......232 CD62
La Gresle 42......212 BS57
Gresse-en-Vercors 38......250 CC70
Gressey 78......57 AX26
Gresswiller 67......97 CO29
Gressy 77......59 BF25
Grésy-sur-Aix 73......215 CF60
Grésy-sur-Isère 73......233 CH62
Gretz-Armainvilliers 77......59 BG27
Greucourt 70......140 CD40
Greuville 76......19 AS15
Greux 88......93 CB30
La Grève-sur-Mignon 17......184 AF55
Les Grèves 22......78 S29
Gréville-Hague 50......28 Z16
Grévillers 62......13 BG12
Grevilly 71......195 BW52
Le Grez 72......107 AK33
Grez 60......21 BA17
Grez-en-Bouère 53......128 AH37
Grez-Neuville 49......128 AG40
Grez-sur-Loing 77......88 BF32
Grézac 17......219 AG62
Grézels 46......259 AT75
Grèzes 48......264 BL74
Grèzes 46......261 AZ73
Grèzes 43......246 BM70
Grèzes 24......241 AV68
Grézet-Cavagnac 47......275 AL76
Grézian 65......333 AM93
Grézieu-la-Varenne 69......212 BU60
Grézieu-le-Marché 69......230 BT62
Grézieux-le-Fromental 42......229 BR62
Grézillac 33......256 AJ71
Grézillé 49......149 AI43
Grézolles 42......211 BP59
Gricourt 02......24 BJ15
Grièges 01......195 BW55
Griesbach 67......68 CQ24

Griesbach-au-Val 68......120 CN34
Griesbach-le-Bastberg 67......68 CO25
Griesheim-
près-Molsheim 67......97 CP29
Griesheim-sur-Souffel 67......68 CQ27
Grignan 26......267 BX75
Grigneuseville 76......20 AU17
Grignols 33......274 AK76
Grignols 24......240 AP68
Grignon 73......234 CI61
Grignon 21......137 BS40
Grignoncourt 88......118 CD36
Grigny 91......58 BD28
Grigny 69......231 BW62
Grigny 62......7 BB9
La Grigonnais 44......126 Z40
Grillemont
(Château de) 37......170 AR46
Grillon 84......267 BX75
Grilly 01......197 CG54
Grimaucourt-
en-Woëvre 55......44 CA22
Grimaucourt-
près-Sampigny 55......64 CA26
Grimaud 83......329 CL87
La Grimaudière 86......168 AL49
Grimault 89......137 BP39
Grimbosq 14......33 AI22
Grimesnil 50......51 AC24
Grimone (Col de) 26......268 CD72
Grimonviller 54......94 CE31
Grincourt-lès-Pas 62......13 BE12
Grindorff-Bizing 57......46 CH19
Gripp 65......333 AL92
La Gripperie-
Saint-Symphorien 17......200 AD60
Gripport 54......95 CG30
Gris-Nez (Cap) 62......2 AX4
Griscourt 54......65 CE26
Griselles 45......112 BG35
Griselles 21......137 BS37
Grisolles 82......297 AU82
Grisolles 02......40 BK23
Grisy 14......54 AL24
Grisy-les-Plâtres 95......38 BB23
Grisy-Suisnes 77......59 BF28
Grisy-sur-Seine 77......89 BK31
La Grive 38......231 BZ62
Grives 24......259 AT72
Grivesnes 80......22 BE17
Grivillers 80......23 BH17
Grivy-Loisy 08......42 BT20
Groffliers 62......6 AY9
La Groise 59......15 BM13
Groises 18......155 BG44
Groissiat 01......196 CC55
Groisy 74......215 CG57
Groix 56......123 L38
Groléjac 24......259 AV71
Gron 89......113 BK34
Gron 18......155 BG45
Gronard 02......25 BO16
Le Gros Cerveau 83......327 CF89
Gros-Chastang 19......243 BA67
Gros-Réderching 57......67 CM23
Le Gros-Theil 27......35 AS22
Grosbliederstroff 57......47 CL22
Grosbois (Château de) 94......58 BE28
Grosbois-en-Montagne 21......159 BU43
Grosbois-lès-Tichey 21......178 BZ46
Grosbreuil 85......182 Y51
Les Groseillers 79......185 AI51
Groslay 95......58 BD25
Groslée 01......232 CC61
Grosley-sur-Risle 27......55 AS22
Grosmagny 90......142 CL38
Grosne 90......142 CM39
Grospierres 07......284 BS76
Grosrouvre 78......57 AY27
Grosrouvres 54......65 CC26
Grossa 2A......350 FD114
Grosseto-Prugna 2A......348 FD112
Grossœuvre 27......56 AU25
Grossœuvre 18......174 BH48
Grostenquin 57......67 CJ24
Grosville 50......28 Z18
Le Grouanec 29......70 F27
Grouches-Luchuel 80......12 BD11
Grougis 02......24 BJ14
Grouin (Pointe du) 35......50 Y27
La Groulais
(Château de) 44......147 Y41
La Groutte 18......173 BE50
Grozon 39......179 CC49
Gruchet-le-Valasse 76......19 AP18
Gruchet-Saint-Siméon 76......19 AS15
Grues 85......183 AB53
Gruey-lès-Surance 88......118 CF35
Gruffy 74......215 CG60
Grugé-l'Hôpital 49......127 AD38
Grugies 02......24 BJ16
Grugny 76......20 AU18
Gruissan 11......339 BJ90
Gruissan-Plage 11......339 BJ90
Grun-Bordas 24......240 AP68
Grundviller 57......67 CL23
Gruny 80......23 BG16
Grury 71......176 BP50

Gruson 59......9 BJ7
Grusse 39......196 CB51
Grussenheim 68......121 CP33
Grust 65......332 AJ92
Gruyères 08......26 BT16
Le Gua 38......250 CD68
Le Gua 17......200 AD60
Guagno 2A......348 FD109
Guagno-les-Bains 2A......348 FC109
Guainville 28......57 AX25
Guarbecque 62......7 BE7
Guargualé 2A......348 FD112
Guchan 65......333 AM93
Guchen 65......333 AM93
Gudas 09......336 AX91
Gudmont 52......93 BY32
Gué-d'Alleré 17......183 AE55
Le Gué-de-la-Chaîne 61......84 AP31
Le Gué-de-Longroi 28......86 AY30
Le Gué-de-Velluire 85......183 AE53
Gué-d'Hossus 08......26 BT14
Le Gué-du-Loir 41......131 AS38
Le Gué-Lian 72......107 AM33
Guebenhouse 57......67 CK23
Gueberschwihr 68......121 CO34
Guébestroff 57......67 CJ26
Guéblange-lès-Dieuze 57......67 CJ26
Guébling 57......67 CJ25
Guebwiller 68......120 CN36
Guécélard 72......129 AM37
Le Guédéniau 49......150 AL41
Guégon 56......102 S35
Guéhébert 50......51 AC24
Guéhenno 56......102 S36
Gueltas 56......102 R33
Guémappe 62......13 BH11
Guémar 68......97 CO32
Guémené-Penfao 44......126 X39
Guémené-sur-Scorff 56......101 N33
Guémicourt 80......21 AY16
Guemps 62......2 BA3
Guénange 57......45 CF21
Guengat 29......99 G33
Guénin 56......101 P35
Guénouvry 44......126 Y39
Guenroc 22......79 W31
Guenrouet 44......125 W40
Guentrange 57......45 CF22
Guenville 57......47 CJ22
Guêprei 61......54 AM26
Guer 56......103 V36
Guérande 44......145 T42
Guérard 77......59 BH27
Guéret 23......207 AZ56
Guerfand 71......178 BX49
Guérigny 58......174 BJ46
Guérin 47......257 AL75
La Guérinière 85......164 U46
Guerlesquin 29......72 J29
Guermange 57......67 CK26
Guermantes 77......59 BF26
Guern 56......101 O34
Guernanville 27......56 AT24
Guernes 78......57 AY24
Le Guerno 56......125 T39
Guerny 27......37 AY22
Guéron 14......33 AH21
La Guéroulde 27......55 AS27
Guerpont 55......63 BY27
Guerquesalles 61......54 AN25
Les Guerreaux 71......193 BP52
Guerstling 57......46 CI20
Guerting 57......46 CI22
Guerville 78......57 AY25
Guerville 76......11 AX14
Guéry (Col de) 63......227 BH62
Gueschart 80......11 BA11
Guesnain 59......8 BJ9
Guesnes 86......168 AM47
Guessling-Hémering 57......66 CI23
Guéthary 64......310 X86
Le Guétin 18......174 BI47
Gueudecourt 80......13 BG13
Gueugnon 71......193 BQ51
Gueures 76......20 AT15
Gueutteville 76......20 AT17
Gueutteville-les-Grès 76......19 AR15
Gueux 51......41 BO22
Guevenatten 68......142 CM38
Guewenheim 68......142 CM37
Gueynard 33......237 AH68
Gueytes-et-Labastide 11......337 BA91
Gueyze 47......275 AL79
Gugnécourt 88......95 CJ32
Gugney 54......94 CE31
Gugney-aux-Aulx 88......94 CG32
Guibeville 91......87 BC29
Guiche 64......292 AA85
La Guiche 71......194 BT52
Guichen 35......103 W35

Guichen 35......104 Y35
Guiclan 29......71 I28
Guidel 09......100 L36
Guidon du Bouquet 30......284 BS78
La Guierche 72......107 AN34
Guignecourt 60......38 BB19
Guignemicourt 80......22 BC15
Guignen 35......103 X36
Guignes 77......88 BG29
Guigneville 45......111 BC33
Guigneville-sur-Essonne 91......87 BD30
Guignicourt 02......41 BP20
Guignicourt-sur-Vence 08......26 BT17
La Guignière 37......151 AQ42
Guignonville 45......111 BB34
Guigny 62......11 BA10
Guillac 33......256 AJ71
Guillac 56......102 T36
Guillaucourt 80......23 BF15
Guillaumes 06......289 CN78
La Guillermie 03......210 BN58
Guillerval 91......87 BB32
Guillestre 05......270 CL72
Guilleville 28......110 AZ33
Guilliers 56......102 T34
Guilligomarc'h 29......101 M35
Guillon 89......158 BQ41
Guillon-les-Bains 25......162 CH42
Guillonville 28......110 AY35
Guillos 33......255 AG74
Guilly 45......133 BC38
Guilly 36......171 AY46
Guilmécourt 76......10 AV14
Guilvinec 29......99 F36
Guimaëc 29......72 K27
Guimiliau 29......71 I28
Guimps 16......220 AJ64
Guinarthe-Parenties 64......311 AC86
Guincourt 08......26 BT18
Guindrecourt-
aux-Ormes 52......92 BX30
Guindrecourt-sur-Blaise 52......92 BW32
Guinecourt 62......12 BC10
Guînes 62......2 AZ4
Guingamp 22......73 O28
Guinglange 57......66 CH23
Guinkirchen 57......46 CH21
Guinzeling 57......67 CK25
Guipavas 29......75 F29
Guipel 35......103 Z32
Guipronvel 29......70 E28
Guipry 35......126 X37
Guipy 58......157 BM44
Guirlange 57......46 CH21
Guiry-en-Vexin 95......37 AZ23
Guiscard 60......23 BI17
Guiscriff 56......100 K33
Guise 02......24 BK15
Guiseniers 27......37 AX22
Le Guislain 50......52 AD24
Guissény 29......70 F27
Guisy 62......6 BA9
Guitalens 81......299 BA83
Guitera-les-Bains 2A......349 FE111
Guitinières 17......219 AG64
Guitrancourt 78......57 AZ24
Guîtres 33......238 AJ68
Guitry 27......37 AX22
Guitté 22......103 W32
Guivry 02......23 BI17
Guizancourt 80......21 BA16
Guizengeard 16......220 AK65
Guizerix 65......315 AN88
Gujan-Mestras 33......254 AC72
Gumbrechtshoffen 67......68 CO24
Gumery 10......89 BL31
Gumiane 26......268 CA74
Gumières 42......229 BO63
Gumond 19......243 BA67
Gundershoffen 67......68 CO24
Gundolsheim 68......121 CO35
Gungwiller 67......67 CM25
Gunsbach 68......120 CN34
Gunstett 67......69 CR24
Guntzviller 57......67 CM24
Guny 02......40 BJ19
Guran 31......334 AP92
Gurat 16......221 AN64
Gurcy-le-Châtel 77......89 BI30
Gurgy 89......136 BM37
Gurgy-la-Ville 21......138 BW37
Gurgy-le-Château 21......138 BW37
Gurmençon 64......313 AE88
Gurs 64......313 AE88
Gurunhuel 22......72 N28
Gussainville 55......44 CB22
Gussignies 59......15 BN10
Guyancourt 78......58 BB27
Guyans-Durnes 25......162 CG45
Guyans-Vennes 25......163 CJ44
Guyencourt 02......41 BO20
Guyencourt-Saulcourt 80......14 BI13
Guyencourt-sur-Noye 80......22 BD16
La Guyonnière 85......166 AB47

Guyonvelle 52......140 CC37
Guzargues 34......303 BO83
Guzet-Neige 09......335 AU94
Gy 70......161 CD42
Gy-en-Sologne 41......153 AX43
Gy-les-Nonains 45......112 BH36
Gy-l'Évêque 89......136 BM39
Gye 54......94 CD28
Gyé-sur-Seine 10......115 BS35

H

Habarcq 62......13 BF11
Habas 40......293 AC84
Habère-Lullin 74......198 CJ54
Habère-Poche 74......198 CJ54
L'Habit 27......56 AW26
L'Habitarelle 48......264 BN73
L'Habitarelle 48......265 BP75
Hablainville 54......95 CJ29
Habloville 61......53 AK27
Habonville 54......45 CD22
Haboudange 57......66 CI25
Habsheim 68......143 CP37
Hachan 65......315 AN88
Hâcourt 52......117 CB33
Hacqueville 27......37 AX21
Hadancourt-
le-Haut-Clocher 60......37 AZ23
Hadigny-les-Verrières 88......95 CH31
Hadol 88......119 CI34
Hadonville-
lès-Lachaussée 55......65 CC23
Haegen 67......68 CO27
Hagécourt 88......94 CF32
Hagedet 65......295 AK85
Hagen 57......45 CF18
Hagenbach 68......143 CN38
Hagenthal-le-Bas 68......143 CP40
Hagenthal-le-Haut 68......143 CP40
Haget 32......315 AL86
Hagetaubin 64......293 AF85
Hagetmau 40......293 AF84
Hagéville 54......65 CD24
Hagnéville-et-Roncourt 88......94 CC32
Hagnicourt 08......26 BT18
Hagondange 57......45 CF21
La Hague
(Usine atomique de) 50......28 Y16
Haguenau 67......69 CR25
La Haie-Fouassière 44......147 AA44
La Haie-Longue 49......149 AG43
La Haie-Traversaine 53......82 AH31
Les Haies 69......231 BW63
Haigneville 54......95 CG30
Haillainville 88......95 CH31
Le Haillan 33......237 AF70
Hailles 80......22 BD16
Haillicourt 62......7 BE8
Haimps 17......202 AJ59
Haims 86......187 AS52
Hainvillers 60......23 BF18
Haironville 55......63 BX28
Haisnes 62......8 BG8
Haleine 61......82 AI30
Halinghen 62......6 AY7
Hallencourt 80......21 BA16
Hallennes-lez-Haubourdin 59......8 BH7
Hallering 57......46 CI22
Les Halles 69......230 BT61
Halles-sous-les-Côtes 55......43 BX19
Hallignicourt 52......63 BV28
Hallines 62......7 BC6
Halling-lès-Boulay 57......46 CH22
Hallivillers 80......22 BC17
La Hallotière 76......36 AW19
Halloville 54......96 CK29
Halloy 62......12 BD12
Halloy 60......21 BA17
Halloy-lès-Pernois 80......12 BC13
Hallu 80......23 BG16
Halluin 59......4 BI5
Halsou 64......310 Y86
Halstroff 57......46 CH19
Ham 80......23 BI16
Le Ham 53......82 AJ31
Le Ham 50......29 AC19
Le Ham 14......34 AL22
Ham (Roches de) 50......52 AE24
Ham-en-Artois 62......7 BE7
Ham-les-Moines 08......26 BT15
Ham-sous-Varsberg 57......46 CI22
Ham-sur-Meuse 08......17 BU12
Hamars 14......53 AI24
Hambach 57......67 CL23
Hambers 53......106 AI33
Hamblain-les-Prés 62......13 BH10
Hambye 50......51 AC25
Hambye (Abbaye de) 50......51 AC25
Hameau-de-la-Mer 50......28 Y16
Le Hamel 80......22 BE15
Le Hamel 60......21 BA17
Hamel 59......14 BI10
Hamelet 80......22 BE14
Hamelin 50......81 AD29
Hamelincourt 62......13 BG11
Hames-Boucres 62......2 AZ4
Hammeville 54......94 CE29
Hamonville 54......65 CC26

ampigny 10	91	BT30
ampont 57	66	CI26
an-devant-Pierrepont 54	44	CB20
an-lès-Juvigny 55	43	BY19
an-sur-Meuse 55	64	CA26
an-sur-Nied 57	66	CH24
anau (Étang de) 57	68	CP23
anc 79	203	AL57
anches 28	86	AY29
ancourt 80	23	BI14
andschuheim 67	97	CP28
angard 80	23	BE15
angenbieten 67	97	CQ28
angest-en-Santerre 80	23	BF16
angest-sur-Somme 80	22	BB14
angviller 57	68	CN26
annaches 60	37	AZ19
annapes 02	24	BM14
annappes 28	25	BQ15
annescamps 62	13	BF12
annoncourt 57	66	CH25
annogne-Saint-Martin 08	27	BV17
annogne-Saint-Rémy 08	25	BQ18
Hannonville-sous-les-Côtes 55	64	CB24
Hannonville-Suzémont 54	65	CC23
Le Hanouard 76	19	AR16
Hans 51	42	BU23
Hantay 59	8	BG7
Hantz (Col du) 88	96	CM30
Hanvec 29	75	H30
Hanviller 57	48	CO22
Hanvoile 60	37	AZ19
Haplincourt 62	13	BH12
Happencourt 02	24	BJ16
Happonvilliers 28	85	AU32
Harambels 64	311	AB88
Haramont 02	39	BI21
Haraucourt 54	95	CG28
Haraucourt 08	27	BW17
Haraucourt-sur-Seille 57	66	CI26
Haraumont 55	43	BY20
Haravesnes 62	12	BB10
Haravilliers 95	38	BB23
Harbonnières 80	23	BF15
Harbouey 54	96	CK28
Harcanville 76	19	AR16
Harchéchamp 88	94	CC31
Harcigny 02	25	BP16
Harcourt 27	35	AR23
Harcy 08	26	BT15
Hardancourt 88	95	CI31
Hardanges 53	82	AI32
Hardecourt-aux-Bois 80	23	BG14
Hardelot-Plage 62	6	AX6
Hardencourt-Cocherel 27	56	AV24
Hardifort 59	3	BE4
Hardinghen 62	2	AZ5
Hardinvast 50	29	AA17
Hardivillers 60	22	BC16
Hardivillers-en-Vexin 60	37	BA21
La Hardoye 08	25	BQ17
Hardricourt 78	57	AV24
La Harengère 27	36	AT22
Haréville 88	118	CE33
Hargarten-aux-Mines 57	46	CI21
Hargeville 78	57	AY26
Hargeville-sur-Chée 55	63	BY26
Hargicourt 80	22	BE17
Hargicourt 02	24	BJ14
Hargnies 59	15	BO10
Hargnies 08	17	BU13
Haricourt 27	37	AX23
Harly 02	24	BK15
Harméville 52	93	BZ30
Harmonville 88	94	CD30
La Harmoye 22	77	P31
Harnes 62	8	BH8
Harol 88	119	CG33
Haroué 54	94	CF30
Harponville 80	13	BE13
Harprich 57	66	CI24
Harquency 27	37	AX22
Harreberg 57	67	CM27
Harréville-les-Chanteurs 52	93	BB32
Harricourt 52	62	BW32
Harricourt 08	43	BW19
Harsault 88	119	CG34
Harskirchen 67	67	CL24
Hartennes-et-Taux 02	40	BK21
Hartmannswiller 68	120	CN36
Hartzviller 57	67	CM27
Harville 55	65	CC23
Hary 02	25	BO16
Haselbourg 57	68	CN27
Hasnon 59	9	BK9
Hasparren 64	311	Z86
Haspelschiedt 57	48	CO22
Haspres 59	14	BK11
Hastingues 40	292	AB85
Hatrize 54	45	CD22
Hatten 67	69	CS24
Hattencourt 80	23	BG16
Hattenville 76	19	AR16
Hattigny 57	96	CL28
Hattmatt 67	68	CO26
Hattonchâtel 55	64	CB24
Hattonville 55	64	CB24
Hattstatt 68	121	CO34
Hauban 65	333	AL90
Haubourdin 59	8	BH7
Hauconcourt 57	45	CF21
Haucourt 76	21	AY17
Haucourt 62	13	BH11
Haucourt 60	37	BA19
Haucourt-en-Cambrésis 59	14	BK12
Haucourt-la-Rigole 55	44	CB21
Haucourt-Moulaine 54	45	CC19
Haudainville 55	64	CB23
Haudiomont 55	64	CA23
Haudivillers 60	38	BC19
Haudonville 54	95	CI29
Haudrecy 08	26	BT16
Haudricourt 76	21	AY16
Haulchin 59	14	BL10
Haulies 32	296	AP85
Haulmé 08	26	BU15
Haumont-lès-Lachaussée 55	65	CC24
Haumont-près-Samogneux 55	44	BZ21
Hauriet 40	293	AE83
Hausgauen 68	143	CO39
Haussez 76	21	AY18
Haussignémont 51	63	BV27
Haussimont 51	61	BQ27
Haussonville 54	95	CG29
Haussy 59	14	BL11
Haut-Asco 2B	346	FC106
Haut-Barr (Château du) 67	68	CO26
Le Haut-Corlay 22	77	P31
Haut-de-Bosdarros 64	314	AH89
Le Haut-du-Them 70	142	CK37
Haut-Kœnigsbourg (Château du) 67	97	CO32
Haut-Lieu 59	15	BO12
Haut-Loquin 62	2	BA5
Haut-Mainil 62	12	BB10
Haut-Mauco 40	293	AF82
Le Haut Planet (Balcon) 78	57	AY28
Hautaget 65	333	AN90
Hautbos 60	21	AZ18
Haute-Avesnes 62	13	BF10
La Haute-Beaume 05	268	CD73
La Haute-Chapelle 61	82	AH29
Haute-Epine 60	21	BA18
Haute-Goulaine 44	147	AA44
Haute-Isle 95	57	AY24
Haute-Kontz 57	46	CG19
La Haute-Maison 77	59	BI26
Haute Provence (Observatoire de) 04	287	CE80
Haute-Rivoire 69	230	BT61
Haute-Vigneulles 57	66	CI23
Hautecloque 62	12	BD10
Hautecombe (Abbaye de) 73	215	CE60
Hautecôte 62	12	BC10
Hautecour 73	234	CG63
Hautecour 39	196	CD51
Hautecourt-lès-Broville 55	44	CA22
Hautecourt-Romanèche 01	214	CB56
Hautefage 19	243	BA68
Hautefage-la-Tour 47	276	AQ76
Hautefaye 24	221	AO63
Hautefeuille 77	59	BH27
Hautefond 71	193	BR53
Hautefontaine 60	39	BI20
Hautefort 24	241	AT66
Hauteluce 73	216	CK60
Hautepierre-le-Châtelet 25	180	CH46
Hauterive 89	114	BM36
Hauterive 61	83	AN30
Hauterive 03	210	BL57
Hauterive-la-Fresse 25	180	CI46
Hauterives 26	249	BY66
Hauteroche 21	159	BU41
Hautes-Duyes 04	287	CH77
Les Hautes-Rivières 08	27	BV14
Hautesvignes 47	257	AN75
Hautevelle 70	141	CG37
Hautevesnes 02	40	BJ23
La Hauteville 78	57	AX28
Hauteville 73	233	CH62
Hauteville 62	13	BE10
Hauteville 51	63	BV28
Hauteville 08	26	BR18
Hauteville 02	24	BL15
Hauteville-Gondon 73	234	CL61
Hauteville-la-Guichard 50	31	AC23
Hauteville-lès-Dijon 21	160	BX42
Hauteville-Lompnes 01	214	CC58
Hauteville-sur-Fier 74	215	CF58
Hauteville-sur-Mer 50	51	AA24
L'Hautil 02	57	BA25
Haution 02	25	BO15
Hautmont 59	15	BO11
Hautmougey 88	119	CG35
Hautot-l'Auvray 76	19	AR16
Hautot-le-Vatois 76	19	AR17
Hautot-Saint-Sulpice 76	19	AR17
Hautot-sur-Mer 76	20	AT15
Hautot-sur-Seine 76	36	AT20
Hautteville-Bocage 50	29	AB18

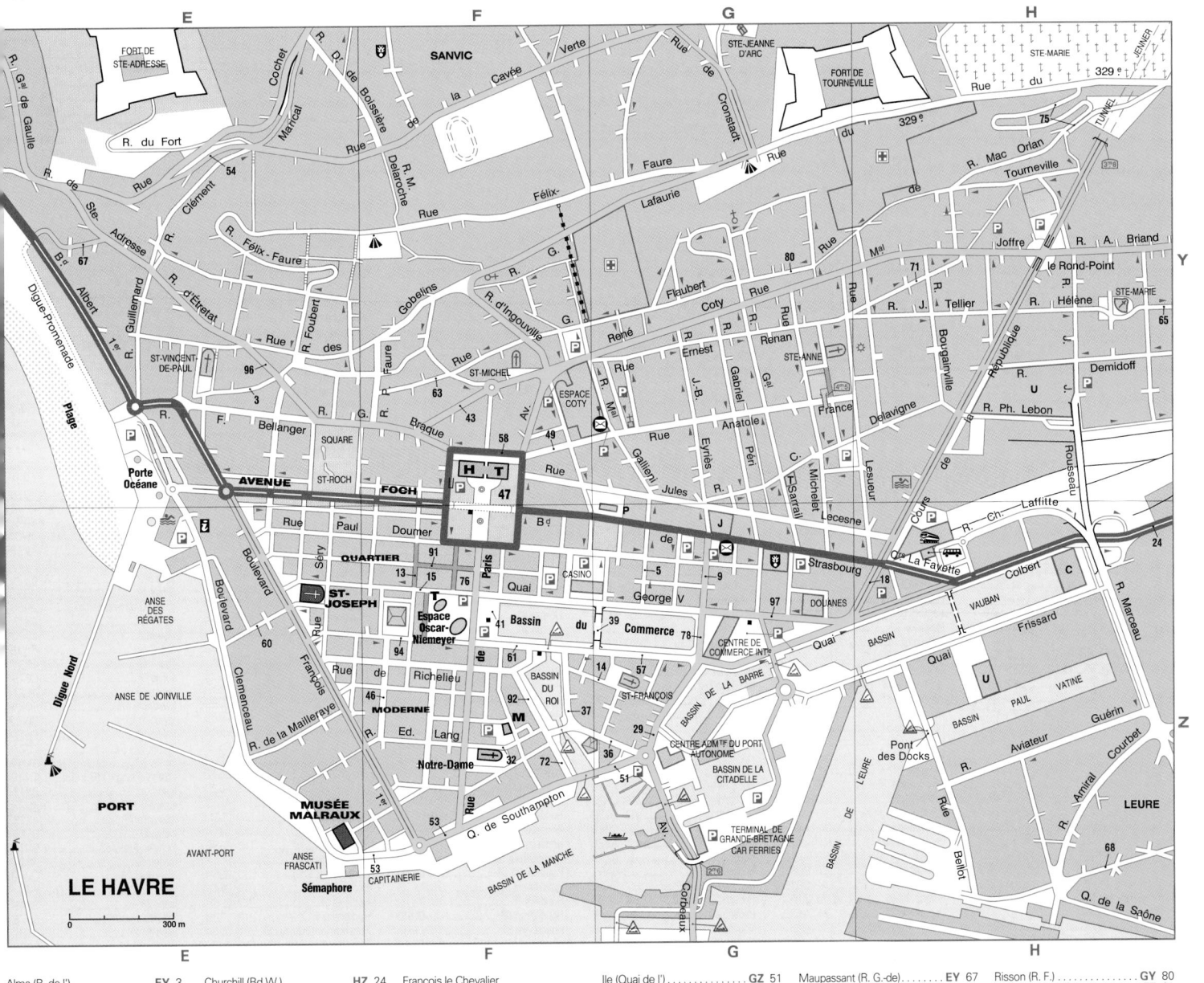

LE HAVRE

0 — 300 m

Alma (R. de l')	EY	3
Anfray (R.)	GZ	5
Archinard (Av. Gén.)	GZ	9
Bernardin-de-St-Pierre (R.)	FZ	13
La Bourdonnais (R.)	FZ	54
Bretagne (R. de)	FGZ	14
Briand (R. A.)	HY	
Brindeau (R. L.)	EFZ	15
Churchill (Bd W.)	HZ	24
Delavigne (Quai C.)	GZ	29
Delavigne (R. C.)	GHY	
Drapiers (R. des)	FZ	32
Étretat (R. d')	EY	
Faidherbe (R. Gén.)	GZ	36
Féré (Quai Michel)	FZ	37
François le Chevalier (Passerelle)	GZ	39
Fratacci (Crs Cdt)	HZ	18
Gaulle (Pl. Gén.-de)	FZ	41
Genestal (R. H.)	FY	43
Honegger (R. A.)	FY	46
Hôtel-de-Ville (Pl. de l')	FYZ	47
Huet (R. A.-A.)	FY	49
Ile (Quai de l')	GZ	51
Joffre (R. Maréchal)	GHY	
Kennedy (Chée J.)	EFZ	53
Lamblardie (Quai)	FGZ	57
Leclerc (Av. Gén.)	FY	58
Lemaître (R. F.)	EZ	60
Louer (R. J.)	FY	63
Massillon (R.)	HY	65
Maupassant (R. G.-de)	EY	67
Neustrie (R. de)	HY	71
Notre-Dame (Quai)	FZ	72
Paris (R. de)	FZ	
Pasteur (R.)	FZ	75
Perret (Pl. Auguste)	FZ	76
Pompidou (Chée G.)	GZ	78
République (Cours de la)	HY	
Risson (R. F.)	GY	80
Le Testu (Quai G.)	FZ	61
Victor-Hugo (R.)	FZ	91
Videcoq (Quai)	FZ	92
Voltaire (R.)	EFZ	94
Wilson (R. Président)	EY	96
24e-Territorial (Chée du)	GZ	97

Hautvillers 51............61 BO24
Hautvillers-Ouville 80......11 AZ12
Hauville 27...............35 AR20
Hauviné 08...............42 BS21
Haux 64.................331 AD90
Haux 33.................255 AH72
Havelu 57................57 AX27
Haveluy 59.................9 BK9
Havernas 80..............12 BC13
Haverskerque 59............7 BE6
Le Havre 76..............34 AN19
Le Havre-Antifer
(Port pétrolier) 76.......18 AN17
Havrincourt 62...........14 BI12
Havys 08................26 BS15
L'Hay-les-Roses 94.......58 BD27
Hayange 57...............45 CE20
Haybes 08................17 BU13
La Haye 88..............119 CG34
La Haye 76...............36 AW19
La Haye-Aubrée 27........35 AR20
La Haye-Bellefond 50......52 AD24
La Haye-de-Calleville 27...35 AR22
La Haye-de-Routot 27......35 AR20
La Haye-d'Ectot 50........28 Z19
La Haye-du-Puits 50.......31 AA21
La Haye-du-Theil 27.......35 AS22
La Haye-le-Comte 27.......36 AU22
La Haye-Malherbe 27.......36 AT22
La Haye-Pesnel 50.........51 AB26
La Haye-Saint-Sylvestre 27..55 AQ25
Hayes 57................46 CG22
Les Hayes 41............131 AR39
Haynecourt 59............14 BJ11
Les Hays 39.............178 CA47
Hazebrouck 59.............3 BE5
Hazembourg 57...........67 CK24
Héas 65.................333 AK94
Le Heaulme 95...........37 BA23
Héauville 50.............28 Z17
Hébécourt 80.............22 BC16
Hébécourt 27.............37 AY21
Hébécrevon 50............42 AD23
Héberville 76............19 AS16
Héburterne 62............12 BF12
Hèches 65...............333 AN91
Hecken 68..............143 CN38
Hecmanville 27...........35 AQ22
Hécourt 60..............37 AZ19
Hécourt 27..............56 AW25
Hecq 59.................15 BM11
Hectomare 27............36 AT22
Hédauville 80............13 BE13
Hédé 35..................80 Y32
Hédouville 95............38 BC23
Hegeney 67..............68 CQ24
Hégenheim 68...........143 CG39
Heidolsheim 67...........97 CP32
Heidwiller 68...........143 CO38
Heiligenberg 67..........97 CO29
Heiligenstein 67.........97 CP30
Heillecourt 54...........94 CF28
Heilles 60...............38 BC21
Heilly 80................22 BE14
Heiltz-le-Hutier 51.......63 BV28
Heiltz-le-Maurupt 51......63 BV27
Heiltz-l'Évêque 51........62 BU27
Heimersdorf 68..........143 CO39
Heimsbrunn 68..........143 CN38
Heining-lès-Bouzonville 57..46 CI20
Heippes 55...............63 BY24
Heiteren 68.............121 CQ35
Heiwiller 68............143 CO39
Hélesmes 59..............9 BK9
Hélette 64..............311 AA87
Helfaut 62................7 BC6
Helfrantzkirch 68........143 CP39
Helléan 56..............102 T35
Hellemmes-Lille 59........8 BI6
Hellenvilliers 27.........56 AU27
Hellering-
lès-Fénétrange 57.......67 CL26
Helleville 50............28 Z18
Hellimer 57..............67 CK24
Héloup 61...............83 AM31
Helstroff 57.............46 CH22
Hem 59...................9 BJ6
Hem-Hardinval 80.........12 BC12
Hem-Lenglet 59...........14 BJ11
Hem-Monacu 80............20 BG14
Hémevez 50..............29 AB19
Hémévillers 60...........38 BF19
Hémilly 57...............66 CH23
Héming 57...............67 CL27
Hémonstoir 22...........102 Q33
Hénaménil 54.............66 CI27
Hénanbihen 22............79 U28
Hénansal 22..............79 U29
Hendaye 64.............310 V86
Hendecourt-
lès-Cagnicourt 62........13 BH11
Hendecourt-lès-Ransart 62..13 BG11
Hénencourt 80............13 BE13
Henflingen 68...........143 CO39
Hengoat 22...............73 O26
Hengwiller 67............68 CO27
Hénin-Beaumont 62.........8 BH9
Hénin-sur-Cojeul 62.......13 BG11
Héninel 62..............13 BG11
Hennebont 56...........101 N36

Hennecourt 88...........119 CG33
Hennemont 55............64 CB23
Henneveux 62..............2 AZ5
Hennezel 88............118 CF34
Hennezis 27.............36 AW22
Hénon 22................78 S30
Hénonville 60............38 BB22
Hénouville 76............36 AT19
Henrichemont 18.........155 BE43
Henridorff 57............68 CN26
Henriville 57............67 CK23
Hénu 62.................13 BE12
Hérange 57..............67 CM26
L'Herbaudière 85........164 U46
Herbault 41.............131 AU40
Herbeauvilliers 77.......112 BE33
Herbécourt 80............23 BG14
Herbelles 62..............7 BC6
L'Herbergement 85.......165 AA47
Herbésuil 08.............27 BY17
Herbeuville 55...........64 CB24
Herbeville 78............57 AZ26
Herbeys 38.............251 CE67
Les Herbiers 85.........166 AA48
Herbignac 44...........146 U41
Herbinghen 62.............2 BA5
Herbisse 10..............91 BQ29
Herbitzheim 67...........67 CL23
Herblay 95...............58 BB25
Hercé 53................81 AF31
Herchies 60.............37 BA29
La Hérelle 60...........22 BD18
Hérenguerville 50........51 AB24
Hérépian 34............301 BJ85
Hères 65...............295 AK85
Hergnies 59..............9 BL8
Hergugney 88............94 CF31
Héric 44...............147 X41
Héricourt 70...........142 CK39
Héricourt 62.............12 BC10
Héricourt-en-Caux 76.....19 AR17
Héricourt-sur-Thérain 60...21 AZ18
Héricy 77...............88 BG31
La Hérie 02.............26 BQ15
Le Hérie-la-Viéville 02....24 BM15
Hériménil 54.............95 CH29
Hérimoncourt 25........142 CL41
Hérin 59.................9 BL9
Hérissart 80............12 BD13
Hérisson 03............191 BG52
Hérisson
(Cascades du) 39.......179 CE50
Herleville 80............23 BG15
La Herlière 62...........13 BE11
Herlies 59...............8 BG7
Herlin-le-Sec 62..........7 BD9
Herlincourt 62...........12 BC10
Herly 80................23 BH16
Herly 62.................6 BA7
L'Herm 09..............336 AX92
L'Herm (Château de) 24...241 AS68
Hermanville 76...........20 AT15
Hermanville-sur-Mer 14...33 AJ21
Les Hermaux 48.........263 BJ74
Hermaville 62............13 BF10
Hermé 77................89 BK30
Hermelange 57...........67 CL27
Hermelinghen 62...........2 AZ5
L'Hermenault 85........183 AE52
Herment 63.............226 BF61
Hermeray 78.............86 AY29
Hermes 60...............38 BC21
Hermeville 76............18 AO18
Herméville-en-Woëvre 55....44 CA22
Hermies 62..............14 BI12
Hermillon 73...........234 CI65
Hermin 62................7 BE9
L'Hermitage 35.........104 Y33
L'Hermitage-Lorge 22.....78 Q31
Les Hermites 37.........131 AR39
L'Hermitière 61..........84 AQ32
Hermival-les-Vaux 14.....34 AO23
Hermonville 51...........41 BQ21
Hernicourt 62............7 BD9
Herny 57................66 CH24
Le Héron 76.............36 AW19
Héronchelles 76..........36 AW19
Hérouville 95............38 BB23
Hérouville-Saint-Clair 14..33 AJ22
Hérouvillette 14.........33 AK22
Herpelmont 88...........95 CH30
La Herpinière (Moulin) 49..150 AL44
Herpont 51..............62 BU24
Herpy-l'Arlésienne 08.....41 BQ19
Herqueville 50...........28 Y16
Herqueville 27...........36 AV22
Herran 31..............334 AR91
Herré 40...............274 AK80
Herrère 64.............331 AB89
Herrin 59................8 BH7
Herrlisheim 67...........69 CS26
Herrlisheim-
près-Colmar 68.........121 CO34
Herry 18...............156 BH44
Hersbach 67.............96 CN29
Herserange 54...........45 CC18

Hersin-Coupigny 62........8 BF8
Hertzing 57.............67 CL27
Hervelinghen 62...........2 AY4
Hervilly 80.............23 BI14
Héry 89................136 BM37
Héry-sur-Alby 74........215 CF60
Herzeele 59..............3 BE4
Hesbécourt 80...........23 BI14
Hescamps-Saint-Clair 80...21 AZ16
Hesdigneul-lès-Béthune 62...8 BF8
Hesdigneul-lès-Boulogne 62..6 AY6
Hesdin 62................7 BB9
Hesdin-l'Abbé 62..........6 AY6
Hésingue 68............143 CO39
Hesmond 62...............6 BA8
Hesse 57................67 CL27
Hessenheim 67...........97 CP32
Hestroff 57.............46 CH21
Hestrud 59..............16 BQ11
Hestrus 62...............7 BD8
Hétomesnil 60...........22 BB18
Hettange-Grande 57.......45 CE19
Hettenschlag 68.........121 CP34
Heubécourt-Haricourt 27...37 AX23
Heuchin 62...............7 BC8
Heucourt-Croquoison 80...11 AZ14
Heudebouville 27.........36 AV22
Heudicourt 80...........14 BI13
Heudicourt 27............37 AY21
Heudicourt-
sous-les-Côtes 55......64 CB25
Heudreville-en-Lieuvin 27...35 AP22
Heudreville-sur-Eure 27...36 AU23
Heugas 40..............292 AB83
Heugleville-sur-Scie 76....20 AU16
Heugnes 36.............171 AW47
Heugon 61...............54 AO26
Heugueville-sur-Sienne 50...31 BJ13
Heuilley-Cotton 52......139 BZ38
Heuilley-le-Grand 52.....139 CA38
Heuilley-sur-Saône 21....160 CA43
Heuland 14..............34 AM21
Heume-l'Église 63.......227 BG61
La Heunière 27...........56 AW24
Heuqueville 76...........18 AN18
Heuqueville 27............36 AV22
Heuringhem 62.............7 BC6
Heurteauville 76.........35 AS20
Heurtevent 14............34 AN25
Heussé 50...............81 AF30
Heutrégiville 51.........42 BR21
Heuzecourt 80............12 BC12
Hévilliers 55............93 BZ29
Heyrieux 38............219 BY62
Hézecques 62.............7 BC8
Le Hézo 56.............124 R39
Hibarette 65............315 AK89
Hières-sur-Amby 38......214 CA60
Hierges 08..............17 BU12
Hiermont 80.............12 BB11
Hiers-Brouage 17.......200 AC59
Hiersac 16.............221 AL61
Hiesse 16..............204 AP57
Hiesville 50.............32 AD20
Hiéville 14.............34 AM24
Higuères-Souye 64......314 AI87
Hiis 65................315 AL89
Hilbesheim 57...........67 CM26
Hillion 22..............78 S29
Hilsenheim 67...........97 CQ31
Hilsprich 57............67 CK23
Hinacourt 02............24 BK16
Hinckange 57............46 CH21
Hindisheim 67...........97 CQ29
Hindlingen 68..........143 CN39
Hinges 62................8 BF7
Le Hinglé 22............79 W30
Hinsbourg 67............68 CN24
Hinsingen 67............67 CL24
Hinx 40................293 AC83
Hipsheim 67.............97 CQ30
Hirel 35................50 Y28
Hirmentaz 74...........198 CJ54
Hirschland 67...........67 CM25
Hirsingue 68...........143 CO39
Hirson 02...............25 BP14
Hirtzbach 68...........143 CN39
Hirtzfelden 68.........121 CP35
His 31................335 AS90
Hitte 65...............315 AL89
Hoc (Pointe du) 14......32 AF20
Hochfelden 67...........68 CP26
Hochstatt 68...........143 CO38
Hochstett 67............68 CQ26
Hocquigny 50............51 AB25
Hocquincourt 80.........11 AZ13
Hocquinghen 62...........2 BA5
Hodenc-en-Bray 60........37 BA19
Hodenc-l'Évêque 60.......38 BB21
Hodeng-au-Bosc 76.......21 AY15
Hodeng-Hodenger 76......37 AZ23
Hodent 95..............37 AZ23
Hœnheim 67.............69 CR27
Hœrdt 67...............69 CR27
Hœville 54.............94 CH21
Hoffen 67..............69 CS24
Les Hogues 27...........36 AW20
La Hoguette 14..........34 AK26
Hohatzenheim 67.........68 CQ26

Hohengœft 67............68 CP27
Hohfrankenheim 67........68 CP26
Hohneck 68............120 CM34
Hohrod 68.............120 CM34
Hohrodberg 68.........120 CM34
Le Hohwald 67...........97 CO30
Hohwiller 67............69 CS24
Holacourt 57............66 CH24
Holling 57..............46 CH21
Holnon 02...............24 BJ15
Holque 59................3 BC4
Holtzheim 67............97 CQ28
Holtzwihr 68...........121 CP33
Holving 57.............67 CL23
Hombleux 80.............23 BH16
Homblières 02...........24 BK15
Hombourg 68...........143 CP37
Hombourg-Budange 57......46 CG21
Hombourg-Haut 57........47 CJ22
L'Hôme-Chamondot 61.....84 AR29
Homécourt 54............45 CD21
Hommarting 57...........67 CM26
Hommert 57.............67 CM27
Hommes 37.............151 AN42
Le Hommet-d'Arthenay 50...32 AD22
Homps 34..............296 AR82
Homps 11..............320 BG88
Hon-Hergies 59..........15 BN10
Hondainville 60.........38 BC21
Hondeghem 59............3 BE5
Hondevilliers 77........60 BK26
Hondouville 27..........36 AU23
Hondschoote 59...........3 BE2
Honfleur 14.............34 AN20
Honguemare-
Guenouville 27........35 AS20
Honnechy 59.............14 BL13
Honnecourt-sur-Escaut 59...14 BJ13
L'Honor-de-Cos 82.......277 AV79
Honskirch 57............67 CL24
Hontanx 40............294 AI82
Huanne-Montmartin 25....162 CH41
Hôpital 48.............283 BO76
L'Hôpital 57............47 CJ22
L'Hôpital 22............78 S30
Hôpital-Camfrout 29......75 G30
L'Hôpital-d'Orion 64....313 AD86
L'Hôpital-du-Grosbois 25..162 CG44
L'Hôpital-le-Grand 42...229 BR62
L'Hôpital-le-Mercier 71...193 BO53
L'Hôpital-Saint-Blaise 64..313 AD88
L'Hôpital-Saint-Lieffroy 25..162 CI42
L'Hôpital-
sous-Rochefort 42......211 BP60
L'Hôpital-sur-Rhins 42...211 BR68
Les Hôpitaux-Neufs 25....180 CI49
Les Hôpitaux-Vieux 25....180 CI48
Horbourg 68............121 CO34
Hordain 59..............14 BK10
La Horgne 08............26 BU17
Horgues 65.............315 AK89
L'Horme 42.............230 BU62
Hornaing 59..............9 BK9
Hornoy 80...............21 BA15
Le Horps 53.............82 AI31
Horsarrieu 40..........293 AE83
Hortes 52..............140 CB37
Horville-en-Ornois 55.....93 CA30
Les Hosmes 27...........56 AT27
Hospice de France 31....334 AP94
L'Hospitalet 46.........260 AX71
L'Hospitalet 04.........287 CE79
L'Hospitalet-du-Larzac 12..282 BK80
L'Hospitalet-
près-l'Andorre 09.......340 AY96
Hossegor 40............292 Y83
Hosta 64...............330 AB89
Hoste 57...............67 CK23
Hostens 33.............255 AF74
Hostias 01.............214 CC59
Hostun 26.............249 BZ68
L'Hôtellerie 14.........35 AP23
L'Hôtellerie-de-Flée 49...128 AF38
Hotonnes 01............214 CD57
Hotot-en-Auge 14........34 AL22
Hottot-les-Bagues 14.....33 AH22
Hottviller 57...........68 CN23
La Houblonnière 14.......34 AM23
Les Houches 74.........216 CL58
Houchin 62..............8 BF8
Houdain 62...............7 BE8
Houdain-lez-Bavay 59.....15 BN10
Houdan 78...............57 AX27
Houdancourt 60..........39 BF21
Houdelaincourt 55.......93 CA29
Houdelaucourt-
sur-Othain 55.........44 CB21
Houdemont 54............94 CE29
Houdemont 54............94 CF28
Houdetot 76.............19 AS15
Houdilcourt 08..........41 BQ20
Houdreville 54..........94 CF29
Houécourt 88............93 CD32
Houeillès 47...........274 AK78
Houesville 50...........31 AC20
Houetteville 27.........36 AU23
Houéville 88............94 CD31
Houeydets 65...........315 AN89
Le Houga 32............294 AI82
Houilles 78.............58 BC25
La Houssoye 60..........37 BA21
Houlbec-Cocherel 27......56 AW24

Houlbec-
près-le-Gros-Theil 27....35 AS22
Houldizy 08.............26 BU15
Houlette 16............202 AJ60
Houlgate 14.............34 AL21
Houlle 62................3 BC5
Le Houlme 76............35 AT19
L'Houmeau 17...........183 AC55
Hounoux 11.............337 BA90
La Houssaye 27...........55 AS25
La Houssaye-Béranger 76...20 AU17
La Houssaye-en-Brie 77....59 BH27
Le Housseau 53..........82 AI30
Houssen 68............121 CO33
Housseras 88............95 CJ31
Housset 02..............25 BN16
Housséville 54..........94 CF30
La Houssière 88........120 CK33
La Houssoye 60..........37 BA21
Houtaud 25............180 CH47
Houtkerque 59............4 BF4
Houtteville 50..........31 AC20
Houville-en-Vexin 27.....36 AW21
Houville-la-Branche 28....86 AY31
Houvin-Houvigneul 62.....12 BD10
Houx 28...............86 AX29
Hoymille 59..............3 BE3
Huanne-Montmartin 25....162 CH41
Hubersent 62.............6 AY7
Hubert-Folie 14.........33 AJ23
Huberville 50...........28 AB18
Huby-Saint-Leu 62........7 BB9
Huchenneville 80.........11 AZ13
Huclier 62..............7 BD9
Hudimesnil 50...........51 AB25
Hudiviller 54...........95 CH28
Huelgoat 29.............76 K30
Huest 27................56 AU24
Huêtre 45.............110 AZ35
Huez 38...............251 CG67
Hugier 70..............161 CC43
Hugleville-en-Caux 76....20 AT17
Huillé 49..............129 AJ39
Huilliécourt 52.........117 CB33
Huilly-sur-Seille 71....195 BY51
Huiron 51...............62 BT28
Huismes 37.............151 AN44
Huisnes-sur-Mer 50.......51 AB28
D'Huison-Longueville 91...87 BD31
Huisseau-en-Beauce 41...131 AT39
Huisseau-sur-Cosson 41...132 AW40
Huisseau-sur-Mauves 45...132 AY37
L'Huisserie 53.........106 AG35
Hulluch 62...............8 BG8
Hultehouse 57...........68 CN27
Humbauville 51..........62 BS28
Humbécourt 52...........92 BW29
Humbercamps 62..........13 BE11
Humbercourt 80..........13 BE11
Humbert 62...............6 BA8
Humberville 52..........93 BZ32
Humbligny 18...........155 BF44
La Hume 33............254 AB72
Humerœuille 62..........7 BC9
Humes 52...............117 BZ36
Humières 62..............7 BC9
Hunaudaye
(Château de la) 22......79 U29
Hunawihr 68...........121 CO33
Hundling 57.............47 CL22
Hundsbach 68...........143 CO39
Huningue 68............143 CO39
Hunspach 67............69 CS24
Hunting 57.............46 CG19
Huos 31...............334 AP90
Huparlac 12............263 BG72
Huppain 14.............32 AG20
Huppy 80................11 AZ13
Hurbache 88.............95 CL31
Hure 33...............256 AK74
Hurecourt 70...........118 CF36
Hures-la-Parade 48.....282 BL77
Huriel 03..............190 BE54
Hurigny 71.............195 BW54
Hurtières 38...........233 CF65
Hurtigheim 67...........97 CP28
Husseren-les-Châteaux 68..121 CO34
Husseren-Wesserling 68...120 CM36
Hussigny-Godbrange 54....45 CC19
La Hutte 72.............83 AM32
Huttendorf 67...........68 CQ25
Huttenheim 67...........97 CQ30
Hyds 03...............191 BH55
Hyémondans 25..........163 CJ42
Hyencourt-le-Grand 80....23 BG15

Hyenville 50.............51 AB24
Hyères 83.............328 CI89
Hyères-Plage 83........328 CI90
Hyet 70...............162 CF41
Hyèvre-Magny 25........162 CI42
Hyèvre-Paroisse 25......162 CI42
Hymont 88...............94 CF32

I

Ibarrolle 64...........311 AB88
Ibarron 64.............310 X87
Ibigny 57...............96 CK28
Ibos 65................315 AK88
Ichtratzheim 67.........97 CQ29
Ichy 77................112 BE33
Idaux-Mendy 64.........331 AC89
Idrac-Respaillès 32....296 A085
Idron 64...............314 AH88
Ids-Saint-Roch 18......172 BC50
If (Château d') 13.....326 CB88
Iffendic 35............103 W33
Les Iffs 35.............80 Y32
Les Ifs 76..............19 AP17
Ifs 14.................33 AJ23
Igé 71................194 BV53
Igé 61.................84 AP32
Ignaucourt 80...........22 BE15
Ignaux 09.............336 AZ94
Igney 88................95 CH32
Igney 54................96 CK28
Ignol 18..............174 BH47
Igny 91.................58 BC27
Igny 70...............161 CD41
Igny-Comblizy 51........61 BN24
Igon 64...............314 AI89
Igornay 71............176 BS46
Igoville 27.............36 AU21
Iguerande 71..........193 BQ55
Iholdy 64.............311 AA88
Ilay 39...............179 CE50
Ile-aux-Moines 56......124 Q39
L'Ile-Bouchard 37......151 AO45
Ile-d'Aix 17...........200 AA54
Ile-d'Arz 56...........124 Q39
Ile-de-Batz 29..........71 I26
Ile-de-Bréhat 22........73 Q25
Ile-de-Sein 29..........98 B33
L'Ile-d'Elle 85........183 AD54
Ile-d'Houat 56.........144 P41
L'Ile-d'Olonne 85......182 X51
L'Île-d'Yeu 85.........164 V46
Ile-Molène 29...........74 B29
L'Ile-Rousse 2B........344 FC104
L'Île-Saint-Denis 93....58 BD25
Ile-Tudy 29.............99 G35
Ilhan 65...............333 AN92
Ilharre 64.............311 AB86
Ilhat 09...............336 AY92
Les Ilhes 11...........319 BD87
Ilhet 65...............333 AN91
Ilheu 65...............334 AP91
Illange 57..............45 CF20
Illartein 09...........335 AS92
Las Illas 66...........342 BG98
Illats 33..............255 AF74
Ille-sur-Têt 66........342 BF95
Illeville-sur-Montfort 27...35 AR21
Illfurth 68............143 CO38
Illhaeusern 68..........97 CP32
Illiat 01..............213 BW56
Illier-et-Laramade 09...336 AW94
Illiers-Combray 28.......85 AV32
Illiers-l'Évêque 27......56 AV27
Illies 59................8 BG7
Illifaut 22............103 U33
Illkirch-Graffenstaden 67..97 CQ28
Illois 76...............21 AY16
Illoud 52..............117 CB33
Illy 08.................27 BW16
Illzach 68.............143 CO37
Ilonse 06.............289 CD79
Imbleville 76...........20 AT17
Imbsheim 67.............68 CO26
Imécourt 08.............40 BW20
Imling 57...............67 CL27
Immonville 54...........45 CC21
Imphy 58..............174 BK48
Imsthal (Étang d') 67....68 CN25
Inaumont 08.............26 BR18
Incarville 27...........36 AU22
Incheville 76...........11 AX13
Inchy 59................14 BL12
Inchy-en-Artois 62......14 BI11
Incourt 62..............7 BB9
Indevillers 25.........163 CM42
Indre 44..............147 Y44
Ineuil 18.............172 BC49
Les Infournas 05.......269 CH72
Infreville 27...........35 AS21
Ingenheim 67............68 CP26
Ingersheim 68..........121 CO33
Inghem 62...............7 BC6
Inglange 57.............46 CG20
Ingolsheim 67...........69 CS23
Ingouville 76...........19 AR15
Ingrandes 86...........169 AP48
Ingrandes 49...........148 AE42
Ingrandes 36...........187 AS51

ngrandes-de-Touraine 37....151 AN43
ngrannes 45....111 BC36
ngré 45....133 AZ37
nguiniel 56....101 N34
ngwiller 67....68 CO25
njoux-Génissiat 01....215 CE57
nnenheim 67....97 CP29
nnimond 01....214 CC60
nor 55....27 BX18
nsming 57....67 CK24
nsviller 57....67 CK25
ntraville 76....10 AV14
ntres 07....248 BT69
ntréville 28....87 BA32
ntville-la-Guétard 45....111 BC33
nval-Boiron 80....21 AZ15
nxent 62....6 AZ7
nzinzac-Lochrist 56....101 N36
Ippécourt 55....63 BY24
ppling 57....47 CL22
rai 61....55 AR28
rais 79....168 AK48
rancy 89....136 BN39
ré-le-Sec 55....44 BZ19
ré-les-Prés 55....44 BZ19
Irigny 69....231 BW61
rissarry 64....311 AA88
rles 80....13 BG12
rmstett 67....97 CP28
rodouër 35....103 X32
ron 02....24 BM14
rouléguy 64....330 Z89
rreville 27....36 AU23
Irvillac 29....75 G30
Is-en-Bassigny 52....117 CA35
Is-sur-Tille 21....160 BY41
Isbergues 62....7 BE6
Isches 88....118 CD35
Isdes 45....133 BE39
Isenay 58....175 BN48
Iseran (Col de l') 73....235 CN63
Isigny-le-Buat 50....52 AD28
Isigny-sur-Mer 14....32 AE21
Island 89....157 BO41
Isle 87....205 AU60
L'Isle-Adam 95....38 BC23
L'Isle-Arné 32....296 AQ84
Isle-Aubigny 10....91 BR30
Isle-Aumont 10....115 BQ33
Isle-Briand (Haras de l') 49.128 AG39
L'Isle-d'Abeau 38....231 BZ62
L'Isle-d'Abeau
  (Ville nouvelle) 38....231 BZ62
L'Isle-de-Noé 32....295 AN85
L'Isle-d'Espagnac 16....221 AM61
L'Isle-en-Dodon 31....316 AR87
Isle-et-Bardais 03....173 BG50
L'Isle-Jourdain 86....187 AQ55
L'Isle-Jourdain 32....297 AT84
Isle-Saint-Georges 33....255 AG72
Isle-Savary
  (Château d') 36....170 AU47
L'Isle-sur-la-Sorgue 84....305 BZ81
L'Isle-sur-le-Doubs 25....142 CJ41
Isle-sur-Marne 51....62 BU28
L'Isle-sur-Serein 89....137 BP40
Les Isles-Bardel 14....53 AJ26
Isles-les-Meldeuses 77....59 BI25
Isles-lès-Villenoy 77....59 BG26
L'Isle-sur-Suippe 51....41 BQ20
Les Islettes 55....43 BW23
Isneauville 76....36 AU19
Isola 06....289 CO77
Isola 2000 06....289 CP77
Isolaccio-di-Fiumorbo 2B....9 FF110
Isômes 52....139 BZ39
Ispagnac 48....282 BM76
Ispe 40....254 AB75
Ispoure 64....330 AA89
Isques 62....6 AY6
Les Issambres 83....329 CM86
Issamoulenc 07....266 BU71
Issancourt-et-Rumel 08....27 BV16
Issanlas 07....265 BQ72
Issans 25....142 CK40
Les Issards 09....336 AY90
Issarlès 07....265 BQ71
Isse 51....61 BQ24
Issé 44....126 AA39
Issel 11....319 BA87
Issendolus 46....260 AY72
Issenhausen 67....68 CP25
Issenheim 68....120 CN36
Issepts 46....261 BA73
Isserpent 03....210 BN56
Isserteaux 63....228 BL62
Issigeac 24....258 AP72
Issirac 30....284 BU77
Issoire 63....228 BK63
Issolud (Puy d') 46....242 AY69
Issoncourt 55....63 BY25
Issor 64....331 AE90
Issou 78....57 AZ25
Issoudun 36....172 BA47
Issoudun-Létrieix 23....207 BB57
Issus 31....318 AW87
Issy-les-Moulineaux 92....58 BC27
Issy-l'Évêque 71....176 BP50
istres 13....305 BY85

Les Istres-et-Bury 51....61 BQ25
Isturits 64....311 AA87
Itancourt 02....24 BK16
Iteuil 86....186 AN52
Ithorots-Olhaïby 64....311 AC87
Ittenheim 67....97 CQ28
Itterswiller 67....97 CO30
Itteville 91....87 BD30
Itxassou 64....310 Y87
Ivergny 62....12 BD11
Iverny 77....59 BG25
Iviers 02....25 BQ16
Iville 27....35 AS23
Ivors 60....39 BI22
Ivory 39....179 CA67
Ivoy-le-Pré 18....155 BE43
Ivrey 39....179 CE46
Ivry (Obélisque d') 27....56 AW25
Ivry-en-Montagne 21....177 BU46
Ivry-la-Bataille 27....56 AW26
Ivry-le-Temple 60....37 BA22
Ivry-sur-Seine 94....58 BD27
Iwuy 59....14 BK11
Izaourt 65....334 AP91
Izaut-de-l'Hôtel 31....334 AQ91
Izaux 65....333 AN88
Izé 53....106 AJ33
Izeaux 38....232 CB65
Izel-lès-Équerchin 62....8 BH9
Izel-les-Hameaux 62....13 BE10
Izenave 01....214 CB57
Izernore 01....196 CC55
Izeron 38....250 CB67
Izeste 64....332 AG90
Izeure 21....160 BY45
Izier 21....160 BY43
Izieu 01....232 CC61
Izoard (Col d') 05....253 CM70
Izon 33....237 AH70
Izon-la-Bruisse 26....286 CD77
Izotges 32....295 AK84
Izy 45....111 BB34

J

Jablines 77....59 BG25
Jabreilles-les-Bordes 87....206 AW58
Jabrun 15....263 BI71
Jacob-Bellecombette 73....233 CF67
Jacou 34....302 BP84
Jacque 65....315 AL87
Jagny-sous-Bois 95....58 BE24
Jaignes 77....59 BI25
Jaillans 26....249 BZ68
La Jaille-Yvon 49....128 AG38
Jaillon 54....65 CD27
Jailly 58....175 BL46
Jailly-les-Moulins 21....159 BU41
Jainvillotte 88....94 CC32
Jalesches 23....189 BB55
Jaleyrac 15....244 BD66
Jaligny-sur-Besbre 03....192 BM54
Jallais 49....148 AE44
Jallanges 21....178 BY47
Jallans 28....110 AW35
Jallaucourt 57....66 CG26
Jallerange 25....161 CC43
Jalognes 18....155 BG44
Jalogny 71....194 BU53
Jâlons 51....61 BQ24
La Jalousie 14....33 AJ23
Jambles 71....177 BV49
Jambville 78....57 AZ24
Jaméricourt 60....37 AZ21
Jametz 55....44 BZ19
Jameyzieu 38....231 BZ61
Janailhac 87....223 AU62
Janaillat 23....206 AY57
Jancigny 21....160 CA42
Jandun 08....26 BT17
Janneyrias 38....213 BY60
Jans 44....126 Z39
Jansac 26....268 CB73
Janville 60....39 BH19
Janville 28....110 AZ33
Janville 14....34 AL22
Janville-sur-Juine 91....87 BC30
Janvilliers 51....60 BM26
Janvry 91....58 BB28
Janvry 51....41 BO22
Janzé 35....104 AA35
Jarcieu 38....231 BX65
Le Jard 17....219 AG61
Jard-sur-Mer 85....182 Z52
Jardin 38....231 BX63
Le Jardin 19....225 BA65
Jardres 86....186 AP51
Jargeau 45....133 BB37
Jarjayes 05....269 CH74
Jarménil 88....119 CI34
Jarnac 16....220 AJ61
Jarnac-Champagne 17....219 AH62
Jarnages 23....207 BB56
La Jarne 17....200 AC56
Jarnioux 69....212 BU58
Jarnosse 42....211 BR57
Jarny 54....45 CD22
Jarret 65....333 AK90

Jarrie 38....251 CE67
La Jarrie 17....200 AD56
La Jarrie-Audouin 17....201 AH57
Jarrier 73....234 CI65
Jars 18....155 BF42
Jarsy 73....233 CH61
Jarville-la-Malgrange 54....94 CF28
Jarzé 49....129 AJ40
Jas 42....230 BS61
Jasney 70....118 CF36
Jassans-Riottier 01....213 BW58
Jasseines 10....91 BS30
Jasseron 01....196 CA55
Jasses 64....313 AE87
Jatxou 64....310 Y86
Jau (Col de) 11....341 BC95
Jau-Dignac-et-Loirac 33....218 AD64
La Jaudonnière 85....166 AE50
Jaudrais 28....85 AU29
Jaujac 07....266 BS73
Jauldes 16....203 AN60
Jaulges 89....114 BO36
Jaulgonne 02....60 BL24
Jaulnay 37....169 AO47
Jaulnes 77....89 BK31
Jaulny 54....65 CD24
Jaulzy 60....39 BI20
Jaunac 07....248 BT70
Jaunay-Clan 86....169 AO50
Jaure 24....240 AP68
Jausiers 04....271 CM75
Jaux 60....39 BG20
Jauzé 72....108 AO33
Javaugues 43....246 BM66
Javené 35....81 AC32
Javerdat 87....205 AS58
Javerlhac-et-la-Chapelle-
  Saint-Robert 24....222 AP63
Javernant 10....114 BP34
La Javie 04....288 CJ77
Javols 48....264 BL72
Javrezac 16....220 AI61
Javron 53....82 AJ31
Jax 43....246 BN67
Jaxu 64....311 AA88
Jayac 24....241 AV69
Jayat 01....195 BY53
Jazeneuil 86....185 AL53
Jazennes 17....219 AG62
Jeancourt 02....24 BJ14
Jeandelaincourt 54....65 CF26
Jeandelize 54....45 CC22
Jeanménil 88....95 CJ31
Jeansagnière 42....229 BO61
Jeantes 02....25 BP16
Jebsheim 68....121 CP33
Jegun 32....296 AO83
Jenlain 59....15 BM10
Jenzat 03....209 BJ56
Jésonville 88....118 CF34
Jetterswiller 67....68 CO27
Jettingen 68....143 CP39
Jeu-les-Bois 36....172 AZ50
Jeu-Maloches 36....171 AW46
Jeufosse 78....57 AX24
Jeugny 10....114 BP34
Jeumont 59....15 BP10
Jeurre 39....196 CD53
Jeux-lès-Bard 21....158 BR41
Jeuxey 88....119 CI33
Jevoncourt 54....94 CF30
Jézainville 54....65 CE25
Jézeau 65....333 AN92
Joannas 07....266 BS74
Job 63....229 BO62
Jobourg 50....28 Y16
Jobourg (Nez de) 50....28 Y16
Joch 66....342 BE96
Jœuf 54....45 CC21
Joganville 50....28 AC19
Joigny 89....113 BL36
Joigny-sur-Meuse 08....26 BU15
Joinville 52....92 BX30
Joinville-le-Pont 94....58 BD27
Joiselle 51....60 BL27
Jolimetz 59....15 BM11
Jolivet 54....95 CI28
Jonage 69....213 BY60
Joncels 34....301 BK83
La Jonchère 85....182 AA52
La Jonchère-
  Saint-Maurice 87....206 AW58
Jonchères 26....268 CB73
Joncherey 90....142 CM40
Jonchery 52....116 BX34
Jonchery-sur-Suippe 51....42 BS23
Jonchery-sur-Vesle 51....41 BN21
Joncourt 02....24 BK14
Joncreuil 10....91 BU30
Joncy 71....194 BU51
Jonquerets-de-Livet 27....35 CE60
Jonquerettes 84....285 BZ80
Jonquery 51....41 BN23
Jonquières 84....285 BX79
Jonquières 81....299 BB84
Jonquières 60....39 BG20
Jonquières 34....302 BM84

Jonquières 11....338 BG91
Jonquières-
  Saint-Vincent 30....304 BV82
Jons 69....213 BY60
Jonval 08....26 BU18
Jonvelle 70....118 CE36
Jonville-en-Woëvre 55....65 CC23
Jonzac 17....219 AH64
Jonzier-Épagny 74....215 CF57
Jonzieux 42....230 BT65
Joppécourt 54....45 CC20
Jorquenay 52....117 BZ36
Jort 14....54 AL25
Jorxey 88....95 CG32
Josat 43....246 BN67
Joserand 63....209 BJ58
Josnes 41....132 AX38
Josse 40....292 AA84
Josselin 56....102 S35
Jossigny 77....59 BG26
Jou-sous-Monjou 15....244 BF70
Jouac 87....188 AU54
Jouaignes 02....40 BL21
Jouancy 89....137 BO39
Jouarre 77....60 BJ25
Jouars-Pontchartrain 78....57 BA27
Jouaville 54....45 CD22
Joucas 84....305 CA81
Joucou 11....337 BB93
Joudes 71....196 CA52
Joudreville 54....45 CC21
Joué-du-Bois 61....83 AK29
Joué-du-Plain 61....54 AL28
Joué-en-Charnie 72....107 AK35
Joué-Étiau 49....149 AG44
Joué-l'Abbé 72....107 AN34
Joué-lès-Tours 37....151 AQ43
Joué-sur-Erdre 44....147 AA41
Jouet-sur-l'Aubois 18....174 BI46
Jouey 21....159 BT45
Jougne 25....180 CI49
Jouhe 39....161 CB45
Jouhet 86....187 AR52
Jouillat 23....189 BA55
Jouques 13....306 CD84
Jouqueviel 81....279 BB78
Jourgnac 87....223 AU61
Journans 01....214 CA56
Journet 86....187 AS53
Journiac 24....240 AR69
Journy 62....2 BA5
Jours-en-Vaux 21....177 BU46
Jours-lès-Baigneux 21....138 BU40
Joursac 15....245 BI67
Joussé 86....186 AO55
La Jouvente 35....50 X28
Joux 69....212 BT59
Joux (Château de) 25....180 CH47
Joux (Forêt de la) 39....180 CF48
Joux-la-Ville 89....136 BO40
Joux Plane (Col de la) 74....216 CL56
Joux Verte (Col de la) 74....198 CL55
Jouy 89....112 BH34
Jouy 28....86 AX30
Jouy-aux-Arches 57....65 CE23
Jouy-en-Argonne 55....43 BY23
Jouy-en-Josas 78....58 BC27
Jouy-en-Pithiverais 45....111 BB34
Jouy-le-Châtel 77....60 BJ28
Jouy-le-Moutier 95....58 BB24
Jouy-le-Potier 45....133 AZ38
Jouy-lès-Reims 51....41 BO22
Jouy-Mauvoisin 78....57 AY25
Jouy-sous-les-Côtes 55....64 CB27
Jouy-sous-Thelle 60....37 BA21
Jouy-sur-Eure 27....56 AV24
Jouy-sur-Morin 77....60 BK27
Joyeuse 07....266 BS75
Joyeux 01....213 BY58
Joze 63....210 BK59
Jû-Belloc 32....295 AK85
Juan-les-Pins 06....309 CP84
Juaye-Mondaye 14....33 AH22
Jubainville 88....94 CC30
La Jubaudière 49....148 AE44
Jubécourt 55....43 BX23
Jublains 53....106 AI33
Le Juch 29....99 G33
Jugazan 33....256 AJ71
Jugeals-Nazareth 19....242 AX68
Jugon-les-Lacs 22....79 U30
Jugy 71....195 BW51
Juicq 17....201 AG59
Juif 71....178 BY50
Juignac 16....221 AM65
Juigné-des-Moutiers 44....127 AC39
Juigné-sur-Loire 49....149 AH42
Juigné-sur-Sarthe 72....129 AJ37
Juignettes 27....55 AQ26
Juillac 33....257 AL71
Juillac 32....295 AL85
Juillac 19....223 AV65
Juillac-le-Coq 16....220 AI62
Juillaguet 16....221 AM64
Juillan 65....315 AK89
Juillé 79....202 AJ56
Juillé 72....107 AM33
Juillé 16....203 AM58
Juillenay 21....158 BR43
Juilles 32....296 AR84

Juilley 50....51 AC28
Juilly 77....59 BF24
Juilly 21....158 BS41
Jujols 66....341 BC96
Jujurieux 01....214 CB57
Julianges 48....246 BK70
Juliénas 69....194 BV55
Julienne 16....220 AJ61
Julienrupt 88....119 CJ34
Jullianges 43....247 BO66
Julliécourt 54....93 BY29
Jullouville 50....51 AA26
Jully 89....137 BR38
Jully-lès-Buxy 71....177 BV50
Jully-sur-Sarce 10....115 BR34
Julos 65....333 AK90
Julvécourt 55....43 BY23
Jumeauville 78....57 AZ26
Jumeaux 63....228 BL64
Les Jumeaux 79....168 AK49
Jumel 80....22 BD16
Jumelles 49....150 AK42
Jumelles 27....56 AU25
La Jumellière 49....149 AG43
Jumencourt 02....40 BK19
Jumièges 76....35 AS20
Jumigny 02....41 BN20
Jumilhac-le-Grand 24....223 AT63
Junas 30....303 BR83
Junay 89....137 BP37
Juncalas 65....333 AK90
Jungholtz 68....120 CN36
Junhac 15....262 BE72
Les Junies 46....259 AU74
Juniville 08....42 BS20
Jupilles 72....130 AO38
Jurançon 64....314 AH88
Juranville 45....112 BE35
Juré 42....211 BP59
Jurignac 16....220 AK63
Jurques 14....52 AG24
Jurvielle 31....334 AO93
Jury 57....65 CF23
Juscorps 79....185 AI55
Jusix 47....257 AL74
Jussac 15....244 BD69
Jussarupt 88....120 CK33
Jussas 17....238 AI66
Jussecourt-Minecourt 51....63 BV27
Jussey 70....140 CD37
Jussy 89....136 BM39
Jussy 74....215 CG57
Jussy 57....65 CE23
Jussy 02....24 BJ17
Jussy-Champagne 18....173 BF47
Jussy-le-Chaudrier 18....156 BH45
Justian 32....295 AM82
Justine-Herbigny 08....26 BR18
Justiniac 09....318 AW90
Jutigny 77....89 BJ30
Juvaincourt 88....94 CE31
Juvancourt 10....116 BV34
Juvanzé 10....91 BT32
Juvardeil 49....128 AH39
Juvelize 57....66 CI26
Juvignac 34....302 BP84
Juvigné 53....105 AE33
Juvignies 60....38 BB19
Juvigny 74....197 CH55
Juvigny 51....62 BR24
Juvigny 02....38 BK20
Juvigny-en-Perthois 55....93 BY29
Juvigny-le-Tertre 50....52 AD28
Juvigny-sous-Andaine 61....82 AI29
Juvigny-sur-Loison 55....44 BZ19
Juvigny-sur-Orne 61....54 AM27
Juvigny-sur-Seulles 14....33 AH22
Juville 57....66 CG25
Juvinas 07....266 BS72
Juvincourt-et-Damary 02....41 BO20
Juvisy-sur-Orge 91....58 BD28
Juvrecourt 54....66 CI27
Juxue 64....311 AB88
Juzanvigny 10....91 BT31
Juzennecourt 52....116 BW33
Juzes 31....318 AY86
Juzet-de-Luchon 31....334 AP93
Juzet-d'Izaut 31....334 AO91
Juziers 78....57 AZ25

K

Kalhausen 57....67 CM23
Kaltenhouse 67....69 CR25
Kanfen 57....45 CE19
Kappelen 68....143 CP39
Kappelkinger 57....67 CK24
Les Karellis 73....252 CJ66
Katzenthal 68....120 CN33
Kauffenheim 67....69 CS25
Kaysersberg 68....120 CN33
Kédange-sur-Canner 57....46 CG20
Keffenach 67....69 CR24
Kembs 68....143 CP38
Kembs-Loéchlé 68....143 CQ38
Kemplich 57....46 CG20
Kerazan (Manoir de) 29....99 G35
Kerbach 57....47 CK22
Kerbors 22....73 O25

Kerdéniel (Pointe de) 29....75 F30
Kerdévot (Chapelle de) 29....100 I34
Kerfany-les-Pins 29....100 J36
Kerfons (Chapelle de) 22....72 M26
Kerfot 22....73 O26
Kerfourn 56....102 Q34
Kergloff 29....76 L31
Kergonadeac'h
  (Château de) 29....71 H27
Kergrist 56....101 P33
Kergrist (Château de) 22....72 N27
Kergrist-Moëlou 22....77 N31
Kergroadès
  (Château de) 29....70 D28
Kerien 22....77 O30
Kérity 29....99 F36
Kerjean (Château de) 29....71 H27
Kerlaz 29....99 G33
Kerling-lès-Sierck 57....46 CG19
Kerlouan 29....70 F26
Kermaria 56....102 Q36
Kermaria (Chapelle) 22....73 Q27
Kermaria-Sulard 22....72 N26
Kermoroc'h 22....73 O27
Kernascléden 56....101 N34
Kernével 29....100 J34
Kernilis 29....70 F27
Kernouës 29....70 F27
Kérouzéré (Château de) 29....71 I26
Kerpape 56....123 M37
Kerpert 22....77 O30
Kerprich-aux-Bois 57....67 CL26
Kersaint 29....70 D28
Kersaint-Plabennec 29....70 F28
Kertzfeld 67....97 CP30
Kervignac 56....123 N37
Keskastel 67....67 CL24
Kesseldorf 67....69 CT24
Kienheim 67....68 CP27
Kientzheim 68....121 CO33
Kientzville 67....97 CP31
Kiffis 68....143 CP41
Killem 59....3 BE3
Kilstett 67....69 CR27
Kindwiller 67....68 CP25
Kingersheim 68....143 CO37
Kintzheim 67....97 CO32
Kirchberg 68....142 CL37
Kirchheim 67....97 CP28
Kirrberg 67....67 CL25
Kirrwiller 67....68 CP25
Kirsch-lès-Sierck 57....46 CG19
Kirschnaumen 57....46 CG19
Kirviller 57....67 CL24
Klang 57....46 CG20
Kleinfrankenheim 67....68 CP27
Kleingœft 67....68 CO27
Klingenthal 67....97 CO29
Knœringue 68....143 CP39
Knœrsheim 67....68 CO27
Knutange 57....45 CE20
Koeking 57....45 CF19
Kœnigsmacker 57....45 CF19
Kœstlach 68....143 CO40
Kœtzingue 68....143 CP38
Kœur-la-Grande 55....64 CA26
Kœur-la-Petite 55....64 CA26
Kogenheim 67....97 CP31
Kolbsheim 67....97 CP28
Krautergersheim 67....97 CP29
Krautwiller 67....68 CP27
Le Kremlin-Bicêtre 94....58 BD27
Kreuzweg (Col du) 67....96 CN30
Kriegsheim 67....68 CP27
Kruth 68....120 CL35
Kuhlendorf 67....69 CS24
Kunheim 68....121 CP34
Kuntzig 57....45 CF20
Kurtzenhouse 67....69 CR26
Kuttolsheim 67....68 CP27
Kutzenhausen 67....69 CR24

L

Laà-Mondrans 64....313 AE86
Laàs 64....313 AD87
Laas 45....111 BC34
Labalme 01....214 CB56
Labarde 33....237 AF68
Labaroche 68....120 CN33
Labarrère 32....275 AL80
Labarthe 42....277 AV78
Labarthe 82....277 AP86
Labarthe (Moulin de) 33....256 AK71
Labarthe-Bleys 81....279 AZ79
Labarthe-Inard 31....334 AP90
Labarthe-Rivière 31....334 AP90
Labarthe-sur-Lèze 31....317 AV86
Labarthète 32....294 AK84
Labassère 65....333 AK90
Labastide 65....333 AN91
Labastide-Beauvoir 31....318 AX86
Labastide-
  Castel-Amouroux 47....275 AL76
Labastide-Cézéracq 64....313 AF87
Labastide-Chalosse 40....293 AF84

Labastide-Clermont 31 .....317 AT87
Labastide-d'Anjou 11 .....318 AZ87
Labastide-d'Armagnac 40..274 AI80
Labastide-de-Lévis 81 .....299 BA81
Labastide-de-Penne 82 .....278 AX77
Labastide-de-Virac 07 .....284 BT76
Labastide-Dénat 81 .....299 BC82
Labastide-du-Haut-Mont 46 .....261 BB71
Labastide-du-Temple 82 .....277 AU79
Labastide-du-Vert 46 .....259 AU74
Labastide-en-Val 11 .....338 BE90
Labastide-Esparbairenque 11 .....319 BD87
Labastide-Gabausse 81 .....279 BB80
Labastide-Marnhac 46 .....277 AV76
Labastide-Monréjeau 64 .....314 AG86
Labastide-Murat 46 .....260 AX73
Labastide-Paumès 31 .....316 AR87
Labastide-Rouairoux 81 .....320 BF86
Labastide-Saint-Georges 81 .....298 AZ83
Labastide-Saint-Pierre 82 .297 AV81
Labastide-Saint-Sernin 31 .298 AW83
Labastide-Savès 32 .....297 AS85
Labastide-sur-Bésorgues 07 .....266 BS72
Labastide-Villefranche 64 .311 AB86
Labastidette 31 .....317 AU86
Labathude 46 .....261 BA72
Labatie-d'Andaure 07 .....248 BU69
Labatmale 64 .....314 AI89
Labatut 64 .....315 AK86
Labatut 40 .....293 AC85
Labatut 09 .....318 AW88
Labatut-Rivière 65 .....295 AK85
Labbeville 95 .....38 BB23
Labeaume 07 .....266 BS75
Labécède-Lauragais 11 .....319 BD87
Labège 31 .....298 AW85
Labégude 07 .....266 BT73
Labéjan 32 .....296 A085
Labenne 40 .....292 Y84
Labenne-Océan 40 .....292 Y84
Labergement-du-Navois 25 .....180 CF46
Labergement-Foigney 21 ..160 BZ44
Labergement-lès-Auxonne 21 .....160 CA45
Labergement-lès-Seurre 21 .....178 BY47
Labergement-Sainte-Marie 25 .....180 CH49
Laberlière 60 .....23 BG18
Labescau 33 .....256 AJ75
Labesserette 15 .....262 BE72
Labessette 63 .....226 BE64
Labessière-Candeil 81 .298 BA82
Labets-Biscay 64 .....311 AB86
Labeuville 55 .....65 CC23
Labeuvrière 62 .....8 BE8
Labeyrie 64 .....293 AF85
Lablachère 07 .....266 BS75
Laboissière-en-Santerre 80..23 BF17
Laboissière-en-Thelle 60 .....38 BB21
Laboissière-Saint-Martin 80..21 AZ15
Laborde 65 .....333 AM91
Laborel 26 .....286 CD76
Labosse 60 .....37 BA21
Labouheyre 40 .....273 AD77
Labouiche (Rivière souterraine de) 09 .....336 AX91
Laboulbène 81 .....299 BC84
Laboule 07 .....266 BR73
Labouquerie 24 .....258 AR72
Labouret (Col du) 04 .....288 CJ77
Labourgade 82 .....297 AT81
Labourse 62 .....8 BF8
Laboutarie 81 .....299 BB83
Labretonie 47 .....257 AN75
Labrihe 32 .....296 AR83
Labrit 40 .....273 AG79
Labroquère 31 .....334 AO91
Labrosse 45 .....111 BD33
Labrousse 15 .....262 BE71
Labroye 62 .....11 BA10
Labruguière 81 .....299 BC85
Labruyère 60 .....38 BE21
Labruyère 21 .....178 BY46
Labruyère-Dorsa 31 .....318 AW87
Labry 54 .....45 CD22
Laburgade 46 .....278 AW76
Lac-des-Rouges-Truites 39 .....197 CF51
Le Lac-d'Issarlès 07 .....265 BR71
Lacabarède 81 .....320 BF86
Lacadée 64 .....293 AF85
Lacajunte 40 .....294 AG84
Lacalm 12 .....263 BH72
Lacam-d'Ourcet 46 .....261 BA71
Lacanau 33 .....236 AC69
Lacanau-de-Mios 33 .....254 AD72
Lacanau-Océan 33 .....236 AB68
Lacanche 21 .....177 BU46
Lacapelle-Barrès 15 .....245 BG70
Lacapelle-Biron 47 .....258 AR73
Lacapelle-Cabanac 46 .....259 AT75
Lacapelle-del-Fraisse 15 .262 BE71
Lacapelle-Livron 82 .....278 AY77
Lacapelle-Marival 46 .....261 BA72

Lacapelle-Pinet 81 .....280 BD79
Lacapelle-Ségalar 81 .....279 BA79
Lacapelle-Viescamp 15 .....243 BC70
Lacarre 64 .....330 AA89
Lacarry-Arhan-Charritte-de-Haut 64 .....331 AC90
Lacassagne 65 .....315 AL87
Lacaugne 31 .....317 AU88
Lacaune 81 .....300 BG83
Lacaussade 47 .....258 AR74
Lacave 46 .....260 AX71
Lacave 09 .....335 AS91
Lacaze 81 .....300 BE83
Lacelle 19 .....225 AZ62
Lacenas 69 .....212 BV58
Lacépède 47 .....275 A076
Lachaise 17 .....220 AJ63
Lachalade 55 .....43 BW22
Lachambre 57 .....67 CJ23
Lachamp 48 .....264 BL73
Lachamp-Raphaël 07 .....266 BS71
Lachapelle 82 .....276 AR80
Lachapelle 80 .....21 BA16
Lachapelle 54 .....96 CK30
Lachapelle 47 .....257 AM74
Lachapelle-aux-Pots 60 .....37 BA20
Lachapelle-Auzac 46 .....242 AW70
Lachapelle-en-Blaisy 52 .116 BW33
Lachapelle-Graillouse 07 .265 BQ71
Lachapelle-Saint-Pierre 60 .38 BC22
Lachapelle-sous-Aubenas 07 .....266 BT74
Lachapelle-sous-Chanéac 07 .....248 BS69
Lachapelle-sous-Chaux 90 .....142 CK38
Lachapelle-sous-Gerberoy 60 .....37 AZ19
Lachapelle-sous-Rougemont 90 ..142 CM38
Lachassagne 69 .....212 BV58
Lachau 26 .....286 CD77
Lachaussée 55 .....65 CC24
Lachaussée-du-Bois-d'Écu 60 .....22 BC18
Lachaux 63 .....210 BM58
Lachelle 60 .....39 BG20
Lachy 51 .....61 BN27
Lacollonge 90 .....142 CL38
Lacombe 11 .....319 BC87
Lacommande 64 .....314 AG88
Lacoste 84 .....305 CA82
Lacoste 34 .....302 BM84
Lacougotte-Cadoul 81 .298 AZ84
Lacour 82 .....277 AS77
Lacour-d'Arcenay 21 .....158 BF43
Lacourt 09 .....335 AT92
Lacourt-Saint-Pierre 82 .277 AU80
Lacq 64 .....313 AF86
Lacquy 40 .....274 AI80
Lacrabe 40 .....293 AF84
Lacres 62 .....6 AZ7
Lacroisille 81 .....298 AZ85
Lacroix-Barrez 12 .....262 BF71
Lacroix-Falgarde 31 .....317 AV86
Lacroix-Saint-Ouen 60 .....39 BG21
Lacroix-sur-Meuse 55 .....64 CA24
Lacropte 24 .....240 AR69
Lacrost 71 .....195 BX51
Lacrouzette 81 .....299 BD84
Lacs 36 .....189 BA51
Ladapeyre 23 .....189 BB55
Ladaux 33 .....256 AI72
Ladern-sur-Lauquet 11 .337 BD90
Ladevèze-Rivière 32 .....295 AK85
Ladevèze-Ville 32 .....295 AK85
Ladignac-le-Long 87 .....223 AT62
Ladignac-sur-Rondelles 19 .243 AZ66
Ladinhac 15 .....262 BE72
Ladirat 46 .....261 BA71
Ladiville 16 .....220 AK63
Ladoix 21 .....177 BW46
Ladoix-Serrigny 21 .....177 BW46
Ladon 45 .....112 BE36
Lados 33 .....256 AJ75
Ladoye-sur-Seille 39 .....179 CC49
Laduz 89 .....136 BL37
Lafage 11 .....318 AZ89
Lafage-sur-Sombre 19 .....243 BB66
Lafare 84 .....285 BY78
Lafarre 43 .....265 BQ71
Lafarre 07 .....248 BU68
Lafat 23 .....188 AX54
Lafauche 52 .....93 CA32
Laféline 03 .....191 BJ54
Laferté-sur-Amance 52 .140 CC37
Laferté-sur-Aube 52 .....116 BV34
Lafeuillade-en-Vézie 15 .262 BE71
Laffaux 02 .....40 BL20
Laffite-Toupière 31 .....316 AR89
Lafite Rothschild (Château de) 33 .....237 AE66
Lafitole 65 .....315 AK86
Lafitte 82 .....277 AT80
Lafitte-sur-Lot 47 .....275 A076
Lafitte-Vigordane 31 .....317 AU88
Lafox 47 .....276 AQ78
Lafrançaise 82 .....277 AU79

Lafraye 60 .....38 BC19
Lafresnoye 80 .....21 AZ15
Lafrimbolle 57 .....96 CL28
Lagamas 34 .....302 BM84
Lagarde 65 .....315 AK88
Lagarde 57 .....67 CJ27
Lagarde 32 .....275 A080
Lagarde 31 .....318 AY87
Lagarde 09 .....336 AZ91
Lagarde d'Apt 84 .....286 CC80
Lagarde-Enval 19 .....243 AZ67
Lagarde-Hachan 32 .....316 A087
Lagarde-Paréol 84 .....285 BX77
Lagarde-sur-le-Né 16 .....220 AJ63
Lagardelle 46 .....259 AT75
Lagardelle-sur-Lèze 31 .317 AV87
Lagardère 32 .....295 AN82
Lagardiolle 81 .....319 BB86
Lagarrigue 81 .....299 BC85
Lagarrigue 47 .....275 AN77
Lagatjar (Alignements de) 29 ..74 D30
Lageon 79 .....168 AJ49
Lagery 51 .....41 BN22
Lagesse 10 .....115 BQ35
Laghet 06 .....309 CR82
Lagleygeolle 19 .....242 AY68
Laglorieuse 40 .....294 AH81
Lagnes 84 .....305 BZ81
Lagney 54 .....94 CB85
Lagnicourt-Marcel 62 .....13 BH12
Lagnieu 01 .....214 CA59
Lagny 60 .....23 BH18
Lagny-le-Sec 60 .....59 BG24
Lagny-sur-Marne 77 .....59 BF26
Lagor 64 .....313 AF87
Lagorce 33 .....238 AJ68
Lagorce 07 .....266 BT75
Lagord 17 .....183 AC55
Lagos 64 .....314 AI89
Lagrâce-Dieu 31 .....317 AV87
Lagrand 05 .....287 CE76
Lagrange 90 .....142 CM38
Lagrange 65 .....333 AN90
Lagrange 40 .....274 AJ80
Lagrasse 11 .....338 BF90
Lagraulas 32 .....296 AM83
Lagraulet-du-Gers 32 .....295 AM81
Lagraulet-Saint-Nicolas 31 .297 AT82
Lagraulière 19 .....224 AX65
Lagrave 81 .....299 BA81
Lagruère 47 .....275 AM76
Laguenne 19 .....242 AY66
Laguépie 82 .....279 BA79
Laguian-Mazous 32 .....315 AM86
Laguinge-Restoue 64 .....331 AD90
Laguiole 12 .....263 BH73
Lagupie 47 .....257 AL74
Lahage 31 .....317 AS86
Laharie 40 .....272 AC79
Laharmand 52 .....116 BX34
Lahaye-Saint-Romain 80 ..21 BA17
Lahaymeix 55 .....64 BZ25
Lahayville 55 .....65 CC25
Laheycourt 55 .....63 BW25
Lahitte 31 .....335 AT90
Lahitte 32 .....296 AP84
Lahitte-Toupière 65 .....315 AK86
Lahonce 64 .....292 Z85
Lahontan 64 .....293 AC85
Lahosse 40 .....293 AD83
Lahourcade 64 .....313 AF87
Lahoussoye 80 .....22 BE14
Laifour 08 .....26 BU14
Laigné 53 .....128 AF37
La Laigne 17 .....184 AF55
Laigné-en-Belin 72 .....130 AN37
Laignelet 35 .....81 AD31
Laignes 21 .....137 BS37
Laigneville 60 .....38 BD21
Laigny 02 .....25 B015
Laillé 35 .....104 Y35
Lailly 89 .....114 BM33
Lailly-en-Val 45 .....132 AY38
Laimont 55 .....63 BX26
Lain 89 .....135 BK40
Laines-aux-Bois 10 .....114 BP33
Lains 39 .....196 CB53
Lainsecq 89 .....156 BK41
Lainville-en-Vexin 78 .....57 AZ23
Laires 62 .....142 CK40
Laires 62 .....7 BC7
Lairière 11 .....338 BE90
Lairoux 85 .....183 AB52
Laissac 12 .....281 BH76
Laissaud 73 .....235 CG43
Laissey 25 .....162 CG43
Laître-sous-Amance 54 .....66 CG27
Laives 71 .....177 BW50
Laix 54 .....45 CC19
Laiz 01 .....195 BW55
Laizé 71 .....195 BW53
Laizy 71 .....176 BR48
Lajo 48 .....264 BL71
Lajoux 39 .....197 CF53
Lalacelle 61 .....83 AK30
Lalande 89 .....135 BK39

Lalande-de-Pomerol 33 ..238 AJ69
Lalande-en-Son 60 .....37 AZ20
Lalandelle 60 .....37 AZ20
Lalandusse 47 .....257 A073
Lalanne 65 .....316 A088
Lalanne 32 .....296 AP82
Lalanne-Arqué 32 .....316 AP87
Lalanne-Trie 65 .....315 AM88
Lalaye 67 .....96 CN31
Lalbarède 81 .....299 BA84
Lalbenque 46 .....278 AW76
Laleu 80 .....11 BA14
Laleu 61 .....84 A029
Lalevade-d'Ardèche 07 ..266 BS73
Lalheue 71 .....177 BW50
Lalinde 24 .....258 AQ71
Lalizolle 03 .....209 BB61
Lallaing 59 .....9 BJ9
Lalleu 35 .....126 AA37
Lalley 38 .....268 CD71
Lalleyriat 01 .....214 CD56
Lalobbe 08 .....26 BR17
Lalœuf 54 .....94 CE30
Lalongue 64 .....314 AI86
Lalonquette 64 .....294 AH85
Laloubère 65 .....315 AK89
Lalouret-Laffiteau 31 .....316 AP89
Lalouvesc 07 .....248 BU67
Laluque 40 .....293 AC81
Lama 2B 345 FE104
Lamadeleine-Val-des-Anges 90 .....142 CL37
Lamagdelaine 46 .....260 AW75
Lamagistère 82 .....276 AR79
Lamaguère 32 .....316 AP86
Lamaids 03 .....190 BD55
Lamairé 79 .....168 AK49
Lamalou-les-Bains 34 .....301 BJ85
Lamancine 52 .....116 BX33
Lamanère 66 .....342 BE98
Lamanon 13 .....305 BZ83
Lamarche 88 .....118 CC34
Lamarche-en-Woëvre 55 .....65 CC25
Lamarche-sur-Saône 21 ..160 CA43
Lamargelle 21 .....159 BW41
Lamargelle-aux-Bois 52 .139 BX39
Lamaronde 80 .....21 BA16
Lamarque 33 .....237 AF67
Lamarque-Pontacq 65 .314 AJ89
Lamarque-Rustaing 65 .315 AM88
Lamasquère 31 .....317 AU86
Lamastre 07 .....248 BU69
Lamath 54 .....95 CH29
Lamativie 46 .....243 BA70
Lamayou 64 .....315 AK87
Lamazère 32 .....295 AN85
Lamazière-Basse 19 .....225 BB65
Lamazière-Haute 19 .....225 BD62
Lambach 57 .....68 CN23
Lambader 29 .....71 I27
Lamballe 22 .....78 T29
Lambersart 59 .....8 BI6
Lambert 04 .....288 CI77
Lamberville 76 .....20 AT16
Lamberville 50 .....32 AF23
Lambesc 13 .....305 CA84
Lamblore 28 .....85 AS29
Lambres 62 .....7 BD7
Lambres-lez-Douai 59 .....8 BI9
Lambrey 70 .....140 CE38
Lambruisse 04 .....288 CK79
Laméac 65 .....315 AM87
Lamécourt 60 .....38 BE20
Lamelouze 30 .....283 BQ78
Lamenay-sur-Loire 58 .175 BM49
Lamérac 16 .....220 AJ64
Lametz 08 .....26 BU13
Lamillarié 81 .....299 BB82
Lammerville 76 .....20 AT16
Lamnay 72 .....108 AR34
Lamongerie 19 .....224 AX63
Lamontélarié 81 .....300 BE84
Lamontgie 63 .....228 BL64
Lamontjoie 47 .....275 A079
Lamonzie-Montastruc 24..240 AP70
Lamonzie-Saint-Martin 24 .....257 AN71
Lamorlaye 60 .....38 BD23
Lamorville 55 .....64 CA25
Lamothe 43 .....246 BL66
Lamothe 40 .....293 AF82
Lamothe-Capdeville 82 .277 AV79
Lamothe-Cassel 46 .....260 AW73
Lamothe-Cumont 82 .....296 AR81
Lamothe-en-Blaisy 52 .116 BW33
Lamothe-Fénelon 46 .....259 AV71
Lamothe-Goas 32 .....296 A082
Lamothe-Landerron 33 .257 AL74
Lamothe-Montravel 24 ..238 AK70
Lamotte-Beuvron 41 .....133 BA40
Lamotte-Brebière 80 .....22 BD15
Lamotte-Buleux 80 .....11 AZ11
Lamotte-du-Rhône 84 ..284 BV77
Lamotte-Warfusée 80 .....23 BF15
Lamouilly 55 .....27 BY18
Lamoura 39 .....197 CF53
Lampaul 29 .....74 A29
Lampaul-Guimiliau 29 .....71 I28
Lampaul-Plouarzel 29 .....70 C28
Lampaul-Ploudalmézeau 29 .....70 D27

Lampertheim 67 .....68 CQ27
Lampertsloch 67 .....69 CR24
Lamure-sur-Azergues 69 ..212 BT57
Lanans 25 .....162 CI43
Lanarce 07 .....265 BQ72
Lanarvily 29 .....70 F27
Lanas 07 .....266 BT74
Lancé 41 .....131 AT39
Lanchères 80 .....11 AX12
Lanches-Saint-Hilaire 80 ..12 BB12
Lanchy 02 .....23 BI15
Lancié 69 .....212 BV56
Lancôme 41 .....131 AU40
Lançon 65 .....333 AN92
Lançon 08 .....43 BV21
Lançon-Provence 13 .....305 BZ84
Lancrans 01 .....215 CE56
Landal (Château de) 35 ....80 Z29
Landange 57 .....67 CL27
Landas 59 .....9 BK8
Landaul 56 .....123 O37
Landaville 88 .....94 CC32
Landavran 35 .....105 AC33
La Lande-Chasles 49 .....150 AL41
La Lande-d'Airou 50 .....51 AC26
La Lande-de-Fronsac 33..237 AH69
La Lande-de-Goult 61 .....83 AL29
La Lande-de-Lougé 61 .....83 AK28
La Lande-Patry 61 .....53 AH27
La Lande-Saint-Léger 27 ..34 A021
La Lande-Saint-Siméon 61 ..53 AI26
La Lande-sur-Drôme 14 ..32 AF23
La Lande-sur-Eure 61 .....85 AS29
La Lande-Vaumont 14 .....52 AF27
Landéan 35 .....81 AD31
Landebaëron 22 .....3 O27
Landébia 22 .....79 U29
La Landec 22 .....79 V30
Landécourt 54 .....95 CH29
Landéda 29 .....70 E27
Landéhen 22 .....78 T30
Landeleau 29 .....76 K31
Landelles 28 .....85 AU30
Landelles-et-Coupigny 14..52 AE25
Landemont 49 .....148 AC43
Landepéreuse 27 .....55 AQ24
Landerneau 29 .....75 G29
Landeronde 85 .....165 Z50
Landerrouat 33 .....257 AL72
Landerrouet-sur-Ségur 33 .....256 AK73
Landersheim 67 .....68 CP27
Landes 17 .....201 AG58
Les Landes-Genusson 85..166 AC47
Landes-le-Gaulois 41 .....131 AU40
Landes-sur-Ajon 14 .....33 AH23
Landes-Vieilles-et-Neuves 76 .....21 AY16
Landévant 56 .....123 O37
Landévennec 29 .....75 G30
Landevieille 85 .....165 X50
Landeville 52 .....93 BZ31
Landeyrat 15 .....245 BH66
Landifay-et-Bertaignemont 02 .....24 BM15
Landigou 61 .....53 AI27
Le Landin 27 .....35 AS20
Landiras 33 .....255 AH73
Landisacq 61 .....53 AH27
Landivisiau 29 .....71 H28
Landivy 53 .....81 AE30
Landogne 63 .....208 BF59
Landonvillers 57 .....46 CG22
Landorthe 31 .....334 AQ90
Landos 43 .....265 BP71
Landouge 87 .....205 AU60
Landouzy-la-Cour 02 .....25 BP15
Landouzy-la-Ville 02 .....25 BP15
Landrais 17 .....201 AE57
Le Landreau 44 .....148 AB44
Landrecies 59 .....15 BM12
Landrecourt 55 .....64 BZ23
Landres 54 .....45 CC20
Landres-et-Saint-Georges 08..43 BW20
Landresse 25 .....162 CI43
Landrethun-le-Nord 62 .....2 AZ4
Landrethun-lès-Ardres 62 ....2 BA4
Landrévarzec 29 .....99 H33
Landreville 10 .....115 BT35
Landrichamps 08 .....17 BV12
Landricourt 51 .....99 BY29
Landricourt 02 .....40 BK19
Landroff 57 .....66 CI24
Landry 73 .....234 CL62
Landser 68 .....143 CP38
Landudal 29 .....100 I33
Landudec 29 .....99 F34
Landujan 35 .....103 X32
Landunvez 29 .....70 D27
Lanéria 39 .....196 CA53
Lanespède 65 .....315 AM89
Lanessan (Château de) 33 .....237 AE67
Lanester 56 .....123 M37
Lanet 11 .....338 BE92
Laneuvelle 52 .....118 CC36
Laneuvelotte 54 .....66 CG27
Laneuveville-aux-Bois 54..95 CJ28

Laneuveville-derrière-Foug 54 .....65 CC27
Laneuveville-devant-Bayon 54 .....95 CG30
Laneuveville-devant-Nancy 54 .....94 CF28
Laneuveville-en-Saulnois 57 .....66 CH25
Laneuveville-lès-Lorquin 57 .....67 CL27
Laneuville-à-Bayard 52 ..92 BX29
Laneuville-à-Rémy 52 .....92 BW30
Laneuville-au-Bois 52 .....93 CA31
Laneuville-au-Pont 52 .....63 BV28
Laneuville-au-Rupt 55 .....64 CB27
Laneuville-sur-Meuse 55 ..43 BX19
Laneuvilleroy 60 .....38 BE19
Lanfains 22 .....78 Q30
Lanfroicourt 54 .....66 CG26
Langan 35 .....80 Y32
Langast 22 .....78 S31
Langatte 57 .....67 CL26
Langé 36 .....171 AW46
Langeac 43 .....246 BM66
Langeais 37 .....151 AO43
Langensoultzbach 67 .....68 CQ24
Langeron 58 .....174 BH49
Langesse 45 .....134 BF38
Langey 28 .....109 AU35
Langlade 30 .....303 BS82
Langley 88 .....95 CG31
Langoat 22 .....72 N26
Langoëlan 56 .....101 N33
Langogne 48 .....265 BP71
Langoiran 33 .....255 AH72
Langolen 29 .....100 I33
Le Langon 85 .....183 AD53
Langon 41 .....154 AZ44
Langon 35 .....126 X38
Langon 33 .....256 AI74
Langonnet 56 .....100 L33
Langonnet (Abbaye de) 56 .....101 M33
Langouet 35 .....80 Y32
Langourla 22 .....78 T31
Langres 52 .....139 BZ37
Langrolay-sur-Rance 22 ....79 X29
Langrune-sur-Mer 14 .....33 AJ21
Languédias 22 .....79 V30
Languenan 22 .....79 W29
Langueux 22 .....78 R29
Languevoisin-Quiquery 80..23 BH16
Languidic 56 .....101 O36
Languidou (Chapelle de) 29 .....99 F35
Languimberg 57 .....67 CK26
Languivoa (Chapelle de) 29 .....99 F35
Langy 03 .....192 BM55
Lanhélin 35 .....80 Y30
Lanhères 55 .....44 CB22
Lanhouarneau 29 .....71 G27
Lanildut 29 .....70 C28
Laning 57 .....67 CJ23
Laniscat 22 .....77 O32
Laniscourt 02 .....24 BL18
Lanleff 22 .....73 P27
Lanloup 22 .....73 Q26
Lanmérin 22 .....72 N26
Lanmeur 29 .....72 K27
Lanmodez 22 .....73 P25
Lann-Bihoué 56 .....123 M37
Lanne 65 .....315 AK89
Lanne-en-Barétous 64 .....331 AD90
Lanne-Soubiran 32 .....294 AJ83
Lannéanou 29 .....76 K29
Lannebert 22 .....73 P27
Lannecaube 64 .....314 AI86
Lannédern 29 .....76 J31
Lannemaignan 32 .....294 AH84
Lannemezan 65 .....333 AN90
Lannepax 32 .....295 AM82
Lanneplaà 64 .....313 AD86
Lanneray 28 .....109 AV35
Lannes 52 .....117 BZ36
Lannes 47 .....275 AM80
Lanneuffret 29 .....71 G28
Lannilis 29 .....70 E27
Lannion 22 .....72 M26
Lannoy 59 .....9 BJ6
Lannoy-Cuillère 60 .....21 AY17
Lannux 32 .....294 AI84
Lano 2B 347 FF104
Lanobre 15 .....226 BE64
Lanouaille 24 .....223 AT65
Lanouée 56 .....102 S35
Lanoux 09 .....335 AV90
Lanquais 24 .....258 AQ71
Lanques-sur-Rognon 52 ..117 BZ34
Lanquetot 76 .....19 AQ18
Lanrelas 22 .....103 U32
Lanrigan 35 .....80 Z31
Lanrivain 22 .....77 O30
Lanrivoaré 29 .....70 D28
Lanrodec 22 .....77 P29
Lans 71 .....177 BW49
Lans-en-Vercors 38 .....250 CG51
Lansac 66 .....338 BF94
Lansac 33 .....237 AG68
Lansac 65 .....315 AL89
Lansargues 34 .....303 BR84

anslebourg-
Mont-Cenis 73......235 CM65
anslevillard 73......235 CN65
anta 31......298 AX85
antabat 24......311 AB88
antages 10......115 BR35
antan 18......173 BF48
antéfontaine 54......45 CD21
antenay 21......159 BW43
antenay 01......214 CC57
antenne-Vertière 25......161 CD44
antenot 70......141 CI38
a Lanterne-
et-les-Armonts 70......141 CI37
anteuil 19......242 AX68
anthenans 25......163 CJ42
anthes 21......178 BZ46
antheuil 14......33 AI21
antic 32......73 Q28
antignié 69......212 BU56
antillac 56......102 R35
antilly 21......158 BS41
anton 33......254 AC72
antosque 06......291 CR79
antriac 43......247 BQ69
anty 58......175 BQ49
anty-sur-Aube 52......116 BV35
anuéjols 48......264 BN75
anuéjols 30......282 BL79
anuéjouls 12......261 BB75
anvallay 22......79 W30
anvaudan 56......101 N35
anvellec 22......72 L27
anvénégen 56......100 L34
anvéoc 29......75 E30
anvézéac 22......72 N26
anvollon 22......73 Q27
anzac 46......242 AW70
aon 02......24 BM18
aons 28......56 AU28
aouzas (Barrage de) 81......300 BG84
apalisse 03......192 BN55
apalud 84......284 BV76
apan 18......172 BC48
apanouse 12......281 BI76
apanouse-de-Cernon 12......281 BJ80
aparade 47......275 AO76
aparrouquial 81......279 BA79
apège 04......336 AW93
apenche 82......278 AX78
apenne 09......336 AY90
apenty 50......81 AE29
aperche 47......257 AN74
Laperrière-sur-Saône 21......160 CA45
Lapeyre 65......315 AN87
Lapeyrère 31......317 AU89
Lapeyrouse 63......191 BH55
Lapeyrouse 01......213 BX58
Lapeyrouse-Fossat 31......298 AW84
Lapeyrouse-Mornay 26......231 BY65
Lapeyrugue 15......262 BE72
Lapleau 19......243 BB66
Laplume 47......275 AO79
Lapoutroie 68......120 CN33
Lapouyade 33......238 AI68
Lappion 02......25 BP18
Laprade 16......239 AM66
Laprade 11......319 BC86
Lapradelle 11......337 BC93
Laprugne 03......211 B058
Laps 63......228 BK62
Lapte 43......248 BS67
Lapugnoy 62......7 BE8
Laquenexy 57......66 CG23
Laqueuille 63......227 BG62
Laragne-Montéglin 05......287 CF76
Larajasse 69......230 BU62
Laramière 46......279 AZ76
Laran 65......316 AO88
Larbey 40......293 AE83
Larbont 09......335 AV91
Larbroye 60......23 BH18
Larcan 31......316 AQ89
Larcat 09......336 AX94
Larçay 37......152 AR43
Larceveau-Arros-Cibits 64......311 AB88
Larchamp 61......63 AH28
Larchamp 53......81 AE31
Larchant 77......112 BF33
Larche 19......241 AV68
Larche 04......271 CN74
Larche (Col de) 04......271 CN74
Le Larderet 39......179 CE48
Lardier-et-Valença 05......269 CG75
Lardiers 04......287 CE79
Le Lardin-Saint-Lazare 24......241 AU68
Lardy 91......87 BC30
Larée 32......295 AK81
Laréole 31......297 AS83
Largeasse 79......167 AH50
Largentière 07......266 BS74
Largillay-Marsonnay 39......196 CC51
Largitzen 68......143 CN39
Largny-sur-Automne 02......39 BI22
Largoët (Forteresse de) 56......124 S38
Larians-et-Munans 70......162 CG41
Larivière 90......143 CN39
Larivière-sur-Apance 52......118 CC35
Larmor-Baden 56......124 P39
Larmor-Plage 56......123 M37
Larnage 26......249 BX68

Larnagol 46......260 AY75
Larnas 07......266 BV75
Larnat 09......336 AX94
Larnaud 39......179 CB50
Larnod 25......161 CE44
Laroche-près-Feyt 19......226 BE61
Laroche-Saint-Cydroine 89...113 BL36
Larochemillay 58......176 BP48
Larodde 63......226 BE63
Laroin 64......314 AG88
Larone (Col de) 2A......349 FG112
Laronxe 54......95 CI29
Laroque 34......302 B081
Laroque 33......256 AI72
Laroque-de-Fa 11......338 BF92
Laroque-des-Albères 66......343 BI97
Laroque-des-Arcs 46......260 AW75
Laroque-d'Olmes 09......336 AZ92
Laroque-Timbaut 47......276 AO77
Laroquebrou 15......243 BC69
Laroquevieille 15......244 BE68
Larouillies 59......15 B013
Larra 31......297 AU83
Larrau 64......331 AC91
Larrazet 82......297 AT81
Larré 56......124 S38
Larressingle 32......295 AM81
Larret 70......140 CB39
Larret 29......70 D28
Larreule 65......315 AK86
Larreule 64......314 AG86
Larrey 21......137 BS37
Larribar-Sorhapuru 64......311 AB87
Larringes 74......198 CJ53
Larrivière-Saint-Savin 40...294 AG82
Larrivoire 39......196 CD54
Larroque 31......278 AY80
Larroque 65......316 AO88
Larroque 31......316 AP89
Larroque-Engalin 32......275 AO80
Larroque-Saint-Sernin 32...296 AO82
Larroque-sur-l'Osse 32......275 AM80
Larroque-Toirac 46......261 BA74
Lartigue 33......274 AJ77
Lartigue 32......296 AO85
Laruns 64......332 AG91
Laruscade 33......238 AI67
Larzac 24......259 AS72
Larzicourt 51......62 BU28
Lasalle 30......283 BP80
Lasbordes 11......319 BA88
Lascabanes 46......277 AV76
Lascaux 19......223 AV65
Lascaux (Grotte de) 24......241 AU68
Lascazères 65......295 AK85
Lascelle 15......244 BF69
Laschamps-
de-Chavanat 23......207 AZ56
Lasclaveries 64......314 AH86
Lasfaillades 81......300 BE85
Lasgraisses 81......299 BA82
Laslades 65......315 AL88
Lassales 65......316 AO89
Lassay-les-Châteaux 53......82 AI30
Lassay-sur-Croisne 41......153 AX43
Lasse 64......330 Z89
Lasse 49......150 AL41
Lasserade 32......295 AK84
Lasséran 32......296 AO85
Lasserre 64......294 AJ85
Lasserre 47......275 AN79
Lasserre 31......297 AT84
Lasserre 09......335 AT90
Lasserre-de-Prouille 11......319 BB88
Lasseube 64......314 AG88
Lasseube-Propre 32......296 AP85
Lasseubetat 64......314 AG89
Lassicourt 10......91 BT31
Lassigny 60......23 BG18
Lasson 89......114 B035
Lasson 14......33 AI22
Lassouts 12......263 BH75
Lassur 09......336 AY94
Lassy 95......38 BE23
Lassy 35......103 X35
Lassy 14......53 AH29
Lastelle 50......31 AB21
Lastic 63......226 BF61
Lastic 15......246 BK68
Lastioulles
(Barrage de) 15......226 BF65
Lastours 11......319 BD88
Lataule 60......39 BF19
Le Latet 39......179 CE48
La Latette 39......180 CF49
Lathuile 74......215 CH60
Lathus 86......187 AS54
Latillé 86......185 AL51
Latilly 02......40 BE23
Latoue 31......316 AQ89
Latour 31......317 AU89
Latour-Bas-Elne 66......343 BI96
Latour-de-Carol 66......341 AZ97
Latour-de-France 66......338 BF94
Latour-en-Woëvre 55......65 CC23
Latrape 31......317 AU89
Latrecey 52......116 BW36
Latresne 33......255 AG71

Latrille 40......294 AI84
Latronche 19......243 BC66
Latronquière 46......261 BB71
Lattainville 60......37 AZ22
La Latte (Fort) 22......50 V27
Lattes 34......302 BP85
Lattre-Saint-Quentin 62......13 BE10
Lau-Balagnas 65......332 AJ91
Laubach 67......68 CQ25
Laubert 48......264 BN74
Les Laubies 48......264 BL72
Laubressel 10......91 BR32
Laubrières 53......105 AD36
La Lauch (Lac de) 68......120 CM35
Laucourt 80......23 BG17
Laudrefang 57......66 CI23
Laudun-l'Ardoise 30......284 BV79
Laugnac 47......276 AP77
Laujuzan 32......294 AJ82
Laulne 50......31 AB21
Laumesfeld 57......46 CH20
Launac 31......297 AT83
Launaguet 31......298 AW84
Launay 27......35 AR21
Launay-Villiers 53......105 AE34
Launois-sur-Vence 08......26 BT17
Launoy 02......40 BK22
Launstroff 57......46 CH19
La Laupie 26......267 BX73
Laurabuc 11......319 BA89
Laurac 11......319 BA89
Laurac-en-Vivarais 07......266 BS74
Lauraët 32......295 AM81
Lauraguel 11......337 BB90
Laure-Minervois 11......320 BE88
Laurède 40......293 AE82
Laurenan 22......102 T32
Laurens 34......301 BK85
Lauresses 46......261 BB72
Lauret 40......294 AH85
Lauret 34......302 BP82
Laurie 15......245 BJ66
Laurière 87......206 AW57
Laurière 24......240 AR66
Lauris 84......305 CB83
Lauroux 34......301 BK83
Laussac 12......263 BG71
Laussonne 43......247 BQ69
Laussou 47......258 AR74
Lautaret (Col du) 05......252 CJ68
Lautenbach 68......120 CN35
Lautenbachzell 68......120 CN35
Lauterbourg 67......69 CU23
Lauthiers 86......187 AQ51
Lautignac 31......317 AS87
Lautrec 81......299 BB83
Lauw 68......142 CM37
Lauwin-Planque 59......8 BI9
Laux-Montaux 26......286 CC76
Lauzach 56......124 S39
Lauzerte 82......277 AT77
Lauzerville 31......298 AX85
Lauzès 46......260 AX74
Le Lauzet-Ubaye 04......270 CJ75
Lauzières 17......183 AC55
Lauzun 47......257 AO73
Lava (Col de) 2A......346 FA108
Lava (Golfe de) 2A......348 FB111
Lavacquerie 60......22 BB17
Laval 53......106 AG34
Laval 38......251 CF66
Laval (Chalets de) 05......252 CK68
Laval-Atger 48......264 BN71
Laval-d'Aix 26......268 CB72
Laval-d'Aurelle 07......265 BQ74
Laval-de-Cère 46......243 BA70
Laval-du-Tarn 48......282 BL76
Laval-en-Brie 77......89 BI31
Laval-en-Laonnois 02......40 BM19
Laval-le-Prieuré 25......163 CJ44
Laval-Morency 08......26 BS15
Laval-Pradel 30......283 BR78
Laval-Roquecezière 12......300 BF82
Laval-Saint-Roman 30......284 BU77
Laval-sur-Doulon 43......228 BM65
Laval-sur-Luzège 19......243 BB66
Laval-sur-Tourbe 51......42 BU23
Laval-sur-Vologne 88......119 CJ33
Lavalade 24......258 AR72
Lavaldens 38......251 CF69
Lavalette 34......301 BK84
Lavalette 31......298 AX84
Lavalette 11......319 BC89
Lavalette (Barrage de) 43...247 BR67
Lavallée 55......64 BZ26
Le Lavancher 74......217 CM57
Lavancia-Epercy 39......196 CC54
La Lavandou 83......329 CK89
Lavangeot 39......161 CC45
Lavannes 51......41 BQ21
Lavans-lès-Dole 39......161 CC45
Lavans-lès-
Saint-Claude 39......196 CD53
Lavans-Quingey 25......161 CE45
Lavans-sur-Valouse 39......196 CC54
Lavans-Vuillafans 25......162 CG45
Lavaqueresse 02......25 BN14
Lavardac 47......275 AM78
Lavardens 32......296 AO83
Lavardin 72......107 AM35
Lavardin 41......131 AS38

Lavaré 72......108 AQ35
Lavars 38......250 CD70
Lavasina 2B......345 FG102
Lavastrie 15......245 BI70
Lavatoggio 2B......346 FC105
Lavau 89......135 BI40
Lavau 10......91 BQ32
Lavau-sur-Loire 44......146 W43
Lavaudieu 43......246 BM66
Lavaufranche 23......190 BC54
Lavault-de-Frétoy 58......176 BP46
Lavault-Sainte-Anne 03......190 BF54
Les Lavaults 89......158 BQ43
Lavaur 81......298 AZ83
Lavaur 24......259 AS73
Lavaurette 82......278 AX78
Lavausseau 86......185 AL51
Lavaveix-les-Mines 23......207 BB57
Lavazan 33......256 AJ75
Laveissenet 15......245 BH68
Laveissière 15......245 BG68
Lavelanet 09......336 AZ92
Lavelanet-
de-Comminges 31......317 AT88
Laveline-
devant-Bruyères 88......120 CK33
Laveline-du-Houx 88......119 CJ33
Lavenay 72......130 AQ38
Laventie 62......8 BG6
Lavéra 13......325 BY87
Le Lège-Cap-Ferret 33......254 AB71
Légéville-et-Bonfays 88......118 CF33
Lavergne 47......257 AN73
Lavergne 46......260 AY71
Lavernat 72......130 AO39
Lavernay 25......161 CD43
Lavernhe 12......281 BI77
Lavernose-Lacasse 31......317 AU87
Lavernoy 52......117 CB36
Laverrière 60......21 BA17
Laversine 02......40 BJ21
Laversines 60......38 BC20
Lavérune 34......302 BP85
Laveyron 26......249 BW66
Laveyrune 07......265 BP73
Laveyssière 24......239 AO70
Lavieu 42......229 BQ63
Laviéville 80......22 BE14
Lavigerie 15......245 BG67
Lavignac 87......223 AT61
Lavigney 70......140 CD38
Lavignolle 33......255 AE73
Lavigny 39......179 CC49
Lavillatte 07......265 BQ72
Laville-aux-Bois 52......117 BY34
Lavilledieu 07......266 BU74
Lavilleneuve 52......117 CA35
Lavilleneuve-au-Roi 52......116 BW34
Lavilleneuve-
aux-Fresnes 52......116 BV33
Lavilletertre 60......37 BA22
Lavincourt 55......63 BX28
Laviolle 07......266 BT71
Laviron 25......163 CJ43
Lavit-de-Lomagne 82......296 AR81
Lavoine 03......210 BN58
Lavoncourt 70......140 CD39
Lavours 01......214 CD59
Lavoûte-Chilhac 43......246 BL67
Lavoûte-sur-Loire 43......247 BP68
Lavoux 86......186 AP51
Lavoye 55......63 BX24
Lawarde-
Mauger-l'Hortoy 80......22 BC17
Laxou 54......65 CF27
Lay 42......211 BR58
Lay-Lamidou 64......313 AE88
Lay-Saint-Christophe 54......65 CF27
Lay-Saint-Remy 54......94 CC29
Laye 05......269 CG72
Laymont 32......317 AS87
Layrac 47......276 AP79
Layrac-sur-Tarn 31......298 AW82
Layrisse 65......315 AK89
Lays-sur-le-Doubs 71......178 BZ47
Laz 29......76 J32
Lazenay 18......172 BB46
Lazer 05......287 CF76
Léalvillers 80......13 BE13
Léaupartie 14......34 AM22
Léaz 01......215 CE56
Lebetain 90......142 CM40
Lebeuville 54......95 CG30
Lebiez 62......6 BA8
Leboulin 32......296 AP84
Lebreil 46......277 AT76
Lebucquière 62......13 BH12
Lécaude 14......34 AM23
Lecci 2A......349 FG113
Lecelles 59......9 BK8
Lecey 52......139 CA37
Lechâtelet 21......178 BY46
Léchelle 77......89 BK29
Léchelle 62......13 BH13
La Léchère 73......234 CJ62
Les Lèches 24......239 AN69
Lechiagat 29......99 F36
Lécluse 59......14 BI10
Lécourt 52......117 CB35

Lécousse 35......81 AC31
Les Lecques 83......327 CE89
Lecques 30......303 BR82
Lect 39......196 CC53
Lecumberry 64......330 AA89
Lécussan 31......316 AO89
le Lédat 47......258 AP75
Lédas-et-Penthiès 81......280 BD79
Lédenon 30......304 BU81
Lédergues 12......280 BE79
Lédeuix 64......313 AE88
Lédignan 30......283 BR80
Ledinghem 62......6 BA6
Lée 64......314 AH88
Lées-Athas 64......331 AE91
Lefaux 62......6 AY7
Leffard 14......53 AJ25
Leffincourt 08......42 BT20
Leffond 70......139 CA39
Leffonds 52......117 BY36
Leffrinckoucke 59......3 BD2
Leforest 62......8 BI9
Le Lège 44......165 Z47
Lège 31......334 AP92
Légéville-et-Bonfays 88......118 CF33
Léglantiers 60......38 BE19
Légna 39......196 CC53
Légny 69......212 BU59
Léguevin 31......297 AU85
Léguillac-de-Cercles 24......221 AO65
Léguillac-de-l'Auche 24...240 AP67
Lehaucourt 02......24 BK14
Léhélec (Château de) 56......115 U39
Léhon 22......79 W30
Leigné-les-Bois 86......169 AQ49
Leigné-sur-Usseau 86......169 AP48
Leignes-sur-Fontaine 86......187 AR52
Leigneux 42......229 BQ61
Leimbach 68......142 CM37
Leintrey 54......95 CJ28
Leiterswiller 67......69 CS24
Lélex 01......197 CE54
Lelin-Lapujolle 32......294 AJ83
Lelling 57......67 CJ23
Lemainville 54......94 CF29
Lembach 67......69 CR23
Lemberg 57......68 C023
Lembeye 64......314 AJ86
Lembras 24......239 A070
Lème 64......294 AH85
Lemé 02......25 BN15
Leménil-Mitry 54......95 CG30
Lémeré 37......169 AN46
Lemmecourt 88......94 CC32
Lemmes 55......63 BY23
Lemoncourt 57......66 CG25
Lempaut 81......299 BB85
Lempdes 63......209 BJ60
Lempdes-
sur-Allagnon 43......228 BK65
Lempire 02......24 BJ14
Lempire-aux-Bois 55......43 BY23
Lemps 26......286 CB76

Lemps 07......249 BW68
Lempty 63......210 BK60
Lempzours 24......222 AR65
Lemud 57......66 CG23
Lemuy 39......179 CG47
Lénault 14......53 AH25
Lenax 03......193 B054
Lencloître 86......169 AN49
Lencouacq 40......274 AH79
Lendresse 64......313 AE86
Lengelsheim 57......48 C022
Lengronne 50......35 AE25
Lenharrée 51......61 BQ27
Léning 57......67 CJ24
Lénizeul 52......117 CB35
Lennon 29......76 I32
Lenoncourt 54......95 CG28
Lens 62......8 BG9
Lens-Lestang 26......231 BY65
Lent 39......180 CF49
Lent 01......213 BZ56
Lentigny 42......211 B058
Lentillac-Lauzès 46......260 AX74
Lentillac-Saint-Blaise 46...261 BB74
Lentillères 07......266 BS73
Lentilles 10......92 BU30
Lentilly 69......212 BU60
Lentiol 38......231 BY65
Lento 2B......347 FF105
Léobard 46......259 AV72
Léogeats 33......255 AH74
Léognan 33......255 AF72
Léojac 82......277 AV80
Léon 40......292 Z81
Léoncel 26......249 BZ70
Léotoing 43......228 BK65
Léouville 45......111 BB33
Léoville 17......220 AI64
Lépanges-sur-Vologne 88...119 CJ33
Lépaud 23......190 BD55
Lépin-le-Lac 73......233 CE62
Lépinas 23......207 BA57
Lépine 62......6 AY9
Lépron-les-Vallées 08......26 BS16
Lepuix 90......142 CK37
Lepuix-Neuf 90......143 CN40
Léran 09......336 AZ91
Lercoul 09......336 AW94
Léré 18......156 BH42
Léren 64......292 AB85
Lérigneux 42......229 BP62
Lerm-et-Musset 33......274 AJ76
Lerné 37......150 AM45
Lérouville 55......64 CA26
Lerrain 88......118 CF33
Léry 27......36 AU21
Léry 21......138 BW40
Lerzy 02......25 B014
Lesbœufs 80......13 BH13
Lesbois 53......81 AF30
Lescar 64......314 AG87
Leschaux 74......215 CG60
Leschelle 59......25 BN14
Lescheraines 73......215 CG60
Leschères 39......197 CE52
Leschères-
sur-le-Blaiseron 52......92 BX32
Lescherolles 77......60 BK27

LAVAL

Alègre (Prom. Anne d') . . . Z 3
Avesnières (Q. d') . . . . . . Z 5
Avesnières (R. d') . . . . . . Z 7
Briand (Pont A.) . . . . Y 8
Britais (R. du) . . . . Y 9
Chapelle (R. de) . . . . Z 12
Déportés (R.) . . . . Y 13
Douanier-Rousseau (R.) . . . Z 14
Droits de l'homme
(Parvis des) . . . . Y 15
Gambetta (Quai) . . . . . . Y 17
Gaulle (R. Gén.-de) . . . . . Y
Gavre (Q. B.-de) . . . . Y 18

Grande-Rue . . . . Z 19
Hardy-de-Lévaré (Pl.) . . . . Z 22
Jean-Fouquet (Q.) . . . . . . Y 26
Moulin (Pl. J.) . . . . Y 34
Orfèvres (R. des) . . . . Z 36
Paix (R. de la) . . . . Y
Paradis (R. de) . . . . Z 37
Pin-Doré (R. du) . . . . Z 40
Pont-de-Mayenne (R. du). . Z 43
Renaise (R.) . . . . Y 44
Résistance (Crs de la) . . . . Y 45
Serruriers (R. des) . . . . . . Z 47
Solférino (R.) . . . . Y 48
Souchu-Servinière (R.) . . . Y 50
Strasbourg (R. de) . . . . . . Y 52
Trémoille (Pl. de la) . . . . . Z 28

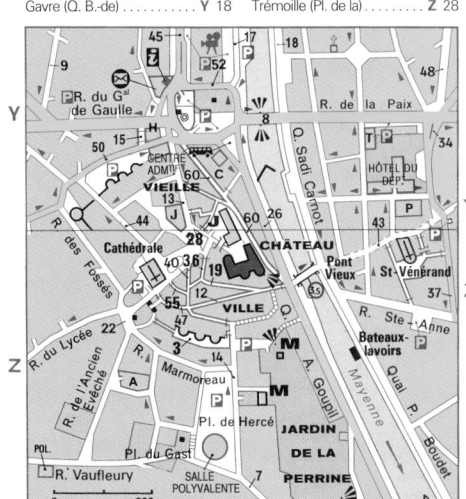

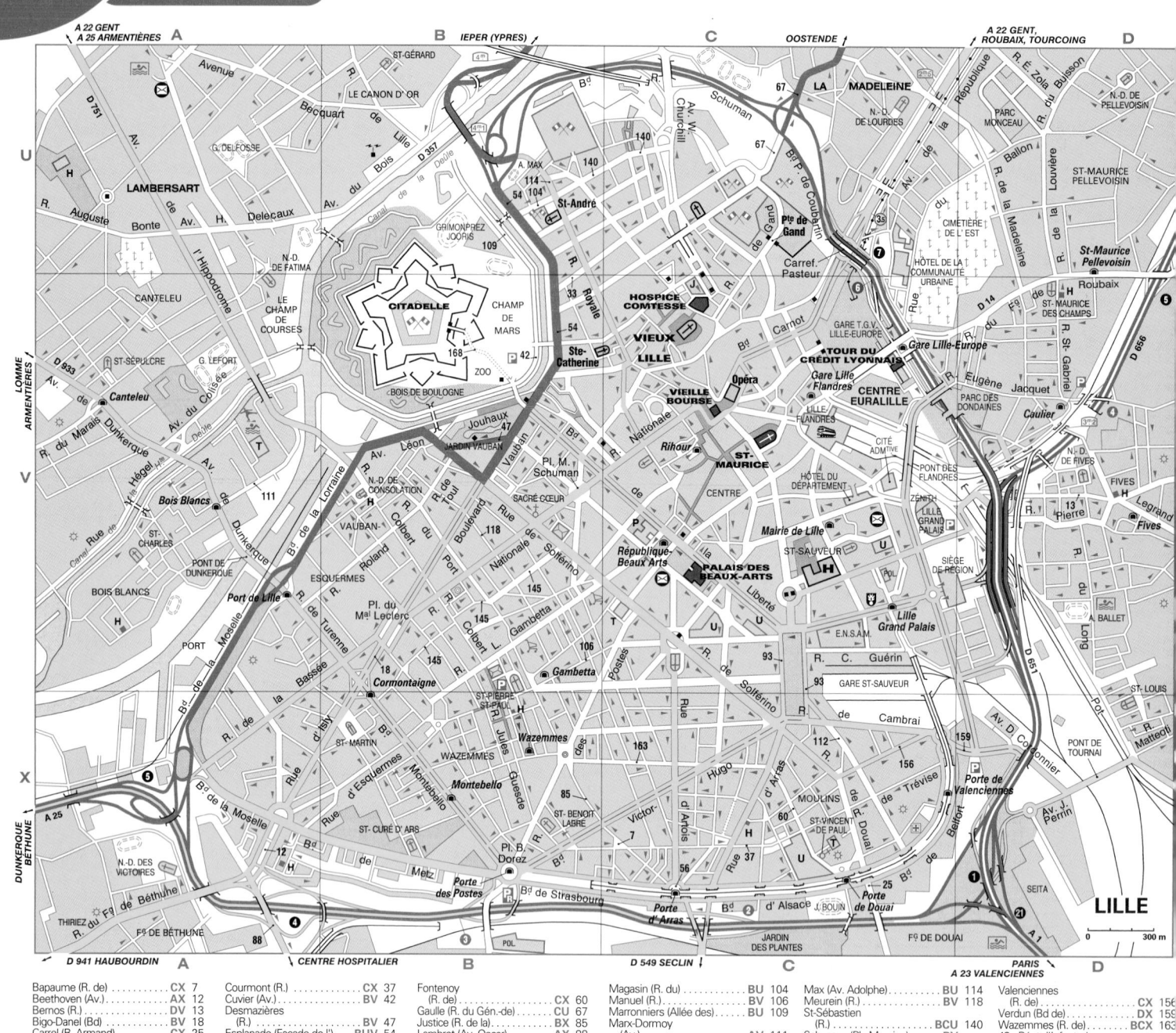

Bapaume (R. de) . . . . CX 7	Courmont (R.) . . . . CX 37
Beethoven (Av.) . . . . AX 12	Cuvier (Av.) . . . . BV 42
Bernos (R.) . . . . DV 13	Desmazières
Bigo-Danel (Bd) . . . . BV 18	(R.) . . . . BV 47
Carrel (R. Armand) . . . . CX 25	Esplanade (Façade de l') . . BUV 54
Colpin (R. du Lt) . . . . BV 33	Février (Pl. J.) . . . . CX 56

Fontenoy	
(R. de) . . . . CX 60	
Gaulle (R. du Gén.-de) . . . . CU 67	
Justice (R. de la) . . . . BX 85	
Lambret (Av. Oscar) . . . . . . AX 88	
Lebas (Bd J.-B.) . . . . CV 93	

Magasin (R. du) . . . . BU 104	
Manuel (R.) . . . . BV 106	
Marronniers (Allée des) . . . BU 109	
Marx-Dormoy	
(Av.) . . . . AV 111	
Maubeuge (R. de) . . . . CX 112	

Max (Av. Adolphe) . . . . BU 114	
Meurein (R.) . . . . BV 118	
St-Sébastien	
(R.) . . . . BCU 140	
Schuman (Pl. Maurice) . . . . BV	
Stations (R. des) . . . . BV 145	

Valenciennes	
(R. de) . . . . CX 15€	
Verdun (Bd de) . . . . DX 15§	
Wazemmes (R. de) . . . . BCX 163	
43e-Régt-d'Infanterie	
(Av. du) . . . . BV 168	

Lescheroux 01	195 BY53	Lespinoy 62	6 BA9	Lettret 05	269 CG74	Les Lèves-	
Lesches 77	59 BG26	Lespiteau 31	334 AQ90	Leubringhen 62	2 AY4	et-Thoumeyragues 33	257 AM71
Lesches-en-Diois 26	268 CC73	Lesponne 65	333 AL91	Leuc 11	337 BD90	Levesville-la-Chenard 28	86 AZ32
Lesconil 29	99 G36	Lespouey 65	315 AL89	Leucamp 15	262 BE72	Levet 18	173 BD48
Lescouët-Gouarec 22	77 N32	Lespourcy 64	314 AJ87	Leucate 11	339 BI92	Levie 2A	349 FF113
Lescouët-Jugon 22	79 U30	Lespugue 31	316 AP89	Leucate-Plage 11	339 BJ92	Levier 25	180 CG47
Lescousse 09	336 AW90	Lesquerde 66	338 BE93	Leuchey 52	139 BY38	Levignac 31	297 AU84
Lescout 81	299 BB85	Lesquielles-		Leudeville 91	87 BD29	Lévignac-de-Guyenne 47	257 AM73
Lescun 64	331 AE92	Saint-Germain 02	24 BM14	Leudon-en-Brie 77	60 BK27	Lévignacq 40	272 AK90
Lescuns 31	317 AS89	Lesquin 59	8 BI7	Leuglay 21	138 BV37	Lévignen 60	39 BH22
Lescure 09	335 AU91	Lessac 16	204 AQ57	Leugny 89	136 BL39	Levigny 10	92 BU32
Lescure 81	299 BB81	Lessard-en-Bresse 71	178 BY49	Leugny 86	169 AQ48	Levis 89	135 BK40
Lescure d'Albigeois 81	299 BB78	Lessard-et-le-Chêne 14	54 AN24	Leugny (Château de) 37	152 AS43	Lévis-Saint-Nom 78	57 BA28
Lescurry 65	315 AL87	Lessard-le-National 71	177 BW48	Leuhan 29	100 J33	Levoncourt 68	143 CN41
Lesdain 59	14 BJ12	Lessay 50	31 AB21	Leuilly-sous-Coucy 02	40 BK19	Levoncourt 55	64 BZ26
Lesdins 02	24 BK15	Lesse 57	66 CH24	Leulinghem 62	3 BC5	Levroux 36	171 AX47
Lesges 02	40 BL21	Lesseux 88	96 CM31	Leulinghen-Bernes 62	2 AY4	Lewarde 59	14 BJ10
Lesgor 40	293 AD81	Lesson 85	184 AG53	Leurville 52	93 BZ32	Lexos 82	279 AZ79
Lésigny 86	170 AR48	Lestanville 76	20 AT16	Leury 02	40 BK20	Lexy 54	44 CB18
Lésigny 77	59 BF27	Lestards 19	225 AZ63	Leutenheim 67	69 CS25	Ley 57	66 CI27
Le Leslay 22	78 O30	Lestelle-Bétharram 64	314 AI89	Leuville-sur-Orge 91	87 BD24	Leychert 09	336 AY92
Lesme 71	192 BN51	Lestelle-		Leuvrigny 51	61 BN24	Leydé (Pointe de) 29	75 F32
Lesménils 54	65 CE25	de-Saint-Martory 31	334 AR90	Le Leuy 40	293 AE82	Leyme 46	261 AZ71
Lesmont 10	91 BS31	Lesterps 16	204 AR58	Leuze 02	25 BQ15	Leymen 68	143 CP40
Lesneven 29	71 G27	Lestiac-sur-Garonne 33	255 AH72	La Levade 30	283 BQ77	Leyment 01	214 CA58
Lesparre-Médoc 33	218 AD65	Lestiou 41	132 AX39	Levainville 28	86 AY30	Leynes 71	194 BN75
Lesparrou 09	336 AZ92	Lestrade-et-Thouels 12	280 BF80	Leval 90	142 CM38	Leynhac 15	261 BC72
Lesperon 40	272 AK80	Lestre 50	29 AC18	Levallois-Perret 92	58 BC26	Leyr 54	66 CG22
Lespéron 07	265 BP72	Létanne 08	27 BX18	Levaré 53	81 AJ86	Leyrat 23	190 BC54
Lespesses 62	7 BD7	Léthuin 28	86 AZ32	Levécourt 52	117 CB34	Leyrieu 38	213 BZ60
Lespielle 64	314 AJ86	Letia 2A	348 FC109	Levens 06	291 CQ80	Leyritz-Moncassin 47	275 AL76
Lespignan 34	321 BK88	Létra 69	212 BK14	Levergies 02	24 BK14	Leyssard 01	214 CB56
Lespinasse 31	297 AV83	Letricourt 54	66 CG25	Levernois 21	177 BW47	Leyvaux 15	245 BI66
Lespinasse		Letteguives 27	36 AV20	Léves 28	86 AW30	Leyviller 57	67 CK23
(Château de) 43	246 BK66					Lez 31	334 AP92
Lespinassière 11	320 BE87					Lez-Fontaine 59	15 BP10
						Lias 32	297 AT85

Lézan 30	283 BQ80	Lias-d'Armagnac 32	294 AJ81
Lézardrieux 22	73 P26	Liausson 34	301 BL84
Lézat 39	197 CE52	Libaros 65	315 AN88
Lézat-sur-Lèze 09	317 AV88	Libération (Croix de la) 71	176 BS47
Lezay 79	185 AL55	Libercourt 62	8 BH8
Lezennes 59	8 BI7	Libermont 60	23 BH17
Lézéville 52	93 BZ30	Libourne 33	238 AI70
Lezey 57	66 CI26	Librecy 08	26 BS16
Lézignac-Durand 16	204 AQ60	Licey-sur-Vingeanne 21	160 CA41
Lézignan 65	333 AK90	Lichans-Sunhar 64	331 AD90
Lézignan-Corbières 11	320 BG89	Lichères 16	203 AM59
Lézignan-la-Cèbe 34	322 BM86	Lichères-	
Lézigné 49	129 AJ39	près-Aigremont 89	136 BD39
Lézigneux 42	229 BQ63	Lichères-sur-Yonne 89	157 BM41
Lézinnes 89	137 BQ38	Lichos 64	313 AD87
Lezoux 63	210 BL60	Lichtenberg 67	68 CO24
Lhéraule 60	37 BA19	Licourt 80	23 BH15
Lherm 46	259 AU74	Licq-Athérey 64	331 AC90
Lherm 31	317 AU86	Licques 62	2 BA5
Lhéry 51	61 BN22	Licy-Clignon 02	40 BJ23
Lhez 65	315 AL89	Lidrezing 57	67 CJ25
Lhommaizé 86	186 AP53	Liebenswiller 68	143 CP40
Lhomme 72	130 AP38	Liebsdorf 68	143 CO40
Lhôpital 01	214 CD57	Liebvillers 25	163 CK42
Lhor 57	67 CK25	Liederschiedt 57	48 CO22
Lhospitalet 46	277 AV76	Lieffrans 70	140 CE60
Lhoumois 79	168 AK50	Le Liège 37	152 AT44
Lhuître 10	90 BR29	Liéhon 57	65 CF24
Lhuys 02	40 BM21	Liencourt 62	13 BE10
Liac 65	315 AL89	Lieoux 31	316 AQ89
Liancourt 60	38 BE21	Lièpvre 68	96 CN32
Liancourt-Fosse 80	23 BG16	Liéramont 80	14 BI13
Liancourt-Saint-Pierre 60	37 BA22	Liercourt 80	11 BA13
Liart 08	26 BR16	Lières 62	7 BD7
Lias 32	297 AT85	Liergues 69	212 BV58
		Liernais 21	158 BR44

iernolles 03..............193 B053
ierval 02..............40 BM19
ierville 60..............37 AZ22
ies 65..............333 AL90
ieslse 25..............179 CD46
iesse-Notre-Dame 02..............25 BN18
iessies 59..............15 BP12
iesville-sur-Douve 50..............31 AC20
iettres 62..............7 BD7
ieu-Saint-Amand 59..............14 BK10
ieuche 06..............289 C079
ieucourt 70..............161 CC42
ieudieu 38..............231 BZ64
ieurac 09..............336 AY91
ieuran-Cabrières 34..............301 BL85
ieuran-lès-Béziers 34..............321 BK87
ieurzey 27..............35 AP22
ieuron 35..............103 X36
ieury 14..............54 AM24
ieusaint 77..............88 BE29
ieusaint 50..............29 AB19
ieutadès 15..............263 BH71
ieuvillers 60..............38 BE19
iévans 70..............141 CH39
iévin 70..............8 BG9
ièvremont 25..............180 CI46
iez 85..............184 AF53
iez 02..............24 BK17
iézey 38..............120 CK34
iffol-le-Grand 88..............93 CB32
iffol-le-Petit 52..............93 CA32
iffre 35..............104 AA33
igardes 32..............275 A080
iget (Chartreuse du) 37..............152 AU45
igiinac 19..............226 BD64
iglet 86..............187 AT52
ignac 36..............188 AU53
ignairolles 11..............337 BA90
ignan-de-Bazas 33..............256 AI75
ignan-de-Bordeaux 33..............255 AH71
ignan-sur-Orb 34..............321 BJ87
ignareix 19..............225 BC62
igné 44..............148 AB42
igné 16..............203 AL59
ignères 61..............54 A027
ignereuil 62..............13 BE10
ignerolles 61..............84 A029
ignerolles 36..............189 BB52
ignerolles 27..............56 AV26
ignerolles 21..............138 BW37
ignerolles 03..............190 BF55
ignéville 88..............118 CE33
igneyrac 19..............242 AX68
ignières 80..............23 BF17
ignières 41..............131 AU37
ignières 18..............172 BC50
ignières 10..............114 BP36
ignières-Châtelain 80..............21 AZ16
ignières-de-Touraine 37..............151 A043
ignières-en-Vimeu 80..............11 AY14
ignières-la-Carelle 72..............83 AN31
ignières-Orgères 53..............83 AK29
ignières-Sonneville 16..............220 AJ63
ignières-sur-Aire 55..............64 BZ26
ignol 56..............101 N34
ignol-le-Château 10..............116 BV33
ignon 21..............91 BT29
ignorelles 89..............136 BN37
ignou 61..............53 AU28
igny-en-Barrois 55..............93 BZ28
igny-en-Brionnais 71..............193 BR55
igny-en-Cambrésis 59..............14 BK12
igny-le-Châtel 89..............136 BN37
igny-le-Ribault 45..............133 AZ39
igny-lès-Aire 62..............7 BD7
igny-Saint-Flochel 62..............7 BD9
igny-sur-Canche 62..............12 BC10
igny-Thilloy 62..............13 BG12
igré 87..............151 AN45
igron 21..............129 AL38
igsdorf 68..............143 C040
igueil 37..............170 AR46
igueux 33..............257 AM71
igueux 24..............240 AR66
igugé 86..............186 AN52
ihons 80..............23 BG15
ihus 60..............22 BB18
Les Lilas 93..............58 BD26
ilhac 31..............316 AQ88
iligond 01..............214 CD58
ille 8..............8 BI6
illebonne 76..............35 AQ19
illemer 35..............80 Y29
illers 62..............7 BE7
illy 27..............37 AX20
imalonges 79..............203 AM56
imans 04..............287 CE80
imanton 24..............175 BN47
imas 69..............212 BV58
imay 78..............37 AY25
imbrassac 09..............336 AZ91
imé 02..............40 BM21
imeil-Brévannes 94..............58 BE27
imendous 64..............314 AI88
imeray 37..............152 AT42
imersheim 67..............97 CQ29
imerzel 56..............125 T39
imésy 76..............20 AT18
imetz-Villez 78..............57 AX24
imeuil 24..............240 AR70

Limeux 80..............11 AZ13
Limeux 18..............172 BB46
Limey-Remenauville 54..............65 CD25
Limeyrat 24..............241 AS67
Limoges 87..............205 AU60
Limoges-Fourches 77..............88 BF29
Limogne-en-Quercy 46..............278 AV73
Limoise 03..............174 BI50
Limon 58..............175 BL47
Limonest 69..............213 BW59
Limons 63..............210 BL58
Limont-Fontaine 59..............15 B011
Limony 07..............231 BW65
Limours-en-Hurepoix 91..............87 BB29
Limousis 11..............319 BD88
Limoux 11..............337 BC91
La Limouzinière 85..............166 AB50
La Limouzinière 44..............165 Z46
Limpiville 76..............19 AP17
Linac 46..............261 BB73
Linard 23..............189 AZ54
Linards 87..............224 AX61
Linars 16..............221 AL61
Linas 91..............87 BC29
Linay 08..............27 BY17
Linazay 86..............203 AM56
Lincel 04..............306 C81
Lincheux-Hallivillers 80..............21 BA15
Lindebeuf 76..............19 AS17
Le Lindois 16..............222 AP61
Lindre-Basse 57..............67 CJ26
Lindre-Haute 57..............67 CJ26
Lindry 89..............136 BL38
Linexert 70..............141 CI38
Lingé 36..............170 AT49
Lingeard 50..............52 AE27
Lingèvres 14..............33 AH22
Linghem 62..............7 BD7
Lingolsheim 67..............97 CQ28
Lingreville 50..............51 AA24
Linguizzetta 2B..............347 FH107
Linières-Bouton 49..............150 AM41
Liniers 86..............186 AP51
Liniez 36..............171 AY47
Linsdorf 68..............143 CP40
Linselles 59..............4 BI5
Linthal 68..............120 CM35
Linthelles 51..............61 B028
Linthes 51..............61 B027
Lintot 76..............19 AQ18
Lintot-les-Bois 76..............20 AU16
Linxe 40..............272 AA80
Liny-devant-Dun 55..............43 BY20
Linzeux 62..............12 BC10
Liocourt 57..............66 CG25
Liomer 80..............21 AZ15
Le Lion-d'Angers 49..............128 AG39
Lion-devant-Dun 55..............43 BY20
Lion-en-Beauce 45..............111 BA48
Lion-en-Sullias 45..............134 BE39
Lion-sur-Mer 14..............33 AJ21
Liorac-sur-Louyre 24..............240 AP70
Le Lioran 15..............245 BG68
Liouc 30..............303 BQ81
Le Liouquet 13..............327 CE89
Liourdres 19..............243 AZ70
Liouville 55..............64 CB26
Lioux 84..............286 CB80
Lioux-les-Monges 23..............208 BE58
Liposthey 40..............273 AD76
Lipsheim 67..............97 CQ29
Lirac 30..............285 BW79
Liré 49..............148 AC42
Lirey 10..............114 BP34
Lironcourt 88..............118 CD35
Lironville 54..............65 CD25
Liry 08..............42 BU21
Lisbourg 62..............7 BC8
Liscia (Golfe de la) 2A..............348 FB110
Lisieux 14..............34 AN23
Lisle 41..............131 AU37
Lisle 24..............240 AP66
Lisle-en-Barrois 55..............63 BX25
Lisle-en-Rigault 55..............63 BX27
Lisle-sur-Tarn 81..............298 AY82
Lislet 02..............25 BP17
Lison 25..............32 AG21
Lison (Source du) 25..............180 CF47
Lisores 14..............54 AN25
Lisors 27..............36 AW21
Lissac 43..............247 B067
Lissac 09..............318 AW88
La Loge-aux-Chèvres 10..............91 BS32
Lissac-et-Mouret 46..............261 BA73
Lissac-sur-Couze 19..............242 AW68
Lissay-Lochy 18..............173 BD47
Lisse 47..............275 AM79
Lisse-en-Champagne 51..............62 BU26
Lisses 91..............88 BD29
Lisseuil 63..............209 BH57
Lissey 55..............44 BZ20
Lissieu 69..............212 BV59
Lissy 77..............88 BF29
Listrac-de-Durèze 33..............257 AL71
Listrac-Médoc 33..............237 AE68
Lit-et-Mixe 40..............272 AA79
Lithaire 50..............31 AC22
Litteau 14..............32 AF22
Littenheim 67..............68 CP26
Litz 60..............38 BD20
Livaie 61..............83 AL30

Livarot 14..............54 AN24
Liverdun 54..............65 CE27
Liverdy-en-Brie 77..............59 BG28
Livernon 46..............261 AZ73
Livers-Cazelles 81..............279 BA80
Livet 53..............106 AI34
Livet-en-Saosnois 72..............83 AN31
Livet-et-Gavet 38..............251 CF67
Livet-sur-Authou 27..............35 AQ22
La Livinière 34..............320 BF88
Livilliers 95..............58 BB24
Livinhac-le-Haut 12..............261 BC74
Livré 53..............105 AE36
Livré-sur-Changeon 35..............104 AB33
Livron 64..............314 AJ88
Livron-sur-Drôme 26..............267 BX71
Livry 58..............174 BI49
Livry 14..............32 AG23
Livry-Gargan 93..............58 BE25
Livry-Louvercy 51..............42 BR23
Livry-sur-Seine 77..............88 BF30
Lixhausen 67..............68 CP26
Lixheim 57..............67 CM26
Lixières 54..............65 CF25
Lixing-lès-Rouhling 57..............67 CL22
Lixing-lès-Saint-Avold 57..............67 CJ23
Lixy 89..............113 BI33
Lizac 82..............277 AT79
Lizant 86..............203 AN57
Lizeray 36..............172 AZ47
Lizières 23..............206 AX56
Lizine 25..............180 CF46
Lizines 77..............89 BJ30
Lizio 56..............102 S36
Lizos 65..............315 AL88
Lizy 02..............40 BL19
Lizy-sur-Ourcq 77..............59 BI24
La Llagonne 66..............341 BB97
Llauro 66..............342 BG96
Llo 66..............341 BA97
Llous 66..............341 BA98
Llupia 66..............342 BG95
Lobsann 67..............69 CR24
Loc-Brévalaire 29..............70 F27
Loc Dieu (Ancienne Abbaye de) 12..............279 AZ76
Loc-Eguiner 29..............71 H28
Loc-Eguiner-Saint-Thégonnec 29..............76 I29
Loc-Envel 22..............72 M20
Locarn 22..............77 M31
Loché 71..............194 BV55
Loché-sur-Indrois 37..............170 AU46
Loches 37..............152 AT45
Loches-sur-Ource 10..............115 BT35
Le Locheur 14..............33 AI23
Lochieu 01..............214 CD58
Lochwiller 67..............68 C027
Locmalo 56..............101 033
Locmaria 56..............144 042
Locmaria (Chapelle de) 29..............70 F28
Locmaria-Berrien 29..............76 K30
Locmaria-Grand-Champ 56..............124 Q37
Locmaria-Plouzané 29..............74 D29
Locmariaquer 56..............124 P39
Locmélar 29..............75 H29
Locminé 56..............102 Q36
Locmiquélic 56..............123 M37
Locoal-Mendon 56..............123 038
Locon 62..............8 BF7
Loconville 60..............37 BA22
Locqueltas 56..............124 Q37
Locquémeau 22..............72 L26
Locquénolé 29..............71 J27
Locquignol 59..............15 BN11
Locquirec 29..............72 L26
Locronan 29..............99 G33
Loctudy 29..............99 G36
Locunolé 29..............100 L35
Loddes 03..............193 B055
Lodes 31..............316 AP89
Lodève 34..............301 BL83
Lods 25..............180 CG46
Lœuilley 70..............160 CA41
Lœuilly 80..............22 BC16
Loëx 74..............197 CH55
Loffre 59..............9 BJ9
La Loge 62..............12 BB9
La Loge-aux-Chèvres 10..............91 BS32
La Loge des Gardes 03..............211 B058
Loge-Fougereuse 85..............184 AG51
La Loge-Pomblin 10..............114 BP35
Logelbach 68..............121 C034
Logelheim 68..............121 CP34
Les Loges 72..............108 AQ36
Les Loges 76..............18 A017
Les Loges 52..............139 CA38
Les Loges 14..............52 AG24
Les Loges-en-Josas 78..............58 BB27
Les Loges-Marchis 50..............81 AD29
Les Loges-Margueron 10..............115 BQ35
Les Loges-Saulces 14..............53 AJ26
Les Loges-sur-Brécey 50..............52 AD27
Le Logis-du-Pin 06..............308 CL37
Le Logis-Neuf 13..............327 CC87
Le Logis-Neuf 01..............195 BY55
Lognes 77..............59 BF29

Logny-Bogny 08..............26 BS16
Logny-lès-Aubenton 02..............25 BQ15
Logny-lès-Chaumont 08..............25 BQ17
Logonna-Daoulas 29..............75 G30
Logrian-Florian 30..............303 BQ81
Logron 28..............109 AV34
Loguivy-de-la-Mer 22..............73 P25
Loguivy-Plougras 22..............72 M28
Lohéac 35..............103 X36
Lohitzun-Oyhercq 64..............311 AC80
Lohr 67..............68 CN25
Lohuec 22..............76 L29
Loigné-sur-Mayenne 53..............128 AG37
Loigny-la-Bataille 28..............110 AY34
Loiré 49..............127 AE39
Loire-les-Marais 17..............200 AD57
Loiré-sur-Nie 17..............202 AI58
Loire-sur-Rhône 69..............231 BW63
Loiron 53..............105 AE35
Loisail 61..............84 A030
Loisey-Culey 55..............63 BY27
Loisia 39..............196 CB52
Loisieux 73..............232 CD61
Loisin 74..............197 CH54
Loison 55..............44 CB21
Loison-sous-Lens 62..............8 BH9
Loison-sur-Créquoise 62..............6 BA9
Loisy 71..............195 BX51
Loisy 54..............65 CE25
Loisy-en-Brie 51..............61 B026
Loisy-sur-Marne 51..............62 BT27
Loivre 51..............41 BP21
Loix 17..............182 AA55
Loizé 79..............202 AK56
Lolif 50..............51 AB27
Lolme 24..............258 AR72
Lombard 39..............179 CB49
Lombard 25..............161 CD45
Lombers 81..............299 BB82
Lombez 32..............316 AR86
Lombia 64..............314 AJ87
Lombray 02..............39 BI19
Lombrès 65..............334 A090
Lombreuil 45..............112 BF36
Lombron 72..............108 A035
Lomener 56..............123 L37
Lomme 59..............8 BH6
Lommerange 57..............45 CD20
Lommoye 78..............57 AX25
Lomné 65..............333 AM91
Lomont 70..............142 CJ39
Lomont-sur-Crête 25..............162 CI42
Lompnas 01..............214 CB60
Lompnieu 01..............214 CD58
Lompret 59..............8 BH6
Lonçon 64..............314 AG86
La Londe 76..............36 AT21
La Londe-les-Maures 83..............328 CJ89
Londigny 16..............203 AM57
Londinières 76..............20 AW15
Long 80..............11 BA13
Longages 31..............317 AQ87
Longaulnay 35..............79 X31
Longavesnes 80..............23 BI14
Longchamp 73..............234 CI56
Longchamp 88..............95 CI32
Longchamp 52..............117 CA34
Longchamp 21..............160 BZ44
Longchamp-sous-Châtenois 88..............94 CD32
Longchamp-sur-Aujon 10..............116 BV34
Longchamps 27..............37 AY21
Longchamps 02..............24 BM14
Longchamps-sur-Aire 55..............64 BZ25
Longchaumois 39..............197 CE52
Longcochon 39..............180 CF49
Longeau 52..............139 BZ38
Longeault 21..............160 BZ44
Longeaux 55..............93 BZ28
Longechaux 25..............162 CI44
Longechenal 38..............232 CA64
Longecourt-en-Plaine 21..............160 BY44
Longecourt-lès-Culêtre 21..............159 BU45
Longefoy 73..............234 CK62
Longemaison 25..............162 CI45
Longemer 88..............120 CL34
Longepierre 71..............178 BZ47
Le Longeron 49..............166 AD46
Longes 69..............231 BV63
Longessaigne 69..............212 BT60
Longeville 70..............141 CI39
Longeville-lès-Russey 25..............163 CJ43
Longeville-sur-Doubs 25..............142 CJ41
Longevilles 85..............183 AE52
Longèves 17..............182 AD55
Longèves 85..............183 AE52
Longèves 17..............182 AD55
La Longeville 25..............180 CI46
Longeville 25..............180 CG46
Longeville-en-Barrois 55..............63 BY27
Longeville-lès-Metz 57..............65 CE23

Longeville-lès-Saint-Avold 57..............46 CI22
Longevelle-sur-la-Laines 52..............92 BU30
Longeville-sur-Mer 85..............182 Z52
Longeville-sur-Mogne 10..............115 BO34
Longevilles-Mont-d'Or 25..............180 CH49
Longfossé 62..............6 AZ6
La Longine 70..............119 CJ36
Longjumeau 91..............58 BC28
Longlaville 54..............45 CC18
Longmesnil 76..............21 AX18
Longnes 78..............57 AX25
Longnes 72..............107 AL35
Longny-au-Perche 61..............84 AR30
Longperrier 77..............59 BF24
Longpont 02..............40 BJ22
Longpont-sur-Orge 91..............87 BC29
Longpré-le-Sec 10..............115 BT33
Longpré-les-Corps-Saints 80..............11 BA13
Longraye 14..............33 AH22
Longré 16..............203 AL58
Longroy 76..............11 AX14
Longsols 10..............91 BR31
Longué 49..............150 AK42
Longueau 80..............22 BD15
Longuefuye 53..............128 AH37
Longueil 76..............20 AT15
Longueil-Annel 60..............39 BH19
Longueil-Sainte-Marie 60..............39 BG21
Longuenesse 62..............3 BC5
Longuenoë 61..............83 AL30
Longuerue 76..............20 AV18
Longues 63..............228 BK62
Longues-sur-Mer 14..............33 AH20
Longuesse 95..............57 BA24
Longueval 80..............23 BH15
Longueval-Barbonval 02..............40 BM21
Longueville 77..............89 BJ30
La Longueville 59..............15 B010
Longueville 50..............51 AA25
Longueville 47..............257 AM75
Longueville 14..............32 AF20
Longueville-sur-Aube 10..............90 BO29
Longueville-sur-Scie 76..............20 AU16
Longuevillette 80..............12 BC12
Longuyon 54..............44 CA19
Longvic 21..............160 BX43
Longvillers 80..............12 BB12

LIMOGES

Aine (Pl. d')..............BZ 2
Allois (R. des)..............DZ 6
Amphithéâtre (R. de l')..............BY 8
Barreyrrette (Pl. de la)..............CZ 12
Bénédictins (Av. des)..............DY 14
Betoulle (Pl. L.)..............CZ 16
Boucherie (R. de la)..............CZ 18
Cathédrale (R. de la)..............CZ 23
Clocher (R. du)..............CZ 25
Collège (R. du)..............CZ 26
Consulat (R. du)..............CZ
Coopérateurs (R. des)..............BY 27
Dupuytren (R.)..............CZ 30
Ferrerie (R.)..............CZ 33
Fonderie (R. de la)..............BY 35
Fontaine-des-Barres (Pl.)..............CY 37
Gambetta (Bd)..............BCZ
Giraudoux (Square Jean)..............CY 42
Haute-Cité (R.)..............DZ 46
Jacobins (R. des)..............CZ 49
Jean-Jaurès (R.)..............CYZ
Louis-Blanc (Bd)..............CZ
Louvrier-de-Lajolais (R.)..............BY 55
Manigne (Pl.)..............CZ 57
Maupas (R. du)..............DY 59
Michels (R. Charles)..............CZ 63
Motte (Pl. de la)..............CZ 66
Périn (Bd G.)..............CY 71
Préfecture (R. de la)..............CY 83
Raspail (R.)..............DZ 89
Réforme (R. de la)..............CY 91
République (Pl. de la)..............CY 95
St-Martial (R.)..............CY 107
St-Maurice (Bd)..............DZ 109
St-Pierre (Pl.)..............CZ 110
Stalingrad (Pl.)..............CY 113
Temple (Cour du)..............CZ 115
Temple (R. du)..............CZ 116
Tourny (Carrefour)..............CY 118
Victor-Hugo (Bd)..............BY 120
Vigne-de-Fer (R.)..............CZ 122
71e-Mobile (R. du)..............DZ 125

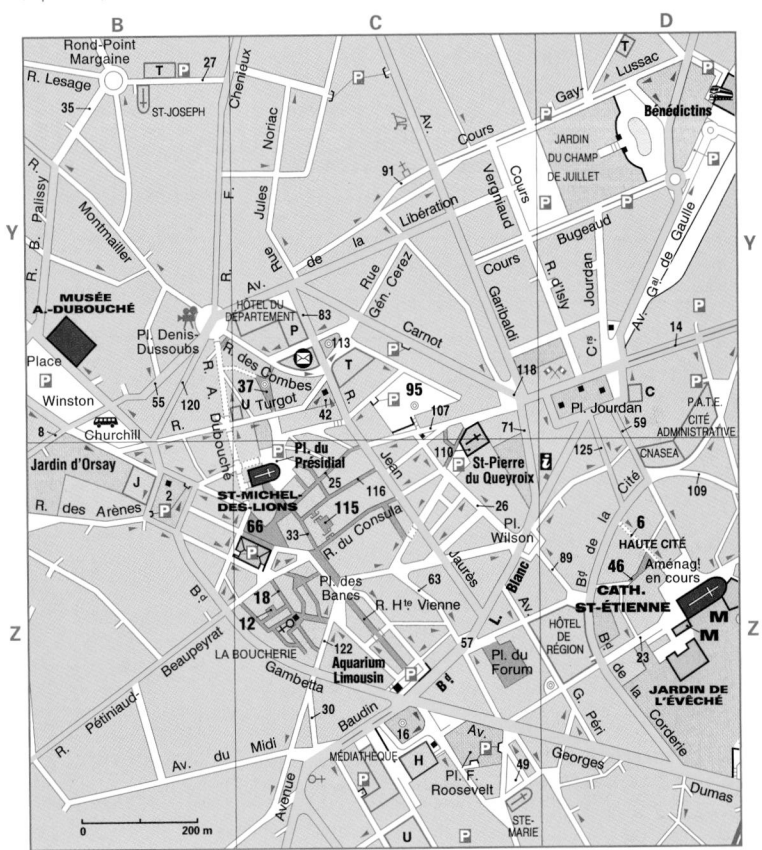

LORIENT

Map inset — Lorient city plan

District / area labels: KERENTRECH · LE MOUSTOIR · MERVILLE · NOUVELLE VILLE · HÔPITAL DES ARMÉES · Place Clemenceau · Arsenal · PALAIS DES CONGRÈS · GARE MARITIME · Port de Pêche de Kéroman · ZONE PORTUAIRE · HENNEBONT · LANESTER, PORT LOUIS · LARMOR-PLAGE · Base des Sous-Marins · SCORFF · 0 — 300 m

Legend:

Alsace-Lorraine (Pl.)	BY	2
Assemblée-Nat. (R.)	BYZ	3
Bôve (Cours de la)	BA	5
Briand (Pl. A.)	BZ	6
Du-Couëdic (R.)	BA	9
Du-Faouëdic (Av.)	AZ	10
Foch (R. Mar.)	BYZ	
Franchet-d'Esperey (Bd)	AY	14
Guieysse (R. P.)	AY	
Libération (Pl. de la)	AY	15
Liège (R. de)	BYZ	
Massé (R. Victor)	BY	16
Patrie (R. de la)	BYZ	19
Port (R. du)	BZ	
St-Christophe (Pont)	BY	20
Turenne (R. de)	BY	23
Vauban (R. de)	ABY	24

Longvillers 14 ...... 53 AH24
Longvilliers 78 ...... 87 BA29
Longvilliers 62 ...... 6 AY7
Longwé 08 ...... 43 BV20
Longwy 54 ...... 45 CC18
Longwy-sur-le-Doubs 39 ...... 178 CA47
Lonlay-l'Abbaye 61 ...... 52 AG28
Lonlay-le-Tesson 61 ...... 53 AJ28
Lonnes 16 ...... 203 AM58
Lonny 08 ...... 26 BT15
Lonrai 61 ...... 83 AM30
Lons 64 ...... 314 AG87
Lons-le-Saunier 39 ...... 179 CB50
Le Lonzac 19 ...... 224 AY64
Lonzac 17 ...... 219 AH62
Looberghe 59 ...... 3 BC3
Loon-Plage 59 ...... 3 BC2
Loos 59 ...... 8 BH7
Loos-en-Gohelle 62 ...... 8 BG8
Looze 89 ...... 113 BL36
Lopérec 29 ...... 75 H31
Loperhet 29 ...... 75 G29
Lopigna 2A 348 FC109
Loqueffret 29 ...... 76 J30
Lor 02 ...... 41 BP19
Loray 25 ...... 162 CI44
Lorcières 15 ...... 246 BK69
Lorcy 45 ...... 112 BE35
Lordat 09 ...... 336 AY94
Loré 61 ...... 82 AH30
Lorentzen 67 ...... 67 CM24
Loreto-di-Casinca 2B 347 FG105
Loreto-di-Tallano 2A 349 FE113
Lorette 42 ...... 230 BU63
Le Loreur 50 ...... 51 AB25

Loreux 41 ...... 154 AZ42
Lorey 54 ...... 95 CG29
Le Lorey 54 ...... 31 AC23
Lorges 41 ...... 132 AW38
Lorgies 62 ...... 8 BG7
Lorgues 83 ...... 307 CJ85
Loriges 03 ...... 192 BL55
Lorignac 17 ...... 219 AF63
Lorigné 79 ...... 203 AL56
Loriol-du-Comtat 84 ...... 285 BY79
Loriol-sur-Drôme 26 ...... 252 BW71
Lorlanges 43 ...... 228 BK65
Lorleau 27 ...... 37 AX20
Lormaison 60 ...... 38 BB22
Lormaye 28 ...... 57 AX28
Lormes 58 ...... 157 B044
Lormont 33 ...... 237 AG70
Lornay 74 ...... 215 CE58
Loromontzey 54 ...... 95 CH30
Le Loroux 35 ...... 81 AE31
Le Loroux-Bottereau 44 ...... 148 AB44
Lorp-Sentaraille 09 ...... 335 AT91
Lorquin 57 ...... 67 CL27
Lorrez-le-Bocage 77 ...... 112 BH33
Lorris 45 ...... 111 BF76
Lorry-lès-Metz 57 ...... 45 CE22
Lorry-Mardigny 57 ...... 65 CE24
Lortet 65 ...... 333 AN91
Loscouët-sur-Meu 22 ...... 103 V33
Losne 21 ...... 160 BZ45
Losse 40 ...... 274 AJ79
Lostanges 19 ...... 242 AY68
Lostroff 57 ...... 67 CK25

Lothey 29 ...... 75 H32
Lottinghen 62 ...... 6 BA6
Le Lou-du-Lac 35 ...... 103 X33
Louailles 72 ...... 129 AJ38
Louan 77 ...... 89 BL29
Louannec 22 ...... 72 N25
Louans 37 ...... 152 AR45
Louargat 22 ...... 72 N28
Loubajac 65 ...... 332 AJ90
Loubaresse 15 ...... 246 BK63
Loubaresse 07 ...... 265 B073
Loubaut 09 ...... 317 AU89
Loubédat 32 ...... 295 AK83
Loubejac 24 ...... 259 AT74
Loubens 33 ...... 256 AK73
Loubens 09 ...... 336 AW91
Loubens-Lauragais 31 ...... 298 AY85
Loubers 81 ...... 279 AZ80
Loubersan 32 ...... 316 A086
Loubeyrat 63 ...... 209 BI63
Loubieng 64 ...... 313 AE86
La Loubière 12 ...... 280 BF76
Loubières 09 ...... 336 AX91
Loubigné 79 ...... 202 AK57
Loubillé 79 ...... 202 AK57
Loublande 79 ...... 167 AF47
Loubressac 46 ...... 243 AZ70
Loucé 61 ...... 54 AL28
Loucelles 14 ...... 33 AH22
Louchats 33 ...... 255 AG74
Louches 62 ...... 2 BA4
Louchy-Montfand 03 ...... 192 BK54
Loucrup 65 ...... 333 AK90

Loudéac 22 ...... 102 R33
Loudenvielle 65 ...... 333 AN93
Louderville 65 ...... 333 AN93
Loudes 43 ...... 247 B068
Loudet 31 ...... 316 A089
Loudrefing 57 ...... 67 CK25
Loudun 86 ...... 168 AM47
Loué 72 ...... 107 AK35
La Loue (Source de) 25 ...... 180 CH46
Louens 33 ...... 237 AH61
Louer 40 ...... 293 AD82
Louerre 49 ...... 150 AJ43
Louesme 89 ...... 135 BJ38
Louesme 21 ...... 138 BV37
Louestault 37 ...... 130 AQ40
Loueuse 60 ...... 21 AZ18
Louey 65 ...... 315 AK89
Lougé-sur-Maire 61 ...... 53 AK28
Lougratte 47 ...... 258 AP74
Lougres 25 ...... 142 CK41
Louhans 71 ...... 178 BZ50
Louhossoa 64 ...... 311 Z87
Louignac 19 ...... 241 AU66
Louin 79 ...... 168 AK49
Louisfert 44 ...... 126 AA39
Louit 65 ...... 315 AL88
Loulans-Verchamp 70 ...... 162 CG41
Loulay 17 ...... 201 AH57
Loulle 39 ...... 179 CE49
La Loupe 28 ...... 85 AT30
Loupeigne 02 ...... 40 BL22
Loupershouse 57 ...... 67 CK23
Loupes 33 ...... 255 AH71
Loupfougères 53 ...... 82 AJ32
Loupia 11 ...... 337 BB91
Loupiac 81 ...... 298 AY82
Loupiac 46 ...... 260 AW71
Loupiac 33 ...... 256 AI73
Loupiac 15 ...... 244 BD68
Loupiac 12 ...... 261 BA74
Loupiac-de-la-Réole 33 ...... 256 AK74
Loupian 34 ...... 322 BN86
Louplande 72 ...... 107 AM36
Loupmont 55 ...... 64 CB25
Louppy-le-Château 55 ...... 63 BX26
Louppy-sur-Chée 55 ...... 63 BA26
Louppy-sur-Loison 55 ...... 44 BZ19
Loups du Gévaudan (Parc des) 48 ...... 264 BK73
La Louptière-Thénard 10 ...... 89 BL31
Lourches 59 ...... 14 BK10
Lourde 31 ...... 334 AP91
Lourdes 65 ...... 332 AJ90
Lourdios-Ichère 64 ...... 331 AE90
Lourdoueix-Saint-Michel 36 ...... 189 AY53
Lourdoueix-Saint-Pierre 23 ...... 189 AZ53
Lourenties 64 ...... 314 AI88
Loures-Barousse 65 ...... 334 AP91
Louresse-Rochemenier 49 ...... 150 AJ44
Lourmais 35 ...... 80 Z30
Lourmarin 84 ...... 305 CB82
Lournand 71 ...... 194 BV53
Lourouer-Saint-Laurent 36 ...... 189 BA51
Le Louroux 37 ...... 152 AR45
Le Louroux-Béconnais 49 ...... 148 AE41
Louroux-Bourbonnais 03 ...... 191 BH52
Louroux-de-Beaune 03 ...... 191 BH55
Louroux-de-Bouble 03 ...... 191 BI55
Louroux-Hodement 03 ...... 191 BG53
Lourquen 40 ...... 293 AE83
Lourties-Monbrun 32 ...... 316 A086
Loury 45 ...... 111 BB36
Louslitges 32 ...... 295 AL84
Loussous-Débat 32 ...... 295 AK84
Loutehel 35 ...... 103 W35
Loutremange 57 ...... 46 CH22
Loutzviller 57 ...... 48 C052
Louvagny 14 ...... 54 AL25
Louvaines 49 ...... 128 AF39
Louvatange 39 ...... 161 CC44
Louveciennes 78 ...... 58 BB26
Louvemont 52 ...... 92 BW29
Louvemont-Côte-du-Poivre 55 ...... 44 BZ22
Louvencourt 80 ...... 13 BE12
Louvenne 39 ...... 196 CB53
Louvergny 08 ...... 26 BU18
Louverné 53 ...... 106 AG34
Le Louverot 39 ...... 179 CC49
Louversey 27 ...... 55 AS25
Louvetot 76 ...... 19 AR18
Louvie-Juzon 64 ...... 332 AG90
Louvie-Soubiron 64 ...... 332 AG91
La Louvière-Lauragais 11 ...... 318 AY88
Louvières 52 ...... 117 BZ35
Louvières 14 ...... 32 AF20
Louvières-en-Auge 61 ...... 54 AM26
Louviers 27 ...... 36 AU22
Louvigné 53 ...... 106 AH35
Louvigné-de-Bais 35 ...... 104 AB35
Louvigné-du-Désert 35 ...... 81 AD30
Louvignies-Bavay 59 ...... 15 BN10
Louvignies-Quesnoy 59 ...... 15 BM11
Louvigny 72 ...... 83 AN32
Louvigny 57 ...... 45 CF24
Louvigny 14 ...... 33 AJ22

Louvil 59 ...... 9 BJ7
Louville-la-Chenard 28 ...... 86 AZ32
Louvilliers-en-Drouais 28 ...... 56 AV28
Louvilliers-lès-Perche 28 ...... 85 AT29
Louvois 51 ...... 41 BQ23
Louvrechy 80 ...... 22 BD16
Louvres 95 ...... 58 BE24
Louvroil 59 ...... 15 B010
Louye 27 ...... 56 AV27
Louzac 16 ...... 219 AH61
Louze 52 ...... 92 BU31
Louzes 72 ...... 84 A031
Louzignac 17 ...... 202 AJ59
Louzouer 45 ...... 112 BH35
Louzy 79 ...... 168 AK46
Lovagny 74 ...... 215 CF58
Loxéville 55 ...... 64 BZ27
Loyat 56 ...... 103 U35
La Loye 39 ...... 179 CB46
Loye-sur-Arnon 18 ...... 190 BD51
La Loyère 71 ...... 177 BW48
Loyettes 01 ...... 213 BZ60
Lozanne 69 ...... 212 BV59
Lozari 2B 344 FD104
Lozay 17 ...... 201 AG57
Loze 82 ...... 278 AY77
Lozère (Mont) 48 ...... 265 BD75
Lozinghem 62 ...... 7 BE8
Lozon 50 ...... 31 AC22
Lozzi 2B 346 FD107
Luant 36 ...... 171 AX50
Le Luart 72 ...... 108 AQ35
Lubbon 40 ...... 274 AK79
Lubécourt 57 ...... 66 CH25
Lubersac 19 ...... 223 AV64
Lubey 54 ...... 45 CC21
Lubilhac 43 ...... 246 BK66
Lubine 88 ...... 96 CM31
Lublé 37 ...... 151 AN41
Lubret-Saint-Luc 65 ...... 315 AM88
Luby-Betmont 65 ...... 315 AM88
Le Luc 83 ...... 328 CJ86
Luc 65 ...... 315 AL89
Luc 48 ...... 265 BP73
Luc-Armau 64 ...... 314 AJ86
Luc-en-Diois 26 ...... 268 CB73
Luc-la-Primaube 12 ...... 280 BE77
Luc-sur-Aude 11 ...... 337 BC92
Luc-sur-Mer 14 ...... 33 AJ21
Luc-sur-Orbieu 11 ...... 320 BG89
Lucarré 64 ...... 314 AJ86
Luçay-le-Libre 36 ...... 172 AZ46
Luçay-le-Mâle 36 ...... 153 AW45
Lucbardez-et-Bargues 40 ...... 274 AK80
Lucciana 2B 347 FG105
Lucé 61 ...... 82 AH29
Lucé 28 ...... 86 AW31
Lucé-sous-Ballon 72 ...... 107 AN33
Luceau 72 ...... 130 A039
Lucelle 68 ...... 143 C041
Lucenay 69 ...... 212 BV59
Lucenay-le-Duc 21 ...... 138 BT40
Lucenay-lès-Aix 58 ...... 175 BM50
Lucenay-l'Évêque 71 ...... 176 BR46
Lucéram 06 ...... 291 CR80
Lucerne (Abbaye de la) 50 ...... 51 AB26
La Lucerne-d'Outremer 50 ...... 51 AB26
Lucey 73 ...... 215 CE60
Lucey 54 ...... 65 CC27
Lucey 21 ...... 138 BW37
Lucgarier 64 ...... 314 AI88
Luchat 17 ...... 219 AF61
Luché-Pringé 72 ...... 129 AM39
Luché-sur-Brioux 79 ...... 202 AK56
Luché-Thouarsais 79 ...... 167 AI48
Lucheux 80 ...... 12 BD11
Luchy 60 ...... 22 BB18
Lucinges 74 ...... 197 CH55
Lucmau 33 ...... 274 AI76
Luçon 85 ...... 183 AC52
Lucq-de-Béarn 64 ...... 313 AE88
Lucquy 08 ...... 26 BS18
Les Lucs-sur-Boulogne 85 ...... 165 AA43
Lucy 76 ...... 20 AW16
Lucy 57 ...... 66 CH24
Lucy 51 ...... 61 B025
Lucy-le-Bocage 02 ...... 60 BK24
Lucy-le-Bois 89 ...... 157 B041
Lucy-sur-Cure 89 ...... 136 BN40
Lucy-sur-Yonne 89 ...... 157 BM41
Le Lude 72 ...... 129 AM39
Ludes 51 ...... 41 BP23
Ludesse 63 ...... 227 BJ62
Ludiès 09 ...... 336 AY90
Ludon-Médoc 33 ...... 237 AG69
Ludres 54 ...... 94 CF28
Lüe 40 ...... 272 AC77
Lué-en-Baugeois 49 ...... 150 AJ41
Luemschwiller 68 ...... 143 C038
Luère (Col de la) 69 ...... 212 BV60
Lugagnac 46 ...... 278 AY76
Lugaignac 33 ...... 256 AJ71
Lugan 81 ...... 298 AY83
Lugan 12 ...... 261 BC75
Lugarde 15 ...... 245 BG66
Lugasson 33 ...... 256 AJ71
Lugny 71 ...... 195 BW52
Lugny 02 ...... 25 BN16

Lugny-Bourbonnais 18 ...... 173 BG48
Lugny-Champagne 18 ...... 155 BG45
Lugny-lès-Charolles 71 ...... 193 BR53
Lugo-di-Nazza 2B 349 FG105
Lugon-et-l'Île-du-Carnay 33 ...... 238 AI69
Lugos 33 ...... 254 AD74
Lugrin 74 ...... 198 CK53
Lugy 62 ...... 7 BC8
Le Luhier 25 ...... 163 CJ44
Luigné 49 ...... 149 AI43
Luigny 28 ...... 109 AT33
Luisans 25 ...... 163 CJ45
Luisant 86 ...... 86 AW31
Luisetaines 77 ...... 89 BJ30
Luitré 35 ...... 81 AB32
Lullin 74 ...... 198 CJ54
Lully 74 ...... 198 CI54
Lumbin 38 ...... 233 CF65
Lumbres 62 ...... 7 BB6
Lumeau 28 ...... 110 AZ34
Lumes 08 ...... 26 BU16
Luméville-en-Ornois 55 ...... 93 CA30
Lumigny 77 ...... 59 BH27
Lumio 2B 346 FC105
Lunac 12 ...... 279 BB78
Lunan 46 ...... 261 BB73
Lunaret (Zoo de) 34 ...... 302 BP84
Lunas 34 ...... 301 BK83
Lunas 24 ...... 239 AN70
Lunax 31 ...... 316 AP87
Luneau 03 ...... 193 BP54
Lunegarde 46 ...... 260 AY72
Lunel 34 ...... 303 BR84
Lunel-Viel 34 ...... 303 BR84
Luneray 76 ...... 19 AS15
Lunery 18 ...... 172 BC48
Lunéville 54 ...... 95 CH28
Le Luot 50 ...... 51 AC27
Lupcourt 54 ...... 94 CF28
Lupé 42 ...... 230 BV65
Lupersat 23 ...... 208 BD58
Lupiac 32 ...... 295 AL83
Luplanté 28 ...... 86 AW32
Luppé-Violles 32 ...... 294 AJ83
Luppy 57 ...... 66 CG24
Lupsault 16 ...... 202 AK58
Lupstein 67 ...... 68 CP26
Luquet 65 ...... 314 AJ88
Lurais 36 ...... 170 AS50
Luray 28 ...... 56 AW28
Lurbe-Saint-Christau 64 ...... 331 AF90
Lurcy 01 ...... 213 BW57
Lurcy-le-Bourg 58 ...... 157 BL45
Lurcy-Lévis 03 ...... 174 BH50
Lure 70 ...... 141 CI38
Luré 42 ...... 211 BP59
Lureuil 36 ...... 170 AT50
Luri 2B 345 FG101
Luriecq 42 ...... 229 BS65
Lurs 04 ...... 287 CF80
Lus-la-Croix-Haute 26 ...... 268 CD72
Lusanger 44 ...... 126 Z39
Lusans 25 ...... 162 CG42
Luscan 31 ...... 334 AP91
Lusignac 24 ...... 221 AN65
Lusignan 86 ...... 186 AM53
Lusignan-Petit 47 ...... 275 A077
Lusigny 03 ...... 192 BM51
Lusigny-sur-Barse 10 ...... 115 BR33
Lusigny-sur-Ouche 21 ...... 177 BU46
Lussac 33 ...... 238 AK69
Lussac 17 ...... 219 AH63
Lussac 16 ...... 220 A053
Lussac-les-Châteaux 86 ...... 187 A053
Lussac-les-Églises 87 ...... 188 AU54
Lussagnet 40 ...... 294 AI82
Lussagnet-Lusson 64 ...... 314 AI86
Lussan 32 ...... 296 AQ84
Lussan 30 ...... 284 BT78
Lussan-Adeilhac 31 ...... 316 AR88
Lussant 17 ...... 201 AE58
Lussas 07 ...... 266 BU73
Lussas-et-Nontronneau 24 ...... 222 AP63
Lussat 63 ...... 210 BK60
Lussat 23 ...... 208 BD56
Lussault-sur-Loire 37 ...... 152 AS42
Lusse 88 ...... 96 CM31
Lusseray 79 ...... 202 AJ56
Lustar 65 ...... 315 AM88
Lustrac (Moulin de) 47 ...... 258 AR75
Luthenay-Uxeloup 58 ...... 174 BK43
Luthézieu 01 ...... 214 CD58
Lutilhous 65 ...... 333 AM90
Luttange 57 ...... 46 CG21
Luttenbach-près-Munster 68 ...... 120 CM34
Lutter 68 ...... 143 C040
Lutterbach 68 ...... 143 C037
Lutz-en-Dunois 28 ...... 110 AW35
Lutzelbourg 57 ...... 68 CN26
Lutzelhouse 67 ...... 96 CN29
Luvigny 88 ...... 96 CM29
Lux 71 ...... 177 BW49
Lux 31 ...... 318 AY86
Lux 21 ...... 160 BY41
Luxé 16 ...... 202 AM59
Luxe-Sumberraute 64 ...... 311 AB87

LYON

Annonciade (R. de l') . . . . FV 5
Antiquaille (R. de l') . . . . EY 7
Basses Verchères
(R. des) . . . . EY 10
Bonaparte (Pt) . . . . FY 12
Burdeau (R.) . . . . FV 16
Carmélites (Mtée des) . . . . . . FV 21
Churchill (Pt W.) . . . . GV 31
Courmont (Q. J.) . . . . FX 33

Croix Rousse
(Gde-R. de la) . . . . FV 35
Duvivier (R. P.) . . . . GZ 180
Épargne (R. de l') . . . . HZ 41
Farges (R. des) . . . . EY 46
Favre (Bd J.) . . . . HX 48
La-Fayette (Pont) . . . . GX 88
Ferry (Pl. J.) . . . . HX 51
France (Bd A.) . . . . HV 57
Galliéni (Pt) . . . . FY 65
Gerlier (R. Cardinal) . . . . EY 69

Grenette (R.) . . . . FX 71
Guillotière (Grande-R. de la) . . GYZ
Guillotière (Pt de la) . . . . FY 73
Herbouville (Cours d') . . . . . . FV 75
Jean-Jaurès (Av.) . . . . GY
Joffre (Quai Mar.) . . . . FX 82
Juin (Pont Alphonse) . . . . . . FX 84
Kitchener Marchand
(Pt) . . . . EY 85
Koening (Pt Gén.) . . . . EV 86
Lassagne (Quai A.) . . . . FV 93

Lattre-de-Tassigny (Pt de) . . . FV 164
Marius-Vivier-Merle (Bd) . . . . HY 101
Morand (Pont) . . . . FVX 107
Moulin (Quai J.) . . . . FX 109
La Part Dieu . . . . HXY
Pradel (Pl. L.) . . . . FX 123
Prés.-Édouard-Herriot
(R. du) . . . . FX 127
Repos (R. du) . . . . GZ 131
République (R. de la) . . . . . . FXY 136
Rolland (Quai Romain) . . . . . FX 140

St-Antoine (Q.) . . . . FX 147
St-Barthélémy
(Montée) . . . . EX 149
Sarrail (Quai du Gén.) . . . . . . GX 157
Terme (R.) . . . . FV 166
Université (Pont de l') . . . . . . GY 171
Université (R. de l') . . . . GY 172
Victor-Hugo (R.) . . . . FX 176
Villette (R. de la) . . . . HY 178
Vitton (Cours) . . . . HV
Wilson (Pont) . . . . FY 182

1re Div.-Fr.-Libre (Av. de la) . . . EY 186

VILLEURBANNE

Dutrievos (Av. A.) . . . . HV 39
Galline (Av.) . . . . HV
Philip (Cours A.) . . . . HV
Rossellini (Av. R.) . . . . HV 144
Tonkin (R. du) . . . . HV
Zola (Cours Émile) . . . . HV
11 Novembre 1918 (Bd du) . . . HV

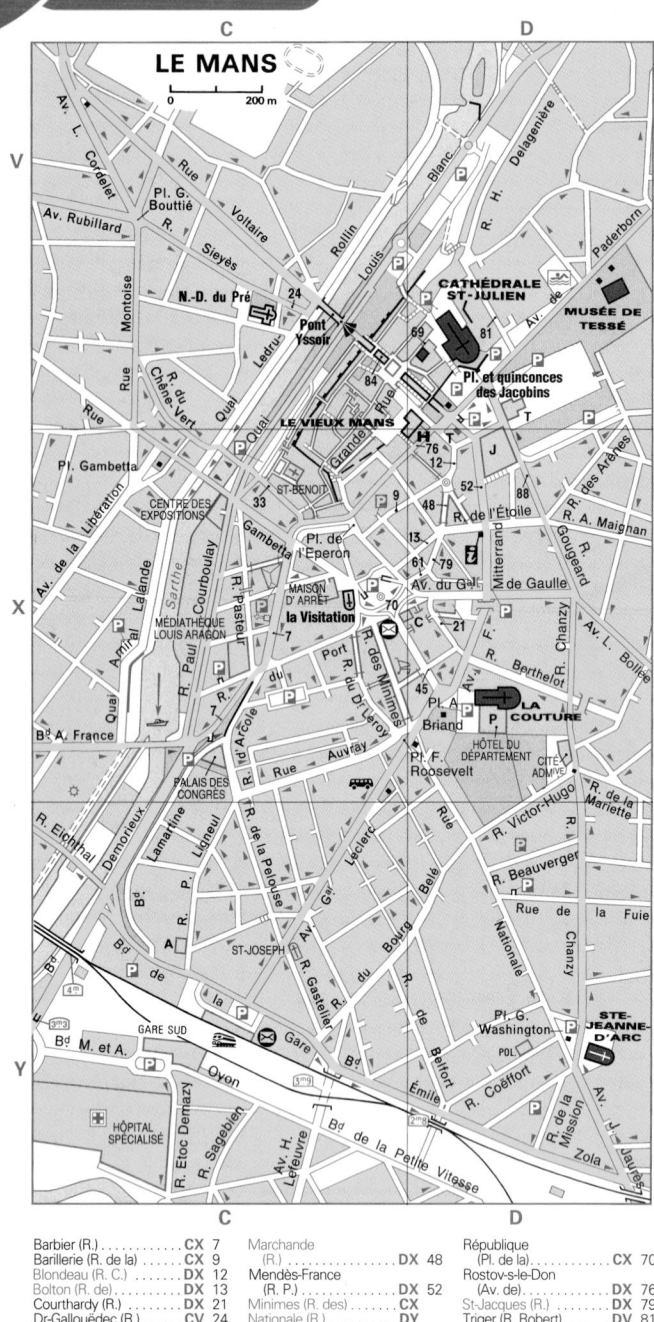

LE MANS
0   200 m

Barbier (R.) . . . . CX 7
Barillerie (R. de la) . . . . . . CX 9
Blondeau (R. C.) . . . . . . DX 12
Bolton (R. de) . . . . DX 13
Courthardy (R.) . . . . DX 21
Dr-Gallouédec (R.) . . . . . CV 24
Galère (R. de la) . . . . CX 33
Gambetta (R.) CX
Levasseur (Bd René) . . DX 45

Marchande
(R.) . . . . DX 48
Mendés-France
(R. P.) . . . . DX 52
Minimes (R. des) CX
Nationale (R.) . . . . DY
Perle (R. de la) . . . . DX 61
Reine-Bérengère
(R. de la) . . . . DV 69

République
(Pl. de la) . . . . CX 70
Rostov-sle-Don
(Av. de) . . . . DX 76
St-Jacques (R.) . . . . DX 79
Triger (R. Robert) . . . . . DV 81
Wright (R. Wilbur) . . . . . CV 84
33e-Mobiles
(R. du) . . . . DX 88

Luxémont-et-Villotte 51 ......62 BU28
Luxeuil-les-Bains 70 ....141 CH37
Luxey 40 ....273 AG77
Luxiol 25 ....162 CH42
Luyères 10 ....91 BR31
Luynes 37 ....151 AP42
Luynes 13 ....306 CC85
Luz-Ardiden 65 ....332 AJ92
Luz-Saint-Sauveur 65 ....333 AK92
Luzancy 77 ....60 BJ25
Luzarches 95 ....38 BD23
Luzay 79 ....168 AJ47
Luze 70 ....142 CK39
Luzé 37 ....169 AO46
Luzech 46 ....259 AU75
Luzenac 09 ....336 AY94
Luzeret 36 ....188 AV52
La Luzerne 50 ....32 AE22
Luzillat 63 ....210 BL58
Luzillé 37 ....152 AT44
Luzinay 38 ....231 BX62
Luzoir 02 ....25 BO14
Luzy 58 ....176 BP49
Luzy-Saint-Martin 55 ....27 BX18
Luzy-sur-Marne 52 ....117 BY35
Ly-Fontaine 02 ....24 BK16
Lyas 07 ....266 BV71
Lyaud 74 ....198 CJ53
Lye 36 ....153 AW44
Lynde 59 ....7 BD6
Lyoffans 70 ....142 CJ39
Lyon 69 ....213 BW60
Lyon-Saint-Exupéry
(Aéroport de) 69 ....231 BY61
Lyons-la-Forêt 27 ....36 AW20

Lys 64 ....314 AH89
Lys 58 ....157 BM43
Lys-Chantilly 60 ....38 BD23
Lys-lez-Lannoy 59 ....9 BJ6
Lys-Saint-Georges 36 ....189 AZ51

M

Maast-et-Violaine 02 ....40 BL21
Maâtz 52 ....139 CA39
Mably 42 ....211 BO57
Macau 33 ....237 AF68
Macaye 64 ....311 Z87
Macé 61 ....54 AN28
Macey 50 ....80 AB29
Macey 10 ....90 BO32
Machault 77 ....88 BG31
Machault 08 ....42 BS20
Maché 85 ....165 Y49
Mâchecourt 02 ....25 BO17
Machemont 60 ....39 BH19
Macheren 57 ....67 CJ23
Machézal 42 ....212 BS59
Machiel 80 ....11 AZ10
Machilly 74 ....197 CH54
La Machine 58 ....175 BL48
Machine (Col de la) 26 ....250 CA69
Machy 80 ....11 AZ10
Machy 10 ....114 BP34
Macinaggio 2B 345 FG100
Mackenheim 67 ....97 CQ32

Mackwiller 67 ....67 CM24
Maclas 42 ....230 BV65
Maclaunay 51 ....60 BM26
Macogny 02 ....40 BJ23
Mâcon 71 ....195 BW54
Maconcourt 88 ....94 CD31
Maconcourt 52 ....93 BY31
Maconge 21 ....159 BU44
Macornay 39 ....179 CB50
Mâcot-la-Plagne 73 ....234 CL62
Macqueville 17 ....202 AJ60
Macquigny 02 ....24 BL15
Madaillan 47 ....276 AP77
Madecourt 88 ....94 CF32
Madegney 88 ....95 CG32
La Madeleine
sous-Montreuil 62 ....6 AZ8
La Madeleine 59 ....8 BI6
La Madeleine 51 ....65 CG28
La Madeleine 44 ....147 AA43
Madeleine (Col de la) 73 ...234 CI63
Madeleine
(Grotte de la) 07 ....284 BU76
La Madeleine-Bouvet 61 .....85 AS30
La Madeleine-
de-Nonancourt 27 ....56 AU27
La Madeleine-
Villefrouin 41 ....132 AW38
Madeloc (Tour) 66 ....343 BJ97
Madic 15 ....226 BE65
Madière 09 ....336 AW90
Madières 34 ....302 BN82
Madirac 33 ....255 AH71
Madiran 65 ....294 AJ85

Madone de Fenestre 06 ....291 CR78
Madonne-et-Lamerey 88 ...119 CG33
La Madrague 83 ....327 CE89
La Madrague-
de-la-Ville 13 ....326 CB87
La Madrague-
de-Montredon 13 ....326 CB88
Madranges 19 ....224 AY64
Madré 53 ....82 AJ30
Madriat 63 ....227 BJ64
Maël-Carhaix 22 ....77 M31
Maël-Pestivien 22 ....77 N30
Maennolsheim 67 ....68 CO27
Maffliers 95 ....58 BD24
Maffrécourt 51 ....43 BV23
Magagnosc 06 ....309 CO83
Magalas 34 ....321 BK86
La Magdeleine 16 ....203 AL57
La Magdeleine
(Chapelle de) 44 ....126 Y40
La Magdeleine-
sur-Tarn 31 ....298 AW82
Le Mage 61 ....84 AR30
Magenta 51 ....61 BP24
Les Mages 30 ....283 BR77
Magescq 40 ....292 AA82
Magland 74 ....216 CK57
Magnac-Bourg 87 ....224 AW62
Magnac-Laval 87 ....188 AU55
Magnac-
Lavalette-Villars 16 ....221 AM63
Magnac-sur-Touvre 16 .....221 AM61
Magnan 32 ....294 AJ82
Magnanville 78 ....57 AY25
Magnas 32 ....296 AQ81
Magné 86 ....186 AO54
Magné 79 ....184 AH54
Magnet 03 ....192 BM55
Magneux 92 ....92 BW30
Magneux 51 ....41 BN21
Magneux-Haute-Rive 42 ...229 BR61
Magneville 50 ....29 AB19
Magnicourt 10 ....91 BS30
Magnicourt-en-Comte 62 .....7 BE9
Magnicourt-sur-Canche 62 ..12 BD10
Magnien 21 ....159 BT45
Magnières 54 ....95 CI30
Magnieu 01 ....214 CD60
Les Magnils-Reigniers 85 ..183 AB52
Magnivray 70 ....141 CJ37
Magnoncourt 70 ....119 CG36
Le Magnoray 70 ....141 CF40
Magny 89 ....158 BP41
Le Magny 88 ....118 CF35
Les Magny 70 ....141 CI40
Magny 68 ....142 CM39
Le Magny 36 ....189 BA52
Magny 28 ....85 AV32
Magny-Châtelard 25 ....162 CH44
Magny-Cours 58 ....174 BJ48
Magny-Danigon 70 ....142 CJ38
Magny-en-Bessin 14 ....33 AH21
Magny-en-Vexin 95 ....37 AZ23
Magny-Fouchard 10 ....115 BT33
Magny-Jobert 70 ....142 CJ39
Magny-la-Campagne 14 ......54 AL24
Magny-la-Fosse 02 ....24 BJ14
Magny-la-Ville 21 ....158 BS41
Magny-Lambert 21 ....138 BU39
Magny-le-Désert 61 ....82 AJ29
Magny-le-Freule 14 ....34 AL23
Magny-le-Hongre 77 ....59 BG26
Magny-les-Aubigny 21 ......160 BY45
Magny-les-Hameaux 78 ......58 BB27
Magny-lès-Jussey 70 ....140 CE37
Magny-lès-Villers 21 ....159 BW45
Magny-Lormes 58 ....157 BN43
Magny-Montarlot 21 ....160 CA44
Magny-Saint-Médard 21 ....160 BZ42
Magny-sur-Tille 21 ....160 BY43
Magny-Vernois 70 ....141 CI39
Magoar 22 ....77 O30
Magrie 11 ....337 BC91
Magrin 81 ....298 AZ85
Magstatt-le-Bas 68 ....143 CP38
Magstatt-le-Haut 68 ....143 CP39
Maguelone 34 ....302 BP85
Mahalon 29 ....99 E33
Mahéru 61 ....55 AP28
Maîche 25 ....163 CL43
Maidières 54 ....65 CE25
Maignaut-Tauzia 32 ....295 AN81
Maigné 72 ....107 AL36
Maignelay-Montigny 60 ......22 BE18
Mailhac 11 ....320 BH88
Mailhac-sur-Benaize 87 ....188 AV54
Mailhoc 81 ....279 BB80
Mailholas 31 ....317 AU88
Maillas 40 ....274 AI77
Maillat 01 ....214 CD56
Maillé 86 ....168 AM50
Maillé 85 ....184 AF54
Maillé 37 ....169 AP46
Maillé (Château de) 29 ....71 H27
Maillebois 28 ....85 AU29
La Mailleraye-sur-Seine 76 ..35 AR19

Maillères 40 ....273 AG79
Mailleroncourt-
Charette 70 ....141 CG38
Mailleroncourt-
Saint-Pancras 70 ....118 CF36
Maillet 36 ....189 AY52
Mailley-et-Chazelot 70 ......130 CF40
Maillezais 85 ....184 AF53
Mailhiat 63 ....113 BK34
Mailly 71 ....193 BO55
Mailly-Champagne 51 ....41 BQ23
Mailly-la-Ville 89 ....136 BN40
Mailly-le-Camp 10 ....61 BQ28
Mailly-le-Château 89 ....136 BM40
Mailly-Maillet 80 ....13 BF13
Mailly-Raineval 80 ....22 BE16
Mailly-sur-Seille 54 ....65 CF25
Les Maillys 21 ....160 BZ45
Maimbeville 60 ....38 BE20
Mainbresson 08 ....25 BQ16
Mainbressy 08 ....25 BQ17
Maincourt-sur-Yvette 78 .....57 BA28
Maincy 77 ....88 BF30
Maine-de-Boixe 16 ....203 AM59
Mainfonds 16 ....221 AL63
Maing 59 ....14 BL10
Mainneville 27 ....37 AY20
Maintenay 62 ....6 AZ9
Maintenon 28 ....86 AX29
Mainterne 28 ....86 AU28
Mainville 54 ....45 CC21
Mainvillers 57 ....66 CI24
Mainvilliers 45 ....87 BC32
Mainvilliers 28 ....86 AW31
Mainxe 16 ....220 AJ62
Mainzac 16 ....221 AO63
Mairé 86 ....170 AR48
Mairé-Levescault 79 ....203 AL56
Mairieux 59 ....15 BP10
Mairy 08 ....27 BW17
Mairy-Mainville 54 ....45 CC21
Mairy-sur-Marne 51 ....62 BS26
Maisdon-sur-Sèvre 44 ......148 AB45
Maisey-le-Duc 21 ....138 BU37
Maisières-Notre-Dame 25 ..162 CF45
Maisnières 80 ....11 AY13
Le Maisnil 62 ....12 BD10
Le Maisnil 59 ....8 BH7
Maisnil-lès-Ruitz 62 ....8 BF8
Maisod 39 ....196 CC52
Maison-des-Champs 10 .....115 BT33
La Maison-Dieu 58 ....157 BN42
Maison-du-Roy 05 ....270 CL72
Maison-Feyne 23 ....189 AY54
Maison-Jeannette 24 ....240 AP69
Maison-Maugis 61 ....84 AR31
Maison-Neuve 16 ....221 AN62
Maison-Neuve 07 ....284 BS76
Maison-Ponthieu 80 ....12 BB11
Maison-Roland 80 ....11 BA12
Maison-Rouge 77 ....88 BJ29
Maisoncelle 72 ....7 BB8
Maisoncelle-et-Villers 08 ....27 BV18
Maisoncelle-Saint-Pierre 60 .38 BB19
Maisoncelle-Tuilerie 60 ......22 BC18
Maisoncelles 72 ....108 AO36
Maisoncelles 52 ....117 CA34
Maisoncelles-
du-Maine 53 ....106 AG36
Maisoncelles-en-Brie 77 .....59 BI26
Maisoncelles-
en-Gâtinais 77 ....112 BF34
Maisoncelles-
la-Jourdan 14 ....52 AF26
Maisoncelles-Pelvey 14 ......53 AH24
Maisoncelles-sur-Ajon 14 ...53 AI24
Maisonnais 79 ....202 AK56
Maisonnais 18 ....190 BC51
Maisonnais-
sur-Tardoire 87 ....222 AQ61
Maisonneuve 86 ....168 AL50
Maisonnisses 23 ....207 AZ57
Maisons 28 ....86 AZ31
Maisons 14 ....33 AG21
Maisons 11 ....338 BF92
Maisons-Alfort 94 ....58 BD27
Les Maisons Blanches 79 ..203 AM56
Maisons-du-Bois 25 ....166 CI46
Maisons-
en-Champagne 51 ....62 BT27
Maisons-Laffitte 78 ....58 BB25
Maisons-lès-Chaource 10 ..115 BO35
Maisons-lès-Soulaines 10 ...92 BV32
Maisonsgoutte 67 ....96 CN31
Maisontiers 79 ....168 AJ49
Maisse 91 ....87 BD31
Maissemy 02 ....24 BJ15
Maixe 54 ....95 CH28
Maizeray 55 ....65 CB23
Maizeroy 57 ....66 CG23
Maizery 57 ....66 CG23
Maizet 14 ....33 AI23
Maizey 55 ....64 CA25
Maizicourt 80 ....12 BB11
Maizière 58 ....156 BI44
Maizières 43 ....161 CE41
Maizières 62 ....8 BE10
Maizières 54 ....94 CE29
Maizières 52 ....92 BX30

Maizières 14 ....53 AK24
Maizières-
la-Grande-Paroisse 10 ......90 BN30
Maizières-lès-Brienne 10 .....91 BT31
Maizières-lès-Metz 57 ....45 CF21
Maizières-lès-Vic 57 ....67 CJ27
Maizières-sur-Amance 52 ..140 CB37
Maizilly 42 ....211 BR56
Maizy 02 ....41 BN20
Majastres 04 ....288 CJ80
Malabat 32 ....315 AL86
La Malachère 70 ....162 CF41
Malafretaz 01 ....195 BY54
Mâlain 21 ....159 BV43
Malaincourt 88 ....93 CC33
Malaincourt-sur-Meuse 52 .117 CB33
Malakoff 92 ....58 BC27
Malancourt 55 ....43 BX22
Malancourt-
la-Montagne 57 ....45 CE22
Malandry 08 ....27 BX18
Malange 39 ....161 CC34
Malans 70 ....161 CB43
Malans 25 ....180 CF45
Malansac 56 ....125 U38
Malarce-sur-la-Thines 07 ..265 BR75
Malataverne 26 ....267 BW74
Malaucène 84 ....285 BZ79
Malaucourt-sur-Seille 57 .....66 CG26
Malaumont 55 ....64 CA27
Malaunay 76 ....36 AT19
Malause 82 ....277 AS79
Malaussanne 64 ....294 AG85
Malaussène 06 ....289 CP80
Malauzat 63 ....209 BI60
Malaville 16 ....220 AK63
Malavillers 54 ....45 CC20
Malay 71 ....194 BV51
Malay-le-Grand 89 ....113 BK34
Malay-le-Petit 89 ....113 BL34
Malbo 15 ....245 BG69
Malbosc 07 ....283 BR76
Malbouhans 70 ....142 CJ38
Malbouzon 48 ....263 BJ72
Malbrans 25 ....162 CF45
Malbuisson 25 ....180 CH48
Mâle 61 ....108 AR33
Malegoude 09 ....336 AZ90
Malemort-du-Comtat 84 ...285 BZ80
Malemort-sur-Corrèze 19 ..242 AX67
La Malène 48 ....282 BL77
Malepeyre (Sabot de) 48 ..282 BK76
Malesherbes 45 ....87 BD32
Malestroit 56 ....125 T37
Malétable 61 ....84 AR29
Maleville 12 ....279 BB76
Malfalco (Anse de) 2B 345 FE103
Malguénac 56 ....101 P33
La Malhoure 22 ....78 T30
Malicornay 36 ....188 AX51
Malicorne 89 ....135 BI38
Malicorne 03 ....191 BG55
Malicorne-sur-Sarthe 72 ...129 AL37
Maligny 89 ....136 BN37
Maligny 21 ....177 BT46
Malijai 04 ....287 CG79
Malincourt 59 ....14 BK13
Malintrat 63 ....209 BJ60
Malissard 26 ....249 BX70
Malle (Château du) 33 ......256 AI74
Mallefougasse 04 ....287 CF79
Malleloy 54 ....65 CF26
Mallemoisson 04 ....287 CH79
Mallemort 13 ....305 CA83
Malléon 09 ....336 AY91
Malleret 23 ....226 BD61
Malleret-Boussac 23 ....189 BB54
Mallerey 39 ....179 CD35
Mallet (Belvédère de) 15 ..245 BJ70
Malleval 42 ....230 BV64
Malleval-en-Vercors 38 .....250 CB67
Malleville-les-Grès 76 ....19 AQ15
Malleville-sur-le-Bec 27 ......35 AR22
Mallièvre 85 ....166 AE47
Malling 57 ....45 CF19
Mallouè 14 ....52 AF25
La Malmaison 02 ....41 BP19
Malmerspach 68 ....120 CM36
Malmy 51 ....43 BV22
Malnoue 51 ....59 BG24
Malo-les-Bains 59 ....3 BD2
Malons-en-Elze 30 ....265 BO75
Malouy 27 ....35 AP24
Malpart 80 ....22 BE17
Malpas 25 ....180 CH48
Malras 11 ....337 BB91
Malrevers 43 ....247 BG65
Malromé
(Château de) 33 ....256 AI73
Malroy 57 ....45 CF22
Maltat 71 ....175 BO50
Maltot 14 ....33 AJ23
Malval 23 ....189 AZ54
Malval (Col de) 69 ....212 BU60
Malvalette 43 ....229 BS65
Malves-en-Minervois 11 ....320 BE89
Malvezie 31 ....334 AP91
Malvières 43 ....229 BO65
Malviès 11 ....337 BC90
Malville 44 ....147 X42
Malvillers 70 ....140 CD38

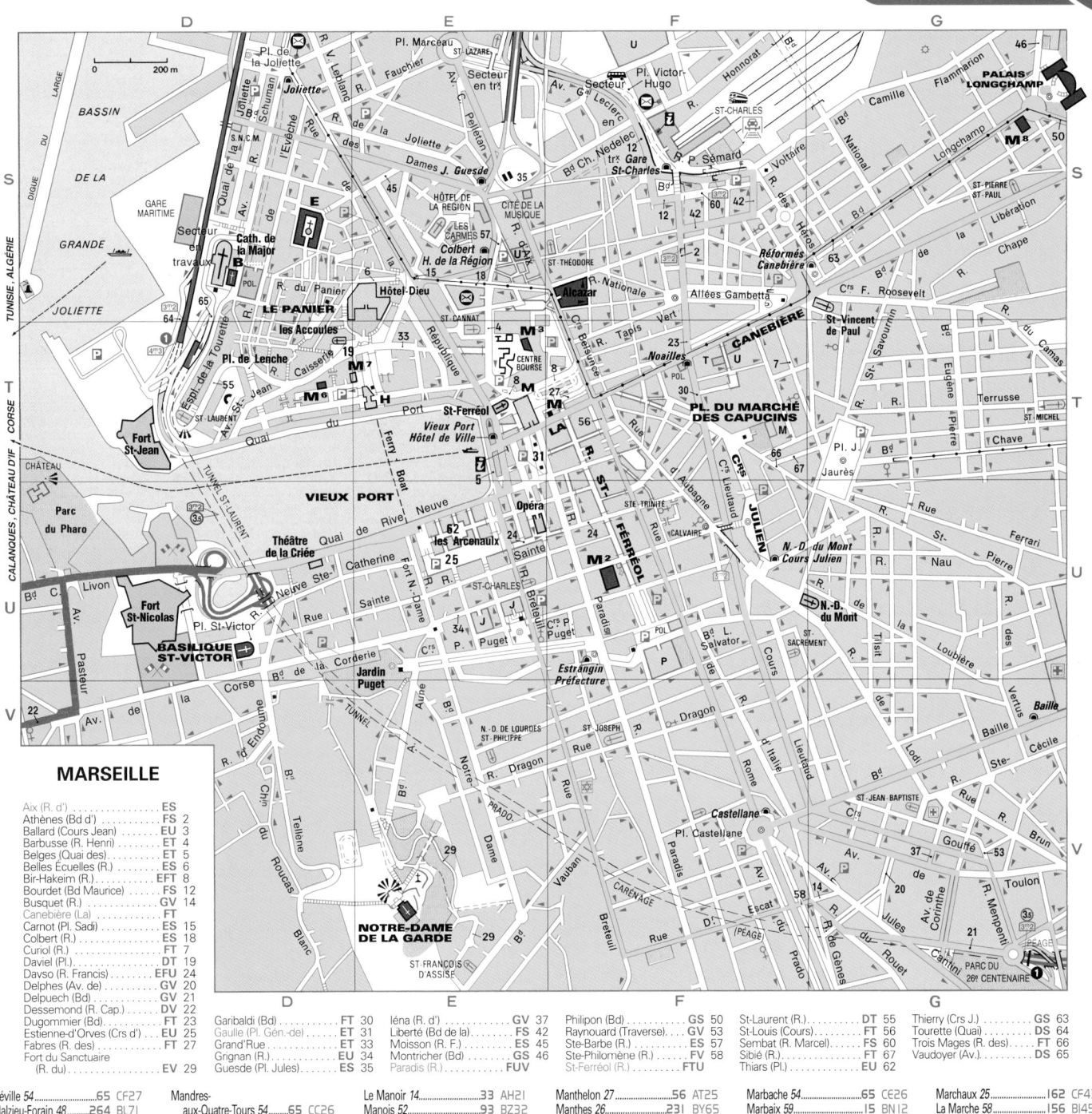

MARSEILLE

Aix (R. d') .... ES
Athènes (Bd d') .... FS 2
Ballard (Cours Jean) ... EU 3
Barbusse (R. Henri) .... ET 4
Belges (Quai des) ...... ET 5
Belles Écuelles (R.) .... ES 6
Bir-Hakeim (R.) .... EFT 8
Bourdet (Bd Maurice) ... FS 12
Busquet (R.) .... GV 14
Canebière (La) .... FT
Carnot (Pl. Sadi) ...... ES 15
Colbert (R.) .... ES 18
Curiol (R.) .... FT 7
Daviel (Pl.) .... DT 19
Davso (R. Francis) ..... EFU 24
Delphes (Av. de) ...... GV 20
Delpuech (Bd) .... GV 21
Dessemond (R. Cap.) ... DV 22
Dugommier (Bd) .... FT 23
Estienne-d'Orves (Crs d') .. EU 25
Fabres (R. des) .... FT 27
Fort du Sanctuaire
  (R. du) .... EV 29

Garibaldi (Bd) .... FT 30
Gaulle (Pl. Gén.-de) ... ET 31
Grand'Rue .... ET 33
Grignan (R.) .... EU 34
Guesde (Pl. Jules) .... ES 35

Iéna (R. d') .... GV 37
Liberté (Bd de la) ..... FS 42
Moisson (R. F.) .... ES 45
Montricher (Bd) ...... GS 46
Paradis (R.) .... FUV

Philipon (Bd) .... GS 50
Raynouard (Traverse) .. GV 53
Ste-Barbe (R.) .... ES 57
Ste-Philomène (R.) .... FV 58
St-Ferréol (R.) .... FTU

St-Laurent (R.) .... DT 55
St-Louis (Cours) ...... FT 56
Sembat (R. Marcel) ... FS 60
Sibié (R.) .... FT 67
Thiars (Pl.) .... EU 62

Thierry (Crs J.) ...... GS 63
Tourette (Quai) ...... DS 64
Trois Mages (R. des) .. FT 66
Vaudoyer (Av.) .... DS 65

Malzéville 54 ....65 CF27
Le Malzieu-Forain 48 ...264 BL71
Le Malzieu-Ville 48 .....264 BL71
Malzy 02 ....25 BN14
Mambouhans 25 ....163 CJ42
Mamers 72 ....84 AO32
Mametz 80 ....13 BG13
Mametz 62 ....8 BD6
Mamey 54 ....65 CD25
Mamirolle 25 ....162 CG44
Manas 26 ....267 BY73
Manas-Bastanous 32 ....315 AN87
Manaurie 24 ....241 AS69
Mance 54 ....45 CD21
La Mancelière 28 ....56 AT28
La Mancellière 50 ....28 AD28
La Mancellière-sur-Vire 50 ..32 AE23
Mancenans 25 ....162 CI41
Mancenans-Lizerne 25 ..163 CK43
Mancey 71 ....195 BW51
Manchecourt 45 ....80 BD33
Manciet 32 ....295 AK82
Mancieulles 54 ....45 CD21
Mancioux 31 ....316 AR89
Mancy 51 ....61 BO25
Mandacou 24 ....258 AP72
Mandagout 30 ....282 BN80
Mandailles-
  Saint-Julien 15 ....244 BF68
Mandelieu-la-Napoule 06 .309 C084
Manderen 57 ....46 CG19
Mandeure 25 ....163 CK41
Mandeville 27 ....36 AT22
Mandeville-en-Bessin 14 ..32 AQ21
Mandray 88 ....96 CL32
Mandres 27 ....55 AS27

Mandres-
  aux-Quatre-Tours 54 ...65 CC26
Mandres-en-Barrois 55 ...93 BZ30
Mandres-la-Côte 52 ....117 BZ35
Mandres-les-Roses 94 ....58 BE28
Mandres-sur-Vair 88 ....118 CD33
Mandrevillars 70 ....142 CK39
Manduel 30 ....304 BU82
Mane 31 ....334 AN90
Mane 04 ....287 CE80
Manéglise 76 ....18 AO18
Manéhouville 76 ....20 AU15
Manent-Montané 32 ....316 AP87
Manerbe 14 ....34 AN22
Mangiennes 55 ....44 CA20
Manglieu 63 ....228 BL62
Mangonville 54 ....95 CG30
Manhac 12 ....280 BE77
Manheulles 55 ....64 CB23
Manhoué 57 ....66 CG26
Manicamp 02 ....24 BJ18
Manigod 74 ....216 CI59
Manin 62 ....13 BE10
Maninghem 62 ....6 BA7
Maninghen-Henne 62 ......2 AY5
Maniquerville 76 ....18 AO17
Manlay 21 ....158 BS45
Manneville-ès-Plains 76 ..19 AR15
Manneville-la-Goupil 76 ..18 AO18
Manneville-la-Pipard 14 ..34 AN21
Manneville-la-Raoult 27 ..34 AO20
Manneville-sur-Risle 27 ..35 AQ20
Mannevillette 76 ....18 AO17
Mano 40 ....255 AF75
Le Manoir 27 ....36 AU21

Le Manoir 14 ....33 AH21
Manois 52 ....93 BZ32
Manom 57 ....45 CF20
Manoncourt-
  en-Vermois 54 ....95 CG28
Manoncourt-en-Woëvre 54 .65 CD26
Manoncourt-sur-Seille 54 .65 CF25
Manonville 54 ....65 CD26
Manonviller 54 ....95 CJ28
Manosque 04 ....306 CE81
Manot 16 ....204 AQ58
Manou 28 ....42 BU21
Manre 08 ....42 BU21
Le Mans 72 ....107 AN35
Mansac 19 ....241 AV67
Mansan 65 ....315 AL87
Mansat-la-Courrière 23 .207 AZ58
Manse (Col de) 05 .....269 CH73
Mansempuy 32 ....296 AQ83
Mansencôme 32 ....295 AN81
Manses 09 ....336 AY90
Mansigné 72 ....129 AM38
Mansle 16 ....204 AQ58
Manso 2B 346 FB107
Mansonville 82 ......276 AR80
Manspach 68 ....143 CN39
Mant 40 ....294 AG84
Mantaille
  (Château de) 26 ...249 BX66
Mantallot 22 ....72 N26
Mantenay-Montlin 01 ..195 BY53
Mantes-la-Jolie 78 .....57 AY25
Mantes-la-Ville 78 .....57 AY25
Mantet 66 ....341 BC97
Manteyer 05 ....269 CG74
Manthelan 37 ....152 AR45

Manthelon 27 ....56 AT25
Manthes 26 ....231 BY65
Mantilly 61 ....82 AG29
Mantoche 70 ....161 CB42
Mantry 39 ....179 CB49
Manvieux 14 ....33 AH20
Many 57 ....66 CH24
Manzac-sur-Vern 24 ...240 AP68
Manzat 63 ....209 BH58
Manziat 01 ....195 BX54
Maquens 11 ....319 BD89
Marac 52 ....117 BY36
Marainville-sur-Madon 88 .94 CF31
Marainviller 54 ....95 CI28
Le Marais (Château) 91 ..87 BB29
Le Marais-la-Chapelle 14 .54 AL26
Marais-Vernier 27 ......35 AS25
Marambat 32 ....295 AM82
Marandeuil 21 ....160 BZ43
Marange-Silvange 57 ....45 CE22
Marange-Zondrange 57 ..66 CH23
Marans 49 ....128 AF39
Marans 17 ....183 AD54
Maransin 33 ....238 AI68
Maranville 52 ....116 BW34
Maranwez 08 ....26 BR16
Marast 70 ....141 CH40
Marat 63 ....228 BN62
Marat-la-Grande 55 .....63 BY26
Marault 52 ....92 BX33
Maraussan 34 ....321 BJ87
Maravat 32 ....296 AQ83
Maray 41 ....154 AZ44
Maraye-en-Othe 10 ....114 BO34

Marbache 54 ....65 CE26
Marbaix 59 ....15 BN12
Marbeuf 27 ....36 AT23
Marbéville 52 ....92 BX32
Marboué 28 ....109 AV34
Marboz 01 ....195 BZ54
Marby 08 ....26 BS15
Marc-la-Tour 19 ......243 AZ67
Marçais 18 ....173 BD50
Marçay 86 ....186 AN53
Marçay 37 ....151 AN45
Marcé 49 ....128 AJ40
Marcé-sur-Esves 37 ...169 AQ46
Marcei 61 ....54 AM28
Marcelcave 80 ....15 BE15
Marcellaz 74 ....216 CI56
Marcellaz-Albanais 74 .215 CF59
Marcellois 21 ....159 BU43
Marcellus 47 ....257 AL75
Marcenais 33 ....238 AI68
Marcenat 15 ....245 BH66
Marcenat 03 ....192 BL55
Marcenay 21 ....85 BS37
Marcenod 42 ....230 BT62
Marcevol 66 ....342 BE95
Marcey-les-Grèves 50 ...51 AB27
Marchainville 61 ....85 AS29
Marchais 02 ....25 BN18
Marchais-Beton 89 ....135 BL38
Marchais-en-Brie 02 ....60 BL26
Marchal 15 ....214 BF64
Marchamp 01 ....214 CC60
Marchampt 69 ....212 BU55
Marchastel 48 ....263 BJ73
Marchastel 15 ....245 BG66

Marchaux 25 ....162 CF43
La Marche 58 ....156 BI45
Marché-Allouarde 80 ...23 BH16
Marchélepot 80 ....23 BH15
Marchemaisons 61 .....84 AO30
Marchémoret 77 ....59 BG24
Marchenoir 41 ......132 AW38
Marcheprime 33 .....254 AD72
Les Marches 73 .....233 CF63
Marches 26 ....249 BZ69
Marcheseuil 21 ......158 BS45
Marchésieux 50 ....31 AC22
Marcheville 80 ....11 BA11
Marcheville 28 ....85 AV32
Marchéville-en-Woëvre 55 .64 CB23
Marchezais 28 ....57 AX27
Marchiennes 59 ....9 BJ9
Marchon 01 ....196 CC54
Marciac 32 ....295 AL85
Marcieu 38 ....250 CD69
Marcieux 73 ....232 CD62
Marcigny 71 ....193 BQ55
Marcigny-sous-Thil 21 .158 BS42
Marcilhac-sur-Célé 46 .260 AY74
Marcillac 33 ....237 AG66
Marcillac-la-Croisille 19 .243 BA66
Marcillac-la-Croze 19 ..242 AY69
Marcillac-Lanville 16 ..203 AL59
Marcillac-
  Saint-Quentin 24 ....241 AU69
Marcillac-Vallon 12 ...262 BE75
Marcillat 03 ....209 BI57
Marcillat-en-Combraille 03.208 BF56
Marcillé-la-Ville 53 .....82 AJ32
Marcillé-Raoul 35 ......80 AA31
Marcillé-Robert 35 ....104 AB36

Marcilloles 38.............231 BZ65
Marcilly 77....................59 BH24
Marcilly 50.....................51 AC28
Marcilly-d'Azergues 69....212 BV59
Marcilly-en-Bassigny 52....117 CB36
Marcilly-en-Beauce 41....131 AT38
Marcilly-en-Gault 41.......154 AZ42
Marcilly-en-Villette 45....133 BA38
Marcilly-et-Dracy 21.......159 BT42
Marcilly-la-Campagne 27....56 AU26
Marcilly-la-Gueurce 71....194 BS53
Marcilly-le-Châtel 42......229 BQ61
Marcilly-le-Hayer 10..........90 BM32
Marcilly-lès-Buxy 71.......177 BU50
Marcilly-Ogny 21............158 BS44
Marcilly-sur-Eure 27.........56 AV26
Marcilly-sur-Maulne 37....130 AN40
Marcilly-sur-Seine 51.........90 BN29
Marcilly-sur-Tille 21.......160 BY41
Marcilly-sur-Vienne 37....169 AP46
Marck 62........................2 BA3
Marckolsheim 67............121 CP33
Marclopt 42...................229 BR62
Marcoing 59....................14 BJ12
Marcolès 15...................262 BD71
Marcollin 38..................231 BY65
Marcols-les-Eaux 07.......266 BT71
Marçon 72.....................130 AP39
Marconnay
   (Château de) 86..........185 AL52
Marconne 62.....................7 BB9
Marconnelle 62................6 BA9
Marcorignan 11..............321 BI89
Marcoule 30..................285 BW78
Marcoussis 91..................87 BC29
Marcoux 42....................229 BQ61
Marcoux 04....................288 CI78
Marcq 52.........................57 AZ26
Marcq 78.........................43 BW21
Marcq-en-Barœul 59..........8 BI6
Marcq-en-Ostrevent 59.....14 BJ10
Marcy 69.......................212 BV59
Marcy 58.......................157 BL43
Marcy 02.........................24 BK15
Marcy-l'Étoile 69...........212 BV60
Marcy-sous-Marle 02........25 BN16
Mardeuil 51......................61 BO24
Mardié 45......................133 BB37
Mardilly 61......................54 AO26
Mardor 52......................139 BY37
Mardore 69....................212 BS57
Mardyck 59.......................3 BC2
La Mare-d'Ovillers 60........38 BC22
Mareau-aux-Bois 45.........111 BC35
Mareau-aux-Prés 45........133 AZ37
Marèges (Barrage de) 19..226 BD65
Mareil-en-Champagne 72..107 AK36
Mareil-en-France 95..........58 BC24
Mareil-le-Guyon 78...........57 AZ27
Mareil-Marly 78................58 BB26
Mareil-sur-Loir 72...........129 AL39
Mareil-sur-Mauldre 78.......57 AZ26
Mareilles 52...................117 BZ33
Marenla 62........................6 AZ8
Marennes 69..................231 BX62
Marennes 17...................200 AC59
Mareschés 72.................107 AM33
Maresches 59...................15 BM10
Maresquel-Ecquemicourt 62...6 BA9
Marest 62..........................7 BD8
Marest-Dampcourt 02.......24 BJ18
Marest-sur-Matz 60..........39 BG19
Marestaing 32.................297 AS85
Marestmontiers 80...........22 BE17
Maresville 62.....................6 AY8
Les Marêts 77..................60 BK28
Maretz 59.........................14 BK13
Mareugheol 63...............227 BJ64
Mareuil 24.....................221 AO64
Mareuil 16.....................202 AJ60
Mareuil-Caubert 80...........11 AZ13
Mareuil-en-Brie 51...........61 BO25
Mareuil-en-Dôle 02...........40 BM22
Mareuil-la-Motte 60..........39 BG19
Mareuil-le-Port 51............61 BN24
Mareuil-lès-Meaux 77.......59 BH25
Mareuil-sur-Arnon 18......172 BI28
Mareuil-sur-Ay 51..............61 BP24
Mareuil-sur-Cher 41........153 AV44
Mareuil-sur-Lay 85..........183 AB51
Mareuil-sur-Ourcq 60........39 BI23
Marey 88.......................118 CD34
Marey-lès-Fussey 21........159 BW45
Marey-sur-Tille 21...........139 BX40
Marfaux 51.......................41 BO23
Marfontaine 02.................25 BN16
Margaux 33....................237 AF68
Margencel 74.................198 CI53
Margency 95.....................58 BC25
Margerides 19................226 BD64
Margerie-Chantagret 42...229 BQ63
Margerie-Hancourt 51........91 BT29
Margès 26......................249 BY67
Margilley 70...................140 CB40
Le Margnès 81...............300 BF84
Margny 08.......................27 BH17
Margny-aux-Cerises 60......23 BH17
Margny-lès-Compiègne 60..39 BG20
Margny-sur-Matz 60..........39 BG19

Margon 34......................321 BL86
Margon 28........................85 AS32
Margouët-Meymes 32.......295 AL83
Margueray 50...................52 AD25
Marguerittes 30..............304 BQ82
Margueron 33..................257 AM71
Marguestau 32................295 AK81
Margut 08.........................27 BY18
Mariac 07.......................248 BT70
Mariaud 04....................288 CK76
Maricourt 80....................13 BG14
Marie 06........................289 CP79
Marienthal 67...................69 CR26
Marieulles 57....................65 CE24
Marieux 80.......................12 BD12
Marigna-sur-Valouse 39...196 CB53
Marignac 31...................334 AP92
Marignac 17...................219 AH63
Marignac-en-Diois 26......268 CA71
Marignac-Lasclares 31.....317 AT88
Marignac-Laspeyres 31....317 AS89
Marignana 2A.................346 FC108
Marignane 13.................326 CA86
Marigné 49.....................128 AH38
Marigné-Laillé 72............130 AO38
Marigné-Peuton 53..........128 AF37
Marignier 74...................216 CJ56
Marignieu 01..................214 CD60
Marigny 79.....................185 AI55
Marigny 71.....................177 BT50
Marigny 51.......................61 BO28
Marigny 50........................32 AD23
Marigny 39.....................179 CD50
Marigny 03.....................191 BJ51
Marigny-Brizay 86..........169 AO49
Marigny-Chemereau 86...186 AM53
Marigny-en-Orxois 02........60 BJ24
Marigny-le-Cahouët 21....159 BT41
Marigny-le-Châtel 10........90 BN31
Marigny-l'Église 58.........158 BP43
Marigny-lès-Reullée 21....178 BX46
Marigny-les-Usages 45....111 BA36
Marigny-Marmande 37....169 AP47
Marigny-Saint-Marcel 74..215 CF59
Marigny-sur-Yonne 58......157 BN44
Marillac-le-Franc 16.......221 AO61
Le Marillais 49................148 AD42
Marillet 85.....................184 AG51
Marimbault 33................256 AI75
Marimont-
   lès-Bénestroff 57..........67 CJ25
Marin 74........................198 CJ53
Marines 95........................37 BA23
Les Marines-
   de-Cogolin 83.............329 CL87
Maringes 42...................230 BS62
Maringues 63.................210 BK59
Mariol 03.......................210 BM58
Marions 33.....................274 AJ76
Marissel 60......................38 BB20
Marizy 71.......................194 BT51
Marizy-Saint-Mard 02.......40 BJ23
Marizy-
   Sainte-Geneviève 02.......40 BJ23
Le Markstein 68..............120 CM35
Marle 02..........................25 BN16
Marlemont 08...................26 BN16
Marlenheim 67..................97 CP28
Marlens 74.....................216 CI60
Marlers 80........................21 AZ16
Marles-en-Brie 77.............59 BH28
Marles-les-Mines 62...........7 BE8
Marles-sur-Canche 62........6 AZ8
Marlhes 42.....................248 BT66
Marliac 31......................318 AW89
Marliens 21......................59 BY44
Marlieux 01....................213 BY57
Marlioz 74......................215 CF57
Marly 59............................8 BL9
Marly 57...........................65 CF23
Marly-Gomont 02.............25 BN14
Marly-la-Ville 95...............58 BE24
Marly-le-Roi 78.................58 BB26
Marly-sous-Issy 71.........176 BP50
Marly-sur-Arroux 71........193 BR51
Marmagne 71..................176 BS48
Marmagne 21..................137 BS40
Marmagne 18..................172 BC46
Marmande 47..................257 AL74
Marmanhac 15................244 BE69
Marmeaux 89..................137 BQ40
Marmesse 52...................116 BW35
Marminiac 46.................240 AU73
Marmont-Pachas 47.........276 AP79
Marmouillé 61...................54 AN28
Marmoutier 67...................68 CO27
Marnac 24......................259 AS71
Marnand 69.....................212 BS57
Marnans 38....................231 BZ65
Marnaves 81...................279 AZ79
Marnay 86......................186 AN53
Marnay 71......................178 BX50
Marnay 70.......................161 CD43
Marnay-sur-Marne 52........117 BY35
Marnay-sur-Seine 10.........90 BM30
Marnaz 74......................216 CJ56
La Marne 44...................165 Y46
Marne-la-Vallée 11...........59 BD26
Marnefer 61......................55 AQ26
Marnes 79......................168 AL48

Marnes-la-Coquette 92.......58 BC26
Marnézia 39....................196 CC51
Marnhagues-et-Latour 12..301 BJ82
Marnoz 39......................179 CD47
Marœuil 62.......................13 BF70
Maroilles 59.....................15 BN12
La Marolle-
   en-Sologne 41.............133 AZ40
Marolles 60......................39 BI23
Marolles 51......................62 BU28
Marolles 14......................34 AO23
Marolles-en-Beauce 91.......87 BC32
Marolles-en-Brie 94...........58 BE28
Marolles-en-Brie 77...........60 BJ27
Marolles-en-Hurepoix 91....87 BC29
Marolles-lès-Bailly 10.......115 BS33
Marolles-les-Braults 72....108 AO33
Marolles-les-Buis 28..........85 AS32
Marolles-
   lès-Saint-Calais 72......108 AR36
Marolles-
   sous-Lignières 10.........114 BP36
Marolles-sur-Seine 77.......89 BI31
Marollette 72....................84 AO31
Marols 42.......................229 BQ64
Maromme 76.....................36 AT19
Maron 54.........................94 CE28
Maroncourt 88..................94 CF32
Maroué 22........................78 T30
Maroutière
   (Château de la) 53.......128 AG37
Marpain 39.....................161 CB43
Marpaps 40....................293 AE84
Marpent 59......................15 BP10
Marpiré 35.....................104 AB33
Marquaix 80.....................23 BI14
Marquay 62........................7 BD9
Marquay 24....................241 AT70
Marquefave 31................317 AU88
Marquéglise 60.................39 BG19
Marquein 11...................318 AV88
Marquenterre (Parc du) 80..11 AX10
Marquerie 65..................315 AL88
Marquette-en-Ostrevant 59..14 BJ10
Marquette-lez-Lille 59.........8 BI6
Marquigny 08....................26 BU18
Marquillies 59....................8 BH7
Marquion 62......................14 BI11
Marquise 62.......................4 AY4
Marquivillers 80................23 BF17
Marquixanes 66..............342 BE95
Marray 37.......................130 AQ40
Marre 55............................43 BY22
La Marre 39....................179 CC49
Mars 42..........................212 BS56
Mars 30..........................282 BN80
Les Mars 23...................208 BA58
Mars 07..........................248 BS69
Mars-la-Tour 54.................65 CD23
Mars-sous-Bourcq 08.........42 BT20
Mars-sur-Allier 58...........174 BI48
Marsa 11.........................337 BB93
Marsac 82.......................296 AR81
Marsac 65.......................315 AK87
Marsac 23.......................206 AX57
Marsac 16.......................221 AL61
Marsac-en-Livradois 63....229 BO64
Marsac-sur-Don 44..........126 Z39
Marsac-sur-l'Isle 24.........240 AQ67
Marsainvilliers 45............111 BC33
Marsais 17.....................186 BC54
Marsais-
   Sainte-Radégonde 85...183 AE51
Marsal 81........................299 BC81
Marsal 57..........................66 CI26
Marsalès 24....................258 AV72
Marsan 32......................296 AQ84
Marsaneix 24..................240 AR68
Marsangis 51....................90 BO29
Marsangy 89...................113 BK34
Marsannay-la-Côte 21.....160 BX43
Marsannay-le-Bois 21......160 BY42
Marsanne 26..................267 BX73
Marsas 65......................333 AM90
Marsas 33......................237 AH68
Marsat 63.......................209 BJ59
Marsaz 26.......................249 BX67
Marseillan 34..................315 AL88
Marseillan 34..................322 BM87
Marseillan 32..................315 AM85
Marseillan-Plage 34........322 BN88
Marseille 13...................326 CB88
Marseille-en-Beauvaisis 60...21 BA12
Marseille-lès-Aubigny 18...174 BI46
Marseillette 11................320 BE89
Marsillargues 34............303 BS84
Marsilly 57........................66 CG23
Marsilly 17.....................183 AC55
Marsinval 78.....................57 BA25
Marsolan 32...................296 AO81
Marson 51........................62 BT25
Marson-sur-Barboure 55....93 CA28
Marsonnas 01.................195 BY54
Marsoulas 31..................335 AS90
Marsous 65.....................332 AI91
Marspich 57......................45 CE20
Marssac-sur-Tarn 81.......299 BA81
Martagny 27......................37 AY20

Martailly-lès-Brancion 71..195 BW52
Martainville 80...................11 AY13
Martainville 27..................35 AP21
Martainville 14..................53 AJ25
Martainville-Épreville 76....36 AV19
Martaizé 86....................168 AL48
Martel 46........................242 AX70
Marthemont 54..................94 CD29
Marthille 57......................66 CI25
Marthod 73.....................216 CI60
Marthon 16.....................221 AO62
Martiel 12.......................279 AZ76
Martigna 39....................196 CD53
Martignac 46..................259 AT74
Martignargues 30............284 BS80
Martignas-sur-Jalle 33.....237 AAC70
Martignat 01...................196 CC55
Martigné-Briand 49.........149 AI44
Martigné-Ferchaud 35......127 AB37
Martigné-sur-Mayenne 53..106 AG33
Martigny 76......................20 AU15
Martigny 50......................52 AD28
Martigny 02......................25 BO15
Martigny-Courpierre 42......40 BM19
Martigny-le-Comte 71......194 BS52
Martigny-les-Bains 88......118 CD34
Martigny-
   les-Gerbonvaux 88........94 CC30
Martigny-sur-l'Ante 14......53 AK25
Martigues 13..................325 BZ86
Martillac 33....................255 AG72
Martimpré (Col de) 88.....120 CL34
Martin-Église 76................10 AU14
Martincourt 60..................37 BA19
Martincourt 54..................94 CD27
Martincourt-sur-Meuse 55..27 BX18
Martinet 85.....................165 Y50
Le Martinet 30................283 BR77
Martinpuich 62..................13 BG13
Martinvast 50....................29 AA17
Martinvelle 88.................118 CE35
Martisserre 31................316 AR87
Martizay 36.....................170 AT49
Martot 27.........................36 AT21
Martragny 14....................33 AH21
La Martre 83...................308 CJ82
Martres 33......................256 AJ72
Les Martres-d'Artière 63...210 BK60
Martres-de-Rivière 31......334 AP90
Les Martres-de-Veyre 63...227 BJ61
Martres-sur-Morge 63......210 BK59
Martres-Tolosane 31........317 AS89
Martrin 12......................300 BF81
Martrois 21.....................159 BT43
La Martyre 29....................75 H29
Les Martys 11.................319 BC81
Maruéjols-lès-Gardon 30..283 BR80
Marval 87.......................222 AR62
Marvaux-Vieux 08.............42 BU21
Marvejols 48...................264 BK71
Marvelise 25....................142 CJ40
Marville 55........................44 BZ19
Marville-les-Bois 28..........85 AV29
Marville-Moutiers-Brûlé 28..56 AW28
Mary 71..........................194 BT51
Mary-sur-Marne 77............59 BI24
Marzal (Aven de) 07.........284 BU76
Marzan 56.......................125 U40
Marzens 81.....................298 AZ84
Marzy 58........................174 BJ47
Le Mas 06.......................289 CP80
Mas-Blanc-des-Alpilles 13..304 BW82
Mas-Cabardès 11............319 BD87
Les Mas d'Artige 23.........225 BC61
Le Mas d'Azil 09.............335 AV90
Mas d'Azil (Grotte du) 09..335 AV90
Mas-de-Londres 34..........302 BO82
Le Mas-de-Tence 43.........248 BT68
Mas-des-Cours 11............337 BD90
Mas-d'Orcières 48...........265 BO75
Mas-Grenier 82...............297 AU81
Mas-Saint-Chély 48.........282 BL77
Mas-Saintes-Puelles 11....318 AZ88
Le Mas-Soubeyran 30......283 BQ79
Mas-Thibert 13................304 BW85
Masbaraud-Mérignat 23...206 AY58
Mascaraàs-Haron 64........294 AI85
Mascaras 65...................315 AL89
Mascaras 32...................295 AM85
Mascarville 31................298 AY85
Masclat 46......................259 AV71
Masevaux 68..................142 CM37
Maslacq 64.....................313 AE86
Masléon 87.....................224 AX61
Maslives 41.....................132 AW40
Masmejan 48..................283 BO76
Le Masnau-
   Massuguiès 81.............300 BE83
Masnières 59....................14 BJ12
Masny 59.........................9 BJ9
Los Masos 66.................342 BE96
Masparraute 64..............311 AB86
Maspie-Lalonquère-
   Juillacq 64..................313 AJ86
Masquières 47................277 AS76
Massabrac 31..................317 AV89
Massac 17.......................202 AJ59
Massac 11.......................338 BF92

Massac-Séran 81.............298 AZ84
Massaguel 81..................319 BB86
Massais 79.....................167 AI46
Massals 81.....................300 BE82
Massanes 30...................283 BR80
Massangis 89..................137 BQ40
Massat 09.......................335 AV92
Massay 18......................154 AU45
Le Massegros 48.............281 BJ77
Masseilles 33..................256 AK75
Massels 47......................276 AR71
Massérac 44...................126 X39
Masseret 19...................224 AW63
Masseube 32...................316 AO86
Massiac 15.....................246 BK66
Massieu 38.....................232 CC64
Massieux 01...................213 BW59
Massiges 51.....................42 BU22
Massignac 16..................204 AO60
Massignieu-de-Rives 01...214 CD60
Massillargues-Attuech 30..283 BQ80
Massilly 71......................194 BV52
Massingy 74....................215 CF59
Massingy 21....................116 BU36
Massingy-lès-Semur 21....158 BS41
Massingy-lès-Vitteaux 21..159 BU42
Massognes 86..................168 AL49
Massoins 06....................289 CP80
Massongy 74..................198 CI54
Massoulès 47..................276 AR76
Massugas 33...................257 AL71
Massy 91..........................58 BC28
Massy 76..........................20 AW17
Massy 71........................194 BU52
Mastaing 59.....................14 BK10
Matafelon-Granges 01.....196 CC55
Les Matelles 34...............302 BP83
Matemale 66...................341 BB96
Matha 17........................202 AI59
Mathaux 10......................91 BT31
Mathay 25.......................142 CK41
Mathenay 39...................179 CC47
Les Mathes 17................200 AC60
Mathieu 14.......................33 AJ21
Mathons 52.......................92 BX31
Mathonville 76..................20 AW18
Matignicourt-Goncourt 51..62 BU28
Matigny 80........................23 BI16
Matougues 51...................62 BR25
Matour 71.......................194 BT54
Matra 2B.........................347 FG104
Mattaincourt 88................94 CF32
Mattexey 54......................95 CI30
Matton-et-Clémency 08.....27 BX17
Mattstall 67......................68 CO23
Matzenheim 67..................97 CQ30
Maubec 84......................305 CZ81
Maubec 82......................296 AR82
Maubec 38......................232 CA62
Maubert-Fontaine 08.........26 BS15
Maubeuge 59...................15 BO10
Maubourguet 65.............315 AK86
Maubuisson 33................236 AB68
Mauchamps 91..................87 BC30
Maucomble 76...................20 AV17
Maucor 64......................314 AH87
Maucourt 80.....................23 BG16
Maucourt 60.....................23 BI17
Maucourt-sur-Orne 55.......44 CA21
Maudétour-en-Vexin 95.....37 AZ23
Mauguio 34....................303 BQ84
Maulain 52......................117 CB35
Maulan 55.........................63 BY28
Maulay 86......................168 AK47
Maulde 59..........................9 BL8
Maule 78...........................57 AZ26
Mauléon 79....................167 AF47
Mauléon-Barousse 65......334 AO92
Mauléon-d'Armagnac 32..294 AJ81
Mauléon-Licharre 64.......311 AC88
Maulers 60.......................22 BB18
Maulette 78......................57 AX27
Maulévrier 49..................167 AF46
Maulévrier-
   Sainte-Gertrude 76........19 AR18
Maulichères 32...............294 AJ83
Maumusson 82................296 AR81
Maumusson 44................148 AD41
Maumusson-Laguian 32...294 AJ84
Mauny 76..........................35 AS20
Maupas 31......................294 AJ82
Le Maupas 21.................158 BS44
Maupas 10.......................115 BQ34
Maupas (Château de) 18...155 BF44
Maupertuis 77...................52 AD24
Maupertus-sur-Mer 50......29 AB17
Mauprévoir 86................204 AP56
Mauquenchy 76................20 AW18
Mauran 31......................317 AS89
Maure (Col de) 04...........288 CJ76
Maure-de-Bretagne 35....103 W36
Maurecourt 78..................58 BB25
Mauregard 77...................59 BF24
Mauregny-en-Haye 02.......41 BN19
Maureilhan 34.................321 BJ87
Maureillas-las-Illas 66.....343 BH97

Mauremont 31.................318 AX86
Maurens 32.....................296 AR85
Maurens 31.....................318 AX86
Maurens 24.....................239 AO70
Maurens-Scopont 81........298 AY85
Maurepas 80.....................23 BG14
Maurepas 78.....................57 BA27
Maures 31.......................317 AO88
Mauressac 31..................318 AV88
Mauressargues 30............283 BR80
Maureville 31..................298 AY85
Mauriac 33......................256 AK72
Mauriac 15.....................244 BD67
Mauries 40......................294 AH84
Maurin 04.......................271 CN73
Maurin 34.......................302 BP85
Maurines 15...................245 BJ70
Maurois 59.......................14 BL13
Mauron 56......................103 U33
Mauroux 46.....................259 AS75
Mauroux 32....................296 AQ81
Maurrin 40.....................294 AH82
Maurs 15........................261 BC72
Maurupt-le-Montois 51.......63 BV27
Maury 66........................338 BF93
Maury (Barrage de) 12.....262 BF73
Mausoléo 2B...................346 FD105
Maussac 19....................225 BB64
Maussane-les-Alpilles 13..304 BX83
Maussans 70...................162 CG41
Mausson (Château de) 53...81 AE30
Mautes 23......................208 BD70
Mauvages 55.....................93 CA29
Mauvaisin 31..................318 AW87
Mauves 07......................249 BW68
Mauves-sur-Huisne 61.......84 AQ31
Mauves-sur-Loire 44........148 AB43
Mauvezin 65...................333 AM90
Mauvezin 32...................296 AR83
Mauvezin 31...................316 AR80
Mauvezin-d'Armagnac 40..274 AJ80
Mauvezin-de-Prat 09........335 AS91
Mauvezin-
   de-Sainte-Croix 09.......335 AU90
Mauvezin-sur-Gupie 47....257 AL74
Mauvières 36..................187 AT52
Mauvilly 21....................138 BU39
Maux 58.........................175 BO46
Mauzac 31......................317 AU87
Mauzac-et-Saint-Meyme-
   de-Rozens 24..............240 AR70
Mauzé-sur-le-Mignon 79...184 AG55
Mauzé-Thouarsais 79.......168 AJ47
Mauzens-et-Miremont 24..241 AS66
Mauzun 63......................228 BL61
Mavaleix 24....................223 AS63
Maves 41........................132 AV39
Mavilly-Mandelot 21........177 BV46
La Maxe 57.......................45 CF22
Maxent 35......................103 W35
Maxéville 54......................65 CF27
Maxey-sur-Meuse 88.........94 CC30
Maxey-sur-Vaise 55..........93 CB29
Maxilly-sur-Léman 74......198 CK53
Maxilly-sur-Saône 21.......160 CA43
Maxou 46.......................260 AW74
Maxstadt 57......................67 CJ23
May-en-Multien 77.............59 BI24
Le May-sur-Èvre 49.........148 AE45
May-sur-Orne 14...............33 AJ23
Mayac 24........................241 AS66
Mayenne 53......................82 AH32
Mayet 72........................130 AN38
Le Mayet-de-Montagne 03..210 BN57
Le Mayet-d'École 03.........210 BK56
Maylis 40........................293 AE83
Maynal 39......................196 CA51
Les Mayons 83...............328 CJ87
Mayot 02.........................24 BK17
Mayrac 46......................242 AX70
Mayran 12......................280 BZ76
La Mayrand 63................227 BI64
Mayrègne 31...................334 AO93
Mayres 07.......................248 BV68
Mayres 63......................228 BN65
Mayres 07.......................265 BR73
Mayres-Savel 38.............250 CD70
Mayreste
   (Belvédère de) 04.........307 CJ82
Mayreville 11..................318 AZ89
Mayrinhac-Lentour 46.....261 AZ71
Mayronnes 11.................338 BE91
Maysel 60.........................38 BD22
Mazamet 81....................319 BD86
Mazan 84.......................285 BZ79
Mazan-l'Abbaye 07..........265 BR72
Mazangé 41....................131 AS38
Mazaugues 83................328 CG87
Mazaye 63......................209 BH60
Mazé 49..........................150 AJ41
Le Mazeau 85.................184 AG54
Mazeirat 23....................207 BA56
Mazeley 88.......................95 CG32
Mazerat-Aurouze 43........246 BM67
Mazeray 17.....................201 AG59
Mazères 65.....................256 AI74
Mazères 09.....................318 AX88
Mazères (Église de) 65....295 AK85
Mazères-de-Neste 65.......334 AO90
Mazères-Lezons 64..........314 AH88
Mazères-sur-Salat 31.......335 AS90
Mazerier 03....................209 BJ57

Mazerny 08 26 BT18
Mazerolles 86 187 AQ53
Mazerolles 65 315 AM87
Mazerolles 64 314 AG86
Mazerolles 40 294 AG81
Mazerolles 17 219 AG63
Mazerolles 16 222 AP61
Mazerolles-du-Razès 11 337 BB90
Mazerolles-le-Salin 25 161 CD44
Mazerulles 54 66 CG27
Mazet-Saint-Voy 43 248 BS68
Mazeuil 86 168 AM49
Mazeyrat-d'Allier 43 246 BM68
Mazeyrolles 24 259 AS73
La Mazière-aux-Bons-Hommes 23 208 BE59
Mazières 16 204 AP60
Mazières-de-Touraine 37 151 AO42
Mazières-en-Gâtine 79 185 AI52
Mazières-en-Mauges 49 167 AF46
Mazières-Naresse 47 258 AQ73
Mazières-sur-Béronne 79 185 AJ55
Mazille 71 194 BU53
Mazingarbe 62 8 BF8
Mazinghem 62 7 BD7
Mazinghien 59 15 BM13
Mazion 33 237 AG67
Mazirat 03 190 BE55
Mazirot 88 94 CF31
Le Mazis 80 21 AZ15
Mazoires 63 227 BI65
Mazouau 65 333 AN91
Mazuby 11 337 BA93
Les Mazures 08 26 BT14
Mazzola 2B 347 FF107
Méailles 04 288 CL79
Méallet 15 244 BD66
Méasnes 23 189 AY53
Meaucé 28 85 AT30
Méaudre 38 250 CC67
La Meauffe 50 32 AE22
La Méaugon 22 78 R29
Meaulne 03 190 BF51
Méaulte 80 23 BF14
Méautis 50 31 AC21
Meaux 77 59 BH25
Meaux-la-Montagne 69 212 BT57
Meauzac 82 277 AU79
Mecé 35 81 AC32
Mechmont 46 260 AW74
Mécleuves 57 65 CF23
Mecquignies 59 15 BN10
Mécrin 55 64 CA26
Mécringes 51 60 BL26
Médan 78 57 BA25
Médavy 61 54 AM28
La Mède 13 325 BZ87
Medeyrolles 63 229 BO64
Médière 25 142 CJ41
Médillac 16 239 AL66
Médis 17 218 AD61
Médonnet (Chapelle du) 74 216 CK58
Médonville 88 118 CC33
Médous (Grotte de) 65 333 AL91
Médréac 35 103 W32
Mée 53 128 AF37
Le Mée 28 110 AW36
Le Mée-sur-Seine 77 88 BF30
Les Mées 72 83 AN32
Mées 40 292 AB83
Les Mées 04 287 CG79
Mégange 57 46 CH21
Megève 74 216 CK59
Mégevette 74 198 CJ55
Mégrit 22 79 V31
Méharicourt 80 23 BG16
Méharin 64 311 AA87
Méhers 41 153 AW43
Méhoncourt 54 95 CH29
Méhoudin 61 82 AJ30
Mehun-sur-Yèvre 18 154 BC45
La Meignanne 49 149 AG41
Meigné 49 150 AJ44
Meigné-le-Vicomte 49 151 AN41
Meigneux 80 21 BA16
Meigneux 77 89 BI30
Meilhac 87 223 AU61
Meilhan 40 293 AE81
Meilhan 32 316 AP86
Meilhan-sur-Garonne 47 256 AK74
Meilhards 19 224 AX63
Meilhaud 63 227 BJ63
Meillac 35 80 Y30
Meillant 18 173 BE49
Le Meillard 80 12 BC12
Meillard 03 192 BK54
La Meilleraie-Tillay 85 166 AE49
Meilleray 77 60 BL27
La Meilleraye-de-Bretagne 44 127 AB40
Meillerie 74 198 CK52
Meillers 03 191 BJ52
Meillier-Fontaine 08 26 BU15
Meillon 64 314 AH88
Meillonnas 01 196 CA55
Meilly-sur-Rouvres 21 159 BU44
Meisenthal 57 68 CN24
Meistratzheim 67 97 CP29
Le Meix 21 138 BW40
Le Meix-Saint-Epoing 51 60 BM28
Le Meix-Tiercelin 51 62 BS28
Méjanes 13 304 BU85
Méjannes-le-Clap 30 284 BT77
Méjannes-lès-Alès 30 283 BR79
Mela 2A 349 FE113
Mélagues 12 301 BI83
Mélamare 76 19 AP18
Melan 04 287 CH77
Melay 71 193 BQ55
Melay 52 118 CD36
Melay 49 149 AG44
Le Mêle-sur-Sarthe 61 84 AO30
Mélecey 70 141 CI40
Melesse 35 104 Z33
Melgven 29 100 J35
Mélicocq 60 39 BG19
Mélicourt 27 55 AP25
Méligny-le-Grand 55 93 CA28
Méligny-le-Petit 55 93 CA28
Melin 70 140 CD38
Melincourt 70 118 CF36
Mélisey 89 115 BQ36
Mélisey 70 142 CJ38
Meljac 12 280 BE79
Mellac 29 100 L35
Melle 79 185 AK55
Mellé 35 81 AD30
Mellecey 71 177 BV49
Melleran 79 203 AL56
Melleray 72 108 AR34
Melleray (Abbaye de) 44 127 AB40
Melleray-la-Vallée 53 82 AH30
Melleroy 45 135 BH37
Melles 31 334 AQ93
Melleville 76 11 AX14
Mellionnec 22 77 N32
Mello 60 38 BD22
Meloisey 21 177 BV46
Melrand 56 101 O35
Melsheim 67 68 CP26
Melun 77 88 BF30
Melve 04 287 CG76
Melz-sur-Seine 77 89 BL30
Membrey 70 140 CC40
La Membrolle-sur-Choisille 37 151 AQ42
La Membrolle-sur-Longuenée 49 128 AG40
Membrolles 41 110 AW36
Méménil 88 95 CI32
Memmelshoffen 67 69 CR24
Le Mémont 25 163 CK44
Mémorial Canadien 62 8 BG9
Menades 89 157 BO42
Ménarmont 88 95 CJ30
Menars 41 132 AW40
Menat 63 209 BH57
Menaucourt 55 93 BZ28
Mencas 62 7 BB7
Menchhoffen 67 68 CP25
Mende 48 264 BM74
Mendionde 64 311 Z87
Menditte 64 331 AC89
Mendive 64 330 AA89
Ménéac 56 102 T33
Menée (Col de) 38 268 CD71
Ménerbes 84 305 CA82
Ménerval 76 21 AY18
Ménerville 78 57 AX25
Menesble 21 138 BW38
Méneslies 80 11 AX13
Ménesplet 24 239 AL69
Ménesqueville 27 36 AW20
Ménessaire 21 158 BQ45
Menestreau 58 156 BK42
Ménestreau-en-Villette 45 133 BA39
Menet 15 244 BF66
Menetou-Couture 18 174 BH46
Menetou-Râtel 18 155 BG43
Menetou-Salon 18 155 BE44
Menetou-sur-Nahon 36 153 AY44
Ménétréol-sous-Sancerre 18 156 BH43
Ménétréol-sur-Sauldre 18 155 BD42
Ménétréols-sous-Vatan 36 172 AZ47
Ménetreuil 71 195 BY51
Ménétreux-le-Pitois 21 138 BT40
Ménétrol 63 209 BJ59
Ménétru-le-Vignoble 39 179 CC49
Ménétrux-en-Joux 39 179 CD50
Ménévillers 60 39 BF19
Ménez-Bré 22 72 N28
Ménez-Hom 29 75 G31
Ménez-Meur (Domaine de) 29 75 H30
Menglon 26 268 CC72
Ménigoute 79 185 AK52
Le Ménil 88 120 CK36
Ménil 53 128 AG38
Ménil-Annelles 08 42 BS19
Ménil-aux-Bois 55 64 CA26
Le Ménil-Bérard 61 55 AP28
Le Ménil-Broût 61 83 AN30
Le Ménil-Ciboult 61 52 AG27
Le Ménil-de-Briouze 61 53 AJ28
Ménil-de-Senones 88 96 CL30
Ménil-en-Xaintois 88 94 CE32
Ménil-Erreux 61 83 AN30
Ménil-Froger 61 54 AO27
Ménil-Glaise 61 53 AK27
Ménil-Gondouin 61 53 AJ27
Le Ménil-Guyon 61 84 AO29
Ménil-Hermei 61 53 AJ26
Ménil-Hubert-en-Exmes 61 54 AN26
Ménil-Hubert-sur-Orne 61 53 AJ26
Ménil-Jean 61 53 AK27
Ménil-la-Horgne 55 64 CA27
Ménil-la-Tour 54 65 CD27
Ménil-Lépinois 08 42 BR20
Le Ménil-Scelleur 61 83 AL29
Ménil-sur-Belvitte 88 95 CJ30
Ménil-sur-Saulx 55 63 BY28
Le Ménil-Vicomte 61 54 AO27
Ménil-Vin 61 53 AJ26
Ménilles 27 56 AW24
Ménillot 54 94 CC28
La Ménitré 49 150 AJ42
Mennecy 91 87 BD29
Mennessis 02 24 BJ17
Mennetou-sur-Cher 41 154 AZ44
Menneval 27 35 AQ23
Menneville 62 6 AZ6
Menneville 02 41 BP20
Mennevret 02 24 BM14
Mennouveaux 52 117 CA34
Ménoire 19 242 AY68
Menomblet 85 167 AF49
Menoncourt 90 142 CL38
Ménonval 76 21 AX16
Menotey 39 161 CB45
Menou 58 156 BK43
Menouville 95 38 BB23
Menoux 70 141 CF37
Le Menoux 36 188 AX52
Mens 38 251 CE70
Mensignac 24 240 AP66
Menskirch 57 46 CG20
Mentheville 76 19 AP17
Menthon-Saint-Bernard 74 215 CH59
Menthonnex-en-Bornes 74 215 CG57
Menthonnex-sous-Clermont 74 215 CF58
Mentières 15 245 BJ68
Menton 06 291 CS81
Mentque-Nortbécourt 62 3 BB5
Menucourt 95 57 BA24
Les Menuires 73 234 CK65
Les Menus 61 85 AS30
Menville 31 297 AU84
Méobecq 36 171 AW50
Méolans 04 270 CK75
Méolans-Revel 04 270 CK75
Méon 49 150 AM41
Méounes-lès-Montrieux 83 328 CG87
Mépieu 38 214 CB60
Mer 41 132 AX39
Mer de Sable (La) 60 39 BF23
Méracq 64 294 AH85
Méral 53 105 AE36
Méras 09 317 AU89
Mercatel 62 13 BG11
Mercenac 09 335 AS91
Merceuil 21 177 BW47
Mercey 21 159 BT45
Mercey 27 56 AW24
Mercey-le-Grand 25 161 CC44
Mercey-sur-Saône 70 140 CC40
Mercin-et-Vaux 02 40 BK20
Merck-Saint-Liévin 62 7 BB7
Merckeghem 59 3 BC4
Mercœur 43 246 BK67
Mercœur 19 243 BA69
Mercuer 07 266 BT73
Mercuès 46 259 AV75
Mercurey 71 177 BV48
Mercurol 26 249 BX68
Mercury 73 234 CI61
Mercus-Garrabet 09 336 AX93
Mercy 89 114 BM35
Mercy 03 192 BM53
Mercy-le-Bas 54 45 CC20
Mercy-le-Haut 54 45 CC20
Merdrignac 22 102 T32
Méré 89 136 BO37
Méré 78 57 AZ27
Méreau 18 154 BB45
Méréaucourt 80 21 BA16
Méréglise 28 85 AU32
Mérélessart 80 11 AZ14
Mérens 32 296 AO83
Mérens-les-Vals 09 341 AZ95
Mérenvielle 31 297 AT84
Méreuil 05 269 CE75
Méréville 91 87 BB32
Méréville 54 94 CF28
Merey 27 56 AW25
Mérey-sous-Montrond 25 162 CF44
Mérey-Vieilley 25 162 CF42
Merfy 51 41 BO21
Mergey 10 90 BP31
Meria 2B 345 FG101
Mérial 11 337 BA94
Méribel 73 234 CK64
Méribel-Mottaret 73 234 CK64
Méricourt 78 57 AY24
Méricourt 62 8 BG9
Méricourt-en-Vimeu 80 21 BA15
Méricourt-l'Abbé 80 22 BE14
Méricourt-sur-Somme 80 23 BF14
Mériel 95 58 BC24
Mérifons 34 301 BK84
Mérignac 33 237 AF70
Mérignac 17 220 AI65
Mérignac 16 220 AK61
Mérignas 33 256 AK71
Mérignat 01 214 CB57
Mérignies 59 8 BI8
Mérigny 36 187 AS51
Mérigon 09 335 AT90
Mérilheu 65 333 AL90
Mérillac 22 103 U32
Mérinchal 23 208 BE59
Mérindol 84 305 CA83
Mérindol-les-Oliviers 26 285 BZ77
Mérinville 45 112 BH35
Le Mériot 10 89 BL30
Méritein 64 313 AE87
Merkwiller-Pechelbronn 67 69 CR24
Merlande (Prieuré de) 24 240 AP66
Merlas 38 232 CD64
La Merlatière 85 166 AB49
Merlaut 51 62 BU27
Merle (Tours de) 19 243 BB68
Merle-Leignec 42 229 BQ65
Merléac 22 78 Q31
Le Merlerault 61 54 AO28
Merles 82 277 AS79
Merles-sur-Loison 55 44 CA20
Merlette 05 270 CI72
Merlevenez 56 123 N37
Merlieux-et-Fouquerolles 02 40 BL19
Merlimont 62 6 AY8
Merlimont-Plage 62 6 AX8
Merlines 19 226 BE62
Mernel 35 103 X36
Mérobert 91 87 BA31
Méron 49 150 AK45
Mérona 39 196 CC51
Mérouville 28 86 AZ32
Meroux 90 142 CL39
Merpins 16 220 AI61
Merrey 52 117 CB35
Merrey-sur-Arce 10 115 BS34
Merri 61 54 AL26
Merris 59 4 BF5
Merry-la-Vallée 89 135 BK38
Merry-Sec 89 136 BL39
Merry-sur-Yonne 89 136 BN40
Mers-les-Bains 80 10 AW13
Mers-sur-Indre 36 189 AZ51
Merschweiller 57 46 CG19
Mersuay 70 141 CF37
Merten 57 46 CI21
Mertrud 52 92 BW31
Mertzen 68 143 CN39
Mertzwiller 67 68 CQ25
Méru 60 38 BB22
Merval 02 41 BN21
Mervans 71 178 BY49
Mervent 85 184 AF52
Merviel 09 336 AY91
Mervilla 31 318 AW86
Merville 59 8 BF6
Merville 31 297 AU83
Merville-Franceville-Plage 14 33 AK21
Merviller 54 96 CK29
Merxheim 68 121 CO36
Méry 73 233 CF61
Méry-Corbon 14 34 AL23
Méry-ès-Bois 18 155 BD43
Méry-la-Bataille 60 23 BF18
Méry-Prémecy 51 41 BO22
Méry-sur-Cher 18 154 BA44
Méry-sur-Marne 77 60 BJ25
Méry-sur-Oise 95 58 BC24
Méry-sur-Seine 10 90 BO30
Le Merzer 22 73 P28
Mésandans 25 162 CH41
Mésanger 44 148 AC41
Mésangueville 76 21 AX18
Mesbrecourt-Richecourt 02 24 BL17
Meschers-sur-Gironde 17 218 AD62
Mescla (Balcons de la) 04 307 CJ82
Mescoules 24 257 AO72
Le Mesge 80 22 BB14
Mesgrigny 10 90 BO30
Mésigny 74 215 CF57
Meslan 56 101 M34
Mesland 41 152 AU41
Meslay 41 131 AT38
Meslay 14 53 AJ25
Meslay (Grange de) 37 152 AR42
Meslay-du-Maine 53 106 AH36
Meslay-le-Grenet 28 86 AW32
Meslay-le-Vidame 28 110 AW33
Meslières 25 142 CL41
Meslin 22 78 S30
Mesmay 25 179 CD46
Mesmont 21 159 BV43
Mesmont 08 26 BS18
Mesnac 16 202 AI60
Mesnard-la-Barotière 85 166 AD48
Mesnay 39 179 CD47
Les Mesneux 51 41 BP22
La Mesnière 61 84 AP30
Mesnières-en-Bray 76 20 AW16
Le Mesnil 50 31 Z20
Le Mesnil-Adelée 50 52 AE27
Le Mesnil-Amand 50 51 AC25
Le Mesnil-Amelot 77 59 BF24
Le Mesnil-Amey 50 32 AD23
Le Mesnil-Angot 50 32 AD22
Le Mesnil-au-Grain 14 53 AH24
Le Mesnil-au-Val 50 29 AB17
Le Mesnil-Aubert 50 51 AB25
Le Mesnil-Aubry 95 58 BD24
Le Mesnil-Auzouf 14 52 AG24
Le Mesnil-Bacley 14 54 AN24
Le Mesnil-Benoist 14 52 AE26
Le Mesnil-Bœufs 50 52 AD28
Le Mesnil-Bonant 50 51 AC25
Mesnil-Bruntel 80 23 BH15
Le Mesnil-Caussois 14 52 AE26
Mesnil-Clinchamps 14 52 AE26
Le Mesnil-Conteville 60 22 BB17
Mesnil-Domqueur 80 12 BB12
Le Mesnil-Drey 50 51 AB26
Le Mesnil-Durand 14 54 AN24
Le Mesnil-Durdent 76 19 AR15
Mesnil-en-Arrouaise 80 13 BH13
Le Mesnil-en-Thelle 60 38 BC23
Le Mesnil-en-Vallée 49 148 AE42
Le Mesnil-Esnard 76 36 AU20
Le Mesnil-Eudes 14 34 AN23
Mesnil-Eudin 80 21 AY15
Le Mesnil-Eury 50 32 AD22
Mesnil-Follemprise 76 20 AV16
Le Mesnil-Fuguet 27 56 AU24
Le Mesnil-Garnier 50 51 AC25
Le Mesnil-Germain 14 54 AN24
Le Mesnil-Gilbert 50 52 AE27
Le Mesnil-Guillaume 14 34 AO23
Le Mesnil-Hardray 27 56 AT25
Le Mesnil-Herman 50 52 AD24
Le Mesnil-Hue 50 51 AC25
Le Mesnil-Jourdain 27 36 AU23
Mesnil-la-Comtesse 10 91 BQ30
Mesnil-le-Roi 78 58 BB25
Mesnil-Lettre 10 91 BR30
Le Mesnil-Lieubray 76 37 AX19
Mesnil-Martinsart 80 13 BF13
Mesnil-Mauger 76 21 AX17
Le Mesnil-Mauger 14 34 AM23
Le Mesnil-Opac 50 52 AE24
Le Mesnil-Ozenne 50 51 AC28
Mesnil-Panneville 76 19 AS18
Le Mesnil-Patry 14 33 AI22
Le Mesnil-Rainfray 50 52 AE28
Mesnil-Raoul 76 36 AV20
Le Mesnil-Raoult 50 52 AE24
Le Mesnil-Réaume 76 10 AW14
Le Mesnil-Robert 14 52 AF26
Le Mesnil-Rogues 50 51 AB25
Mesnil-Rousset 27 55 AQ26
Le Mesnil-Rouxelin 50 32 AE22
Le Mesnil-Saint-Denis 78 57 BA27
Le Mesnil-Saint-Firmin 60 22 BD18
Mesnil-Saint-Georges 80 22 BE17
Mesnil-Saint-Laurent 02 24 BK15
Mesnil-Saint-Loup 10 90 BN32
Mesnil-Saint-Nicaise 80 23 BH16
Mesnil-Saint-Père 10 115 BS33
Mesnil-Sellières 10 91 BR32
Le Mesnil-Simon 28 57 AX26
Le Mesnil-Simon 14 34 AM23
Le Mesnil-sous-Jumièges 76 35 AS20
Mesnil-sous-les-Côtes 55 64 CA23
Mesnil-sous-Vienne 27 37 AY20
Le Mesnil-sur-Blangy 14 34 AO21

MELUN

Alsace-Lorraine (Q.) BZ 2
Carnot (R.) AY 3
Courtille (R. de la) BZ 9
Doumer (R. Paul) BY 13
Gaulle (Av. du Gén. de) BY 18
Godin (Av. E.) AZ 19
Miroir (R. du) AY 25
Montagne-du-Mée (R. de la) AY 26
Pouteau (R. René) BY 34
Prés.-Despatys (R.) AY 35
St-Ambroise (R.) AZ
St-Aspais (R.) BY 41
St-Étienne (R.) AZ 43
Thiers (Av.) AZ 46
Vaux (Promenade de) BZ 51

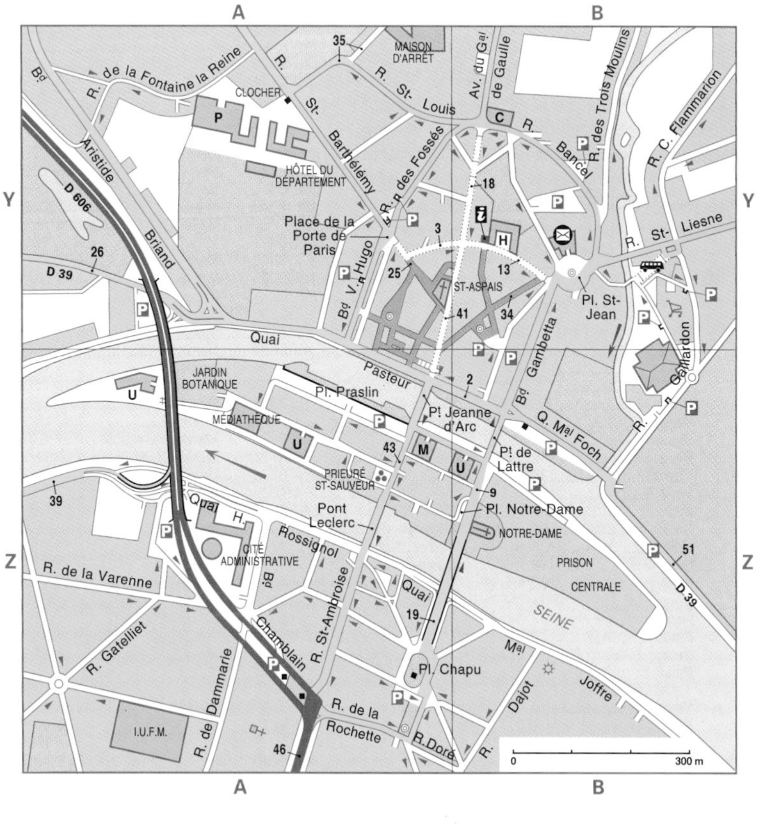

402 Mes - Mol

METZ

Allemands (R. des) DV 2
Ambroise-Thomas (R.) CV 3
Armes (Pl. d') DV 5
Augustins (R. des) DX 6
Chambière (R.) DV 10
Chambre (Pl. de) CV 12
Champé (R. du) DV 13
Chanoine-Collin (R. du) DV 15
Charlemagne (R.) CX 17
Chèvre (R. de la) DX 19
Clercs (R. des) CV
Coëtlosquet (R. du) CX 22
Coislin (R.) DX 23
Enfer (R. d') DV 25
En Fournirue DV
Fabert (R.) CV 26
Faisan (R. du) CV 27
La-Fayette (R.) CX 47
Fontaine (R. de la) DX 29
Gaulle (Pl. du Gén.-de) DX 31
Grande-Armée (R. de la) DV 34
Hache (R. de la) DV 39
Jardins (R. des) DV
Juge-Pierre-Michel (R. du) CV 46
Lasalle (R.) DX 49
Lattre-de-T. (Av. de) CX 51
Leclerc-de-H. (Av.) CX 52
Mondon (Pl. R.) CX 57
Paix (R. de la) CV 61
Palais (R. du) CV 62
Paraiges (Pl. des) DV 63
Parmentiers (R. des) DX 64
Petit-Paris (R. du) CV 65
Pierre-Hardie (R. de la) CV 66
Pont-Moreau (R. du) CDV 70
Prés.-Kennedy (Av. J.-F.) CX 73
République (Pl. de la) CX 75
Ste-Croix (Pl.) DX 83
Ste-Marie (R.) CV 84
St-Eucaire (R.) DV 76
St-Gengoulf (R.) CX 77
St-Georges (R.) CV 78
St-Louis (Pl.) DVX
St-Simplice (Pl.) DV 80
St-Thiébault (Pl.) DX 82
Salis (R. de) CX 86
Schuman (Av. R.) CX
Sérot (Bd Robert) CV 87
Serpenoise (R.) CV
Taison (R.) DV 88
Tanneurs (R. des) DV 90
Tête d'Or (R. de la) DV
Trinitaires (R. des) DV 93
Verlaine (R.) CX 97

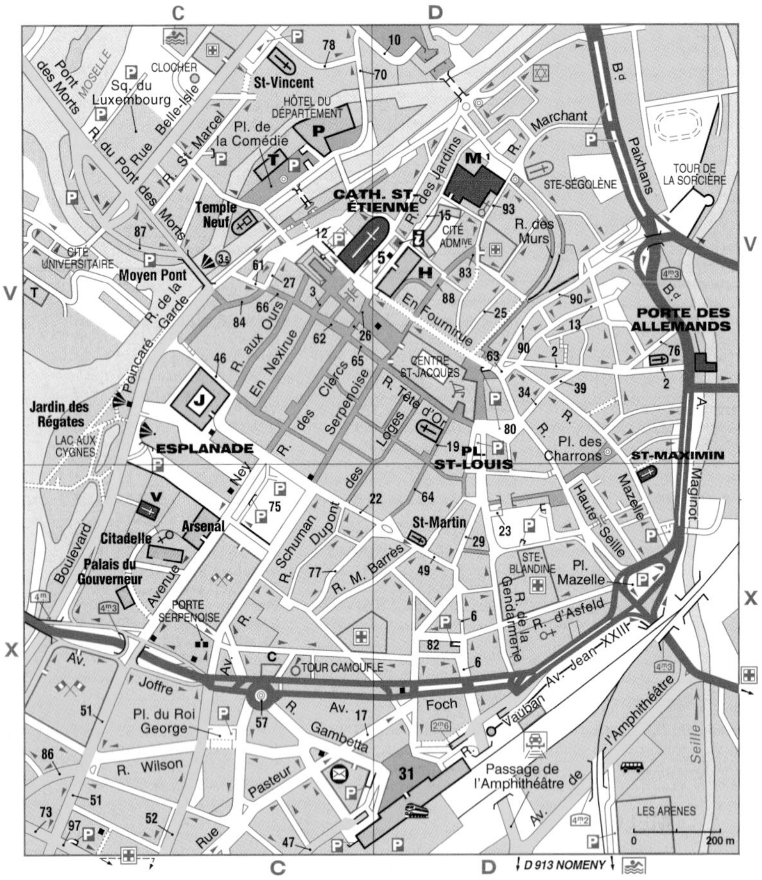

C
D
V
X
St-Vincent
HÔTEL DU DÉPARTEMENT
Pl. de la Comédie
Sq. du Luxembourg
Temple Neuf
CATH. ST ÉTIENNE
CITÉ UNIVERSITAIRE
Moyen Pont
STE-SÉGOLÈNE
TOUR DE LA SORCIÈRE
PORTE DES ALLEMANDS
CENTRE ST-JACQUES
Jardin des Régates
LAC AUX CYGNES
ESPLANADE
PL. ST-LOUIS
ST-MAXIMIN
Pl. des Charrons
Arsenal
Citadelle
Palais du Gouverneur
St-Martin
STE-BLANDINE
Pl. Mazelle
PORTE SERPENOISE
TOUR CAMOUFLE
Pl. du Roi George
Foch
Passage de l'Amphithéâtre
LES ARÈNES
200 m
D 913 NOMENY

Le Mesnil-sur-Bulles 60 38 BD19
Mesnil-sur-l'Estrée 27 56 AV27
Le Mesnil-sur-Oger 51 61 BP25
Le Mesnil-Thébault 50 52 AD28
Le Mesnil-Théribus 60 37 BA21
Le Mesnil-Thomas 28 85 AU29
Le Mesnil-Tôve 50 52 AE27
Mesnil-Val 76 10 AW13
Le Mesnil-Véneron 50 32 AD22
Mesnil-Verclives 27 36 AW21
Le Mesnil-Vigot 50 31 AC22
Le Mesnil-Villeman 50 51 AC25
Le Mesnil-Villement 14 53 AJ26
Le Mesnilbus 50 31 AC22
Le Mesnillard 50 52 AE28
Mesnois 39 196 CC51
Les Mesnuls 78 57 AZ27
Mespaul 29 71 I27
Mesplède 64 293 AE85
Mesples 03 190 BD53
Mespuits 91 87 BC32
Mesquer 44 145 T41
Messac 35 126 Y37
Messac 17 220 AI65
Messais 86 168 AL48
Messanges 40 292 Z82
Messanges 21 159 BW45
Messas 45 132 AX38
Messé 79 186 AM55
Messei 61 53 AI27
Messein 54 94 CF28
Messeix 63 226 BE62
Messemé 86 168 AM46
Messery 74 197 CH53
Messeux 16 203 AH57
Messey-sur-Grosne 71 177 BV50
Messia-sur-Sorne 39 179 CB50
Messigny-et-Vantoux 21 160 BX42
Messilhac (Château de) 15 244 BF70
Messimy 69 230 BV61
Messimy-sur-Saône 01 213 BW57
Messincourt 08 27 BX17
Messon 10 114 BO33
Messy 77 59 BF25
Mesterrieux 33 256 AK73
Mestes 19 226 BD63
Mesves-sur-Loire 58 156 BI44
Mesvres 71 176 BR48
Métabief 25 180 CH49
Les Métairies 16 220 AJ61
Métairies-Saint-Quirin 57 96 CL28
Méteren 59 4 BF5
Méthamis 84 286 CA80
Métigny 80 11 BA14
Metting 57 68 CN26
Mettray 37 151 AO42
Metz 57 65 CF23
Metz-en-Couture 62 14 BI13
Metz-le-Comte 58 157 BN42
Metz-Robert 10 115 BO35
Metz-Tessy 74 215 CG58
Metzeral 68 120 CM35
Metzeresche 57 46 CG21
Metzervisse 57 45 CF20
Metzing 57 47 CK22
Meucon 56 124 Q38
Meudon 92 58 BC27
Meuilley 21 159 BW45
Meulan 78 57 BA24
Meulers 76 20 AV15
Meulin 71 194 BT54
Meulles 14 54 AO25
Meulson 21 138 BU39
Meunet-Planches 36 172 BA49
Meunet-sur-Vatan 36 172 AZ46
Meung-sur-Loire 45 132 AY38
Meurcé 72 107 AN33
Meurchin 62 8 BH8
Meurcourt 70 141 CG38
La Meurdraquière 50 51 AB26
Meures 52 116 BX33
Meurival 02 41 BN21
Meursac 17 219 AE61
Meursanges 21 178 BX47
Meursault 21 177 BV47
Meurville 10 116 BU33
Meuse 52 117 CB35
Meusnes 41 153 AW44
Meussia 39 196 CD52
Meuvaines 14 33 AI21
Meuvy 52 117 CB34
Le Meux 60 39 BG20
Meux 17 220 AI64
Meuzac 87 224 AW63
Mévoisins 28 86 AX30
Mévouillon 26 286 CC77
Meximieux 01 213 BZ59
Mexy 54 45 CC18
Mey 57 45 CF22
Meyenheim 68 121 CO35
Meylan 47 275 AL79
Meylan 38 251 CE66
Meymac 19 225 BB63
Meynes 30 304 BV81
Meyrals 24 241 AT70
Meyrand (Col de) 07 265 BR73
Meyrannes 30 283 BR77
Meyrargues 13 306 CD84
Meyras 07 266 BS72
Meyreuil 13 306 CC85
Meyriat 01 214 CA56
Meyrié 38 232 CA62
Meyrieu-les-Étangs 38 231 BZ63
Meyrieux-Trouet 73 233 CE61
Meyrignac-l'Église 19 225 AZ65
Meyronne 46 242 AX70
Meyronnes 04 271 CM74
Meyrueis 48 282 BL78
Meys 69 230 BT61
Meyssac 19 242 AY68
Meysse 07 267 BW73
Meyssiez 38 231 BY63
Meythet 74 215 CG58
La Meyze 87 223 AU62
Meyzieu 69 228 BY60
Mézangers 53 106 AI33
Mèze 34 322 BN86
Mézel 63 228 BK61
Mézel 04 288 CI79
Mézenc (Mont) 43 247 BR70
Mézens 81 298 AX83
Mézeray 72 129 AL37
Mézères 43 247 BQ67
Mézériat 01 195 BY55
Mézerolles 80 12 BC11
Mézerville 11 318 AY88
Mézidon 14 34 AL23
La Mézière 35 104 Y33
Mézières-au-Perche 28 109 AV33
Mézières-en-Brenne 36 170 AU49
Mézières-en-Drouais 28 56 AW28
Mézières-en-Gâtinais 45 112 BE35
Mézières-en-Santerre 80 22 BE16
Mézières-en-Vexin 27 37 AX23
Mézières-lez-Cléry 45 133 AZ38
Mézières-sous-Lavardin 72 107 AM34
Mézières-sur-Couesnon 35 68 AB32
Mézières-sur-Issoire 87 205 AS57
Mézières-sur-Oise 02 24 BK16
Mézières-sur-Ponthouin 72 108 AO33
Mézières-sur-Seine 78 57 AZ25
Mézilhac 07 266 BT71
Mézilles 89 135 BJ39
Mézin 47 275 AM79
Méziré 90 142 CL40
Mézos 40 272 AB79
Mézy-Moulins 02 60 BL24
Mézy-sur-Seine 78 57 AZ25
Mezzavia 2A 348 FC111
Mhère 58 157 BO44
Mialet 30 283 BQ79
Mialet 24 223 AS63
Mialos 64 294 AH85
Miannay 80 11 AY12
Michaugues 58 157 BM44
Michelbach 68 143 CN37
Michelbach-le-Bas 68 143 CP39
Michelbach-le-Haut 68 143 CP39
Michery 89 89 BJ32
Midi de Bigorre (Pic du) 65 333 AL92
Midrevaux 88 93 CB31
Mièges 39 180 CF49
Miel (Maison du) 63 209 BI59
Miélan 32 315 AM86
Miellin 70 142 CK37
Miermaigne 28 109 AT33
Miers 46 260 AY71
Miéry 39 179 CC48
Mietesheim 67 68 CQ25
Mieussy 74 216 CJ56
Mieuxcé 61 83 AM31
Mifaget 64 332 AH90
Migé 89 136 BM39
Migennes 89 114 BM36
Miglos 09 336 AX94
Mignafans 70 141 CI40
Mignaloux-Beauvoir 86 186 AO52
Mignavillers 70 141 CI40
Migné 36 171 AV50
Migné-Auxances 86 186 AN51
Mignères 45 112 BF35
Mignerette 45 112 BF35
Mignéville 54 96 CK29
Mignières 28 86 AW32
Mignovillard 39 180 CG48
Migny 36 172 BB47
Migré 17 201 AG57
Migron 17 201 AH60
Mijanès 09 337 BA94
Mijoux 01 197 CF53
La Milesse 72 107 AM35
Milhac 46 259 AV71
Milhac-d'Auberoche 24 241 AS68
Milhac-de-Nontron 24 222 AR64
Milhaguet 87 222 AR62
Milhars 81 279 AZ79
Milhas 31 334 AQ91
Milhaud 30 303 BT82
Milhavet 81 279 BA80
Milizac 29 70 E28
Millac 86 204 AQ56
Millam 59 3 BC4
Millançay 41 153 AY42
Millas 66 342 BG95
Millau 12 281 BJ79
Millay 58 176 BP48
Millebosc 76 11 AX14
Millemont 78 57 AY27
Millencourt 80 13 BF13
Millencourt-en-Ponthieu 80 11 BA12
Millery 69 231 BW62
Millery 54 65 CF26
Millery 21 158 BS41
Les Milles 13 305 CB85
Millevaches 19 225 BB62
Millières 52 117 CA34
Millières 50 31 AB22
Millonfosse 59 9 BK9
Milly 89 136 BN38
Milly 50 52 AE28
Milly-la-Forêt 91 88 BE31
Milly-Lamartine 71 194 BV54
Milly-sur-Bradon 55 43 BY20
Milly-sur-Thérain 60 37 BA19
Milon-la-Chapelle 78 58 BB28
Mimbaste 40 293 AC84
Mimet 13 327 CC86
Mimeure 21 159 BT45
Mimizan 40 272 AA77
Mimizan-Plage 40 272 AA77
Minard (Pointe de) 22 73 O26
Minaucourt-le-Mesnil-lès-Hurlus 51 42 BU22
Mindin 44 146 V43
Minerve 34 320 BG87
Mingot 65 315 AL87
Mingoval 62 7 BE9
Miniac-Morvan 35 79 X29
Miniac-sous-Bécherel 35 103 X32
Minier (Col du) 30 282 BM79
Les Minières 27 56 AU26
Le Minihic-sur-Rance 35 50 X28
Minihy-Tréguier 22 73 O26
Minorville 54 65 CD26
Minot 21 138 BW39
Minversheim 67 68 CQ26
Minzac 24 239 AL69
Minzier 74 215 CF57
Miolans (Château de) 73 233 CH62
Miolles 81 300 BE81
Miomo 2B 345 FG103
Mionnay 01 213 BX59
Mions 69 231 BX61
Mios 33 254 AD73
Miossens-Lanusse 64 314 AH86
Mirabeau 84 306 CE83
Mirabeau 04 287 CH79
Mirabel 82 277 AV79
Mirabel 07 266 BU73
Mirabel (Parc d'attractions) 63 209 BJ59
Mirabel-aux-Baronnies 26 285 BZ76
Mirabel-et-Blacons 26 267 BZ72
Miradoux 32 276 AQ80
Miramar 06 309 CO85
Miramas 13 305 BY85
Mirambeau 31 316 AR87
Mirambeau 17 219 AG64
Miramont-d'Astarac 32 296 AO85
Miramont-de-Comminges 31 334 AQ90
Miramont-de-Guyenne 47 257 AN73
Miramont-de-Quercy 82 277 AT78
Miramont-Latour 32 296 AP83
Miramont-Sensacq 40 294 AH84
Mirande 32 295 AN85
Mirandol-Bourgnounac 81 279 BB79
Miranes 32 295 AN84
Miraumont 80 13 BG12
Miraval-Cabardès 11 319 BD87
Mirbel 52 92 BX32
Miré 49 128 AI38
Mirebeau 86 168 AM49
Mirebeau-sur-Bèze 21 160 BZ42
Mirebel 39 179 CD50
Mirecourt 88 94 CF32
Mirefleurs 63 228 BK61
Miremont 63 209 BG59
Miremont 31 317 AV87
Mirepeisset 11 320 BH88
Mirepeix 64 314 AI89
Mirepoix 32 296 AP83
Mirepoix 09 336 AZ90
Mirepoix-sur-Tarn 31 298 AX82
Mireval 34 323 BP86
Mireval-Lauragais 11 319 BA88
Miribel 26 249 BZ66
Miribel 01 213 BX60
Miribel-Lanchâtre 38 250 CD69
Miribel-les-Échelles 38 232 CD64
Mirmande 26 267 BX72
Le Miroir 71 196 CA52
Miromesnil (Château de) 76 20 AU15
Mirvaux 80 12 BD13
Mirville 76 19 AP18
Miscon 26 268 CC73
Miserey 27 56 AV24
Miserey-Salines 25 161 CE43
Misérieux 01 213 BW58
Misery 80 23 BH15
Mison 04 287 CF77
Missé 79 168 AJ47
Missècle 81 299 BA83
Missègre 11 337 BD91
Missery 21 158 BS43
Missillac 44 125 V40
Missiriac 56 103 U36
Misson 40 293 AC84
Missy 14 33 AI23
Missy-aux-Bois 02 40 BJ21
Missy-lès-Pierrepont 02 25 BN17
Missy-sur-Aisne 02 40 BL20
Misy-sur-Yonne 77 89 BI32
Mitry-le-Neuf 77 59 BF25
Mitry-Mory 77 59 BF25
Mitschdorf 67 69 CR24
Mittainville 78 57 AY28
Mittainvilliers 28 85 AV30
Mittelbergheim 67 97 CP30
Mittelbronn 57 68 CN26
Mittelhausbergen 67 97 CQ28
Mittelhausen 67 68 CQ27
Mittelschaeffolsheim 67 68 CQ27
Mittelwihr 68 121 CO33
Mittersheim 57 67 CK25
Mittlach 68 120 CM35
Mittois 14 54 AM24
Mitzach 68 120 CM36
Mizérieux 42 211 BR60
Mizoën 38 251 CH68
Mobecq 50 31 AB21
Moca-Croce 2A 349 FE112
Modane 73 252 CL66
Modène 84 285 BZ79
Moëlan-sur-Mer 29 100 K36
Les Moëres 59 3 BE2
Mœrnach 68 143 CO40
Moëslains 52 92 BW29
Mœurs-Verdey 51 61 BN28
Mœuvres 59 14 BI12
Moëze 17 200 AD58
Moffans-et-Vacheresse 70 141 CI39
La Mogère (Château de) 34 303 BQ84
Mogeville 55 44 CA21
Mognard 73 215 CF60
Mogneneins 01 213 BW56
Mogneville 60 38 BE21
Mognéville 55 63 BW27
Mogues 08 27 BY17
Mohon 56 102 T34
Moidieu-Détourbe 38 231 BY63
Moidrey 50 80 AA29
Moigné 35 104 Y34
Moigny-sur-École 91 88 BE31
Moimay 70 141 CH40
Moineville 54 45 CD22
Moings 17 220 AI63
Moingt 42 229 BQ62
Moinville-la-Jeulin 28 86 AY31
Moirans 38 232 CC65
Moirans-en-Montagne 39 196 CD53
Moirax 47 276 AP78
Moiré 69 212 BU58
Moiremont 51 43 BV23
Moirey 55 44 BZ21
Moiron 39 179 CB50
Moiry 08 27 BY18
Moisdon-la-Rivière 44 127 AB39
Moisenay 77 88 BG29
Moislains 80 23 BH14
Moissac 82 277 AT79
Moissac-Bellevue 83 307 CI83
Moissac-Vallée-Française 48 283 BO78
Moissannes 87 206 AX59
Moissat 63 210 BL60
Moisselles 95 58 BD24
Moissey 39 161 CB44
Moissieu-sur-Dolon 38 231 BY64
Moisson 78 57 AY24
Moissy-Cramayel 77 88 BF29
Moissy-Moulinot 58 157 BN43
Moisville 27 56 AU26
Moisy 41 132 AV37
Moïta 2B 347 FG107
Les Moitiers-d'Allonne 50 28 Z19
Les Moitiers-en-Bauptois 50 31 AB20
Moitron 21 138 BV39
Moitron-sur-Sarthe 72 107 AM33
Moivre 51 62 BU25
Moivrons 54 65 CF26
Molac 56 125 T38
Molagnies 76 37 AY19
Molain 39 179 CD48
Molain 02 14 BL13
Molamboz 39 179 CC47
Molandier 11 318 AY89
Molas 31 316 AQ87
Môlay 89 137 BP39
Molay 70 140 CC38
Molay 39 178 CA46
Le Molay-Littry 14 32 AF21
La Môle 83 329 CK88
Moléans 28 110 AW34
Molèdes 15 245 BI66
Molène (Île) 29 74 B29
Molère 65 333 AM90
Molesme 21 115 BS36
Molesmes 89 136 BL40
Molezon 48 282 BN78
Moliens 60 21 AZ17
Les Molières 91 58 BB28
Molières 82 277 AV78
Molières 46 261 BA71
Molières 24 258 AR71
Molières-Cavaillac 30 282 BN80
Molières-Glandaz 26 268 CB72
Molières-sur-Cèze 30 283 BR77
Moliets-et-Maa 40 292 Z81
Moliets-Plage 40 292 Z81
Molinchart 02 24 BL18
Molines-en-Queyras 05 271 CM71
Molinet 03 193 BP53
Molineuf 41 131 AU40
Molinges 39 196 CD53
Molinghem 62 7 BD7
Molinons 89 114 BM33
Molinot 21 177 BU46
Molins-sur-Aube 10 91 BS31
Molitg-les-Bains 66 342 BD95
Mollans 70 141 CH39
Mollans-sur-Ouvèze 26 285 BZ77
Mollard (Col du) 73 252 CI66
Mollau 68 120 CL36
Mollégès 13 305 BY82

Molles 03....................210 BM57
es Mollettes 73..............233 CG63
Molleville 11.................318 AZ88
Molliens-au-Bois 80...........22 BD14
Molliens-Dreuil 80............21 BA15
la Mollière 80................11 AX11
Mollkirch 67.................97 CO29
Molompize 15................245 BJ66
Molosmes 89.................137 BP37
Moloy 21....................159 BW41
Molphey 21..................158 BR43
Molpré 39...................180 CF49
Molring 57..................67 CK25
Molsheim 67.................97 CP28
Moltifao 2B.................347 FG105
es Molunes 39...............197 CE53
Momas 64...................314 AG86
Mombrier 33.................237 AG68
Mombères 65................315 AK89
Momerstroff 57..............46 CH22
Mommenheim 67.............68 CQ26
Momuy 40...................293 AF84
Momy 64....................314 AJ87
Mon Idée 08.................26 BR15
Monacia-d'Aullène 2A........351 FE115
Monacia-d'Orezza 2B.........347 FG106
Monampteuil 02..............40 BM19
Monassut-Audiracq 64........314 AI86
le Monastère 12.............280 BF76
Le Monastier 48.............264 BK74
Le Monastier-
  sur-Gazeille 43............247 BQ70
Monay 39...................179 CC48
Monbadon 33................238 AK69
Monbahus 47................257 AO74
Monbalen 47................276 AQ87
Monbardon 32...............316 AB87
Monbazillac 24..............257 AO71
Monbéqui 82................297 AU81
Monblanc 32................317 AS86
Monbos 24..................257 AN72
Monbouan
  (Château de) 35...........104 AB35
Monbrun 32.................297 AS84
Moncale 2B.................346 FC105
Moncassin 32...............316 AO86
Moncaup 64.................314 AI86
Moncaup 31.................334 AP91
Moncaut 47.................275 AO78
Moncayolle-
  Larrory-Mendibieu 64......313 AD88
Moncé-en-Belin 72..........130 AN37
Moncé-en-Saosnois 72.......84 AO32
Monceau-le-Neuf-
  et-Faucouzy 02............24 BM16
Monceau-le-Waast 02........24 BN18
Monceau-lès-Leups 02.......24 BL17
Monceau-Saint-Waast 59.....15 BO11
Monceau-sur-Oise 02........25 BN14
Monceaux 60................38 BE21
Les Monceaux 14............34 AN23
Monceaux-au-Perche 61......84 AR30
Monceaux-en-Bessin 14......33 AH21
Monceaux-l'Abbaye 60.......21 AZ17
Monceaux-le-Comte 58.......157 BN43
Monceaux-
  sur-Dordogne 19...........243 AZ68
Moncel-lès-Lunéville 54.....95 CI28
Moncel-sur-Seille 54........66 CH25
Moncel-sur-Vair 88.........94 CC31
La Moncelle 08..............27 BW17
Moncetz-l'Abbaye 51........62 BU28
Moncetz-Longevas 51........62 BS25
Moncey 25..................162 CF42
Monchaux 80................11 AX14
Monchaux-Soreng 76........11 AX14
Monchaux-sur-Écaillon 59...14 BL10
Moncheaux 59...............8 BI8
Moncheaux-lès-Frévent 62...12 BD10
Monchecourt 59.............14 BJ10
Monchel-sur-Canche 62......12 BC10
Moncheux 57................66 CG25
Monchiet 62................13 BF11
Monchy-au-Bois 62..........13 BF11
Monchy-Breton 62...........7 BE9
Monchy-Cayeux 62...........7 BE9
Monchy-Humières 60.........39 BG19
Monchy-Lagache 80.........23 BI15
Monchy-le-Preux 62.........13 BH10
Monchy-Saint-Éloi 60.......38 BE21
Monchy-sur-Eu 76...........10 AW13
Moncla 64..................294 AI84
Monclar 47.................257 AO75
Monclar 32.................317 AS89
Monclar-de-Quercy 82.......278 AX80
Monclar-sur-Losse 32.......295 AN85
Moncley 25.................161 CE43
Moncontour 86..............168 AL48
Moncontour 22..............78 S30
Moncorneil-Grazan 32.......316 AO86
Moncourt 57................66 CI27
Moncoutant 79..............167 AG49
Moncrabeau 47..............275 AN80
Moncy 61...................53 AH26
Mondavezan 31..............317 AS89
Mondelange 57..............45 CF21
Mondement-
  Montgivroux 51...........61 BN27
Mondescourt 60.............23 BI18
Mondevert 35...............105 AD34
Mondeville 91..............87 BD30

Mondeville 14...............33 AK22
Mondicourt 62..............13 BE12
Mondigny 08................26 BT16
Mondilhan 31...............316 AP88
Mondion 86.................169 AP47
Mondon 25..................162 CH41
Mondonville 31.............297 AU84
Mondonville-
  Saint-Jean 28............86 AZ32
Mondorff 57................45 CF18
Mondoubleau 41.............109 AS36
Mondouzil 31...............298 AW84
Mondragon 84...............285 BW77
Mondrainville 14...........33 AI23
Mondrecourt 55.............63 BY24
Mondrepuis 02..............25 BP14
Mondreville 78.............57 AX26
Mondreville 77.............112 BF34
Monein 64..................313 AF87
Monès 31...................317 AS87
Monesple 09................336 AW90
Le Monestier 63............228 BN63
Monestier 24...............257 AN71
Monestier 07...............248 BU67
Monestier 03...............191 BJ55
Monestier-d'Ambel 38.......269 CF71
Monestier-
  de-Clermont 38...........250 CD69
Le Monestier-
  du-Percy 38..............268 CD71
Monestier-Merlines 19......226 BE62
Monestier-Port-Dieu 19.....226 BE64
Monestiés 81...............279 BB79
Monestrol 31...............318 AX88
Monétay-sur-Allier 03......192 BK54
Monétay-sur-Loire 03.......193 BO53
Monétier-Allemont 05.......269 CF75
Le Monétier-les-Bains 05...252 CK68
Monfaucon 65...............315 AL86
Monfaucon 24...............239 AM70
Monferran-Plavès 32........316 AP86
Monferran-Savès 32.........297 AS85
Monflanquin 47.............258 AQ74
Monfort 32.................296 AR82
Monfréville 14.............32 AE21
Mongaillard 47.............275 AM78
Mongausy 32................316 AQ86
Mongauzy 33................238 AK74
Monget 40..................294 AG85
La Mongie 65...............333 AL92
Monguilhem 32..............294 AI81
Monheurt 47................275 AN76
Monhoudou 72...............84 AO32
Monieux 84.................286 CB79
Monistrol-d'Allier 43......246 BN63
Monistrol-sur-Loire 43.....247 BR66
Monlaur-Bernet 32..........316 AO87
Monléon-Magnoac 65........316 AO88
Monlet 43..................247 BO67
Monlezun 32................315 AM86
Monlezun-
  d'Armagnac 32............294 AJ82
Monlong 65.................315 AN89
Monmadalès 24..............258 AP71
Monmarvès 24...............258 AP72
Monnai 61..................55 AP26
Monneren 57................46 CG20
La Monnerie-le-Montel 63...210 BN59
Monnerville 91.............87 BB32
Monnes 02..................40 BJ23
Monnet-la-Ville 39.........179 CD49
Monnetay 39................196 CB52
Monnetier-Mornex 74........197 CH55
Monneville 60..............37 BA22
Monnières 44...............148 AB45
Monnières 39...............160 CA45
Monoblet 30................283 BP80
Monpardiac 32..............315 AM86
Monpazier 24...............258 AR72
Monpezat 64................294 AJ85
Monplaisant 24.............259 AS71
Monprimblanc 33............256 AI73
Mons 83....................308 CM83
Mons 63....................210 BL58
Mons 34....................301 BI85
Mons 31....................298 AX84
Mons 30....................283 BR79
Mons 17....................202 AI60
Mons 16....................202 AK59
Mons-Boubert 80............11 AY12
Mons-en-Barœul 59..........8 BI6
Mons-en-Chaussée 80........23 BI15
Mons-en-Laonnois 02........40 BM19
Mons-en-Montois 77.........89 BJ30
Mons-en-Pévèle 59..........8 BI8
Monsac 24..................258 AQ71
Monsaguel 24...............258 AP72
Monsec 24..................222 AP64
Monségur 64................315 AK86
Monségur 47................258 AR75
Monségur 40................293 AF84
Monségur 33................257 AL73
La Monselie 15.............226 BE65
Monsempron-Libos 47........259 AS75
Monsireigne 85.............166 AE49
Monsols 69.................194 BU55
Monsteroux-Milieu 38.......231 BX64
Monsures 80................22 BC17
Monswiller 67..............68 CO26

Le Mont 88.................96 CL30
Mont 71....................193 BO51
Mont 65....................333 AN93
Mont (Signal de) 71........193 BO51
Mont-Bernanchon 62.........8 BF7
Mont-Bertrand 14...........52 AF24
Mont Blanc
  (Tunnel du) 74...........217 CM58
Mont-Bonvillers 54.........45 CC20
Le Mont-Caume 83...........328 CG89
Mont-Cauvaire 76...........20 AU18
Mont-Cenis (Col du) 73.....235 CN65
Mont-Cindre 69.............213 BW60
Mont-d'Astarac 32..........316 AO88
Mont-Dauphin 05............270 CL72
Mont-de-Galié 31...........334 AP91
Mont-de-Lans 38............251 CH68
Mont-de-Laval 25...........163 CJ44
Mont-de-l'If 76............19 AS18
Mont-de-Marrast 32.........315 AN87
Mont-de-Marsan 40..........294 AG81
Mont des Cats 59...........4 BF5
Mont-devant-Sassey 55......43 BX20
Mont-Dieu 08...............26 BV18
Mont-Disse 64..............294 AJ85
Mont-Dol 35................80 Y29
Le Mont-Dore 63............227 BG63
Mont-d'Origny 02...........24 BL15
Mont du Chat 73............233 CI61
Mont-et-Marré 58...........175 BN46
Mont-Laurent 08............42 BS19
Mont-le-Franois 70.........140 CB40
Mont-le-Vernois 70.........141 CF39
Mont-le-Vignoble 54........94 CD28
Mont-lès-Lamarche 88.......118 CD35
Mont-lès-Neufchâteau 88....93 CB31
Mont-lès-Seurre 71.........178 BY47
Mont-l'Étroit 54...........93 CC30
Mont-l'Évêque 60...........39 BF22
Mont-Louis 66..............348 BB97
Mont Noir 59...............4 BF5
Mont-Notre-Dame 02.........40 BM21
Mont-Ormel 61..............54 AN25
Mont-près-Chambord 41......153 AW41
Mont-Roc 81................299 BD82
Mont Roland
  (Sanctuaire du) 39........161 CB45
Mont-Rond
  (Sommet du) 01...........197 CF53
Le Mont-Saint-Adrien 60....37 BA20
Mont-Saint-Aignan 76.......36 AU19
Mont-Saint-Éloi 62.........8 BF9
Mont-Saint-Jean 72.........107 AL33
Mont-Saint-Jean 21.........158 BS43
Mont-Saint-Jean 02.........25 BQ16
Mont-Saint-Léger 70........140 CD39
Mont-Saint-Martin 54.......45 CC18
Mont-Saint-Martin 38.......232 CD65
Mont-Saint-Martin 08.......26 BU21
Mont-Saint-Martin 02.......40 BM21
Le Mont-Saint-Michel 50....51 AA28
Mont-Saint-Père 02.........60 BL24
Mont-Saint-Remy 08.........25 BS20
Mont-Saint-Sulpice 89......114 BM36
Mont-Saint-Vincent 71......194 BT51
Mont-Saxonnex 74...........216 CJ57
Mont-sous-Vaudrey 39.......179 CC46
Mont-sur-Courville 51......41 BN22
Mont-sur-Meurthe 54........95 CH29
Mont-sur-Monnet 39.........179 CD49
Mont Thou 69...............213 BW59
Mont-Villers 55............64 CA23
Montabard 61...............54 AL26
Montabès (Puy de) 12.......262 BF73
Montabon 72................130 AO39
Montabot 50................52 AD25
Montacher-Villegardin 89...113 BI34
Montadet 32................316 AR86
Montady 34.................321 BJ88
Montagagne 09..............335 AV92
Montagna-
  le-Reconduit 39..........196 CA52
Montagna-le-Templier 39....196 CB54
Montagnac 34...............322 BM86
Montagnac 30...............303 BR81
Montagnac 04...............307 CH82
Montagnac-
  d'Auberoche 24...........241 AS67
Montagnac-
  la-Crempse 24............240 AP69
Montagnac-
  sur-Auvignon 47..........275 AO78
Montagnac-sur-Lède 47......258 AR74
Montagnat 01...............213 BZ56
Montagne 33................238 AJ70
Montagne 38................249 BZ67
La Montagne 44.............147 Y44
Montagne 38................231 CJ36
Montagne de Dun 71.........194 BS55
Montagne-Fayel 80..........11 BA14
Montagney 70...............161 CC43
Montagney 25...............162 CH41
Montagnieu 38..............232 CB63
Montagnieu 01..............214 CB60
Montagnol 12...............301 BI82
Montagnole 73..............233 CF62
Montagny 73................234 CK63
Montagny 69................231 BW62
Montagny 42................211 BR57

Montagny-en-Vexin 60.......37 AZ22
Montagny-lès-Beaune 21.....177 BW47
Montagny-lès-Buxy 71.......177 BV50
Montagny-lès-Lanches 74....215 CG59
Montagny-lès-Seurre 21.....178 BZ46
Montagny-
  près-Louhans 71..........178 BZ50
Montagny-
  Sainte-Félicité 60.......39 BG23
Montagny-sur-Grosne 71.....194 BU54
Montagoudin 33.............256 AK73
Montagrier 24..............239 AO66
Montagudet 82..............277 AT77
Montagut 64................294 AG85
Montaignac-
  Saint-Hippolyte 19.......225 BA65
Montaigu 85................166 AB46
Montaigu 39................179 CB50
Montaigu (Butte de) 53.....106 AI33
Montaigu-de-Quercy 82......277 AS76
Montaigu-la-Brisette 50....29 W24
Montaigu-le-Blin 03........192 BM55
Montaigu-les-Bois 50.......51 AC25
Montaiguët-en-Forez 03.....193 BO55
Montaigut 63...............209 BG56
Montaigut-le-Blanc 63......227 BJ63
Montaigut-le-Blanc 23......206 AY57
Montaigut-sur-Save 31......297 AU84
Montaillé 72...............108 AO36
Montailleur 73.............233 CH61
Montaillou 09..............336 AZ94
Montaimont 73..............234 CI64
Montain 82.................297 AT81
Montain 39.................179 CB49
Montainville 78............57 AZ26
Montainville 28............110 AX33
Montal (Château de) 46.....261 AZ71
Montalba-d'Amélie 66.......342 BG97
Montalba-le-Château 66.....342 BF95
Montalembert 79............203 AM56
Montalet-le-Bois 78........57 AZ24
Montalieu-Vercieu 38.......214 CB60
Montalivet-les-Bains 33....218 AB64
Montalzat 82...............278 AW78
Montamat 32................316 AR86
Montambert 58..............175 BN49
Montamel 46................260 AW73
Montamisé 86...............186 AO51
Montamy 14.................52 AG24
Montanay 69................213 BW59
Montanceix 24..............240 AP67
Montancy 25................163 CM42
Montandon 25...............163 CL42
Montanel 50................80 AB30
Montaner 64................315 AK87
Montanges 01...............214 CD56
Montangon 10...............91 BS31
Montans 81.................298 AZ82
Montapas 58................175 BM46
Montarcher 42..............229 BO64
Montardit 09...............335 AT90
Montardon 64...............314 AH87
Montaren-et-
  Saint-Médiers 30.........284 BT80
Montargis 45...............112 BG36
Montarlot 77...............88 BH32
Montarlot-
  lès-Champlitte 70........140 CB39
Montarlot-lès-Rioz 70......161 CE42
Montarnaud 34..............302 BO84
Montaron 58................175 BN48
Montastruc 82..............277 AU79
Montastruc 65..............315 AN89
Montastruc 47..............257 AO75
Montastruc-de-Salies 31....334 AR91
Montastruc-
  la-Conseillère 31........298 AX83
Montastruc-Savès 31........317 AS87
Le Montat 46...............278 AW76
Montataire 60..............38 BD22
Montauban 82...............277 AV80
Montauban-
  de-Bretagne 35...........103 W33
Montauban-
  de-Luchon 31.............334 AP93
Montauban-de-Picardie 80...13 BG13
Montauban-
  sur-l'Ouvèze 26..........286 CC77
Montaud 38.................232 CC66
Montaud 34.................303 BO83
Montaudin 53...............81 AE31

Montaulieu 26..............286 CA76
Montaulin 10...............115 BQ33
Montaure 27................36 AU22
Montauriol 81..............280 BD79
Montauriol 66..............342 BG96
Montauriol 47..............258 AP73
Montauriol 11..............318 AZ88
Montauroux 83..............308 CN83
Montaut 64.................314 AI89
Montaut 47.................258 AO73
Montaut 40.................293 AE83
Montaut 32.................315 AN87
Montaut 31.................317 AU87
Montaut 24.................258 AP73
Montaut 09.................318 AX89
Montaut-les-Créneaux 32....296 AP83
Montautour 35..............105 AD33
Montauville 54.............65 CE25
Montay 59..................14 BL12
Montayral 47...............259 AS75
Montazeau 24...............239 AL70
Montazels 11...............337 BC92
Montbard 21................137 BS40
Montbarla 82...............277 AT78
Montbarrey 39..............179 CC46
Montbarrois 45.............111 BD35
Montbartier 82.............297 AU81
Montbavin 02...............40 BL19
Montbazens 12..............261 BC75
Montbazin 34...............302 BO85
Montbazon 37...............151 AQ44
Montbel 48.................265 BO74
Montbel 09.................337 BA92
Montbéliard 25.............142 CK40
Montbéliardot 25...........163 CJ44
Montbellet 71..............195 BW52
Montbenoît 25..............180 CI46
Montberaud 31..............317 AT89
Montbernard 31.............316 AO88
Montberon 31...............298 AW83
Montbert 44................147 AA45
Montberthault 21...........158 BQ41
Montbertrand 21............231 BZ61
Montbeton 82...............277 AU80
Montbeugny 03..............192 BM52
Montbizot 72...............107 AN34

MONACO MONTE-CARLO

Albert-1er (Bd).............CYZ
Armes (Pl. d').............CZ 2
Basse (R.)................CDZ 3
Castro (R. Col.-de)........CZ 7
Comte-Félix-Gastaldi
  (R.)....................DZ 10
Crovetto-Frères (Av.)......CZ 12
Gaulle (Av. du Gén.-de)....CZ 14
Grimaldi (R.)..............CYZ
Kennedy (Av. J.-F.)........DY 23
Larvotto (Bd du)...........DX 25
Leclerc (Bd du Gén.).......DX 27
Libération (Pl. de la).....DX 27
Madone (Av. de la).........DX 28
Major (Rampe).............CZ 29
Monte-Carlo (Av. de).......DY 30
Moulins (Bd des)...........DX 32
Notari (R. L.).............CYZ 33
Ostende (Av. d')..........DY 34
Palais (Pl. du)...........CZ 35
Papalins (Av. des).........CZ 36
Pêcheurs (Ch. des).........DZ 40
Porte-Neuve (Av. de la)....DZ 41

Princesse-Antoinette (Av.)....CY 46
Princesse-Caroline (R.).......CZ 48
Princesse-Charlotte (Bd)......DXY
Princesse-Marie-
  de-Lorraine (R.)............DZ 54
Prince-Héréditaire-Albert
  (Av.)......................CZ 42

Prince-Pierre (Av.)...........CZ 44
République (Bd de la).........DX 58
Ste-Dévote (Pl.).............CY 63
Spélugues (Av. des)..........DX 62
Suffren-Reymond (R.).........CZ 64

MONTAUBAN

Bourdelle (Pl.) . . . . Z 4
Bourjade (Pl. L.) . . . . Z 6
Cambon (R.) . . . . Z 9
Carmes (R. des) . . . . Z 10
Comédie (R. de la) . . . . Z 13
Consul-Dupuy (Allée du) . . . . Z 14
Coq (Pl. du) . . . . Z 16
Dr-Lacaze (R. du) . . . . Z 19
Guibert (Pl.) . . . . Z 29
Hôtel-de-Ville (R. de l') . . . . . Z 31
Lafon (R. Mary) . . . . Z 32
Lagrange (R. L.) . . . . Z 35
Malcousinat (R.) . . . . Z 36

Martyrs (Carrefour des) . . . . Z 46
Michelet (R.) . . . . Z 51
Midi-Pyrénées (Bd) . . . . Z 52
Monet (R. J.) . . . . Z 53
Montmurat (Q. de) . . . . Z 54
Mortarieu (Allées de) . . . . Z 56
Nationale (Pl.) . . . . Z
Notre-Dame (R.) . . . . Z 60
Piquard (Sq Gén.) . . . . Z 62
République (R. de la) . . . . Z 63
Résistance (R. de la) . . . . Z 64
Roosevelt (Pl. F.) . . . . Z 66
Sapiac (Pont de) . . . . Z 68
Verdun (Q. de) . . . . Z 71
22-Septembre (Pl. du) . . . . Z 76

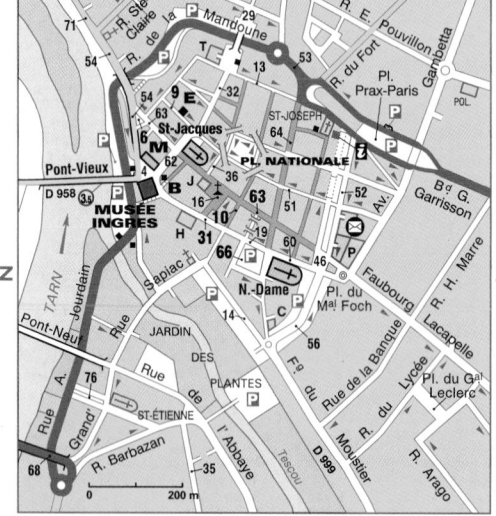

Montblainville 55 . . . 43 BW22
Montblanc 34 . . . 321 BL87
Montblanc 04 . . . 289 CM80
Montboillon 70 . . . 161 CE42
Montboissier 28 . . . 110 AW33
Montbolo 66 . . . 342 BF97
Montbonnot-Saint-Martin 38 . . . 251 CE66
Montboucher 23 . . . 206 AY58
Montboucher-sur-Jabron 26 . . . 267 BW74
Montboudif 15 . . . 227 BG65
Montbouton 90 . . . 142 CL41
Montbouy 45 . . . 134 BG37
Montboyer 16 . . . 221 AL65
Montbozon 70 . . . 162 CG41
Montbrand 05 . . . 268 CD73
Montbras 55 . . . 94 CC29
Montbray 50 . . . 52 AE25
Montbré 51 . . . 41 BP22
Montbrehain 02 . . . 24 BK14
Montbrison 42 . . . 229 BQ62
Montbrison 26 . . . 267 BY75
Montbron 16 . . . 221 AO61
Montbronn 57 . . . 68 CN23
Montbrun 48 . . . 282 BM76
Montbrun 46 . . . 261 AZ75
Montbrun (Château de) 87 . . . 223 AS62
Montbrun-Bocage 31 . . . 335 AU90
Montbrun-des-Corbières 11 . . . 320 BG89
Montbrun-Lauragais 31 . . . 318 AW86
Montbrun-les-Bains 26 . . . 286 CC78
Montcabrier 81 . . . 298 AY84
Montcabrier 46 . . . 259 AT74
Montcaret 24 . . . 239 AL70
Montcarra 38 . . . 232 CB62
Montcavrel 62 . . . 6 AZ8
Montceau 38 . . . 232 CA62
Montceau-et-Écharnant 21 . . . 177 BU46
Montceau-les-Mines 71 . . . 176 BS50
Montceaux 01 . . . 213 BW57
Montceaux-les-Meaux 77 . . . 59 BI25
Montceaux-lès-Provins 77 . . . 61 BL28
Montceaux-lès-Vaudes 10 . . . 115 BQ34
Montceaux-l'Étoile 71 . . . 193 BQ54
Montceaux-Ragny 71 . . . 195 BW51
Le Montcel 73 . . . 215 CF60
Montcel 63 . . . 209 BI58
Montcenis 71 . . . 176 BS49
Montcet 01 . . . 195 BY55
Montcey 70 . . . 141 CG59
Montchaboud 38 . . . 251 CE67
Montchal 42 . . . 212 BS60
Montchâlons 02 . . . 41 BN19
Montchamp 15 . . . 246 BK68
Montchamp 14 . . . 52 AG25
Montchanin 71 . . . 177 BT49
Montcharvot 52 . . . 118 CC36
Montchaton 50 . . . 51 AB24
Montchaude 16 . . . 220 AJ64
Montchauvet 78 . . . 57 AY26
Montchauvet 14 . . . 52 AG25
Montchauvrot 39 . . . 179 CB48

Montchavin 73 . . . 234 CL62
Montchenot 51 . . . 41 BP23
Montchenu 26 . . . 249 BY66
Montcheutin 08 . . . 43 BV21
Montchevrel 61 . . . 84 AO29
Montchevrier 36 . . . 189 AY53
Montclar 12 . . . 300 BF81
Montclar 11 . . . 337 BC90
Montclar 04 . . . 270 CJ75
Montclar-de-Comminges 31 . . . 317 AS89
Montclar-Lauragais 31 . . . 318 AY87
Montclar-sur-Gervanne 26 . . . 267 BZ71
Montclard 43 . . . 246 BM66
Montcléra 46 . . . 259 AU73
Montclus 30 . . . 284 BT77
Montclus 05 . . . 268 CD75
Montcombroux-les-Mines 03 . . . 192 BN54
Montcony 71 . . . 178 BZ50
Montcorbon 45 . . . 113 BI36
Montcornet 08 . . . 26 BT15
Montcornet 02 . . . 25 BP17
Montcourt 70 . . . 118 CE36
Montcourt-Fromonville 77 . . . 88 BF32
Montcoy 71 . . . 178 BX49
Montcresson 45 . . . 134 BG37
Montcuit 50 . . . 31 AC23
Montcuq 46 . . . 277 AU76
Montcusel 39 . . . 196 CC53
Montcy-Notre-Dame 08 . . . 26 BU16
Montdardier 30 . . . 302 BN81
Montdauphin 77 . . . 60 BL26
Montdidier 80 . . . 22 BE17
Montdidier 57 . . . 67 CK24
Montdoré 70 . . . 118 CF36
Montdoumerc 46 . . . 278 AW77
Montdragon 81 . . . 299 BB83
Montdurausse 81 . . . 298 AW81
Monte 2B . . . 347 FG105
Monte Cecu 2B . . . 347 FE107
Monte d'Oro 2A . . . 349 FE109
Monteaux 41 . . . 152 AU41
Montebourg 50 . . . 29 AC18
Montech 82 . . . 297 AU81
Montech (Pente d'eau de) 82 . . . 277 AU80
Montécheroux 25 . . . 163 CL42
Montegrosso 2B . . . 346 FC105
Montégut 65 . . . 334 AO90
Montégut 40 . . . 294 AI81
Montégut 32 . . . 296 AP84
Montégut-Arros 32 . . . 315 AL87
Montégut-Bourjac 31 . . . 317 AS88
Montégut-en-Couserans 09 . . . 335 AT91
Montégut-Lauragais 31 . . . 318 AZ86
Montégut-Plantaurel 09 . . . 336 AW90
Montégut-Savès 32 . . . 317 AS86
Monteignet-sur-l'Andelot 03 . . . 210 BK57
Le Monteil 43 . . . 247 BP68
Le Monteil 15 . . . 244 BE66
Le Monteil-au-Vicomte 23 . . . 207 BA59

Monteille 14 . . . 34 AM23
Monteils 82 . . . 278 AX78
Monteils 30 . . . 284 BS79
Monteils 12 . . . 279 BA77
Montel-de-Gelat 63 . . . 208 BF59
Montéléger 26 . . . 249 BX70
Montélier 26 . . . 249 BY69
Montélimar 26 . . . 267 BW74
Montels 81 . . . 298 AZ81
Montels 34 . . . 321 BI88
Montels 09 . . . 336 AW91
Montembœuf 16 . . . 204 AP60
Montenach 57 . . . 46 CG19
Montenay 53 . . . 81 AF32
Montendre 17 . . . 219 AH65
Montendry 73 . . . 233 CH62
Montenescourt 62 . . . 13 BF10
Monteneuf 56 . . . 103 V36
Montenils 77 . . . 60 BL26
Montenois 25 . . . 142 CJ40
Montenoison 58 . . . 157 BL44
Montenoy 54 . . . 65 CF26
Montépilloy 60 . . . 39 BF22
Monteplain 39 . . . 161 CC44
Montépreux 51 . . . 61 BQ28
Monterblanc 56 . . . 124 R37
Montereau 45 . . . 134 BE37
Montereau-Fault-Yonne 77 . . . 88 BH31
Montereau-sur-le-Jard 77 . . . 88 BF29
Monterfil 35 . . . 103 X34
Montérolier 76 . . . 20 AW17
Monterrein 56 . . . 103 U36
Montertelot 56 . . . 102 T36
Montescot 66 . . . 343 BI96
Montescourt-Lizerolles 02 . . . 24 BJ16
Montespan 31 . . . 334 AR90
Montesquieu 82 . . . 277 AT78
Montesquieu 47 . . . 275 AO78
Montesquieu 34 . . . 301 BK85
Montesquieu-Avantès 09 . . . 335 AT91
Montesquieu-des-Albères 66 . . . 343 BH97
Montesquieu-Guittaut 31 . . . 316 AQ87
Montesquieu-Lauragais 31 . . . 318 AX87
Montesquieu-Volvestre 31 . . . 317 AU89
Montesquiou 32 . . . 295 AM85
Montessaux 70 . . . 141 CI38
Montesson 78 . . . 58 BB26
Montesson 52 . . . 140 CC37
Montestruc-sur-Gers 32 . . . 296 AP82
Montestrucq 64 . . . 313 AD86
Le Montet 03 . . . 191 BI53
Montet-et-Bouxal 46 . . . 261 BA72
Monteton 47 . . . 257 AM73
Montets (Col des) 74 . . . 217 CM57
Monteux 84 . . . 285 BY79
Montévrain 77 . . . 59 BG26
Monteynard 38 . . . 250 CD69
Montézic 12 . . . 262 BF72
Montfa 81 . . . 299 BC84
Montfa 09 . . . 335 AU90
Montfalcon 38 . . . 249 BZ66
Montfarville 50 . . . 29 AD17
Montfaucon 46 . . . 260 AX72
Montfaucon 30 . . . 285 BW79
Montfaucon 25 . . . 162 CF44
Montfaucon 02 . . . 60 BL25
Montfaucon-d'Argonne 55 . . . 43 BX21
Montfaucon-en-Velay 43 . . . 248 BS67
Montfaucon-montigné 49 . . . 148 AC45
Montfavet 84 . . . 304 BX81
Montfermeil 93 . . . 58 BE26
Montfermier 82 . . . 277 AV78
Montfermy 63 . . . 209 BG59
Montferney 25 . . . 162 CH41
Montferrand 63 . . . 209 BJ60
Montferrand 11 . . . 318 AZ87
Montferrand-du-Périgord 24 . . . 258 AR72
Montferrand-la-Fare 26 . . . 286 CC76
Montferrand-le-Château 25 . . . 161 CE44
Montferrat 83 . . . 308 CK84
Montferrat 38 . . . 232 CC62
Montferrer 66 . . . 342 BF98
Montferrier 09 . . . 336 AY92
Montferrier-sur-Lez 34 . . . 302 BP84
Montfey 10 . . . 114 BO35
Montfiquet 14 . . . 32 AF22
Montflovin 25 . . . 180 CI46
Montfort 24 . . . 259 AU71
Montfort 64 . . . 313 AD87
Montfort 49 . . . 150 AC44
Montfort 25 . . . 179 CE46
Montfort-en-Chalosse 40 . . . 293 AD83
Montfort-l'Amaury 78 . . . 57 AZ27
Montfort-le-Gesnois 72 . . . 108 AO35
Montfort-sur-Argens 83 . . . 307 CH85
Montfort-sur-Boulzane 11 . . . 337 BD94
Montfort-sur-Meu 35 . . . 103 X33
Montfort-sur-Risle 27 . . . 35 AR21
Montfranc 12 . . . 300 BF82
Montfrin 30 . . . 304 BV80
Montfroc 26 . . . 286 CD78
Montfuron 04 . . . 306 CE81
Montgaillard 82 . . . 296 AR81

Montgaillard 81 . . . 298 AX81
Montgaillard 65 . . . 333 AL90
Montgaillard 40 . . . 294 AG83
Montgaillard 11 . . . 338 BE92
Montgaillard 09 . . . 336 AX92
Montgaillard-de-Salies 31 . . . 334 AR91
Montgaillard-Lauragais 31 . . . 318 AY86
Montgaillard-sur-Save 31 . . . 316 AO88
Montgardin 05 . . . 270 CI73
Montgardon 50 . . . 31 AA21
Montgaroult 61 . . . 54 AL27
Montgauch 09 . . . 335 AS91
Montgaudry 61 . . . 84 AO31
Montgazin 31 . . . 317 AU88
Montgé-en-Goële 77 . . . 59 BG24
Montgeard 31 . . . 318 AX87
Montgellafrey 73 . . . 234 CI64
Montgenèvre 05 . . . 252 CL69
Montgenost 51 . . . 90 BM29
Montgeoffroy (Château de) 49 . . . 150 AJ41
Montgérain 60 . . . 38 BF24
Montgermont 35 . . . 104 Z33
Montgeron 91 . . . 58 BE28
Montgeroult 95 . . . 57 BA24
Montgesoye 25 . . . 162 CG45
Montgesty 46 . . . 259 AU71
Montgey 81 . . . 318 AZ86
Montgibaud 19 . . . 224 AW63
Montgilbert 73 . . . 234 CI62
Montgirod 73 . . . 234 CK62
Montgiscard 31 . . . 318 AX86
Montgivray 36 . . . 189 BA51
Montgobert 02 . . . 40 BJ21
Montgon 08 . . . 42 BU19
Montgothier 50 . . . 52 AD28
Montgradail 11 . . . 337 BA90
Montgras 31 . . . 317 AS86
Montgreleix 15 . . . 227 BH65
Montgru-Saint-Hilaire 02 . . . 40 BK22
Montguers 26 . . . 286 CC77
Montgueux 10 . . . 90 BP32
Montguillon 49 . . . 128 AG38
Montguyon 17 . . . 238 AJ66
Les Monthairons 55 . . . 64 BZ24
Montharville 28 . . . 109 AV34
Monthault 35 . . . 81 AD29
Monthaut 11 . . . 337 BB90
Monthelie 21 . . . 177 BV47
Monthelon 71 . . . 176 BR47
Monthelon 51 . . . 61 BO25
Monthenault 02 . . . 40 BM19
Montheries 52 . . . 116 BW34
Montherlant 60 . . . 38 BB21
Monthermé 08 . . . 26 BU14
Monthiers 02 . . . 40 BK23
Monthieux 01 . . . 213 BX58
Monthion 73 . . . 234 CI61
Montholier 39 . . . 179 CC47
Monthodon 37 . . . 131 AR39
Monthoiron 86 . . . 169 AQ50
Monthois 08 . . . 42 BU21
Monthou-sur-Bièvre 41 . . . 153 AV41
Monthou-sur-Cher 41 . . . 153 AV43
Monthuchon 50 . . . 31 AB23
Monthurel 02 . . . 60 BM24
Monthureux-le-Sec 88 . . . 118 CE33
Monthureux-sur-Saône 88 . . . 118 CE33
Monthyon 77 . . . 59 BG24
Monti 06 . . . 291 C581
Monticello 2B . . . 344 FC104
Montier-en-Der 52 . . . 92 BV30
Montier-en-l'Isle 10 . . . 116 BU33
Montiéramey 10 . . . 115 BR33
Montierchaume 36 . . . 171 AY48
Montiers 60 . . . 38 BE19
Montiers-sur-Saulx 55 . . . 93 BY29
Monties 32 . . . 316 AP87
Montignac 46 . . . 315 AL89
Montignac 33 . . . 256 AI72
Montignac 24 . . . 241 AT68
Montignac-Charente 16 . . . 203 AM60
Montignac-de-Lauzun 47 . . . 257 AO74
Montignac-le-Coq 16 . . . 221 AM65
Montignac-Toupinerie 47 . . . 257 AN74
Montignargues 30 . . . 303 BS81
Montigné 79 . . . 185 AJ55
Montigné 16 . . . 202 AK60
Montigné-le-Brillant 53 . . . 105 AF35
Montigné-lès-Rairies 49 . . . 129 AK40
Montigné-sur-Moine 49 . . . 148 AC45
Montigny 79 . . . 167 AG49
Montigny 76 . . . 36 AT19
Montigny 72 . . . 83 AN30
Montigny 54 . . . 96 CK29
Montigny 50 . . . 52 AD28
Montigny 45 . . . 111 BB34
Montigny 18 . . . 155 BF44
Montigny 14 . . . 53 AI24
Montigny-aux-Amognes 58 . . . 174 BK46
Montigny-devant-Sassey 55 . . . 43 BX19
Montigny-en-Arrouaise 02 . . . 24 BL14
Montigny-en-Cambrésis 59 . . . 14 BK12
Montigny-en-Gohelle 62 . . . 8 BH9
Montigny-en-Morvan 58 . . . 157 BO45
Montigny-en-Ostrevant 59 . . . 9 BJ9
Montigny-la-Resle 89 . . . 136 BN37
Montigny-l'Allier 02 . . . 39 BI23

Montigny-le-Bretonneux 78 . . . 57 BA27
Montigny-le-Chartif 28 . . . 85 AU32
Montigny-le-Franc 02 . . . 25 BO17
Montigny-le-Gannelon 28 . . . 109 AV36
Montigny-le-Guesdier 77 . . . 89 BK31
Montigny-le-Roi 52 . . . 117 CA35
Montigny-Lencoup 77 . . . 89 BI31
Montigny-Lengrain 02 . . . 39 BI20
Montigny-lès-Arsures 39 . . . 179 CD47
Montigny-lès-Cherlieu 70 . . . 140 CD37
Montigny-lès-Condé 02 . . . 60 BM25
Montigny-lès-Cormeilles 95 . . . 58 BC25
Montigny-lès-Jongleurs 80 . . . 12 BB11
Montigny-lès-Metz 57 . . . 65 CF23
Montigny-lès-Monts 10 . . . 114 BP34
Montigny-lès-Vaucouleurs 55 . . . 93 CB29
Montigny-lès-Vesoul 70 . . . 141 CF39
Montigny-Montfort 21 . . . 137 BS40
Montigny-Saint-Barthélemy 21 . . . 158 BR42
Montigny-sous-Marle 02 . . . 25 BN16
Montigny-sur-Armançon 21 . . . 158 BS42
Montigny-sur-Aube 21 . . . 116 BV36
Montigny-sur-Avre 28 . . . 56 AT28
Montigny-sur-Canne 58 . . . 175 BN48
Montigny-sur-Chiers 54 . . . 44 CB19
Montigny-sur-Crécy 02 . . . 24 BN17
Montigny-sur-l'Ain 39 . . . 179 CD49
Montigny-sur-l'Hallue 80 . . . 22 BE14
Montigny-sur-Loing 77 . . . 88 BG32
Montigny-sur-Meuse 08 . . . 17 BU13
Montigny-sur-Vence 08 . . . 26 BT17
Montigny-sur-Vesle 51 . . . 41 BN21
Montigny-sur-Vingeanne 21 . . . 139 CA40
Montilliers 49 . . . 149 AH44
Montillot 89 . . . 157 BN41
Montilly 03 . . . 192 BK51
Montilly-sur-Noireau 61 . . . 53 AH26
Montils 17 . . . 219 AH61
Les Montils 41 . . . 153 AV41
Montipouret 36 . . . 189 AZ51
Montirat 81 . . . 279 BB78
Montirat 11 . . . 320 BE89
Montireau 28 . . . 85 AT31
Montiron 32 . . . 296 AR85
Montivernage 25 . . . 162 CI42
Montivilliers 76 . . . 18 AN18
Montjardin 11 . . . 337 BA91
Montjaux 12 . . . 281 BH79
Montjavoult 60 . . . 37 AZ22
Montjay 71 . . . 178 BZ49
Montjay 05 . . . 286 CD76
Montjay-la-Tour 77 . . . 59 BF26
Montjean 53 . . . 105 AE35
Montjean 16 . . . 203 AM57
Montjean-sur-Loire 49 . . . 149 AF42
Montjézieu 48 . . . 264 BK75
Montjoi 82 . . . 276 AR78
Montjoi 11 . . . 338 BE91
Montjoie 63 . . . 209 BG56
Montjoie-en-Couserans 09 . . . 335 AT91
Montjoie-le-Château 25 . . . 163 CL42
Montjoie-Saint-Martin 50 . . . 81 AC29
Montjoire 31 . . . 298 AW83
Montjouvent 39 . . . 196 CC52
Montjoux 26 . . . 267 BZ74
Montjoyer 26 . . . 267 BX75
Montjustin 04 . . . 306 CD81
Montjustin-et-Velotte 70 . . . 141 CH39
Montlandon 52 . . . 139 CA37
Montlandon 28 . . . 85 AT31
Montlaur 31 . . . 318 AX86
Montlaur 12 . . . 301 BH81
Montlaur 11 . . . 338 BF90
Montlaur-en-Diois 26 . . . 268 CB73
Montlaux 04 . . . 287 CF79
Montlauzun 46 . . . 277 AU77
Montlay-en-Auxois 21 . . . 158 BR43
Montlebon 25 . . . 181 CJ46
Montlegun 11 . . . 319 BD89
Montlevicq 36 . . . 189 BB52
Montlevon 02 . . . 60 BM25
Montlhéry 91 . . . 87 BC29
Montliard 45 . . . 111 BD35
Montlieu-la-Garde 17 . . . 238 AI66
Montlignon 95 . . . 58 BC24
Montliot-et-Courcelles 21 . . . 138 BT37
Montlivault 41 . . . 132 AW40
Montlognon 60 . . . 39 BF23
Montloué 02 . . . 25 BP17
Montlouet 28 . . . 86 AY30
Montlouis 18 . . . 172 BC49
Montlouis-sur-Loire 37 . . . 152 AR42
Montluçon 03 . . . 190 BE54
Montluel 01 . . . 213 BY59
Montmachoux 77 . . . 89 BI32
Montmacq 60 . . . 39 BH19
Montmagny 95 . . . 58 BD25
Montmahoux 25 . . . 180 CF46
Montmain 76 . . . 20 AV20
Montmain 21 . . . 178 BX46
Montmajour (Abbaye de) 13 . . . 304 BW83
Montmalin 39 . . . 179 CC47
Montmançon 21 . . . 160 CA42
Montmarault 03 . . . 191 BI54

Montmarlon 39 . . . 179 CE48
Montmarquet 80 . . . 21 AZ16
Montmartin 60 . . . 39 BF19
Montmartin-en-Graignes 50 . . . 32 AD21
Montmartin-le-Haut 10 . . . 115 BT33
Montmartin-sur-Mer 50 . . . 51 AA24
Montmaur 11 . . . 318 AU86
Montmaur 05 . . . 269 CG72
Montmaur-en-Diois 26 . . . 268 CB72
Montmaurin 31 . . . 316 AP89
Montmédy 55 . . . 44 BZ18
Montmeillant 08 . . . 26 BR17
Montmelard 71 . . . 194 BT54
Montmelas-Saint-Sorlin 69 . . . 212 BU58
Montmélian 73 . . . 233 CH63
Montmerle-sur-Saône 01 . . . 212 BV57
Montmerrei 61 . . . 54 AM28
Montmeyan 83 . . . 307 CH83
Montmeyran 26 . . . 267 BY71
Montmin 74 . . . 215 CH59
Montmirail 72 . . . 108 AR34
Montmirail 51 . . . 60 BM26
Montmiral 26 . . . 249 BZ67
Montmirat 26 . . . 249 BZ67
Montmirat (Col de) 48 . . . 264 BM75
Montmirey-la-Ville 39 . . . 161 CB44
Montmirey-le-Château 39 . . . 161 CB44
Montmoreau-Saint-Cybard 16 . . . 221 AL64
Montmorency 95 . . . 58 BD25
Montmorency-Beaufort 10 . . . 91 BT50
Montmorillon 86 . . . 187 AR53
Montmorin 63 . . . 228 BL60
Montmorin 05 . . . 268 CC75
Montmorot 39 . . . 179 CB50
Montmort 71 . . . 176 BQ50
Montmort 51 . . . 61 BO25
Montmotier 88 . . . 118 CF35
Montmoyen 21 . . . 138 BV38
Montmuran (Château de) 35 . . . 80 Y32
Montmurat 15 . . . 261 BC73
Montner 66 . . . 338 BG94
Montoillot 21 . . . 159 BU47
Montoir-de-Bretagne 44 . . . 146 V42
Montoire-sur-le-Loir 41 . . . 131 AS43
Montois-la-Montagne 57 . . . 45 CE22
Montoison 26 . . . 267 BX71
Montoldre 03 . . . 192 BL54
Montolieu 11 . . . 319 BC88
Montolivet 77 . . . 60 BL26
Montonvillers 80 . . . 22 BC14
Montord 03 . . . 192 BK55
Montory 64 . . . 331 AD90
Montot 70 . . . 140 CB44
Montot 21 . . . 160 BZ45
Montot-sur-Rognon 52 . . . 93 BZ32
Montouliers 34 . . . 320 BH88
Montoulieu 34 . . . 302 BO81
Montoulieu 09 . . . 336 AX92
Montoulieu-Saint-Bernard 31 . . . 316 AR89
Montournais 85 . . . 167 AF49
Montours 35 . . . 81 AC30
Montourtier 53 . . . 106 AH33
Montoussé 65 . . . 333 AN90
Montoussin 31 . . . 317 AS88
Montoy-Flanville 57 . . . 66 CG23
Montpascal 73 . . . 234 CI65
Montpellier 34 . . . 302 BP84
Montpellier-de-Médillan 17 . . . 219 AF62
Montpellier-la-Paillade 34 . . . 302 BP84
Montpellier-le-Vieux (Chaos de) 12 . . . 282 BK79
Montpensier 63 . . . 210 BK57
Montperreux 25 . . . 180 CH48
Montpeyroux 63 . . . 228 BG62
Montpeyroux 34 . . . 302 BM83
Montpeyroux 24 . . . 239 AL70
Montpeyroux 12 . . . 263 BH73
Montpézat 32 . . . 317 AS87
Montpezat 30 . . . 303 BR82
Montpezat 04 . . . 307 CH82
Montpezat-d'Agenais 47 . . . 275 AO76
Montpezat-de-Quercy 82 . . . 278 AW77
Montpezat-sous-Bauzon 07 . . . 266 BS72
Montpinchon 50 . . . 51 AC24
Montpinier 81 . . . 299 BC84
Montpinçon 14 . . . 54 AM25
Montpitol 31 . . . 298 AX83
Montplonne 55 . . . 63 BY28
Montpollin 49 . . . 129 AK40
Montpon-Ménestérol 24 . . . 239 AK69
Montpont-en-Bresse 71 . . . 195 BY51
Montpothier 10 . . . 89 BL29
Montpouillan 47 . . . 257 AL75
Montpoupon (Château de) 37 . . . 152 AU44
Montrabé 31 . . . 298 AW84
Montrabot 50 . . . 32 AF23
Montracol 01 . . . 195 BY55
Montravers 79 . . . 167 AF48
Montréal 89 . . . 158 BQ41
Montréal 32 . . . 275 AM80
Montréal 11 . . . 319 BB89
Montréal 07 . . . 266 BR74
Montréal (Château de) 24 . . . 239 AO69

MONTPELLIER

Anatole-France (R.) . . . . . **BU** 3
Arceaux (Bd des) . . . . . . **AU** 7
Bazille (R. F.) . . . . . . **BCV** 12
Blum (R. Léon) . . . . **CU** 13
Broussonnet (R. A.) . . . . **AT** 18
Chancel (Av.) . . . . **AT** 25
Citadelle (Allée) . . . . . . **CU** 26
Clapiès (R.) . . . . **AU** 28
Comte (R. A.) . . . . **AU** 29
Délicieux (R. B.) . . . . **CT** 31
États-du-Languedoc (Av.) **CU** 35
Fabre-de-Morlhon (Bd) . . **BV** 36
Fg-Boutonnet (R.) . . . . . **BT** 37
Fg-de-Nîmes (R. du) . . . . **CT** 41
Flahault (Av. Ch.) . . . . . **AT** 43
Fontaine-de-Lattes (R.) . . **CU** 44
Henri-II-de-Montmorency
   (Allée) . . . . **CU** 51
Leclerc (Av. du Mar.) . . . **CV** 58
Millénaire (Pl. du) . . . . . **CU** 62
Nombre-d'Or (Pl. du) . . . **CU** 64
Ollivier (R. A.) . . . . **CU** 66
Le Polygone . . . . **CU**
Pont-de-Lattes
   (R. du) . . . . **CU** 69
Pont-Juvénal (Av.) . . . . **CDU** 70
Près-d'Arènes (Av. des) . **BV** 71
Prof.-E.-Antonelli
   (Av.) . . . . **CDV** 72
Proudhon (R.) . . . . **BT** 73
René (R. H.) . . . . **CV** 74
Villeneuve-d'Angoulême
   (Av.) . . . . **ABV** 88

ontréal-la-Cluse 01 . . . . 196 CC55
ontréal-les-Sources 26 . . 268 CA75
ontrécourt 59 . . . . 14 BL11
ontredon 46 . . . . 261 BC73
ontredon 11 . . . . 319 BD89
ontredon-
   des-Corbières 11 . . . . 321 BI89
ontredon-
   Labessonnié 81 . . . . 299 BD83
ontregard 43 . . . . 248 BT67
ontréjeau 31 . . . . 334 AO90
ontrelais 44 . . . . 148 AE42
ontrelet 80 . . . . 12 BC12
ontrem 24 . . . . 240 AP67
ontret 71 . . . . 178 BY50
ontreuil 93 . . . . 58 BE26
ontreuil 85 . . . . 183 AE53
ontreuil 62 . . . . 6 AZ8
ontreuil 53 . . . . 82 AI31
ontreuil 28 . . . . AW27
ontreuil-au-Houlme 61 . . 53 AK28
ontreuil-aux-Lions 02 . . 60 BJ24
ontreuil-Bellay 49 . . . . 150 AK45
ontreuil-Bonnin 86 . . . 186 AM52
ontreuil-des-Landes 35 . . 81 AC32
ontreuil-en-Auge 14 . . . AM22
ontreuil-en-Caux 76 . . . 20 AU17
ontreuil-en-Touraine 37 . . 152 AS41
ontreuil-Juigné 49 . . . 149 AH41
ontreuil-la-Cambe 61 . . 54 AM26
ontreuil-l'Argillé 27 . . . 55 AP25
ontreuil-le-Chétif 72 . . 107 AL33
ontreuil-le-Gast 35 . . . 80 Z32

Montreuil-le-Henri 72 . . . 130 AQ37
Montreuil-
   sous-Pérouse 35 . . . 105 AC33
Montreuil-sur-Barse 10 . . 115 BR33
Montreuil-sur-Blaise 52 . . 92 BW30
Montreuil-sur-Brêche 60 . . 38 BC19
Montreuil-sur-Epte 95 . . . 37 AY23
Montreuil-sur-Ille 35 . . . 80 Z32
Montreuil-sur-Loir 49 . . . 128 AI40
Montreuil-sur-Lozon 50 . . 32 AD22
Montreuil-sur-Maine 49 . . 128 AG39
Montreuil-sur-Thérain 60 . . 38 BC20
Montreuil-
   sur-Thonnance 52 . . . 93 BY30
Montreuillon 58 . . . . . . 157 BO45
Montreux 54 . . . . 96 CK29
Montreux-Château 90 . . 142 CM39
Montreux-Jeune 68 . . . 142 CM39
Montreux-Vieux 68 . . . 142 CM39
Montrevault 49 . . . . . . 148 AD43
Montrevel 39 . . . . 196 CB53
Montrevel 38 . . . . 228 CB63
Montrevel-en-Bresse 01 . . 195 BY54
Montrichard 41 . . . . . . 153 AY41
Montricoux 82 . . . . 278 AX79
Montrigaud 26 . . . . . . 249 BZ66
Montriond (Lac de) 74 . . 135 CL55
Montroc-le-Planet 74 . . 217 CM57
Montrodat 48 . . . . 264 BL74
Montrol-Sénard 87 . . . 205 AS58
Montrollet 16 . . . . 205 AS58

Montromant 69 . . . . . . 230 BU61
Montrond 73 . . . . 252 CI66
Montrond 39 . . . . 179 CD49
Montrond 05 . . . . 269 CE75
Montrond-le-Château 25 . . 162 CF45
Montrond-les-Bains 42 . . 230 BS62
Montrosier 81 . . . . 279 AZ79
Montrottier 69 . . . . . . 212 BT60
Montroty 76 . . . . 37 AY20
Montrouge 92 . . . . 58 BD27
Montrouveau 41 . . . . . 131 AR39
Montroy 17 . . . . 200 AD56
Montrozier 12 . . . . . . 281 BG76
Montry 77 . . . . 59 BG26
Monts 60 . . . . 37 BA22
Monts 37 . . . . 151 AQ44
Monts-de-Vaux 39 . . . 179 CD48
les Monts d'Olmes 09 . . 336 AY93
Monts-en-Bessin 14 . . . 33 AH23
Monts-en-Ternois 62 . . . BD10
Monts-sur-Guesnes 86 . . 169 AN47
Montsalès 12 . . . . 261 BA75
Montsalier 04 . . . . 286 CD79
Montsalvy 15 . . . . 262 BE72
Montsanson 52 . . . . . . 116 BX34
Montsapey 73 . . . . 234 CI62
Montsauche-
   les-Settons 58 . . . . . 157 BO45
Montsaugeon 52 . . . . . 139 BZ39
Montsaunès 31 . . . . . . 334 AR90
Montsec 55 . . . . 65 CG29
Montsecret 61 . . . . 53 AH26
Montségur 09 . . . . 336 AZ93

Montségur-
   sur-Lauzon 26 . . . . . 285 BX76
Montselgues 07 . . . . . . 265 BQ74
Montséret 11 . . . . 338 BH90
Montsérié 65 . . . . 333 AN91
Montseron 09 . . . . 335 AU91
Montseugny 70 . . . . . . 161 CB42
Montseveroux 38 . . . . . 231 BX64
Montsoreau 49 . . . . . . 150 AL44
Montsoué 40 . . . . 294 AG83
Montsoult 95 . . . . 58 BD24
Montsûrs 53 . . . . 106 AH34
Montsurvent 50 . . . . . . 31 AB23
Montsuzain 10 . . . . . . 91 BQ31
Montureux-
   et-Prantigny 70 . . . . 161 CC41
Montureux-lès-Baulay 70 . . 140 CE37
Montursin 25 . . . . 163 CM42
Montusclat 43 . . . . . . 247 BR69
Montussaint 25 . . . . . . 162 CH41
Montussan 33 . . . . . . 237 AH70
Montvalen 81 . . . . 278 AX82
Montvalent 46 . . . . . . 242 AX70
Montvendre 26 . . . . . . 249 BY70
Montverdun 42 . . . . . . 229 BQ61
Montvernier 73 . . . . . . 234 CI65
Montvert 15 . . . . 243 BB69
Montvicq 03 . . . . 191 BG54
Montviette 14 . . . . 54 AM24
Montville 76 . . . . 20 AU18
Montviron 50 . . . . 51 AB27
Montzéville 55 . . . . . . 43 BY22
Monviel 47 . . . . 257 AO74

Monze 11 . . . . 338 BE90
Moon-sur-Elle 50 . . . . . 32 AE22
Moosch 68 . . . . 120 CM36
Mooslargue 68 . . . . . . 143 CN40
Moraches 58 . . . . 157 BM44
Moragne 17 . . . . 201 AE58
Morains 51 . . . . 61 BP27
Morainville 28 . . . . 86 AZ31
Morainville-Jouveaux 27 . . 35 AP22
Morainvilliers 78 . . . . . 57 BA25
Morancé 69 . . . . 212 BV59
Morancez 28 . . . . 86 AW31
Morancourt 52 . . . . . . 92 BW31
Morand 37 . . . . 131 AT40
Morangis 91 . . . . 58 BD28
Morangis 51 . . . . 61 BQ25
Morangles 60 . . . . 38 BC22
Morannes 49 . . . . 128 AI38
Moranville 55 . . . . 44 CA22
Moras 38 . . . . 231 BZ61
Moras-en-Valloire 26 . . . 231 BY65
Morbecque 59 . . . . 7 BE6
Morbier 39 . . . . 197 CF51
Morcenx 40 . . . . 273 AD79
Morchain 80 . . . . 23 BH16
Morchamps 25 . . . . . . 162 CH41
Morcourt 80 . . . . 23 BF15
Morcourt 02 . . . . 24 BK15
Mordelles 35 . . . . 104 Y34
Moréac 56 . . . . 102 Q35
Morée 41 . . . . 131 AU37
Morello (Col de) 2B . . . 347 FF108

Morelmaison 88 . . . . . . 94 CD32
Morembert 10 . . . . 91 BR30
Moréno (Col de la) 63 . . 227 BI61
Morestel 38 . . . . 232 CB61
Moret-sur-Loing 77 . . . . 88 BG32
Mortétel-de-Mailles 38 . . 233 CG64
Morette 38 . . . . 232 CB65
Moreuil 80 . . . . 22 BE16
Morey 71 . . . . 177 BU49
Morey 70 . . . . 140 CC38
Morey 54 . . . . 55 CF26
Morey-Saint-Denis 21 . . 160 BX44
Morez 39 . . . . 197 CF51
Morfontaine 54 . . . . . . 45 CC19
Morganx 40 . . . . 293 AF84
Morgat 29 . . . . 75 E31
Morgemoulin 55 . . . . . . 44 CA21
Morgny 27 . . . . 37 AX20
Morgny-en-Thiérache 02 . . 25 BP16
Morgny-la-Pommeraye 76 . . 36 AV19
Morhange 57 . . . . 66 CI25
Moriani-Plage 2B 347 FH106
Moriat 63 . . . . 228 BK64
Morienne 76 . . . . 21 AY16
Morienval 60 . . . . 39 BH21
Morières-lès-Avignon 84 . . 285 BX80
Moriers 28 . . . . 110 AW33
Morieux 22 . . . . 78 S29
Moriez 04 . . . . 288 CK80
Morigny 50 . . . . 52 AE25
Morigny-Champigny 91 . . 87 BC31
Morillon 74 . . . . 216 CK56
Morimond
   (Abbaye de) 52 . . . . 118 CC35

MULHOUSE

Altkrich (Av. d')...........FZ 4
Augustins
  (Passage des).......EY 5
Bonbonnière (R.).........EY 1
Bonnes-Gens (R. des)....FY 1
Bons-Enfants (R. des)....FY 1
Boulangers (R. des)......FY 1
Briand (Av. Aristide)....EY 2
Cloche (Quai de la).....EY 2
Colmar (Av. de).........EFXY
Dollfus (Av. Gustave)....GY 2
Dreyfus (R. du Capit.)....FX 2
Engelmann (R.)..........FX 3
Ensisheim (R. d')........FX 3
Fleurs (R. des)..........FYZ 3
Foch (Av. du Mar.).......FZ 3
Fonderie (R. de la)......EY 4
Franciscains (R. des).....EY 4
Gaulle (Pl. du Gén.-de)...FZ 4
Guillaume-Tell
  (Pl. et R.)............FY 4
Halles (R. des)..........FZ 5
Henner (R. J.-J.)........FZ 5
Henriette (R.)..........FY 5
Jardin-Zoologique
  (R. du)..............GZ 6
Joffre (Av. du Mar.).....FYZ 6
Lambert (R.)............FY
Lattre-de-Tassigny
  (Av. Mar.-de)........FY 7
Loisy (R. du Lt de)......FX 7
Lorraine (R. de la)......FX 7
Maréchaux (R. des).......FY 8
Montagne (R. de la)......FZ 8
Moselle (R. de la).......FY 9
Président-Kennedy
  (Av. du)............EFY
Raisin (R. du)..........EFY 1
République (Pl. de la)....FY 1
Riedisheim (Pont de).....FZ 1
Ste-Claire (R.)..........EZ 1
Ste-Thérèse (R.)........EY 1
Sauvage (R. du).........FY 1
Schoen (R. Anna).......EX 1
Somme (R. de la).......FY 1
Stalingrad (R. de).......FY 1
Stoessel (Bd Charles)....EYZ 2
Tanneurs (R. des).......EFY 1
Teutonique (Passage).....FY 1
Tour-du-Diable (R.)......EY 1
Trois-Rois (R. des)......EY 1
Victoires (Pl. des)......FY 1
Wicky (Av. Auguste).....FZ 1
Wilson (R.)............FYZ 1
Zuber (R.).............FY 1
17-Novembre (R. du).....FZ 1

Moringhem 62 ... 3 BB5
Moriond 73 ... 234 CL64
Morionvilliers 52 ... 93 CA31
Morisel 80 ... 22 BE16
Moriville 88 ... 95 CH31
Moriviller 54 ... 95 CH30
Morizécourt 88 ... 118 CD34
Morizès 33 ... 256 AJ73
Morlaàs 64 ... 314 AI87
Morlac 18 ... 173 BD50
Morlaincourt 55 ... 93 BZ28
Morlaix 29 ... 71 J27
Morlancourt 80 ... 23 BF14
Morlanne 64 ... 293 AF85
Morlet 71 ... 177 BT47
Morley 55 ... 93 BY29
Morlhon-le-Haut 12 ... 279 BB77
Morlincourt 60 ... 23 BI18
Mormaison 85 ... 165 AA47
Mormant 77 ... 88 BH29
Mormant-
  sur-Vernisson 45 ... 112 BG36
Mormès 32 ... 294 AJ82
Mormoiron 84 ... 286 CA79
Mornac 16 ... 221 AN61
Mornac-sur-Seudre 17 ... 218 AD61
Mornand-en-Forez 42 ... 229 BR61
Mornans 26 ... 267 BZ73
Mornant 69 ... 230 BV62
Mornas 84 ... 285 BW78
Mornay 71 ... 194 BS52
Mornay 21 ... 139 CA40
Mornay-Berry 18 ... 174 BH46
Mornay-sur-Allier 18 ... 174 BI49
Moroges 71 ... 177 BV49
Morogues 18 ... 155 BF44

Morosaglia 2B ... 347 FF106
Morre 25 ... 162 CF44
Morsain 02 ... 40 BJ20
Morsains 51 ... 60 BM27
Morsalines 50 ... 29 AC18
Morsan 27 ... 35 AQ22
Morsang-sur-Orge 91 ... 58 BD28
Morsang-sur-Seine 91 ... 88 BE29
Morsbach 57 ... 47 CK22
Morsbronn-les-Bains 67 ... 68 CQ24
Morschwiller 67 ... 68 CQ25
Morschwiller-le-Bas 68 ... 143 CO37
Morsiglia 2B ... 345 FF101
Le Mort-Homme 55 ... 43 BY22
Mortagne 88 ... 96 CK32
Mortagne-au-Perche 61 ... 84 AQ30
Mortagne-du-Nord 59 ... 9 BL8
Mortagne-sur-Gironde 17 ... 219 AE63
Mortagne-sur-Sèvre 85 ... 166 AE46
Mortain 50 ... 52 AF28
Mortcerf 77 ... 59 BH27
La Morte 38 ... 251 CF68
Morteau 25 ... 163 CJ45
Morteaux-Coulibœuf 14 ... 53 AL25
Mortefontaine 60 ... 39 BF23
Mortefontaine 02 ... 39 BI21
Mortefontaine-
  en-Thelle 60 ... 38 BC22
Mortemart 87 ... 205 AS57
Mortemer 76 ... 21 AX16
Mortemer 60 ... 23 BF18
Morterolles-
  sur-Semme 87 ... 205 AV56
Mortery 77 ... 89 BK29
Morthemer 86 ... 186 AP53

Morthomiers 18 ... 172 BC46
Mortiers 17 ... 220 AI64
Mortiers 02 ... 24 BM17
Morton 86 ... 150 AL45
Mortrée 61 ... 54 AM28
Mortroux 23 ... 189 AZ54
Mortzwiller 68 ... 142 CM38
Morval 62 ... 13 BH13
Morval 39 ... 196 CB55
Morvillars 90 ... 142 CL40
Morville 88 ... 118 CC33
Morville 50 ... 29 AB19
Morville-en-Beauce 45 ... 111 BC33
Morville-lès-Vic 57 ... 66 CI26
Morville-sur-Andelle 76 ... 36 AW19
Morville-sur-Nied 57 ... 66 CH24
Morville-sur-Seille 54 ... 65 CF25
Morvillers 60 ... 21 AZ18
Morvillers-
  Saint-Saturnin 80 ... 21 AZ16
Morvilliers 28 ... 55 AS28
Morvilliers 10 ... 92 BU31
Mory 62 ... 13 BG12
Mory-Montcrux 60 ... 22 BD18
Morzine 74 ... 198 CK55
Mosles 14 ... 32 AG21
Moslins 51 ... 61 BO25
Mosnac 17 ... 219 AG63
Mosnac 16 ... 220 AK62
Mosnay 36 ... 188 AX51
Mosnes 37 ... 152 AT42
Mosson 21 ... 116 BU36
Mostuéjouls 12 ... 282 BK78
Motey-Besuche 70 ... 161 CC43
Motey-sur-Saône 70 ... 140 CC40

La Mothe-Achard 85 ... 165 Y50
La Mothe-Saint-Héray 79 ... 185 AK54
Mothern 67 ... 69 CT24
Motreff 29 ... 76 L32
La Motte 83 ... 308 CL85
La Motte 22 ... 102 R32
La Motte-au-Bois 59 ... 7 BE6
La Motte-Chalancon 26 ... 268 CB74
La Motte-d'Aigues 84 ... 306 CC82
La Motte-d'Aveillans 38 ... 251 CE69
La Motte-de-Galaure 26 ... 249 BX67
La Motte-du-Caire 04 ... 287 CG76
La Motte-en-Bauges 73 ... 233 CG61
La Motte-
  en-Champsaur 05 ... 269 CG71
La Motte-Fanjas 26 ... 250 CA68
La Motte-Feuilly 36 ... 189 BB52
La Motte-Fouquet 61 ... 82 AJ29
La Motte-Saint-Jean 71 ... 193 BP52
La Motte-Saint-Martin 38 ... 250 CD69
La Motte-Servolex 73 ... 233 CE62
La Motte-Ternant 21 ... 158 BS43
La Motte-Tilly 10 ... 89 BL30
Mottereau 28 ... 109 AU33
Motteville 76 ... 19 AS17
Mottier 38 ... 232 CA64
Motz 73 ... 215 CA58
Mouacourt 54 ... 66 CI27
Mouais 44 ... 126 Z38
Mouans-Sartoux 06 ... 309 CO83
Mouaville 54 ... 45 CC22
Mouazé 35 ... 80 Z32
Mouchamps 85 ... 166 AD49
Mouchan 32 ... 295 AM81
Mouchard 39 ... 179 CD46

La Mouche 50 ... 51 AC26
Mouchès 32 ... 295 AN85
Mouchin 59 ... 9 BK8
Mouchy-le-Châtel 60 ... 38 BC21
Moudeyres 43 ... 247 BR69
Mouen 14 ... 33 AI23
Mouettes 27 ... 56 AW26
Mouffy 89 ... 136 BM39
Mouflaines 27 ... 37 AX22
Mouflers 80 ... 12 BB13
Mouflières 80 ... 11 AY14
Mougins 06 ... 309 CO84
Mougon 79 ... 185 AJ54
Mouguerre 64 ... 292 Y85
Mouhers 36 ... 189 AY52
Mouhet 36 ... 188 AW54
Mouhous 64 ... 294 AI85
Mouilhac 82 ... 278 AX77
Mouillac 33 ... 238 AI69
La Mouille 39 ... 197 CF52
Mouilleron 52 ... 139 BY39
Mouilleron-en-Pareds 85 ... 166 AE50
Mouilleron-le-Captif 85 ... 165 AA49
Mouilly 55 ... 64 CA24
Moulainville 55 ... 44 CA22
Moularès 81 ... 279 BC79
Moulay 53 ... 82 AH32
Moulayrès 81 ... 299 BA83
Moulédous 65 ... 315 AM88
Moulès 33 ... 304 BW84
Moulès-et-Baucels 34 ... 302 BO81
Mouleydier 24 ... 240 AP70
Moulézan 30 ... 303 BN81
Moulhard 28 ... 109 AT33
Moulicent 61 ... 84 AR29

Moulidars 16 ... 220 AK61
Mouliets-
  et-Villemartin 33 ... 256 AK71
Mouliherne 49 ... 150 AL41
Moulin (Château du) 41 ... 153 AX4
Moulin-Chabaud 01 ... 214 CB56
Le Moulin-des-Ponts 01 ... 196 CA5
Moulin-Mage 81 ... 300 BH8
Moulin-Neuf 24 ... 239 AL65
Moulin-Neuf 09 ... 337 BA9
Moulin-Neuf (Petit Musée
  auvergnat) 63 ... 227 BI63
Moulin-sous-Touvent 60 ... 39 BI19
Moulineaux 76 ... 36 AT21
Moulines 50 ... 81 AA2
Moulines 14 ... 53 AJ24
Moulinet 47 ... 258 AP74
Moulinet 06 ... 291 CS7
Le Moulinet-sur-Solin 45 ... 134 BF3
Moulins 79 ... 167 AF4
Moulins 35 ... 104 AB3
Moulins 03 ... 192 BK5
Moulins 02 ... 41 BN6
Moulins-en-Tonnerrois 89 ... 137 BP35
Moulins-Engilbert 58 ... 175 BO4
Moulins-la-Marche 61 ... 55 AP2
Moulins-le-Carbonnel 72 ... 83 AL3
Moulins-lès-Metz 57 ... 65 CE22
Moulins-Saint-Hubert 55 ... 27 BX1
Moulins-sur-Céphons 36 ... 171 AX4
Moulins-sur-Orne 61 ... 54 AL2
Moulins-sur-Ouanne 89 ... 135 BK3
Moulins-sur-Yèvre 18 ... 173 BE4
Moulis 09 ... 335 AT9
Moulis-en-Médoc 33 ... 237 AE5
Moulismes 86 ... 187 AR5

Moulle 62	3	BC5
Le Moulleau 33	254	AB72
Moulon 45	112	BF35
Moulon 33	238	AI70
Moulot 58	157	BL42
Moulotte 55	65	CC23
Moult 14	33	AK23
Moumoulous 65	315	AM87
Moumour 64	313	AE88
Mounes-Prohencoux 12	300	BH83
Mourède 32	295	AM82
Mourens 33	256	AJ73
Mourenx 64	313	AF87
Mouret 12	262	BE74
Moureuille 63	209	BH56
Mourèze 34	301	BL84
Mouriès 13	304	BX83
Mouriez 62	11	BA10
Le Mourillon 83	328	CG89
Mourioux-Vieilleville 23	206	AX57
Mourjou 15	262	BD72
Mourmelon-le-Grand 51	42	BS23
Mourmelon-le-Petit 51	42	BR23
Mournans-Charbonny 39	180	CF49
Mouron 08	43	BV21
Mouron-sur-Yonne 58	157	BN45
Mouroux 77	59	BI27
Mours 95	38	BC23
Mours-Saint-Eusèbe 26	249	BY68
Le Mourtis 31	334	AQ92
Mourvilles-Basses 31	318	AY86
Mourvilles-Hautes 31	318	AZ87
Mouscardès 40	293	AD84
Moussac 86	187	AQ55
Moussac 30	284	BS80
Moussages 15	244	BE66
Moussan 11	321	BI89
Moussé 35	105	AC36
Les Mousseaux 78	57	AZ27
Mousseaux-lès-Bray 77	89	BJ31
Mousseaux-Neuville 27	56	AV26
Mousseaux-sur-Seine 78	57	AY24
Moussey 88	96	CL30
Moussey 57	67	CJ27
Moussey 10	115	BQ33
Les Moussières 39	197	CE45
Moussoulens 11	319	BC88
Moussy 95	37	BA23
Moussy 58	157	BL45
Moussy 51	61	BO24
Moussy-le-Neuf 77	59	BF24
Moussy-le-Vieux 77	59	BF24
Moussy-Verneuil 02	40	BM20
Moustajon 31	334	AO93
Mousterlin 29	99	H35
Moustéru 22	73	O28
Moustey 40	273	AE76
Le Moustier 24	241	AT69
Moustier 47	257	AN73
Moustier-en-Fagne 59	16	BQ12
Moustier-Ventadour 19	225	BB65
Moustiers-Sainte-Marie 04	307	CI81
Le Moustoir 22	76	L31
Moustoir-Ac 56	102	Q36
Moustoir-Remungol 56	102	Q34
La Moutade 63	209	BJ58
Moutaine 39	179	CE47
Moutardon 16	203	AN57
Le Moutaret 38	233	CG64
Moutchic 33	236	AB68
Mouterhouse 57	68	CO24
Mouterre-Silly 86	168	AL47
Mouterre-sur-Blourde 86	204	AR56
Mouthe 25	180	CG49
Le Moutherot 25	161	CC44
Mouthier-en-Bresse 71	178	CA48
Mouthier-Haute-Pierre 25	180	CH46
Mouthiers-sur-Boëme 16	221	AL63
Mouthoumet 11	338	BE92
Moutier-d'Ahun 23	207	BB57
Moutier-Malcard 23	189	BA54
Moutier-Rozeille 23	207	BC59
Moûtiers 73	234	CK63
Moutiers 54	45	CD21
Moutiers 35	105	AC35
Moutiers 28	86	AZ32
Moutiers-au-Perche 61	85	AS30
Les Moutiers-en-Auge 14	54	AM25
Les Moutiers-en-Cinglais 14	53	AJ24
Moutiers-en-Puisaye 89	135	BJ40
Les Moutiers-en-Retz 44	146	W45
Les Moutiers-Hubert 14	54	AO25
Moutiers-les-Mauxfaits 85	182	AA52
Moutiers-Saint-Jean 21	137	BR40
Moutiers-sous-Argenton 79	167	AI47
Moutiers-sous-Chantemerle 79	167	AG50
Moutiers-sur-le-Lay 85	183	AC51
Mouton 16	203	AM59
Mouton Rothschild (Château de) 33	237	AE66
La Moutonne 83	328	CH89
Moutonne 39	196	CB52
Moutonneau 16	203	AN59
Moutoux 39	179	CE49
Moutrot 54	94	CD28
Mouvaux 59	8	BI6
Moux 11	320	BF89
Moux-en-Morvan 58	158	BN45
Mouxy 73	233	CF61
Mouy 60	38	BD21
Mouy-sur-Seine 77	89	BJ31
Mouzay 55	43	BY19
Mouzay 37	170	AS46
Mouzeil 44	148	AB41
Mouzens 81	298	AZ85
Mouzens 24	259	AS71
Mouzeuil-Saint-Martin 85	183	AD52
Mouzieys-Panens 81	279	AZ79
Mouzieys-Teulet 81	299	BC82
Mouzillon 44	148	AB45
Mouzon 16	204	AP60
Mouzon 08	27	BX17
Moval 90	142	CL39
Moy-de-l'Aisne 02	24	BK16
Moyaux 14	34	AO22
Moydans 26	268	CC75
Moye 74	215	CE59
Moyemont 88	95	CI31
Moyen 54	95	CI30
Moyencourt 80	23	BH17
Moyencourt-lès-Poix 80	22	BB16
Moyenmoutier 88	96	CL30
Moyenneville 80	11	AZ13
Moyenneville 62	13	BG11
Moyenneville 60	39	BF19
Moyenvic 57	66	CI26
Moyeuvre-Grande 57	45	CE21
Moyeuvre-Petite 57	45	CE21
Moyon 50	52	AD24
Moyrazès 12	280	BE76
Moyvillers 60	39	BF20
Mozac 63	209	BJ59
Mozé-sur-Louet 49	149	AH42
Muchedent 76	20	AU16
Mudaison 34	303	BQ84
Muel 35	103	V33
Muespach 68	143	CP40
Muespach-le-Haut 68	143	CP40
Mugron 40	293	AE69
Muhlbach-sur-Bruche 67	96	CN29
Muhlbach-sur-Munster 68	120	CM34
Muides-sur-Loire 41	132	AX39
Muidorge 60	38	BB19
Muids 27	36	AV22
Muille-Villette 80	23	BI16
Muirancourt 60	23	BI17
Muizon 51	41	BO21
Les Mujouls 06	289	CN80
La Mulatière 69	231	BW61
Mulcent 78	57	AY26
Mulcey 57	67	CJ26
Mulhausen 67	68	CP25
Mulhouse 68	143	CO37
Mulsanne 72	130	AN37
Mulsans 41	132	AW39
Mun 65	315	AM88
Munchhausen 67	69	CT24
Munchhouse 68	121	CP36
Muncq-Nieurlet 62	3	BB4
Mundolsheim 67	68	CQ27
Muneville-le-Bingard 50	31	AB23
Muneville-sur-Mer 50	51	AB25
Le Mung 17	201	AF59
Munster 68	120	CN34
Munster 57	67	CK25
Muntzenheim 68	121	CP33
Munwiller 68	121	CO35
Mur-de-Barrez 12	262	BF71
Mur-de-Bretagne 22	77	P32
Mur-de-Sologne 41	153	AX42
Muracciole 2B	349	FF109
Murasson 12	300	BG83
Murat 15	245	BH68
Murat 03	191	BH53
Murat-le-Quaire 63	227	BG62
Murat-sur-Vèbre 81	300	BH84
Murato 2B	345	FF104
La Muraz 74	215	CH56
Murbach 68	120	CN35
La Mure 38	250	CC69
La Mure 04	288	CK79
Mureaumont 60	21	AZ18
Les Mureaux 78	57	BA25
Mureils 26	249	BX66
Mûres 74	215	CG59
Le Muret 40	255	AE75
Muret 31	317	AV86
Muret-et-Crouttes 02	40	BL21
Muret-le-Château 12	262	BF75
La Murette 38	232	CC64
Murianette 38	251	CE66
Murinais 38	250	CA66
Murles 34	302	BO84
Murlin 58	156	BJ45
Muro 2B	344	FC105
Murol 63	227	BH63
Murols 12	262	BF72
Muron 17	201	AE57
Murs 84	286	CA80
Murs 36	170	AU48
Mûrs-Érigné 49	149	AH42
Murs-et-Gélignieux 01	232	CG61
Murtin-et-Bogny 08	26	BT15
Murvaux 55	43	BY20
Murviel-lès-Béziers 34	321	BJ86
Murviel-lès-Montpellier 34	302	BO84
Murville 54	45	CC20
Murzo 2A	348	FC109
Mus 30	303	BS83
Muscourt 02	41	BN20
Musculdy 64	331	AC89
Musièges 74	215	CF57
Musigny 21	159	BT45
Musseau 52	139	BY39
Musseau 52	55	BX26
Mussey-sur-Marne 52	93	BY31
Mussidan 24	239	AN68
Mussig 67	97	CP32
Mussy-la-Fosse 21	159	BT41
Mussy-sous-Dun 71	194	BS55
Mussy-sur-Seine 10	115	BT36
Mutigney 39	161	CB43
Mutigny 51	61	BP24
Mutrécy 14	53	AJ24
Muttersholtz 67	97	CP31
Mutzenhouse 67	68	CP26
Mutzig 67	97	CP29
Le Muy 83	308	CL85
Muzeray 55	44	CB20
Muzillac 56	124	S40
Muzy 27	56	AV27
Myans 73	233	CF63
Myennes 58	156	BH42
Myon 25	179	CE46

N

Nabas 64	313	AD87
Nabinaud 16	239	AM66
Nabirat 24	259	AV72
Nabringhen 62	2	AZ5
Nachamps 17	201	AG57
Nadaillac 24	241	AV69
Nadaillac-de-Rouge 46	260	AW71
Nades 03	209	BI56
Nadillac 46	260	AW74
Naftel 50	52	AD28
Nagel-Séez-Mesnil 27	55	AS25
Nages 81	300	BG84
Nages-et-Solorgues 30	303	BS82
Nahuja 66	341	BA98
Nailhac 24	241	AT66
Naillat 23	188	AX55
Nailloux 31	318	AX87
Nailly 89	113	BJ33
Naintré 86	169	AP49
Nainville-les-Roches 91	88	BE30
Naisey 25	162	CG44
Naives-devant-Bar 55	63	BY26
Naives-en-Blois 55	93	CA28
Naix-aux-Forges 55	93	BZ28
Naizin 56	102	Q35
Najac 12	279	BA78
Nalliers 86	187	AR51
Nalliers 85	183	AD52
Nalzen 09	336	AY92
Nambsheim 68	121	CQ35
Nampcel 60	39	BK19
Nampcelles-la-Cour 02	25	BP16
Nampont-Saint-Martin 80	11	AZ10
Namps-au-Mont 80	22	BB16
Namps-au-Val 80	22	BB16
Nampteuil-sous-Muret 02	40	BL21
Nampty 80	22	BC16
Nan-Sous-Thil 21	158	BS42
Nances-lès-Saint-Amour 39	196	CA53
Nançay 18	154	BC43
Nance 39	178	CA49
Nances 73	233	CE62
Nanclars 16	203	AM59
Nançois-le-Grand 55	64	BZ27
Nançois-sur-Ornain 55	64	BZ27
Nancras 17	201	AE60
Nancray 25	162	CG43
Nancray-sur-Rimarde 45	111	BD35
Nancuise 39	196	CB52
Nancy 54	65	CF27
Nancy-sur-Cluses 74	216	CK57
Nandax 42	211	BR57
Nandy 77	88	BE29
Nangeville 45	87	BD32
Nangis 77	89	BI29
Nangy 74	197	CH55
Nannay 58	156	BJ44
Les Nans 39	179	CE49
Nans 25	162	CH41
Nans-les-Pins 83	327	CH87
Nans-sous-Sainte-Anne 25	180	CF46
Nant 12	282	BK80
Nant-le-Grand 55	63	BY28
Nant-le-Petit 55	63	BY28
Nanteau-sur-Essonne 77	87	BD32
Nanteau-sur-Lunain 77	112	BG33
Nanterre 92	58	BC26
Nantes 44	147	Z44
Nantes-en-Ratier 38	251	CE69
Nanteuil 79	185	AJ53
Nanteuil-Auriac-de-Bourzac 24	221	AN65
Nanteuil-en-Vallée 16	203	AN58
Nanteuil-la-Forêt 51	61	BO23
Nanteuil-la-Fosse 02	40	BL20
Nanteuil-le-Haudouin 60	39	BG23
Nanteuil-lès-Meaux 77	59	BH25
Nanteuil-Notre-Dame 02	40	BL22
Nanteuil-sur-Aisne 08	42	BR19
Nanteuil-sur-Marne 77	60	BJ25
Nantey 39	196	CA53
Nantheuil 24	223	AS64
Nanthiat 24	223	AS64
Nantiat 87	205	AU58
Nantillé 17	201	AH59
Nantillois 55	43	BX21
Nantilly 70	161	CB41
Nantoin 38	232	CA64
Nantois 55	93	BZ28
Nanton 71	195	BW51
Nantouard 70	161	CC41
Nantouillet 77	59	BF25
Nantoux 21	177	BV46
Nantua 01	214	CC56
Naours 80	12	BC13
La Napoule 06	309	CO84
Napt 01	196	CB55
Narbéfontaine 57	46	CH22
Narbief 25	163	CK44
Narbonne 11	321	BI89
Narbonne-Plage 11	321	BK89
Narcastet 64	314	AH88
Narcy 58	156	BI44
Narcy 52	92	BX29
Nargis 45	112	BG34
Narnhac 15	245	BG70
Narp 64	313	AD87
Narrosse 40	293	AC83
La Nartelle 83	329	CM87
Narthoux 81	279	BA79
Nasbinals 48	263	BI73
Nassandres 27	35	AR23
Nassiet 40	293	AE84
Nassigny 03	190	BF52
Nastringues 24	239	AL70
Nattages 01	214	CD60
Natzwiller 67	96	CN30
Naucelle 12	280	BD78
Naucelles 15	244	BD69
Naujac-sur-Mer 33	236	AC66
Naujan-et-Postiac 33	256	AJ71
Naurouze (Seuil de) 11	318	AZ87
Nauroy 02	24	BJ14
Naussac 48	265	BP72
Naussac 12	261	BB74
Naussac (Barrage de) 48	265	BP72
Naussannes 24	258	AO72
Nauvay 72	108	AO33
Nauviale 12	262	BD74
Nauzan 17	218	AC61
Navacelles 30	284	BS78
Navacelles (Cirque de) 34	302	BO79
Navailles-Angos 64	314	AH86
Navarosse 40	254	AB75
Navarrenx 64	313	AE87
Naveil 41	131	AT38
Navenne 70	141	CG39
Navès 81	299	BC85
Naves 73	234	CJ62
Naves 59	14	BK11
Naves 19	242	AY66
Naves 07	283	BR76
Naves 03	209	BJ56
Nâves-Parmelan 74	215	CH58
Navilly 71	178	BY47
Nay 64	314	AH89
Nay 50	31	AC21
Nayemont-les-Fosses 88	96	CL31
Le Nayrac 12	262	BF73
Nazelles-Négron 37	152	AS42
Néac 33	238	AJ69
Néant-sur-Yvel 56	103	U35
Neau 53	106	AI34
Néaufles-Auvergny 27	55	AR26
Néaufles-Saint-Martin 27	37	AY21
Neaufles-Auvergny 27	—	—
Neauphe-sous-Essai 61	83	AN29
Neauphe-sur-Dive 61	54	AM26
Neauphle-le-Château 78	57	BA27
Neauphle-le-Vieux 78	57	AZ27
Neauphlette 78	57	AX25
Neaux 42	211	BR58
Nébian 34	302	BM84
Nébias 11	337	BB92
Nébing 57	67	CK25
Nébouzat 63	227	BH61
Nécy 61	54	AL26
Nedde 87	225	AZ61
Nédon 62	7	BD8
Nédonchel 62	7	BD8
Neewiller-près-Lauterbourg 67	69	CT24
Neffes 05	269	CG74
Neffiès 34	301	BL85
Néfiach 66	342	BF95
Nègrepelisse 82	278	AW79
Négreville 50	29	AB18
Négron 37	152	AS42
Négrondes 24	222	AR65
Néhou 50	29	AB18
Nehwiller 67	68	CQ24
Neewiller 67	67	CK24
Nemours 77	112	BF33
Nempont-Saint-Firmin 62	6	AY9
Nénigan 31	316	AP87
Nenon 39	161	CB45
Néons-sur-Creuse 36	170	AS50
Néoules 83	328	CH87
Néoux 23	207	BC59
Nepvant 55	27	BY18
Nérac 47	275	AN78
Nerbis 40	293	AE82
Nercillac 16	220	AJ61
Néré 17	202	AJ58
Néret 36	189	BB52
Nérigean 33	238	AI70
Nérignac 86	187	AQ55
Néris-les-Bains 03	190	BF55
Nermier 39	196	CC52
Nernier 74	197	CH53
Néron 28	86	AX29
Néronde 42	212	BS60
Néronde-sur-Dore 63	210	BM60
Nérondes 18	173	BG47
Ners 30	283	BR80
Nersac 16	221	AL62
Nervieux 42	211	BR60
Nerville-la-Forêt 95	58	BC24
Néry 60	39	BG21
Neschers 63	227	BJ62
Nescus 09	335	AV91
Nesle 80	23	BH16
Nesle-et-Massoult 21	137	BS38
Nesle-Hodeng 76	21	AX17

NANCY

Adam (R. Sigisbert)	BX	2
Barrès (R. Maurice)	CY	10
Bazin (R. H.)	CY	13
Benit (R.)	BY	14
Braconnot (R.)	BX	19
Carmes (R. des)	BY	20
Chanoine-Jacob (R.)	AX	23
Chanzy (R.)	AY	24
Cheval-Blanc (R. du)	BY	25
Craffe (R. de la)	AX	27
Croix de Bourgogne (Espl.)	AZ	28
Dominicains (R. des)	BY	29
Erignac (R. C.)	BY	31
La-Fayette (Pl. de)	BY	47
Gambetta (R.)	BY	36
Gaulle (Pl. Gén.-de)	BX	37
Grande-Rue	BXY	
Haut-Bourgeois (R.)	AX	39
Héré (R.)	BY	40
Ile de Corse (R. de l')	CY	41
Keller (R. Ch.)	AX	46
Louis (R. Baron)	AXY	50
Loups (R. des)	AX	51
Mazagran (R.)	AY	54
Mengin (Pl. Henri)	BY	55
Mgr-Ruch (Pl.)	CY	63
Molitor (R.)	CZ	60
Monnaie (R. de la)	BY	62
Mon-Désert (R. de)	ABZ	61
Mouja (R. du Pont)	BY	64
Poincaré (R. H.)	AY	69
Poincaré (R. R.)	AY	70
Point-Central	BY	72
Ponts (R. des)	BYZ	73
Primatiale (R. de la)	CY	74
Raugraff (R.)	BY	75
St-Dizier (R.)	BCYZ	
St-Epvre (Pl.)	BY	82
St-Georges (R.)	CY	
St-Jean (R.)	BY	
St-Léon (R.)	AY	85
Source (R. de la)	AY	99
Stanislas (R.)	BY	100
Trois-Maisons (R. du Fg des)	AX	104
Trouillet (R.)	AXY	105
Visitation (R. de la)	BY	109
XXe-Corps (Av. du)	CY	110

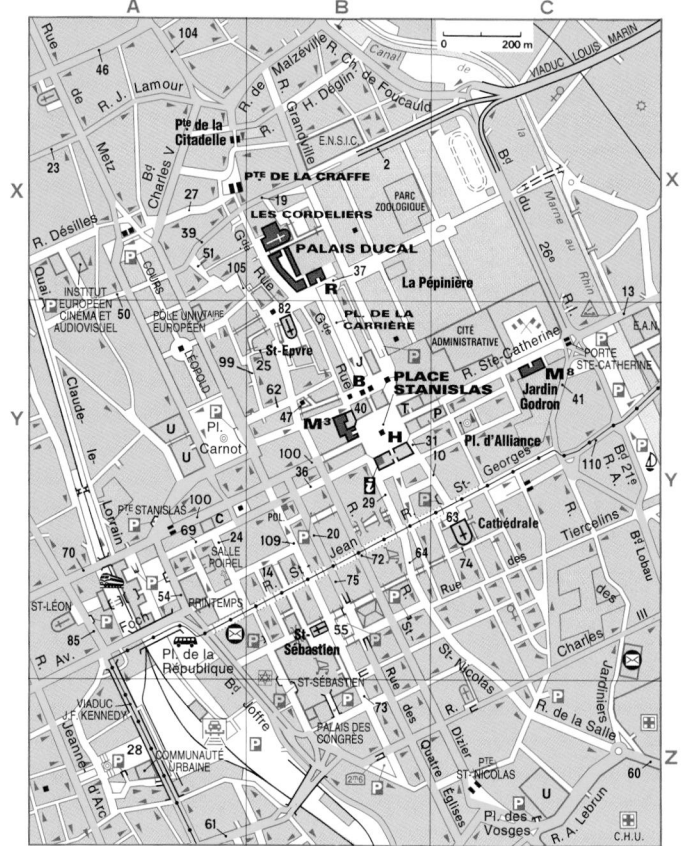

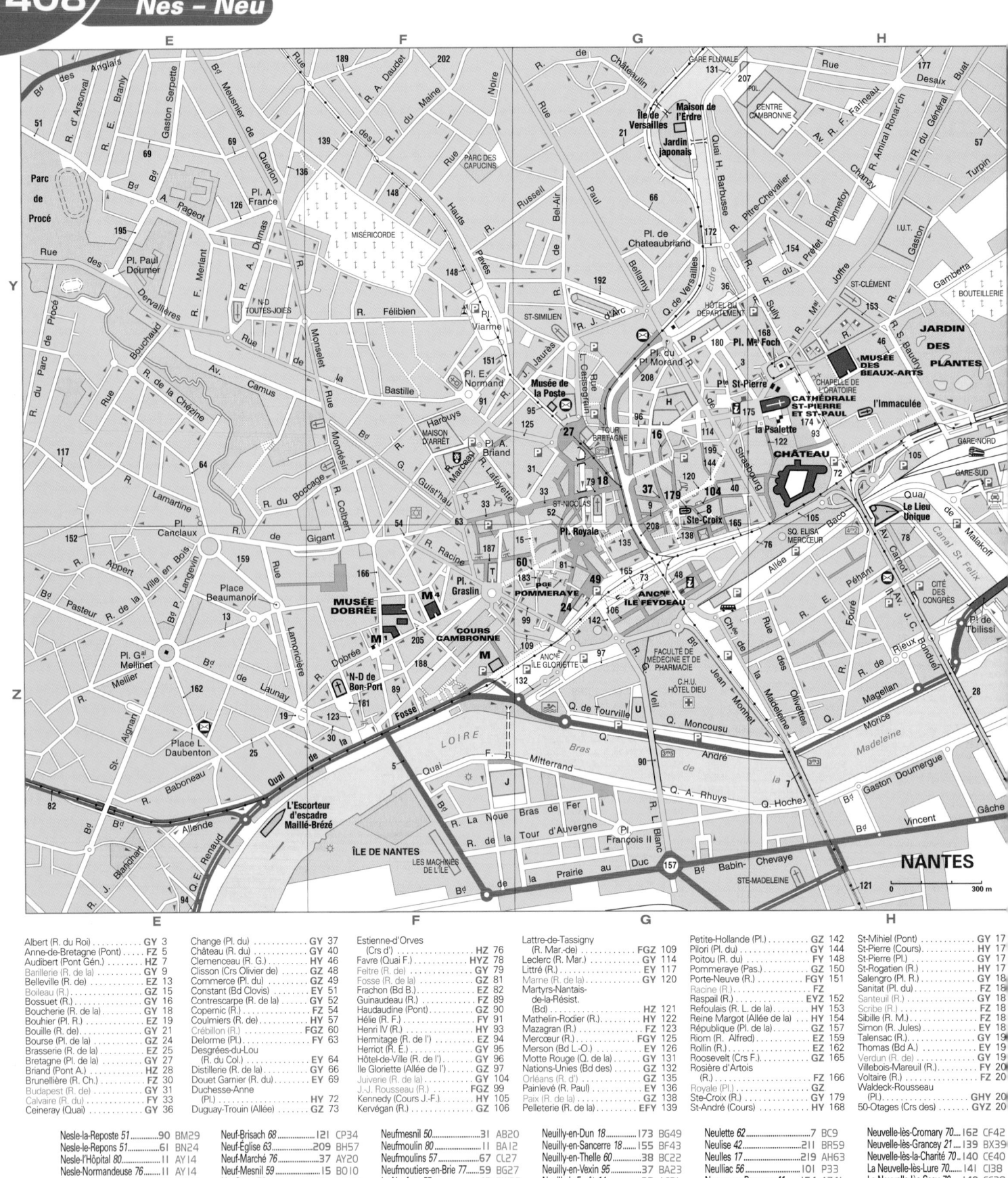

NANTES

300 m

NICE

Alberti (R.) .... GHY 2
Alsace-Lorraine (Jardin d') .... EZ 3
Armée-du-Rhin (Pl. de l') .... JX 5
Auriol (Pont V.) .... JV 7
Bellanda (Av.) .... HV 10
Berlioz (R.) .... FY 12
Bonaparte (R.) .... JY 13
Carnot (Bd) .... JZ 15
Desambrois (Av.) ..... GHX 18
Diables-Bleus (Av. des) .... JX 19
Europe (Parvis de l') .... JX 21
Félix-Faure (Av.) .... GZ 22
France (R. de) .... DFZ
Gallieni (Av.) .... HJX 24
Gambetta (Bd) .... EXZ
Gautier (Pl. P.) .... HZ 25
Gioffredo (R.) .... HY
Hôtel-des-Postes (R. de l') .... HY 30
Ile-de-Beauté (Pl.) .... JZ 31
Jean-Jaurès (Bd) ...... HYZ 32
Liberté (R. de la) .... GZ 35
Lunel (Quai) .... JZ 37
Masséna (Pl. et Espace) .... GZ

Masséna (R.) .... FGZ 43
Médecin (Av. J.) ..... FGY 44
Meyerbeer (R.) .... FZ 45
Monastère (Av. Pl.) .... HV 46

Moulin (Pl. J.) .... HY 47
Paradis (R.) .... GZ 55
Passy (R. F.) .... EY 57
Pastorelli (R.) .... GY 58

Phocéens (Av. des) ..... GZ 59
Ray (Av. du) .... FV 63
République (Av. de la) ... JXY 64
Rivoli (R. de) .... FZ 65

St-François-de-Paule (R.) .... GHZ 72
St-Jean-Baptiste (Av.) ... HY 73
Saleya (Cours) .... HZ 82

Sauvan (R. H.) .... EZ 84
Verdun (Av. de) ...... FGZ 89
Walesa (Bd Lech) ..... JYZ 91
Wilson (Pl.) .... HY 92

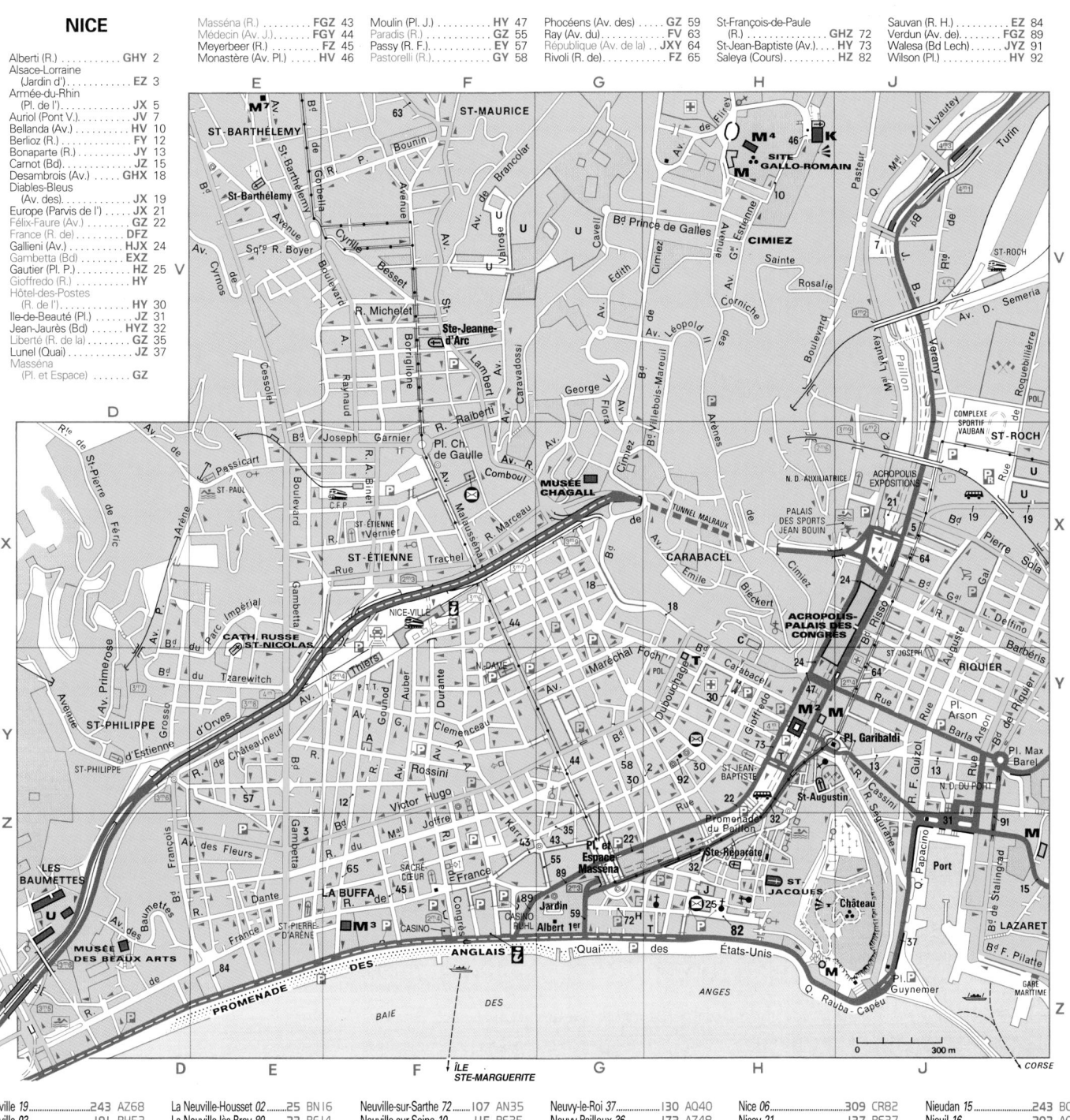

Neuville 19 ...... 243 AZ68
Neuville 03 ...... 191 BH53
La Neuville-à-Maire 08 ...... 27 BV18
Neuville-au-Bois 80 ...... 11 AZ14
Neuville-au-Cornet 62 ...... 12 BD10
Neuville-au-Plain 50 ...... 29 AC19
La Neuville-au-Pont 51 ...... 43 BV23
La Neuville-aux-Bois 51 ...... 63 BV25
Neuville-aux-Bois 45 ...... 111 BB35
La Neuville-aux-Joûtes 08 ...... 25 BQ14
La Neuville-aux-Larris 51 ...... 41 BO23
La Neuville-aux-Tourneurs 08 ...... 26 BR15
Neuville-Bosc 60 ...... 37 BA22
La Neuville-Bosmont 02 ...... 25 BO17
La Neuville-Bourjonval 62 ...... 14 BI13
La Neuville-Chant-d'Oisel 76 ...... 36 AV20
Neuville-Coppegueule 80 ...... 21 AZ15
La Neuville-d'Aumont 60 ...... 38 BB21
Neuville-Day 08 ...... 42 BU19
Neuville-de-Poitou 86 ...... 169 AN50
Neuville-du-Bosc 27 ...... 35 AS22
Neuville-en-Avesnois 59 ...... 15 BM11
Neuville-en-Beaumont 50 ...... 31 AA20
La Neuville-en-Beine 02 ...... 24 BJ17
La Neuville-en-Ferrain 59 ...... 5 BJ5
La Neuville-en-Hez 60 ...... 38 BD20
La Neuville-en-Tourne-à-Fuy 08 ...... 42 BS21
Neuville-en-Verdunois 55 ...... 63 BY25
Neuville-Ferrières 76 ...... 20 AW17
La Neuville-Garnier 60 ...... 38 BB21

La Neuville-Housset 02 ...... 25 BN16
La Neuville-lès-Bray 80 ...... 23 BF14
Neuville-les-Dames 01 ...... 213 BX56
Neuville-lès-Decize 58 ...... 174 BK49
Neuville-lès-Dieppe 76 ...... 10 AU14
La Neuville-lès-Dorengt 02 ...... 24 BM14
La Neuville-lès-Lœuilly 80 ...... 22 BC16
Neuville-lès-This 08 ...... 26 BT16
Neuville-lès-Vaucouleurs 55 ...... 93 CB29
La Neuville-lès-Wasigny 08 ...... 26 BR17
Neuville-près-Sées 61 ...... 54 AN28
La Neuville-Saint-Amand 02 ...... 24 BK15
La Neuville-Saint-Pierre 60 ...... 38 BC19
Neuville-Saint-Rémy 59 ...... 14 BJ11
Neuville-Saint-Vaast 62 ...... 8 BG9
La Neuville-Sire-Bernard 80 ...... 22 BE16
Neuville-sous-Arzillières 51 ...... 62 BU28
Neuville-sous-Montreuil 62 ...... 6 AZ8
Neuville-sur-Ailette 02 ...... 41 BN19
Neuville-sur-Ain 01 ...... 214 CA57
Neuville-sur-Authou 27 ...... 35 AQ22
Neuville-sur-Brenne 37 ...... 131 AS40
Neuville-sur-Escaut 59 ...... 14 BK10
La Neuville-sur-Essonne 45 ...... 111 BD34
Neuville-sur-Margival 02 ...... 40 BK19
Neuville-sur-Oise 95 ...... 58 BB24
Neuville-sur-Ornain 55 ...... 63 BX26
Neuville-sur-Oudeuil 60 ...... 21 BA18
Neuville-sur-Ressons 60 ...... 38 BG18
Neuville-sur-Saône 69 ...... 213 BW59

Neuville-sur-Sarthe 72 ...... 107 AN35
Neuville-sur-Seine 10 ...... 115 BS35
Neuville-sur-Touques 61 ...... 54 AO26
Neuville-sur-Vannes 10 ...... 114 BN33
La Neuville-Vault 60 ...... 37 BA19
Neuville-Vitasse 62 ...... 14 BJ11
Neuviller-la-Roche 67 ...... 96 CN30
Neuviller-lès-Badonviller 54 ...... 96 CK29
Neuviller-lès-Moselle 54 ...... 95 CG30
Neuvillers-sur-Fave 88 ...... 96 CM32
Neuviller-sur-Moselle 54 ...... 95 CG30
Neuville 80 ...... 12 BD11
La Neuvillette 51 ...... 41 BP21
Neuvillette 02 ...... 24 BL15
Neuvillette-en-Charnie 72 ...... 107 AK34
Neuvilley 39 ...... 179 CC47
Neuvilly 59 ...... 14 BL12
Neuvilly-en-Argonne 55 ...... 43 BX22
Neuvireuil 62 ...... 8 BH9
Neuvizy 08 ...... 26 BT17
Neuvy 51 ...... 60 BL27
Neuvy 03 ...... 192 BK52
Neuvy 41 ...... 153 AX41
Neuvy-au-Houlme 61 ...... 54 AK26
Neuvy-Bouin 79 ...... 167 AH50
Neuvy-deux-Clochers 18 ...... 155 BF44

Neuvy-le-Roi 37 ...... 130 AQ40
Neuvy-Pailloux 36 ...... 172 AZ48
Neuvy-Saint-Sépulchre 36 ...... 189 AZ51
Neuvy-Sautour 89 ...... 114 BO35
Neuvy-sur-Barangeon 18 ...... 154 BC43
Neuvy-sur-Loire 58 ...... 156 BH41
Neuwiller 68 ...... 143 CQ40
Neuwiller-lès-Saverne 67 ...... 68 CO25
Neuzy 71 ...... 193 BO52
Névache 05 ...... 252 CK68
Nevers 58 ...... 174 BJ47
Névez 29 ...... 100 J36
Néville 76 ...... 19 AR15
Néville-sur-Mer 50 ...... 29 AC16
Nevoy 45 ...... 134 BF39
Nevy-lès-Dole 39 ...... 179 CB46
Nevy-sur-Seille 39 ...... 179 CC49
Nexon 87 ...... 223 AU61
Ney 39 ...... 179 CE49
Neydens 74 ...... 215 CG56
Neyrac-les-Bains 07 ...... 266 BS73
Les Neyrolles 01 ...... 214 CC56
Neyron 01 ...... 213 BX60
Nézel 78 ...... 57 AZ25
Nézignan-l'Évêque 34 ...... 321 BL87
Niafles 53 ...... 127 AE37
Niaux 09 ...... 336 AX93
Niaux (Grotte de) 09 ...... 336 AX93
Nibas 80 ...... 11 AX12
Nibelle 45 ...... 111 BD35
Nibles 04 ...... 287 CG76

Nice 06 ...... 309 CR82
Nicey 21 ...... 137 BS37
Nicey-sur-Aire 55 ...... 64 BZ25
Nicole 47 ...... 275 AN76
Nideck (Château et Cascade du) 67 ...... 96 CN28
Niderhoff 57 ...... 96 CL28
Niderviller 57 ...... 67 CM27
Niederbronn-les-Bains 67 ...... 68 CO24
Niederbruck 68 ...... 142 CL37
Niederentzen 68 ...... 121 CO35
Niederhaslach 67 ...... 97 CO29
Niederhausbergen 67 ...... 68 CQ27
Niederhergheim 68 ...... 121 CP35
Niederlarg 68 ...... 143 CN40
Niederlauterbach 67 ...... 69 CT23
Niedermorschwihr 68 ...... 120 CN33
Niedernai 67 ...... 97 CP29
Niederrœdern 67 ...... 57 CT24
Niederschaeffolsheim 67 ...... 68 CQ26
Niederseebach 67 ...... 69 CS24
Niedersoultzbach 67 ...... 68 CO25
Niedersteinbach 67 ...... 68 CQ23
Niedervisse 57 ...... 46 CI22
Nielles-lès-Ardres 62 ...... 2 BA4
Nielles-lès-Bléquin 62 ...... 7 BB6
Nielles-lès-Calais 62 ...... 2 AZ3
Le Nieppe 59 ...... 3 BD5
Nieppe 59 ...... 4 BG6
Niergnies 59 ...... 14 BJ12

Nieudan 15 ...... 243 BC69
Nieuil 16 ...... 203 AO59
Nieuil-l'Espoir 86 ...... 186 AO52
Nieul 87 ...... 205 AU59
Nieul-le-Dolent 85 ...... 182 Z51
Nieul-le-Virouil 17 ...... 219 AG64
Nieul-lès-Saintes 17 ...... 201 AF60
Nieul-sur-l'Autise 85 ...... 184 AG53
Nieul-sur-Mer 17 ...... 183 AC55
Nieulle-sur-Seudre 17 ...... 200 AD60
Nieurlet 59 ...... 3 BC5
Niévroz 01 ...... 213 BY59
Niffer 68 ...... 143 CQ38
Niherne 36 ...... 171 AX49
Nijon 52 ...... 117 CB33
Nilvange 57 ...... 45 CE20
Nîmes 30 ...... 303 BT82
Ninville 52 ...... 117 CA34
Niort 79 ...... 184 AH54
Niort-de-Sault 11 ...... 337 BA93
Niort-la-Fontaine 53 ...... 82 AH30
Niozelles 04 ...... 287 CF80
Nissan-lez-Enserune 34 ...... 321 BJ88
Nistos 65 ...... 334 AO91
Nitry 89 ...... 136 BO39
Nitting 57 ...... 67 CL27
Nivelle 59 ...... 9 BL8
Nivillac 56 ...... 125 U40
Nivillers 60 ...... 38 BB20
Nivolas-Vermelle 38 ...... 232 CA62
Nivollet-Montgriffon 01 ...... 214 CB58
Nixéville 55 ...... 43 BY23
Le Nizan 33 ...... 256 AI75

NÎMES

Arènes (Bd des) CV 2
Aspic (R. de l') CUV
Auguste (R.) CU 4
Bernis (R. de) CV 6
Chapitre (R. du) CU 12
Courbet (Bd Amiral) DUV 14
Crémieux (R.) DU 16
Curaterie (R.) DU 17
Daudet (Bd Alphonse) CU 18
Fontaine (Quai de la) CU 20
Gambetta (Bd) CDU
Grand'Rue DU 24
Guizot (R.) CU 26
Halles (R. des) CU 27
Horloge (R. de l') CU 28
Libération (Bd de la) DV 30
Madeleine (R. de la) CU 32
Maison Carrée (Pl. de la) CU 33
Marchands (R. des) CU 35
Nationale (R.) CDU
Perrier (R. Gén.) CU
Prague (Bd de) DV 42
République (R. de la) CV 43
Saintenac (Bd E.) DU 45
Victor-Hugo (Bd) CUV
Violettes (R.) CV 49

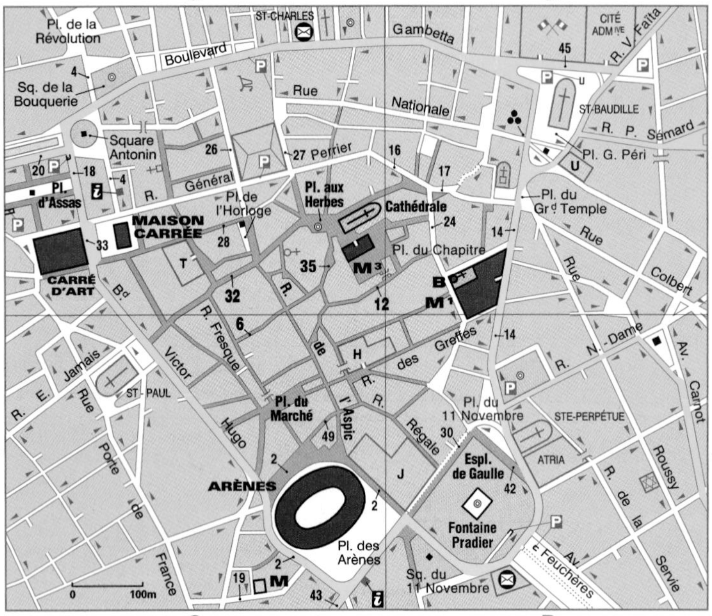

C
D
U
V
Pl. de la Révolution
ST-CHARLES
Gambetta
Boulevard
CITÉ ADM IVE
R. V. Faïta
Sq. de la Bouquerie
Rue
Nationale
ST-BAUDILLE
R. P. Semard
Square Antonin
27 Perrier
Pl. G. Péri
Pl. d'Assas
Général
Pl. de l'Horloge
Pl. aux Herbes
Cathédrale
Pl. du Grd Temple
MAISON CARRÉE
CARRÉ D'ART
Pl. du Chapitre
Rue
Colbert
R. Fresque
Victor
Hugo
des Greffes
R. N.-Dame
Av. Carnot
Jamais
ST-PAUL
Pl. du Marché
l'Aspic
Pl. du 11 Novembre
STE-PERPÉTUE
Régale
Espl. de Gaulle
ATRIA
Roussy
ARÈNES
Fontaine Pradier
Pl. des Arènes
Sq. du 11 Novembre
Av. Feuchères
Servie
France
Porte
0
100m

Nizan-Gesse *31* 316 AP89
Nizas *34* 321 BL86
Nizas *32* 317 AS86
Nizerolles *03* 210 BN57
Nizon *29* 100 J35
Nizy-le-Comte *02* 25 BP18
Noailhac *81* 299 BD85
Noailhac *19* 242 AX68
Noailhac *12* 262 BD74
Noaillac *33* 256 AK74
Noaillan *33* 255 AH74
Noailles *81* 279 BA80
Noailles *60* 38 BC21
Noailles *19* 242 AW68
Noailly *42* 211 BQ56
Noalhac *48* 263 BJ71
Noalhat *63* 210 BL59
Noards *27* 35 AP22
Nocario *2B* 347 FG106
Nocé *61* 84 AQ31
Noceta *2B* 347 FF108
Nochize *71* 193 BR53
La Nocle-Maulaix *58* 175 BO49
Nod-sur-Seine *21* 138 BT38
Nods *25* 162 CH45
Noé *89* 113 BL34
Noé *31* 317 AU87
La Noë-Blanche *35* 126 Y37
Noë-les-Mallets *10* 115 BT34
La Noë-Poulain *27* 35 AP21

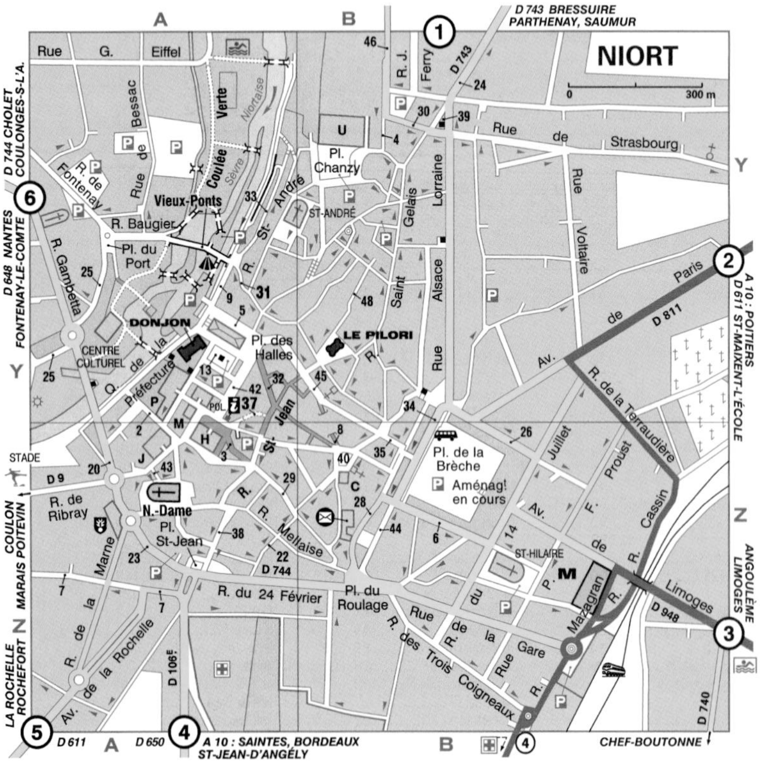

A
B
D 743 BRESSUIRE PARTHENAY, SAUMUR
NIORT
Rue G. Eiffel
0
300 m
Bessac
Verte
Coulée
Sèvre
R. de Fontenay
Rue de
Vieux-Ponts
Pl. Chanzy
St-André
ST-ANDRÉ
Gelais
Lorraine
Rue de Strasbourg
Rue Voltaire
R. Baugier
Pl. du Port
R. Gambetta
DONJON
Pl. des Halles
LE PILORI
Saint
Alsace
Rue Paris
de
D 811
Av.
R. de la Terraudière
CENTRE CULTUREL
Préfecture
STADE
Pl. de la Brèche
Aménagt en cours
Juillet
Proust
Cassin
R. de Ribray
N.-Dame
Pl. St-Jean
Marne
R. Mellaise
ST-HILAIRE
R. du 24 Février
Pl. du Roulage
Limoges
D 948
Rue de la Gare
R. des Trois Coigneaux
R. de la Rochelle
Av.
D 106E
D 740
D 744 CHOLET COULONGES-S-L'A.
D 648 NANTES FONTENAY-LE-COMTE
COULON MARAIS POITEVIN
LA ROCHELLE ROCHEFORT
A 10 : POITIERS D 611 ST-MAIXENT-L'ÉCOLE
ANGOULÊME LIMOGES
D 611
D 650
A 10 : SAINTES, BORDEAUX ST-JEAN-D'ANGÉLY
CHEF-BOUTONNE
Y
Z

Abreuvoir (R. de l') AYZ 2
Ancien-Oratoire (R. de l') AZ 3
Boutteville (R. Th.-de) BY 4
Brisson (R.) AY 5
Bujault (Av. J.) BZ 6
Chabaudy (R.) AZ 7
Commerce (Passage du) BZ 8
Cronstadt (Quai) AY 9
Donjon (Pl. du) AY 13
Espingole (R. de l') AZ 20
Huilerie (R. de l') AZ 22
Largeau (R. Gén.) AZ 23
Leclerc (R. Mar.) BY 24
Main (Bd) AY 25
Martyrs-Résistance (Av.) BZ 26
Pérochon (R. Ernest) BZ 28
Petit-Banc (R. du) AZ 29
Pluviault (R. de) BY 30
Pont (R. du) AY 31
Rabot (R. du) AY 32
Regratterie (R. de la) AY 33
République (Av. de la) BY 34
Ricard (R.) BZ 35
St-Jean (R.) AYZ
St-Jean (R. de la Porte) AZ 38
St-Jean (R. du Petit) AY 37
Strasbourg (Pl. de) BY 39
Temple (Pl. du) BZ 40
Thiers (R.) AY 42
Tourniquet (R. du) AZ 43
Verdun (Av. de) BZ 44
Victor-Hugo (R.) BY 45
Vieux-Fourneau (R. du) BY 46
Yvers (R.) BY 48

Noël-Cerneux *25* 163 CK45
Noëllet *49* 127 AD39
Noërs *54* 44 CA19
Les Noës *42* 211 BO57
Les Noës-près-Troyes *10* 90 BP32
Nœux-lès-Auxi *62* 12 BC11
Nœux-les-Mines *62* 8 BF8
Nogaret *31* 318 AZ86
Nogaro *32* 295 AK83
Nogent *52* 117 BZ35
Nogent-en-Othe *10* 114 BO34
Nogent-l'Abbesse *51* 41 BQ22
Nogent-l'Artaud *02* 60 BK25
Nogent-le-Bernard *72* 108 AP33
Nogent-le-Phaye *28* 86 AX31
Nogent-le-Roi *28* 57 AX28
Nogent-le-Rotrou *28* 84 AR32
Nogent-le-Sec *27* 56 AT25
Nogent-lès-Montbard *21* 137 BS40
Nogent-sur-Aube *10* 91 BR30
Nogent-sur-Eure *28* 86 AW31
Nogent-sur-Loir *72* 130 AO39
Nogent-sur-Marne *94* 58 BE26
Nogent-sur-Oise *60* 38 BE21
Nogent-sur-Seine *10* 89 BL30
Nogent-sur-Vernisson *45* 134 BG37
Nogentel *02* 60 BL24
Nogna *39* 196 CC51
Noguères *64* 313 AF87
Nohan *08* 27 BV14
Nohanent *63* 209 BI60
Nohant-en-Goût *18* 173 BF46
Nohant-en-Graçay *18* 154 AZ45
Nohant-Vic *36* 189 BA51
Nohèdes *66* 341 BC96
Nohic *82* 298 AW81
Noidan *21* 158 BS43
Noidans-le-Ferroux *70* 140 CE40
Noidans-lès-Vesoul *70* 141 CF39
Noidant-Chatenoy *52* 139 BZ38
Noidant-le-Rocheux *52* 139 BZ37
Noilhan *32* 296 AR85
Nointel *95* 38 BC23
Nointel *60* 38 BE20
Nointot *76* 19 AP18
Noir (Lac) *68* 120 CM33
Noircourt *02* 25 BP17
Noirefontaine *25* 163 CK42
Noirémont *60* 22 BC18
Noirétable *42* 211 BO60
Noirlac (Abbaye de) *18* 173 BE50
Noirlieu *79* 167 AI47
Noirlieu *51* 63 BV25
Noirmoutier-en-l'Ile *85* 164 U46
Noiron *70* 161 CC42
Noiron-sous-Gevrey *21* 160 BY44
Noiron-sur-Bèze *21* 160 BZ42
Noiron-sur-Seine *21* 115 BT36
Noironte *25* 161 CD43
Noirpalu *50* 51 AC26
Noirterre *79* 167 AI48
Noirval *08* 43 BV19
Noiseau *94* 58 BE27
Noisiel *77* 59 BF26
Noisseville *57* 45 CF22
Noisy-le-Grand *93* 58 BE26
Noisy-le-Roi *78* 58 BB26
Noisy-le-Sec *93* 58 BE26
Noisy-Rudignon *77* 88 BH32
Noisy-sur-École *77* 88 BE32
Noisy-sur-Oise *95* 38 BD23
Noizay *37* 152 AS42
Noizé *79* 168 AK48
Nojals-et-Clotte *24* 258 AQ72
Nojeon-en-Vexin *27* 37 AX21
Nolay *58* 156 BK45
Nolay *21* 177 BU47
Nolléval *76* 37 AX19
Nollieux *42* 211 BQ60
Nomain *59* 9 BJ8
Nomdieu *47* 275 AO79
Nomécourt *52* 92 BX30
Nomeny *54* 65 CF25
Nomexy *88* 95 CH32
Nommay *25* 142 CL40
Nompatelize *88* 96 CK31
Nonac *16* 221 AL64
Nonancourt *27* 56 AU27
Nonant *14* 33 AH21
Nonant-le-Pin *61* 54 AN28
Nonards *19* 243 AZ69
Nonaville *16* 220 AK63
Noncourt-sur-le-Rongeant *52* 93 BY31
Nonette *63* 228 BK64
Nonglard *74* 215 CF58
Nonhigny *54* 96 CK29
Les Nonières *26* 268 CC71
Nonières *07* 248 BU70
Nonsard *55* 65 CC25
Nontron *24* 222 AQ63
Nonville *88* 118 CE34
Nonville *77* 112 BG33
Nonvilliers-Grandhoux *28* 85 AU32
Nonza *2B* 345 FF102
Nonzeville *88* 95 CJ32
Noordpeene *59* 3 BD4
Nordausques *62* 3 BB4
Nordheim *67* 68 CP27
Nordhouse *67* 97 CQ29
Nore (Pic de) *11* 320 BE87
Noreuil *62* 13 BH12
Norges-la-Ville *21* 160 BX42
La Norma *73* 252 CL66
Normandel *61* 55 AR28
Normandie (Pont de) *14* 34 AO20
Normanville *76* 19 AQ17
Normanville *27* 56 AU24
Normée *51* 61 BP27
Normier *21* 159 BT43
Norolles *14* 34 AN22
Noron-la-Poterie *14* 32 AG22
Noron-l'Abbaye *14* 53 AK25
Noroy *60* 38 BE20
Noroy-le-Bourg *70* 141 CH39
Noroy-lès-Jussey *70* 140 CD37
Noroy-sur-Ourcq *02* 40 BJ22
Norrent-Fontes *62* 7 BD7
Norrey-en-Auge *14* 54 AM25
Norrey-en-Bessin *14* 33 AI22
Norrois *51* 62 BU28
Norroy *88* 118 CD33
Norroy-le-Sec *54* 45 CC21
Norroy-le-Veneur *57* 45 CE22
Norroy-lès-Pont-à-Mousson *54* 65 CE25
Nort-Leulinghem *62* 3 BB5
Nort-sur-Erdre *44* 147 AA41
Nortkerque *62* 3 BB4
La Norville *91* 87 BC29
Norville *76* 35 AQ19
Nossage-et-Bénévent *05* 287 CE76
Nossoncourt *88* 95 CJ30
Nostang *56* 123 N37
Noth *23* 188 AX55
Nothalten *67* 97 CO31
Notre-Dame-d'Aiguebelle (Abbaye de) *26* 267 BX75
Notre-Dame-d'Aliermont *76* 20 AV15
Notre-Dame-d'Allençon *49* 149 AI43
Notre-Dame-d'Aurès *12* 281 BG78
Notre-Dame d'Ay (Sanctuaire de) *07* 248 BV67
Notre-Dame-de-Bellecombe *73* 216 CJ59
Notre-Dame-de-Bliquetuit *76* 35 AR19
Notre-Dame-de-Boisset *42* 211 BR58
Notre-Dame-de-Bondeville *76* 36 AT19
Notre-Dame-de-Briançon *73* 234 CJ62
Notre-Dame de Buglose *40* 293 AC82
Notre-Dame-de-Cenilly *50* 51 AC24
Notre-Dame de Clausis *05* 271 CN72
Notre-Dame-de-Commiers *38* 250 CD68
Notre-Dame-de-Courson *14* 54 AO24
Notre-Dame-de-Fresnay *14* 54 AM25
Notre-Dame-de-Garaison *65* 316 AO89
Notre-Dame-de-Grace *44* 126 X40
Notre-Dame-de-Gravenchon *76* 35 AQ19
Notre-Dame de Kérinec (Chapelle) *29* 99 F33
Notre-Dame-de-la-Cour *22* 73 Q28
Notre-Dame de la Gorge *74* 216 CL59
Notre-Dame-de-la-Grainetière (Abbaye de) *85* 166 AD48
Notre-Dame-de-la-Mer (Chapelle) *78* 57 AX24
Notre-Dame-de-la-Rouvière *30* 283 BO80
Notre-Dame-de-la-Salette *38* 251 CG70
Notre Dame de la Serra (Belvédère de) *2B* 346 FB105
Notre-Dame-de-l'Aillant *71* 176 BQ46
Notre-Dame-de-Laus *05* 269 CH74
Notre-Dame-de-l'Espérance *22* 73 R27
Notre-Dame-de-l'Isle *27* 36 AW23
Notre-Dame-de-Livaye *14* 34 AM23
Notre-Dame-de-Livoye *50* 52 AD27
Notre-Dame-de-Londres *34* 302 BO82
Notre-Dame-de-Lorette *62* 8 BF9
Notre-Dame de l'Ormeau (Chapelle) *83* 308 CM83
Notre-Dame-de-l'Osier *38* 250 CB66
Notre-Dame de Lure (Monastère de) *04* 287 CE78
Notre-Dame-de-Mésage *38* 251 CE68
Notre-Dame-de-Montplacé (Chapelle) *49* 129 AK40
Notre-Dame-de-Monts *85* 164 V48
Notre-Dame-de-Piétat (Chapelle de) *64* 314 AH89
Notre-Dame-de-Riez *85* 164 W49
Notre-Dame-de-Sanilhac *24* 240 AQ68
Notre-Dame-de-Timadeuc (Abbaye de) *56* 102 R34
Notre-Dame-de-Tréminou (Chapelle) *29* 99 F35
Notre-Dame-de-Tronoën *29* 99 F35
Notre-Dame de Valvert (Chapelle de) *04* 288 CL80
Notre-Dame-de-Vaulx *38* 251 CE69
Notre-Dame de Vie (Ermitage) *06* 309 CO84
Notre-Dame-d'Elle *50* 32 AF23
Notre-Dame-d'Épine *27* 35 AQ22
Notre-Dame-des-Anges (Prieuré) *83* 328 CJ87
Notre-Dame-des-Dombes (Abbaye de) *01* 213 BY57
Notre-Dame des Fontaines (Chapelle) *06* 291 CT78
Notre-Dame-des-Landes *44* 147 Y42
Notre-Dame-des-Millières *73* 234 CI61
Notre-Dame-des-Misères (Chapelle de) *82* 278 AW79
Notre-Dame-d'Estrées *14* 34 AM23
Notre-Dame-d'Igny (Abbaye) *51* 41 BN22
Notre-Dame-d'Oé *37* 151 AQ42
Notre-Dame-d'Or *86* 168 AL49
Notre-Dame-du-Bec *76* 18 AN18
Notre-Dame-du-Crann (Chapelle) *29* 76 K32
Notre-Dame-du-Cruet *73* 234 CI64
Notre-Dame-du-Groseau (Chapelle) *84* 285 BZ78
Notre-Dame-du-Guildo *22* 50 V28
Notre-Dame-du-Hamel *27* 55 AP26
Notre-Dame du Haut (Chapelle) *22* 78 S31
Notre-Dame-du-Mai (Chapelle) *83* 327 CF90
Notre-Dame-du-Parc *76* 20 AU16
Notre-Dame-du-Pé *72* 129 AJ38
Notre-Dame-du-Pré *73* 234 CK62
Notre-Dame-du-Rocher *61* 53 AJ27
Notre-Dame-du-Touchet *50* 81 AE29
Nottonville *28* 110 AX34
La Nouaille *23* 207 BB60
Nouaillé-Maupertuis *86* 186 AO52
Nouainville *50* 29 AA17
Nouan-le-Fuzelier *41* 154 BA41
Nouan-sur-Loire *41* 132 AX39
Nouans *72* 107 AN33
Nouans-les-Fontaines *37* 153 AV45
Nouart *08* 43 BW19
Nouâtre *37* 169 AP46
La Nouaye *35* 103 X33
La Noue *51* 60 BM27
La Noue *17* 200 AA56
Noueilles *31* 318 AW87
Nougaroulet *32* 296 AQ83
Nouhant *23* 190 BD55
Nouic *87* 205 AS57
Nouilhan *65* 315 AK86
Les Nouillers *17* 201 AF58
Nouillonpont *55* 44 CB20
Nouilly *57* 45 CF22
Noulens *32* 295 AL82
Nourard-le-Franc *60* 38 BD19
Nourray *41* 131 AT39
Nousse *40* 293 AD83
Nousseviller-lès-Bitche *57* 48 CN22
Nousseviller-Saint-Nabor *57* 47 CL22
Nousty *64* 314 AI88
Nouvelle-Église *62* 3 BB3
Nouvion-en-Ponthieu *80* 11 AZ11
Le Nouvion-en-Thiérache *02* 15 BN13
Nouvion-et-Catillon *02* 24 BL17
Nouvion-le-Comte *02* 24 BL17
Nouvion-le-Vineux *02* 40 BM19
Nouvion-sur-Meuse *08* 26 BU17
Nouvoitou *35* 104 AA35
Nouvron-Vingré *02* 40 BJ20
Nouzerines *23* 189 BB54
Nouzerolles *23* 189 AY54
Nouziers *23* 189 BA53
Nouzilly *37* 152 AR41
Nouzonville *08* 26 BU15
Novacelles *63* 228 BN64
Novalaise *73* 233 CE62
Novale *2B* 347 FG107
Novéant-sur-Moselle *57* 65 CE24
Novel *74* 198 CL53
Novella *2B* 345 FE104
Noves *13* 304 BX81
Noviant-aux-Prés *54* 65 CD26
Novillard *90* 142 CM39
Novillars *25* 162 CF43
Novillers *60* 38 BC22
Novion-Porcien *08* 26 BS18
Novy-Chevrières *08* 26 BS18
Noyal *22* 78 T30
Noyal-Châtillon-sur-Seiche *35* 104 Z34
Noyal-Muzillac *56* 125 T39
Noyal-Pontivy *56* 102 Q34
Noyal-sous-Bazouges *35* 80 Z30
Noyal-sur-Brutz *44* 127 AB38
Noyal-sur-Vilaine *35* 104 AA34
Noyales *02* 24 BL15

Noyalo 56	124 R39	Nueil-sous-Faye 86	169 AN47
Noyant 49	150 AM41	Nueil-sur-Argent 79	167 AG47
Noyant-d'Allier 03	191 BJ53	Nueil-sur-Layon 49	149 AI45
Noyant-de-Touraine 37	151 AP45	Nuelles 69	212 BU59
Noyant-et-Aconin 02	40 BK21	Nuillé-le-Jalais 72	108 AP35
Noyant-la-Gravoyère 49	127 AE38	Nuillé-sur-Ouette 53	106 AH35
Noyant-la-Plaine 49	149 AI43	Nuillé-sur-Vicoin 53	105 AF35
Noyarey 38	250 CD66	Nuits 89	137 BB39
Noyelle-Vion 62	13 BE10	Nuits-Saint-Georges 21	160 BX45
Noyelles-en-Chaussée 80	11 BA11	Nuisement-sur-Coole 51	62 BR26
Noyelles-Godault 62	8 BH9	Nullemont 76	21 AY16
Noyelles-lès-Humières 62	7 BC9	Nully 52	92 BV31
Noyelles-lès-Seclin 59	8 BI7	Nuncq 62	12 BC10
Noyelles-lès-Vermelles 62	8 BF8	Nuret-le-Ferron 36	171 AW50
Noyelles-sous-Bellonne 62	14 BI10	Nurieux-Volognat 01	214 CB56
Noyelles-sous-Lens 62	8 BG9	Nurlu 80	14 BI13
Noyelles-sur-Escaut 59	14 BJ12	Nuzéjouls 46	259 AV74
Noyelles-sur-Mer 80	11 AY11	Nyer 66	341 BC96
Noyelles-sur-Sambre 59	15 BN12	Nyoiseau 49	127 AE38
Noyelles-sur-Selle 59	14 BK10	Nyons 26	285 BZ76
Noyellette 62	13 BF10		
Noyen-sur-Sarthe 72	129 AK37		
Noyen-sur-Seine 77	89 BK31	**O**	
Le Noyer 14	34 AO20		
Le Noyer 73	233 CG61	O (Château d') 61	54 AM28
Le Noyer 18	155 BF43	Obenheim 67	97 CQ30
Le Noyer 05	269 CG72	Oberbronn 67	68 CP24
Le Noyer (Col du) 05	269 CG72	Oberbruck 68	142 CL37
Le Noyer-en-Ouche 27	55 AR24	Oberdorf 68	143 CO39
Noyers 89	137 BP39	Oberdorf-Spachbach 67	69 CR24
Noyers 52	117 CA35	Oberdorff 57	46 CI21
Noyers 45	134 BE37	Oberentzen 68	121 CO35
Noyers 27	37 AV22	Obergailbach 57	47 CM22
Noyers-Bocage 14	33 AI23	Oberhaslach 67	97 CO28
Noyers-le-Val 55	63 BW26	Oberhausbergen 67	97 CO28
Noyers-Pont-Maugis 08	27 BV17	Oberhergheim 68	121 CO35
Noyers-Saint-Martin 60	22 BC18	Oberhoffen-	
Noyers-sur-Cher 41	153 AW44	lès-Wissembourg 67	69 CS23
Noyers-sur-Jabron 04	287 CF78	Oberhoffen-sur-Moder 67	69 CR26
Noyon 60	23 BI18	Oberkutzenhausen 67	69 CR24
Nozay 91	58 BC28	Oberlarg 68	143 CO41
Nozay 44	126 Z40	Oberlauterbach 67	69 CT24
Nozay 10	91 BQ30	Obermodern 67	69 CP25
Nozeroy 39	180 CF49	Obermorschwihr 68	121 CO34
Nozières 18	173 BD50	Obermorschwiller 68	143 CO38
Nozières 07	248 BN53	Obernai 67	97 CP29
Nuaillé 49	149 AF45	Oberroedern 67	69 CS24
Nuaillé-d'Aunis 17	183 AE55	Obersaasheim 68	121 CQ35
Nuaillé-sur-Boutonne 17	201 AH57	Oberschaeffolsheim 67	97 CO28
Nuars 58	157 BN42	Obersoultzbach 67	68 CO25
Nubécourt 55	63 BY24	Obersteigen 67	68 CN27
Nuces 12	262 BE75	Obersteinbach 67	68 CQ23
Nucourt 95	37 AZ23		
Nueil-les-Aubiers 79	167 AG47		

Oberstinzel 57	67 CL26	Offranville 76	20 AT15
Obervisse 57	46 CI22	Offrethun 62	2 AY5
Obies 59	15 BN10	Offroicourt 88	94 CE32
Objat 19	241 AV66	Offwiller 67	68 CP24
Oblinghem 62	8 BF7	Ogenne-Camptort 64	313 AE87
Obrechies 59	15 BP11	Oger 51	61 BP25
Obreck 57	66 CI25	Ogeu-les-Bains 64	314 AG89
Obsonville 77	112 BE33	Ogéviller 54	95 CJ29
Obterre 36	170 AT48	Ogliastro 2B	345 FF102
Obtrée 21	115 BT36	Ognes 60	39 BG23
Ocana 2A	348 FD111	Ognes 51	61 BO28
Occagnes 61	54 AL27	Ognes 02	24 BJ18
Occey 52	139 BZ40	Ognéville 54	94 CE30
Occhiatana 2B	346 FD105	Ognolles 60	23 BH17
Occoches 80	12 BC12	Ognon 60	39 BF22
Ochancourt 80	11 AY12	Ogy 57	66 CG23
Oches 08	43 BW19	Ohain 59	16 BQ13
Ochey 54	94 CD29	Oherville 76	19 AR16
Ochiaz 01	214 CD56	Ohis 02	25 BP14
Ochtezeele 59	3 BD4	Ohlungen 67	68 CQ25
Ocquerre 77	59 BI24	Ohnenheim 67	97 CP32
Ocqueville 76	19 AR16	L'Oie 85	166 AC48
Octeville 50	29 AA17	Oigney 70	140 CD38
Octeville-l'Avenel 50	29 AC18	Oignies 62	8 BH8
Octeville-sur-Mer 76	18 AN18	Oigny 21	138 BV40
Octon 34	301 BL84	Oigny 41	109 AS35
Odars 31	298 AX85	Oigny-en-Valois 02	40 BJ22
Odeillo 66	341 BA97	Oingt 69	212 BU58
Odenas 69	212 BV57	Oinville-Saint-Liphard 28	111 BA33
Oderen 67	120 CL36	Oinville-sous-Auneau 28	86 AY50
Odival 52	117 BZ35	Oinville-sur-Montcient 78	57 AZ24
Odomez 59	9 BL8	Oiron 79	168 AK47
Odos 65	315 AK89	Oiry 51	61 BP24
Odratzheim 67	97 CP28	Oiselay-et-Grachaux 70	161 CE42
Oeillon (Crêt de l') 42	230 BV64	Oisemont 80	11 AZ14
Œlleville 88	94 CE31	Oisilly 21	160 CA42
Oermingen 67	67 CM24	Oisly 41	153 AV42
Œting 57	47 CK22	Oison 45	111 BA34
Œtre (Roche d') 61	33 AJ26	Oisseau 53	82 AG31
Œuf-en-Ternois 62	7 BC9	Oisseau-le-Petit 72	83 AM32
Œuilly 51	61 BN24	Oissel 76	36 AU21
Œuilly 02	41 BN20	Oissery 77	59 BG24
Œutrange 57	45 CE19	Oissy 80	22 BB14
Œey 55	93 BZ28	Oisy 59	9 BL9
Oeyregave 40	292 AB85	Oisy 58	157 BL41
Oeyreluy 40	292 AB83	Oisy 02	15 BM13
Offekerque 62	3 BB3	Oisy-le-Verger 62	14 BI11
Offemont 90	142 CL38	Oizé 72	129 AM38
Offendorf 67	69 CS26	Oizon 18	155 BE42
Offignies 80	21 AZ16	OK Corral	
Offin 62	6 BA8	(Parc d'attractions) 13	327 CE88
Offlanges 39	161 CB44	Olargues 34	300 BH85
Offoy 80	23 BI16	Olby 63	227 BH61
Offoy 60	22 BB17	Olcani 2B	345 FF102

Oléac-Debat 65	315 AL88	Omey 51	62 BT26
Oléac-Dessus 65	315 AL89	Omicourt 08	27 BV17
Olemps 12	280 BE76	Omiécourt 80	23 BG16
Olendon 14	53 AK25	Omissy 02	24 BK15
Oléron (Île d') 17	200 AB59	Omméel 61	54 AN27
Oléron (Viaduc d') 17	200 AB59	Ommeray 57	67 CJ27
Olette 2B	345 FF104	Ommoy 61	54 AL26
Olette 66	341 BC96	Omont 08	26 BU18
Olhain (Château d') 62	8 BF9	Omonville 76	20 AT16
Olivese 2A	349 FE112	Omonville-la-Petite 50	28 Y16
Olivet 53	105 AF34	Omonville-la-Rogue 50	28 Y16
Olivet 45	133 AZ37	Omps 15	243 BC70
Ognéville 54	94 CE30	Oms 66	342 BG96
Olizy 51	41 BN23	Onans 25	142 CJ40
Olizy 08	42 BU20	Onard 40	293 AD82
Olizy-sur-Chiers 55	27 BY18	Onay 70	161 CC42
Ollainville 91	87 BC29	Oncieu 01	214 CB58
Ollainville 88	94 CC32	Oncourt 88	95 CH32
Ollans 25	162 CG41	Oncy-sur-École 91	88 BE31
Ollé 28	85 AV31	Ondefontaine 14	53 AH24
Ollencourt 60	38 BI19	Ondes 31	297 AU83
Olley 54	45 CC22	Ondres 40	292 Y84
Olizy 02	8 BJ16	Ondreville-sur-Essonne 45	111 BD33
Les Ollières 74	215 CH57	Onesse-et-Laharie 40	272 AB79
Ollières 83	306 CF85	Onet-le-Château 12	280 BE76
Les Ollières-		Oneux 80	11 BA12
sur-Eyrieux 07	266 BV71	Ongles 04	287 CE79
Olliergues 63	228 BN61	Onglières 39	180 CF48
Ollioules 83	327 CF89	Onival 80	10 AW12
Olloix 63	227 BI62	Onjon 10	91 BR31
Les Olmes 69	212 BU59	Onlay 58	176 BP47
Olmet 63	228 BN61	Onnaing 59	9 BM9
Olmet-et-Villecun 34	301 BL83	Onnion 74	198 CJ55
Olmeta-di-Capocorso 2B	345 FF102	Onoz 39	196 CC52
Olmeta-di-Tuda 2B	345 FF104	Ons-en-Bray 60	37 BA20
Olmeto 2A	348 FD113	Ontex 73	215 CE60
Olmi-Cappella 2B	346 FD105	Onville 54	65 CD24
Olmiccia 2A	349 FE113	Onvillers 80	23 BF18
Olmo 2B	347 FG105	Onzain 41	152 AU41
Olonne-sur-Mer 85	182 X51	Oô 31	334 AO93
Olonzac 34	320 BG88	Oost-Cappel 59	4 BF3
Oloron-Sainte-Marie 64	331 AF89	Opio 06	309 CD73
Ols-et-Rinhodes 12	261 BA75	Opme 63	227 BJ61
Olwisheim 67	68 CQ27	Opoul-Périllos 66	338 BH93
Omaha Beach 14	32 AG20	Oppède 84	305 CA82
Omblèze 26	250 CA70	Oppède-le-Vieux 84	305 BZ82
Omécourt 60	21 AZ18	Oppedette 04	286 CD80
Omelmont 54	94 CF29	Oppenans 70	141 CH39
Les Omergues 04	286 CD78	Oppy 62	13 BH10
Omerville 95	37 AY23	Optevoz 38	214 CA60
Omessa 2B	347 FF107	Or (Mont d') 25	180 CH49
Omet 33	256 AI73	Oraàs 64	311 AC86
Omex 65	332 AJ90	Oradour 16	202 AK59
		Oradour 15	245 BH70

ORLÉANS

Antigna (R.)	DY 4
Bannier (R.)	DY
Brothereau (R. R.)	FY 14
Bourgogne (Fg de)	FZ 15
Bourgogne (R. de)	EFZ
Brésil (R. du)	FY 16
Bretonnerie (R. de la)	DEY 17
Briand (Bd A.)	FY 19
Champ-de-Mars (Av.)	DZ 25
Charpenterie (R. de la)	EZ 34
Châtelet (Square du)	EZ 32
Chollet (R. Théophile)	EY 36
Claye (R. de la)	FY 38
Coligny (R.)	FZ 39
Croix-de-la-Pucelle (R.)	EZ 43
Dauphine (Av.)	EZ 47
Dolet (R. Étienne)	EZ 49
Folie (R. de la)	FZ 58
Fort-des-Tourelles (Q.)	EZ 60
Gaulle (Pl. du Gén.-de)	DZ 65
Hallebarde (R. de la)	DY 70
Hôtelleries (R. des)	EZ 71
Jeanne d'Arc (R.)	EY
Lin (R. au)	EZ 81
Loire (Pl. de la)	EZ 85
Madeleine (R. Fg)	DZ 88
Manufacture (R. de la)	FY 89
Motte-Sanguin (Bd de la)	FZ 95
N.-D.-de-Recouvrance (R.)	DZ 97
Oriflamme (R. de l')	FZ 98
Parisie (R.)	EZ 100
Poirier (R. du)	EZ 106
Pothier (R.)	EZ 112
Prague (Quai)	DZ 113
Pressoir (R. du)	FY 115
Ste-Madeleine (R.)	DY 108
Ste-St-Jean (R.)	DY 109
Sabier (R. F.)	EY 117
République (Pl.)	EZ 121
République (R. de la)	EY
Roquet (R.)	EZ 124
Sainte-Catherine (R.)	EZ 125
Sainte-Croix (Pl.)	EYZ
St-Euverte (Bd)	FYZ 126
St-Euverte (R.)	FY 127
Secrétain (Av. R.)	DZ 140
Segellé (Bd P.)	FY 141
Tabour (R. du)	EZ 145
Tour Neuve (R. de la)	EZ 147
Verdun (Bd de)	DY 152
Vieux-Marché (Pl.)	DZ 159
Weiss (R. L.)	FY 160
6-Juin 1944 (Pl. du)	FY 162

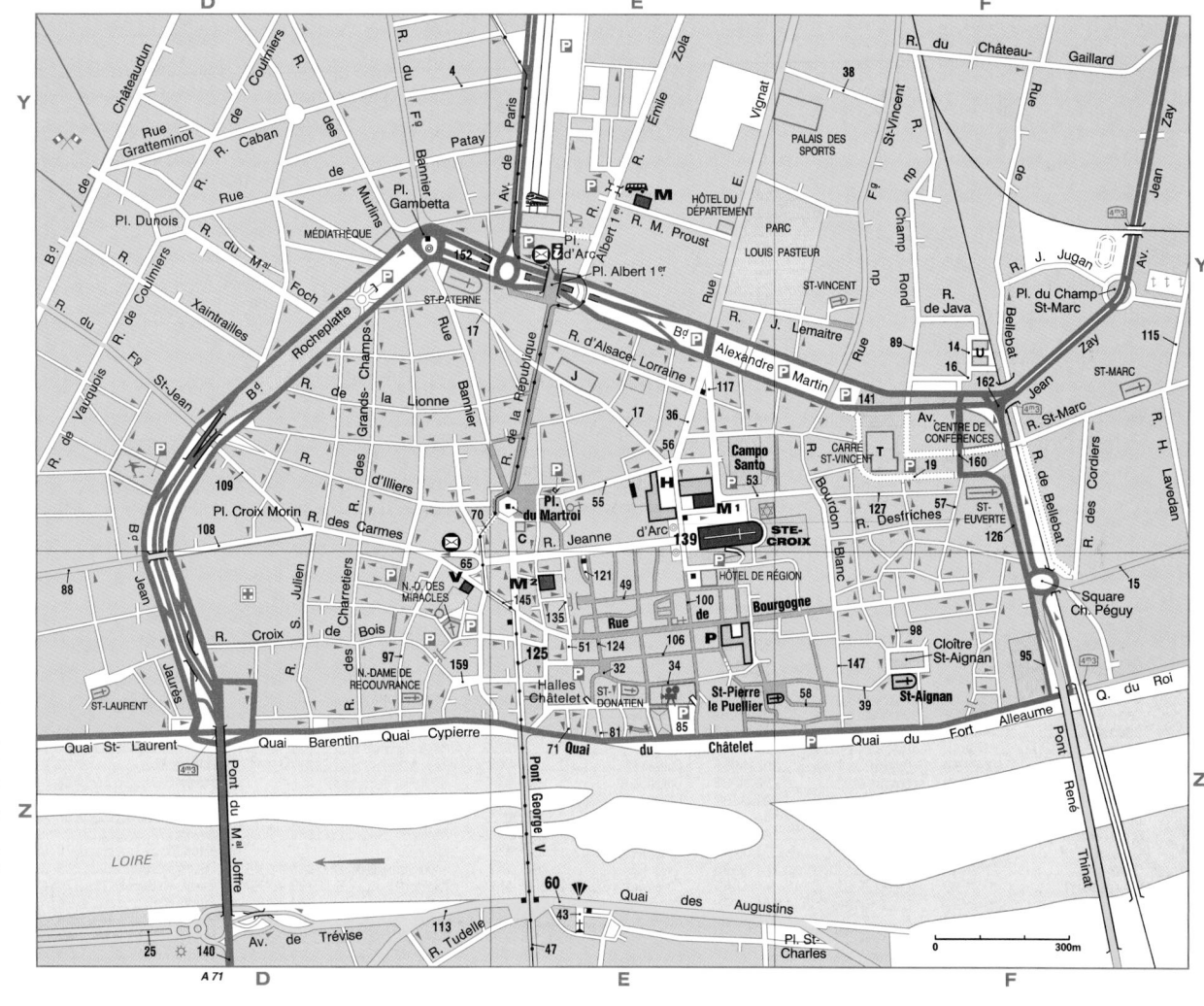

Oradour-Fanais 16 ..... 204 AR57
Oradour-Saint-Genest 87 .... 187 AT55
Oradour-sur-Glane 87 .... 205 AT59
Oradour-sur-Vayres 87 ..... 222 AR61
Orain 21 ..... 139 CA40
Orainville 02 ..... 41 BP20
Oraison 04 ..... 287 CG80
Orange 84 ..... 285 BX78
Orbagna 39 ..... 196 CB51
Orbais-l'Abbaye 51 ..... 61 BN25
Orban 81 ..... 299 BB82
Orbec 14 ..... 55 AP24
Orbeil 63 ..... 228 BK63
Orbessan 32 ..... 296 AP85
Orbey 68 ..... 120 CN33
Orbigny 37 ..... 152 AU44
Orbigny-au-Mont 52 ..... 139 CA37
Orbigny-au-Val 52 ..... 139 CA37
Orbois 14 ..... 33 AH23
L'Orbrie 85 ..... 184 AF52
Orçay 41 ..... 154 BB44
Orcemont 78 ..... 86 AZ29
Orcenais 18 ..... 173 BD50
Orcet 63 ..... 227 BJ61
Orcevaux 52 ..... 139 BZ38
Orchaise 41 ..... 131 AU40
Orchamps 39 ..... 161 CC45
Orchamps-Vennes 25 ..... 163 CJ45
Orches 86 ..... 169 AN48
Orchies 59 ..... 9 BJ8
Orcier 74 ..... 198 CJ54
Orcières 05 ..... 270 CI72
Orcinas 26 ..... 267 BZ74
Orcines 63 ..... 209 BI60
Orcival 63 ..... 227 BH61
Orconte 51 ..... 62 BU28
Ordan-Larroque 32 ..... 296 AO83
Ordiarp 64 ..... 331 AC89
Ordizan 65 ..... 333 AL90
Ordonnac 33 ..... 219 AE65
Ordonnaz 01 ..... 214 CC59
Ore 31 ..... 334 AP91
Orègue 64 ..... 311 AB86
Oreilla 66 ..... 341 BC96
Orelle 73 ..... 252 CK66
Oresmaux 80 ..... 22 BC16
Orezza (Couvent d') 2B ... 347 FG106
Organ 65 ..... 316 AO88
Orgeans 25 ..... 163 CK43
Orgedeuil 16 ..... 221 AO61
Orgeix 09 ..... 341 AZ95
Orgelet 39 ..... 196 CC52
Orgères 61 ..... 54 AO27
Orgères 35 ..... 104 Z35
Orgères-en-Beauce 28 ..... 110 AY34
Orgères-la-Roche 53 ..... 83 AK29
Orgerus 78 ..... 85 AY26
Orges 52 ..... 116 BW34
Orgeux 21 ..... 160 BY42
Orgeval 78 ..... 57 BA25
Orgeval 02 ..... 41 BN19
Orgibet 09 ..... 334 AR92
Orglandes 50 ..... 29 AB19
Orgnac (Aven d') 07 ..... 284 BT76
Orgnac-l'Aven 07 ..... 284 BT77
Orgnac-sur-Vézère 19 ..... 224 AW65
Orgon 13 ..... 305 BZ82
Orgueil 82 ..... 297 AV81
Oricourt 70 ..... 141 CH39
Orient (Forêt d') 10 ..... 91 BS32
Orieux 65 ..... 315 AM88
Orignac 65 ..... 333 AL90
Origné 53 ..... 106 AG36
Origne 33 ..... 255 AG74
Orignolles 17 ..... 238 AJ66
Origny 21 ..... 138 BU39
Origny-en-Thiérache 02 ..... 25 BP14
Origny-le-Butin 61 ..... 84 AP31
Origny-le-Roux 61 ..... 84 AO32
Origny-le-Sec 10 ..... 90 BN30
Origny-Sainte-Benoite 02 ... 24 BL15
Orin 64 ..... 313 AE88
Orincles 65 ..... 333 AK90
Oriocourt 57 ..... 66 CH25
Oriol-en-Royans 26 ..... 250 CA69
Oriolles 16 ..... 220 AJ65
Orion 64 ..... 313 AD86
Oris-en-Rattier 38 ..... 251 CF69
Orist 40 ..... 292 AA84
Orival 80 ..... 21 AZ16
Orival 76 ..... 36 AT21
Orival 16 ..... 239 AL66
Orléans 45 ..... 133 AZ37
Orléat 63 ..... 210 BL59
Orleix 65 ..... 315 AL88
Orliac 24 ..... 259 AT72
Orliac-de-Bar 19 ..... 224 AY65
Orliaguet 24 ..... 241 AV70
Orliénas 69 ..... 230 BV61
Orlu 28 ..... 87 BA32
Orlu 09 ..... 341 AZ95
Orly 94 ..... 58 BD27
Orly-sur-Morin 77 ..... 60 BJ26
Ormancey 52 ..... 117 BY36
Ormeaux 77 ..... 59 BI28
Ormenans 70 ..... 162 CG41
Ormersviller 57 ..... 48 CN22
Les Ormes 89 ..... 135 BK37
Les Ormes 86 ..... 169 AO47
Ormes 71 ..... 195 BX51
Ormes 51 ..... 41 BP22

Ormes 45 ..... 110 AZ36
Ormes 27 ..... 56 AT24
Ormes 10 ..... 91 BO29
Ormes-et-Ville 54 ..... 94 CF30
Les Ormes-sur-Voulzie 77 ... 89 BJ30
Ormesson 77 ..... 112 BF33
Ormesson-sur-Marne 94 ..... 58 BE27
Ormoy 91 ..... 88 BE29
Ormoy 89 ..... 114 BM36
Ormoy 70 ..... 118 CE36
Ormoy 28 ..... 86 AW29
Ormoy-la-Rivière 91 ..... 87 BB31
Ormoy-le-Davien 60 ..... 39 BH22
Ormoy-lès-Sexfontaines 52 ... 116 BX33
Ormoy-sur-Aube 52 ..... 116 BW35
Ormoy-Villers 60 ..... 39 BG22
Ornacieux 38 ..... 231 BZ64
Ornaisons 11 ..... 320 BH85
Ornans 25 ..... 162 CG45
Ornel 55 ..... 44 CB21
Ornes 55 ..... 44 CA21
Ornex 01 ..... 197 CG54
Ornézan 32 ..... 296 AP85
Orniac 46 ..... 260 AX74
Ornolac-Ussat-les-Bains 09 ... 336 AX93
Ornon 38 ..... 251 CF68
Ornon (Col d') 38 ..... 251 CF68
Orny 57 ..... 65 CF24
Oroër 60 ..... 38 BB19
Oroix 65 ..... 314 AJ88
Oron 57 ..... 66 CH25
Oroux 79 ..... 168 AK50
Orphin 78 ..... 86 AZ29
Orpierre 05 ..... 287 CE76
Orquevaux 52 ..... 93 BZ32
Les Orres 05 ..... 270 CK74
Orret 21 ..... 138 BV40
Orriule 64 ..... 313 AD86
Orrouer 28 ..... 85 AV31
Orrouy 60 ..... 39 BH21
Orry-la-Ville 60 ..... 38 BE23
Ors 59 ..... 15 BM12
Orsan 30 ..... 284 BV78
Orsanco 64 ..... 311 AA87
Orsans 25 ..... 162 CH43
Orsans 11 ..... 319 BA89
Orsay 91 ..... 58 BC28
Orschwihr 68 ..... 120 CN35
Orschwiller 67 ..... 97 CO32
Orsennes 36 ..... 189 AY53
Orsinval 59 ..... 15 BM10
Orsonnette 63 ..... 228 BK64
Orsonville 78 ..... 86 AZ30
Ortaffa 66 ..... 343 BI96
Ortale 2B 347 FG107
Orthevielle 40 ..... 292 AB85
Orthez 64 ..... 293 AE85
Orthoux-Sérignac-Quilhan 30 ... 303 BQ81
Ortillon 10 ..... 91 BR30
Ortiporio 2B 347 FG106
Orto 2A 348 FD109
Ortoncourt 88 ..... 95 CI31
Orus 09 ..... 336 AW94
Orval 50 ..... 51 AB24
Orval 18 ..... 173 BE50
Orvault 44 ..... 147 Z43
Orvaux 27 ..... 56 AT25
Orve 25 ..... 163 CJ42
Orveau 91 ..... 87 BC31
Orveau-Bellesauve 45 ..... 111 BD33
Orville 21 ..... 12 BD12
Orville 61 ..... 54 AO26
Orville 45 ..... 111 BD33
Orville 36 ..... 154 AZ45
Orville 21 ..... 139 BY40
Orvillers-Sorel 60 ..... 23 BF18
Orvilliers 78 ..... 57 AY26
Orvilliers-Saint-Julien 10 ... 90 BO31
Orx 40 ..... 292 Z84
Os-Marsillon 64 ..... 313 AF86
Osani 2A 346 FA107
Osches 55 ..... 63 BY24
Osenbach 68 ..... 120 CN35
Oslon 71 ..... 177 BW49
Osly-Courtil 02 ..... 40 BJ20
Osmanville 14 ..... 32 AE20
Osmery 18 ..... 173 BF48
Osmets 65 ..... 315 AM88
Osmoy 78 ..... 57 AY26
Osmoy 18 ..... 173 BG46
Osmoy-Saint-Valery 76 ..... 20 AV16
Osne-le-Val 52 ..... 93 BY30
Osnes 08 ..... 27 BX17
Osny 95 ..... 58 BB24
L'Ospédale 2A 351 FF114
Osquich (Col d') 64 ..... 311 AB88
Ossages 40 ..... 293 AD85
Ossas-Suhare 64 ..... 331 AC89
Ossé 35 ..... 104 AB34
Osse 25 ..... 162 CG43
Osse-en-Aspe 64 ..... 331 AF91
Osséja 66 ..... 341 BA98
Osselle 25 ..... 161 CD45
Osselle (Grottes d') 25 ... 161 CD45
Ossen 65 ..... 332 AJ90
Ossenx 64 ..... 313 AD87
Osserain-Rivareyte 64 ..... 311 AC87

Ossès 64 ..... 311 Z88
Ossey-les-Trois-Maisons 10 ... 90 BN31
Ossun 65 ..... 314 AJ89
Ossun-ez-Angles 65 ..... 333 AK90
Ostabat-Asme 64 ..... 311 AA88
Ostel 02 ..... 40 BM20
Ostheim 68 ..... 121 CO33
Osthoffen 67 ..... 97 CP28
Osthouse 67 ..... 97 CQ30
Ostreville 62 ..... 7 BD9
Ostricourt 59 ..... 8 BI8
Ostwald 67 ..... 97 CQ28
Ota 2A 346 FD108
Othe 54 ..... 28 BZ17
Othis 77 ..... 59 BF24
Ottange 57 ..... 45 CD19
Ottersthal 67 ..... 68 CO26
Otterswiller 67 ..... 68 CO26
Ottmarsheim 68 ..... 143 CP37
Ottonville 57 ..... 46 CH21
Ottrott 67 ..... 97 CO29
Ottwiller 67 ..... 68 CN25
Ouagne 58 ..... 157 BL42
Ouainville 76 ..... 19 AQ16
Ouanne 89 ..... 136 BL39
Ouarville 28 ..... 86 AZ32
Les Oubeaux 14 ..... 32 AE21
Ouchamps 41 ..... 153 AV42
Ouches 42 ..... 211 BO58
Oucques 41 ..... 132 AW38
Oudalle 76 ..... 34 AO19
Oudan 58 ..... 156 BK43
Oudeuil 60 ..... 21 BB16
Oudezeele 59 ..... 3 BE4
Oudincourt 52 ..... 116 BX33
Oudon 44 ..... 148 AB42
Oudrenne 57 ..... 46 CG20
Oudry 71 ..... 193 BR51
Oueilloux 65 ..... 315 AL89
Ouerre 28 ..... 56 AW28
Ouessant (Ile d') 29 ..... 74 A28
Ouézy 14 ..... 34 AL23
Ouffières 14 ..... 53 AI24
Ouge 70 ..... 140 CC37
Ouges 21 ..... 160 BX44
Ougney 39 ..... 161 CC44
Ougney-Douvot 25 ..... 162 CH42
Ougny 58 ..... 175 BN46
Ouhans 25 ..... 180 CH46
Ouides 43 ..... 247 BO70
Ouillat (Col de l') 66 ... 343 BI97
Ouilly-du-Houley 14 ..... 34 AO23
Ouilly-le-Tesson 14 ..... 53 AK24
Ouilly-le-Vicomte 14 ..... 34 AN22
Ouistreham 14 ..... 33 AK21
Oulches 36 ..... 188 AV51
Oulches-la-Vallée-Foulon 02 ... 41 BN20
Oulchy-la-Ville 02 ..... 40 BK22
Oulchy-le-Château 02 ..... 40 BK22
Oulins 28 ..... 56 AW26
Oulles 38 ..... 251 CF68
Oullins 69 ..... 231 BW61
Oulmes 85 ..... 184 AG53
Oulon 58 ..... 157 BL45
Ounans 39 ..... 179 CC46
Oupia 34 ..... 320 BG88
Our 39 ..... 161 CC45
Ourcel-Maison 60 ..... 22 BC18
Ourches 26 ..... 267 BY71
Ourches-sur-Meuse 55 ..... 94 CC28
Ourde 65 ..... 334 AO92
Ourdis-Cotdoussan 65 ..... 333 AK91
Ourdon 65 ..... 333 AK91
Ourouër 58 ..... 174 BK46
Ourouer-les-Bourdelins 18 ... 173 BG48
Ouroux 69 ..... 194 BU55
Ouroux-en-Morvan 58 ..... 158 BP45
Ouroux-sous-le-Bois-Sainte-Marie 71 .. 194 B554
Ouroux-sur-Saône 71 ..... 177 BX50
Oursbelille 65 ..... 315 AK88
Ourscamps (Abbaye d') 60 ... 39 BH19
Les Oursinières 83 ..... 328 CI90
Ourtigas (Col de l') 34 ... 301 BI84
Ourton 62 ..... 7 BE8
Ourville-en-Caux 76 ..... 19 AQ16
Ousse 64 ..... 314 AI88
Ousse-Suzan 40 ..... 293 AD83
Oussières 39 ..... 179 CB47
Ousson-sur-Loire 45 ..... 134 BG40
Oussoy-en-Gâtinais 45 ..... 134 BF37
Oust 09 ..... 335 AU93
Oust-Marest 80 ..... 10 AW13
Ousté 65 ..... 333 AK90
Outarville 45 ..... 111 BA33
Outines 51 ..... 92 BU29
Outreau 62 ..... 6 AX6
Outrebois 80 ..... 12 BC11
Outremécourt 52 ..... 116 BU27
Outrepont 51 ..... 62 BU27
Outriaz 01 ..... 214 CC57
Outtersteene 59 ..... 4 BF5
Ouvans 25 ..... 162 CI43
Ouve-Wirquin 62 ..... 7 BB6
Ouveillan 11 ..... 321 BH85
Ouville 50 ..... 51 AC24
Ouville-la-Bien-Tournée 14 ... 54 AL24
Ouville-la-Rivière 76 ..... 20 AT15

Ouville-l'Abbaye 76 ..... 19 AS17
Ouvrouer-les-Champs 45 ... 133 BC38
Ouzilly 86 ..... 169 AO49
Ouzilly-Vignolles 86 ..... 168 AO48
Ouzouer-des-Champs 45 ... 134 BF37
Ouzouer-le-Doyen 41 ..... 109 AV36
Ouzouer-le-Marché 41 ..... 132 AX37
Ouzouer-sous-Bellegarde 45 ... 112 BE36
Ouzouer-sur-Loire 45 ..... 134 BE38
Ouzouer-sur-Trézée 45 ..... 134 BG39
Ouzous 05 ..... 332 AJ91
Ovanches 70 ..... 140 CE39
Ovillers-la-Boisselle 80 ... 13 BF13
Oxelaëre 59 ..... 3 BE5
Oxocelhaya et Isturits (Grottes d') 64 ... 311 AA87
Oyé 71 ..... 193 BR54
Oye-et-Pallet 25 ..... 180 CH48
Oye-Plage 62 ..... 3 BB3
Oyes 51 ..... 61 BN27
Oyeu 38 ..... 232 CB64
Oyonnax 01 ..... 196 CC55
Oyré 86 ..... 169 AO48
Oyrières 70 ..... 140 CB40
Oysonville 28 ..... 87 BA31
Oytier-Saint-Oblas 38 ..... 231 BY62
Oz 38 ..... 251 CG67
Ozan 01 ..... 195 BX53
Oze 05 ..... 269 CE74
Ozenay 71 ..... 195 BW52
Ozenx 64 ..... 313 AD86
Ozerailles 54 ..... 45 CC21
Ozeville 50 ..... 29 AC18
Ozières 52 ..... 117 CA33
Ozillac 17 ..... 219 AH64
Ozoir-la-Ferrière 77 ..... 59 BF27
Ozoir-le-Breuil 28 ..... 110 AW36
Ozolles 71 ..... 194 B554
Ozon 65 ..... 315 AM89
Ozon 07 ..... 249 BW67
Ozouer-le-Repos 77 ..... 88 BH29
Ozouer-le-Voulgis 77 ..... 59 BG28
Ozourt 40 ..... 293 AD83

P

Paars 02 ..... 40 BM21
Pabu 22 ..... 73 O28
La Pacaudière 42 ..... 211 BP56
Pacé 61 ..... 83 AL30
Pacé 35 ..... 104 Y33
Pact 38 ..... 231 BY65
Pacy-sur-Armançon 89 ..... 137 BQ38
Pacy-sur-Eure 27 ..... 56 AW24
Padern 11 ..... 338 BF93
Padiès 81 ..... 280 BD80
Padirac 46 ..... 260 AY71
Padirac (Gouffre de) 46 ... 260 AY71
Padoux 88 ..... 95 CI32
Pageas 87 ..... 223 AS61
Pagney 39 ..... 161 CC43
Pagney-derrière-Barine 54 ... 65 CD27
Pagnoz 39 ..... 179 CD47
Pagny-la-Blanche-Côte 55 ... 94 CC29
Pagny-la-Ville 21 ..... 178 BY46
Pagny-le-Château 21 ..... 178 BY46
Pagny-lès-Goin 57 ..... 65 CF24
Pagny-sur-Meuse 55 ..... 94 CC28
Pagny-sur-Moselle 54 ..... 65 CE24
Pagolle 64 ..... 311 AC88
Pailhac 65 ..... 333 AN92
Pailharès 07 ..... 248 BU68
Pailhères (Port de) 09 ... 337 BA94
Pailherols 15 ..... 244 BF70
Pailhès 34 ..... 321 BK86
Pailhès 09 ..... 335 AV90
Paillart 60 ..... 22 BD17
Paillé 17 ..... 202 AI58
Paillencourt 59 ..... 14 BJ11
Paillet 33 ..... 255 AH72
Pailloles 47 ..... 258 AP75
Pailly 89 ..... 89 BK32
Le Pailly 52 ..... 139 CA38
Paimbœuf 44 ..... 146 W43
Paimpol 22 ..... 73 P26
Paimpont 35 ..... 103 V34
Pain de Sucre 14 ..... 53 AI25
Painblanc 21 ..... 159 BU45
Pair-et-Grandrupt 88 ..... 96 CL32
Pairis 68 ..... 120 CM33
Paissy 02 ..... 41 BN20
Paisy-Cosdon 10 ..... 114 BN33
Paizay-le-Chapt 79 ..... 202 AJ57
Paizay-le-Sec 86 ..... 187 AR51
Paizay-le-Tort 79 ..... 202 AJ56
Paizay-Naudouin 16 ..... 203 AL57
Pajay 38 ..... 231 BZ65
le Pal (Parc d'attractions et animalier) 03 ... 192 BN52
Paladru 38 ..... 232 CC63
Palagaccio 2B 345 FG103
Palaggiu (Alignements de) 2A ... 350 FD115
Palairac 11 ..... 338 BF92
Le Palais 56 ..... 144 N42
Le Palais-sur-Vienne 87 ... 205 AV59
Palaiseau 91 ..... 58 BC28
Palaiseul 52 ..... 139 CA38

Palaja 11 ..... 319 BD89
Palaminy 31 ..... 317 AS89
Palante 70 ..... 142 CJ39
Palantine 25 ..... 161 CE45
Palasca 2B 344 FD104
Palau-de-Cerdagne 66 ... 341 BA98
Palau-del-Vidre 66 ..... 343 BI96
Palavas-les-Flots 34 ..... 303 BQ85
Palazinges 19 ..... 242 AY67
Paley 77 ..... 112 BH33
Palhers 48 ..... 265 BK74
Palinges 71 ..... 193 BR52
Pâlis 10 ..... 90 BN32
Palise 25 ..... 162 CF42
Palisse 19 ..... 225 BC64
Palladuc 63 ..... 210 BN59
Pallanne 32 ..... 295 AM85
Pallegney 88 ..... 95 CH32
Le Pallet 44 ..... 148 AB45
La Pallice 17 ..... 200 AB56
La Pallu 53 ..... 82 AJ30
Palluau 85 ..... 165 Z48
Palluau-sur-Indre 36 ..... 171 AV47
Palluaud 16 ..... 221 AM65
Pallud 73 ..... 234 CI61
Palluel 62 ..... 8 BI10
Palmas 12 ..... 281 BH76
La Palme 11 ..... 339 BG92
La Palmyre 17 ..... 218 AB61
Palneca 2A 349 FF111
Palogneux 42 ..... 229 BP61
Palombaggia (Plage de) 2A ... 351 FG115
La Palud-sur-Verdon 04 ... 307 CJ82
Paluden 29 ..... 70 E27
Paluel 76 ..... 19 AQ15
Pamfou 77 ..... 88 BH31
Pamiers 09 ..... 336 AX90
Pampelonne 81 ..... 279 BC79
Pamplie 79 ..... 184 AH52
Pamproux 79 ..... 185 AK53
Panassac 32 ..... 316 AO87
Panazol 87 ..... 205 AV60
Pancé 35 ..... 104 Z36
Pancey 52 ..... 93 BZ30
Pancheraccia 2B 347 FG108
Pancy-Courtecon 02 ..... 40 BM19
Pandrignes 19 ..... 243 AZ67
Pange 57 ..... 66 CG23
Panges 21 ..... 159 BV42
Panilleuse 27 ..... 37 AX23
Panissage 38 ..... 232 CB63
Panissières 42 ..... 213 BS60
Panjas 32 ..... 294 AJ82
Panlatte 27 ..... 56 AT27
Pannecé 44 ..... 148 AC41
Pannecières 45 ..... 87 BB32
Pannes 54 ..... 65 CC25
Pannes 45 ..... 112 BF35
Pannessière-Chaumard (Barrage de) 58 ... 157 BO45
Pannessières 39 ..... 179 CC50
Panon 72 ..... 84 AO32
Panossas 38 ..... 231 BZ61
La Panouse 48 ..... 264 BN72
Pantin 93 ..... 58 BD26
Panzoult 37 ..... 151 AS45
Papleux 02 ..... 15 BO13
La Pâquelais 44 ..... 147 Y42
Paradou 13 ..... 304 BW83
Paramé 35 ..... 50 X28
Parassy 18 ..... 155 BE44
Parata 2B 347 FG106
Parata (Pointe de la) 2A ... 348 FB112
Paray-Douaville 78 ..... 86 AZ31
Paray-le-Frésil 03 ..... 192 BM51
Paray-le-Monial 71 ..... 193 BQ53
Paray-sous-Briailles 03 ... 192 BL55
Paray-Vieille-Poste 91 ... 58 BD28
Paraza 11 ..... 320 BH88
Parbayse 64 ..... 313 AF87
Parc-d'Anxtot 76 ..... 19 AP18
Parçay-les-Pins 49 ..... 150 AM42
Parçay-Meslay 37 ..... AR42
Parçay-sur-Vienne 37 ..... 151 AP45
Parcé 35 ..... 81 AC32
Parcé-sur-Sarthe 72 ..... 129 AK37
Parcey 39 ..... 179 CB46
Parcieux 01 ..... 213 BW59
Parcoul 24 ..... 239 AL67
Parcy-et-Tigny 02 ..... 40 BK22
Pardailhan 34 ..... 320 BH86
Pardailhan 47 ..... 247 AM73
Pardies 64 ..... 313 AF87
Pardies-Piétat 64 ..... 314 AM89
Pardines 63 ..... 227 BJ63
Paréac 65 ..... 333 AK90
Pareid 55 ..... 44 CB23
Parempuyre 33 ..... 237 AF69
Parennes 72 ..... 107 AK34
Parent 63 ..... 228 BK62
Parentignat 63 ..... 228 BK63
Parentis-en-Born 40 ..... 272 AC76
Parenty 62 ..... 6 AZ7
Parey-Saint-Césaire 54 ... 94 CE29
Parey-sous-Montfort 88 ... 94 CE32
Parfondeval 61 ..... 84 AP30

Parfondeval 02 ..... 25 BQ16
Parfondru 02 ..... 41 BN19
Parfondrupt 55 ..... 44 CB22
Parfouru-l'Éclin 14 ..... 32 AG23
Parfouru-sur-Odon 14 ..... 33 AH23
Pargnan 02 ..... 41 BN20
Pargny 80 ..... 23 BF16
Pargny-Filain 02 ..... 40 BM19
Pargny-la-Dhuys 02 ..... 60 BM25
Pargny-les-Bois 02 ..... 24 BM16
Pargny-lès-Reims 51 ..... 41 BO22
Pargny-Resson 08 ..... 42 BS19
Pargny-sous-Mureau 88 ... 93 CB17
Pargny-sur-Saulx 51 ..... 63 BV27
Pargues 10 ..... 115 BR35
Parignargues 30 ..... 303 BS81
Parigné 35 ..... 81 AD30
Parigné-le-Pôlin 72 ..... 129 AM37
Parigné-l'Évêque 72 ..... 108 AO36
Parigné-sur-Braye 53 ..... 82 AE29
Parigny 50 ..... 81 AE29
Parigny 42 ..... 211 BQ58
Parigny-la-Rose 58 ..... 157 BL43
Parigny-les-Vaux 58 ..... 174 BJ46
Pariou (Puy de) 63 ..... 209 BI60
Paris 75 ..... 58 BD26
Paris-Charles-de-Gaulle (Aéroport) 95 ... 58 BF24
Paris-l'Hôpital 71 ..... 177 BU47
Paris-Orly (Aéroport de) 91 .. 58 BD28
Parisot 82 ..... 279 AZ77
Parisot 81 ..... 298 AY78
Parlan 15 ..... 261 BB71
Parleboscq 40 ..... 274 AK80
Parly 89 ..... 135 BK38
Parmain 95 ..... 38 BC23
Parmilieu 38 ..... 214 CA59
Parnac 46 ..... 259 AV75
Parnac 36 ..... 188 AW53
Parnans 26 ..... 249 BZ61
Parnay 49 ..... 150 AL44
Parnay 18 ..... 173 BF48
Parné-sur-Roc 53 ..... 106 AG35
Parnes 60 ..... 37 AY22
Parnot 52 ..... 117 CB35
Les Paroches 55 ..... 64 CA25
Parois 55 ..... 43 BX23
Paron 89 ..... 113 BJ30
Paroy 77 ..... 89 BJ30
Paroy 25 ..... 179 CC46
Paroy-en-Othe 89 ..... 114 BM35
Paroy-sur-Saulx 52 ..... 93 BY30
Paroy-sur-Tholon 89 ..... 113 BL36
Parpeçay 36 ..... 153 AY44
Parpeville 02 ..... 24 BL16
Parranquet 47 ..... 258 AR73
Parroy 54 ..... 66 CI27
Pars-lès-Chavanges 10 ... 91 BT30
Pars-lès-Romilly 10 ..... 90 BN30
Parsac 33 ..... 238 AK70
Parsac 23 ..... 207 BB56
Parthenay 79 ..... 168 AJ50
Parthenay-de-Bretagne 35 ... 104 Y34
Partinello 2A 346 FB107
Parux 54 ..... 96 CL29
Parves 01 ..... 214 CD60
Parville 27 ..... 56 AU24
Parvillers-le-Quesnoy 80 ... 23 BG16
Parzac 16 ..... 203 AO58
Le Pas 53 ..... 82 AG30
Pas-de-Jeu 79 ..... 168 AL47
Pas de la Graille 04 ..... 287 CF78
Pas de l'Echelle 74 ..... 197 CG55
Pas de l'Ours 11 ..... 336 BB93
Pas-des-Lanciers 13 ..... 326 CA86
Pas-en-Artois 62 ..... 13 BE12
Le Pas-Saint-l'Homer 61 ... 85 AS30
Pasciolo (Fort de) 2B ... 347 FE106
Pasilly 89 ..... 137 BQ38
Pasly 02 ..... 40 BK20
Pasques 21 ..... 159 BW42
Le Pasquier 39 ..... 179 CE48
Passa 66 ..... 343 BH96
Le Passage 47 ..... 276 AP78
Le Passage 38 ..... 232 CC63
Passais 47 ..... 82 AG29
Passavant 25 ..... 162 CG44
Passavant-en-Argonne 51 ... 63 BW24
Passavant-la-Rochère 70 ... 118 CD35
Passavant-sur-Layon 49 ... 149 AI45
Passay 44 ..... 147 Z45
Passel 60 ..... 23 BH18
Passenans 39 ..... 179 CC49
Passins 38 ..... 214 CD58
Passirac 16 ..... 220 AK65
Passonfontaine 25 ..... 162 CI45
Passy 89 ..... 113 BK34
Passy 74 ..... 216 CK58
Passy 71 ..... 194 BU52
Passy-en-Valois 02 ..... 40 BJ23
Passy-Grigny 51 ..... 41 BN23
Passy-sur-Marne 02 ..... 60 BM24
Passy-sur-Seine 77 ..... 89 BK31
Pastricciola 2A 348 FD105
Patay 45 ..... 110 AY35
Patornay 39 ..... 196 CD51
Patrimonio 2B 345 FF103

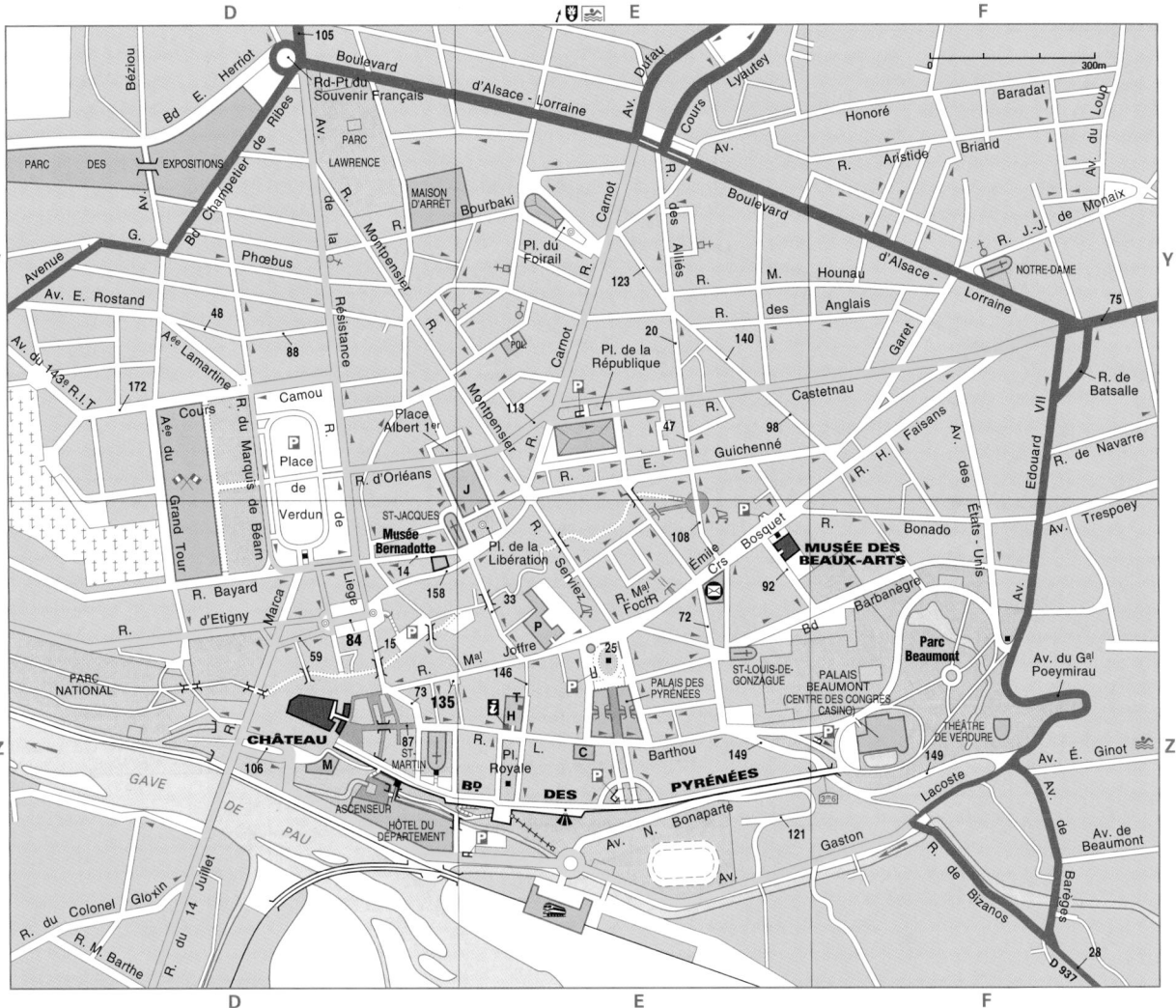

PAU

Barthou (R. Louis) . . . . . . **EFZ**
Bernadotte (R.) . . . . **DZ** 14
Bordenave-d'Abère (R.) . . **DZ** 15
Cassin (R. René) . . . . **EY** 20
Clemenceau
(Pl. Georges) . . . . **EZ** 25
Clemenceau
(R. Georges) . . . . **FZ** 28
Cordeliers (R. des) . . . . . . **EZ** 33
Despourrins (R.) . . . . **EY** 47
Ducasse (R. Amiral) . . . . . **DY** 48
Espalungue (R. d') . . . . . . **DZ** 59
Gambetta (R.) . . . . **EZ** 72
Gassion (R.) . . . . **DZ** 73
Gaulle (Av. Gén.-de) . . . . **FY** 75
Gramont (Pl.) . . . . **DZ** 84
Henri-IV (R.) . . . . **DZ** 87
Jeanne-d'Arc (R.) . . . . . . **DY** 88
Lalanne (R. Mathieu) . . . . **EZ** 92
Lespy (R.) . . . . **EFY** 98
Mermoz (Av. Jean) . . . . . . **DY** 105
Monnaie (Pl. de la) . . . . . **DZ** 106
Monnet (R. J.) . . . . **EYZ** 108
Nogue (R.) . . . . **EY** 113
Ossau (Av. d') . . . . **EZ** 121
Palassou (R.) . . . . **EY** 123
Reine-Marguerite (Pl.) . . . **EZ** 135
Réveil (R. Jean) . . . . **EY** 140
St-Louis (R.) . . . . **EZ** 146
Say (Av. L.) . . . . **EFZ** 149
Serviez (R.) . . . . **EZ**
Tran (R.) . . . . **EZ** 158
218e-R.I. (R. du) . . . . **DY** 172

Pau 64 . . . . 314 AH88
Paucourt 45 . . . . 112 BG35
Paudy 36 . . . . 172 BA46
Paugnat 63 . . . . 209 BI59
Pauilhac 32 . . . . 296 AP81
Pauillac 33 . . . . 237 AE66
Paule 22 . . . . 77 M31
Paulhac 43 . . . . 246 BL66
Paulhac 31 . . . . 298 AW83
Paulhac 15 . . . . 245 BH69
Paulhac-en-Margeride 48 . 246 BL70
Paulhaguet 43 . . . . 246 BM67
Paulhan 34 . . . . 302 BM85
Paulhe 12 . . . . 281 BJ78
Paulhenc 15 . . . . 245 BH70
Paulhiac 47 . . . . 258 AR74
Pauliac (Puy de) 19 . . . . . 242 AY67
Pauligne 11 . . . . 337 BB90
Paulin 24 . . . . 241 AV69
La Pauline 83 . . . . 328 CH89
Paulinet 81 . . . . 300 BE82
Paulmy 37 . . . . 170 AR47
Paulnay 36 . . . . 170 AU48
Paulx 44 . . . . 165 Y46
Paunat 24 . . . . 240 AR70
Pause (Col de) 09 . . . . . . 335 AT94
Paussac-et-
Saint-Vivien 24 . . . . . . 222 AP65
Pautaines-Augeville 52 . . . 93 BZ31
Pauvres 08 . . . . 42 BS20
Pavant 02 . . . . 60 BK25
Pavezin 42 . . . . 230 BV64
Pavie 32 . . . . 296 AP84
Pavillon (Col du) 69 . . . . . 212 BS57
Le Pavillon-Sainte-Julie 10 . 90 BO31
Les Pavillons-sous-Bois 93 . 58 BE26
Pavilly 76 . . . . 20 AT18
Pavin (Lac) 63 . . . . 227 BH63
Payns 10 . . . . 90 BP31
Payra-sur-l'Hers 11 . . . . . 318 AZ88
Payrac 46 . . . . 260 AW71
Payré 86 . . . . 186 AM54
Payrignac 46 . . . . 259 AV72
Payrin-Augmontel 81 . . . . 319 BD86
Payros-Cazautets 40 . . . . 294 AH84
Payroux 86 . . . . 186 AO55
Payssous 31 . . . . 334 AP91
Payzac 24 . . . . 223 AU65
Payzac 07 . . . . 265 BR75
Pazayac 24 . . . . 241 AV68
Paziols 11 . . . . 338 BG93
Pazy 58 . . . . 157 BN44

Le Péage 38 . . . . 231 BY62
Le Péage-
de-Roussillon 38 . . . . . 231 BW65
Péas 51 . . . . 61 BN27
Peaugres 07 . . . . 249 BW66
Péaule 56 . . . . 125 T39
Péault 85 . . . . 183 AB52
Pébées 32 . . . . 317 AS86
Pébrac 43 . . . . 246 BM69
Pech 09 . . . . 336 AX94
Pech-Luna 11 . . . . 318 AZ89
Pech Merle
(Grotte du) 46 . . . . . . 260 AX74
Péchabou 31 . . . . 318 AW86
Pécharic-et-le-Py 11 . . . . 318 AZ89
Péchaudier 81 . . . . 299 BA85
Pechbonnieu 31 . . . . 298 AW83
Pechbusque 31 . . . . 298 AW85
Le Pêchereau 36 . . . . . . 188 AX51
Pécorade 40 . . . . 294 AH84
Le Pecq 78 . . . . 58 BB26
Pecquencourt 59 . . . . 9 BJ9
Pecqueuse 91 . . . . 87 BB29
Pécy 77 . . . . 59 BI28
Pédernec 22 . . . . 72 N28
Pégairolles-de-Buèges 34 . 302 BN82
Pégairolles-
de-l'Escalette 34 . . . . . 301 BL82
Pégomas 06 . . . . 309 C084
Le Pègue 26 . . . . 267 BY75
Péguilhan 31 . . . . 316 AQ88
Peigney 52 . . . . 139 BZ37
Peillac 56 . . . . 125 V38
Peille 06 . . . . 291 C581
Peillon 06 . . . . 291 C581
Peillonnex 74 . . . . 216 CI56
Peintre 39 . . . . 161 CB44
Les Peintures 33 . . . . . . 238 AK68
Peipin 04 . . . . 287 CG78
Peira-Cava 06 . . . . 291 CR80
Pel-et-Der 10 . . . . 91 BS31
Pélissanne 13 . . . . 305 BZ84
Pellafol 38 . . . . 269 CF71
Pelleautier 05 . . . . 269 CG74
Pellefigue 32 . . . . 316 AQ86
Pellegrue 33 . . . . 257 AL72
Pelleport 31 . . . . 297 AT83
Pellerey 21 . . . . 159 BV41
Le Pellerin 44 . . . . 147 Y44
La Pellerine 53 . . . . 81 AE32
La Pellerine 49 . . . . 150 AM41

Pellevoisin 36 . . . . 171 AW47
Pellouailles-les-Vignes 49 . 149 AI41
Pelonne 26 . . . . 268 CB75
Pelouse 48 . . . . 264 BN74
Pelousey 25 . . . . 161 CE43
Peltre 57 . . . . 65 CF23
Pélussin 42 . . . . 230 BV64
Pelves 62 . . . . 13 BH10
Pelvoux 05 . . . . 252 CK70
Pelvoux (Belvédère du) 05 . 252 CK70
Pen-Guen 22 . . . . 50 V28
Pen-Lan (Pointe de) 56 . . 124 S40
Penchard 77 . . . . 59 BH25
Pencran 29 . . . . 75 G29
Pendé 80 . . . . 11 AX12
Pendu (Col du) 07 . . . . . 265 BQ73
Pénestin 56 . . . . 124 S40
Penguily 22 . . . . 78 T30
Penhir (Pointe de) 29 . . . . 74 D31
Penhors 29 . . . . 99 E34
Penin 62 . . . . 13 BE10
Penly 76 . . . . 10 AV14
Penmarch 29 . . . . 99 F36
Pennautier 11 . . . . 319 BD89
Penne 81 . . . . 278 AY79
Penne-d'Agenais 47 . . . . 276 AR76
La Penne-
sur-Huveaune 13 . . . . 327 CD88
La Penne-
sur-l'Ouvèze 26 . . . . . 286 CA77
Pennedepie 14 . . . . 34 AN20
Pennes-le-Sec 26 . . . . . 268 CA73
Les Pennes-Mirabeau 13 . 326 CB86
Pennesières 70 . . . . 162 CF41
Penol 38 . . . . 231 BZ64
Pensol 87 . . . . 222 AR62
Penta-Acquatella 2B 347 FG105
Penta-di-Casinca 2B 347 FG105
Penthièvre 56 . . . . 123 O39
Pentrez-Plage 29 . . . . . . 75 F31
Penvénan 22 . . . . 72 N25
Penvins (Pointe de) 56 . . 124 R40
Pern 46 . . . . 277 AV76
Pernand-Vergelesses 21 . . 177 BW46
Pernant 02 . . . . 40 BJ20
Pernay 37 . . . . 151 AP42
La Pernelle 50 . . . . 29 AC17
Pernes 62 . . . . 7 BD8
Pernes-lès-Boulogne 62 . . . 2 AY5
Pernes-les-Fontaines 84 . 285 BZ80
Percey-le-Pautel 52 . . . . 139 BZ38

Percey-sous-
Montormentier 52 . . . . 139 BZ40
Le Perchay 95 . . . . 37 BA23
La Perche 18 . . . . 190 BF51
Perchède 32 . . . . 294 AJ82
Percy 50 . . . . 52 AD25
Le Percy 38 . . . . 268 CD71
Percy-en-Auge 14 . . . . . . 54 AL24
Perdreauville 78 . . . . 57 AY25
Perdrix (Crêt de la) 42 . . . 230 BU65
Péré 65 . . . . 333 AM90
Péré 17 . . . . 201 AE56
Péréandre (Roche) 07 . . . 248 BV66
Péreille 09 . . . . 336 AY92
Perelli 2B 347 FG107
Pérenchies 59 . . . . 8 BH6
Péret 34 . . . . 301 BL85
Péret-Bel-Air 19 . . . . 225 BA64
Péreuil 16 . . . . 220 AK63
Péreyres 07 . . . . 266 BS71
Pergain-Taillac 32 . . . . . . 276 AP79
Peri 2A 348 FD110
Le Périer 38 . . . . 251 CF69
Périers 50 . . . . 31 AB22
Périers-en-Auge 14 . . . . . 34 AL21
Périers-sur-le-Dan 14 . . . . 33 AJ21
Pérignac 17 . . . . 219 AH62
Pérignac 16 . . . . 220 AK63
Pérignat-lès-Sarliève 63 . . 227 BJ61
Pérignat-sur-Allier 63 . . . 228 BK61
Périgné 79 . . . . 202 AJ56
Périgneux 42 . . . . 229 BR64
Périgny 94 . . . . 58 BE28
Périgny 41 . . . . 131 AU39
Périgny 17 . . . . 200 AC56
Périgny 14 . . . . 53 AH25
Périgny 03 . . . . 192 BM55
Périgny-la-Rose 10 . . . . . 90 BM30
Périgueux 24 . . . . 240 AQ67
Périlhos 66 . . . . 338 BH92
Périssac 33 . . . . 238 AI68
Perles 02 . . . . 40 BM21
Perles-et-Castelet 09 . . . 336 AY94
Pern 46 . . . . 277 AV76
Pernand-Vergelesses 21 . . 177 BW46
Pernant 02 . . . . 40 BJ20
Pernay 37 . . . . 151 AP42
Perrigny 89 . . . . 136 BM38
Perrigny 39 . . . . 179 CC50
Perrigny-lès-Dijon 21 . . . 160 BX44
Perrigny-
sur-Armançon 89 . . . . 137 BR39
Perrigny-sur-l'Ognon 21 . . 160 CA43
Perrigny-sur-Loire 71 . . . 193 BO52
Perrogney 52 . . . . 139 BY37
Le Perron 50 . . . . 32 AF23

Pero (Plage de) 2A 348 FA109
Pero-Casevecchie 2B . . . 347 FG106
Pérols 34 . . . . 303 BQ85
Pérols-sur-Vézère 19 . . . 225 BA63
Péron 01 . . . . 197 CE55
Péronnas 01 . . . . 213 BZ56
Péronne 80 . . . . 23 BH14
Péronne 71 . . . . 195 BW53
Péronne-en-Mélantois 59 . . 9 BJ7
Péronville 28 . . . . 110 AX35
Pérouges 01 . . . . 213 BZ59
La Pérouille 36 . . . . 171 AW50
Pérouse 90 . . . . 142 CL39
Pérouse (Rocher de la) 89 . 158 BP43
Péroy-les-Gombries 60 . . . 39 BG23
Perpezac-le-Blanc 19 . . . 241 AV67
Perpezac-le-Noir 19 . . . . 224 AX65
Perpezat 63 . . . . 227 BG61
Perpignan 66 . . . . 343 BH95
Les Perques 50 . . . . 28 AA19
Perquie 40 . . . . 294 AI81
Perrancey-les-
Vieux-Moulins 52 . . . . 139 BZ37
Le Perray-en-Yvelines 78 . 57 AZ28
Perrecy-les-Forges 71 . . . 193 BR51
La Perrena 39 . . . . 180 CF50
Le Perréon 69 . . . . 212 BU57
Perret 22 . . . . 77 O32
Perreuil 71 . . . . 193 BU49
Perreuse 89 . . . . 156 BJ41
Perreux 89 . . . . 135 BJ37
Le Perreux-sur-Marne 94 . . 58 BE26
Perreux 01 . . . . 195 BX55
Le Perrier 85 . . . . 164 W48
Perrier 63 . . . . 227 BJ63
La Perrière 73 . . . . 234 CK63
La Perrière 61 . . . . 84 AP31
Perrières 14 . . . . 54 AL25
Perriers-en-Beauficel 50 . . 52 AE27
Perriers-la-Campagne 27 . . 35 AR23
Perriers-sur-Andelle 27 . . . 36 AW20
Perrignier 74 . . . . 198 CI54
Perrigny 89 . . . . 136 BM38
Perrigny 39 . . . . 179 CC50
Perrigny-lès-Dijon 21 . . . 160 BX44

Perros-Guirec 22 . . . . 72 M25
Perrou 61 . . . . 82 AH29
Perrouse 70 . . . . 162 CF42
Perroy 58 . . . . 156 BJ42
Perruel 27 . . . . 36 AW20
Perrusse 52 . . . . 117 CA34
Perrusson 37 . . . . 170 AT46
Pers 79 . . . . 185 AL55
Pers 15 . . . . 243 BC70
Pers-en-Gâtinais 45 . . . . 112 BH34
Pers-Jussy 74 . . . . 215 CH56
Persac 86 . . . . 187 AQ54
Persan 95 . . . . 38 BC23
Perse (Église de) 12 . . . . 263 BG74
Persquen 56 . . . . 101 O34
Pertain 80 . . . . 23 BH16
Perthes 77 . . . . 88 BE30
Perthes 52 . . . . 63 BV28
Perthes 08 . . . . 42 BR19
Perthes-lès-Brienne 10 . . . 91 BT31
Pertheville-Ners 14 . . . . . 54 AL26
Le Perthus 66 . . . . 343 BH97
Le Pertre 35 . . . . 105 AE35
Pertuis 84 . . . . 306 CC83
Le Pertuis 43 . . . . 247 BQ68
Pertuis (Col du) 63 . . . . . 210 BN60
Le Pertuiset 42 . . . . 230 BS64
Perty (Col de) 26 . . . . . . 286 CC76
La Péruse 16 . . . . 204 AP59
La Péruse 04 . . . . 287 CH78
Pervenchères 61 . . . . 84 AP31
Perville 82 . . . . 276 AR78
Pescadoires 46 . . . . 259 AT75
Peschadoires 63 . . . . . . 210 BM60
Le Pescher 19 . . . . 242 AY68
Peseux 39 . . . . 178 CA46
Péseux 25 . . . . 163 CK62
Peslières 63 . . . . 228 BM64
Pesmes 70 . . . . 161 CB43
Pessac 33 . . . . 255 AF71
Pessac-sur-Dordogne 33 . 257 AL71
Pessan 32 . . . . 296 AP84
Pessans 25 . . . . 161 CE45
Pessat-Villeneuve 63 . . . 209 BJ59
La Pesse 39 . . . . 197 CE54
Pessines 17 . . . . 201 AF60
Pessoulens 32 . . . . 296 AR82
Pesteils (Château de) 15 . 244 BF70
Petersbach 67 . . . . 68 CN25
Le Petit-Abergement 01 . . 214 CC57
Petit-Appeville 76 . . . . . . 10 AT14
Petit-Auverné 44 . . . . . . 127 AC39

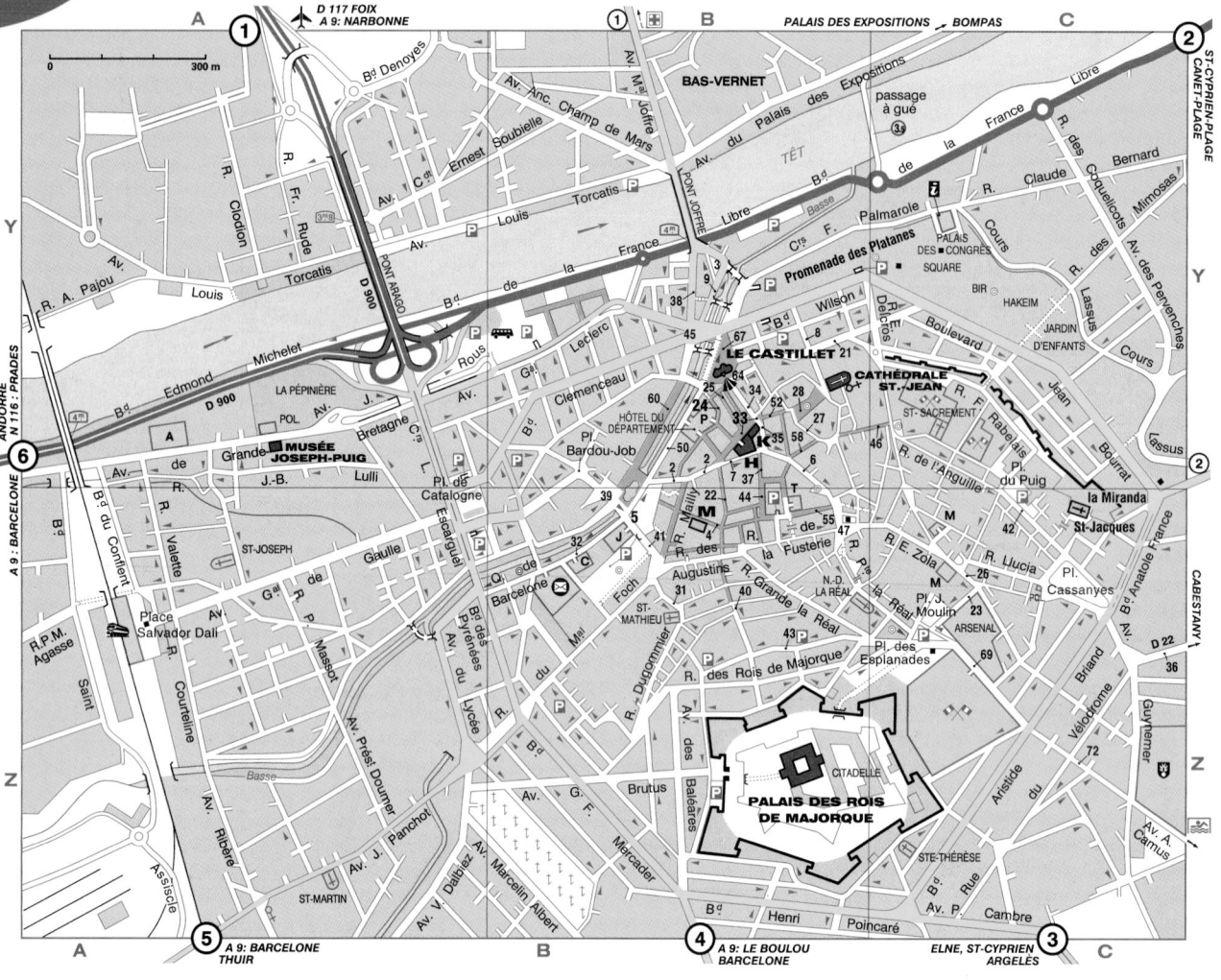

PERPIGNAN

Alsace-Lorraine (R.) .... BY 2
Anciens-
  Combattants-
  d'Indochine
  (Pl. des) .... BY 3
Ange (R. de l') .... BZ 4
Arago (Pl.) .... BZ 5
Argenterie (R. de l') .... BY 6
Barre (R. de la) .... BY 7
Bartissol (R. E.) .... BY 8
Batllo (Quai F.) .... BY 9
Castillet (R. du) .... BY 21
Clemenceau (Bd G.) ..... BY
Cloche d'Or (R. de la) ... BYZ 22
Côte des Carmes (R.) .... CZ 23
Fabriques d'En Nabot
  (R. des) .... BY 24
Fabriques d'En Nadal
  (R. des) .... BY 25
Fontaine-Neuve (R.) ..... CZ 26
Fontfroide (R.) .... BZ 27
Gambetta (Pl.) .... BY 28
Grande la Monnaie
  (R.) .... BZ 31
Lattre-de-Tassigny
  (Quai de) .... BZ 32
Loge (R. et Pl. de la) ... BY 33
Louis-Blanc (R.) .... ABY 34
Marchands (R. des) ...... BY 35
Mermoz (Av. J.) .... CZ 36
Mirabeau (R.) .... BY 37
Payra (R. J.) .... BZ 38
Péri (Pl. Gabriel) .... BZ 39
Petite la Monnaie (R.) ... BZ 40
Porte d'Assaut (R.) ...... BZ 41
Porte de Canet (R.) ..... CZ 42
Remparts la Réal
  (R. des) .... BZ 43
République (Pl. de la) .... BZ 44
Résistance (Pl. de la) .... BY 45
Révolution Française
  (R. de la) .... CY 46
Rigaud (Pl.) .... BZ 47
Sadi-Carnot (Quai) ...... BY 50
St-Jean (R.) .... BY 52
Théâtre (R. du) .... BZ 55
Trois-Journées
  (R. des) .... BY 58
Vauban (Quai) .... BY 60
Verdun (Pl. de) .... BY 64
Victoire (Pl. de la) ...... BY 67
Vielledent (R. J.) .... CZ 69
Waldeck-Rousseau
  (R.) .... CZ 72

Petit Ballon 68 .... 120 CM35
Petit-Bersac 24 .... 239 AM66
Le Petit-Bornand-
  les-Glières 74 .... 216 CI57
Le Petit-Celland 50 .... 52 AD27
Petit-Cœur 73 .... 234 CJ62
Petit-Couronne 76 .... 36 AT20
Petit-Croix 90 .... 142 CM39
Le Petit Drumont 88 ...... 120 CL36
Petit-Ebersviller 57 ...... 67 CJ23
Petit-Failly 54 .... 44 CA19
Petit-Fayt 59 .... 15 BN12
Petit-Fort-Philippe 59 .... 3 BB2
Le Petit-Fougeray 35 ..... 104 Z36
Petit-Landau 68 .... 143 CQ37
Petit-Mars 44 .... 147 AA42
Le Petit-Mercey 39 ...... 161 BT32
Petit-Mesnil 10 .... 91 BT32
Petit Minou (Pointe du) 29 . 74 D30
Petit-Noir 39 .... 178 CA47
Petit-Palais-
  et-Cornemps 33 .... 238 AK69
Le Petit-Pressigny 37 ..... 170 A548
Le Petit-Quevilly 76 ...... 36 AT20
Petit-Réderching 57 ...... 68 CN23
Petit Saint-Bernard
  (Col du) 73 .... 217 CM60
Petit-Tenquin 57 .... 67 CK24
Petit-Verly 02 .... 24 BL14
Petit-Xivry 54 .... 44 CA19
La Petite-Boissière 79 .... 167 AF48
Petite-Chaux 25 .... 180 CG50
Petite-Forêt 59 .... 9 BL9
La Petite-Fosse 88 ...... 96 CM31
La Petite-Marche 03 ..... 208 BF56
La Petite-Pierre 67 ...... 68 CN25
La Petite-Raon 88 .... 96 CL30
Petite-Rosselle 57 ...... 47 CK21
Petite-Synthe 59 .... 3 BD2
La Petite-Verrière 71 .... 176 BR46
Petitefontaine 90 .... 142 CM38
Les Petites-Armoises 08 .. 43 BV19
Les Petites-Dalles 76 .... 19 AQ15
Les Petites-Loges 51 .... 42 BR23
Petitmagny 90 .... 142 CL58
Petitmont 54 .... 96 CL28
Les Petits-Robins 26 .... 267 BW71
Petiville 76 .... 18 AQ19
Petiville 14 .... 33 AK22
Petosse 85 .... 183 AE52
Petreto-Bicchisano 2A ... 348 FD113
Pettoncourt 57 .... 66 CH26
Pettonville 54 .... 95 CJ29
Peujard 33 .... 237 AH68

Peumérit 29 .... 99 F34
Peumerit-Quintin 22 ..... 77 N30
Peuplingues 62 .... 2 AZ3
Peuton 53 .... 128 AF37
Peux-et-Couffouleux 12 .. 300 BH83
Pévange 57 .... 66 CI25
Pévy 51 .... 41 BO21
Pexiora 11 .... 319 BA88
Pexonne 54 .... 96 CK29
Pey 40 .... 292 AA84
Peymeinade 06 .... 308 CN83
Peynier 13 .... 327 CE86
Peypin 13 .... 327 CD86
Peypin-d'Aigues 84 ..... 306 CD82
Peyrabout 23 .... 207 AZ57
La Peyrade 34 .... 323 BO86
Le Peyrat 09 .... 336 AZ92
Peyrat-de-Bellac 87 .... 205 AT56
Peyrat-la-Nonière 23 .... 207 BC57
Peyrat-le-Château 87 ... 206 AY60
La Peyratte 79 .... 168 AK50
Peyraube 65 .... 315 AM89
Peyraud 07 .... 231 BW65
Peyre 40 .... 293 AF85
Peyre-Haute (Table
  d'orientation de) 05 .... 270 CL72
Peyrecave 82 .... 276 AR80
Peyrefitte-du-Razès 11 .. 337 BA91
Peyrefitte-sur-l'Hers 11 .. 318 AZ89
Peyregoux 81 .... 299 BC84
Peyrehorade 40 .... 292 AB85
Peyreleau 12 .... 282 BK78
Peyrelevade 19 .... 225 BB61
Peyrelongue-Abos 64 ... 314 AJ86
Peyremale 30 .... 283 BR77
Peyrens 11 .... 319 BA87
Peyrepertuse
  (Château de) 11 .... 338 BF93
Peyresourde 65 .... 333 AN93
Peyresourde (Col de) 31 . 333 AN93
Peyrestortes 66 .... 338 BH94
Peyret-Saint-André 65 .. 316 AO88
Peyriac-de-Mer 11 ..... 339 BI90
Peyriac-Minervois 11 ... 338 BF88
Peyriat 01 .... 214 CB56
Peyrière 47 .... 257 AN74
Peyrieu 01 .... 232 CD61
Pia 66 .... 339 BI94
Piacé 72 .... 107 AM33
Le Pian-Médoc 33 ..... 237 AF69
Le Pian-sur-Garonne 33 . 256 AI73
Piana 2A 346 FA108
Pianella (Pont de) 2A ... 346 FB108
Pianello 2B 347 FG107
Piano 2B 347 FG106

Peyrissac 19 .... 224 AY63
Peyrissas 31 .... 316 AR88
Peyro-Clabado
  (Rocher) 81 .... 299 BD84
Peyrol (Pas de) 15 ..... 244 BF68
Peyrole 81 .... 298 AZ82
Peyroles 30 .... 283 BP79
Peyrolles 11 .... 337 BD92
Peyrolles-en-Provence 13 . 306 CD49
Peyroules 04 .... 308 CL81
Peyrouse 65 .... 332 AJ90
Peyrouzet 31 .... 316 AR89
Peyruis 04 .... 287 CG79
Peyrun 65 .... 315 AL87
Peyrus 26 .... 249 BZ70
Peyrusse 15 .... 245 BI67
Peyrusse-Grande 32 ... 295 AM84
Peyrusse-le-Roc 12 .... 261 BB75
Peyrusse-Massas 32 ... 296 AO83
Peyrusse-Vieille 32 .... 295 AL84
Peyssies 31 .... 317 AT88
Peyzac-le-Moustier 24 .. 241 AT69
Peyzieux-sur-Saône 01 . 213 BW56
Pézarches 77 .... 59 BI27
Pezé-le-Robert 72 ..... 107 AL33
Pézenas 34 .... 322 BM86
Pézènes-les-Mines 34 .. 301 BK85
Pézilla-de-Conflent 66 .. 338 BE94
Pézilla-la-Rivière 66 .... 342 BG95
Pezou 41 .... 131 AU37
Pezuls 24 .... 240 AR70
Pézy 28 .... 86 AX32
Pfaffenheim 68 .... 121 CO35
Pfaffenhoffen 67 ...... 68 CP25
Pfalzweyer 67 .... 68 CN26
Pfastatt 68 .... 143 CO37
Pfetterhouse 68 ...... 143 CN40
Pfettisheim 67 .... 68 CQ27
Pfulgriesheim 67 ..... 68 CQ27
Phaffans 90 .... 142 CL58
Phalempin 59 .... 8 BI8
Phalsbourg 57 .... 68 CN26
Philippsbourg 57 ..... 68 CP23
Philondenx 40 .... 294 AG85
Phlin 54 .... 66 CG25
Pia 66 .... 339 BI94
Piacé 72 .... 107 AM33
Le Pian-Médoc 33 .... 237 AF69
Pianottoli-Caldarello 2A . 351 FE115
Les Piards 39 .... 197 CE52
La Piarre 05 .... 268 CD74
Piau-Engaly 65 .... 333 AL93
Piazzali 2B 347 FG107
Piazzole 2B 347 FG106
Piblange 57 .... 46 CG21
Pibrac 31 .... 297 AU84
Picarreau 39 .... 179 CD49
Picarrou 31 .... 318 AX88
Pichanges 21 .... 160 BY41
Picherande 63 .... 227 BG64
Picquigny 80 .... 22 BB14
Pie-d'Orezza 2B 347 FG106
Pied-de-Borne 48 .... 265 BQ75
Pied-la-Viste (Table
  d'orientation de) 05 .... 270 CL72
Piedicorte-di-Gaggio 2B . 347 FG108
Piedicroce 2B 347 FG106
Piedigriggio 2B 347 FE106
Piedipartino 2B 347 FG106
Piégon 26 .... 285 BZ76
Piégros-la-Clastre 26 .. 267 BZ72
Piégut 04 .... 269 CH74
Piégut-Pluviers 24 .... 222 AO62
Piémanson (Plage de) 13 . 325 BX87
Piencourt 27 .... 35 AP23
Piennes 80 .... 23 BF18
Piennes 54 .... 45 CC21
Piépape 52 .... 139 BZ38
Pierlas 06 .... 289 CO79
La Pierre 38 .... 233 CF65
Pierre-Bénite 69 ..... 231 BW61
Pierre-Buffière 87 .... 223 AV61
Pierre-Carrée
  (Col de la) 74 .... 216 CK57
Pierre-Châtel 38 ..... 251 CE69
La Pierre Couverte
  (Dolmen de) 49 ...... 129 AL40
Pierre d'Avenon 83 ... 329 CK89
Pierre-de-Bresse 71 .. 178 BZ48
Pierre Frite (Menhir de) 49 . 127 AC38
Pierre-Gourde
  (Château de) 07 ..... 249 BW70
Pierre-la-Treiche 54 ... 94 CD28
Pierre-Levée 77 ..... 59 BI26
Pierre-Morains 51 .... 61 BP26
Pierre-Percée 54 .... 96 CL29
Pierre-Perthuis 89 .... 157 BO42
La Pierre Plantée 48 .. 264 BN74
Pierre-Plantée
  (Col de) 48 .... 264 BN73

Pierre-qui-Vire
  (Abbaye de la) 89 .... 158 BQ43
Pierreclos (Château de) 71 . 194 BV54
Pierrecourt 76 .... 21 AY15
Pierrecourt 70 .... 140 CB39
Pierrefaites 52 ...... 140 CC37
Pierrefeu 06 .... 309 CP81
Pierrefeu-du-Var 83 .. 328 CI88
Pierrefiche 48 .... 265 BO72
Pierrefiche 12 .... 263 BI75
Pierrefiques 76 ...... 18 AO17
Pierrefitte 88 .... 118 CF33
Pierrefitte 79 .... 168 AJ48
Pierrefitte 19 .... 224 AX64
Pierrefitte-en-Auge 14 . 34 AN21
Pierrefitte-en-Beauvaisis 60 . 37 BA19
Pierrefitte-en-Cinglais 14 . 53 AJ25
Pierrefitte-ès-Bois 45 .. 155 BG41
Pierrefitte-Nestalas 65 . 332 AJ91
Pierrefitte-sur-Aire 55 . 64 BZ25
Pierrefitte-sur-Loire 03 . 193 BO52
Pierrefitte-sur-Sauldre 41 . 154 BB41
Pierrefitte-sur-Seine 93 . 58 BD25
Pierrefonds 60 ...... 39 BH21
Pierrefontaine-
  lès-Blamont 25 ..... 163 CL42
Pierrefontaine-
  les-Varans 25 ...... 163 CJ44
Pierrefontaines 52 ... 139 BY38
Pierregot 80 .... 12 BD13
Pierremande 02 ..... 24 BJ18
Pierremont 54 ...... 44 CB19
Pierrepont 14 ...... 53 AJ25
Pierrepont 02 ...... 25 BN17
Pierrepont-sur-Avre 80 . 22 BE17
Pierrepont-
  sur-l'Arentèle 88 .... 95 CJ32
Pierrerue 34 .... 321 BI86
Pierrerue 04 .... 287 CF80
Pierres 28 .... 86 AX29
Pierres 14 .... 52 AG26
Pierreval 76 .... 20 AV18
Pierrevert 04 ..... 306 CE82
Pierreville 54 ..... 94 CF29
Pierreville 50 ..... 31 Z19
Pierrevillers 57 ... 45 CE21
Pierric 44 .... 126 Y38
Pierry 51 .... 61 BO24

Pietra-di-Verde 2B 347 FG107
Pietracorbara 2B 345 FG104
Pietralba 2B 347 FE105
Pietranera 2B 345 FG104
Pietraserena 2B 347 FG108
Pietricaggio 2B 347 FG107
Pietrosella 2A 348 FC112
Pietroso 2B 349 FF109
Piets-Plasence-
  Moustrou 64 .... 294 AG85
Pieusse 11 .... 337 BC90
Les Pieux 50 .... 28 Z18
Piève 2B 345 FF104
Piffonds 89 .... 113 BJ35
Le Pigeon 46 .... 242 AW70
Pigeonnier (Col du) 67 . 69 CR23
Pigerolles 23 .... 207 BB60
Pigna 2B 344 FC104
Pignan 34 .... 302 BO85
Pignans 83 .... 328 CI87
Pignicourt 02 ...... 41 BP20
Pignols 63 .... 228 BK62
Pigny 18 .... 155 BE45
Pihem 62 .... 7 BC6
Pihen-lès-Guînes 62 . 2 AZ4
Pila-Canale 2A 348 FD112
Pilat (Mont) 42 .... 230 BU64
Pilat-Plage 33 ..... 254 AB73
Le Pilhon 26 ...... 268 CD73
Pillac 16 .... 221 AM65
Pillemoine 39 .... 179 CE50
Les Pilles 26 .... 285 BZ76
Pillon 55 .... 44 CA20
Pimbo 40 .... 294 AH85
Pimelles 89 ..... 137 BR37
Pimorin 39 ..... 196 CB52
Pimprez 60 .... 39 BH19
Le Pin 82 ...... 277 A580
Le Pin 79 ...... 167 AG48
Le Pin 38 ...... 59 BF26
Le Pin 70 ...... 161 CD43
Le Pin 44 ...... 127 AC40
Le Pin 39 ...... 179 CB50
Le Pin 38 ...... 232 CC63
Le Pin 30 ...... 284 BU79
Le Pin 17 ...... 220 AI65
Le Pin 14 ...... 34 AO22
Le Pin 03 ...... 193 BO52
Pin (Haras du) 61 . 54 AN27
Le Pin-au-Haras 61 . 54 AN27
Pin-Balma 31 ... 298 AW84
Le Pin-en-Mauges 49 . 148 AE44
Le Pin-la-Garenne 61 . 84 AP31
Pin-Moriès 48 .... 264 BK75

le Pin-Murelet 31..........317 AS87
narellu 2A..................349 FG113
inas 65.....................333 AN90
nay 42......................211 BR59
ncé 72......................128 AI38
nçon (Mont) 14..............53 AH24
ndères 47...................274 AK77
indray 86...................187 AR52
es Pineaux 85...............183 AC51
nel-Hauterive 47............258 AP75
ineuil 33...................257 AM71
iney 10......................91 BS31
inols 43....................345 FF101
inon 02......................40 BL19
es Pins 16..................203 BA60
ins-Justaret 31.............317 AV86
insac 46....................260 AW13
insaguel 31.................317 AV86
insot 38....................233 CG64
intac 65....................315 AK88
interville 27................36 AU22
intheville 55................64 CB23
ies Pinthières 28............57 AX28
iobetta 2B..................347 FG107
ioggiola 2B.................346 FD105
iolenc 84...................285 BW78
ionnat 23...................207 BA56
ionsat 63...................208 BF57
ioussay 79..................203 AL57
ipriac 35...................126 X37
iquecos 82..................277 AV79
irajoux 01..................196 CA53
iré-sur-Seiche 35...........104 AB35
irey 25.....................161 CE43
iriac-sur-Mer 44............145 S41
irmil 72....................107 AL36
irou 35......................31 AA22
is 32.......................296 AQ82
isany 17....................219 AE61
iscop 95.....................58 BD24
iseux 27.....................56 AT27
isieu 38....................231 BY64
isse (Cascade de la) 38.....251 CH68
isseleu 60...................38 BB19
isseleux 02..................39 BI22
isseloup 52.................140 CC37
issos 40....................273 AE76
issotte 85..................184 AF52
issy 80......................22 BB15
issy-Pôville 76..............36 AT19
isy 89......................158 BQ41
itgam 59......................3 BD3
ithiviers 45................111 BC34
ithiviers-le-Vieil 45.......111 BC34
ithon 02.....................23 BI16
itres 27.....................36 AV21
ittefaux 62...................2 AY5
izançon 26..................249 BY68
izay 01.....................213 BY59
izieux 72....................84 AO32
Le Pizou 24.................239 AL69
Le Pla 09...................337 BB94
Pla-d'Adet 65...............333 AM93
Plabennec 29.................70 F28
Placé 53.....................82 AG32
Les Places 27................35 AP23
La Placette (Col de) 38.....232 CD65
Placey 25...................161 CD43
Plachy-Buyon 80..............22 BC15
Placy 14.....................53 AJ24
Placy-Montaigu 50............52 AF24
Le Plagnal 07...............265 BQ72
La Plagne 73................234 CL62
Plagne 31...................317 AS89
Plagne 01...................196 CD55
Plagnole 31.................317 AS87
Plagny 58...................174 BJ47
Plaigne 11..................318 AY89
Plailly 60...................39 BF23
Plaimbois-du-Miroir 25......163 CJ44
Plaimbois-Vennes 25.........163 CJ44
Plaimpied-Givaudins 18......173 BE47
Plaine 67....................96 CM30
La Plaine 49................167 AG46
Plaine-de-Walsch 57..........67 CM27
Plaine-Haute 22..............78 Q29
Plaine-Joux 74..............216 CL57
La Plaine-sur-Mer 44........146 U44
Plainemont 70...............141 CG37
Plaines-Saint-Lange 10......115 BT36
Plainfaing 88...............120 CM33
Plainoiseau 39..............179 CB49
Plainpalais (Col de) 73.....233 CF61
Les Plains-
et-Grands-Essarts 25.....163 CL42
Plaintel 22..................78 R30
Plainval 60..................38 BD19
Plainville 60................22 BE18
Plainville 27................35 AP23
Plaisance 86................187 AR54
Plaisance 34................301 BI84
Plaisance 32................295 AKB4
Plaisance 12................300 BE81
Plaisance-du-Touch 31.......297 AU85
Plaisia 39..................196 CC51
Plaisians 26................286 CB77
Plaisir 78...................57 BA27

Plaisir Fontaine
(Grotte de) 25...........162 CG45
Plaissan 34.................302 BM85
Plaizac 16..................202 AK60
Plampinet 05................252 CL68
Le Plan 31..................317 AT89
Plan-d'Aups 83..............327 CE87
Plan-de-Baix 26.............267 BZ71
Plan-de-Campagne 13.........326 CB86
Plan-de-Cuques 13...........327 CC87
Le Plan-de-Grasse 06........309 CO83
Plan-de-la-Tour 83..........329 CL87
Plan-d'Orgon 13.............305 BY82
Plan-du-Var 06..............291 CQ81
Planaise 73.................233 CG63
Planay 73...................234 CL63
Planay 21...................137 BS38
La Planche 44...............165 AA46
Plancher-Bas 70.............142 CK38
Plancher-les-Mines 70.......142 CK37
Plancherine 73..............234 CI61
Planches 61..................54 AO28
Les Planches 27..............36 AU23
Les Planches-
en-Montagne 39...........180 CF50
Les Planches-
près-Arbois 39...........179 CD48
Planchez 58.................158 BP45
Plancoët 22..................79 V29
Plancy-l'Abbaye 10...........90 BP29
La Planée 25................180 CH48
Planès 66...................341 BB97
Planèzes 66.................338 BF94
Planfoy 42..................230 BT65
Planguenoual 22..............78 S29
Planioles 46................261 BA73
Le Planois 71...............178 CA49
Le Planquay 14...............35 AP23
Planquery 14.................32 AG22
Planques 62...................7 BB8
Las Planques
(Église de) 81...........279 BC79
Planrupt 52..................92 BV30
Les Plans 34................301 BK83
Les Plans 30................284 BS78
Le Plantay 01...............213 BY57
Les Plantiers 30............283 BO79
Le Plantis 61................84 AO29
Planty 10...................114 BM33
Planzolles 07...............265 BR75
Plappeville 57...............45 CE22
Plascassier 06..............309 CO83
Plasne 39...................179 CC48
Plasnes 27...................35 AQ23
Plassac 33..................237 AF67
Plassac 17..................219 AG63
Plassac-Rouffiac 16.........221 AL63
Plassay 17..................201 AF59
Plateau-d'Assy 74...........216 CL58
Plats 07....................249 BW69
Plaudren 56.................124 R37
Plauzat 63..................227 BJ62
Plavilla 11.................336 AZ90
Plazac 24...................241 AT69
Pleaux 15...................243 BC68
Pléboulle 22................79 U28
Pléchâtel 35...............104 Y36
Plédéliac 22................79 U30
Plédran 22...................78 R30
Pléguien 22.................73 Q27
Pléhédel 22.................73 P27
Pleine-Fougères 35..........80 AA29
Pleine-Selve 33............219 AG65
Pleine-Selve 02.............24 BL16
Pleine-Selve 17.............19 AR15
Pleines-Œuvres 14...........52 AE25
Plélan-le-Grand 35.........103 W35
Plélan-le-Petit 22..........79 V30
Plélauff 22.................77 O32
Plélo 22....................73 Q28
Plémet 22..................102 S33
Plémy 22....................78 S31
Plénée-Jugon 22.............79 U31
Pléneuf (Pointe de) 22......78 T28
Pléneuf-Val-André 22........78 T28
Plénise 39.................180 CF48
Plénisette 39..............180 CF48
Plerguer 35.................80 Y29
Plérin 22...................78 R29
Plerneuf 22.................78 Q29
Plescop 56.................124 Q38
Plesder 35..................79 X30
Plésidy 22..................77 O29
Pleslin 22..................79 W29
Plesnois 57.................45 CE22
Plesnoy 52.................117 CA36
Plessala 22.................78 S31
Plessé 44..................126 X40
Plessier-de-Roye 60.........23 BG18
Le Plessier-Huleu 02........40 BK22
Le Plessier-Rozainvillers 80.22 BE16
Le Plessier-sur-Bulles 60...38 BD19
Le Plessier-
sur-Saint-Just 60........38 BE19
Le Plessis-aux-Bois 77......59 BG25
Plessis-Barbuise 10.........90 BM29
Le Plessis-Belleville 60....59 BG24
Le Plessis-Bouchard 95......58 BC25
Le Plessis Bourré
(Château) 49............128 AH40

Le Plessis-Brion 60..........39 BH19
Le Plessis-Chenet 91.........88 BE29
Le Plessis-Dorin 41.........109 AS35
Plessis-du-Mée 89............89 BK32
Le Plessis-Feu-Aussoux 77....59 BI28
Le Plessis-Gassot 95.........58 BD24
Le Plessis-Grammoire 49.....149 AI41
Le Plessis-Grimoult 14.......53 AH25
Le Plessis-Grohan 27.........56 AU25
Le Plessis-Hébert 27.........56 AW25
Le Plessis-Josso
(Château) 56............124 S39
Le Plessis-Lastelle 50.......31 AB21
Le Plessis-l'Échelle 41.....132 AW38
Le Plessis-l'Évêque 77.......59 BG24
Le Plessis-Luzarches 95......38 BE23
Le Plessis-Macé 49..........128 AG40
Le Plessis-Pâté 91...........87 BD29
Le Plessis-Patte-d'Oie 60....23 BI17
Le Plessis-Picard 77.........88 BF29
Le Plessis-Placy 77..........59 BI24
Le Plessis-Robinson 92.......58 BC27
Plessis-Saint-Benoist 91.....87 BA31
Plessis-Saint-Jean 89........89 BK32
Le Plessis-
Sainte-Opportune 27......55 AS24
Le Plessis-Trévise 94........58 BE27
Plessix-Balisson 22..........79 W29
Plestan 22...................78 T30
Plestin-les-Grèves 22........72 L27
Pleubian 22..................73 P25
Pleucadeuc 56...............125 T37
Pleudaniel 22................73 O26
Pleudihen-sur-Rance 22.......79 X29
Pleugriffet 56..............102 R35
Pleugueneuc 35...............79 X30
Pleumartin 86...............170 AR50
Pleumeleuc 35...............103 X33
Pleumeur-Bodou 22............72 M25
Pleumeur-Gautier 22..........73 O25
Pleure 39...................178 CA47
Pleurs 51....................61 BO28
Pleurtuit 35.................50 W28
Pleuven 29...................99 H35
Pleuvezain 88................94 CD31
Pleuville 16................204 AP57
Pléven 22....................79 U29
Plévenon 22..................79 U27
Plévin 22....................72 L32
Pleyben 29...................76 I31
Pleyber-Christ 29............71 J28

Le Pleyney 38...............233 CG65
Pliboux 79..................203 AM56
Plichancourt 51..............62 BU27
Plieux 32...................296 AQ81
Plivot 51....................61 BP24
Ploaré 29....................99 F33
Plobannalec-Lesconil 29......99 G36
Plobsheim 67................97 CR29
Ploemel 56..................123 O38
Ploemeur 56.................123 M37
Ploërdut 56.................101 N33
Ploeren 56..................124 Q38
Ploërmel 56.................102 T35
Plœuc-sur-Lié 22.............78 R31
Plœven 29....................75 G32
Ploëzal 22...................73 O26
Plogastel-
Saint-Germain 29.........99 F34
Plogoff 29...................98 D33
Plogonnec 29.................99 G33
Ploisy 02....................40 BK21
Plomb 50.....................51 AC27
Plombières-les-Bains 88.....119 CI35
Plombières-lès-Dijon 21.....160 BX43
Plomelin 29..................99 G34
Plomeur 29...................99 F35
Plomion 02...................25 BP15
Plomodiern 29................75 G32
Plonéis 29...................99 G33
Plonéour-Lanvern 29..........99 F35
Plonévez-du-Faou 29..........76 J31
Plonévez-Porzay 29...........75 G32
Plorec-sur-Arguenon 22.......79 U29
Plottes 71..................195 BW52
Plou 18.....................172 BB46
Plouagat 22..................73 P28
Plouaret 22..................72 M27
Plouarzel 29.................70 C28
Plouasne 22.................103 X32
Plouay 56...................101 M35
Ploubalay 22.................50 W28
Ploubazlanec 22..............73 P25
Ploubezre 22.................72 M26
Ploudalmézeau 29.............70 D27
Ploudaniel 29................71 G28
Ploudiry 29..................75 N28
Plouëc-du-Trieux 22..........73 O27
Plouëdern 29.................71 G28
Plouégat-Guérand 29..........72 K27
Plouégat-Moysan 29...........72 L28
Plouénan 29..................76 I31

Plouër-sur-Rance 22..........79 X29
Plouescat 22.................73 H26
Plouézec 22..................73 Q26
Plouézoc'h 29................71 J27
Ploufragan 22................78 R29
Plougar 29...................71 H27
Plougasnou 29................72 K26
Plougastel-Daoulas 29........75 F29
Plougonvelin 29..............74 C30
Plougonven 29................72 K28
Plougonver 22................71 I26
Plougoulm 29.................71 I26
Plougoumelen 56.............124 P38
Plougourvest 29..............71 H28
Plougras 22..................72 L28
Plougrescant 22..............73 O28
Plouguenast 22..............78 R31
Plouguerneau 29..............70 E27
Plouguernével 22............101 N32
Plouguiel 22.................73 O25
Plouguin 29..................70 E28
Plouha 22....................73 Q27
Plouharnel 56...............123 O39
Plouhinec 56................123 N38
Plouhinec 29.................99 E33
Plouider 29..................71 G27
Plouigneau 29................72 K28
Plouisy 22...................73 O28
Plouléc'h 22.................72 M26
Ploumagoar 22................73 O28
Ploumanach 22................72 M25
Ploumilliau 22...............72 M27
Ploumoguer 29................70 D29
Plounéour-Ménez 29...........76 J29
Plounéour-Trez 29............71 G26
Plounérin 22.................72 L28
Plounéventer 29..............71 G28
Plounévez-Lochrist 29........71 G27
Plounévez-Moëdec 22..........72 M28
Plounévez-Quintin 22.........77 N31
Plounévézel 29...............76 L31
Plourac'h 22.................76 L29
Plouray 56..................101 M33
Plourhan 22..................73 Q27
Plourin 29...................70 D28
Plourin-lès-Morlaix 29.......72 K28
Plourivo 22..................73 P26
Plouvain 62..................13 BH10
Plouvara 22..................78 Q29
Plouvien 29..................70 F28
Plouvorn 29..................71 I27

Plouyé 29....................76 K30
Plouzané 29..................74 D29
Plouzélambre 22..............72 L27
Plouzévédé 29................71 H27
Plozévet 29..................99 F34
Ployart-et-Vauseine 02.......41 BN19
Le Ployron 60................23 BF18
Plozévet 29..................99 E34
Pludual 22...................73 Q27
Pluduno 22...................79 V29
Plufur 22....................72 L27
Pluguffan 29.................99 G34
Pluherlin 56................125 T38
Plumaudan 22.................79 W31
Plumaugat 22................103 V32
Plumelec 56.................102 S36
Pluméliau 56................101 P35
Plumelin 56.................102 Q36
Plumergat 56................124 P37
Plumetot 14..................33 AJ21
Plumieux 22.................102 S33
Plumont 39..................161 CC46
Pluneret 56.................124 P38
Plurien 22...................79 U28
Plusquellec 22...............77 M30
Plussulien 22................77 P31
Pluvault 21.................160 BZ44
Pluvet 21...................160 BZ44
Pluvigner 56................124 P37
Pluzunet 22..................72 N27
Pocancy 51...................61 BQ25
Pocé-les-Bois 35............105 AC34
Pocé-sur-Cisse 37...........152 AT42
Podensac 33.................255 AH73
Le Poët 05..................287 CG76
Le Poët-Célard 26...........267 BZ73
Le Poët-en-Percip 26........286 CB77
Le Poët-Laval 26............267 BY74
Le Poët-Sigillat 26.........286 CA76
Pœuilly 80...................23 BI15
Poey-de-Lescar 64...........314 AG87
Poey-d'Oloron 64............313 AE88
Pœzat 03....................210 BK57
Poggio-di-Nazza 2B..........349 FG110
Poggio-di-Venaco 2B.........347 FF108
Poggio-d'Oletta 2B..........345 FG104
Poggio-Marinaccio 2B........347 FG106
Poggio-Mezzana 2B...........347 FH106
Poggiolo 2A.................348 FD109
Pogny 51.....................62 BS26
Poids-de-Fiole 39...........196 CC51

POITIERS

Abbé-Frémont (Bd)........ **DY** 2	Fg-du-Pont-Neuf.......... **DZ** 30	Marché-Notre-Dame (R. du). **DYZ** 55		
Alexandre (R. J.)........ **DZ** 4	Gabillet (R. H.)......... **DY** 34	Marne (R. de la)........ **CY** 56		
Blossac (R. de)......... **CZ** 10	Gambetta (R.)........... **DY** 35	Mouton (R. du)......... **DY** 63		
Boncenne (R.).......... **CDY** 12	Gaulle (Pl. Ch.-de).... **DY** 36	Oudin (R. H.).......... **DY** 67		
Bouchet (R. Jean)...... **DY** 14	Grand-Rue.............. **DY**	Puygarreau (R. du)..... **DY** 70		
Bretonnerie (R. de la). **DY** 16	Grignon-de-Montfort (R.).. **DY** 40	Rat (R. Pierre)........ **DY** 71		
Carnot (R.)............ **CZ** 17	Hôtel-Dieu (R. de l')... **DY** 45	Riffault (R.).......... **DY** 74		
Chaine (R. de la)...... **DY** 20	Intendant-le-Nain (R. de l')... **DY** 46	St-Cyprien (R.)........ **DZ** 76		
Champagne (R. de)...... **DY** 21	Jeanne-d'Arc (Bd)...... **DY** 48	St-Germain (R.)........ **DY** 77		
Clos-des-Carmes (Pl. du). **DY** 22	Jean-de-Berry (Pl.).... **DY** 47	Solférino (Bd)......... **CY** 89		
Coligny (Bd)........... **DZ** 23	Leclerc (Pl. du Mar.).. **DZ** 49	Thezard (R. Léopold)... **CZ** 90		
Cordeliers (R. des).... **DY** 25	Libération (Av. de la). **CZ** 50	Tison (Bd de).......... **CY** 92		
Descartes (R. René).... **DY** 28	Liberté (Av. de la).... **BV** 51	Verdun (R. de)......... **CY** 94		
	Liberté (Pl. de la).... **DY** 52	3-Rois (R. des)........ **DY** 95		
	Macé (R. Jean)......... **DY** 53	125e-R.-I. (R. du)..... **CZ** 97		

Poigny 77..........................89 BK30
Poigny-la-Forêt 78............57 AY28
Poil 58...........................176 BQ48
Le Poil 04.......................288 CI80
Poilcourt-Sydney 08...........41 BQ20
Poilhes 34.......................321 BJ88
Poillé-sur-Vègre 72...........106 AJ36
Poilley 50..........................51 AC28
Poilley 35..........................81 AC30
Poilly 51...........................41 BD22
Poilly-lez-Gien 45.............134 BF39
Poilly-sur-Serein 89.........136 BD38
Poilly-sur-Tholon 89.........136 BL37
Poinchy 89......................136 BN38
Poinçon-lès-Larrey 21......137 BS37
Le Poinçonnet 36.............171 AY49
Poincy 77...........................59 BH25
Poinsenot 52...................139 BX39
Poinson-lès-Fayl 52..........140 CB38
Poinson-lès-Grancey 52....139 BX39
Poinson-lès-Nogent 52......117 BZ35
Point-Sublime 48..............282 BK77
Point Sublime 04..............307 CJ82
Pointel 61...........................53 AJ28
Pointis-de-Rivière 31........334 AP90
Pointis-Inard 31...............334 AQ90
Pointre 39........................161 CB44
Pointvillers 25.................161 CE45
Poinville 28......................111 BA34
Le Poiré-sur-Velluire 85...183 AE53
Le Poiré-sur-Vie 85..........165 Z49
Poiroux 85........................182 Z52
Poisat 38.........................251 CE67
Poiseul 52........................117 CA36
Poiseul-la-Grange 21........138 BV40
Poiseul-la-Ville-
  et-Laperrière 21.............138 BU40
Poiseul-lès-Saulx 21........139 BX40
Poiseux 58.......................156 BK45
Poisieux 18......................172 BB46
Le Poislay 41...................109 AT35
Poisoux 39.......................196 CA53
Poisson 71.......................193 BR54
Poissons 52.......................93 BY31
Poissy 78...........................58 BB25
Poisvilliers 28...................86 AW30
Poisy 74...........................215 CG58
La Poitevinière 49.............148 AE44
Poitiers 86.......................186 AN51
Poivres 10..........................62 BT25
Poix 51...............................62 BT25
Poix-de-Picardie 80...........21 BA16
Poix-du-Nord 59.................15 BM11
Poix-Terron 08...................26 BT17
Le Poizat 01.....................214 CD56
Pol (Chapelle) 29...............71 G26
Polaincourt-
  et-Clairefontaine 70.......118 CF36
Polastron 32....................296 AR85
Polastron 31....................317 AS88
Poleymieux-
  au-Mont-d'Or 69............213 BW59
Poliénas 38......................250 CB66
Polignac 43......................247 BP68
Polignac 17......................238 AI66
Poligné 35.......................104 Z36
Poligny 77.......................112 BG33
Poligny 39.......................179 CC48
Poligny 10.......................115 BS34
Poligny 05.......................269 CG72
Polincove 62........................3 BB4
Polisot 10.........................115 BS35
Polisy 10..........................115 BS35
Pollestres 66...................343 BH95
Polliat 01.........................195 BY55
Pollionnay 69...................212 BV60
Polminhac 15...................244 BF70
Polveroso 2B....................347 FG106
Pomacle 51........................41 BQ21
Pomarède 46....................259 AT74
La Pomarède 11...............319 BA87
Pomarez 40......................293 AD84
Pomas 11.........................337 BC90
Pomay (Château de) 03.....192 BL51
Pomayrols 12...................263 BI75
Pomérol 33.......................238 AJ69
Pomérols 34.....................322 BM87
Pomeys 69.......................230 BT62
Pommard 21.....................177 BV46
Pommera 62........................12 BD12
La Pommeraie-
  sur-Sèvre 85.................167 AF48
La Pommeraye 49.............149 AF42
La Pommeraye 14...............53 AI25
Pommeret 22......................78 S29
Pommereuil 59...................15 BM12
Pommereux 76...................21 AY18
Pommeréval 76..................20 AV16
Pommérieux 57..................65 CF24
Pommérieux 53................128 AF37
Pommerit-Jaudy 22............73 O26
Pommerit-le-Vicomte 22.....73 P27
Pommerol 26....................268 CC75
Pommeuse 77.....................59 BI27
Pommevic 82....................276 AR79
Pommier 62........................13 BF11
Pommier-
  de-Beaurepaire 38.........231 BZ64
Pommiers 69....................212 BV58
Pommiers 42....................211 BQ60

Pommiers 36....................189 AY52
Pommiers 30....................302 BN81
Pommiers 02......................40 BK20
Pommiers-la-Placette 38...232 CD65
Pommiers-Moulons 17.......220 AI65
Pomoy 70.........................141 CH39
Pompaire 79.....................185 AJ51
Pompéjac 33.....................256 AI75
Pompertuzat 31................318 AW86
Pompey 54.........................65 CF26
Pompiac 32......................317 AS86
Le Pompidou 48...............282 BN78
Pompierre 88.....................94 CC32
Pompierre-sur-Doubs 25...162 CI41
Pompiey 47......................275 AM78
Pompignac 33...................237 AH70
Pompignan 82..................297 AU82
Pompignan 30..................302 BP81
Pompogne 47....................274 AK77
Pomponne 77.....................59 BF26
Pomport 24......................257 AO71
Pomps 64.........................293 AE85
Pomy 11...........................337 BB91
Poncé-sur-le-Loir 72........130 AQ38
Poncey-lès-Athée 21........160 CA44
Poncey-sur-l'Ignon 21......159 BV41
Le Ponchel 62....................12 BB11
Ponches-Estruval 80.........11 BA10
Ponchon 60........................38 BC21
Poncin 01.........................214 CA57
Poncins 42.......................229 BR61
Pondaurat 33....................256 AJ74
Le Pondy 18.....................173 BF49
Ponet-et-Saint-Auban 26..268 CA71
Ponlat-Taillebourg 31.......334 AP90
Pons 17............................219 AG62
Pons 12............................262 BE72
Ponsampère 32................315 AN86
Ponsan-Soubiran 32.........316 AO87
Ponsas 38........................249 BW67
Ponson-Debat-Pouts 64....314 AJ87
Ponson-Dessus 64............314 AJ87
Ponsonnas 38...................251 CE70
Pont 21.............................160 BZ44
Pont-à-Bucy 02...................24 BL17
Pont-à-la-Planche 87........205 A559
Pont-à-Marcq 59..................8 BI8
Pont-à-Mousson 54............65 CE25
Pont-à-Vendin 62.................8 BH8
Pont-Arcy 02......................40 BM20
Pont-Audemer 27...............35 AP20
Pont-Authou 27..................35 AR22
Pont-aux-Moines 45..........133 BB37
Pont-Aven 29....................100 J36
Pont-Bellanger 14...............52 AE25
Pont-Calleck (Château
  et Forêt de) 56................101 M34
Le Pont-Chrétien-
  Chabenet 36...................188 AW51
Pont-Croix 29.....................99 E33
Pont-d'Ain 01...................214 CA57
Pont-d'Arc 07...................284 BT76
Le Pont-d'Ardres 62............2 BA3
Pont-de-Barret 26.............267 BY73
Le Pont-de-Beauvoisin 73.232 CD63
Le Pont-de-Beauvoisin 38.232 CD63
Pont-de-Braye 72.............130 AQ38
Pont-de-Briques 62..............6 AY6
Pont-de-Buis-
  lès-Quimerch 29.............75 H31
Pont-de-Chazey-Villieu 01.213 BZ59
Pont-de-Chéruy 38............213 BZ60
Le Pont-de-Claix 38..........250 CD67
Pont-de-Crau 13...............304 BV84
Pont-de-Dore 63...............210 BM60
Pont de Gau (Parc
  ornithologique du) 13....324 BT86
Pont-de-la-Chaux 39........179 CE50
Pont-de-la-Maye 33..........255 AG71
Pont-de-Labeaume 07.......266 BS73
Pont-de-l'Arche 27.............36 AU21
Pont-de-Larn 81...............319 BD86
Pont-de-l'Étoile 13...........327 CD87
Pont-de-l'Isère 26............249 BX69
Pont-de-Lunel 34..............303 BS83
Pont-de-Menat 63.............209 BH57
Pont-de-Metz 80.................22 BC15
Le Pont-de-Montvert 48....283 BO76
Pont-de-Pany 21...............159 BV43
Le Pont-de-Planches 70....140 CE40
Pont-de-Poitte 39.............196 CC51
Pont-de-Roide 25..............163 CK42
Pont-de-Ruan 37...............151 AP44
Pont-de-Salars 12.............281 BG77
Pont-de-Vaux 01...............195 BX53
Pont-de-Veyle 01..............195 BW55
Pont-des-Pierres 01..........215 CE56
Pont-d'Espagne 65............332 AI93
Pont-d'Hérault 30.............283 BO80
Pont-d'Héry 39.................179 CE48
Pont-d'Ouche 21...............159 BV45
Pont-d'Ouilly 14.................53 AJ26
Pont-du-Bois 70...............118 CF35
Pont-du-Casse 47.............276 AP77
Pont-du-Château 63..........210 BK60
Pont-du-Châtel 29.............71 G27
Pont du Diable
  (Gorges du) 74...............198 CK54
Pont du Dognon 87...........206 AW59
Pont-du-Fossé 05..............270 CI72
Pont du Gard 30...............304 BU81

Pont-du-Loup 06...............309 CO82
Pont-du-Navoy 39.............179 CD49
Pont-en-Royans 38...........250 CA68
Pont-et-Massène 21..........158 BS41
Pont-Évêque 38................231 BX63
Pont-Hébert 50..................32 AD22
Pont-James 44..................165 Z46
Pont-la-Ville 52................116 BW34
Pont-l'Abbé 50...................31 AB20
Pont-l'Abbé 29...................99 G35
Pont-l'Abbé-d'Arnoult 17..201 AE59
Pont-lès-Bonfays 88.........118 CF33
Pont-les-Moulins 25.........162 CI42
Pont-l'Évêque 60................23 BH18
Pont-l'Évêque 14................34 AN21
Pont-Melvez 22..................77 N29
Pont-Noyelles 80................22 BD14
Pont-Péan 35....................104 Z35
Pont-Réan 35...................104 Y35
Pont-Remy 80.....................11 BA13
Pont-Royal 13...................305 CA83
Pont-Saint-Esprit 30.........284 BV77
Pont-Saint-Mard 02............40 BK19
Pont-Saint-Martin 44........147 Z45
Pont-Saint-Pierre 27..........36 AV21
Pont-Saint-Vincent 54........94 CF28
Pont-Sainte-Marie 10..........91 BQ31
Pont-Sainte-Maxence 60.....39 BF21
Pont-Salomon 43.............230 BS65
Pont-Scorff 56...................101 M36
Pont-sur-l'Ognon 70.........141 CH40
Pont-sur-Madon 88.............94 CF31
Pont-sur-Meuse 55.............64 CA26
Pont-sur-Sambre 59...........15 BO11
Pont-sur-Seine 10...............90 BM30
Pont-sur-Vanne 89............113 BL34
Pont-sur-Yonne 89.............89 BJ32
Pontacq 64.......................314 AJ89
Pontaillac 17....................218 AC61
Pontailler-sur-Saône 21....160 CA43
Pontaix 26........................268 CA71
Pontamafrey 73................234 CI65
Pontanevaux 71...............195 BW55
Pontarion 23....................207 AZ58
Pontarlier 25....................180 CH47
Pontarmé 60......................38 BE23
Pontaubault 50..................51 AC24
Pontaubert 89..................157 BO41
Pontault-Combault 77.........59 BF27
Pontaumur 63...................208 BF59
Pontavert 02......................41 BO20
Pontcarré 77......................59 BF27
Pontcey 70.......................140 CA28
Pontchardon 61.................54 AO25
Pontcharra 38..................233 CG64
Pontcharra-sur-Turdine 69.212 BT59
Pontcharraud 23...............207 BC59
Pontchâteau 44................146 V41
Pontcirq 46......................259 AU74
Ponte-Leccia 2B...............347 FE106
Ponte Nuovo 2B................347 FF105
Pontécoulant 14.................53 AH26
Ponteilla 36.....................343 BH95
Ponteils-et-Brésis 30.........283 BQ76
Pontempeyrat 43..............229 BP65
Pontenx-les-Forges 40......272 AB77
Le Pontet 84....................285 BX80
Le Pontet 73....................233 CH63
Le Pontet 33....................237 AG67
Les Pontets 25.................180 CG49
Ponteyraud 24.................239 AM67
Pontfaverger-
  Moronvilliers 51............42 BR21
Pontgibaud 63.................209 BH60
Pontgouin 28.....................85 AU30
Ponthévrard 78.................80 BE30
Ponthierry 77.....................88 BE30
Ponthion 51.......................62 BU27
Ponthoile 80.......................11 AY11
Le Ponthou 29...................72 L28
Ponthoux 39.....................196 CD53
Pontiacq-Viellepinte 64...314 AJ87
Pontigné 49......................129 AL40
Pontigny 89.....................136 BN37
Pontis 04.........................270 CJ74
Pontivy 56........................101 P34
Pontlevoy 41....................153 AV42
Pontlieue 72....................107 AN36
Pontmain 53......................81 AE30
Pontoise 95.......................58 BB24
Pontoise-lès-Noyon 60.......23 BI18
Pontonx-sur-l'Adour 40.....293 AC82
Pontorson 50.....................80 AA29
Pontours 24.....................258 AQ71
Pontoux 71.......................178 BZ47
Pontoy 57...........................66 CG24
Pontpierre 57.....................66 CI23
Pontpoint 60......................39 BF21
Pontrieux 22......................73 O27
Pontruet 02........................24 BJ14
Ponts 50.............................51 AC27
Les Ponts-de-Cé 49...........149 AA42
Ponts-et-Marais 76............10 AW13
Les Ponts-Neufs 22............78 S29
Pontvallain 72..................130 AN38
Popian 34.........................302 BM84

Popolasca 2B....................347 FE106
Porcaro 56.......................103 V36
Porcelette 57......................46 CI22
Porchères 33....................238 AK68
Porcheresse 16................221 AL64
La Porcherie 87...............224 AX63
Porcheux 60......................37 BA21
Porcheville 78....................57 AZ25
Porcieu-Amblagnieu 38....214 CB59
Pordic 22...........................73 R28
Le Porge 33......................236 AC70
Pornic 44..........................146 V45
Pornichet 44.....................145 T43
Porquéricourt 60................23 BH18
Porquerolles (Île de) 83....... CI91
Porri 2B............................347 FG106
Pors-Even 22.....................73 P25
Porsmilin 29......................74 D29
Porspoder 29.....................70 C28
Le Port 09........................335 AV93
Port 01.............................214 CC56
Port (Col de) 09................336 AW92
Port-à-Binson 51................61 BN24
Port-Barcarès 66...............339 BI93
Port-Blanc 22....................72 N25
Port-Brillet 53...................105 AE34
Port-Camargue 30............303 BR85
Port-Coton
  (Aiguilles de) 56.............144 N42
Port-Cros (Île de) 83........329 CK90
Port-d'Atelier 70...............140 CE38
Port-de-Bouc 13...............325 BY86
Port-de-Carhaix 29............76 L31
Port-de-Gagnac 46...........243 AZ70
Port-de-Groslée 01...........232 CC61
Port-de-la-Meule 85.........164 T49
Port-de-Lanne 40.............292 AA84
Port-de-Miramar 83..........328 CJ89
Port-de-Piles 86...............169 AQ47
Port-d'Envaux 17..............201 AF59
Port-des-Barques 17........200 AC58
Port-Donnant 56...............144 N42
Port-du-Salut
  (Trappe du) 53..............106 AG35
Port-en-Bessin 14..............32 AG20
Port-Goulphar 56..............144 N42
Port-Grimaud 83...............329 CL87
Port-Haliguen 56..............123 O40
Port-Jérôme 76..................35 AQ19
Port-Joinville 85...............164 T49
Port-la-Nouvelle 11...........339 BJ91
Port-Launay 29..................75 H31
Port-Lauragais 31............318 AY87
Port-le-Grand 80................11 AZ12
Port-Lesney 39.................179 CD46
Port-Leucate 11................339 BJ93
Port-Louis 56...................123 M37
Port-Manech 29...............100 J36
Port-Maria 56...................144 O42
Le Port-Marly 78...............58 BB26
Port-Miou 13....................327 CD88
Port-Mort 27......................36 AW23
Port-Navalo 56.................124 P39
Port Royal des Champs
  (Abbaye de) 78..............57 BA27
Port-Saint-Louis-
  du-Rhône 13.................325 BX87
Port-Saint-Père 44...........147 Y45
Port-Sainte-Foy-
  et-Ponchapt 24.............257 AM79
Port-Sainte-Marie 47........275 AN77
Port-sur-Saône 70............141 CF29
Port-sur-Seille 54...............65 CF25
Port-Vendres 66...............343 BJ97
Port-Villez 78....................57 AX24
Porta 66............................341 AZ97
La Porta 2B......................347 FG106
Portbail 50.........................31 Z20
Porte (Col de) 38..............233 CE65
Porte-Joie 27.....................36 AV22
Porté-Puymorens 66..........341 AZ96
Le Portel 62........................6 AX6
Portel (Sommet du) 09......335 AV90
Portel-des-Corbières 11....338 BH91
Portes 30..........................283 BQ77
Portes 27............................56 AT24
Portes (Calvaire de) 01.....214 CB59
Portes (Chartreuse de) 01.214 CB59
Les Portes-en-Ré 17.........182 Z54
Portes-en-Valdaine 26......267 BX74
Portes-lès-Valence 26......249 BX70
Portet 64..........................294 A185
Portet-d'Aspet 31.............334 AR92
Portet d'Aspet (Col de) 31.334 AR92
Portet-de-Luchon 31.........334 AO93
Portet-sur-Garonne 31......297 AV85
Portets 33.........................255 AH72
Porticcio 2A.....................348 FC112
Porticciolo
  (Marine de) 2B..............345 FG101
Portieux 88.........................95 CG31
Portiragnes 34.................321 BL88
Portiragnes-Plage 34........321 BL88
Portivy 56........................123 N40
Porto 2A...........................346 FB108
Porto-Pollo 2A.................348 FC113
Porto-Vecchio 2A.............351 FG114
Ports 37............................169 AP46
Portsall 29.........................70 D27
Posanges 21....................159 BT42
Poses 27............................36 AV21

Possesse 51........................63 BV26
La Possonnière 49............149 AG42
La Possonnière
  (Manoir) 41....................130 AQ38
La Postolle 89..................113 BL33
Postroff 57..........................67 CM25
Potangis 51........................90 BP29
Potelières 30....................284 BS78
Potelle 59............................15 BM11
La Poterie 59......................78 T29
La Poterie-au-Perche 61.....84 AR29
La Poterie-Cap-d'Antifer 76..18 AN17
La Poterie-Mathieu 27........35 AP22
Pothières 21.....................115 BT36
Potigny 14..........................53 AK25
Potte 80.............................23 BH16
Pouan-les-Vallées 10..........90 BP30
Pouançay 86.....................168 AK46
Pouancé 49......................127 AC38
Pouant 86.........................169 AN47
Poubeau 31......................334 AO93
Poucharramet 31..............317 AT87
Pouchergues 65................334 AN93
Poudenas 47.....................275 AM79
Poudenx 40......................293 AF84
Poudis 81..........................299 BA85
Poudrey (Gouffre de) 25...162 CG44
Poueyferré 65...................332 AJ90
La Pouëze 49....................128 AF40
Pouffonds 79....................185 AK55
Pougnadoresse 30............284 BU79
Pougné 16.........................203 AN58
Pougne-Hérisson 79.........167 AI50
Pougnes-les-Eaux 58.......174 BJ46
Pougy 10............................91 BS31
Pouilhac 17.......................238 AG66
Pouillac 33........................237 AH65
Pouillé 85.........................186 AP52
Pouillé 85.........................183 AE52
Pouillé 41.........................153 AV43
Pouillé-les-Côteaux 44......148 AC41
Pouillenay 21...................159 BT41
Pouilley-Français 25.........161 CD44
Pouilley-les-Vignes 25......161 CE43
Pouillon 51..........................41 BO21
Pouillon 40.......................293 AC84
Pouilloux 71....................194 BS51
Pouilly 60...........................38 BB22
Pouilly 57...........................65 CF23
Pouilly-en-Auxois 21........159 BU44
Pouilly-en-Bassigny 52.....117 CB35
Pouilly-le-Fort 77...............88 BF29
Pouilly-le-Monial 69.........212 BV58
Pouilly-lès-Feurs 42.........211 BR60
Pouilly-les-Nonains 42......211 BP57
Pouilly-sous-Charlieu 42...211 BO56
Pouilly-sur-Loire 58..........156 BH44
Pouilly-sur-Meuse 55.........27 BX18
Pouilly-sur-Saône 21........178 BY46
Pouilly-sur-Serre 02...........24 BM17
Pouilly-sur-Vingeanne 21...134 CA40
Le Poujol-sur-Orb 34........301 BJ85
Poujols 34........................301 BL83
Poul-Fétan 56...................101 O35
Poulaines 36....................153 AY45
Poulains (Pointe des) 56...144 N41
Poulainville 80.................80 BD14
Poulan-Pouzols 81............299 BB82
Poulangy 52.....................117 BY35
Poulay 53............................82 AI31
Pouldavid 29.......................99 F33
Pouldergat 29.....................99 F33
Pouldouran 22...................73 O26
Pouldreuzic 29...................99 F34
Le Pouldu 29....................123 L37
Poule-les-Écharmeaux 69.212 BT56
Pouliacq 64......................294 AH85
Les Poulières 88...............120 CK33
Pouligney 25....................162 CG42
Pouligny-Notre-Dame 36..188 BA52
Pouligny-Saint-Martin 36..189 BA52
Pouligny-Saint-Pierre 36...170 AT50
Le Pouliguen 44...............145 T43
Poullan-sur-Mer 29............99 E33
Poullaouen 29....................76 K30
Poulliguen 16...................220 AK64
Poulx 30...........................303 BT81
Poumarous 65..................315 AL89
Poupas 82........................276 AR80
Poupry 28.........................110 AZ35
Pouques-Lormes 58..........157 BO43
Pourcharesses 48.............265 BP75
Pourchères 07..................266 BU72
Pourcieux 83....................306 CF85
Pourcy 51............................41 BO23
Pourlans 71......................178 BZ47
Pournoy-la-Chétive 57........65 CF24
Pournoy-la-Grasse 57........65 CF24
Pourrain 89......................136 BL38
Pourrières 83...................306 CE85
Poursac 16........................203 AN58
Poursay-Garnaud 17.........201 AH58
Poursiugues-Boucoue 64...294 AH85
Pourtalet (Col du) 64........332 AG93
Pouru-aux-Bois 08.............27 BX16

Pouru-Saint-Remy 08.........27 BX17
Pourville-sur-Mer 76..........10 AT14
Poussan 34.......................323 BO86
Poussanges 23.................207 BC60
Poussay 88.........................94 CF31
Pousseaux 58...................157 BM41
Poussignac 47..................275 AL76
Poussy-la-Campagne 14.....33 AK23
Pousthomy 12...................300 BF82
Le Pout 33........................255 AH71
Pouvrai 61..........................84 AP32
Pouxeux 88.......................119 CI34
Pouy 65............................316 AO88
Pouy-de-Touges 31...........317 AS87
Pouy-Loubrin 32...............316 AO86
Pouy-Roquelaure 32.........275 AO80
Pouy-sur-Vannes 10...........90 BM32
Pouyastruc 65..................315 AL88
Pouydesseaux 40.............274 AH80
Pouydraguin 32................295 AK84
Pouylebon 32....................295 AM85
Pouzac 65.........................333 AL90
Le Pouzat 07....................248 BT69
Le Pouzat 07....................248 BT69
Pouzauges 85...................166 AE49
Pouzay 37.........................169 AP46
Pouze 31..........................318 AW86
Pouzilhac 30.....................284 BV79
Le Pouzin 07.....................267 BW71
Pouzioux 86......................187 AQ52
Pouzol 63.........................209 BI57
Pouzols 34.......................302 BM84
Pouzols-Minervois 11.......320 BH88
Pouzy-Mésangy 03...........174 BI50
Poyanne 40......................293 AD82
Poyans 70........................160 CA41
Poyartin 40......................293 AD83
Poyols 26.........................268 CB73
Pozières 80........................13 BG13
Pra-Loup 04.....................270 CH74
Le Pradal 34.....................301 BJ84
Les Pradeaux 63...............228 BK63
Pradeaux (Col des) 63......229 BO63
Pradel (Col du) 11............336 AZ94
Pradelle 26.......................268 CA73
Pradelles 59.........................4 BF5
Pradelles 43.....................265 BP71
Pradelles-Cabardès 11.....320 BE90
Pradelles-en-Val 11..........338 BE90
Pradère-les-Bourguets 31.297 AT84
Prades 66.........................342 BD96
Prades 48.........................282 BM76
Prades 43.........................246 BN69
Prades 09.........................336 AZ94
Prades 07.........................266 BS73
Prades-d'Aubrac 12..........263 BI74
Prades-de-Salars 12..........281 BG77
Prades-le-Lez 34..............302 BP83
Prades-sur-Vernazobre 34.321 BI86
Le Pradet 83....................328 CH89
Pradettes 09....................336 AY91
Pradières 09.....................336 AX92
Pradiers 15.......................245 BH66
Pradinas 12......................279 BC78
Pradines 46......................259 AV75
Pradines 19......................225 AZ63
Pradines 42......................211 BR58
Pradons 07.......................266 BT75
Prads 04...........................288 CK77
Prafrance
  (Bambouseraie de) 30...283 BQ79
Pragnères
  (Centrale de) 65............333 AK93
Prahecq 79.......................185 AI55
Prailles 79........................185 AJ54
Pralognan-la-Vanoise 73..234 CL64
Prâlon 21..........................159 BV43
Pralong 42........................229 BG62
Pramousquier 83.............329 CK89
Pramouton 05...................270 CK74
Prangey 52.......................139 BZ38
Pranles 07........................266 BU71
Pranzac 16.......................221 AN61
Prapoutel-
  les-Sept-Laux 38..........251 CF66
Le Prarion 74....................216 CL58
Praslay 52........................139 BY38
Praslin 10.........................115 BR35
Prasville 28.......................110 AY33
Prat 22..............................72 N27
Prat-Bonrepaux 09...........335 AU83
Prat de Bouc 15...............245 BG68
Prato-di-Giovellina 2B......347 FE106
Prats-de-Carlux 24...........241 AV70
Prats-de-Mollo-
  la-Preste 66.................342 BE98
Prats-de-Sournia 66.........338 BE94
Prats-du-Périgord 24........259 AT72
Pratviel 81........................298 AZ84
Pratz 52............................116 BW33
Pratz 39...........................196 CD53
Prauthoy 52.....................139 BZ39
Pray 41............................131 AU39
Praye 54.............................94 CF30
Prayet (Col du) 38............268 CD71
Prayols 09........................336 AX90
Prayssac 47......................259 AU75
Prayssas 47......................275 AO75
Le Praz 73........................234 CK63
La Praz 73........................252 CK66

raz-Coutant 74 216 CL58
es Praz-de-Chamonix 74 217 CM58
raz-sur-Arly 74 216 CK59
e Pré-d'Auge 14 34 AN23
ré de Madame Carle 05 252 CJ69
ré-en-Pail 53 83 AK30
ré-Saint-Évroult 28 110 AW34
e Pré-Saint-Gervais 93 58 BD26
ré-Saint-Martin 28 110 AW33
réaux 77 112 BH33
réaux 76 36 AV19
réaux 53 106 AI36
réaux 36 171 AV47
es Préaux 27 35 AP21
réaux 07 248 BV67
réaux-Bocage 14 53 AI24
réaux-du-Perche 61 84 AR32
réaux-Saint-Sébastien 14 54 AO25
rébois 38 268 CD71
récey 50 51 AB28
réchac 65 332 AJ91
réchac 33 255 AH75
réchac 32 296 AP82
réchac-sur-Adour 32 295 AK84
Préchacq-Josbaig 64 313 AE88
Préchacq-les-Bains 40 293 AD82
Préchacq-Navarrenx 64 313 AE88
Précieux 42 229 BR62
Précigné 72 129 AJ38
Précilhon 64 331 AF89
Précorbin 50 32 AF23
Précy 18 174 BH46
Précy-le-Sec 89 136 BO40
Précy-Notre-Dame 10 91 BS31
Précy-Saint-Martin 10 91 BS31
Précy-sous-Thil 21 158 BS42
Précy-sur-Marne 77 59 BG25
Précy-sur-Oise 60 38 BD22
Précy-sur-Vrin 89 113 BK36
Prédefin 62 7 BC8
Préfailles 44 146 U44
Préfontaines 45 112 BF34
Prégilbert 89 136 BN40
Préguillac 17 219 AG61
Préhy 89 136 BN38
Preignac 33 256 AI73
Preignan 32 296 AP83
Preigney 70 140 CD38
Preixan 11 337 BC90
Prélenfrey 38 250 CD68
Prelles 05 252 CK70
Prémanon 39 197 CF52
Premeaux-Prissey 21 159 BW45
Prémery 58 156 BK45
Prémesques 59 8 BH6
Prémeyzel 01 232 CD61
Prémian 34 300 BH85
Premières 21 160 BZ44
Prémierfait 10 90 BP30
Prémilhat 03 190 BE54
Prémillieu 01 214 CC59
Prémont 02 14 BK13
Prémontré 02 24 BL18
Prendeignes 46 261 BB72
Préneron 32 295 AM83
La Prénessaye 22 102 S32
Prenois 21 159 BW42
Prénouvellon 41 110 AX36
Prénovel 39 197 CE52
Prény 54 65 CE24
Préporché 58 175 BO48
Prépotin 61 84 AQ29
Les Prés 26 268 CD74
Présailles 43 247 BQ70
Préseau 59 15 BM10
Présentevillers 25 142 CK40
Préserville 31 298 AX85
Présilly 74 215 CG56
Présilly 39 196 CC51
Presle 73 233 CG63
Presle 70 141 CG40
Presles 95 38 BC23
Presles 38 250 CB68
Presles 14 52 AG26
Presles-en-Brie 77 59 BG28
Presles-et-Boves 02 40 BM20
Presles-et-Thierny 02 40 BM19
Presly 18 155 BD42
Presnoy 45 112 BE36
Presque (Grotte de) 46 261 AZ71
Pressac 86 204 AP56
Pressagny-l'Orgueilleux 27 36 AW23
Pressiat 01 196 CA54
Pressignac 16 204 AQ60
Pressignac-Vicq 24 240 AQ70
Pressigny 79 168 AK49
Pressigny 52 140 CC38
Pressigny-les-Pins 45 134 BG37
Pressins 38 232 CC63
Pressy 62 7 BD8
Pressy-sous-Dondin 71 194 BT52
La Preste 66 342 BD98
La Prétière 25 142 CJ41
Pretin 39 179 CD47
Prétot-Sainte-Suzanne 50 31 AB20
Prétot-Vicquemare 76 19 AS16
Prêtreville 14 54 AO24
Préty 71 195 BX52
Pretz-en-Argonne 55 63 BX25
Preuilly 18 172 BC46
Preuilly (Abbaye de) 77 89 BI31
Preuilly-la-Ville 36 170 AS50
Preuilly-sur-Claise 37 170 AS48
Preures 62 6 AZ7
Preuschdorf 67 69 CR24
Preuseville 76 21 AX15
Preutin-Higny 54 45 CC20
Preux-au-Bois 59 15 BM12
Preux-au-Sart 59 15 BM10
Préval 72 108 AQ33
Prévelles 72 108 AP34
Prévenchères 48 265 BP74
Préveranges 18 190 BC53
Prévessin-Moëns 01 197 CG54
La Prévière 49 127 AC38
Prévillers 60 21 BA18
Prévinquières 12 279 BC76
Prévocourt 57 66 CH25
Prey 88 119 CJ33
Prey 27 56 AV25
Preyssac-d'Excideuil 24 223 AT65
Prez 08 26 BR15
Prez-sous-Lafauche 52 93 CA32
Prez-sur-Marne 52 92 BX29
Priaires 79 201 AG56
Priay 01 214 CA57
Priez 02 40 BK23
Prignac 17 202 AI59
Prignac-en-Médoc 33 218 AD65
Prignac-et-Marcamps 33 237 AG68
Prigonrieux 24 239 AN70
Primarette 38 231 BY64
Primat 08 42 BU20
La Primaube 12 280 BF77
Primel-Trégastel 29 72 K26
Primelin 29 98 D33
Primelles 18 172 BC48
Prin-Deyrançon 79 184 AG55
Prinçay 86 169 AN47
Princé 35 105 AD33
Pringé 72 129 AM39
Pringy 77 88 BE30
Pringy 74 215 CG58
Pringy 51 62 BT27
Prinquiau 44 146 W42
Prinsuéjols 48 263 BJ73
Printzheim 67 68 CP26
Prisces 02 25 BO16
Prisches 59 15 BN12
Prissac 36 188 AV52
Prissé 71 194 BV54
Prissé-la-Charrière 79 201 AH56
Pritz 53 106 AG34
Privas 07 266 BV72
Privezac 12 279 BC76
Prix-lès-Mézières 08 26 BU16
Priziac 56 101 M33
Prizy 71 193 BR54
La Proiselière-et-Langle 70 141 CI37
Proissans 24 241 AU70
Proisy 02 25 BN14
Proix 02 24 BM14
Projan 32 294 AI84
Promilhanes 46 279 AZ76
Prompsat 63 209 BJ59
Prondines 63 226 BF61
Pronleroy 60 38 BE19
Pronville 62 14 BI11
Propiac 26 286 CA77
Propières 69 212 BT56
Propriano 2A 350 FD114
Prosnes 51 42 BR22
Prouais 28 57 AX28
Prouilly 51 41 BO21
Proumeyssac (Gouffre de) 24 241 AS70
Proupiary 31 316 AR89
Proussy 14 53 AI25
Prouvais 02 41 BP19
Prouville 80 12 BB12
Prouvy 59 14 BL10
Prouzel 80 22 BC15
Provemont 27 37 AY21
Provenchère 70 141 CF38
Provenchère 25 163 CJ43
Provenchères-lès-Darney 88 118 CE34
Provenchères-sur-Fave 88 96 CM31
Provenchères-sur-Marne 52 92 BX32
Provenchères-sur-Meuse 52 117 CB35
Provency 89 158 BP41
Proverville 10 116 BU33
Proveysieux 38 250 CD66
Proville 59 14 BJ12
Provin 59 8 BH8
Provins 77 89 BK29
Proviseux-et-Plesnoy 02 41 BP19
Proyart 80 23 BF15
Prudemanche 28 56 AU28
Prudhomat 46 243 AZ70
Prugnanes 66 338 BE93
Prugny 10 114 BP33
Pruillé 49 128 AG40
Pruillé-le-Chétif 72 107 AM36
Pruillé-l'Éguillé 72 130 AO37
Pruines 12 262 BE74
Prunay 51 41 BQ22
Prunay-Belleville 10 90 BN32
Prunay-Cassereau 41 131 AS39
Prunay-en-Yvelines 78 86 AZ30
Prunay-le-Gillon 28 86 AY32
Prunay-le-Temple 78 57 AY26
Prunay-sur-Essonne 91 87 BD32
Prunelli-di-Casacconi 2B 347 FG105
Prunelli-di-Fiumorbo 2B 349 FG110
Prunet 31 298 AY85
Prunet 15 262 BE71
Prunet 07 266 BS73
Prunet-et-Belpuig 66 342 BF96
Prunete 2B 347 FH107
Prunières 48 264 BL71
Prunières 38 251 CE70
Prunières 05 270 CI73
Pruniers 49 149 AH41
Pruniers 36 172 BB49
Pruniers-en-Sologne 41 153 AY43
Pruno 2B 347 FG106
Prunoy 89 135 BJ37
Prusly-sur-Ource 21 138 BU37
Prusy 10 114 BP36
Pruzilly 71 194 BV55
Puberg 67 68 CN24
Publier 74 198 CJ53
Publy 39 179 CC50
Puceul 44 126 Z40
Le Puch 09 337 BB94
Puch-d'Agenais 47 275 AM76
Puchay 27 37 AX21
Puchevillers 80 12 BD13
Le Puech 34 301 BL84
Puéchabon 34 302 BN83
Puéchoursi 81 318 AZ86
Puechredon 30 303 BR81
Puellemontier 52 92 BU30
Puessans 25 162 CH41
Puget 84 305 CA82
Puget-Rostang 06 289 CO79
Puget-sur-Argens 83 308 CM85
Puget-Théniers 06 289 CN80
Puget-Ville 83 328 CI87
Pugey 25 161 CE44
Pugieu 01 214 CC59
Puginier 11 318 AZ87
Pugnac 33 237 AG68
Pugny 79 167 AH49
Pugny-Chatenod 73 233 CF61
Puichéric 11 320 BF89
Le Puid 88 96 CM30
Puigmal 66 341 BB98
Puihardy 79 184 AH52
Puilacher 34 302 BM85
Puilaurens 11 337 BC94
Puilboreau 17 183 AC55
Puilly-et-Charbeaux 08 27 BY17
Puimichel 04 287 CG80
Puimisson 34 321 BK86
Puimoisson 04 307 CH81
La Puisaye 28 85 AT29
Puiseaux 45 112 BE33
Puiselet-le-Marais 91 87 BC31
Puisenval 76 21 AX15
Le Puiset 28 110 AZ33
Le Puiset-Doré 49 148 AD44
Puiseux 28 86 AW29
Puiseux 08 26 BT18
Puiseux-en-Bray 60 37 AZ20
Puiseux-en-France 95 58 BE24
Puiseux-en-Retz 02 40 BJ21
Puiseux-le-Hauberger 60 38 BC22
Puiseux-Pontoise 95 57 BA24
Puisieulx 51 41 BQ22
Puisieux 77 59 BH24
Puisieux 62 13 BF12
Puisieux-et-Clanlieu 02 24 BM15
Puissalicon 34 321 BK86
Puisseguin 33 238 AK70
Puisserguier 34 321 BI87
Puits 21 138 BT38
Le Puits-des-Mèzes 52 117 BZ34
Puits-et-Nuisement 10 115 BT33
Puits-la-Vallée 60 22 BC18
Puivert 11 337 BA92
Pujaudran 32 297 AT85
Pujaut 30 285 BW80
Pujo 65 315 AK87
Pujo-le-Plan 40 294 AH81
Pujols 47 276 AQ76
Pujols 33 256 AK71
Les Pujols 09 336 AY90
Pujols-sur-Ciron 33 255 AH74
Le Puley 71 177 BU50
Puligny-Montrachet 21 177 BV47
Pullay 27 55 AS27
Pulligny 54 94 CF29
Pulney 54 94 CE31
Pulnoy 54 66 CG27
Pulvérières 63 209 BH59
Pulversheim 68 121 CO36
Punchy 80 23 BG16
Punerot 88 94 CC30
Puntous 65 316 AO88
Puntous de Laguian 32 315 AM86
Pupillin 39 179 CD48
Pure 08 27 BX17
Purgerot 70 140 CE38
Pusey 70 141 CF39
Pusignan 69 213 BY60
Pussay 91 87 BA32
Pussigny 37 169 AP47
Pussy 73 234 CJ62
Pusy-et-Épenoux 70 141 CF39
Putanges-Pont-Écrepin 61 53 AK27
Puteaux 92 58 BC26
Putot-en-Auge 14 34 AL22
Putot-en-Bessin 14 33 AI22
Puttelange-aux-Lacs 57 67 CK23
Puttelange-lès-Thionville 57 45 CF18
Puttigny 57 66 CI25
Puxe 54 45 CC22
Puxieux 54 65 CD23
Le Puy 33 257 AL73
Le Puy 25 162 CG42
Puy Crapaud 85 167 AF49
Puy-d'Arnac 19 242 AY69
Puy de Dôme 63 209 BI60
Puy-de-Serre 85 184 AG51
Puy du Fou (Château du) 85 166 AE47
Puy-du-Lac 17 201 AF58
Le Puy-en-Velay 43 247 BP68
Puy-Guillaume 63 210 BM58
Puy-l'Évêque 46 259 AT74
Puy-Malsignat 23 207 BC58
Le Puy-Notre-Dame 49 150 AJ45
Puy-Saint-André 05 252 CK69
Le Puy-Saint-Bonnet 49 166 AE46
Puy-Saint-Eusèbe 05 270 CJ73
Puy-Saint-Gulmier 63 208 BF60
Puy-Saint-Martin 26 267 BY73
Puy-Saint-Pierre 05 252 CL69
Puy-Saint-Vincent 05 252 CK70
Le Puy-Sainte-Réparade 13 306 CC83
Puy-Sanières 05 270 CK73
Puybarban 33 256 AK74
Puybegon 81 298 AZ82
Puybrun 46 242 AY70
Puycalvel 81 299 BB84
Puycasquier 32 296 AQ83
Puycelci 81 278 AY80
Puycornet 82 277 AV78
Puydaniel 31 317 AV88
Puydarrieux 65 315 AN88
Puydrouard 17 201 AE56
La Puye 86 187 AR51
Puygaillard-de-Lomagne 82 276 AR80
Puygaillard-de-Quercy 82 278 AX80
Puygiron 26 267 BX74
Puygouzon 81 299 BB81
Puygros 73 233 CG62
Puyguilhem 24 257 AN72
Puyguilhem (Château de) 24 222 AQ64
Puyjourdes 46 279 AZ76
Puylagarde 82 279 AZ77
Puylaroque 82 278 AX77
Puylaurens 81 299 BA85
Puylausic 32 316 AR86
Puyloubier 13 306 CE85
Puymangou 24 239 AL67
Puymartin (Château de) 24 241 AT70
Puymaurin 31 316 AQ87
Puyméras 84 285 BZ77
Puymiclan 47 257 AN74
Puymirol 47 276 AQ78
Puymorens (Col de) 66 340 AY96
Puymoyen 16 221 AM62
Puynormand 33 238 AK69
Puyol-Cazalet 40 294 AH84
Puyoô 64 293 AC85
Puyravault 85 183 AC53
Puyravault 17 201 AE56
Puyréaux 16 203 AM59
Puyrenier 24 221 AO64
Puyricard 13 306 CC84
Puyrolland 17 201 AG57
Puys 76 10 AU14
Puységur 32 296 AP83
Puysségur 31 297 AS83
Puysserampion 47 257 AN73
Puyvalador 66 341 BB95
Puyvert 84 305 CB82
Puzeaux 80 23 BG16
Puzieux 88 94 CF31
Puzieux 57 66 CG25
Py 66 342 BD97
Pyla-sur-Mer 33 254 AB72
La Pyle 27 35 AS22
Pyrénées 2000 66 341 BA97
Pys 80 13 BG12

Q

Quaëdypre 59 3 BE3
Quaix-en-Chartreuse 38 250 CD66
Quantilly 18 155 BE44
Quarante 34 321 BI87
Quarouble 59 9 BM9
Quarré-les-Tombes 89 158 BP43
La Quarte 70 140 CC38
Le Quartier 63 209 BG57
Quasquara 2A 349 FE111
Quatre-Champs 08 42 BU19
Les Quatre Chemins 85 183 AC52
Quatre-Routes-d'Albussac 19 242 AY68
Les Quatre-Routes-du-Lot 46 242 AX69
Quatre Vios (Col des) 07 266 BT71
Quatremare 27 36 AU22
Quatzenheim 67 68 CP27
Quéant 62 13 BH11
Queaux 86 187 AO54
Québriac 35 80 Y31
Quédillac 35 103 V32
Queige 73 216 CJ60
Quelaines-Saint-Gault 53 105 AF36
Les Quelles 67 96 CM30
Quelmes 62 3 BB5
Quelneuc 56 125 W37
Quéménéven 29 75 H32
Quemigny-Poisot 21 159 BW44
Quemigny-sur-Seine 21 138 BU39
Quemper-Guézennec 22 73 P26
Quemperven 22 72 N26
Quend 80 11 AY10
Quend-Plage-les-Pins 80 11 AX10
Quenne 89 136 BN38
Quenoche 70 162 CF41
Quenza 2A 349 FF113
Quercamps 62 3 BB5
Querciolo 2B 347 FH105
Quercitello 2B 347 FG106
Quérénaing 59 14 BL10
Quéribus (Château de) 11 338 BF93
Quérigut 09 341 BB95
Quernes 62 7 BD7
Quéroy (Grottes du) 16 221 AN62
Querqueville 50 29 AA16
Querré 49 128 AH39
Querrien 29 100 L35
Querrieu 80 22 BD14
Quers 70 141 CH38
Quesmy 60 23 BI17
Quesnay-Guesnon 14 32 AG22
Le Quesne 80 21 AZ15
Le Quesnel 80 23 BF16
Le Quesnel-Aubry 60 38 BD19
Le Quesnoy 80 23 BF16
Le Quesnoy 59 15 BM11
Le Quesnoy-en-Artois 62 12 BB10
Quesnoy-le-Montant 80 11 AY12
Quesnoy-sur-Airaines 80 11 BA14
Quesnoy-sur-Deûle 59 4 BH5
Quesques 62 6 BA6
Quessigny 27 56 AV25
Quessoy 22 78 S30
Quessy 02 24 BK17
Questembert 56 125 T38
Questrecques 62 6 AZ6
Quet-en-Beaumont 38 251 CF70
Quetigny 21 160 BY43
Quettehou 50 29 AC17
Quettetot 50 29 AA18
Quetteville 14 34 AO21
Quettreville-sur-Sienne 50 51 AB24
Queudes 51 61 BN28
La Queue-en-Brie 94 58 BE27
La Queue-les-Yvelines 78 57 AZ27
Queuille 63 209 BH58
Quevauvillers 80 22 BB15
Quéven 56 101 M36
Quévert 22 79 W30
Quevillon 76 36 AT20
Quevilloncourt 54 94 CF30
Quévreville-la-Poterie 76 36 AU21
Queyrac 33 218 AD64
Queyrières 43 247 BR68
Queyssac 24 240 AP70
Queyssac-les-Vignes 19 242 AY69
Quézac 48 282 BM76
Quézac 15 261 BC72
Quiberon 56 123 O40
Quiberville 76 20 AT15
Quibou 50 32 AD23
Quié 09 336 AX93
Quiers 77 88 BH29
Quiers-sur-Bézonde 45 111 BD36
Quiéry-la-Motte 62 8 BH9
Quierzy 02 24 BJ18
Quiestède 62 7 BD6
Quiévelon 59 15 BP11
Quiévrechain 59 9 BM9
Quièvrecourt 76 20 AW16
Quiévy 59 14 BL12
Quilen 62 6 BA8
Quilinen (Calvaire de) 29 99 H33
Quillan 11 337 BB93
Quillane (Col de) 66 341 BB96
Quillebeuf-sur-Seine 27 35 AQ19
Le Quillio 22 102 Q32
Quilly 44 146 W41
Quilly 08 42 BT20
Quily 56 102 T36
Quimerch 29 75 H31
Quimiac 44 145 S41
Quimper 29 99 H34
Quimperlé 29 100 L35
Quincampoix 76 36 AU19
Quincampoix-Fleuzy 60 21 AX17
Quinçay 86 186 AN51
Quincerot 89 115 BQ36
Quincerot 21 137 BR40
Quincey 70 141 CG39
Quincey 21 160 BX45
Quincey 10 90 BM30
Quincié-en-Beaujolais 69 212 BU56
Quincieu 38 250 CB66
Quincieux 69 213 BW59

QUIMPER

Astor (R.) AYZ 2
Beurre (Pl. au) BY 4
Boucheries (R. des) BY 6
Chapeau-Rouge (R. du) AY 9
Guéodet (R. du) BY 16
Le Hars (R. Th.) BZ 24
Jacob (Pont Max) AZ 18
Kéréon (R.) ABY
Kerguélen (Bd Amiral de) BZ 23
Locmaria (Allées) AZ 26
Luzel (R.) BY 28
Mairie (R. de la) BY 29
Parc (R. du) ABZ 34
Résistance-et-du-Gén.-de-Gaulle (Pl. de la) AZ 40
Ronarc'h (R. Amiral) AZ 42
Ste-Catherine (R.) BZ 48
Ste-Thérèse (R.) BZ 50
St-Corentin (Pl.) BZ 43
St-François (R.) BZ 45
St-Mathieu (R.) AZ 47
Sallé (R. du) BY 52
Steir (Quai du) AZ 53
Terre-au-Duc (Pl.) AY 54

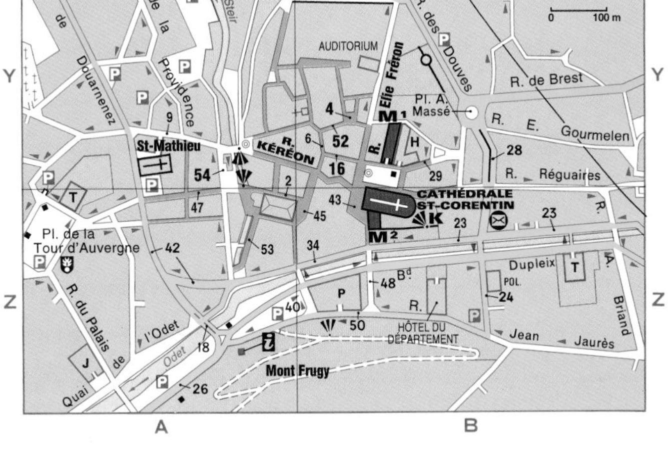
QUIMPER
0
100 m
Pl. de la Tourbie
AUDITORIUM
R. de Brest
R. E. Gourmelen
R. Réguaires
CATHÉDRALE ST-CORENTIN
St-Mathieu
R. Kéréon
Pl. A. Massé
Elie Fréron
R. des Douves
R. de la Providence
R. de Douarnenez
Steir
Pl. de la Tour d'Auvergne
R. du Palais de
Quai
l'Odet
Odet
Dupleix
HÔTEL DU DÉPARTEMENT
Jean Jaurès
Briand
Mont Frugy
Y
Z
A
B

Quincy 18...........154 BB45
Quincy-Basse 02........40 BK19
Quincy-Landzécourt 55......43 BY19
Quincy-le-Vicomte 21....137 BR40
Quincy-sous-le-Mont 02....40 BM21
Quincy-sous-Sénart 91.....58 BE28
Quincy-Voisins 77........59 BH26
Quinéville 50...........29 AC18
Quingey 25............161 CE45
Quinquempoix 60........22 BD18
Quins 12.............280 BD78
Quinsac 87............223 AU64
Quinsac 33............255 AG71
Quinsac 24............222 AQ64
Quinson 04............307 CH83
Quinssaines 03........190 BE54
Quint-Fonsegrives 31....298 AW85
Quintal 74............215 CG59
La Quinte 72..........107 AM35
Quintenas 07..........248 BV67
Quintenic 22...........79 U29
Quintigny 39..........179 CB49
Quintillan 11.........338 BG92
Quintin 22.............78 O30
Le Quiou 22............79 X31
Quirbajou 11..........337 BB93
Quiry-le-Sec 80........22 BD17
Quissac 46............260 AY73
Quissac 30............303 BQ81
Quistinic 56..........101 O35
Quittebeuf 27..........36 AT23
Quitteur 70...........140 CC40
Quivières 80...........23 BI15
Quœux-Haut-Maînil 62....12 BB10

R

Rabastens 81..........298 AY82
Rabastens-de-Bigorre 65..315 AL87
Rabat-les-
   Trois-Seigneurs 09...336 AW93
La Rabatelière 85......166 AB48
Rablay-sur-Layon 49....149 AH43
Rabodanges 61..........53 AJ26
Rabodanges
   (Barrage de) 61......53 AJ27
Le Rabot 41...........133 BA40
Rabou 05.............269 CG73
Rabouillet 66.........337 BD94
Racécourt 88...........94 CF32
Rachecourt-sur-Marne 52..92 BX30
Rachecourt-Suzémont 52...92 BW30
Raches 59..............8 BI9
Racines 10............114 BO35
La Racineuse 71........178 BY48
Racou-Plage 66........343 BJ96
Racquinghem 62.........7 BD6
Racrange 57...........57 CJ25
Raddon-et-Chapendu 70...141 CI37
Radenac 56............102 R35
Radepont 27...........36 AV21
Radinghem 62..........7 BB7
Radinghem-en-Weppes 59...8 BH7
Radon 61.............83 AM35
Radonvilliers 10.......91 BT31
Radule (Bergeries de) 2B..346 FC107
Raedersdorf 68........143 CP40
Raedersheim 68........121 CO36
Raffetot 76............19 AQ18
Rageade 15...........246 BK68
Raguenès-Plage 29.....100 J36

Rahart 41............131 AT37
Rahay 72.............108 AR36
Rahling 57............67 CM24
Rahon 39.............178 CA46
Rahon 25.............163 CJ42
Rai 61................55 AQ27
Raids 50...............31 AC22
Raillencourt-Sainte-Olle 14..8 BJ11
Railleu 66...........341 BB96
Raillicourt 08.........26 BT17
Raillimont 02..........25 BQ17
Raimbeaucourt 59........8 BI8
Rainans 39...........161 CB45
Raincheval 80.........12 BD13
Raincourt 70..........140 CD37
Le Raincy 93..........58 BE26
Rainfreville 76........20 AT16
Rainneville 80.........22 BD14
Rainsars 59............15 BP13
Rainville 88..........94 CD31
Rainvillers 60........37 BA20
Les Rairies 49........129 AK39
Raismes 59.............9 BL9
Raissac 09............336 AY92
Raissac-d'Aude 11.....320 BH89
Raissac-sur-Lampy 11...319 BB88
Raix 16..............203 AM58
Raizeux 78............86 AY29
Ramasse 01...........196 CA55
Ramatuelle 83.........329 CM88
Ramaz (Col de la) 74...198 CJ55
Rambaud 05...........269 CH73
Rambervillers 88......95 CJ31
Rambluzin-
   et-Benoîte-Vaux 55....64 BZ24
Rambouillet 78.........86 AZ29
Rambucourt 55..........65 CC26

Ramburelles 80.........11 AY14
Rambures 80............11 AY14
Ramecourt 88..........94 CF32
Ramecourt 62...........7 BD9
Ramerupt 10............91 BR30
Ramicourt 02..........24 BK14
Ramillies 59..........14 BJ11
Rammersmatt 68.......142 CM37
Ramonchamp 88........120 CK36
Ramonville-
   Saint-Agne 31......298 AW85
Ramoulu 45...........111 BC33
Ramous 64............293 AD85
Ramousies 59..........15 BP12
Ramouzens 32.........295 AL82
Rampan 50.............32 AD22
Rampieux 24..........258 AR72
Rampillon 77..........89 BI30
Rampont 55............43 BY23
Rampoux 46...........259 AV73
Rancé 01.............213 BW58
Rancenay 25..........161 CE44
Rancennes 08..........17 BU12
Rances 10.............91 BT30
Ranchal 69...........212 BT56
Ranchicourt 62.........7 BE9
Ranchette 39.........196 CD53
Ranchot 39...........161 CC45
Ranchy 14.............32 AG21
Rancogne 16..........221 AO61
Rançon 76.............19 AR18
Rancon 87............205 AU56
Rançonnières 52......117 CB36
Rancoudray 50.........52 AF28
Rancourt 88..........118 CF33
Rancourt 88...........13 BH13
Rancourt-sur-Ornain 55...63 BW26

Rancy 71.............195 BY51
Randan 63............210 BL58
Randanne 63..........227 BH61
Randens 73...........234 CI62
Randevillers 25......162 CI43
Randonnai 61..........55 AQ28
Rânes 61..............53 AK28
Rang 25..............142 CJ41
Rang-du-Fliers 62......6 AY9
Rangecourt 52........117 CA35
Rangen 67.............68 CP27
Ranguevaux 57.........45 CE21
Rannée 35............105 AC36
Ranrupt 67............96 CN30
Rans 39..............161 CC45
Ransart 62.............13 BE71
Ranspach 68..........120 CM36
Ranspach-le-Bas 68....143 CP39
Ranspach-le-Haut 68...143 CP39
Rantechaux 25........162 CH45
Rantigny 60...........38 BE21
Ranton 86...........168 AL47
Rantzwiller 68.......143 CP38
Ranville 14............33 AK22
Ranville-Breuillaud 16..202 AK59
Ranzevelle 70.........96 CE36
Ranzières 55..........64 CA24
Raon-aux-Bois 88.....119 CI34
Raon-l'Étape 88.......96 CN30
Raon-lès-Leau 54......96 CM29
Raon-sur-Plaine 88....96 CM29
Rapaggio 2B..........347 FG106
Rançon 76.............19 AR18
Rapale 2B............345 FF104
Rapey 88..............95 CG31
Raphèle-les-Arles 13...304 BW84
Rapilly 14............53 AJ26
Rapsécourt 51.........63 BV24

Raray 60..............39 BG22
Rarécourt 55..........43 BX23
Rasiguères 66........338 BF94
Raslas 86............150 AL45
Rasteau 84...........285 BY77
Le Rat 19............225 AS64
Ratenelle 71.........195 BX52
Ratières 26..........249 BX67
Ratilly (Château de) 89..156 BJ41
Ratte 71.............178 BZ50
Ratzwiller 67.........68 CN24
Raucoules 43.........248 BS67
Raucourt 54...........65 CF25
Raucourt-au-Bois 59....15 BM11
Raucourt-et-Flaba 08....27 BW18
Rauzan 33............256 AJ71
Raveau 58............156 BI45
Ravel 69.............230 BV62
Ravel 63.............210 BL60
Ravel-et-Ferriers 26...268 CC72
Ravenel 60............38 BE19
Ravennefontaines 52...117 CB35
Ravenoville 50........29 AD19
Raves 88.............96 CN30
Raviège (Lac de la) 81..300 BF85
Ravières 89..........137 BR39
Ravigny 53............83 AL30
Raville 57............66 CH23
Raville-sur-Sânon 54...95 CH28
Ravilloles 39........196 CD53
La Ravoire 73........233 CF62

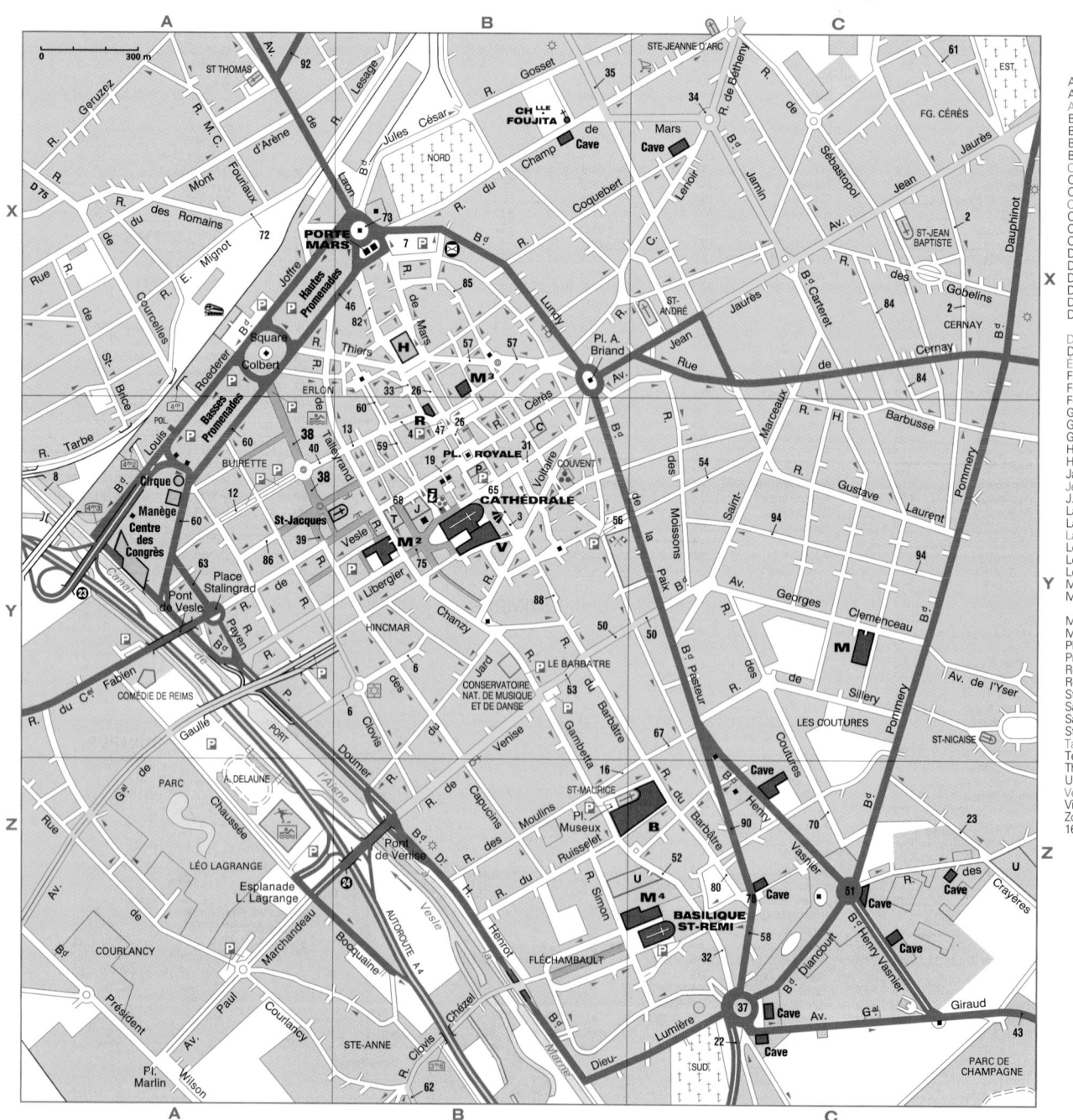

REIMS

Alsace-Lorraine (R. d') .....CX 2
Anatole-France (Cours) ...BY 3
Arbalète (R. de l') ....BY 4
Boulard (R.) ....BY 6
Boulingrin (Pl. du) ....BX 7
Brébant (Av.) ....AY 8
Buirette (R.) ....AY 12
Cadran St-Pierre (R.) .....BY 13
Carmes (R. des) ....BZ 16
Carnégie (Pl.) ....BY 17
Carnot (R.) ....BY 19
Champagne (Av. de) ....CZ 22
Chemin Vert (R. du) ....CZ 23
Colbert (R.) ....BXY 26
Desteuque (R. E.) ....BY 31
Dieu-Lumière (R.) ....CZ 32
Dr-Jacquin (R.) ....BXY 33
Dr-Knoéri (Pl. du) ....CX 34
Dr-Lemoine (R.) ....BX 35
Droits-de-l'Homme
   (Pl. des) ....CZ 37
Drouet d'Erlon (Pl.) ......AY 38
Dubois (R. Th.) ....AY 39
Étape (R. de l') ....AY 40
Farman (Av. H.) ....CZ 43
Foch (Bd) ....ABX 46
Forum (Pl.) ....BY 47
Gerbert (R.) ....BCY 50
Gouraud (Pl. Gén.) ....CZ 51
Grand-Cerf (R. du) ....CZ 52
Herduin (R. Lt.) ....BY 53
Houzeau-Muiron (R.) ......CY 54
Jamot (R. Paul) ....BY 56
Jean-Jaurès (Av.) ....BCX
J.-J.-Rousseau (R.) ....BX 57
Lambert (Bd Victor) ......CZ 58
Langlet (Crs J.-B.) ....BY 59
Laon (Av. de) ....ABX
Leclerc (Bd Général) .....AX 60
Lefèbvre (R. E.) ....CX 61
Louvois (R.) ....BZ 62
Magdeleine (R.) ....AY 63
Martyrs-de-la-
   Résistance (Pl. des) ...BY 64
Montlaurent (R.) ....CY 67
Myron-Herrick (Pl.) ......BY 68
Philipe (R. Gérard) ......CZ 70
Prés.-F.-Roosevelt (R.) ...AX 72
République (Pl. de la) ....BX 73
Rockefeller (R.) ....BY 75
St-Nicaise (Pl.) ....CZ 77
Salines (R. des) ....CZ 80
Sarrail (R. Gén.) ....BX 82
Strasbourg (R. de) ....CX 84
Talleyrand (R. de) ......ABY
Temple (R. du) ....BX 85
Thillois (R. de) ....AY 86
Université (R. de l') ....BY 88
Vesle (R. de) ....ABY
Victor-Hugo (Bd) ....CZ 90
Zola (R. Emile) ....AX 92
16e-et-22e-Dragons
   (R. des) ....CY 94

Ray-sur-Saône 70........140 CD40
Raye-sur-Authie 62........11 BA10
Rayet 47........258 AQ73
Raymond 18........173 BF47
Raynans 25........142 CK40
Rayol-Canadel-
  sur-Mer 83........329 CK89
Rayssac 81........299 BD82
Raz (Pointe du) 29........98 C33
Razac-de-Saussignac 24........257 AM71
Razac-d'Eymet 24........257 AO72
Razac-sur-l'Isle 24........240 AP67
Raze 70........140 CE40
Razecueillé 31........334 AQ92
Razengues 32........297 AS84
Razès 87........205 AV58
Razimet 47........275 AM76
Razines 37........169 AO47
Réal 66........341 BB95
Réalcamp 76........21 AY15
Réallon 05........270 CJ73
Réalmont 81........299 BC83
Réalville 82........278 AW79
Réans 32........295 AK81
Réau 77........88 BF29
Réau (Ancienne
  Abbaye de la) 86........204 AP56
Réaumont 38........232 CC64
Réaumur 85........167 AA49
Réaup 47........275 AL79
Réauville 26........267 BX75
Réaux 17........220 AI63
Les Réaux (Château) 37........150 AM44
Rebais 77........60 BJ26
Rebecques 62........7 BD5
Rébénacq 64........314 AG89
Rebergues 62........2 BA5
Rebets 76........36 AW19
Rebeuville 88........94 CC31
Rebigue 31........318 AW86
Rebouc 65........333 AN91
Rebouillon 83........308 CK84
Rebourguil 12........300 BG81
Rebourseaux 89........114 BN36
Reboursin 36........172 AZ46
Rebréchien 45........111 BB36
Rebreuve-Ranchicourt 62........7 BE9
Rebreuve-sur-Canche 62........12 BD10
Rebreuviette 62........12 BD11
Recanoz 39........179 CB48
Recey-sur-Ource 21........138 BW38
Réchésy 90........143 CN40
Réchicourt 55........44 CB20
Réchicourt-la-Petite 54........66 CJ27
Réchicourt-le-Château 57........67 CK27
Récicourt 55........43 BX27
Réclainville 28........86 AY32
Reclesne 71........176 BR46
Reclinghem 62........7 BC7
Réclonville 54........67 CJ29
Recloses 77........88 BF32
Recologne 70........140 CD40
Recologne 25........161 CD43
Recologne-lès-Rioz 70........161 CE41
Recoubeau-Jansac 26........268 CB72
Recoules-d'Aubrac 48........263 BI72
Recoules-de-Fumas 48........264 BL73
Recoules-
  Prévinquières 12........281 BI76
Récourt 62........14 BI11
Récourt 52........117 CA36
Récourt-le-Creux 55........64 BZ24
La Recousse 62........3 BB4
Recouvrance 90........142 CM39
Le Recoux 48........281 BJ76
Recques-sur-Course 62........6 AZ8
Recques-sur-Hem 62........3 BB4
Recquignies 59........15 BP10
Le Reculey 14........52 AF25
Reculfoz 25........180 CG49
Recurt 65........315 AN89
Recy 51........62 BR25
Rédange 57........45 CD19
Rédené 29........100 L36
Réderis (Cap) 66........343 BJ97
Redessan 30........304 BU82
Réding 57........67 CM26
Redon 35........125 V39
La Redorte 11........320 BP88
Redortiers 04........286 CD79
Réez-Fosse-Martin 60........39 BH23
Reffannes 79........185 AJ52
Reffroy 55........93 CA28
Reffuveille 50........52 AD28
Refranche 25........180 CF46
Régades 31........334 AQ91
Régat 09........336 AZ91
Regnauville 62........11 BA10
Regnévelle 88........118 CE35
Regnéville-sur-Mer 50........51 AA24
Regnéville-sur-Meuse 55........44 BZ21
Regney 88........95 CG32
Régnié-Durette 69........212 BV56
Regnière-Écluse 80........11 AZ10
Régny 02........211 BP58
Regny 02........24 BL15
La Regrippière 44........148 AC44
Réguiny 56........102 R35
Réguisheim 68........121 CO36

Régusse 83........307 CH83
Rehaincourt 88........95 CH31
Rehainviller 54........95 CH29
Rehaupal 88........119 CJ33
Reherrey 54........95 CJ29
Réhon 54........45 CC18
Reichsfeld 67........97 CO30
Reichshoffen 67........68 CQ24
Reichstett 67........69 CR27
Reignac 33........237 AG66
Reignac 16........220 AJ64
Reignac-sur-Indre 37........152 AS44
Reignat 63........228 BL61
Reigneville-Bocage 50........29 AB19
Reignier 74........215 CH56
Reigny 18........190 BD52
Reilhac 43........246 BM68
Reilhac 15........244 BD69
Reilhaguet 46........260 AW72
Reilhanette 26........286 CC78
Reillanne 04........306 CD81
Reillon 54........95 CJ28
Reilly 60........37 AZ22
Reimerswiller 67........69 CR24
Reims 51........41 BP22
Reims-la-Brûlée 51........62 BU27
Reine Jeanne
  (Pont de la) 04........287 CG77
Reinhardsmunster 67........68 CN27
Reiningue 68........143 CN37
Reipertswiller 67........68 CO24
Reithouse 39........196 CB51
Reitwiller 67........68 CQ27
Réjaumont 65........315 AN89
Réjaumont 32........296 AO82
Rejet-de-Beaulieu 59........15 BM13
Relanges 88........118 CE34
Relans 39........179 CB49
Le Relecq-Kerhuon 29........75 F29
Relevant 01........213 BX57
Rely 62........7 BD7
Remaisnil 80........12 BC11
Rémalard 61........84 AR31
Remaucourt 02........24 BK15
La Remaudière 44........148 AC44
Remaugies 80........23 BF18
Remauville 77........112 BG33
Rembercourt-aux-Pots 55........63 BY25
Rembercourt-sur-Mad 54........65 CD24
Rémécourt 60........38 BE20
Remelange 57........45 CE20
Rémelfang 57........46 CH21
Rémelfing 57........47 CL22
Rémeling 57........46 CH19
Remennecourt 55........63 BW26
Remenoville 54........95 CH30
Rémérangles 60........38 BC20
Réméréville 54........66 CH27
Rémering 57........46 CI21
Rémering-
  lès-Puttelange 57........67 CK23
Remicourt 88........94 CE32
Remicourt 51........63 BV25
Remiencourt 80........22 BD16
Remies 02........24 BL17
La Remigeasse 17........200 AB58
Remigny 71........177 BV48
Remigny 02........24 BK17
Rémilly 58........175 BO49
Rémilly 57........66 CG24
Remilly-Aillicourt 08........27 BW17
Remilly-en-Montagne 21........159 BV43
Remilly-les-Pothées 08........26 BT16
Remilly-sur-Lozon 50........32 AD22
Remilly-sur-Tille 21........160 BY43
Remilly-Wirquin 62........7 BC6
Réminiac 56........103 V36
Remiremont 88........119 CI35
Remoiville 55........44 BZ19
Remollon 05........269 CH74
Remomeix 88........96 CL32
Remoncourt 88........94 CE32
Remoncourt 54........67 CJ27
Rémondans-Vaivre 25........163 CK42
Rémonville 08........43 BW20
Remoray-Boujeons 25........180 CH49
Remouillé 44........166 AB46
Remoulins 30........304 BV81
Removille 88........94 CD31
Rempnat 87........225 AZ61
La Remuée 76........35 AP19
Remungol 56........102 Q35
Rémuzat 26........268 CB75
Rémy 60........39 BF20
Remy 62........13 BH11
Renac 35........125 V38
Renage 38........232 CB65
Renaison 42........211 BP57
La Renaissance 17........200 AD58
Renansart 02........24 BL16
Renaucourt 70........140 CD39
La Renaudie 63........229 BO61
Renauvoid 88........119 CH33
Renay 41........131 AX37
Renazé 53........127 AD37
Rencurel 38........250 CB67
René 72........83 AN32
Renédale 25........180 CH46

Renescure 59........3 BD5
Réning 27........160 CA42
Rennemoulin 78........58 BB26
Rennepont 52........116 BV34
Rennes 35........104 Z34
Rennes-en-Grenouilles 53........82 AI30
Rennes-le-Château 11........337 BC92
Rennes-les-Bains 11........337 BD92
Rennes-sur-Loue 25........179 CD46
Renneval 02........25 BP16
Renneville 31........318 AY87
Renneville 27........36 AV20
Renneville 08........25 BO17
Renno 24........346 FC108
Le Renouard 61........54 AM25
Rentières 63........227 BJ64
Renty 62........7 BB7
Renung 40........294 AH83
Renwez 08........26 BT15
La Réole 33........256 AK73
La Réorthe 85........183 AD51
Réotier 05........270 CL72
Repaix 54........96 CK28
La Répara-Auriples 26........267 BY73
Réparsac 16........220 AJ61
Repel 88........94 CE31
Repentigny 14........34 AM22
Replonges 01........195 BW54
Les Repôts 39........178 CA50
Reppe 90........142 CM38
Requeil 72........129 AM38
Réquista 12........280 BE80
Résenlieu 61........54 AO27
La Résie-Saint-Martin 70........161 CB43
Résigny 02........25 BQ16
Resson 51........63 BY27
Ressons-l'Abbaye 60........38 BB21
Ressons-le-Long 02........40 BJ20
Ressons-sur-Matz 60........39 BG19
Les Ressuintes 28........85 AS29
Restigné 37........151 AN44
Restinclières 34........303 BO83
Restonica
  (Gorges de la) 2B........347 FE108
Le Retail 79........184 AH51
Rétaud 17........219 AF61
Reterre 23........208 BE57
Rethel 08........42 BR19
Retheuil 02........39 BI21
Rethondes 60........39 BH20
Rethonvillers 80........23 BH16
Réthoville 50........29 AC16
Retiers 35........104 AB36
Retjons 40........274 AI79
Retonfey 57........46 CG22
Retonval 76........21 AX15
Retournac 43........247 BQ67
Retournemer (Lac de) 88........120 CL34
Retschwiller 67........69 CR24
Rettel 57........46 CG19
Retty 62........2 AZ5
Retzwiller 68........142 CM39
Reugney 25........180 CG46
Reugny 37........152 AS41
Reugny 03........190 BF53
Reuil 51........61 BN24
Reuil-en-Brie 77........60 BJ25
Reuil-sur-Brêche 60........38 BC19
Reuilly 36........172 BB46
Reuilly 27........56 AV24
Reuilly-Sauvigny 02........60 BM24
Reulle-Vergy 21........159 BW44
Reumont 59........14 BL12
La Réunion 47........275 AL77
Reuves 51........61 BO27
Reuville 76........19 AS16
Reux 14........34 AN21
Revard (Mont) 73........233 CF61
Réveillon 61........84 AQ30
Réveillon 51........60 BL27
Revel 38........251 CF66
Revel 31........319 BA86
Revel-Tourdan 38........231 BY64
Revelles 80........22 BB15
Revémont 54........46 CB19
Revens 30........282 BK79
Reventin-Vaugris 38........231 BW64
Revercourt 28........56 AU28
Revest-des-Brousses 04........287 CE80
Revest-du-Bion 04........286 CC79
Le Revest-les-Eaux 83........328 CG89
Revest-les-Roches 06........289 CP80
Revest-Saint-Martin 04........287 CF79
La Revêtizon 79........184 AH55
Reviers 14........33 AJ21
Revigny 39........179 CC50
Revigny-sur-Ornain 55........63 BW26
Réville 50........29 AD17
Réville-aux-Bois 55........44 BZ20
Révillon 02........41 BN20
Revollat (Croix de) 38........251 CF66
Revonnas 01........214 CA56
Rexingen 67........67 CM25
Rexpoëde 59........3 BE3
Reygade 19........243 AZ69
Reynel 52........93 BZ32

RENNES

0   300 m

Le-Bastard (R.)........AY 35
Bretagne (Pl. de)........AY 4
Cavell (R. Edith)........BY 7
Champ-Jacquet
  (R. du)........AY 8
Chapitre (R. du)........AY 9
Chateaubriand (Quai)....BY 10
Dames (R. des)........AY 14
Duguay-Trouin (Quai)....AY 16
Du-Guesclin (R.)........AY 17
Estrées (R. d')........AY 19
La-Fayette (R.)........AY 32
Hôtel-de-Ville (Pl. de l')....AY 24
Ille-et-Rance (Quai)....AY 27
Jean-Jaurès (R.)........BY 28

Joffre (R. Mar.)........BZ 30
Lamartine (Quai)....ABY 33
Lamennais (Quai)......AY 34
Liberté (Bd de la)........ABZ
Martenot (R.)........BY 42
Mitterrand (Mail F.)....AY 43
Monnaie (R. de la)....AY 44
Motte-Fablet (R.)........AY 44
Motte (Cont. de la)....BY 45
Nationale (R.)........ABY 47
Nemours (R. de)........AY 44
Orléans (R. d')........AY 52
Palais (Pl. du)........BY 53
Pont-aux-Foulons
  (R. du)........AY 56

Poullain-Duparc (R.)....AZ 58
Psalette (R. de la)........AY 60
Ralier-du-Baty (R.)....AY 61
République (Pl. de la)....AY 62
Richemont (Q. de)....BY 63
St-Cast (Quai)........AY 66
St-Georges (R.)........BY 67
St-Guillaume (R.)....AY 68
St-Michel (R.)........AY 74
St-Sauveur (R.)........AY 75
St-Yves (R.)........AY 77
Solférino (Bd)........BZ 82
Vasselot (R.)........AZ 85
41e-d'Infanterie
  (R.)........AX 90

Reynès 66........342 BG97
Reynier 04........287 CH76
Reyniès 82........297 AV81
Reyrevignes 46........261 AZ73
Reyrieux 01........213 BW58
Les Reys-de-Saulce 26........267 BW72
Reyssouze 01........195 BX53
Reyvroz 74........198 CJ53
Rezay 18........172 BC50
Rezé 44........147 Z44
Rézentières 15........245 BJ68
Rezonville 57........65 CD23
Rezza 2A........348 FD109
Rhèges 10........90 BP29
Le Rheu 35........104 Y34
Le Rhien 70........142 CJ38
Rhinau 67........97 CR31
Rhodes 57........67 CK26
Rhodon 57........58 BB28
Rhodon 41........132 AV38
Rhuis 60........39 BF20
Ri 61........54 AL27
Ria-Sirach 66........342 BD96
Riaillé 44........127 AB40
Le Rialet 81........300 BE85
Rians 83........306 CE84
Rians 18........155 BF45
Riantec 56........123 M37
Riau (Château du) 03........192 BK51
Ribagnac 24........257 AO71
Ribarrouy 64........294 AI85
Ribaute 11........338 BF90

Ribaute-les-Tavernes 30........283 BR80
Le Ribay 53........82 AI31
Ribeaucourt 80........12 BB12
Ribeaucourt 55........93 BZ29
Ribeauvillé 68........97 CO32
Ribeauvillé 02........25 BQ15
Ribécourt 60........39 BH19
Ribécourt-la-Tour 59........14 BI12
Ribemont 02........24 BL16
Ribemont-sur-Ancre 80........22 BD14
Ribennes 48........264 BL73
Ribérac 24........239 AN66
Ribes 07........266 BS75
Ribeyret 05........268 CC75
Ribiers 05........287 CF77
Ribouisse 11........318 AZ89
Riboux 83........327 CF87
La Ricamarie 42........230 BT64
Ricarville 76........19 AQ17
Ricarville-du-Val 76........20 AV16
Ricaud 65........315 AM89
Ricaud 11........318 AZ87
Les Riceys 10........115 BS36
La Richardais 35........50 X28
Le Richardménil 54........67 CF28
Richarville 91........87 BA30
La Riche 37........151 AQ42
Richebourg 78........57 AY27
Richebourg 62........8 BG7
Richebourg 52........116 BX35
Richecourt 55........65 CC25
Richelieu 37........169 AN46
Richeling 57........67 CL23

Richemont 76........21 AY16
Richemont 57........45 CF21
Richemont 16........220 AI61
Richemont (Col de) 01........264 CD57
Richerenches 84........285 BX76
Richet 40........273 AE76
Richeval 57........96 CK28
Richeville 27........37 AX22
Richtolsheim 67........97 CQ32
Richwiller 68........143 CO37
Ricourt 32........315 AL86
Ricquebourg 60........23 BG18
Riec-sur-Belon 29........100 K36
Riedheim 67........68 CP25
Riedisheim 68........143 CO37
Riedseltz 67........69 CS23
Riedwihr 68........121 CP33
Riel-les-Eaux 21........116 BU36
Riencourt 80........22 BB14
Riencourt-lès-Bapaume 62........13 BH12
Riencourt-
  lès-Cagnicourt 62........13 BH11
Riervescemont 90........142 CL37
Riespach 68........143 CO40
Rieucazé 31........334 AQ90
Rieucros 09........336 AY90
Rieulay 59........14 BL10
Rieumajou 31........318 AY87
Rieumes 31........317 AT87
Rieupeyroux 12........279 BC77
Rieussec 34........320 BG87
Rieutort-de-Randon 48........264 BM73
Rieux 7 BE7
Rieux 76........11 AX14

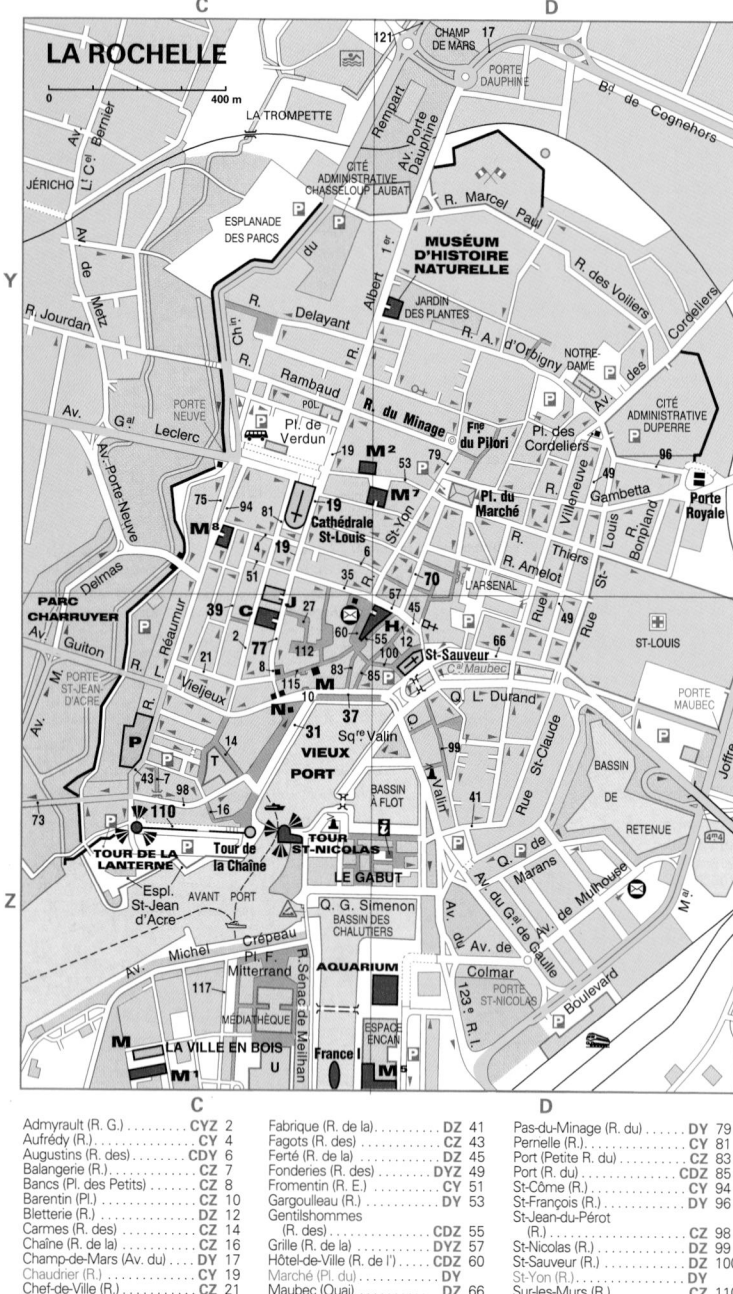

LA ROCHELLE

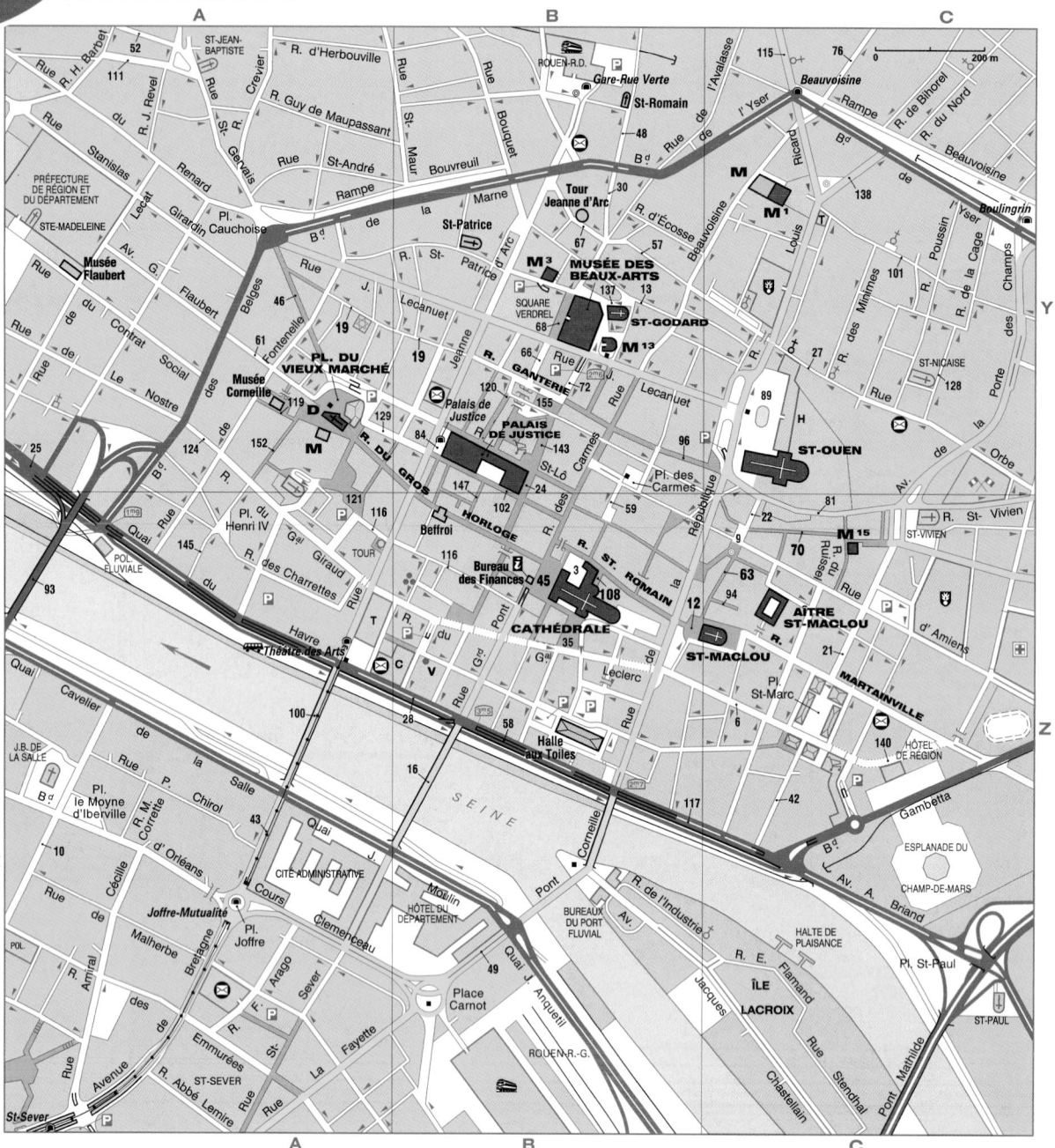

ROUEN

Albane (Cour d')	BZ 3
Alsace-Lorraine (R. d')	CZ 6
Aubert (Pl. du Lieutenant)	CZ 9
Barbey-d'Aurevilly (R.)	AZ 10
Barthélemy (Pl.)	BZ 12
Belfroy (R.)	BY 13
Boieldieu (Pont)	BZ
Bons-Enfants (R. des)	ABY 19
Boucheries-Saint-Ouen (R. des)	CZ 22
Boudin (R. E.)	BY 24
Boulet (Quai G.)	AY 25
Bourg-l'Abbé (R.)	CY 27
Bourse (Quai de la)	BZ 28
Bouvreuil (R. St-André)	BY 30
Calende (Pl. de la)	BZ 35
Carmes (R. des)	BYZ
Carrel (R. A.)	CZ 42
Cartier (Av. Jacques)	AZ 43
Cathédrale (Pl. de la)	BZ 45
Cauchoise (R.)	AY 46
Champlain (Av.)	AZ 49
Champ-des-Oiseaux (R. du)	BY 48
Chasselièvre (R.)	AY 52
Cordier (R. du)	BY 56
Corneille (Quai Pierre)	BZ 57
Croix-de-Fer (R.)	BYZ 59
Crosne (R.)	AY 61
Damiette (R.)	CZ 63
Delacroix (Allée Eugène)	BY 66
Donjon (R. du)	BY 67
Duchamp (Espl. M.)	BY 68
Eau-de-Robec (R.)	CZ 70
Écureuil (R. de l')	BY 72
Ernemont (R. d')	CY 76
Faulx (R. des)	CZ 81
Foch (Pl.)	BY 84
Ganterie (R.)	BY
Gaulle (Pl. Général-de)	CY 89
Grand-Pont (R.)	BZ
Gros-Horloge (R. du)	ABYZ 93
Guillaume-le-Conquérant (Pont)	AZ 93
Hauts-Mariages (Impasse des)	CZ 94
Hôpital (R. de l')	BY 96
Jeanne-d'Arc (Pont)	AZ 100
Jeanne-d'Arc (R.)	BYZ
Joyeuse (R.)	CY 101
Juifs (R. aux)	BYZ 102
Leclerc (R. du Gén.)	BZ
Libraires (Cour des)	BZ 108
Mesnager (R. Nicolas)	AY 111
Neufchatel (Rte de)	CY 115
Ours (R. aux)	ABZ 116
Paris (Quai de)	BZ 119
Pie (R. de la)	AY 119
Poterne (R. de la)	BY 120
Pucelle-d'Orléans (Pl. de la)	AZ 121
Racine (R.)	AY 124
République (R. de la)	BZ
Requis (R. des)	CY 128
Rollon (R.)	AY 129
Ste-Marie (R.)	CY 135
Saint-Godard (Pl.)	BY 137
Schuman (R. Robert)	CS 140
Socrate (R.)	BY 143
Thouret (R.)	BYZ 147
Vieux-Marché (Pl. du)	AY
Vieux-Palais (R. du)	AY 152
19-Avril-1944 (Pl. de)	BY 155

Roppeviller 57	48	CO22
La Roque-Alric 84	285	BZ78
La Roque-Baignard 14	34	AM22
La Roque-d'Anthéron 13	305	CB83
La Roque-Esclapon 83	308	CL82
La Roque-Gageac 24	259	AU71
La Roque-Sainte-Marguerite 12	282	BK79
La Roque-sur-Cèze 30	284	BU78
La Roque-sur-Pernes 84	285	BZ80
Roquebillière 06	291	CR79
Roquebrun 34	321	BI86
Roquebrune 33	256	AK73
Roquebrune 32	295	AM83
Roquebrune-Cap-Martin 06	291	CS81
Roquebrune-sur-Argens 83	308	CM85
La Roquebrussanne 83	328	CG87
Roquecor 82	277	AS76
Roquecourbe 81	299	BCB4
Roquecourbe-Minervois 11	320	BF89
Roquedols (Château de) 48	282	BM78
Roquedur 30	282	BN80
Roquefère 11	319	BD87
Roquefeuil 11	337	BA93
Roquefixade 09	336	AY92
Roquefort 47	276	AP78
Roquefort 40	274	AH79
Roquefort 32	296	AP83
Roquefort-de-Sault 11	337	BC94
Roquefort-des-Corbières 11	339	BI91
Roquefort-la-Bédoule 13	327	CD88
Roquefort-les-Cascades 09	336	AY92
Roquefort-les-Pins 06	309	CP83
Roquefort-sur-Garonne 31	317	A589
Roquefort-sur-Soulzon 12	281	BI80
Roquelaure 32	296	AP83
Roquelaure (Château de) 12	263	BH75
Roquelaure-Saint-Aubin 32	297	A584
Roquemaure 81	298	AX82
Roquemaure 30	285	BU78
Roquepine 32	296	AO81
Roqueredonde 34	301	BK82
Roques 32	295	AM82
Roques 31	317	AV86
Roquesérière 31	298	AX83
Roquessels 34	301	BK85
Roquesteron 06	289	CO80
Roquestéron-Grasse 06	289	CO80
Roquetaillade 11	337	BC91
Roquetaillade (Château de) 33	256	AI74
Roquetoire 62	7	BD6
La Roquette 27	36	AW22
La Roquette-sur-Siagne 06	309	CO84
La Roquette-sur-Var 06	291	CO81
Roquettes 31	317	AV86
Roquevaire 13	327	CD87
Roquevidal 81	298	AZ84
La Roquille 33	257	AM71
Rorbach-lès-Dieuze 57	67	CK26
Rorschwihr 68	97	CO32
Rorthais 79	167	AG47
Les Rosaires 22	73	R28
Rosanbo (Château de) 22	72	L27
Rosans 05	268	CC75
Rosay 78	57	AY26
Rosay 76	20	AV17
Rosay 39	196	CB52
Rosay-sur-Lieure 27	36	AW20
Rosazia 2A	348	FC109
Rosbruck 57	47	CK22
Roscanvel 29	75	E30
Roscoff 29	71	I26
Rosel 14	33	AI22
Roselend (Barrage de) 73	216	CK60
Roselier (Pointe du) 22	73	R28
Rosenau 68	143	CQ38
Rosendaël 59	3	BD2
Rosenwiller 67	97	CO29
Roset-Fluans 25	161	CD44
Rosey 71	177	BV49
Rosey 70	141	CF40
Rosheim 67	97	CP29
La Rosière 70	119	CJ36
La Rosière-1850 73	235	CM61
Rosières 60	39	BG22
Rosières 43	247	BQ65
Rosières 18	172	BC47
Rosières 07	266	BS75
Rosières-aux-Salines 54	95	CG28
Rosières-devant-Bar 55	63	BY26
Rosières-en-Blois 55	93	CA29
Rosières-en-Haye 54	65	CE26
Rosières-en-Santerre 80	23	BF15
Rosières-près-Troyes 10	91	BT32
Rosiers-de-Juillac 19	241	AV66
Rosiers-d'Égletons 19	225	BA65
Les Rosiers-sur-Loire 49	150	AJ43
Rosay 76	20	AV17
Rosnay 51	41	BO22
Rosnay 36	170	AU50
Rosnay-l'Hôpital 10	91	BT30
Rosnes 55	63	BY26
Rosnoën 29	75	G31
Rosny-sous-Bois 93	58	BE26
Rosny-sur-Seine 78	57	AY25
Rosoy 89	113	BK34
Rosoy 60	38	BE27
Rosoy-en-Multien 60	39	BI23
Rosoy-le-Vieil 45	112	BH34
Rosoy-sur-Amance 52	140	CB37
Rospez 22	72	N26
Rospigliani 2B	347	FF108
Rosporden 29	100	J34
Rossay 86	168	AM47
Rosselange 57	45	CE21
Rossfeld 67	97	CQ31
Rossillon 01	214	CC59
Rosteig 67	68	CN24
Rostrenen 22	77	N32
Rosult 59	8	BK8
Rosureux 25	163	CK43
Rotalier 39	196	CB51
Rotangy 60	22	BB18
Rothau 67	96	CN30
Rothbach 67	68	CP24
Rothéneuf 35	50	X27
Rotherens 73	233	CG63
La Rothière 10	91	BT32
Rothois 60	21	BA18
Rothonay 39	196	CB52
Les Rotours 61	53	AK27
Rots 14	33	AI22
Rott 67	69	CR23
Rottelsheim 67	68	CQ26
Rottier 26	268	CB74
Rou-Marson 49	150	AK44
Rouairoux 81	320	BF86
Rouans 44	147	X44
La Rouaudière 53	127	AC37
Roubaix 59	9	BJ6
Roubia 11	320	BH89
Roubion 06	289	CP78
Roucamps 14	53	AH24
Roucourt 59	14	BI10
Roucy 02	41	BN20
Roudouallec 56	100	K33
Rouécourt 52	92	BX32
Rouède 31	334	AR91
Rouellé 61	52	AG29
Rouelles 76	34	AN19
Rouelles 52	139	BX38
Rouen 76	36	AU20
Rouessé-Fontaine 72	83	AM32
Rouessé-Vassé 72	107	AK34
Rouet 34	302	BO82
Rouez 72	107	AK34
Rouffach 68	121	CO35
Rouffange 39	161	CC44
Rouffiac 81	299	BB81
Rouffiac 17	219	AH61
Rouffiac 16	239	AL66
Rouffiac 15	243	BB69
Rouffiac-d'Aude 11	337	BC90
Rouffiac-des-Corbières 11	338	BF93
Rouffiac-Tolosan 31	298	AW84
Rouffignac 24	241	AS68
Rouffignac 17	219	AH65
Rouffignac (Grotte de) 24	241	AS69
Rouffignac-de-Sigoulès 24	257	AO71
Rouffigny 50	51	AC26
Rouffilhac 46	259	AV71
Rouffillac 24	241	AV70
Rouffy 51	61	BO25
La Rouge 61	84	AR32
Rougé 44	126	AA37
Rouge-Perriers 27	35	AS23
Rougefay 62	12	BC10
Rougegoutte 90	142	CL38
Rougemont 25	162	CH41
Rougemont 21	137	BR39
Rougemont-le-Château 90	142	CL38
Rougemontiers 27	35	AR20
Rougemontot 25	162	CG42
Rougeou 41	153	AX43
Rougeries 02	25	BN16
Les Rouges-Eaux 88	96	CK32
Le Rouget 15	261	BC71
Rouget (Cascade du) 74	216	CL57
Rougeux 52	140	CB37
Rougiers 83	327	CF86
Rougiville 88	96	CK32
Rougnac 16	221	AN63
Rougnat 23	208	BE57
Rougon 04	307	CJ82
Rouhe 25	161	CE45
Rouhling 57	47	CL22
Rouillac 22	79	U31
Rouillac 16	202	AK60
Rouillas-Bas 63	227	BI62
Rouillé 86	185	AL53
Rouillon 72	107	AM35
Rouilly 77	89	BK29
Rouilly-Sacey 10	91	BR32
Rouilly-Saint-Loup 10	115	BQ33
Roujan 34	321	BL86
Roulans 25	162	CG43

Le Roulier 88..........119 CJ33
Roullée 72..........84 AO30
Roullens..........319 BC89
Roullet 16..........221 AL62
Roullours 14..........52 AF26
Roumagne 81..........257 AN73
Roumare 76..........36 AT19
Roumazières 16..........204 AP59
Roumazières-Loubert 16..........204 AP59
Roumégoux 81..........299 BC82
Roumegoux 15..........261 BC71
Roumengoux 09..........336 AZ90
Roumoules 04..........307 CH81
Roupeldange 57..........46 CH21
Rouperroux 61..........83 AL29
Rouperroux-le-Coquet 72..........108 AP33
Roupy 02..........24 BJ16
La Rouquette 12..........279 BA77
Roure 06..........289 CP78
Le Rouret 06..........309 CO83
Rousies 59..........15 BP10
Roussac 87..........205 AU57
Roussas 26..........267 BW75
Roussay 49..........148 AD45
Roussayrolles 81..........279 AZ79
Rousseloy 60..........38 BD21
Roussennac 12..........261 BC75
Roussent 62..........6 AZ9
Rousses 48..........282 BN78
Les Rousses 39..........197 CF52
Le Rousset 71..........194 BT51
Rousset 13..........306 CD85
Rousset 05..........270 CI74
Rousset (Col de) 26..........250 CB70
Rousset-les-Vignes 26..........267 BY75
La Roussière 27..........55 AQ25
Roussieux 26..........286 CC76
Roussillon 84..........305 CA81
Roussillon 38..........231 BW65
Roussillon-en-Morvan 71..........176 BO46
Roussines 36..........188 AV53
Roussines 16..........222 AP61
Rousson 89..........113 BK35
Rousson 30..........283 BR78
Roussy-le-Village 57..........45 CF19
Routelle 25..........161 CD44
Routes 76..........19 AR16
Routier 11..........337 BB90
Routot 27..........35 AR20
Rouvenac 11..........337 BB92
Rouves 54..........65 CF25
La Rouvière 30..........303 BS81
Rouvignies 59..........14 BL10
Rouville 76..........19 AP18
Rouville 60..........39 BH22
Rouvillers 60..........39 BF20
Rouvray 89..........136 BM37
Rouvray 27..........56 AV24
Rouvray 21..........158 BO42
Rouvray-Catillon 76..........21 AX18
Rouvray-Saint-Denis 28..........111 BA33
Rouvray-Saint-Florentin 28..110 AX33
Rouvray-Sainte-Croix 45..........110 AY35
Rouvre 79..........185 AI53
Rouvrel 80..........22 BD16
Rouvres 77..........59 BG24
Rouvres 28..........56 AW26
Rouvres 14..........53 AK24
Rouvres-en-Multien 60..........39 BG26
Rouvres-en-Plaine 21..........160 BY44
Rouvres-en-Woëvre 55..........44 CB22
Rouvres-en-Xaintois 88..........94 CE32
Rouvres-la-Chétive 88..........94 CC32
Rouvres-les-Bois 36..........171 AX46
Rouvres-les-Vignes 10..........116 BV33
Rouvres-sous-Meilly 21..........159 BU44
Rouvres-sur-Aube 52..........94 BX37
Rouvrois-sur-Meuse 55..........64 CA25
Rouvrois-sur-Othain 55..........44 CB20
Rouvroy 62..........8 BH9
Rouvroy 02..........24 BK15
Rouvroy-en-Santerre 80..........23 BF16
Rouvroy-les-Merles 60..........22 BD17
Rouvroy-Ripont 51..........42 BU22
Rouvroy-sur-Audry 08..........26 BS16
Rouvroy-sur-Marne 52..........93 BY31
Rouvroy-sur-Serre 02..........25 BQ16
Le Roux 07..........265 BR72
Rouxeville 50..........32 AF23
La Rouxière 44..........148 AD41
Rouxmesnil-Bouteilles 76..........10 AU14
Rouy 58..........175 BM46
Rouy-le-Grand 80..........23 BH16
Rouy-le-Petit 80..........23 BH16
Rouze 09..........337 BB94
Rouzède 16..........222 AP61
Rouziers 15..........261 BC71
Rouziers-de-Touraine 37..........151 AQ41
Le Rove 13..........326 CA87
Roville-aux-Chênes 88..........95 CI31
Roville-devant-Bayon 54..........95 CG30
Rovon 38..........250 CB66
Roy-Boissy 60..........21 BA18
Royan 17..........218 AC62
Royas 38..........231 BY63
Royat 63..........227 BI61
Royaucourt 60..........22 BE18
Royaucourt-et-Chailvet 02..40 BL19

Royaumeix 54..........65 CD26
Royaumont
(Abbaye de) 95..........38 BD23
Roybon 38..........250 CA66
Roye 80..........23 BG17
Roye 70..........141 CI39
Roye-sur-Matz 60..........23 BG18
Royer 71..........195 BW51
Royère-de-Vassivière 23..........207 AZ60
Royères 87..........206 AW59
Roynac 26..........267 BX73
Royon 62..........6 BA8
Royville 76..........20 AT16
Roz-Landrieux 35..........80 Y29
Roz-sur-Couesnon 35..........51 AA28
Rozay-en-Brie 77..........59 BH28
Le Rozel 50..........28 Z18
Rozelieures 54..........95 CH30
Rozérieulles 57..........65 CE23
Rozerotte 88..........94 CF32
Rozès 32..........295 AN82
Rozet-Saint-Albin 02..........40 BK22
Le Rozier 48..........282 BK78
Rozier-Côtes-d'Aurec 42..........229 BR65
Rozier-en-Donzy 42..........212 BS60
Rozières 52..........92 BV31
Rozières-en-Beauce 45..........110 AY36
Rozières-sur-Crise 02..........40 BK21
Rozières-sur-Mouzon 88..........118 CC34
Roziers-Saint-Georges 87..224 AX61
Rozoy-Bellevalle 02..........60 BL25
Rozoy-sur-Serre 02..........25 BQ17
Ruages 58..........157 BN43
Ruan 45..........111 BA34
Ruan-sur-Egvonne 41..........109 AU35
Ruaudin 72..........107 AN36
Ruaux 88..........119 CH35
Rubécourt-et-Lamécourt 08.27 BW17
Rubelles 77..........88 BF29
Rubempré 80..........12 BD13
Rubercy 14..........32 AF21
Rubescourt 80..........22 BE18
Rubigny 08..........25 BQ17
Rubrouck 59..........3 BD4
Ruca 22..........79 U28
Ruch 33..........256 AK71
Rucqueville 14..........33 AH21
Rudeau-Ladosse 24..........222 AP64
Rudelle 46..........261 AZ72
Rue 80..........11 AY10
La Rue-Saint-Pierre 76..........20 AV18
La Rue-Saint-Pierre 60..........38 BC20
Ruederbach 68..........143 CO39
Rueil-la-Gadelière 28..........56 AT28
Rueil-Malmaison 92..........58 BC26
Ruelisheim 68..........143 CO37
Ruelle-sur-Touvre 16..........221 AM61
Les Rues-des-Vignes 59..........14 BJ12
Ruesnes 59..........15 BM10
Rueyres 46..........261 AZ72
Ruffec 36..........188 AU51
Ruffec 16..........203 AM57
Ruffey-le-Château 25..........161 CD43
Ruffey-lès-Beaune 21..........177 BW46
Ruffey-lès-Echirey 21..........160 BX42
Ruffey-sur-Seille 39..........179 CB49
Ruffiac 56..........125 U37
Ruffiac 47..........274 AK76
Ruffieu 01..........214 CD57
Ruffieux 73..........215 CE59
Ruffigné 44..........126 AA38
Rugles 27..........55 AR26
Rugney 88..........95 CG31
Rugny 89..........137 BO37
Rugy 57..........45 CF22
Ruhans 70..........161 CF41
Ruillé-en-Champagne 72..........107 AL35
Ruillé-Froid-Fonds 53..........106 AG36
Ruillé-le-Gravelais 53..........105 AE35
Ruillé-sur-Loir 72..........130 AD38
Ruisseauville 62..........7 BB8
Ruitz 62..........8 BF8
Rullac-Saint-Cirq 12..........280 BE79
Rully 71..........177 BV48
Rully 60..........39 BG22
Rully 14..........52 AG26
Rumaisnil 80..........22 BB16
Rumaucourt 62..........14 BI11
Rumegies 59..........9 BK8
Rumengol 29..........75 H30
Rumersheim 67..........68 CO27
Rumersheim-le-Haut 68..........121 CP36
Rumesnil 14..........34 AM22
Rumigny 80..........22 BC16
Rumigny 08..........26 BR15
Rumilly 74..........215 CF59
Rumilly 62..........6 BA7
Rumilly-en-Cambrésis 59..........14 BJ12
Rumilly-lès-Vaudes 10..........115 BR34
Ruminghem 62..........3 BB4
Rumont 80..........112 BE33
Rumont 55..........63 BY26
Runan 22..........73 O27
Rungis 94..........58 BD27
Ruoms 07..........266 BT75
Rupéreux 77..........89 BK29
Ruppes 88..........94 CC30
Rupt 52..........92 BX31
Rupt-aux-Nonains 55..........63 BX28
Rupt-devant-
Saint-Mihiel 55..........64 BZ25

Rupt-en-Woëvre 55..........64 CA24
Rupt-sur-Moselle 88..........119 CJ36
Rupt-sur-Othain 55..........45 CA19
Rupt-sur-Saône 70..........140 CE39
Rurange-lès-Thionville 57..........45 CF21
Rurey 25..........162 CF45
Rusio 2B..........347 FF107
Russ 67..........96 CM39
Russange 57..........45 CD19
Russ 57..........96 CM39
Russ 14..........32 AG20
Russy-Bémont 60..........39 BH22
Rustenhart 68..........121 CP35
Rustiques 11..........336 BE89
Rustrel 84..........306 CC81
Rustroff 57..........45 CF19
Rutali 2B..........345 FG104
Ruvigny 10..........91 BQ32
Ruy 38..........232 CA62
Ruyaulcourt 62..........14 BI12
Ruynes-en-Margeride 15..246 BK69
Rye 39..........178 CA48
Ryes 14..........33 AH21

S

Saâcy-sur-Marne 77..........60 BJ25
Saales 67..........96 CM31
Saales (Col de) 67..........96 CM31
Saâne-Saint-Just 76..........20 AT16
Saasenheim 67..........97 CO32
Sabadel-Latronquière 46..........261 BB72
Sabadel-Lauzès 46..........260 AX74
Sabaillan 32..........296 AQ86
Sabalos 65..........315 AL88
Sabarat 09..........335 AV90
Sabarros 65..........315 AN88
Sabazan 32..........295 AK83
Sablé-sur-Sarthe 72..........129 AJ37
Les Sables-d'Olonne 85..........182 X52
Sables-d'Or-les-Pins 22..........79 U28
Sablet 84..........285 BY78
Les Sablettes 83..........328 CG90
Sablières 07..........265 BR74
Sablonceaux 17..........219 AE61
Sablonnières 77..........60 BK26
Sablons 38..........231 BW65
Sablons 33..........238 AJ68
Sabonnères 31..........317 AS86
La Sabotterie 08..........26 BU18
Sabran 30..........284 BU78
Sabres 40..........273 AE78
Saccourville 31..........334 AO93
Sacé 53..........106 AG33
Sacey 50..........80 AB29
Saché 37..........151 AP44
Sachin 62..........7 BD8
Sachy 08..........27 BX17
Sacierges-Saint-Martin 36..188 AV52
Saclas 91..........87 BB32
Saclay 91..........58 BC28
Saconin-et-Breuil 02..........40 BJ21
Sacoué 65..........334 AO91
Le Sacq 27..........56 AT26
Sacquenay 21..........139 BZ40
Sacquenville 27..........56 AT24
Sacy 89..........136 BO39
Sacy 51..........41 BP22
Sacy-le-Grand 60..........38 BE21
Sacy-le-Petit 60..........39 BF21
Sadeillan 32..........315 AN87
Sadillac 24..........257 AO72
Sadirac 33..........255 AH71
Sadournin 65..........315 AN88
Sadroc 19..........242 AX66
Saessolsheim 67..........68 CP27
Saffais 54..........95 CG29
Saffloz 39..........179 CE50
Saffré 44..........147 Z41
Saffres 21..........159 BU42
Sagelat 24..........259 AS71
Sagnat 23..........188 AX55
Sagnes-et-Goudoulet 07....266 BS71
Sagone 2A..........348 FB109
Sagonne 18..........173 BG48
Sagy 95..........57 BA24
Sagy 71..........196 CA51
Sahorre 66..........340 BD96
Sahune 26..........268 CA75
Sahurs 76..........36 AT20
Sai 61..........54 AM27
Saignes 46..........261 AZ71
Saignes 15..........226 BE65
Saigneville 80..........11 AY12
Saignon 84..........306 CC81
Saiguède 31..........297 AT85
Sail-les-Bains 42..........193 BO55
Sail-sous-Couzan 42..........229 BP61
Sailhan 65..........333 AM93
Saillac 46..........278 AY76
Saillac 19..........242 AX69
Saillagouse 66..........341 BA97
Saillans 33..........238 AI69
Saillans 26..........267 BZ72
Saillant 63..........228 BP64
Saillat-sur-Vienne 87..........204 AR59
Saillé..........145 T42
Saillenard 71..........178 CA50

Sailly 78..........57 AZ24
Sailly 71..........194 BU52
Sailly 52..........93 BY30
Sailly 08..........27 BX17
Sailly-Achâtel 57..........66 CG25
Sailly-au-Bois 62..........13 BF12
Sailly-en-Ostrevent 62..........13 BH10
Sailly-Flibeaucourt 80..........11 AZ11
Sailly-Labourse 62..........8 BF8
Sailly-Laurette 80..........23 BF14
Sailly-le-Sec 80..........22 BE14
Sailly-lez-Cambrai 59..........14 BJ11
Sailly-lez-Lannoy 59..........9 BJ6
Sailly-Saillisel 80..........13 BE12
Sailly-sur-la-Lys 62..........8 BG6
San-Bel 69..........212 BU60
Saincaize-Meauce 58..........174 BI48
Sainghin-en-Mélantois 59..........9 BJ7
Sainghin-en-Weppes 59..........8 BH7
Sainneville 76..........18 AO18
Sainpuits 89..........156 BK41
Sains 35..........80 AA29
Sains-du-Nord 59..........15 BP12
Sains-en-Amiénois 80..........22 BD15
Sains-en-Gohelle 62..........8 BE8
Sains-lès-Fressin 62..........7 BB8
Sains-lès-Marquion 62..........14 BI11
Sains-lès-Pernes 62..........7 BD8
Sains-Morainvillers 60..........22 BE18
Sains-Richaumont 02..........25 BN15
Le Saint 56..........100 L33
Saint-Aaron 22..........78 T29
Saint-Abit 64..........314 AM89
Saint-Abraham 56..........102 T36
Saint-Acheul 80..........12 BC11
Saint-Adjutory 16..........203 AO60
Saint-Adrien 22..........77 O29
Saint-Adrien
(Roches de) 76..........36 AU20
Saint-Affrique 12..........300 BH81
Saint-Affrique-
les-Montagnes 81..........299 BC85
Saint-Agathon 22..........73 P28
Saint-Agil 41..........109 AS35
Saint-Agnan 81..........298 AY84
Saint-Agnan 71..........193 BP52
Saint-Agnan 58..........158 BQ43
Saint-Agnan 02..........60 BM24
Saint-Agnan-
de-Cernières 27..........55 AP25
Saint-Agnan-
en-Vercors 26..........250 CB69
Saint-Agnan-
le-Malherbe 14..........53 AH24
Saint-Agnan-sur-Erre 61..........84 AR32
Saint-Agnan-sur-Sarthe 61..84 AP29
Saint-Agnant 17..........200 AD59
Saint-Agnant-
de-Versillat 23..........188 AW55
Saint-Agnant-
près-Crocq 23..........208 BD60
Saint-Agnant-
sous-les-Côtes 55..........64 CB26
Saint-Agne 24..........258 AP71
Saint-Agnet 40..........294 AI84
Saint-Agnin-sur-Bion 38..........231 BI32
Saint-Agoulin 63..........209 BJ57
Saint-Agrève 07..........248 BT69
Saint-Aignan 72..........108 AO33
Saint-Aignan 56..........77 P32
Saint-Aignan 41..........153 AV44
Saint-Aignan 33..........238 AI69
Saint-Aignan 08..........27 BV17
Saint-Aignan-
de-Couptrain 53..........82 AJ30
Saint-Aignan-
de-Cramesnil 14..........33 AK23
Saint-Aignan-
des-Gués 45..........134 BD37
Saint-Aignan-
des-Noyers 18..........173 BG49
Saint-Aignan-
Grandlieu 44..........147 Z45
Saint-Aignan-
le-Jaillard 45..........134 BE39
Saint-Aignan-sur-Roë 53..........127 AD37
Saint-Aignan-sur-Ry 76..........36 AW19
Saint-Aigny 36..........187 AT51
Saint-Aigulin 17..........238 AK67
Saint-Ail 54..........45 CD22
Saint-Albain 71..........195 BW53
Saint-Alban 31..........297 AV84
Saint-Alban 22..........78 T28
Saint-Alban 01..........214 CB56
Saint-Alban-Auriolles 07..........266 BS75
Saint-Alban-d'Ay 07..........248 BV67
Saint-Alban-
de-Montbel 73..........233 CE62
Saint-Alban-de-Roche 38..231 BZ62
Saint-Alban-
des-Hurtières 73..........234 CI63
Saint-Alban-
des-Villards 73..........233 CH65
Saint-Alban-du-Rhône 38..231 BW64
Saint-Alban-
en-Montagne 07..........265 BP72
Saint-Alban-les-Eaux 42..........211 BP58
Saint-Alban-Leysse 73..........233 CF62

Saint-Alban-
sur-Limagnole 48..........264 BL71
Saint-Albin-
de-Vaulserre 38..........232 CD63
Saint-Alexandre 30..........284 BV77
Saint-Algis 02..........25 BN14
Saint-Allouestre 56..........102 R35
Saint-Alpinien 23..........207 BC58
Saint-Alyre-d'Arlanc 63..........228 BN65
Saint-Alyre-
ès-Montagne 63..........227 BI65
Saint-Amadou 09..........336 AY90
Saint-Amancet 81..........319 BB86
Saint-Amand 50..........52 AF24
Saint-Amand 23..........207 BC58
Saint-Amand 62..........13 BE12
Saint-Amand-
de-Belvès 24..........259 AS72
Saint-Amand-de-Coly 24..........241 AU68
Saint-Amand-de-Vergt 24..240 AQ69
Saint-Amand-
des-Hautes-Terres 27..........36 AT22
Saint-Amand-
en-Puisaye 58..........156 BI41
Saint-Amand-
Jartoudeix 23..........206 AX59
Saint-Amand-le-Petit 87..........206 AY60
Saint-Amand-les-Eaux 59..........9 BK8
Saint-Amand-Longpré 41..131 AT39
Saint-Amand-
Magnazeix 87..........205 AV56
Saint-Amand-
Montrond 18..........173 BE50
Saint-Amand-sur-Fion 51..........62 BT26
Saint-Amand-
sur-Ornain 55..........93 BZ28
Saint-Amand-
sur-Sèvre 79..........167 AF48
Saint-Amandin 15..........227 BG65
Saint-Amans 48..........264 BM73
Saint-Amans 11..........318 AZ89
Saint-Amans 09..........336 AW90
Saint-Amans-
de-Pellagal 82..........277 AT78
Saint-Amans-des-Cots 12..262 BF72
Saint-Amans-du-Pech 82..276 AR77
Saint-Amans-Soult 81..........320 BC86
Saint-Amans-Valtoret 81..320 BC86
Saint-Amant 16..........221 AM64
Saint-Amant-de-Boixe 16..203 AM60
Saint-Amant-
de-Bonnieure 16..........203 AN59
Saint-Amant-
de-Graves 16..........220 AK62
Saint-Amant-
de-Nouère 16..........203 AL60
Saint-Amant-
Roche-Savine 63..........228 BN63
Saint-Amant-Tallende 63..227 BJ62
Saint-Amarin 68..........120 CM36
Saint-Ambreuil 71..........177 BW50
Saint-Ambroix 30..........284 BS77
Saint-Ambroix 18..........172 BB48
Saint-Amé 88..........119 CJ35
Saint-Amour 39..........196 CA53
Saint-Amour-Bellevue 71..194 BV55
Saint-Anastaise 63..........181 BI64
Saint-Andelain 58..........156 BH43
Saint-Andéol 38..........250 CC69
Saint-Andéol 26..........268 CA71
Saint-Andéol-de-Berg 07..266 BU74
Saint-Andéol-
de-Clerguemort 48..........283 BP77
Saint-Andéol-
de-Fourchades 07..........266 BS71
Saint-Andéol-de-Vals 07..266 BT72
Saint-Andéol-
le-Château 69..........230 BV62
Saint-Andeux 21..........158 BQ42
Saint-Andiol 13..........305 BY82
Saint-Andoche 70..........140 CC39
Saint-André 73..........255 CK66
Saint-André 66..........343 BI96
Saint-André 32..........296 AR85
Saint-André 31..........316 AR88
Saint-André 16..........219 AH61
Saint-André
(Chapelle) 46..........259 AU73
Saint-André-Capcèze 48....265 BQ75
Saint-André-d'Allas 24..........241 AT70
Saint-André-d'Apchon 42..211 BP57
Saint-André-de-Bâgé 01..195 BX54
Saint-André-de-Boëge 74..198 CI55
Saint-André-de-Bohon 50....32 AD21
Saint-André-de-Briouze 61..53 AJ27
Saint-André-
de-Buèges 34..........302 BN82
Saint-André-
de-Chalencon 43..........247 BQ66
Saint-André-
de-Corcy 01..........213 BX58
Saint-André-
de-Cruzières 07..........284 BS76
Saint-André-
de-Cubzac 33..........237 AH69
Saint-André-
de-Double 24..........239 AN67
Saint-André-
de-la-Marche 49..........148 AD45
Saint-André-
de-la-Roche 06..........309 CR82

Saint-André-
de-Lancize 48..........283 BP77
Saint-André-de-l'Épine 50....32 AE22
Saint-André-de-l'Eure 27....56 AV26
Saint-André-de-Lidon 17..219 AF62
Saint-André-
de-Majencoules 30..........282 BN80
Saint-André-de-Messei 61...53 AI33
Saint-André-de-Najac 12..279 BA78
Saint-André-
de-Roquelongue 11..........338 BH90
Saint-André-
de-Roquepertuis 30..........284 BU77
Saint-André-de-Rosans 05268 CC75
Saint-André-
de-Sangonis 34..........302 BM84
Saint-André-
de-Seignanx 40..........292 Z84
Saint-André-
de-Valborgne 30..........283 BO78
Saint-André-
de-Vézines 12..........282 BK78
Saint-André-d'Embrun 05..270 CK73
Saint-André-des-Eaux 44..146 U42
Saint-André-des-Eaux 22..79 X31
Saint-André-
d'Hébertot 14..........34 AO21
Saint-André-d'Huiriat 01..195 BX55
Saint-André-
d'Olérargues 30..........284 BU78
Saint-André-du-Bois 33..256 AJ73
Saint-André-en-Barrois 55..63 BY24
Saint-André-en-Bresse 71..178 BY50
Saint-André-
en-Morvan 58..........157 BO42
Saint-André-
en-Royans 38..........250 CA68
Saint-André-
en-Terre-Plaine 89..........158 BQ41
Saint-André-en-Vivarais 07248 BT68
Saint-André-
et-Appelles 33..........257 AM71
Saint-André-Farivillers 60...22 BC18
Saint-André-Goule-
d'Oie 85..........166 AC48
Saint-André-la-Côte 69..230 BU62
Saint-André-Lachamp 07..265 BR74
Saint-André-
le-Bouchoux 01..........213 BY56
Saint-André-le-Coq 63..........210 BK58
Saint-André-le-Désert 71..194 BU52
Saint-André-le-Gaz 38..........232 CC62
Saint-André-le-Puy 42..........230 BS61
Saint-André-les-Alpes 04..288 CK80
Saint-André-les-Vergers 10..90 BP32
Saint-André-lez-Lille 59..........8 BI16
Saint-André-sur-Cailly 76..21 AV18
Saint-André-sur-Orne 14..33 AJ23
Saint-André-sur-Sèvre 79..167 AG49
Saint-André-
sur-Vieux-Jonc 01..........213 BY56
Saint-André-
Treize-Voies 85..........165 AA47
Saint-André-
Val-de-Fier 74..........215 CE58
Saint-Androny 33..........237 AF66
Saint-Ange-et-Torçay 28..........56 AU28
Saint-Ange-le-Viel 77..........112 BH33
Saint-Angeau 16..........203 AN59
Saint-Angel 63..........209 BH64
Saint-Angel 19..........225 BC63
Saint-Angel 03..........191 BG54
Saint-Anthème 63..........229 BP63
Saint-Anthot 21..........159 BU43
Saint-Antoine 13..........326 CB87
Saint-Antoine 33..........237 AH68
Saint-Antoine 32..........296 AR80
Saint-Antoine 29..........71 J27
Saint-Antoine 25..........180 CH48
Saint-Antoine 15..........262 BD72
Saint-Antoine 05..........252 CK70
Saint-Antoine-
Cumond 24..........239 AM66
Saint-Antoine-
d'Auberoche 24..........241 AS67
Saint-Antoine-
de-Breuilh 24..........257 AL71
Saint-Antoine-
de-Ficalba 47..........276 AQ76
Saint-Antoine-
du-Queyret 33..........256 AK71
Saint-Antoine-
du-Rocher 37..........151 AQ41
Saint-Antoine-la-Forêt 76...19 AP18
Saint-Antoine-
l'Abbaye 38..........249 BZ67
Saint-Antoine-sur-l'Isle 33..239 AL68
Saint-Antonin 32..........296 AQ83
Saint-Antonin 06..........289 CO80
Saint-Antonin-
de-Lacalm 81..........299 BC83
Saint-Antonin-
de-Sommaire 27..........55 AQ26
Saint-Antonin-du-Var 83..307 CJ85
Saint-Antonin-
Noble-Val 82..........278 AY78
Saint-Antonin-
sur-Bayon 13..........306 CD85
Saint-Aoustrille 36..........172 BA47
Saint-Août 36..........172 BA50
Saint-Apollinaire 21..........160 BY43
Saint-Apollinaire 05..........270 CJ73

ST-BRIEUC

Armor (Av. d') .... **BZ** 3
Chapitre (R. du) .... **AZ** 4
Charbonnerie (R.) .... **AY** 5
Gaulle (Pl. Gén.-de) ...... **AY** 18
Glais-Bizoin (R.) .... **ABY** 20
Le Gorrec (R. P.) .... **AZ** 28
Libération (Av. de la) .... **BZ** 29
Lycéens-Martyrs (R.) ...... **AZ** 32
Martray (Pl. du) .... **AY** 33
Quinquaine (R.) .... **AY** 38
Résistance (Pl. de la) .... **AY** 39
Rohan (R. de) .... **AYZ** 40
St-Gilles (R.) .... **AY** 43
St-Guéno (R.) .... **AY** 44
St-Guillaume (R.) .... **BZ** 46
3-Frères-Le-Goff (R.) ..... **AY** 52
3-Frères-Merlin (R.) ...... **AY** 53

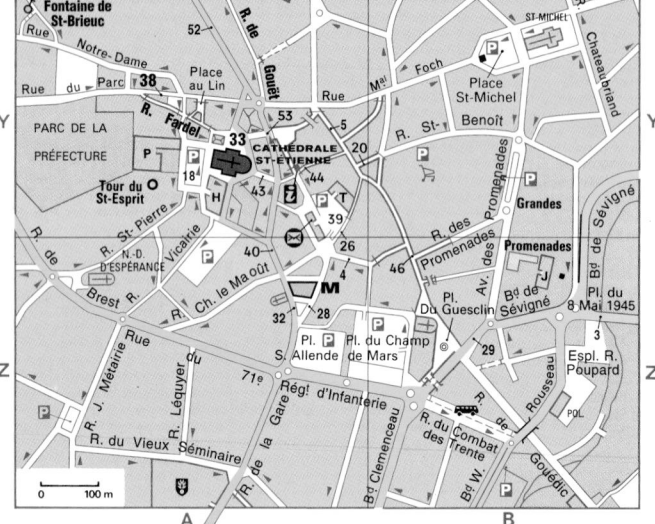

Saint-Apollinaire-de-Rias 07 .....248 BV70
Saint-Appolinaire 69 .....212 BT58
Saint-Appolinard 42 .....230 BV65
Saint-Appolinard 38 .....250 CA67
Saint-Aquilin 24 .....239 A067
Saint-Aquilin-d'Augerons 27 .....55 AP25
Saint-Aquilin-de-Corbion 61 .....55 AP28
Saint-Aquilin-de-Pacy 27 .....56 AW24
Saint-Araille 31 .....317 AS87
Saint-Arailles 32 .....295 AN84
Saint-Arcons-d'Allier 43 .....246 BM68
Saint-Arcons-de-Barges 43 .....265 BP71
Saint-Arey 38 .....251 CE70
Saint-Armel 56 .....124 R39
Saint-Armel 35 .....104 Z35
Saint-Armou 64 .....314 AH86
Saint-Arnac 66 .....338 BE94
Saint-Arnoult 76 .....35 AR19
Saint-Arnoult 60 .....21 AZ18
Saint-Arnoult 41 .....131 AS39
Saint-Arnoult 14 .....34 AM21
Saint-Arnoult-des-Bois 28 .....85 AV30
Saint-Arnoult-en-Yvelines 78 .....87 BA29
Saint-Arroman 65 .....333 AN91
Saint-Arroman 32 .....316 A086
Saint-Arroumex 82 .....277 AS80
Saint-Astier 47 .....257 AM72
Saint-Astier 24 .....239 A067
Saint-Auban 06 .....308 CM81
Saint-Auban 04 .....287 CG79
Saint-Auban-d'Oze 05 .....269 CF74
Saint-Auban-sur-l'Ouvèze 26 .....286 CB76
Saint-Aubert 59 .....14 BK11
Saint-Aubert-sur-Orne 61 .....53 AJ27
Saint-Aubin 91 .....58 BB28
Saint-Aubin 62 .....6 AY8
Saint-Aubin 59 .....15 BO11
Saint-Aubin 47 .....258 AR75
Saint-Aubin 40 .....293 AE83
Saint-Aubin 39 .....178 BZ46
Saint-Aubin 36 .....172 BA48
Saint-Aubin 21 .....177 BV47
Saint-Aubin 10 .....90 BM30
Saint-Aubin 02 .....40 BJ19
Saint-Aubin-Celloville 76 .....36 AU20
Saint-Aubin-Château-Neuf 89 .....135 BK38
Saint-Aubin-d'Appenai 61 .....84 A030
Saint-Aubin-d'Arquenay 14 .....33 AK21
Saint-Aubin-d'Aubigné 35 .....80 Z32
Saint-Aubin-de-Baubigny 79 .....167 AG47
Saint-Aubin-de-Blaye 33 .....237 AG66
Saint-Aubin-de-Bonneval 61 .....54 A025
Saint-Aubin-de-Branne 33 .....256 AJ71
Saint-Aubin-de-Cadelech 24 .....257 A072
Saint-Aubin-de-Courteraie 61 .....84 AP29
Saint-Aubin-de-Crétot 76 .....19 AQ18
Saint-Aubin-de-Lanquais 24 .....258 AP71

Saint-Aubin-de-Locquenay 72 .....83 AM32
Saint-Aubin-de-Luigné 49 .....149 AG43
Saint-Aubin-de-Médoc 33 .....237 AF70
Saint-Aubin-de-Nabirat 24 .....259 AU72
Saint-Aubin-de-Scellon 27 .....35 AP22
Saint-Aubin-de-Terregatte 50 .....81 AC29
Saint-Aubin-d'Écrosville 27 .....36 AT23
Saint-Aubin-des-Bois 28 .....86 AW30
Saint-Aubin-des-Bois 14 .....52 AD26
Saint-Aubin-des-Châteaux 44 .....126 AA38
Saint-Aubin-des-Chaumes 58 .....157 BN42
Saint-Aubin-des-Coudrais 72 .....108 AQ34
Saint-Aubin-des-Grois 61 .....84 AQ32
Saint-Aubin-des-Hayes 27 .....55 AR24
Saint-Aubin-des-Landes 35 .....105 AC34
Saint-Aubin-des-Ormeaux 85 .....166 AD46
Saint-Aubin-des-Préaux 50 .....51 AA26
Saint-Aubin-du-Cormier 35 .....80 AB32
Saint-Aubin-du-Désert 53 .....83 AK32
Saint-Aubin-du-Pavail 35 .....104 AA35
Saint-Aubin-du-Perron 50 .....31 AC22
Saint-Aubin-du-Plain 79 .....167 AH47
Saint-Aubin-du-Thenney 27 .....55 AP24
Saint-Aubin-en-Bray 60 .....37 AZ20
Saint-Aubin-en-Charollais 71 .....193 BR52
Saint-Aubin-Épinay 76 .....36 AU20
Saint-Aubin-Fosse-Louvain 53 .....81 AF30
Saint-Aubin-la-Plaine 85 .....183 AD52
Saint-Aubin-le-Cauf 76 .....20 AU15
Saint-Aubin-le-Cloud 79 .....167 AI50
Saint-Aubin-le-Dépeint 37 .....130 A040
Saint-Aubin-le-Guichard 27 .....55 AR24
Saint-Aubin-le-Monial 03 .....191 BI52
Saint-Aubin-le-Vertueux 27 .....55 AQ24
Saint-Aubin-Lébizay 14 .....34 AM22
Saint-Aubin-lès-Elbeuf 76 .....36 AT21
Saint-Aubin-les-Forges 58 .....156 BJ45
Saint-Aubin-Montenoy 80 .....21 BA15
Saint-Aubin-Rivière 80 .....21 AZ15
Saint-Aubin-Routot 76 .....34 A019
Saint-Aubin-sous-Erquery 60 .....38 BE20
Saint-Aubin-sur-Aire 55 .....64 CA27
Saint-Aubin-sur-Algot 14 .....34 AM24
Saint-Aubin-sur-Gaillon 27 .....36 AV23
Saint-Aubin-sur-Loire 71 .....193 B052
Saint-Aubin-sur-Mer 76 .....19 AS15
Saint-Aubin-sur-mer 14 .....33 AJ21
Saint-Aubin-sur-Quilleboeuf 27 .....35 AQ19
Saint-Aubin-sur-Scie 76 .....20 AU15
Saint-Aubin-sur-Yonne 89 .....113 BK36
Saint-Augustin 77 .....59 BI27
Saint-Augustin 19 .....225 AZ64
Saint-Augustin 17 .....218 AC61
Saint-Augustin 03 .....174 BI49
Saint-Augustin-des-Bois 49 .....149 AF41
Saint-Aulaire 19 .....241 AV66

Saint-Aulais-la-Chapelle 16 .....220 AK64
Saint-Aulaye 24 .....239 AL67
Saint-Aunès 34 .....303 BQ84
Saint-Aunix-Lengros 32 .....295 AK85
Saint-Aupre 38 .....232 CD64
Saint-Austremoine 43 .....246 BL68
Saint-Auvent 87 .....205 AS60
Saint-Avaugourd-des-Landes 85 .....182 Z51
Saint-Avé 56 .....124 R38
Saint-Aventin 31 .....334 A093
Saint-Avertin 37 .....152 AR43
Saint-Avit 47 .....258 AR74
Saint-Avit 81 .....319 BB86
Saint-Avit 63 .....208 BE59
Saint-Avit 41 .....257 AM74
Saint-Avit 41 .....109 AS35
Saint-Avit 40 .....273 AG80
Saint-Avit 26 .....249 BX67
Saint-Avit 16 .....239 AL66
Saint-Avit-de-Soulège 33 .....257 AL71
Saint-Avit-de-Tardes 23 .....207 BC59
Saint-Avit-de-Vialard 24 .....240 AR70
Saint-Avit-Frandat 32 .....276 AP80
Saint-Avit-le-Pauvre 23 .....207 BA58
Saint-Avit-les-Guespières 28 .....109 AV33
Saint-Avit-Rivière 24 .....258 AR72
Saint-Avit-Saint-Nazaire 33 .....239 AM70
Saint-Avit-Sénieur 24 .....258 AR71
Saint-Avold 57 .....67 CJ23
Saint-Ay 45 .....132 AY37
Saint-Aybert 59 .....9 BM8
Saint-Ayguif 83 .....329 CM86
Saint-Babel 63 .....228 BK62
Saint-Baldoph 73 .....233 CF62
Saint-Bandry 02 .....40 BJ20
Saint-Baraing 39 .....178 CA47
Saint-Barbant 87 .....204 AR56
Saint-Bard 23 .....208 BD59
Saint-Bardoux 26 .....249 BX68
Saint-Barnabé 22 .....72 R33
Saint-Barthélemy 77 .....60 BK27
Saint-Barthélemy 70 .....142 CJ38
Saint-Barthélemy 56 .....101 P35
Saint-Barthélemy 50 .....52 AF28
Saint-Barthélemy 40 .....292 Z85
Saint-Barthélemy 38 .....231 BY65
Saint-Barthélemy-d'Agenais 47 .....257 AN74
Saint-Barthélemy-d'Anjou 49 .....149 AH41
Saint-Barthélemy-de-Bellegarde 24 .....239 AM68
Saint-Barthélemy-de-Bussière 24 .....222 AQ62
Saint-Barthélemy-de-Séchilienne 38 .....251 CE68
Saint-Barthélemy-de-Vals 26 .....249 BX67
Saint-Barthélemy-Grozon 07 .....248 BV69
Saint-Barthélemy-Gilles-le-Meil 07 .....248 BU70
Saint-Barthélemy-le-Plain 07 .....249 BW68
Saint-Barthélemy-Lestra 42 .....230 B561

Saint-Basile 07 .....248 BU69
Saint-Baslemont 88 .....118 CE33
Saint-Baudel 18 .....172 BC49
Saint-Baudelle 53 .....82 AH32
Saint-Baudille-de-la-Tour 38 .....214 CA60
Saint-Baudille-et-Pipet 38 .....269 CE71
Saint-Bauld 37 .....152 AR45
Saint-Baussant 54 .....65 CC25
Saint-Bauzeil 09 .....336 AX90
Saint-Bauzély 30 .....303 B581
Saint-Bauzile 48 .....264 BM75
Saint-Bauzile 07 .....266 BV72
Saint-Bauzille-de-la-Sylve 34 .....302 BN84
Saint-Bauzille-de-Montmel 34 .....303 BQ83
Saint-Bauzille-de-Putois 34 .....302 B081
Saint-Bazile 87 .....222 AR61
Saint-Bazile-de-la-Roche 19 .....243 BA67
Saint-Bazile-de-Meyssac 19 .....242 AY68
Saint-Béat 31 .....334 AP92
Saint-Beaulize 12 .....301 BJ81
Saint-Beauzeil 82 .....276 AR76
Saint-Beauzély 12 .....281 BI78
Saint-Beauzire 81 .....279 AZ80
Saint-Beauzire 63 .....209 BJ60
Saint-Beauzire 43 .....246 BK66
Saint-Bénézet 30 .....283 BR80
Saint-Bénigne 01 .....195 BX53
Saint-Benin 59 .....14 BL13
Saint-Benin-d'Azy 58 .....175 BL47
Saint-Benin-des-Bois 58 .....157 BL45
Saint-Benoist-sur-Mer 85 .....182 AA53
Saint-Benoist-sur-Vanne 10 .....114 BN33
Saint-Benoît 28 .....109 AT35
Saint-Benoît 86 .....186 AN52
Saint-Benoît 11 .....337 BB91
Saint-Benoît 04 .....289 CM80
Saint-Benoît 01 .....232 CC61
Saint-Benoît-de-Carmaux 81 .....279 BB80
Saint-Benoît-des-Ombres 27 .....35 AQ22
Saint-Benoît-des-Ondes 35 .....50 Y28
Saint-Benoît-d'Hébertot 14 .....34 A021
Saint-Benoît-du-Sault 36 .....188 AV53
Saint-Benoît-en-Diois 26 .....268 CA72
Saint-Benoît-la-Chipotte 88 .....95 CJ31
Saint-Benoît-la-Forêt 37 .....151 AN44
Saint-Benoît-sur-Loire 45 .....134 BD38
Saint-Benoît-sur-Seine 10 .....90 BP31
Saint-Bérain 43 .....246 BN69
Saint-Bérain-sous-Sanvignes 71 .....176 BS50
Saint-Bérain-sur-Dheune 71 .....177 BU48
Saint-Bernard 68 .....143 CN38
Saint-Bernard 57 .....46 CG21
Saint-Bernard 38 .....233 CF65
Saint-Bernard 21 .....160 BX45
Saint-Bernard 01 .....212 BV58
Saint-Béron 73 .....232 CD63
Saint-Berthevin 53 .....105 AF34
Saint-Berthevin-la-Tannière 53 .....81 AE31
Saint-Bertrand-de-Comminges 31 .....334 A091
Saint-Biez-en-Belin 72 .....130 AN37
Saint-Bihy 22 .....77 P30
Saint-Blaise 74 .....215 CG57
Saint-Blaise 06 .....291 CQ81
Saint-Blaise (Fouilles de) 13 .....325 BY86
Saint-Blaise-du-Buis 38 .....232 CC64
Saint-Blaise-la-Roche 67 .....96 CM34
Saint-Blancard 32 .....316 AP87
Saint-Blimont 80 .....11 AX12
Saint-Blin 52 .....93 CA32
Saint-Boès 64 .....293 AD85
Saint-Bohaire 41 .....132 AV40
Saint-Boil 71 .....177 BV50
Saint-Boingt 54 .....95 CH30
Saint-Bois 01 .....232 CC61
Saint-Bomer 28 .....109 AS33
Saint-Bômer-les-Forges 61 .....53 AH28
Saint-Bon 51 .....60 BL28
Saint-Bon-Tarentaise 73 .....234 CK63
Saint-Bonnet 16 .....220 AK63
Saint-Bonnet (Signal de) 69 .....212 BU57
Saint-Bonnet-Avalouze 19 .....243 AZ66
Saint-Bonnet-Briance 87 .....224 AW61
Saint-Bonnet-de-Bellac 87 .....205 AS56
Saint-Bonnet-de-Chavagne 38 .....250 CA67
Saint-Bonnet-de-Chirac 48 .....264 BK74
Saint-Bonnet-de-Condat 15 .....245 BG66
Saint-Bonnet-de-Cray 71 .....193 BR55
Saint-Bonnet-de-Four 03 .....191 BH54
Saint-Bonnet-de-Joux 71 .....194 BT52

Saint-Bonnet-de-Montauroux 48 .....265 B071
Saint-Bonnet-de-Mure 69 .....231 BY61
Saint-Bonnet-de-Rochefort 03 .....209 BJ56
Saint-Bonnet-de-Salendrinque 30 .....283 BP80
Saint-Bonnet-de-Salers 15 .....244 BE67
Saint-Bonnet-de-Valclérieux 26 .....249 BZ66
Saint-Bonnet-de-Vieille-Vigne 71 .....193 BR52
Saint-Bonnet-des-Bruyères 69 .....194 BT55
Saint-Bonnet-des-Quarts 42 .....211 B056
Saint-Bonnet-du-Gard 30 .....304 BU81
Saint-Bonnet-Elvert 19 .....243 AZ67
Saint-Bonnet-en-Bresse 71 .....178 BY48
Saint-Bonnet-en-Champsaur 05 .....269 CG72
Saint-Bonnet-la-Rivière 19 .....241 AV66
Saint-Bonnet-le-Bourg 63 .....228 BN64
Saint-Bonnet-le-Chastel 63 .....228 BN64
Saint-Bonnet-le-Château 42 .....229 BQ64
Saint-Bonnet-le-Courreau 42 .....229 BP62
Saint-Bonnet-le-Froid 43 .....248 BT67
Saint-Bonnet-le-Troncy 69 .....212 BT57
Saint-Bonnet-l'Enfantier 19 .....242 AW66
Saint-Bonnet-les-Oules 42 .....230 BS63
Saint-Bonnet-les-Tours-de-Merle 19 .....243 BB68
Saint-Bonnet-près-Bort 19 .....226 BD63
Saint-Bonnet-près-Orcival 63 .....227 BH61
Saint-Bonnet-près-Riom 63 .....209 BJ59
Saint-Bonnet-sur-Gironde 17 .....219 AF65
Saint-Bonnet-Tronçais 03 .....190 BG51
Saint-Bonnot 58 .....156 BK44
Saint-Bouize 18 .....156 BH44
Saint-Brancher 89 .....158 BP42
Saint-Branchs 37 .....152 AR44
Saint-Brandan 22 .....78 Q30
Saint-Brès 34 .....303 BQ84
Saint-Brès 32 .....296 AQ82
Saint-Brès 30 .....284 B577
Saint-Bresson 70 .....119 CI36
Saint-Bresson 30 .....302 BN81
Saint-Bressou 46 .....261 BA72
Saint-Brevin-les-Pins 44 .....146 V43
Saint-Brevin-l'Océan 44 .....146 V43
Saint-Brice 77 .....89 BK29
Saint-Brice 61 .....82 AH29
Saint-Brice 53 .....128 AI37
Saint-Brice 50 .....52 AC27
Saint-Brice 33 .....256 AJ72
Saint-Brice 16 .....220 AI61
Saint-Brice-Courcelles 51 .....41 BP21
Saint-Brice-de-Landelles 50 .....81 AD29
Saint-Brice-sous-Forêt 95 .....58 BD25
Saint-Brice-sous-Rânes 61 .....53 AK28
Saint-Brice-sur-Vienne 87 .....205 AS59
Saint-Brieuc 22 .....78 R29
Saint-Brieuc-de-Mauron 56 .....103 U34
Saint-Brieuc-des-Iffs 35 .....80 Y32
Saint-Bris-des-Bois 17 .....201 AH60
Saint-Bris-le-Vineux 89 .....136 BN38
Saint-Brisson 58 .....158 BQ44
Saint-Brisson-sur-Loire 45 .....134 BF40
Saint-Broing 70 .....161 CC41
Saint-Broing-les-Moines 21 .....138 BW39
Saint-Broingt-le-Bois 52 .....139 CA38
Saint-Broingt-les-Fosses 52 .....139 BZ38
Saint-Broladre 35 .....51 Z28
Saint-Bueil 38 .....232 CD63
Saint-Cado 56 .....123 N38
Saint-Calais 72 .....108 AR36
Saint-Calez-en-Saosnois 72 .....84 A032
Saint-Cannat 13 .....305 CB84
Saint-Caprais 32 .....296 AQ85
Saint-Caprais 18 .....172 BC47
Saint-Caprais 03 .....191 BG52
Saint-Caprais-de-Bordeaux 33 .....255 AH71
Saint-Caprais-de-Lerm 47 .....276 AQ78
Saint-Capraise-de-Lalinde 24 .....258 AP71
Saint-Capraise-d'Eymet 24 .....257 A072
Saint-Caradec 22 .....102 Q32

Saint-Caradec-Trégomel 56 .....101 M34
Saint-Carné 22 .....79 W30
Saint-Carreuc 22 .....78 R30
Saint-Cassien 86 .....168 AM47
Saint-Cassien 38 .....232 CC65
Saint-Cassien 24 .....258 AR72
Saint-Cassin 73 .....233 CF62
Saint-Cast-le-Guildo 22 .....50 V28
Saint-Castin 64 .....314 AH87
Saint-Célerin 72 .....108 AP34
Saint-Céneré 53 .....106 AH34
Saint-Céneri-le-Gérei 61 .....83 AL31
Saint-Céols 18 .....155 BF44
Saint-Céré 46 .....261 BA72
Saint-Cergues 74 .....197 CH55
Saint-Cernin 46 .....260 AX74
Saint-Cernin 15 .....244 BD68
Saint-Cernin-de-Labarde 24 .....258 AP71
Saint-Cernin-de-Larche 19 .....241 AV66
Saint-Cernin-de-l'Herm 24 .....259 AS73
Saint-Cernin-de-Reilhac 24 .....241 A569
Saint-Césaire 30 .....303 BT82
Saint-Césaire 17 .....201 AH60
Saint-Césaire-de-Gauzignan 30 .....284 B580
Saint-Cézaire (Grottes de) 06 .....308 CN83
Saint-Cézaire-sur-Siagne 06 .....308 CN83
Saint-Cézert 31 .....297 AU83
Saint-Chabrais 23 .....207 BC56
Saint-Chaffrey 05 .....252 CK69
Saint-Chamant 19 .....243 CZ68
Saint-Chamant 15 .....244 BE68
Saint-Chamarand 46 .....260 AW73
Saint-Chamas 13 .....305 BZ85
Saint-Chamassy 24 .....241 AS70
Saint-Chamond 42 .....230 BU64
Saint-Champ 01 .....214 CD60
Saint-Chaptes 30 .....284 B580
Saint-Charles 54 .....45 CC18
Saint-Charles-de-Percy 14 .....52 AG25
Saint-Charles-la-Forêt 53 .....106 AH36
Saint-Chartier 36 .....189 BA51
Saint-Chartres 86 .....168 AL48
Saint-Chef 38 .....232 CA62
Saint-Chels 46 .....260 AY74
Saint-Chély-d'Apcher 48 .....266 BK71
Saint-Chély-d'Aubrac 12 .....263 BH74
Saint-Chély-du-Tarn 48 .....282 BL76
Saint-Chéron 91 .....87 BB30
Saint-Chéron 51 .....62 BT28
Saint-Chéron-des-Champs 28 .....86 AW29
Saint-Chinian 34 .....321 BI87
Saint-Christ-Briost 80 .....23 BH15
Saint-Christau 64 .....331 AF90
Saint-Christaud 32 .....295 AM85
Saint-Christaud 31 .....317 AT89
Saint-Christo-en-Jarez 42 .....230 BU63
Saint-Christol 84 .....286 CC79
Saint-Christol 34 .....303 BR83
Saint-Christol 07 .....248 BT70
Saint-Christol-de-Rodières 30 .....284 BU77
Saint-Christol-lès-Alès 30 .....283 BR79
Saint-Christoly-de-Blaye 33 .....237 AG67
Saint-Christoly-Médoc 33 .....219 AE65
Saint-Christophe 86 .....169 A048
Saint-Christophe 81 .....279 BA78
Saint-Christophe 69 .....194 BU55
Saint-Christophe 28 .....110 AW34
Saint-Christophe 23 .....207 AZ59
Saint-Christophe 17 .....200 AD56
Saint-Christophe 16 .....239 AL66
Saint-Christophe 03 .....210 BM56
Saint-Christophe-à-Berry 02 .....40 BJ20
Saint-Christophe-d'Allier 43 .....265 B071
Saint-Christophe-de-Chaulieu 61 .....52 AG27
Saint-Christophe-de-Double 33 .....238 AK68
Saint-Christophe-de-Valains 35 .....80 AB31
Saint-Christophe-des-Bardes 33 .....238 AJ70
Saint-Christophe-des-Bois 35 .....105 AC33
Saint-Christophe-Dodinicourt 10 .....91 BT31
Saint-Christophe-du-Bois 49 .....166 AE46
Saint-Christophe-du-Foc 50 .....28 Z18
Saint-Christophe-du-Jambet 72 .....107 AM33
Saint-Christophe-du-Ligneron 85 .....165 X48
Saint-Christophe-du-Luat 53 .....106 AI34
Saint-Christophe-en-Bazelle 36 .....153 AY45
Saint-Christophe-en-Boucherie 36 .....172 BB50

Saint-Christophe-en-Bresse 71 ......178 BX49
Saint-Christophe-en-Brionnais 71 ......193 BR55
Saint-Christophe-en-Champagne 72 ......107 AK36
Saint-Christophe-en-Oisans 38 ......251 CH69
Saint-Christophe-et-le-Laris 26 ......249 BY66
Saint-Christophe-la-Couperie 49 ......148 AC43
Saint-Christophe-la-Grotte 73 ......233 CE63
Saint-Christophe-le-Chaudry 18 ......190 BD51
Saint-Christophe-le-Jajolet 61 ......54 AM28
Saint-Christophe-les-Gorges 15 ......243 BC68
Saint-Christophe-sur-Avre 27 ......55 AS28
Saint-Christophe-sur-Condé 27 ......35 AQ21
Saint-Christophe-sur-Dolaison 43 ......247 BO69
Saint-Christophe-sur-Guiers 38 ......233 CE64
Saint-Christophe-sur-le-Nais 37 ......130 AP40
Saint-Christophe-sur-Roc 79 ......185 AI53
Saint-Christophe-Vallon 12 ......262 BD75
Saint-Cibard 33 ......238 AK69
Saint-Cierge-la-Serre 07 ......266 BV71

Saint-Cierge-sous-le-Cheylard 07 ......248 BT70
Saint-Ciergues 52 ......139 BZ37
Saint-Ciers-Champagne 17 ......220 AI64
Saint-Ciers-d'Abzac 33 ......238 AI68
Saint-Ciers-de-Canesse 33 ......237 AG68
Saint-Ciers-du-Taillon 17 ......219 AF64
Saint-Ciers-sur-Bonnieure 16 ......203 AN59
Saint-Ciers-sur-Gironde 33 ......219 AG65
Saint-Cirgue 81 ......299 BD81
Saint-Cirgues 46 ......261 BB72
Saint-Cirgues 43 ......246 BL67
Saint-Cirgues-de-Jordanne 15 ......244 BF69
Saint-Cirgues-de-Malbert 15 ......244 BD68
Saint-Cirgues-de-Prades 07 ......266 BS73
Saint-Cirgues-en-Montagne 07 ......265 BR72
Saint-Cirgues-la-Loutre 19 ......243 BB68
Saint-Cirgues-sur-Couze 63 ......227 BJ63
Saint-Cirice 82 ......276 AR79
Saint-Cirq 82 ......278 AX79
Saint-Cirq 24 ......241 AS70
Saint-Cirq-Lapopie 46 ......260 AX75
Saint-Cirq-Madelon 46 ......259 AV71
Saint-Cirq-Souillaguet 46 ......260 AW72
Saint-Civran 36 ......188 AV52
Saint-Clair 86 ......168 AL48
Saint-Clair 83 ......329 CK89

Saint-Clair 82 ......277 AS78
Saint-Clair 46 ......259 AV72
Saint-Clair-d'Arcey 27 ......55 AQ24
Saint-Clair-de-Halouze 61 ......53 AH28
Saint-Clair-de-la-Tour 38 ......232 CB62
Saint-Clair-du-Rhône 38 ......231 BW64
Saint-Clair-sur-Epte 95 ......37 AY22
Saint-Clair-sur-Galaure 38 ......249 BZ66
Saint-Clair-sur-l'Elle 50 ......32 AE22
Saint-Clair-sur-les-Monts 76 ......16 AS18
Saint-Clar 32 ......296 AQ81
Saint-Clar-de-Rivière 31 ......317 AU86
Saint-Claud 16 ......203 AO59
Saint-Claude 39 ......197 CE53
Saint-Claude-de-Diray 41 ......132 AW40
Saint-Clément 54 ......95 CI29
Saint-Clément 50 ......52 AF28
Saint-Clément 30 ......303 BQ82
Saint-Clément 19 ......224 AY65
Saint-Clément 15 ......244 BF69
Saint-Clément 07 ......248 BS69
Saint-Clément 03 ......210 BN57
Saint-Clément 02 ......25 BP16
Saint-Clément-à-Arnes 08 ......42 BS21
Saint-Clément-de-la-Place 49 ......149 AG41
Saint-Clément-de-Régnat 63 ......210 BK57
Saint-Clément-de-Rivière 34 ......302 BP84
Saint-Clément-de-Valorgue 63 ......229 BP63
Saint-Clément-de-Vers 69 ......194 BT55
Saint-Clément-des-Baleines 17 ......182 Z55

Saint-Clément-des-Levées 49 ......150 AK43
Saint-Clément-les-Places 69 ......212 BT60
Saint-Clément-sur-Durance 05 ......270 CK72
Saint-Clément-sur-Guye 71 ......194 BU51
Saint-Clément-sur-Valsonne 69 ......212 BT59
Saint-Clémentin 79 ......167 AH47
Saint-Clet 22 ......73 O27
Saint-Cloud 92 ......58 BC26
Saint-Cloud-en-Dunois 28 ......110 AW35
Saint-Colomb-de-Lauzon 47 ......257 A073
Saint-Colomban 44 ......165 Z46
Saint-Colomban-des-Villards 73 ......233 CH65
Saint-Côme 33 ......256 AJ75
Saint-Côme (Chapelle de) 29 ......75 G32
Saint-Côme-de-Fresné 14 ......33 AH20
Saint-Côme-d'Olt 12 ......263 BH74
Saint-Côme-du-Mont 50 ......31 AC20
Saint-Côme-et-Maruéjols 30 ......303 BQ83
Saint-Congard 56 ......125 U37
Saint-Connan 22 ......77 P30
Saint-Connec 22 ......102 Q32
Saint-Constant 15 ......261 BC73
Saint-Contest 14 ......33 AJ22
Saint-Corneille 72 ......108 AO35
Saint-Cornier-des-Landes 61 ......52 AG27
Saint-Cosme 68 ......142 CM38
Saint-Cosme-en-Vairais 72 ......84 AP32

Saint-Couat-d'Aude 11 ......320 BF89
Saint-Couat-du-Razès 11 ......337 BB91
Saint-Coulitz 29 ......75 H32
Saint-Coulomb 35 ......50 X27
Saint-Coutant 79 ......185 AL55
Saint-Coutant 16 ......203 AO58
Saint-Coutant-le-Grand 17 ......201 AF58
Saint-Créac 33 ......333 AK90
Saint-Créac 32 ......296 AQ81
Saint-Crépin 17 ......201 AF57
Saint-Crépin 05 ......270 CL71
Saint-Crépin-aux-Bois 60 ......39 BH20
Saint-Crépin-d'Auberoche 24 ......240 AR68
Saint-Crépin-de-Richemont 24 ......222 AP64
Saint-Crépin-et-Carlucet 24 ......241 AU69
Saint-Crépin-Ibouvillers 60 ......38 BB22
Saint-Crespin 76 ......20 AU16
Saint-Crespin 14 ......34 AM23
Saint-Crespin-sur-Moine 49 ......148 AC45
Saint-Cricq 32 ......297 AS83
Saint-Cricq-Chalosse 40 ......293 AE84
Saint-Cricq-du-Gave 40 ......293 AC85
Saint-Cricq-Villeneuve 40 ......294 AH81
Saint-Cybardeaux 16 ......202 AK60
Saint-Cybranet 24 ......241 AU71
Saint-Cyprien 66 ......343 BI96
Saint-Cyprien 46 ......277 AU77
Saint-Cyprien 42 ......230 BS63
Saint-Cyprien 24 ......241 AT70
Saint-Cyprien 19 ......241 AV66
Saint-Cyprien-Plage 66 ......343 BI95

Saint-Cyprien-sur-Dourdou 12 ......262 BD74
Saint-Cyr 87 ......205 AS60
Saint-Cyr 86 ......169 AO50
Saint-Cyr 71 ......177 BW50
Saint-Cyr 50 ......29 AB18
Saint-Cyr 39 ......179 CD47
Saint-Cyr 07 ......249 BW66
Saint-Cyr (Mont) 46 ......260 AW75
Saint-Cyr-au-Mont-d'Or 69 ......213 BW60
Saint-Cyr-de-Favières 42 ......211 BO58
Saint-Cyr-de-Salerne 27 ......35 AR22
Saint-Cyr-de-Valorges 42 ......212 BS59
Saint-Cyr-des-Gâts 85 ......183 AE51
Saint-Cyr-du-Bailleul 50 ......82 AG29
Saint-Cyr-du-Doret 17 ......183 AE55
Saint-Cyr-du-Gault 41 ......131 AT40
Saint-Cyr-du-Ronceray 14 ......54 AO24
Saint-Cyr-en-Arthies 95 ......57 AY24
Saint-Cyr-en-Bourg 49 ......150 AL44
Saint-Cyr-en-Pail 53 ......83 AK31
Saint-Cyr-en-Retz 44 ......165 X46
Saint-Cyr-en-Talmondais 85 ......183 AB52
Saint-Cyr-en-Val 45 ......133 BA38
Saint-Cyr-la-Campagne 27 ......36 AT22
Saint-Cyr-la-Lande 79 ......168 AK46
Saint-Cyr-la-Rivière 91 ......87 BB32
Saint-Cyr-la-Roche 19 ......241 AV66
Saint-Cyr-la-Rosière 61 ......84 AO32
Saint-Cyr-le-Chatoux 69 ......212 BU57
Saint-Cyr-le-Gravelais 53 ......105 AE35
Saint-Cyr-l'École 78 ......58 BB27
Saint-Cyr-les-Champagnes 24 ......223 AV65
Saint-Cyr-les-Colons 89 ......136 BN38

ST-ÉTIENNE

Albert-1er (Bd) .... ABX 3
Anatole-France (Pl.) ..... BZ 7
Badouillère (R. de la) .. CZ 9
Barbusse (R. H.) .... CZ 12
Bérard (R. P.) .... BCY 14
Bergson (R.) .... BX 16
Boivin (Pl.) .... BY 17
Chavanelle (R.) .... CZ 18
Clovis-Hugues (R.) .... BX 20
Comte (Pl. Louis) ..... BX 21
Denfert-Rochereau (Av.) . CY 26
Descours (R.) .... AZ 27
Dorian (Pl.) .... BY 33
Dormoy (R. M.) .... BXY 34
Dupré (R. G.) .... BY 37
Durafour (R.) .... CZ 38
Escoffier (R. D.) ...... BY 39
Fougerolle (R.) .... CZ 41
Fourneyron (Pl.) ...... BY 42
Foy (R. des) .... BY 44
Frappa (R. J.) .... BZ 47
Gambetta (R.) .... BXY
Gaulle (R. Ch.-de) .... BXY
Gérentet (R.) .... BY 49
Gervais (R. E.) ...... CY 50
Gillet (R. F.) .... BY 52
Grand Moulin (R. du) .. BY 53
Guesde (Pl. J.) ...... BY 56
Hôtel-de-Ville (Pl. de l') . BY
Jacob (R.) .... CX 58
Krumnow (Bd F.) ..... AY 61
Leclerc (R. du Gén.) .. BZ 62
Libération (Av. de la) .. BCY
Loubet (Av. du Président E.) . BZ 63
Martyrs-de-Vingré (R. des) ... BYZ 66
Michelet (R.) .... BYZ
Moine (Pl. Antonin) ... CYZ 68
Moulin (Pl. J.) ...... CY 72
Mulatière (R. de la) ... CZ 75
Neuve (Pl.) .... BZ 77
Peuple (Pl. du) ...... BZ 86
Pointe-Cadet (R.) .... BCZ 87
Président-Wilson (R.) .. BY 89
République (R. de la) .. BCY
Résistance (R. de la) ... BY 91
Rivière (R. du Sergent) . CX 93
Robert (R.) .... BY 94
Ruel (R.) .... AX 99
Sadi-Carnot (Pl.) ..... BX 100
St-Jean (R.) .... BY 102
Sauzéa (Cours H.) .... CY 103
Servet (R. M.) .... BY 106
Stalingrad (Square de) . CY 109
Théâtre (R. du) ...... BYZ 112
Thomas (Pl. A.) ...... BZ 113
Tilleuls (R. des) ...... AX 116
Ursules (Pl. des) ..... BZ 117
Valbenoite (Bd) ...... CZ 119
Villeboeuf (Pl.) ...... CZ 123
Ville (R. de la) ...... BY 122
11-Novembre (R. du) .. BZ 128

Saint-Cyr-les-Vignes 42......230 BS61
Saint-Cyr-sous-Dourdan 91.87 BB29
Saint-Cyr-sur-le-Rhône 69..231 BW63
Saint-Cyr-sur-Loire 37......151 AQ42
Saint-Cyr-sur-Menthon 01..195 BX55
Saint-Cyr-sur-Mer 83........327 CE89
Saint-Cyr-sur-Morin 77......60 BJ26
Saint-Cyran-
du-Jambot 36..........170 AU47
Saint-Dalmas-de-Tende 06..291 CT78
Saint-Dalmas-
le-Selvage 06.........289 CN76
Saint-Dalmas-
Valdeblore 06.........291 CQ78
Saint-Daunes 46............277 AU76
Saint-Denis 93..............58 BD25
Saint-Denis 89.............113 BK33
Saint-Denis 79.............185 AI52
Saint-Denis 30............284 BS77
Saint-Denis 11............319 CB87
Saint-Denis-Catus 46.......259 AV74
Saint-Denis-
Combarnazat 63........210 BK58
Saint-Denis-d'Aclon 76......20 AT15
Saint-Denis-d'Anjou 53.....128 AI38
Saint-Denis-d'Augerons 27..55 AP25
Saint-Denis-d'Authou 28.....85 AT32
Saint-Denis-
de-Cabanne 42.........211 BR56
Saint-Denis-de-Gastines 53..81 AF31
Saint-Denis-de-Jouhet 36...189 AZ52
Saint-Denis-de-l'Hôtel 45...133 BB37
Saint-Denis-de-Mailloc 14...34 AO23
Saint-Denis-de-Méré 14.....53 AI26
Saint-Denis-de-Palin 18....173 BE48
Saint-Denis-de-Pile 35.....238 AJ69
Saint-Denis-de-Vaux 71.....177 BW49
Saint-Denis-
de-Villenette 61.......82 AH30
Saint-Denis-
des-Coudrais 72.......108 AP34
Saint-Denis-des-Monts 27....35 AS22
Saint-Denis-des-Murs 87....206 AX60
Saint-Denis-des-Puits 28....85 AU31
Saint-Denis-d'Oléron 17....200 AA57
Saint-Denis-d'Orques 72....106 AJ35
Saint-Denis-du-Béhélan 27...36 AT26
Saint-Denis-du-Maine 53....106 AH36
Saint-Denis-du-Payré 85....183 AB53
Saint-Denis-du-Pin 17......201 AH58
Saint-Denis du Tertre
(Chapelle) 72.........108 AO35
Saint-Denis-en-Bugey 01....214 CA58
Saint-Denis-
en-Margeride 48.......264 BM72
Saint-Denis-en-Val 45.....133 BA37
Saint-Denis-
la-Chevasse 85........166 AB48
Saint-Denis-le-Ferment 27...37 AY21
Saint-Denis-le-Gast 50.....51 AC25
Saint-Denis-le-Thiboult 76..36 AW19
Saint-Denis-le-Vêtu 50......51 AB24
Saint-Denis-lès-Bourg 01...195 BZ55
Saint-Denis-lès-Martel 46..242 AX70
Saint-Denis-lès-Ponts 28...109 AV35
Saint-Denis-lès-Rebais 77...60 BJ26
Saint-Denis-
Maisoncelles 14........52 AF24
Saint-Denis-sur-Coise 42...230 BT62
Saint-Denis-sur-Huisne 61...84 AP30
Saint-Denis-sur-Loire 41...132 AW40
Saint-Denis-
sur-Ouanne 89.........135 BJ38
Saint-Denis-sur-Sarthon 61.83 AL30
Saint-Denis-sur-Scie 76.....20 AU17
Saint-Deniscourt 60.........21 AZ18
Saint-Denœux 62.............6 BA8
Saint-Denoual 22...........79 U29
Saint-Derrien 29...........71 H28
Saint-Désert 71...........177 BV49
Saint-Désir 14.............34 AN23
Saint-Désirat 07..........249 BW66
Saint-Désiré 03...........190 BD52
Saint-Dézéry 30...........284 BS80
Saint-Dézery 19...........226 BD63
Saint-Didier 84...........285 BZ80
Saint-Didier 58...........157 BM43
Saint-Didier 39...........179 CB50
Saint-Didier 35...........104 AB34
Saint-Didier 21...........158 BR43
Saint-Didier-
au-Mont-d'Or 69.......213 BW60
Saint-Didier-d'Allier 43...246 BN69
Saint-Didier-d'Aussiat 01..195 BY54
Saint-Didier-
de-Bizonnes 38........232 CA63
Saint-Didier-
de-Formans 01........213 BW58
Saint-Didier-de-la-Tour 38.232 CB62
Saint-Didier-des-Bois 27...35 AT22
Saint-Didier-en-Bresse 71..179 BY48
Saint-Didier-
en-Brionnais 71.......193 BR54
Saint-Didier-en-Donjon 03..193 BO53
Saint-Didier-en-Velay 43...248 BS66
Saint-Didier-la-Forêt 03...192 BL55
Saint-Didier-
sous-Aubenas 07......266 BT73
Saint-Didier-
sous-Écouves 61.......83 AL29

Saint-Didier-
sous-Riverie 69.......230 BU62
Saint-Didier-
sur-Arroux 71.........176 BQ49
Saint-Didier-
sur-Beaujeu 69........212 BU56
Saint-Didier-
sur-Chalaronne 01.....213 BW56
Saint-Didier-
sur-Doulon 43.........246 BM66
Saint-Didier-
sur-Rochefort 42......211 BO60
Saint-Dié-des-Vosges 88....96 CL32
Saint-Dier-d'Auvergne 63..228 BM61
Saint-Diéry 63...........227 BI63
Saint-Dionizy 30.........303 BS82
Saint-Disdier 05.........269 CF71
Saint-Divy 29.............75 F29
Saint-Dizant-du-Bois 17...219 AG64
Saint-Dizant-du-Gua 17....219 AF64
Saint-Dizier 52...........63 BW28
Saint-Dizier-en-Diois 26...268 CC74
Saint-Dizier-la-Tour 23....207 BB56
Saint-Dizier-
les-Domaines 23.......189 BA54
Saint-Dizier-l'Évêque 90...142 CM41
Saint-Dizier-Leyrenne 23..206 AY58
Saint-Dolay 56...........125 V40
Saint-Domet 23...........207 BC57
Saint-Domineuc 35.........80 Y31
Saint-Donan 22............78 Q29
Saint-Donat 63...........227 BG64
Saint-Donat (Église de) 04.287 CG79
Saint-Donat-
sur-l'Herbasse 26......249 BY67
Saint-Dos 64.............292 AB85
Saint-Doulchard 18.......173 BD46
Saint-Drézéry 34.........303 BQ83
Saint-Dyé-sur-Loire 41....132 AW39
Saint-Éble 43............246 BM68
Saint-Ébremond-
de-Bonfossé 50.........32 AD23
Saint-Edmond 71.........193 BR55
Saint-Égrève 38.........250 CD66
Saint-Élier 27............56 AT25
Saint-Éliph 28............85 AT31
Saint-Élix 32...........316 AQ86
Saint-Élix-le-Château 31..317 AT88
Saint-Élix-Séglan 31.....316 AR89
Saint-Élix-Theux 32......316 AO86
Saint-Ellier 49...........149 AI43
Saint-Ellier-du-Maine 53...81 AE31
Saint-Ellier-les-Bois 61....83 AL30
Saint-Éloi 58............174 BJ47
Saint-Éloi 23............207 AZ57
Saint-Éloi 22.............72 N27
Saint-Éloi 01............213 BZ58
Saint-Éloi-de-Fourques 27..35 AS22
Saint-Éloy 29.............75 H30
Saint-Éloy-d'Allier 03....190 BD53
Saint-Éloy-de-Gy 18......155 BD45
Saint-Éloy-la-Glacière 63..228 BM63
Saint-Éloy-les-Mines 63...209 BH56
Saint-Éloy-les-Tuileries 19.223 AV64
Saint-Éman 28.............85 AU32
Saint-Émiland 71.........177 BT48
Saint-Émilion 33.........238 AJ70
Saint-Émilion-de-Blain 44..147 Y41
Saint-Ennemond 03.......175 BL50
Saint-Épain 37...........151 AP45
Saint-Épvre 57............66 CH24
Saint-Erblon 53..........127 AD37
Saint-Erblon 35..........104 Z35
Saint-Erme-
Outre-et-Ramecourt 02..41 BO19
Saint-Escobille 91.........87 BA31
Saint-Esteben 64.........311 AA87
Saint-Estèphe 33.........237 AE66
Saint-Estèphe 24.........222 AO62
Saint-Estèphe 16.........221 AL62
Saint-Estève 84..........286 CA78
Saint-Estève 66..........343 BH95
Saint-Estève-Janson 13...305 CB83
Saint-Étienne 42.........230 BT64
Saint-Étienne-à-Arnes 08...42 BS21
Saint-Étienne-au-Mont 62....6 AY6
Saint-Étienne-
au-Temple 51...........62 BS24
Saint-Étienne-
aux-Clos 19...........226 BE63
Saint-Étienne-Cantalès 15.243 BC70
Saint-Étienne-Cantalès
(Barrage de) 15.......243 BC70
Saint-Étienne-
d'Albagnan 34.........300 BH85
Saint-Étienne-
de-Baïgorry 64........330 Z89
Saint-Étienne-
de-Boulogne 07........266 BU72
Saint-Étienne-
de-Brillouet 85.......183 AD52
Saint-Étienne-
de-Carlat 15..........244 BF70
Saint-Étienne-
de-Chigny 37..........151 AP43
Saint-Étienne-
de-Chomeil 15.........226 BF65
Saint-Étienne-
de-Crossey 38.........232 CD64
Saint-Étienne-
de-Cuines 73..........234 CI64

Saint-Étienne-
de-Fontbellon 07......266 BT73
Saint-Étienne-
de-Fougères 47........258 AP75
Saint-Étienne-
de-Fursac 23..........206 AW56
Saint-Étienne-
de-Gourgas 34.........301 BL83
Saint-Étienne-de-Lisse 33.238 AJ70
Saint-Étienne-de-l'Olm 30.284 BS79
Saint-Étienne-
de-Lugdarès 07........265 BQ73
Saint-Étienne-
de-Maurs 15...........261 BC72
Saint-Étienne-
de-Mer-Morte 44.......165 Y47
Saint-Étienne-
de-Montluc 44.........147 Y43
Saint-Étienne-
de-Puycorbier 24......239 AN68
Saint-Étienne-
de-Saint-Geoirs 38....232 CA65
Saint-Étienne-de-Serre 07..266 BU71
Saint-Étienne-de-Tinée 06.289 CN76
Saint-Étienne-
de-Tulmont 82.........278 AW80
Saint-Étienne-
de-Valoux 07..........249 BW66
Saint-Étienne-de-Vicq 03...210 BM56
Saint-Étienne-
de-Villeréal 47.......258 AQ73
Saint-Étienne-
des-Champs 63.........208 BF60
Saint-Étienne-
des-Guérets 41........131 AT40
Saint-Étienne-
des-Oullières 69......212 BV57
Saint-Étienne-
des-Sorts 30..........285 BW78
Saint-Étienne-d'Orthe 40..292 AA84
Saint-Étienne-du-Bois 85..196 CA54
Saint-Étienne-du-Bois 01..196 CA54
Saint-Étienne-du-Grès 13..304 BW82
Saint-Étienne-
du-Gué-de-l'Isle 22...102 S33
Saint-Étienne-
du-Rouvray 76..........36 AU20
Saint-Étienne-
du-Valdonnez 48.......264 BM75
Saint-Étienne-
du-Vauvray 27..........36 AV22
Saint-Étienne-
du-Vigan 43...........265 BP71
Saint-Étienne-
en-Bresse 71..........178 BX50
Saint-Étienne-en-Coglès 35.81 AC31
Saint-Étienne-
en-Dévoluy 05.........269 CF72
Saint-Étienne-
Estréchoux 34.........301 BJ84
Saint-Étienne-
la-Cigogne 79.........201 AH56
Saint-Étienne-
la-Geneste 19.........226 BD64
Saint-Étienne-la-Thillaye 14.34 AN21
Saint-Étienne-
la-Varenne 69.........212 BU57
Saint-Étienne-l'Allier 27...35 AQ21
Saint-Étienne-
Lardeyrol 43..........247 BQ68
Saint-Étienne-le-Laus 05..269 CH74
Saint-Étienne-
le-Molard 42..........229 BQ61
Saint-Étienne-
les-Orgues 04.........287 CE79
Saint-Étienne-
lès-Remiremont 88.....119 CJ35
Saint-Étienne-Roilaye 60...39 BI21
Saint-Étienne-
sous-Bailleul 27.......36 AW23
Saint-Étienne-
sous-Barbuise 10.......91 BQ30
Saint-Étienne-
sur-Blesle 43.........245 BJ66
Saint-Étienne-
sur-Chalaronne 01.....213 BW56
Saint-Étienne-
sur-Reyssouze 01......195 BX53
Saint-Étienne-
sur-Suippe 51..........41 BQ20
Saint-Étienne-
sur-Usson 63..........228 BL63
Saint-Étienne-
Vallée-Française 48...283 BP78
Saint-Eugène 71..........176 BR50
Saint-Eugène 17..........220 AI63
Saint-Eugène 02...........60 BL24
Saint-Eulien 51...........63 BV28
Saint-Euphraise-
et-Clairizet 51........41 BO22
Saint-Euphrône 21........158 BS41
Saint-Eusèbe 74..........215 CF58
Saint-Eusèbe 71..........177 BT50
Saint-Eusèbe-
en-Champsaur 05.......269 CG71
Saint-Eustache 74........215 CG59
Saint-Eustache
(Col de) 2A...........349 FE113
Saint-Eustache-la-Forêt 76..19 AP18
Saint-Eutrope 16.........221 AL64
Saint-Eutrope-de-Born 47.258 AQ74

Saint-Évroult-
de-Montfort 61.........54 AO27
Saint-Évroult-
Notre-Dame-du-Bois 61..55 AP27
Saint-Exupéry 33.........256 AJ73
Saint-Exupéry-
les-Roches 19.........226 BD63
Saint-Fargeau 89.........135 BI40
Saint-Fargeau-
Ponthierry 77...........88 BE30
Saint-Fargeol 03.........208 BF56
Saint-Faust 64...........314 AG88
Saint-Félicien 07........248 BV68
Saint-Féliu-d'Amont 66...342 BG95
Saint-Féliu-d'Avall 66...342 BG95
Saint-Félix 60............38 BC21
Saint-Félix 46...........261 BB73
Saint-Félix 17...........201 AG57
Saint-Félix 16...........220 AK65
Saint-Félix 03...........192 BM55
Saint-Félix-
de-Bourdeilles 24.....222 AP64
Saint-Félix-
de-Foncaude 33........256 AJ73
Saint-Félix-de-l'Héras 34..301 BK82
Saint-Félix-de-Lodez 34...302 BM84
Saint-Félix-de-Lunel 12...262 BE74
Saint-Félix-de-Montceau (Ancienne
Abbaye de) 34.........323 BO86
Saint-Félix-de-
Pallières 30..........283 BQ80
Saint-Félix-de-Reillac-
et-Mortemart 24.......241 AS69
Saint-Félix-de-Rieutord 09.336 AX91
Saint-Félix-de-Sorgues 12.301 BI81
Saint-Félix-
de-Tournegat 09.......336 AY90
Saint-Félix-
de-Villadeix 24.......240 AQ70
Saint-Félix-Lauragais 31..318 AZ86
Saint-Fergeux 08..........25 BQ18
Saint-Ferjeux 70.........141 CI40
Saint-Ferme 33...........257 AL72
Saint-Ferréol 74.........216 CI60
Saint-Ferréol 31.........316 AQ87
Saint-Ferréol 31.........319 BA86
Saint-Ferréol-
d'Auroure 43..........230 BS65
Saint-Ferréol-
des-Côtes 63..........228 BN63
Saint-Ferréol-
Trente-Pas 26.........268 CA75
Saint-Ferriol 11.........337 BC93
Saint-Fiacre 77...........59 BH25
Saint-Fiacre 56..........100 L34
Saint-Fiacre 22...........77 P29
Saint-Fiacre-sur-Maine 44.147 AA45
Saint-Fiel 23............207 AZ56
Saint-Firmin 71..........177 BT48
Saint-Firmin 58..........175 BL46
Saint-Firmin 54...........94 CF30
Saint-Firmin 05..........269 CG71
Saint-Firmin-des-Bois 45..112 BH36
Saint-Firmin-des-Prés 41...131 AU53
Saint-Firmin-sur-Loire 45.134 BG40
Saint-Flavy 10............90 BN31
Saint-Florent 84.........184 AH54
Saint-Florent 45.........134 BE39
Saint-Florent 2B.........345 FF103
Saint-Florent-des-Bois 85..183 AB51
Saint-Florent-le-Veil 49..148 AD42
Saint-Florent-
sur-Auzonnet 30.......283 BR77
Saint-Florent-sur-Cher 18..172 BC47
Saint-Florentin 89.......114 BN36
Saint-Florentin 36.......171 AY46
Saint-Floret 63..........227 BJ63
Saint-Floris 62............7 BE6
Saint-Flour 63...........228 BM61
Saint-Flour 15...........245 BJ69
Saint-Flour-
de-Mercoire 48........265 BP72
Saint-Flovier 37.........170 AT47
Saint-Floxel 50...........29 AC18
Saint-Folquin 62...........3 BB3
Saint-Fons 69............231 BW61
Saint-Forgeot 71.........176 BS47
Saint-Forget 78...........57 BA28
Saint-Forgeux 69.........212 BT59
Saint-Forgeux-
Lespinasse 42.........211 BP56
Saint-Fort 53............128 AG38
Saint-Fort-sur-Gironde 17.219 AF63
Saint-Fort-sur-le-Né 16...220 AI62
Saint-Fortunat-
sur-Eyrieux 07........266 BV71
Saint-Fraigne 16.........203 AL58
Saint-Fraimbault 61.......82 AG30
Saint-Fraimbault-
de-Prières 61..........82 AH31
Saint-Frajou 31..........316 AR87
Saint-Franc 73...........232 CD63
Saint-Franchy 58.........157 BL45
Saint-François-
de-Sales 73...........233 CG61
Saint-François-Lacroix 57..46 CH20
Saint-François-
Longchamp 73..........234 CI64
Saint-Frégant 29..........70 F27

Saint-Fréjoux 19.........226 BD63
Saint-Frézal-d'Albuges 48.265 BO74
Saint-Frézal-
de-Ventalon 48........283 BP77
Saint-Frichoux 11........320 BE88
Saint-Frion 23...........207 BC59
Saint-Fromond 50..........32 AE22
Saint-Front 43...........247 BR69
Saint-Front 16...........203 AN59
Saint-Front-d'Alemps 24..222 AR65
Saint-Front-
de-Pradoux 24.........239 AN68
Saint-Front-la-Rivière 24.222 AQ64
Saint-Front-
sur-Lémance 47........259 A574
Saint-Front-
sur-Nizonne 24........222 AP64
Saint-Froult 17..........200 AC58
Saint-Fulgent 85.........166 AC48
Saint-Fulgent-
des-Ormes 61...........84 AP32
Saint-Fuscien 80..........22 BD15
Saint-Gabriel
(Chapelle) 13.........304 BW82
Saint-Gabriel-Brécy 14....33 AI21
Saint-Gal 48............264 BL73
Saint-Gal-sur-Sioule 63..209 BI57
Saint-Galmier 42.........230 BS62
Saint-Gand 70............140 CD40
Saint-Ganton 35..........126 X38
Saint-Gatien-des-Bois 14...34 AN20
Saint-Gaudens 31.........334 AQ90
Saint-Gaudent 86.........203 AN56
Saint-Gaudéric 11........337 BA90
Saint-Gault 53...........105 AF36
Saint-Gaultier 36........188 AW51
Saint-Gauzens 81.........298 AZ83
Saint-Gayrand 47.........275 AN76
Saint-Gein 40............294 AN82
Saint-Gelais 79..........185 AI53
Saint-Gelven 22...........77 O32
Saint-Gély-du-Fesc 34....302 BP83
Saint-Génard 79..........185 AK56
Saint-Gence 87...........205 AT59
Saint-Généroux 79........168 AK48
Saint-Genès-
Champanelle 63........227 BI61
Saint-Genès-
Champespe 63..........227 BG64
Saint-Genès-de-Blaye 33..237 AF67
Saint-Genès-
de-Castillon 33.......238 AK70
Saint-Genès-
de-Fronsac 33.........238 AI68
Saint-Genès-
de-Lombaud 33.........255 AH71
Saint-Genès-du-Retz 63...210 BK57
Saint-Genès-
la-Tourette 63........228 BM63
Saint-Genest 88...........95 CI31
Saint-Genest 03..........190 BF55
Saint-Genest-
d'Ambière 86..........169 AO49
Saint-Genest-
de-Beauzon 07.........265 BR75
Saint-Genest-
Contest 81............299 BB83
Saint-Genest-Lachamp 07.266 BT71
Saint-Genest-Lerpt 42....230 BS64
Saint-Genest-Malifaux 42.230 BT65
Saint-Genest-
sur-Roselle 87........224 AW61
Saint-Geneys-
près-Saint-Paulien 43.247 BO67
Saint-Gengoulph 02........40 BJ23
Saint-Gengoux-
de-Scissé 71..........194 BV52
Saint-Gengoux-
le-National 71........194 BV51
Saint-Geniès 24..........241 AU69
Saint-Geniès-Bellevue 31.298 AW84
Saint-Geniès-
de-Comolas 30.........285 BW79
Saint-Geniès-
de-Fontedit 34........321 BK86
Saint-Geniès-
de-Malgoirès 30.......303 BS81
Saint-Geniès-
de-Varensal 34........301 BI84
Saint-Geniès-
des-Mourgues 34.......303 BQ83
Saint-Geniez 04..........287 CG77
Saint-Geniez-d'Olt 12....261 BI75
Saint-Geniez-ô-Merle 19..243 BB68
Saint-Genis 38...........251 CE70
Saint-Genis 05...........269 CE75
Saint-Genis-
de-Blanzac 16.........221 AL64
Saint-Genis-
de-Saintonge 17.......219 AG63
Saint-Genis-
des-Fontaines 66......343 BI96
Saint-Genis-d'Hiersac 16..203 AL60
Saint-Genis-du-Bois 33...256 AJ72
Saint-Genis-
l'Argentière 69.......230 BU61
Saint-Genis-
les-Ollières 69.......212 BV60
Saint-Genis-Pouilly 01...197 CF55

Saint-Genis-
sur-Menthon 01........195 BX54
Saint-Genix-
sur-Guiers 73.........232 CC62
Saint-Genou 36...........171 AV48
Saint-Genouph 37.........151 AQ42
Saint-Geoire-
en-Valdaine 38........232 CD63
Saint-Geoirs 38..........232 CA65
Saint-Georges 82.........278 AX78
Saint-Georges 47...........7 BB9
Saint-Georges 57..........67 CL27
Saint-Georges 47.........259 AS75
Saint-Georges 33.........238 AJ70
Saint-Georges 32.........296 AR83
Saint-Georges 16.........203 AN58
Saint-Georges 15.........245 BJ69
Saint-Georges
(Gorges de) 11........337 BC94
Saint-Georges-Armont 25..163 CJ42
Saint-Georges-
Blancaneix 24.........239 AN70
Saint-Georges-
Buttavent 53...........82 AG32
Saint-Georges-
d'Annebecq 61..........53 AK28
Saint-Georges-
d'Aunay 14............53 AH24
Saint-Georges-
d'Aurac 43............246 BM67
Saint-Georges-
de-Baroille 42........211 BR59
Saint-Georges-
de-Bohon 50............31 AC21
Saint-Georges-
de-Chesné 35...........81 AC32
Saint-Georges-
de-Commiers 38........250 CD68
Saint-Georges-
de-Cubillac 17........219 AH63
Saint-Georges-
de-Didonne 17.........218 AD62
Saint-Georges-
de-Gréhaigne 35........80 AA29
Saint-Georges-
de-la-Couée 72........130 AQ37
Saint-Georges-
de-la-Rivière 50.......31 Z20
Saint-Georges-
de-Lévéjac 48.........282 BK74
Saint-Georges-
de-Livoye 50...........52 AD27
Saint-Georges-
de-Longuepierre 17....202 AI57
Saint-Georges-
de-Luzençon 12........281 BI79
Saint-Georges-
de-Mons 63............209 BH59
Saint-Georges-
de-Montaigu 85........166 AB47
Saint-Georges-
de-Montclard 24.......240 AP70
Saint-Georges-
de-Noisné 79..........185 AJ52
Saint-Georges-
de-Pointindoux 85.....165 Y50
Saint-Georges-
de-Poisieux 18........173 BE50
Saint-Georges-
de-Reintembault 35.....81 AC29
Saint-Georges-
de-Reneins 69.........212 BV57
Saint-Georges-
de-Rex 79.............184 AG54
Saint-Georges-
de-Rouelley 50.........82 AG29
Saint-Georges-d'Elle 50...32 AF22
Saint-Georges-
des-Agoûts 17.........219 AF64
Saint-Georges-
des-Coteaux 17........201 AF60
Saint-Georges-
des-Gardes 49.........149 AF45
Saint-Georges-
des-Groseillers 61.....53 AH27
Saint-Georges-
des-Hurtières 73......234 CI63
Saint-Georges-
des-Sept-Voies 49.....150 AJ43
Saint-Georges-
d'Espéranche 38.......231 BY62
Saint-Georges-
d'Oléron 17...........200 AA58
Saint-Georges-
d'Orques 34...........302 BO84
Saint-Georges-du-Bois 72..107 AM36
Saint-Georges-du-Bois 49.150 AF46
Saint-Georges-du-Bois 17.201 AF56
Saint-Georges-
du-Mesnil 27...........35 AQ22
Saint-Georges-
du-Rosay 72...........108 AP33
Saint-Georges-
du-Vièvre 27...........35 AQ22
Saint-Georges-en-Auge 14..54 AM24
Saint-Georges-
en-Couzan 42..........229 BP61
Saint-Georges-
Haute-Ville 42........229 BR63
Saint-Georges-
la-Pouge 23...........207 BA58

Saint-Georges-Lagricol 43 ......247 BP66
Saint-Georges-le-Fléchard 53 ......106 AH35
Saint-Georges-le-Gaultier 72 ......83 AL32
Saint-Georges-lès-Baillargeaux 86 ......169 AO50
Saint-Georges-les-Bains 07249 BW70
Saint-Georges-les-Landes 87 ......188 AV54
Saint-Georges-Montcocq 50 ......32 AE23
Saint-Georges-Motel 27 ......56 AW27
Saint-Georges-Nigremont 23 ......207 BC60
Saint-Georges-sur-Allier 63 ......228 BK61
Saint-Georges-sur-Arnon 36 ......172 BB47
Saint-Georges-sur-Baulche 89 ......136 BM38
Saint-Georges-sur-Cher 41 ......152 AU43
Saint-Georges-sur-Erve 53 ......106 AJ33
Saint-Georges-sur-Eure 28 ..85 AV31
Saint-Georges-sur-Fontaine 76 ......20 AU18
Saint-Georges-sur-la-Prée 18 ......154 BA44
Saint-Georges-sur-l'Aa 59 ......3 BC3
Saint-Georges-sur-Layon 49 ......149 AI44
Saint-Georges-sur-Loire 49 ......149 AF42
Saint-Georges-sur-Moulon 18 ......155 BD45
Saint-Georges-sur-Renon 01 ......213 BY56
Saint-Geours-d'Auribat 40 ......293 AD82
Saint-Geours-de-Maremne 40 ......292 AA83
Saint-Gérand 56 ......102 Q33
Saint-Gérand-de-Vaux 03...192 BL54
Saint-Gérand-le-Puy 03 ......192 BM55
Saint-Géraud 47 ......257 AL73
Saint-Géraud-de-Corps 24 ......239 AM69
Saint-Géréon 44 ......148 AC42
Saint-Germain 86 ......187 AS52
Saint-Germain 70 ......141 CI38
Saint-Germain 54 ......95 CG30
Saint-Germain 10 ......114 BP33
Saint-Germain 07 ......266 BU74
Saint-Germain (Ermitage de) 74 ......215 CH59
Saint-Germain-au-Mont-d'Or 69 ......213 BW59
Saint-Germain-Beaupré 23 ......188 AX54
Saint-Germain-Chassenay 58 ......175 BL49
Saint-Germain-d'Anxure 53 ......106 AG33
Saint-Germain-d'Arcé 72 ......130 AN40
Saint-Germain-d'Aunay 61 ...54 AO25
Saint-Germain-de-Belvès 24 ......259 AT71
Saint-Germain-de-Calberte 48 ......283 BO78
Saint-Germain-de-Clairefeuille 61 ......54 AN28
Saint-Germain-de-Confolens 16 ......204 AQ57
Saint-Germain-de-Coulamer 53 ......83 AK32
Saint-Germain-de-Fresney 27 ......56 AV25
Saint-Germain-de-Grave 33 ......256 AI73
Saint-Germain-de-Joux 01 196 CD55
Saint-Germain-de-la-Coudre 61 ......84 AQ32
Saint-Germain-de-la-Grange 78 ......57 BA26
Saint-Germain-de-la-Rivière 33 ......238 AI69
Saint-Germain-de-Livet 14....34 AN23
Saint-Germain-de-Longue-Chaume 79..167 AI50
Saint-Germain-de-Lusignan 17 ......219 AH64
Saint-Germain-de-Marencennes 17 ......201 AF57
Saint-Germain-de-Martigny 61 ......84 AP29
Saint-Germain-de-Modéon 21 ......158 BQ42
Saint-Germain-de-Montbron 16 ......221 AO62
Saint-Germain-de-Montgommery 14 ......54 AN25
Saint-Germain-de-Pasquier 27 ......36 AT22
Saint-Germain-de-Prinçay 85 ......166 AD49
Saint-Germain-de-Salles 03 ......210 BK56

Saint-Germain-de-Tallevende-la-Lande-Vaumont 14 ......52 AF26
Saint-Germain-de-Tournebut 50 ......29 AC18
Saint-Germain-de-Varreville 50 ......29 AD19
Saint-Germain-de-Vibrac 17 ......220 AI64
Saint-Germain-d'Ectot 14 ......32 AG23
Saint-Germain-d'Elle 50 ......32 AF23
Saint-Germain-des-Angles 27 ......36 AU23
Saint-Germain-des-Bois 58 ......157 BM43
Saint-Germain-des-Bois 18 ......173 BE48
Saint-Germain-des-Champs 89 ......158 BP42
Saint-Germain-des-Essourts 76 ......36 AV19
Saint-Germain-des-Fossés 03 ......210 BL56
Saint-Germain-des-Grois 61 ......85 AS31
Saint-Germain-des-Prés 81 ......299 BB85
Saint-Germain-des-Prés 49 ......149 AF42
Saint-Germain-des-Prés 45 ......112 BH36
Saint-Germain-des-Prés 24 ......223 AS65
Saint-Germain-des-Vaux 50 ......28 Y16
Saint-Germain-d'Esteuil 33 ......219 AE65
Saint-Germain-d'Étables 76 ......20 AU15
Saint-Germain-du-Bel-Air 46 ......260 AW73
Saint-Germain-du-Bois 71..178 BZ49
Saint-Germain-du-Corbéis 61 ......83 AM31
Saint-Germain-du-Crioult 14 ......53 AH26
Saint-Germain-du-Pert 14 ......32 AE20
Saint-Germain-du-Pinel 35 ......105 AD35
Saint-Germain-du-Plain 71 ......178 BX50
Saint-Germain-du-Puch 33 ......238 AI70
Saint-Germain-du-Puy 18...173 BE46
Saint-Germain-du-Salembre 24 ......239 AO67
Saint-Germain-du-Seudre 17 ......219 AF63
Saint-Germain-du-Teil 48...263 BJ75
Saint-Germain-du-Val 72 ...129 AL39
Saint-Germain-en-Brionnais 71 ......194 BS54
Saint-Germain-en-Coglès 35 ......81 AC31
Saint-Germain-en-Laye 78...58 BB26
Saint-Germain-en-Montagne 39 ......179 CE49
Saint-Germain-et-Mons 24 ......258 AP71
Saint-Germain-la-Blanche-Herbe 14 ......33 AJ22
Saint-Germain-la-Campagne 27 ......55 AP24
Saint-Germain-la-Chambotte 73 ......215 CE60
Saint-Germain-la-Gâtine 28..86 AW30
Saint-Germain-la-Montagne 42 ......212 BS56
Saint-Germain-la-Poterie 60..37 BA20
Saint-Germain-la-Ville 51 ......62 BS26
Saint-Germain-l'Aiguiller 85 ......166 AE50
Saint-Germain-Langot 14 ...53 AJ25
Saint-Germain-Laprade 43 ......247 BQ68
Saint-Germain-Laval 77 ......89 BI31
Saint-Germain-Laval 42 ......211 BQ60
Saint-Germain-Lavolps 19 ......225 BC62
Saint-Germain-Laxis 77 ......88 BF29
Saint-Germain-le-Châtelet 90 ......142 CL38
Saint-Germain-le-Fouilloux 53 ......105 AF34
Saint-Germain-le-Gaillard 50 ......28 Z18
Saint-Germain-le-Gaillard 28 ......85 AV31
Saint-Germain-le-Guillaume 53 ......105 AF33
Saint-Germain-le-Rocheux 21 ......138 BU38
Saint-Germain-le-Vasson 14 ......53 AJ24
Saint-Germain-le-Vieux 61 ..84 AO29
Saint-Germain-Lembron 63 ......228 BK64
Saint-Germain-lès-Arlay 39 ......179 CB49
Saint-Germain-lès-Arpajon 91 ......87 BC29

Saint-Germain-les-Belles 87 ......224 AW62
Saint-Germain-lès-Buxy 71 ......177 BV50
Saint-Germain-les-Corbeil 91 ......88 BE29
Saint-Germain-les-Paroisses 01 ......214 CC60
Saint-Germain-les-Vergnes 19 ......242 AX66
Saint-Germain-Lespinasse 42 ......211 BP57
Saint-Germain-l'Herm 63..228 BM64
Saint-Germain-près-Herment 63 ......226 BF61
Saint-Germain-Source-Seine 21 ......159 BV41
Saint-Germain-sous-Cailly 76 ......20 AV18
Saint-Germain-sous-Doue 77 ......60 BJ26
Saint-Germain-sur-Avre 27...56 AV27
Saint-Germain-sur-Ay 50 ......31 AA21
Saint-Germain-sur-Bresle 80 ......21 AY15
Saint-Germain-sur-Eaulne 76 ......21 AX16
Saint-Germain-sur-École 77..88 BE30
Saint-Germain-sur-Ille 35 ......80 Z32
Saint-Germain-sur-l'Arbresle 42 ......212 BU59
Saint-Germain-sur-Meuse 55 ......93 CB28
Saint-Germain-sur-Moine 49 ......148 AC45
Saint-Germain-sur-Morin 77 ......59 BH26
Saint-Germain-sur-Renon 01 ......213 BY57
Saint-Germain-sur-Rhône 74 ......215 CE57
Saint-Germain-sur-Sarthe 72 ......83 AM32
Saint-Germain-sur-Sèves 50...31 AC21
Saint-Germain-sur-Vienne 37 ......150 AM44
Saint-Germain-Village 37 ......45 AP21
Saint-Germainmont 08 ......41 BQ19
Saint-Germer-de-Fly 60 ......37 AZ20
Saint-Germé 32 ......294 AJ83
Saint-Germier 81 ......299 BC84
Saint-Germier 79 ......185 AK53
Saint-Germier 32 ......297 AS84
Saint-Germier 31 ......318 AY86
Saint-Géron 43 ......228 BK65
Saint-Gérons 15 ......243 BC70
Saint-Gervais 95 ......37 AZ23
Saint-Gervais 85 ......164 W47
Saint-Gervais 38 ......250 CB66
Saint-Gervais 33 ......237 AH68
Saint-Gervais 30 ......284 BV78
Saint-Gervais 16 ......203 AN58
Saint-Gervais-d'Auvergne 63 ......209 BG58
Saint-Gervais-de-Vic 72 ......131 AR37
Saint-Gervais-des-Sablons 61 ......54 AM25
Saint-Gervais-du-Perron 61..83 AN29
Saint-Gervais-en-Belin 72 ...130 AN37
Saint-Gervais-en-Vallière 71 ......178 BX47
Saint-Gervais-la-Forêt 41 ...132 AV40
Saint-Gervais-les-Bains 74..216 CL58
Saint-Gervais-les-Trois-Clochers 86 ......169 AO48
Saint-Gervais-sous-Meymont 63 ......228 BN61
Saint-Gervais-sur-Couches 71 ......177 BU47
Saint-Gervais-sur-Mare 34 ......301 BI84
Saint-Gervais-sur-Roubion 26 ......267 BX73
Saint-Gervasy 30 ......304 BU81
Saint-Gervazy 63 ......228 BK64
Saint-Géry 46 ......260 AX75
Saint-Géry 24 ......239 AN69
Saint-Géry (Château de) 81 ......298 AY82
Saint-Geyrac 24 ......241 AS68
Saint-Gibrien 51 ......62 BR25
Saint-Gildas 22 ......77 P30
Saint-Gildas (Pointe de) 44 ......146 U44
Saint-Gildas-de-Rhuys 56...124 Q40
Saint-Gildas-des-Bois 44 ...125 W40
Saint-Gilles 71 ......177 BU48
Saint-Gilles 51 ......40 BM21
Saint-Gilles 50 ......32 AD23
Saint-Gilles 36 ......188 AW53
Saint-Gilles 35 ......104 Y33
Saint-Gilles 30 ......304 BU84
Saint-Gilles-Croix-de-Vie 85 ......164 W49
Saint-Gilles-de-Crétot 76 ......19 AQ18
Saint-Gilles-de-la-Neuville 76 ......19 AP18
Saint-Gilles-des-Marais 61...82 AG29
Saint-Gilles-du-Mené 22 ...102 S32

Saint-Gilles-les-Bois 22 ......73 P27
Saint-Gilles-les-Forêts 87...224 AX62
Saint-Gilles-Pligeaux 22 ......77 P30
Saint-Gilles-Vieux-Marché 22 ......77 P32
Saint-Gineis-en-Coiron 07.266 BU73
Saint-Gingolph 74 ......198 CL53
Saint-Girod 73 ......215 CF60
Saint-Girons-en-Béarn 64..293 AD85
Saint-Girons 09 ......335 AT91
Saint-Girons-d'Aiguevives 33 ......237 AG67
Saint-Girons-Plage 40 ......272 Z80
Saint-Gladie-Arrive-Munein 64 ......311 AC87
Saint-Glen 22 ......78 T31
Saint-Goazec 29 ......76 J32
Saint-Gobain 02 ......24 BK18
Saint-Gobert 02 ......25 BN16
Saint-Goin 64 ......313 AE88
Saint-Gondon 45 ......134 BE39
Saint-Gondran 35 ......80 Y32
Saint-Gonéry (Chapelle) 22..73 O25
Saint-Gonlay 35 ......103 W34
Saint-Gonnery 56 ......102 Q33
Saint-Gor 40 ......274 AI79
Saint-Gorgon 88 ......95 CJ31
Saint-Gorgon 56 ......125 U39
Saint-Gorgon-Main 25 ......180 CH46
Saint-Gouéno 22 ......102 S32
Saint-Gourgon 41 ......131 AT39
Saint-Gourson 16 ......203 AN58
Saint-Goussaud 23 ......206 AX57
Saint-Gratien 95 ......58 BC25
Saint-Gratien 80 ......22 BD14
Saint-Gratien-Savigny 58...175 BN48
Saint-Gravé 56 ......125 U38
Saint-Grégoire 81 ......299 BC81
Saint-Grégoire 35 ......104 Z33
Saint-Grégoire-d'Ardennes 17 ......219 AH63
Saint-Grégoire-du-Vièvre 27 ......35 AQ22
Saint-Griède 32 ......294 AJ83
Saint-Groux 16 ......203 AM59
Saint-Guen 22 ......102 Q32
Saint-Guénolé 29 ......99 F36
Saint-Guilhem-le-Désert 34 ......302 BN83
Saint-Guillaume 38 ......250 CC69
Saint-Guinoux 35 ......80 Y29
Saint-Guiraud 34 ......302 BM84
Saint-Guyomard 56 ......124 S37
Saint-Haon 43 ......265 BO71
Saint-Haon-le-Châtel 42 ......211 BP57
Saint-Haon-le-Vieux 42 ......211 BP57
Saint-Héand 42 ......230 BT63
Saint-Hélen 22 ......79 X30
Saint-Hélier 21 ......159 BU42
Saint-Hellier 76 ......20 AU16
Saint-Herblain 44 ......147 Y44
Saint-Herblon 44 ......148 AD42
Saint-Herbot 29 ......76 J30
Saint-Hérent 63 ......227 BJ64
Saint-Hernin 29 ......76 K32
Saint-Hervé 22 ......78 Q31
Saint-Hilaire 91 ......87 BB31
Saint-Hilaire 63 ......208 BF57
Saint-Hilaire 46 ......261 BB72
Saint-Hilaire 43 ......228 BL65
Saint-Hilaire 38 ......233 CF65
Saint-Hilaire 31 ......317 AU87
Saint-Hilaire 25 ......162 CG42
Saint-Hilaire 16 ......220 AJ64
Saint-Hilaire 11 ......337 BD90
Saint-Hilaire 03 ......191 BI52
Saint-Hilaire-au-Temple 51...62 BS24
Saint-Hilaire-Bonneval 87..223 AV61
Saint-Hilaire-Cottes 62 ......7 BD7
Saint-Hilaire-Cusson-la-Valmitte 42 ......229 BQ65
Saint-Hilaire-de-Beauvoir 34 ......303 BQ83
Saint-Hilaire-de-Brens 38 ......232 CA61
Saint-Hilaire-de-Brethmas 30 ......283 BR79
Saint-Hilaire-de-Briouze 61...53 AJ27
Saint-Hilaire-de-Chaléons 44 ......147 X45
Saint-Hilaire-de-Clisson 44...166 AB46
Saint-Hilaire-de-Court 18 ......154 BA45
Saint-Hilaire-de-Gondilly 18 ......174 BH46
Saint-Hilaire-de-la-Côte 38 ......232 CA64
Saint-Hilaire-de-la-Noaille 33 ......256 AK73
Saint-Hilaire-de-Lavit 48 ......283 BP77
Saint-Hilaire-de-Loulay 85..166 AB46
Saint-Hilaire-de-Lusignan 47 ......275 AO78
Saint-Hilaire-de-Riez 85 ......164 W49
Saint-Hilaire-de-Villefranche 17 ......201 AG59
Saint-Hilaire-des-Landes 35.80 AB31
Saint-Hilaire-des-Loges 85..184 AG53
Saint-Hilaire-d'Estissac 24..239 AO69
Saint-Hilaire-d'Ozilhan 30..284 BV80
Saint-Hilaire-du-Bois 49 ......149 AH45

Saint-Hilaire-du-Bois 33 ......256 AK72
Saint-Hilaire-du-Bois 17 ......219 AH64
Saint-Hilaire-du-Harcouët 50 ......81 AD29
Saint-Hilaire-du-Maine 53...105 AE33
Saint-Hilaire-du-Rosier 38..250 CA67
Saint-Hilaire-en-Lignières 18 ......172 BC50
Saint-Hilaire-en-Morvan 58 ......176 BP46
Saint-Hilaire-en-Woëvre 55...64 CB23
Saint-Hilaire-Foissac 19 ......225 BB65
Saint-Hilaire-Fontaine 58...175 BN49
Saint-Hilaire-la-Croix 63 ......209 BI57
Saint-Hilaire-la-Forêt 85 ......182 Z52
Saint-Hilaire-la-Gérard 61 ...83 AM29
Saint-Hilaire-la-Gravelle 41 ......109 AU36
Saint-Hilaire-la-Palud 79 ......184 AF55
Saint-Hilaire-la-Plaine 23...207 BA57
Saint-Hilaire-la-Treille 87 ......188 AV55
Saint-Hilaire-le-Château 23 ......207 AZ58
Saint-Hilaire-le-Châtel 61 ...84 AP29
Saint-Hilaire-le-Grand 51 ......42 BS22
Saint-Hilaire-le-Lierru 72 ...108 AP34
Saint-Hilaire-le-Petit 51 ......42 BS21
Saint-Hilaire-le-Vouhis 85...166 AC50
Saint-Hilaire-les-Andrésis 45 ......113 BI35
Saint-Hilaire-les-Courbes 19 ......225 AZ62
Saint-Hilaire-les-Monges 63 ......208 BF60
Saint-Hilaire-les-Places 87 ......223 AU62
Saint-Hilaire-lez-Cambrai 59 ......14 BK11
Saint-Hilaire-Luc 19 ......225 BC65
Saint-Hilaire-Petitville 50 ......32 AD21
Saint-Hilaire-Peyroux 19 ......242 AX67
Saint-Hilaire-Saint-Mesmin 45 ......133 AZ37
Saint-Hilaire-sous-Charlieu 42 ......211 BR56
Saint-Hilaire-sous-Romilly 10 ......90 BN30
Saint-Hilaire-sur-Benaize 36 ......187 AT52
Saint-Hilaire-sur-Erre 61 ......84 AR32
Saint-Hilaire-sur-Helpe 59 ......15 BO12
Saint-Hilaire-sur-Puiseaux 45 ......134 BF37
Saint-Hilaire-sur-Risle 61 ......55 AP27
Saint-Hilaire-sur-Yerre 28 ......109 AV35
Saint-Hilaire-Taurieux 19 ......243 AX68
Saint-Hilarion 78 ......86 AY29
Saint-Hilliers 77 ......89 BK29
Saint-Hippolyte 68 ......97 CO32
Saint-Hippolyte 66 ......339 BI94
Saint-Hippolyte 63 ......209 BI59
Saint-Hippolyte 37 ......170 AT46
Saint-Hippolyte 33 ......238 AJ70
Saint-Hippolyte 25 ......163 CL42
Saint-Hippolyte 17 ......201 AE58
Saint-Hippolyte 15 ......245 BG67
Saint-Hippolyte 12 ......262 BF72
Saint-Hippolyte-de-Caton 30 ......284 BS79
Saint-Hippolyte-de-Montaigu 30 ......284 BU80
Saint-Hippolyte-du-Fort 30 ......283 BP80
Saint-Hippolyte-le-Graveyron 84 ......285 BZ78
Saint-Honorat (Île) 06 ......309 CP85
Saint-Honoré 76 ......20 AU16
Saint-Honoré 38 ......251 CC69
Saint-Honoré-les-Bains 58..175 BO48
Saint-Hostien 43 ......247 BQ68
Saint-Hubert 57 ......57 AZ28
Saint-Hubert 57 ......46 CG21
Saint-Huruge 71 ......194 BU51
Saint-Hymer 14 ......34 AN22
Saint-Hymetière 39 ......196 CC53
Saint-Igeaux 22 ......77 O31
Saint-Igest 12 ......261 BB75
Saint-Ignan 31 ......316 AP89
Saint-Ignat 63 ......210 BK59
Saint-Igneuc 22 ......79 U30
Saint-Igny-de-Roche 71 ......212 BS56
Saint-Igny-de-Vers 69 ......194 BT55
Saint-Illide 15 ......244 BD68
Saint-Illiers-la-Ville 78 ......57 AX25
Saint-Illiers-le-Bois 78 ......57 AX25
Saint-Ilpize 43 ......246 BL67
Saint-Imoges 51 ......41 BP23
Saint-Inglevert 62 ......2 AZ4
Saint-Isidore 06 ......309 CQ82
Saint-Isle 53 ......105 AF34
Saint-Izaire 12 ......281 CE66
Saint-Izaire 12 ......281 BG80
Saint-Jacques 06 ......309 CO83
Saint-Jacques 04 ......288 CJ80
Saint-Jacques-d'Aliermont 76 ......20 AV15
Saint-Jacques-d'Ambur 63 ......209 BG59

Saint-Jacques-d'Atticieux 07 ......230 BV65
Saint-Jacques-de-la-Lande 35 ......104 Z34
Saint-Jacques-de-Néhou 50..29 AA19
Saint-Jacques-de-Thouars 79 ......168 AJ47
Saint-Jacques-des-Arrêts 69 ......194 BU55
Saint-Jacques-des-Blats 15 ......245 BG68
Saint-Jacques-des-Guérets 41 ......131 AR38
Saint-Jacques-en-Valgodemard 05 ......269 CG71
Saint-Jacques-sur-Darnétal 76 ......36 AV20
Saint-Jacut-de-la-Mer 22 ......50 V28
Saint-Jacut-du-Mené 22 ......78 T31
Saint-Jacut-les-Pins 56 ......125 V38
Saint-Jal 19 ......224 AX65
Saint-James 50 ......81 AC29
Saint-Jammes 64 ......314 AI87
Saint-Jans-Cappel 59 ......4 BF5
Saint-Jean 31 ......298 AW84
Saint-Jean 06 ......309 CO84
Saint-Jean (Chapelle) 29 .....75 F29
Saint-Jean (Chapelle) 27 .....36 AU20
Saint-Jean (Col) 04 ......270 CJ75
Saint-Jean (Église) 2B 347 FE107
Saint-Jean-aux-Amognes 58 ......174 BK47
Saint-Jean-aux-Bois 60 ......39 BH21
Saint-Jean-aux-Bois 08 ......26 BR16
Saint-Jean-Balanant 29 ......70 F28
Saint-Jean Baptiste (Chapelle de) 2A 349 FE113
Saint-Jean-Bonnefonds 42 ......230 BT64
Saint-Jean-Brévelay 56 ......102 R36
Saint-Jean-Cap-Ferrat 06..309 CR82
Saint-Jean-Chambre 07 ......248 BU70
Saint-Jean-d'Abbetot 76 ......35 AP19
Saint-Jean-d'Aigues-Vives 09 ......336 AZ92
Saint-Jean-d'Alcapiès 12 ......301 BI81
Saint-Jean-d'Angély 17 ......201 AH58
Saint-Jean-d'Angle 17 ......200 AD59
Saint-Jean-d'Ardières 69 ...212 BV56
Saint-Jean-d'Arves 73 ......233 CF62
Saint-Jean-d'Arvey 73 ......215 CE60
Saint-Jean-d'Assé 72 ......107 AM34
Saint-Jean-d'Ataux 24 ......239 AO67
Saint-Jean-d'Aubrigoux 43 ......229 BO65
Saint-Jean-d'Aulps 74 ......198 CK54
Saint-Jean-d'Avelanne 38..232 CD63
Saint-Jean-de-Barrou 11 ......338 BH92
Saint-Jean-de-Bassel 57 ......67 CL26
Saint-Jean-de-Beauregard 91 ......58 BB28
Saint-Jean-de-Belleville 73 ......234 CJ63
Saint-Jean-de-Beugné 85 ......183 AD52
Saint-Jean-de-Blaignac 33..256 AJ71
Saint-Jean-de-Bœuf 21 ......159 BV44
Saint-Jean-de-Boiseau 44...147 Y44
Saint-Jean-de-Bonneval 10..114 BP34
Saint-Jean-de-Bournay 38..231 BZ63
Saint-Jean-de-Braye 45 ......133 BA37
Saint-Jean-de-Buèges 34...302 BN82
Saint-Jean-de-Ceyrargues 30 ......284 BS79
Saint-Jean-de-Chevelu 73 ......233 CE61
Saint-Jean-de-Côle 24 ......222 AR64
Saint-Jean-de-Corcoué 44 ......165 Z46
Saint-Jean-de-Cornies 34...303 BQ83
Saint-Jean-de-Couz 73 ......233 CE61
Saint-Jean-de-Crieulon 30..283 BQ80
Saint-Jean-de-Cuculles 34..302 BP83
Saint-Jean-de-Daye 50 ......32 AD21
Saint-Jean-de-Duras 47 ......257 AN72
Saint-Jean-de-Folleville 76...35 AP19
Saint-Jean-de-Fos 34 ......302 BN83
Saint-Jean-de-Gonville 01..197 CF55
Saint-Jean-de-la-Blaquière 34 ......301 BL83
Saint-Jean-de-la-Croix 49..149 AH42
Saint-Jean-de-la-Forêt 61 ...84 AQ31
Saint-Jean-de-la-Haize 50...51 AC27
Saint-Jean-de-la-Léqueraye 37 ......35 AQ22
Saint-Jean-de-la-Motte 72..129 AM38
Saint-Jean-de-la-Neuville 76..19 AP18
Saint-Jean-de-la-Porte 73..233 CG62
Saint-Jean-de-la-Rivière 50...31 Z20
Saint-Jean-de-la-Ruelle 45..133 AZ37
Saint-Jean-de-Laur 46 ......261 AZ75
Saint-Jean-de-Lier 40 ......293 AD82
Saint-Jean-de-Linières 49...149 AG41
Saint-Jean-de-Liversay 17..183 AE54
Saint-Jean-de-Livet 14 ......34 AN23
Saint-Jean-de-Losne 21 ......160 BZ45
Saint-Jean-de-Luz 64 ......310 W86
Saint-Jean-de-Marcel 81 ...279 BC80
Saint-Jean-de-Marsacq 40.292 AA84
Saint-Jean-de-Maruéjols-et-Avéjan 30 ......284 BS77

Saint-Jean-
de-Maurienne 73..........234 CI65
Saint-Jean-
de-Minervois 34..........320 BH87
Saint-Jean-de-Moirans 38.232 CC65
Saint-Jean-de-Monts 85......164 V48
Saint-Jean-de-Muzols 07..249 BW68
Saint-Jean-de-Nay 43..........246 BN68
Saint-Jean-de-Niost 01......213 BZ59
Saint-Jean-de-Paracol 11..337 BB92
Saint-Jean-
de-Pourcharesse 07..........265 BR75
Saint-Jean-
de-Rebervilliers 28............85 AV29
Saint-Jean-de-Rives 81......298 AY83
Saint-Jean-de-Sauves 86..168 AM48
Saint-Jean-de-Savigny 50....32 AE22
Saint-Jean-de-Serres 30....283 BR80
Saint-Jean-de-Sixt 74........216 CI58
Saint-Jean-
de-Soudain 38..............232 CB62
Saint-Jean-
de-Tholome 74..............216 CI56
Saint-Jean-de-Thouars 79.168 AJ47
Saint-Jean-de-Thurac 47..276 AQ78
Saint-Jean-
de-Thurigneux 01............213 BW58
Saint-Jean-de-Touslas 69.230 BV62
Saint-Jean-de-Trézy 71......177 BU48
Saint-Jean-
de-Valériscle 30............283 BR77
Saint-Jean-de-Vals 81......299 BC84
Saint-Jean-de-Vaulx 38....251 CE68
Saint-Jean-de-Vaux 71......177 BV49
Saint-Jean-de-Védas 34....302 BP85
Saint-Jean-de-Verges 09..336 AX91
Saint-Jean-Delnous 12......280 BE80
Saint-Jean-des-Baisants 50.32 AF23
Saint-Jean-des-Bois 61......52 AG27
Saint-Jean-des-Champs 50..51 AB26
Saint-Jean-
des-Échelles 72............108 AR34
Saint-Jean-
des-Essartiers 14..............52 AG24
Saint-Jean-
des-Mauvrets 49............149 AI42
Saint-Jean-
des-Ollières 63............228 BL62
Saint-Jean-des-Vignes 69..212 BV59
Saint-Jean-d'Estissac 24..239 AO69
Saint-Jean-d'Étreux 39......196 CA53
Saint-Jean-
devant-Possesse 51..........63 BV26
Saint-Jean-d'Eyraud 24....239 AO69
Saint-Jean-d'Hérans 38....251 CE70
Saint-Jean-d'Heurs 63......210 BL60
Saint-Jean-d'Illac 33..........255 AE71
Saint-Jean-d'Ormont 88......96 CL31
Saint-Jean-du-Bois 72......129 AL37
Saint-Jean-du-Bouzet 82..276 AO84
Saint-Jean-du-Bruel 12....282 BL80
Saint-Jean-
du-Cardonnay 76............36 AT19
Saint-Jean-
du-Castillonnais 09........334 AR92
Saint-Jean-du-Corail 50......52 AF28
Saint-Jean-
du-Corail-des-Bois 50......52 AD27
Saint-Jean-du-Doigt 29......72 K26
Saint-Jean-du-Falga 09....336 AX90
Saint-Jean-du-Gard 30......283 BP79
Saint-Jean-du-Marché 88..119 CJ33
Saint-Jean-du-Pin 30........283 BQ79
Saint-Jean-du-Thenney 27...55 AP24
Saint-Jean-en-Royans 26..250 CA68
Saint-Jean-en-Val 63........228 BL63
Saint-Jean-
et-Saint-Paul 12............301 BI81
Saint-Jean-
Froidmentel 41..............109 AV36
Saint-Jean-Kerdaniel 22....73 P28
Saint-Jean-Kourtzerode 57..67 CM26
Saint-Jean-la-Bussière 69.212 BS58
Saint-Jean-
la-Fouillouse 48............264 BN72
Saint-Jean-la-Poterie 56...125 V39
Saint-Jean-la-Rivière 06...291 CQ80
Saint-Jean-la-Vêtre 42......211 BO60
Saint-Jean-Lachalm 43....247 BO69
Saint-Jean-Lagineste 46...261 AZ71
Saint-Jean-Lasseille 66....343 BH96
Saint-Jean-le-Blanc 45......133 BA37
Saint-Jean-le-Blanc 14......35 AH25
Saint-Jean-le-Centenier 07266 BU73
Saint-Jean-le-Comtal 32..296 AO85
Saint-Jean-le-Priche 71....195 BW54
Saint-Jean-le-Puy 42........211 BQ58
Saint-Jean-le-Thomas 50....51 AA27
Saint-Jean-le-Vieux 42....330 AA89
Saint-Jean-le-Vieux 38....251 CF66
Saint-Jean-le-Vieux 01....214 CA57
Saint-Jean-lès-Buzy 55......44 CB22
Saint-Jean-
les-Deux-Jumeaux 77......59 BI25
Saint-Jean-
lès-Longuyon 54............44 BZ19
Saint-Jean-Lespinasse 46.261 AZ71
Saint-Jean-Lherm 31........298 AV83
Saint-Jean-Ligoure 87......223 AV61

Saint-Jean-
Pied-de-Port 64............330 AA89
Saint-Jean-Pierre-Fixte 28...85 AS32
Saint-Jean-
Pla-de-Corts 66............343 BH97
Saint-Jean-Poudge 64......294 AI85
Saint-Jean-Poutge 32......295 AN83
Saint-Jean-Rohrbach 57......67 CK23
Saint-Jean-Roure 07........248 BT69
Saint-Germain 37............170 AT46
Saint-Jean-
Saint-Gervais 63............228 BL64
Saint-Jean-
Saint-Nicolas 05............270 CI72
Saint-Jean-Saverne 67......68 CO26
Saint-Jean-
Soleymieux 42..............229 BQ63
Saint-Jean-
sur-Couesnon 35............80 AB32
Saint-Jean-sur-Erve 53....106 AI35
Saint-Jean-
sur-Mayenne 53............106 AG34
Saint-Jean-sur-Moivre 51....52 BT25
Saint-Jean-
sur-Reyssouze 01..........195 BY53
Saint-Jean-sur-Tourbe 51...42 BU23
Saint-Jean-sur-Veyle 01...195 BX55
Saint-Jean-sur-Vilaine 35..104 AB34
Saint-Jean-Trolimon 29......99 F35
Saint-Jeannet 06............309 CP82
Saint-Jeannet 04............287 CH80
Saint-Jeanvrin 18............190 BC51
Saint-Jeoire 74..............216 CJ56
Saint-Jeoire-Prieuré 73....233 CF62
Saint-Jeure-d'Andaure 07.248 BT68
Saint-Jeure-d'Ay 07........248 BV67
Saint-Jeures 43..............247 BR68
Saint-Joachim 44............146 U42
Saint-Jodard 42..............211 BR59
Saint-Joire 55..................93 BZ29
Saint-Jores 50..................31 AB21
Saint-Jorioz 74..............215 CG59
Saint-Jory 31................297 AV83
Saint-Jory-de-Chalais 24..222 AR63
Saint-Jory-las-Bloux 24...223 AS65
Saint-Joseph 50..............29 AB18
Saint-Joseph 42............230 BV63
Saint-Joseph-
de-Rivière 38..............232 CD64
Saint-Joseph-des-Bancs 07.266 BT72
Saint-Josse 62..................6 AY8
Saint-Jouan-de-l'Isle 22....103 V32
Saint-Jouan-
des-Guérets 35..............50 X28
Saint-Jouin 14................34 AM22
Saint-Jouin-Bruneval 76....18 AN17
Saint-Jouin-de-Blavou 61...84 AP31
Saint-Jouin-de-Marnes 79.168 AK48
Saint-Jouin-de-Milly 79....167 AG49
Saint-Jouvent 87............205 AU58
Saint-Juan 25................162 CH43
Saint-Judoce 22..............79 X31
Saint-Juéry 81................299 BC81
Saint-Juéry 48................263 BJ71
Saint-Juéry 12................300 BG81
Saint-Juire-
Champgillon 85............183 AD51
Saint-Julia 31................318 AZ86
Saint-Julia-de-Bec 11......337 BC93
Saint-Julien 88..............118 CD35
Saint-Julien 70..............140 CC38
Saint-Julien 69..............212 BV57
Saint-Julien 56..............123 O40
Saint-Julien 39..............196 CB53
Saint-Julien 34..............301 BI85
Saint-Julien 22................78 R29
Saint-Julien 21..............160 BY42
Saint-Julien-aux-Bois 19..243 BB68
Saint-Julien-
Beychevelle 33............237 AF67
Saint-Julien-Boutières 07.248 BT69
Saint-Julien-Chapteuil 43.247 BQ69
Saint-Julien-d'Ance 43....247 BP66
Saint-Julien-
d'Armagnac 40............274 AJ80
Saint-Julien-d'Arpaon 48..282 BN77
Saint-Julien-d'Asse 04....287 CH80
Saint-Julien-
de-Bourdeilles 24........222 AP65
Saint-Julien-de-Briola 11..319 BA89
Saint-Julien-
de-Cassagnas 30..........284 BS78
Saint-Julien-
de-Chédon 41..............152 AU43
Saint-Julien-de-Civry 71..193 BR54
Saint-Julien-
de-Concelles 44..........148 AB43
Saint-Julien-
de-Coppel 63..............228 BK61
Saint-Julien-
de-Crempse 24............239 AO69
Saint-Julien-
de-Gras-Capou 09........336 AZ91
Saint-Julien-de-Jonzy 71..193 BR55
Saint-Julien-
de-Jordanne 15............244 BF68
Saint-Julien-
de-la-Liègue 27............36 AV23
Saint-Julien-de-la-Nef 30.283 BO80

Saint-Julien-
de-Lampon 24..............259 AV71
Saint-Julien-de-l'Escap 17.201 AH58
Saint-Julien-
de-l'Herms 38..............231 BY64
Saint-Julien-de-Mailloc 14..34 AO23
Saint-Julien-
de-Peyrolas 30............284 BV77
Saint-Julien-de-Raz 38....232 CD65
Saint-Julien-
de-Toursac 15..............261 BC72
Saint-Julien-
de-Vouvantes 44..........127 AC39
Saint-Julien-
des-Chazes 43............246 BN68
Saint-Julien-
des-Landes 85............165 Y50
Saint-Julien-des-Points 48.283 BQ77
Saint-Julien-d'Eymet 24..257 AO72
Saint-Julien-d'Oddes 42...211 BO59
Saint-Julien-du-Gua 07....266 BT71
Saint-Julien-du-Pinet 43..247 BQ67
Saint-Julien-du-Puy 81....299 BB83
Saint-Julien-du-Sault 89..113 BK35
Saint-Julien-du-Serre 07..266 BT73
Saint-Julien-du-Terroux 53..82 AI30
Saint-Julien-
du-Tournel 48..............264 BN75
Saint-Julien-du-Verdon 04.288 CL80
Saint-Julien-
en-Beauchêne 05..........269 CE73
Saint-Julien-en-Born 40...272 AA79
Saint-Julien-
en-Champsaur 05..........269 CH72
Saint-Julien-
en-Genevois 74............215 CG56
Saint-Julien-en-Jarez 42..230 BU64
Saint-Julien-en-Quint 26..250 CA70
Saint-Julien-
en-Saint-Alban 07........266 BV72
Saint-Julien-
en-Vercors 26............250 CB68
Saint-Julien-Gaulène 81..280 BD80
Saint-Julien-
la-Geneste 63............209 BG57
Saint-Julien-la-Genête 23.208 BE56
Saint-Julien-la-Vêtre 42...211 BO60
Saint-Julien-Labrousse 07.248 BU70
Saint-Julien-l'Ars 86......186 AP52
Saint-Julien-le-Châtel 23..207 BC57
Saint-Julien-le-Faucon 14...54 AM24
Saint-Julien-
le-Montagnier 83..........307 CG83
Saint-Julien-le-Pèlerin 19.243 BB69
Saint-Julien-le-Petit 87...206 AY67
Saint-Julien-le-Roux 07...248 BV70
Saint-Julien-
le-Vendômois 19..........223 AV64
Saint-Julien-lès-Gorze 54...65 CD24
Saint-Julien-lès-Metz 57....45 CF22
Saint-Julien-
lès-Montbéliard 25........142 CK40
Saint-Julien-
les-Rosiers 30............283 BR78
Saint-Julien-lès-Russey 25.163 CK44
Saint-Julien-lès-Villas 10...91 BT31
Saint-Julien-Maumont 19.242 AY69
Saint-Julien-
Molhesabate 43............248 BT67
Saint-Julien-
Molin-Molette 42..........230 BV65
Saint-Julien-
Mont-Denis 73............234 CJ65
Saint-Julien-près-Bort 19.226 BD64
Saint-Julien-
Puy-Lavèze 63............226 BF62
Saint-Julien-
sous-les-Côtes 55........64 CB26
Saint-Julien-sur-Bibost 69.212 BU60
Saint-Julien-
sur-Calonne 14............34 AN21
Saint-Julien-sur-Cher 41..153 AY44
Saint-Julien-
sur-Dheune 71............177 BU49
Saint-Julien-
sur-Garonne 31............317 AT89
Saint-Julien-
sur-Reyssouze 01........195 BY53
Saint-Julien-sur-Sarthe 61..84 AO30
Saint-Julien-sur-Veyle 01..195 BX55
Saint-Julien-Vocance 07..248 BU67
Saint-Junien 87............205 AS59
Saint-Junien-
la-Bregère 23............206 AY59
Saint-Junien-
les-Combes 87............205 AT57
Saint-Jure 57..................65 CF25
Saint-Jurs 04................307 CI81
Saint-Just 63................229 BO64
Saint-Just 35................126 X37
Saint-Just 34................303 BR84
Saint-Just 27..................36 AW23
Saint-Just 24................221 AO65
Saint-Just 18................173 BE47
Saint-Just 15................246 BK70
Saint-Just 07................284 BV77
Saint-Just 01................195 BX55
Saint-Just-Chaleyssin 38..231 BY62
Saint-Just-d'Avray 69.....212 BT58
Saint-Just-
de-Bélengard 11..........337 BA90

Saint-Just-de-Claix 38....250 CA68
Saint-Just-en-Bas 42......229 BP61
Saint-Just-en-Brie 77........89 BI29
Saint-Just-en-Chaussée 60..38 BD19
Saint-Just-en-Chevalet 42.211 BO59
Saint-Just-et-le-Bézu 11...337 BC93
Saint-Just-
et-Vacquières 30..........284 BV75
Saint-Just-Ibarre 64......330 AB89
Saint-Just-la-Pendue 42..212 BS59
Saint-Just-le-Martel 87...205 AV59
Saint-Just-Luzac 17........200 AD60
Saint-Just-Malmont 43...230 BS65
Saint-Just-
près-Brioude 43..........246 BL66
Saint-Just-Rambert 42....230 BS63
Saint-Just-Sauvage 51......90 BN29
Saint-Just-sur-Dive 49....150 AK45
Saint-Just-sur-Viaur 12...280 BD79
Saint-Justin 40..............274 AI80
Saint-Justin 32..............315 AL86
Saint-Juvat 22..................79 W31
Saint-Juvin 08..................43 BW21
Saint-Lactencin 36..........171 AW48
Saint-Lager 69..............212 BV56
Saint-Lager-Bressac 07...267 BW72
Saint-Lamain 39............179 CC49
Saint-Lambert 78............57 BA28
Saint-Lambert 14............53 AI25
Saint-Lambert-
des-Levées 49............150 AK43
Saint-Lambert-
du-Lattay 49..............149 AG43
Saint-Lambert-
et-Mont-de-Jeux 08........42 BT19
Saint-Lambert-
la-Potherie 49............149 AG41
Saint-Lambert-sur-Dive 61..54 AM26
Saint-Langis-
lès-Mortagne 61..........84 AP30
Saint-Lanne 65..............294 AJ84
Saint-Laon 86................168 AL47
Saint-Lary 32................296 AO83
Saint-Lary 09................334 AR92
Saint-Lary-Boujean 31....316 AQ89
Saint-Lary-Soulan 65......333 AM93
Saint-Lattier 38..............249 BZ68
Saint-Launeuc 22............103 U32
Saint-Laure 63..............210 BK59
Saint-Laurent 74............216 CI57
Saint-Laurent 47............275 AN77
Saint-Laurent 31............316 AQ88
Saint-Laurent 23............207 BA56
Saint-Laurent 22..............73 O27
Saint-Laurent 18............154 BC44
Saint-Laurent 08..............26 BU16
Saint-Laurent-Blangy 62...8 BG10
Saint-Laurent-Bretagne 64.314 AI87
Saint-Laurent-
Chabreuges 43............246 BL66
Saint-Laurent-d'Agny 69.230 BV62
Saint-Laurent-
d'Aigouze 30..............303 BS84
Saint-Laurent-
d'Andenay 71..............177 BT49
Saint-Laurent-d'Arce 33..237 AH68
Saint-Laurent-
de-Belzagot 16............221 AL64
Saint-Laurent-
de-Brèvedent 76............18 AO18
Saint-Laurent-
de-Carnols 30............284 BU78
Saint-Laurent-
de-Cerdans 66............342 BF98
Saint-Laurent-de-Céris 16.203 AO58
Saint-Laurent-
de-Chamousset 69........230 BT61
Saint-Laurent-
de-Cognac 16............219 AH61
Saint-Laurent-de-Condel 14.53 AJ24
Saint-Laurent-de-Cuves 50..52 AD27
Saint-Laurent-
de-Gosse 40..............292 AA85
Saint-Laurent-
de-Jourdes 86............186 AP53
Saint-Laurent-
de-la-Barrière 17........201 AF57
Saint-Laurent-
de-la-Cabrerisse 11......338 BG90
Saint-Laurent-
de-la-Côte 73..............234 CJ63
Saint-Laurent-de-la-Mer 22.73 R28
Saint-Laurent-
de-la-Plaine 49............149 AF43
Saint-Laurent-
de-la-Prée 17............200 AD58
Saint-Laurent-
de-la-Salanque 66........339 BI94
Saint-Laurent-
de-la-Salle 85............183 AE51
Saint-Laurent-
de-Lévézou 12............281 BI78
Saint-Laurent-de-Lin 37...151 AN41
Saint-Laurent-de-Mure 69.231 BY61
Saint-Laurent-
de-Muret 48..............264 BK73
Saint-Laurent-
de-Neste 65..............334 AO90
Saint-Laurent-
de-Terregatte 50............81 AC29

Saint-Laurent-
de-Trèves 48..............282 BN77
Saint-Laurent-de-Vaux 69.230 BV61
Saint-Laurent-
de-Veyrès 48..............263 BJ72
Saint-Laurent-
des-Arbres 30............285 BW79
Saint-Laurent-
des-Autels 49............148 AC43
Saint-Laurent-
des-Bâtons 24............239 AO69
Saint-Laurent-des-Bois 41..132 AW37
Saint-Laurent-des-Bois 27...56 AV26
Saint-Laurent-
des-Combes 33............238 AJ70
Saint-Laurent-
des-Combes 16............221 AL65
Saint-Laurent-
des-Hommes 24............239 AM68
Saint-Laurent-
des-Mortiers 53..........128 AH38
Saint-Laurent-
des-Vignes 24............257 AO71
Saint-Laurent-d'Oingt 69..212 BU58
Saint-Laurent-d'Olt 12....263 BJ75
Saint-Laurent-d'Onay 26..249 BY67
Saint-Laurent-du-Bois 33..256 AJ73
Saint-Laurent-du-Cros 05..269 CH72
Saint-Laurent-du-Mont 14...34 AM23
Saint-Laurent-
du-Mottay 49..............148 AE42
Saint-Laurent-du-Pape 07.267 BW71
Saint-Laurent-du-Plan 33..256 AJ73
Saint-Laurent-du-Pont 38..232 CD64
Saint-Laurent-
du-Tencement 27............55 AP26
Saint-Laurent-du-Var 06...309 CQ83
Saint-Laurent-
du-Verdon 04..............307 CH83
Saint-Laurent-
en-Beaumont 38..........251 CF70
Saint-Laurent-
en-Brionnais 71..........194 BS55
Saint-Laurent-en-Caux 76..19 AS16
Saint-Laurent-
en-Gâtines 37............131 AR40
Saint-Laurent-
en-Grandvaux 39..........197 CE51
Saint-Laurent-
en-Royans 26............250 CA68
Saint-Laurent-
la-Conche 42..............229 BR61
Saint-Laurent-la-Gâtine 28..57 AX28
Saint-Laurent-la-Roche 39.196 CB51
Saint-Laurent-la-Vallée 24.259 AT72
Saint-Laurent-
la-Vernède 30............284 BU79
Saint-Laurent-l'Abbaye 58.156 BI43
Saint-Laurent-le-Minier 30.302 BN81
Saint-Laurent-les-Bains 07.265 BQ73
Saint-Laurent-
les-Églises 87............206 AW58
Saint-Laurent-
les-Tours 46..............243 AZ70
Saint-Laurent-Lolmie 46..277 AU77
Saint-Laurent-Médoc 33..237 AE67
Saint-Laurent-Nouan 41..132 AX39
Saint-Laurent-Rochefort 42.211 BP60
Saint-Laurent-
sous-Coiron 07............266 BU73
Saint-Laurent-
sur-Gorre 87..............205 AS60
Saint-Laurent-
sur-Manoire 24............240 AR67
Saint-Laurent-sur-Mer 14...32 AF20
Saint-Laurent-sur-Othain 55.44 CA20
Saint-Laurent-sur-Oust 56.125 U37
Saint-Laurent-sur-Saône 01.195 BW54
Saint-Laurs 79..............184 AG52
Saint-Léger 77................60 BJ26
Saint-Léger 73..............234 CI63
Saint-Léger 62................13 BG11
Saint-Léger 53..............106 AI34
Saint-Léger 50................51 AB26
Saint-Léger 47..............275 AN77
Saint-Léger 17..............219 AG62
Saint-Léger 16..............221 AL64
Saint-Léger 06..............289 CN79
Saint-Léger (Pont de) 06..289 CN79
Saint-Léger-aux-Bois 76....21 AX15
Saint-Léger-aux-Bois 60....39 BH19
Saint-Léger-Bridereix 23...188 AX55
Saint-Léger-de-Balson 33..255 AG75
Saint-Léger-
de-Fougeret 58............176 BP46
Saint-Léger-
de-la-Martinière 79......185 AK55
Saint-Léger-
de-Montbrillais 86........168 AL46

Saint-Léger-du-Bois 71....177 BT46
Saint-Léger-
du-Bourg-Denis 76..........36 AU20
Saint-Léger-
du-Gennetey 27............35 AR21
Saint-Léger-
du-Malzieu 48..............246 BK70
Saint-Léger-
du-Ventoux 84............286 CA79
Saint-Léger-Dubosq 14......34 AL22
Saint-Léger-en-Bray 60......57 AZ28
Saint-Léger-en-Yvelines 78..57 AZ28
Saint-Léger-
la-Montagne 87............206 AW58
Saint-Léger-
le-Guérétois 23............207 AZ56
Saint-Léger-le-Petit 18....156 BI45
Saint-Léger-lès-Authie 80...13 BE12
Saint-Léger-lès-Domart 80..12 BB13
Saint-Léger-les-Mélèzes 05.269 CH72
Saint-Léger-les-Vignes 44..147 Y45
Saint-Léger-Magnazeix 87.188 AU55
Saint-Léger-près-Troyes 10.115 BQ33
Saint-Léger-
sous-Beuvray 71..........176 BQ48
Saint-Léger-
sous-Brienne 10............91 BT31
Saint-Léger-
sous-Cholet 49............148 AE45
Saint-Léger-
sous-la-Bussière 71......194 BU54
Saint-Léger-
sous-Margerie 10..........91 BT30
Saint-Léger-sur-Bonneville 14.34 AO21
Saint-Léger-
sur-Bresle 80..............21 AY15
Saint-Léger-
sur-Dheune 71............177 BU49
Saint-Léger-sur-Roanne 42.211 BO57
Saint-Léger-sur-Sarthe 61..84 AO30
Saint-Léger-
sur-Vouzance 03..........193 BP53
Saint-Léger-Triey 21......160 CA43
Saint-Léger-Vauban 89...158 BQ43
Saint-Léomer 86............187 AS53
Saint-Léon 47................275 AM77
Saint-Léon 33................256 AI71
Saint-Léon 31................318 AW80
Saint-Léon 03................192 BN53
Saint-Léon-d'Issigeac 24..258 AQ72
Saint-Léon-sur-l'Isle 24...239 AO68
Saint-Léon-sur-Vézère 24.241 AT74
Saint-Léonard 88............96 CL32
Saint-Léonard 76............18 AO16
Saint-Léonard 62..............6 AY6
Saint-Léonard 51............41 BQ22
Saint-Léonard 32............296 AQ82
Saint-Léonard-
de-Noblat 87..............206 AW60
Saint-Léonard-des-Bois 72..83 AL31
Saint-Léonard-des-Parcs 61.54 AO28
Saint-Léonard-
en-Beauce 41..............132 AW38
Saint-Léons 12..............281 BI78
Saint-Léopardin-d'Augy 03.174 BJ50
Saint-Léry 56................103 V34
Saint-Leu-d'Esserent 60....38 BD22
Saint-Leu-la-Forêt 95........58 BC24
Saint-Lézer 65..............315 AK87
Saint-Lézin 49..............149 AF44
Saint-Lieux-Lafenasse 81..299 BC83
Saint-Lieux-lès-Lavaur 81.298 AY83
Saint-Liguaire 79............184 AH54
Saint-Lin 79................185 AJ52
Saint-Lions 04..............288 CJ79
Saint-Lizier 09..............335 AR91
Saint-Lizier-du-Planté 32..317 AS87
Saint-Lô 50..................32 AE23
Saint-Lô-d'Ourville 50......31 AA20
Saint-Lon-les-Mines 40...292 AA84
Saint-Longis 72..............84 AO32
Saint-Lormel 22..............79 V29
Saint-Lothain 39............179 CC48
Saint-Loube 32..............317 AS86
Saint-Loubert 33............256 AJ74
Saint-Loubès 33............237 AH70
Saint-Loubouer 40..........294 AG83
Saint-Louet-sur-Seulles 14..33 AH23
Saint-Louet-sur-Vire 50....52 AE24
Saint-Louis 68..............143 CQ39
Saint-Louis 57................67 CM27
Saint-Louis-
de-Montferrand 33........237 AG69
Saint-Louis-en-l'Isle 24..239 AN68
Saint-Louis-et-Parahou 11.337 BD93
Saint-Louis-lès-Bitche 57...68 CN24
Saint-Loup 82................276 AR79
Saint-Loup 69................212 BT59
Saint-Loup 58................156 BI42
Saint-Loup 51................61 BO27
Saint-Loup 50................51 AC28
Saint-Loup 39................178 BZ46
Saint-Loup 23................207 BC56
Saint-Loup 17..............201 AG58
Saint-Loup 03................192 BL54
Saint-Loup (Pic) 34........302 BP83
Saint-Loup-Cammas 31....298 AW84
Saint-Loup-de-Buffigny 10..90 BM31
Saint-Loup-de-Fribois 14....34 AM23
Saint-Loup-de-Gonois 45..112 BH35

Saint-Loup-de-Naud 77............89 BJ30
Saint-Loup-
de-Varennes 71............177 BW50
Saint-Loup-
des-Chaumes 18............173 BD49
Saint-Loup-des-Vignes 45....111 BD35
Saint-Loup-d'Ordon 89............113 BJ35
Saint-Loup-du-Dorat 53.........128 AI37
Saint-Loup-du-Gast 53............82 AH31
Saint-Loup-
en-Champagne 08............41 BQ19
Saint-Loup-
en-Comminges 31............316 AO88
Saint-Loup-Géanges 71........177 BW47
Saint-Loup-Hors 14.............33 AH21
Saint-Loup-Lamairé 79........168 AK49
Saint-Loup-Nantouard 70......161 CC42
Saint-Loup-sur-Aujon 52.......139 BX37
Saint-Loup-sur-Cher 41........154 AZ44
Saint-Loup-
sur-Semouse 70............119 CG36
Saint-Loup-Terrier 08.............26 BT18
Saint-Loyer-des-Champs 61...54 AM28
Saint-Lubin-de-Cravant 28....56 AU28
Saint-Lubin-la-Haye 28.........57 AX27
Saint-Lubin-
des-Joncherets 28............56 AU27
Saint-Lubin-
en-Vergonnois 41............131 AU40
Saint-Luc 27............56 AV25
Saint-Luperce 28............85 AV31
Saint-Lupicin 39............196 CD53
Saint-Lupien 10............90 BN32
Saint-Lyé 10............90 BP32
Saint-Lyé-la-Forêt 45............111 BA35
Saint-Lyphard 44............146 U41
Saint-Lys 31............317 AT86
Saint-Macaire 33............256 AI74
Saint-Macaire-du-Bois 49....150 AJ45
Saint-Macaire-
en-Mauges 49............148 AD45
Saint-Maclou 27............35 AP20
Saint-Maclou-
de-Folleville 76............20 AU17
Saint-Maclou-la-Brière 76.....19 AP17
Saint-Macoux 86............203 AM56
Saint-Maden 22............79 W31
Saint-Magne 33............255 AF74
Saint-Magne-
de-Castillon 33............238 AK70
Saint-Maigner 63............208 BF57
Saint-Maigrin 17............220 AI64
Saint-Maime 04............306 CF81
Saint-Maime-
de-Péreyrol 24............240 AP69
Saint-Maixant 33............256 AI73
Saint-Maixant 23............207 BC58
Saint-Maixent 72............108 AQ35
Saint-Maixent-
de-Beugné 79............184 AG52
Saint-Maixent-l'École 79.....185 AJ53
Saint-Maixent-sur-Vie 85......165 X49
Saint-Maixme-Hauterive 28..85 AU29
Saint-Malo 35............50 X28
Saint-Malo-de-Beignon 56...103 V35
Saint-Malo-de-Guersac 44...146 V42
Saint-Malo-de-la-Lande 50....31 AA23
Saint-Malo-de-Phily 35.......104 Y36
Saint-Malo-
des-Trois-Fontaines 56....102 T34
Saint-Malô-du-Bois 85.........166 AE47
Saint-Malo-en-Donziois 58..156 BK43
Saint-Malon-sur-Mel 35........103 W34
Saint-Mamert 38............231 BX64
Saint-Mamert 69............188 BU55
Saint-Mamert-du-Gard 30...303 BS81
Saint-Mamet 31............334 AP94
Saint-Mamet-
la-Salvetat 15............261 BC71
Saint-Mammès 77............88 BG31
Saint-Mandé 94............58 BD26
Saint Mandé-
sur-Brédoire 17............202 AI57
Saint-Mandrier-
sur-Mer 83............328 CG90
Saint-Manvieu-Bocage 14....52 AE26
Saint-Manvieu-Norrey 14.....33 AI22
Saint-Marc 44............146 U43
Saint-Marc 15............245 BJ70
Saint-Marc-à-Frongier 23....207 BB59
Saint-Marc-à-Loubaud 23....207 BA60
Saint-Marc-du-Cor 41...........109 AS36
Saint-Marc-
Jaumegarde 13............306 CD85
Saint-Marc-la-Lande 79......185 AI52
Saint-Marc-le-Blanc 35.........80 AB31
Saint-Marc-
sur-Couesnon 35...........80 AB32
Saint-Marc-sur-Seine 21.....138 BU39
Saint-Marcan 35............51 Z28

Saint-Marceau 72............107 AM33
Saint-Marceau 08............26 BU16
Saint-Marcel 81............279 BA79
Saint-Marcel 73............234 CK62
Saint-Marcel 71............177 BW49
Saint-Marcel 70............140 CD37
Saint-Marcel 56............125 T37
Saint-Marcel 54............65 CD23
Saint-Marcel 36............188 AW51
Saint-Marcel 27............36 AW23
Saint-Marcel 08............26 BT16
Saint-Marcel-
Bel-Accueil 38............231 BZ61
Saint-Marcel-d'Ardèche 07.284 BV76
Saint-Marcel-
de-Careiret 30............284 BU78
Saint-Marcel-de-Félines 42..211 BR59
Saint-Marcel-
du-Périgord 24............240 AQ70
Saint-Marcel-d'Urfé 42........211 BP59
Saint-Marcel-
en-Dombes 01............213 BX58
Saint-Marcel-
en-Marcillat 03............208 BF56
Saint-Marcel-en-Murat 03...191 BI54
Saint-Marcel-l'Éclairé 69....212 BT59
Saint-Marcel-
lès-Annonay 07............248 BV66
Saint-Marcel-
lès-Sauzet 26............267 BW73
Saint-Marcel-
lès-Valence 26............249 BX69
Saint-Marcel-Paulel 31.......298 AX84
Saint-Marcel-sur-Aude 11..321 BI89
Saint-Marcelin-de-Cray 71..194 BU51
Saint-Marcellin 38............250 CA67
Saint-Marcellin-de-Vars 05..270 CL72
Saint-Marcellin-
en-Forez 42............229 BR63
Saint-Marcellin-
lès-Vaison 84............285 BZ77
Saint-Marcet 31............316 AQ89
Saint-Marcory 24............259 AS72
Saint-Marcouf 50............29 AC19
Saint-Marcouf 14............32 AF21
Saint-Mard 80............23 BG17
Saint-Mard 77............59 BF24
Saint-Mard 54............95 CG29
Saint-Mard 17............201 AF57
Saint-Mard 02............40 BM20
Saint-Mard-de-Réno 61........84 AQ30
Saint-Mard-de-Vaux 71......177 BW49
Saint-Mard-lès-Rouffy 51......61 BQ25
Saint-Mard-sur-Auve 51........62 BU24
Saint-Mard-sur-le-Mont 51...63 BV25
Saint-Mards 76............20 AT16
Saint-Mards-
de-Blacarville 27...........35 AP20
Saint-Mards-de-Fresne 27...55 AP24
Saint-Mards-en-Othe 10......114 BO34
Saint-Marien 23............190 BC53
Saint-Mariens 33............237 AH67
Saint-Mars-de-Coutais 44...147 Y45
Saint-Mars-
de-Locquenay 72............108 AP36
Saint-Mars-d'Égrenne 61......82 AG29
Saint-Mars-d'Outillé 72.......130 AD37
Saint-Mars-du-Désert 53.....83 AK32
Saint-Mars-du-Désert 44....147 AA42
Saint-Mars-en-Brie 77...........60 BK27
Saint-Mars-la-Brière 72......108 AO35
Saint-Mars-la-Jaille 44........127 AC40
Saint-Mars-la-Réorthe 85....166 AE48
Saint-Mars-sous-Ballon 72..107 AM34
Saint-Mars-sur-Colmont 53..82 AG31
Saint-Mars-sur-la-Futaie 53..81 AE30
Saint-Marsal 66............342 BF96
Saint-Marsault 79............167 AG49
Saint-Martial 33............256 AJ73
Saint-Martial 17............201 AH57
Saint-Martial 16............221 AL65
Saint-Martial 15............245 BI70
Saint-Martial 07............248 BS70
Saint-Martial-
d'Albarède 24............223 AT65
Saint-Martial-
d'Artenset 24............239 AM69
Saint-Martial-de-Gimel 19..243 AZ66
Saint-Martial-
de-Mirambeau 17............219 AG64
Saint-Martial-
de-Nabirat 24............259 AU72
Saint-Martial-
de-Valette 24............222 AQ63
Saint-Martial-
de-Vitaterne 17............219 AH64
Saint-Martial-
Entraygues 19............243 BA68
Saint-Martial-le-Mont 23....207 BB57
Saint-Martial-le-Vieux 23....225 BC62
Saint-Martial-sur-Isop 87....204 AR56
Saint-Martial-sur-Né 17......220 AI62
Saint-Martial-Viveyrol 24....221 AN65
Saint-Martin 83............306 CF84
Saint-Martin 67............96 CN31
Saint-Martin 66............338 BD94
Saint-Martin 65............315 AK89
Saint-Martin 56............125 U38
Saint-Martin 54............95 CJ28
Saint-Martin 50............51 AA25

Saint-Martin 32............295 AN85
Saint Martin
(Casella) 2B............347 FF107
Saint-Martin-au-Bosc 76.......21 AY15
Saint-Martin-au-Laërt 62........3 BC5
Saint-Martin-aux-Arbres 76...19 AS17
Saint-Martin-aux-Bois 60......38 BE19
Saint-Martin-
aux-Buneaux 76............19 AQ15
Saint-Martin-
aux-Champs 51............62 BT26
Saint-Martin-
aux-Chartrains 14............34 AN21
Saint-Martin-
Belle-Roche 71............195 BW53
Saint-Martin-Bellevue 74....215 CG58
Saint-Martin-Boulogne 62......2 AY5
Saint-Martin-Cantalès 15....243 BC68
Saint-Martin-Château 23....207 AZ60
Saint-Martin-
Chennetron 77............89 BL29
Saint-Martin-Choquel 62........6 BA6
Saint-Martin-d'Abbat 45.....133 BC37
Saint-Martin-d'Ablois 51......61 BO24
Saint-Martin-d'Août 26.......249 BY66
Saint-Martin-
d'Arberoue 64............311 AA87
Saint-Martin-d'Arc 73........252 CJ66
Saint-Martin-d'Arcé 49......129 AK40
Saint-Martin-d'Ardèche 07284 BV77
Saint-Martin-
d'Armagnac 32............294 AJ83
Saint-Martin-d'Arrossa 64...311 Z88
Saint-Martin-d'Ary 17........238 AJ66
Saint-Martin-d'Aubigny 50....31 AC22
Saint-Martin-
d'Audouville 50............29 AC18
Saint-Martin-d'Auxigny 18...155 BD45
Saint-Martin-d'Auxy 71......177 BU50
Saint-Martin-de-Bavel 01....214 CD59
Saint-Martin-
de-Beauville 47............276 AR78
Saint-Martin-
de-Belleville 73............234 CJ64
Saint-Martin-
de-Bernegoue 79............185 AI55
Saint-Martin-
de-Bienfaite 14............54 AO24
Saint-Martin-de-Blagny 14...32 AF21
Saint-Martin-
de-Bonfossé 50............32 AD23
Saint-Martin-
de-Boscherville 76............36 AT20
Saint-Martin-
de-Bossenay 10............90 BN31
Saint-Martin-
de-Boubaux 48............283 BP78
Saint-Martin-
de-Bréthencourt 78............87 BA30
Saint-Martin-de-Brômes 04..307 CG82
Saint-Martin-de-Caralp 09..336 AW91
Saint-Martin-
de-Castillon 84............306 CC81
Saint-Martin-de-Cenilly 50....51 AC24
Saint-Martin-de-Clelles 38..250 CD70
Saint-Martin-
de-Commune 71............177 BT48
Saint-Martin-
de-Connée 53............107 AK33
Saint-Martin-
de-Cornas 69............230 BV62
Saint-Martin-de-Coux 17....238 AK67
Saint-Martin-de-Crau 13....304 BX84
Saint-Martin-
de-Curton 47............274 AK76
Saint-Martin-de-Fenollar
(Chapelle de) 66............343 BH97
Saint-Martin-
de-Fontenay 14............33 AJ23
Saint-Martin-
de-Fraigneau 85............184 AF53
Saint-Martin-de-Fresnay 14..54 AM25
Saint-Martin-
de-Fressengeas 24............222 AR64
Saint-Martin-
de-Fugères 43............247 BP70
Saint-Martin-
de-Goyne 32............275 AO80
Saint-Martin-
de-Gurson 24............239 AL69
Saint-Martin-de-Hinx 40.....292 AA84
Saint-Martin-
de-Juillers 17............202 AI58
Saint-Martin-de-Jussac 87..205 AS59
Saint-Martin-
de-la-Brasque 84............306 CD82
Saint-Martin-
de-la-Cluze 38............250 CD69
Saint-Martin-
de-la-Coudre 17............201 AG57
Saint-Martin-de-la-Lieue 14..34 AN23
Saint-Martin-de-la-Mer 21..158 BR44
Saint-Martin-
de-la-Place 49............150 AK43
Saint-Martin-
de-la-Porte 73............252 CJ66
Saint-Martin-de-Lamps 36..171 AX47
Saint-Martin-
de-Landelles 50............81 AD29
Saint-Martin-
de-Lansuscle 48............283 BO78
Saint-Martin-de-l'Arçon 34.301 BI85

Saint-Martin-de-Laye 33....238 AJ68
Saint-Martin-de-Lenne 12..263 BI75
Saint-Martin-de-Lerm 33....256 AK73
Saint-Martin-de-Lixy 71......211 BR56
Saint-Martin-
de-Londres 34............302 BO82
Saint-Martin-de-Mâcon 79..168 AK46
Saint-Martin-de-Mailloc 14...34 AO23
Saint-Martin-de-Mieux 14....53 AK26
Saint-Martin-de-Nigelles 28..86 AX29
Saint-Martin-de-Peille
(Église) 06............291 C581
Saint-Martin-
de-Queyrières 05............252 CK70
Saint-Martin-de-Ré 17........182 AA55
Saint-Martin-
de-Ribérac 24............239 AN66
Saint-Martin-
de-Saint-Maixent 79............185 AJ53
Saint-Martin-de-Sallen 14....53 AI25
Saint-Martin-
de-Salvency 71............194 BT52
Saint-Martin-
de-Sanzay 79............168 AJ46
Saint-Martin-
de-Seignanx 40............292 Z85
Saint-Martin-
de-Sescas 33............256 AJ73
Saint-Martin-
de-Tallevende 14............52 AF26
Saint-Martin-
de-Valamas 07............248 BT70
Saint-Martin-
de-Valgalgues 30............283 BR78
Saint-Martin-
de-Varreville 50............29 AD19
Saint-Martin-
de-Vaulserre 38............232 CD63
Saint-Martin-de-Vers 46....260 AX74
Saint-Martin-
de-Villeréal 47............258 AR73
Saint-Martin-
de-Villereglan 11............337 BC90
Saint-Martin-d'Écublei 61....55 AR27
Saint-Martin-
d'Entraigues 79............202 AK56
Saint-Martin-
d'Entraunes 06............289 CM78
Saint-Martin-
des-Besaces 14............52 AF24
Saint-Martin-des-Bois 41....131 AR39
Saint-Martin-
des-Champs 89............135 BI39
Saint-Martin-
des-Champs 78............57 AY26
Saint-Martin-
des-Champs 77............60 BK27
Saint-Martin-
des-Champs 50............51 AC28
Saint-Martin-
des-Champs 29............71 J27
Saint-Martin-
des-Champs 18............156 BH45
Saint-Martin-
des-Combes 24............240 AP69
Saint-Martin-des-Entrées 14..33 AH21
Saint-Martin-
des-Fontaines 85............183 AE51
Saint-Martin-des-Lais 03....175 BN50
Saint-Martin-des-Landes 61..83 AK29
Saint-Martin-
des-Monts 72............108 AQ34
Saint-Martin-
des-Noyers 85............166 AC49
Saint-Martin-
des-Olmes 63............229 BO63
Saint-Martin-
des-Pézerits 61............55 AP28
Saint-Martin-
des-Plains 63............228 BK64
Saint-Martin-
des-Prés 22............78 Q31
Saint-Martin-des-Puits 11..338 BF91
Saint-Martin-
des-Tilleuls 85............166 AD47
Saint-Martin-d'Estréaux 42..211 BO56
Saint-Martin-
d'Hardinghem 62............7 BB7
Saint-Martin-d'Hères 38.....251 CE66
Saint-Martin-d'Heuille 58....174 BK46
Saint-Martin-d'Ollières 63..228 BL64
Saint-Martin-Don 14............52 AF25
Saint-Martin-d'Oney 40.....273 AF80
Saint-Martin-d'Ordon 89....113 BJ35
Saint-Martin-d'Oydes 09....318 AW89
Saint-Martin-du-Bec 76........18 AN18
Saint-Martin-du-Bois 49....128 AG39
Saint-Martin-du-Bois 33....238 AI68
Saint-Martin-du-Boschet 77..60 BL27
Saint-Martin-du-Canigou
(Abbaye de) 66............342 BD97
Saint-Martin-
du-Clocher 16............203 AM57
Saint-Martin-
du-Fouilloux 79............185 AK51
Saint-Martin-
du-Fouilloux 49............149 AG42
Saint-Martin-du-Frêne 01....214 CC56
Saint-Martin-du-Lac 71......193 BQ55
Saint-Martin-du-Limet 53...127 AE37
Saint-Martin-du-Manoir 76...18 AO18

Saint-Martin-
du-Mesnil-Oury 14............54 AN24
Saint-Martin-du-Mont 71....195 BW53
Saint-Martin-du-Mont 21....159 BV42
Saint-Martin-du-Mont 01....214 CA56
Saint-Martin-du-Puy 58......157 BO43
Saint-Martin-du-Puy 33......256 AK72
Saint-Martin-
du-Tartre 71............176 BU51
Saint-Martin-du-Tertre 95....38 BD23
Saint-Martin-du-Tertre 89...113 BK33
Saint-Martin-du-Tilleul 27....35 AP23
Saint-Martin-du-Touch 31..297 AV85
Saint-Martin-du-Var 06......291 CQ81
Saint-Martin-
du-Vieux-Bellême 61......84 AP31
Saint-Martin-du-Vivier 76.....36 AU19
Saint-Martin-en-Bière 77......88 BE31
Saint-Martin-en-Bresse 71..178 BX49
Saint-Martin-
en-Campagne 76............10 AV14
Saint-Martin-
en-Coailleux 42............230 BU64
Saint-Martin-
en-Gâtinois 71............178 BX47
Saint-Martin-en-Haut 69....230 BU61
Saint-Martin-
en-Vercors 26............250 CB68
Saint-Martin-Gimois 32......296 AQ85
Saint-Martin-
la-Campagne 27............56 AT24
Saint-Martin-
la-Méanne 19............243 BA67
Saint-Martin-
la-Patrouille 71............194 BU51
Saint-Martin-la-Plaine 42....230 BU63
Saint-Martin-la-Sauveté 42..211 BP60
Saint-Martin-Labouval 46...260 AY75
Saint-Martin-
Lacaussade 33............237 AF67
Saint-Martin-Laguépie 81..279 BA79
Saint-Martin-l'Aiguillon 61...83 AK29
Saint-Martin-Lalande 11.....319 BA88
Saint-Martin-Lars-
en-Sainte-Hermine 85...183 AD51
Saint-Martin-l'Astier 24......239 AN68
Saint-Martin-le-Beau 37.....252 AS43
Saint-Martin-le-Bouillant 50..52 AD26
Saint-Martin-le-Châtel 01...195 BY54
Saint-Martin-le-Colonel 26..250 CA69
Saint-Martin-le-Gaillard 76...10 AW14
Saint-Martin-le-Gréard 50....29 AA18
Saint-Martin-le-Hébert 50....29 AA18
Saint-Martin-le-Mault 87....188 AU54
Saint-Martin-le-Nœud 60.....38 BB20
Saint-Martin-le-Pin 24........222 AP63
Saint-Martin-le-Redon 46..259 AS74
Saint-Martin-
le-Supérieur 07............266 BV73
Saint-Martin-le-Vieil 11......319 BB88
Saint-Martin-le-Vieux 87....186 AU59
Saint-Martin-le-Vinoux 38..250 CD66
Saint-Martin-les-Eaux 04...306 CE81
Saint-Martin-
lès-Langres 52............139 BZ37
Saint-Martin-lès-Melle 79...185 AJ55
Saint-Martin-lès-Seyne 04..270 CI75
Saint-Martin-Lestra 42......230 BS61

Saint-Martin-l'Heureux 51....42 BS22
Saint-Martin-l'Hortier 76......20 AW16
Saint-Martin-l'Inférieur 07..266 BV73
Saint-Martin-Longueau 60....39 BF21
Saint-Martin-Lys 11............337 BC93
Saint-Martin-
Osmonville 76............20 AV17
Saint-Martin-Petit 47.........257 AL74
Saint-Martin-Rivière 02........14 BL13
Saint-Martin-
Sainte-Catherine 23......206 AX58
Saint-Martin-Sepert 19......224 AW64
Saint-Martin-
sous-Montaigu 71...........177 BV49
Saint-Martin-
sous-Vigouroux 15.......245 BG70
Saint-Martin-
sur-Armançon 89............137 BQ37
Saint-Martin-sur-Arve 74...216 CK58
Saint-Martin-sur-Cojeul 62...13 BG11
Saint-Martin-sur-Ecaillon 59..14 BL11
Saint-Martin-
sur-la-Chambre 73.........234 CI64
Saint-Martin-
sur-la-Renne 52............116 BW34
Saint-Martin-sur-le-Pré 51....62 BR25
Saint-Martin-
sur-Nohain 58............156 BI43
Saint-Martin-sur-Ocre 89...135 BK38
Saint-Martin-sur-Ocre 45...134 BF39
Saint-Martin-sur-Oreuse 89..89 BK32
Saint-Martin-
sur-Ouanne 89............135 BI37
Saint-Martin-Terressus 87..206 AW59
Saint-Martin-
Valmeroux 15............244 BD68
Saint-Martin-Vésubie 06....291 CQ78
Saint-Martinien 03............190 BE54
Saint-Martory 31............334 AR90
Saint-Mary 16............203 AO60
Saint-Mary-le-Plain 15......245 BJ67
Saint-Masmes 51............42 BR21
Saint-Mathieu 87............222 AQ61
Saint-Mathieu
(Pointe de) 29............74 C30
Saint-Mathieu-
de-Tréviers 34............302 BP83
Saint-Mathurin 85............182 Y51
Saint-Mathurin-
Léobazel 19............243 BA69
Saint-Mathurin-
sur-Loire 49............150 AJ42
Saint-Matré 47............277 AT76
Saint-Maudan 22............102 R33
Saint-Maudez 22............79 V30
Saint-Maugan 35............103 W33
Saint-Maulvis 80............11 AZ14
Saint-Maur 60............21 BA18
Saint-Maur 39............196 CC51
Saint-Maur 36............171 AX49
Saint-Maur 32............315 AN86
Saint-Maur 18............190 BC51
Saint-Maur-de-Glanfeuil
(Abbaye de) 49............150 AJ42
Saint-Maur-des-Bois 50......52 AD26
Saint-Maur-des-Fossés 94...58 BE27
Saint-Maur-sur-le-Loir 28....110 AW34
Saint-Maurice 94............58 BD27

ST-MALO

Broussais (R.)............DZ
Cartier (R. J.)............DZ 5
Chartres (R. de)............DZ 6
Chateaubriand (Pl.)............DZ 8
Cordiers (R. des)............DZ 13
Dinan (R. de)............DZ
Forgeurs (R. du)............DZ 18
Fosse (R. de la)............DZ 19

Herbes (Pl. aux)............DZ 25
Lamennais (Pl. Fr.)............DZ 28
Mettrie (R. de la)............DZ 35
Pilori (Pl. du)............DZ 38
Poids-du-Rois (Pl. du)............DZ 39
Poissonnerie (Pl. de la)............DZ 42
Porcon-de-la-Barbinais (R.)............DZ 43
St-Benoist (R.)............DZ 56
St-Vincent (R.)............DZ 57
Vauban (Pl.)............DZ 70

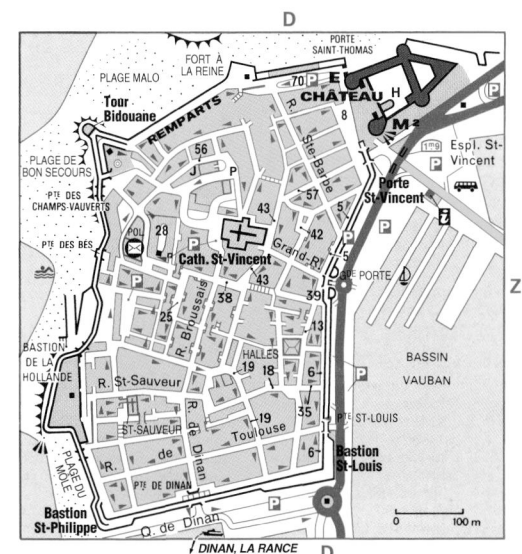

Saint-Maurice 67..............97 CO31
Saint-Maurice 63........228 BK62
Saint-Maurice 58........175 BM46
Saint-Maurice 52........139 CA37
Saint-Maurice-
aux-Forges 54..............96 CK29
Saint-Maurice-
aux-Riches-Hommes 89..89 BL32
Saint-Maurice-
Colombier 25............142 CJ41
Saint-Maurice-Crillat 39....197 CE51
Saint-Maurice-
d'Ardèche 07............266 BT74
Saint-Maurice-
de-Beynost 01...........213 BX59
Saint-Maurice-
de-Cazevieille 30........284 BS80
Saint-Maurice-
de-Gourdans 01.........213 BZ60
Saint-Maurice-
de-Laurençanne 17......219 AH65
Saint-Maurice-
de-Lestapel 47...........258 AP74
Saint-Maurice-
de-Lignon 43.............247 BR66
Saint-Maurice-
de-Rémens 01............214 CA58
Saint-Maurice-
de-Rotherens 73.........232 CD62
Saint-Maurice-
de-Satonnay 71..........195 BW53
Saint-Maurice-
de-Tavernole 17.........219 AH63
Saint-Maurice-
de-Ventalon 48..........283 BP76
Saint-Maurice-
des-Champs 71...........194 BU51
Saint-Maurice-
des-Lions 16.............204 AQ58
Saint-Maurice-
des-Noues 85............184 AF51
Saint-Maurice-d'Ételan 76...35 AQ19
Saint-Maurice-d'Ibie 07.....266 BU74
Saint-Maurice-du-Désert 61..82 AJ29
Saint-Maurice-
en-Chalencon 07........248 BV70
Saint-Maurice-
en-Cotentin 50............28 Z19
Saint-Maurice-
en-Gourgois 42..........229 BR64
Saint-Maurice-
en-Quercy 46............261 BA72
Saint-Maurice-
en-Rivière 71............178 BX48
Saint-Maurice-
en-Trièves 38............268 CD71
Saint-Maurice-
en-Valgodemard 05......269 CG71
Saint-Maurice-
la-Clouère 86............186 AO54
Saint-Maurice-
la-Fougereuse 79........167 AH46
Saint-Maurice-
la-Souterraine 23........206 AW56
Saint-Maurice-le-Girard 85..167 AF50
Saint-Maurice-le-Vieil 89...135 BK38
Saint-Maurice-
les-Brousses 87.........223 AU61
Saint-Maurice-
lès-Charency 61..........55 AR28
Saint-Maurice-
lès-Châteauneuf 71......193 BR55
Saint-Maurice-
lès-Couches 71..........177 BU48
Saint-Maurice-l'Exil 38......231 BW64
Saint-Maurice-
Montcouronne 91.........87 BB29
Saint-Maurice-
Navacelles 34...........302 BM82
Saint-Maurice-
près-Crocq 23............208 BD59
Saint-Maurice-
près-Pionsat 63..........208 BF57
Saint-Maurice-
Saint-Germain 28.........85 AT30
Saint-Maurice-
sous-les-Côtes 55........64 CB24
Saint-Maurice-
sur-Adour 40............294 AG82
Saint-Maurice-
sur-Aveyron 45..........135 BH37
Saint-Maurice-
sur-Dargoire 69.........230 BV62
Saint-Maurice-
sur-Eygues 26...........285 BY76
Saint-Maurice-
sur-Fessard 45..........112 BF36
Saint-Maurice-
sur-Huisne 61............84 AR31
Saint-Maurice-
sur-Loire 42.............211 BQ58
Saint-Maurice-
sur-Mortagne 88..........95 CI31
Saint-Maurice-
sur-Moselle 88...........120 CK36
Saint-Maurice-
sur-Vingeanne 21........139 CA40
Saint-Maurice-
Thizouaille 89...........135 BK37
Saint-Maurin 47..........276 AR78
Saint-Max 54..............65 CF27

Saint-Maxent 80.............11 AY13
Saint-Maximin 60...........38 BE22
Saint-Maximin 38.........233 CG64
Saint-Maximin 30.........284 BU80
Saint-Maximin-
la-Sainte-Baume 83.......327 CF86
Saint-Maixire 79...........184 AH53
Saint-May 26..............268 CA75
Saint-Mayeux 22............77 P32
Saint-Méard 87............224 AX62
Saint-Méard-de-Drône 24..239 AO66
Saint-Méard-
de-Gurçon 24............239 AM70
Saint-Médard 79...........185 AJ55
Saint-Médard 64..........293 AF85
Saint-Médard 57............66 CI26
Saint-Médard 46..........259 AU74
Saint-Médard 40..........294 AG81
Saint-Médard 36...........170 AU47
Saint-Médard 32..........316 AO86
Saint-Médard 31..........334 AR90
Saint-Médard 23..........207 BB57
Saint-Médard 17..........220 AI64
Saint-Médard 16..........220 AJ63
Saint-Médard-d'Aunis 17...200 AD56
Saint-Médard-
de-Guizières 33..........238 AK69
Saint-Médard-
de-Mussidan 24..........239 AN68
Saint-Médard-
de-Presque 46............261 AZ71
Saint-Médard-des-Prés 85..184 AF52
Saint-Médard-
d'Excideuil 24...........223 AT65
Saint-Médard-d'Eyrans 33..255 AG72
Saint-Médard-en-Forez 42..230 BT62
Saint-Médard-
en-Jalles 33.............237 AF70
Saint-Médard-
Nicourby 46.............261 BA72
Saint-Médard-sur-Ille 35....80 Z32
Saint-Méen 29..............71 G27
Saint-Méen-le-Grand 35...103 V33
Saint-Melaine 35..........104 AB34
Saint-Melaine-
sur-Aubance 49..........149 AH42
Saint-Mélany 07..........265 BV77
Saint-Méloir-des-Bois 22....79 V30
Saint-Méloir-des-Ondes 35..50 X28
Saint-Même-le-Tenu 44.....165 X46
Saint-Même-
les-Carrières 16..........220 AJ62
Saint-Memmie 51...........62 BS25
Saint-Menge 88............94 CE32
Saint-Menges 08............27 BV16
Saint-Menoux 03..........191 BJ51
Saint-Merd-de-Lapleau 19..243 BB66
Saint-Merd-la-Breuille 23...226 BD61
Saint-Merd-
les-Oussines 19..........225 BA62
Saint-Méry 77..............88 BG29
Saint-Meslin-du-Bosc 27....35 AS22
Saint-Mesmes 77...........59 BF25
Saint-Mesmin 85...........167 AF49
Saint-Mesmin 24..........223 AU65
Saint-Mesmin 21..........159 BU43
Saint-Mesmin 10...........90 BO31
Saint-Mexant 19..........242 AX66
Saint-Mézard 32..........275 AA80
Saint-M'Hervé 35..........105 AD33
Saint-M'Hervon 35........103 W32
Saint-Micaud 71..........177 BU50
Saint-Michel 82..........277 AS80
Saint-Michel 64..........330 AA89
Saint-Michel 52..........139 BZ38
Saint-Michel 45...........111 BD35
Saint-Michel 34..........301 BL82
Saint-Michel 32..........315 AN86
Saint-Michel 31..........317 AT89
Saint-Michel 16..........221 AL62
Saint-Michel 09..........185 AW90
Saint-Michel 02............25 BQ14
Saint-Michel-Chef-Chef 44..146 V44
Saint-Michel-d'Aurance 07..248 BU70
Saint-Michel-
de-Bannières 46..........242 AY69
Saint-Michel-
de-Boulogne 07..........266 BT72
Saint-Michel-
de-Castelnau 33..........274 AJ77
Saint-Michel-
de-Chabrillanoux 07.....266 BV71
Saint-Michel-de-Chaillol 05..269 CH72
Saint-Michel-
de-Chavaignes 72........108 AQ35
Saint-Michel-de-Cuxa
(Abbaye de) 66...........342 BD96
Saint-Michel-de-Dèze 48...283 BP77
Saint-Michel-
de-Double 24............239 AN68
Saint-Michel-de-Feins 53...128 AH38
Saint-Michel-de-Frigolet
(Abbaye) 13.............304 BW81
Saint-Michel-
de-Fronsac 33...........238 AI69
Saint-Michel-de-la-Pierre 50..31 AC22
Saint-Michel-de-la-Roë 53..105 AD36
Saint-Michel-de-Lanès 11...318 AY88
Saint-Michel-
de-Lapujade 33..........257 AL73
Saint-Michel-de-Livet 14....54 AN24

Saint-Michel-de-Llotes 66..342 BF95
Saint-Michel-
de-Maurienne 73........252 CJ66
Saint-Michel-
de-Montaigne 24.........238 AK70
Saint-Michel-
de-Montjoie 50...........52 AE27
Saint-Michel-de-Mourcairol
(Château de) 34..........301 BJ85
Saint-Michel-de-Plélan 22...79 V30
Saint-Michel-
de-Rieufret 33...........255 AH73
Saint-Michel-
de-Rivière 24............238 AK67
Saint-Michel-
de-Saint-Geoirs 38.......232 CA65
Saint-Michel-de-Vax 81....278 AY79
Saint-Michel-de-Veisse 23..207 BB58
Saint-Michel-
de-Villadeix 24..........240 AQ69
Saint-Michel-
de-Volangis 18...........155 BE45
Saint-Michel-
des-Andaines 61..........82 AI29
Saint-Michel-des-Loups 50..51 AA27
Saint-Michel-d'Euzet 30....284 BU78
Saint-Michel-
d'Halescourt 76...........21 AY18
Saint-Michel-
en-Beaumont 38..........251 CF70
Saint-Michel-
en-Brenne 36............170 AU49
Saint-Michel-en-Grève 22....72 L26
Saint-Michel-en-l'Herm 85..183 AB53
Saint-Michel-Escalus 40....292 AA81
Saint-Michel-
et-Chanveaux 49.........127 AD39
Saint-Michel-Labadié 81...280 BE80
Saint-Michel-le-Cloucq 85..184 AF52
Saint-Michel-
l'Écluse-et-Léparon 24....239 AL67
Saint-Michel-les-Portes 38..250 CC70
Saint-Michel-
l'Observatoire 04........306 CE81
Saint-Michel-Loubéjou 46..243 AZ70
Saint-Michel-
Mont-Mercure 85.........166 AE48
Saint-Michel-Peyresq 04...288 CL79
Saint-Michel-sous-Bois 62....6 BA8
Saint-Michel-sur-Loire 37...151 AO43
Saint-Michel-
sur-Meurthe 88............96 CL31
Saint-Michel-sur-Orge 91....87 BC29
Saint-Michel-
sur-Rhône 42............231 BW64
Saint-Michel-
sur-Savasse 26...........249 BZ67
Saint-Michel-sur-Ternoise 62...7 BD9
Saint-Michel-Tubœuf 61....55 AR27
Saint-Mihiel 55............64 CA25
Saint-Mitre-
les-Remparts 13.........325 BY86
Saint-Molf 44.............145 T41
Saint-Momelin 59...........3 BC5
Saint-Mont 32............294 AJ84
Saint-Montan 07..........266 BV75
Saint-Moré 89............136 BO40
Saint-Moreil 23...........206 AY60
Saint-Morel 08.............40 BU21
Saint-Morillon 33.........255 AG73
Saint-Mury-
Monteymond 38.........251 CF66
Saint-Myon 63............209 BJ58
Saint-Nabor 67............97 CO30
Saint-Nabord 88...........119 CI34
Saint-Nabord-sur-Aube 10...91 BR30
Saint-Nauphary 81........297 AV81
Saint-Nazaire 66..........343 BI95
Saint-Nazaire 44..........146 U43
Saint-Nazaire 30..........239 AN70
Saint-Nazaire 30..........284 BV78
Saint-Nazaire (Pont de) 44..146 V42
Saint-Nazaire (Site de) 19..226 BD64
Saint-Nazaire-d'Aude 11...320 BH89
Saint-Nazaire-
de-Ladarez 34...........321 BJ86
Saint-Nazaire-
de-Pézan 34.............303 BR84
Saint-Nazaire-
de-Valentane 82.........277 AS78
Saint-Nazaire-
des-Gardies 30...........283 BQ80
Saint-Nazaire-
en-Royans 26............250 CA68
Saint-Nazaire-le-Désert 26..268 CA73
Saint-Nazaire-
les-Eymes 38............251 CE66
Saint-Nazaire-
sur-Charente 17.........200 AC58
Saint-Nectaire 63.........227 BI62
Saint-Nexans 24..........238 AP71
Saint-Nic 29.............278 G31
Saint-Nicodème 22..........77 N30
Saint-Nicodème
(Chapelle) 56............101 P35
Saint-Nicolas 62...........13 BG10
Saint-Nicolas
(Cascade) 68............120 CL36
Saint-Nicolas
(Chapelle) 56............101 M34
Saint-Nicolas-aux-Bois 02...24 BL18

Saint-Nicolas-aux-Bois
(Abbaye de) 02............24 BL18
Saint-Nicolas-Courbefy 87..223 AT62
Saint-Nicolas-
d'Aliermont 76............20 AV15
Saint-Nicolas-d'Attez 27....55 AS27
Saint-Nicolas-
de-Bliquetuit 76...........35 AR19
Saint-Nicolas-
de-Bourgueil 37..........150 AM43
Saint-Nicolas-de-Brem 85..165 X50
Saint-Nicolas-
de-la-Balerme 47.........276 AQ79
Saint-Nicolas-
de-la-Grave 82...........277 AS79
Saint-Nicolas-de-la-Haie 76..19 AQ18
Saint-Nicolas-
de-la-Taille 76............35 AP19
Saint-Nicolas-
de-Macherin 38..........232 CC64
Saint-Nicolas-
de-Pierrepont 50..........31 AA20
Saint-Nicolas-de-Port 54....95 CG28
Saint-Nicolas-
de-Redon 44............125 W39
Saint-Nicolas-
de-Sommaire 61...........55 AQ27
Saint-Nicolas-de-Véroce 74..216 CL59
Saint-Nicolas-des-Biefs 03..211 BO57
Saint-Nicolas-des-Bois 61...83 AM30
Saint-Nicolas-des-Bois 50...52 AD27
Saint-Nicolas-des-Eaux 56..101 P35
Saint-Nicolas-
des-Laitiers 61............55 AP26
Saint-Nicolas-
des-Motets 37...........131 AT40
Saint-Nicolas-du-Bosc 27....35 AS22
Saint-Nicolas-
du-Bosc-l'Abbé 27........55 AQ24
Saint-Nicolas-du-Tertre 56..125 V37
Saint-Nicolas-en-Forêt 57...45 CE20
Saint-Nizier-d'Azergues 69..212 BT57
Saint-Nizier-de-Fornas 42..229 BQ64

Saint-Nizier-
du-Moucherotte 38.......250 CD67
Saint-Nizier-le-Bouchoux 01..195 BY52
Saint-Nizier-le-Désert 01...213 BY57
Saint-Nizier-
sous-Charlieu 42.........211 BR56
Saint-Nizier-sur-Arroux 71..176 BR49
Saint-Nolff 56............124 R38
Saint-Nom-la-Bretèche 78...57 BA26
Saint-Offenge-Dessous 73..215 CF60
Saint-Offenge-Dessus 73...215 CF60
Saint-Omer 62.............3 BC5
Saint-Omer 44............147 X41
Saint-Omer 14.............53 AI25
Saint-Omer-Capelle 62......3 BB3
Saint-Omer-
en-Chaussée 60...........37 BA19
Saint-Ondras 38..........232 CC63
Saint-Onen-la-Chapelle 35..103 V33
Saint-Oradoux-
de-Chirouze 23..........226 BD61
Saint-Oradoux-
près-Crocq 23...........208 BD59
Saint-Orens 32...........296 AR83
Saint-Orens-
de-Gameville 31.........298 AW85
Saint-Orens-Pouy-Petit 32..295 AN81
Saint-Ost 32.............316 AO87
Saint-Osvin 50............51 AC27
Saint-Ouen 93.............58 BD26
Saint-Ouen 80.............12 BB13
Saint-Ouen 41............131 AT38
Saint-Ouen 17............202 AJ59
Saint-Ouen-d'Attez 27......56 AT27
Saint-Ouen-d'Aunis 17.....183 AD55
Saint-Ouen-de-la-Cour 61...84 AQ31
Saint-Ouen-de-Mimbré 72...83 AM32
Saint-Ouen-
de-Pontcheuil 27..........36 AT22
Saint-Ouen-
de-Sécherouve 61........84 AP29
Saint-Ouen-
de-Thouberville 27........35 AS20
Saint-Ouen-des-Alleux 35...80 AB31
Saint-Ouen-des-Besaces 14..52 AF24
Saint-Ouen-des-Champs 27..35 AQ20
Saint-Ouën-des-Toits 53...105 AF34
Saint-Ouën-des-Vallons 53..106 AH33
Saint-Ouen-Domprot 51.....91 BS29
Saint-Ouen-du-Breuil 76....20 AT17

Saint-Ouen-
du-Mesnil-Oger 14........34 AL23
Saint-Ouen-du-Tilleul 27....36 AT21
Saint-Ouen-en-Belin 72.....130 AN57
Saint-Ouen-en-Brie 77.......88 BH29
Saint-Ouen-
en-Champagne 72.........107 AK36
Saint-Ouen-la-Rouërie 35....80 AB30
Saint-Ouen-l'Aumône 95.....58 BB24
Saint-Ouen-le-Brisoult 61....82 AJ30
Saint-Ouen-le-Houx 14......54 AN25
Saint-Ouen-le-Mauger 76....20 AT16
Saint-Ouen-le-Pin 14........34 AM23
Saint-Ouen-lès-Parey 88....118 CC33
Saint-Ouen-les-Vignes 37...152 AT44
Saint-Ouen-Marchefroy 28..57 AX26
Saint-Ouen-sous-Bailly 76...10 AV14
Saint-Ouen-
sur-Gartempe 87.........205 AT56
Saint-Ouen-sur-Iton 61......55 AR27
Saint-Ouen-sur-Maire 61....53 AK28
Saint-Ouen-sur-Loire 58....174 BK43
Saint-Ouen-sur-Morin 77....60 BJ26
Saint-Oulph 10.............90 BO30
Saint-Ours 73............215 CF60
Saint-Ours 63............209 BH60
Saint-Outrille 18.........154 AZ45
Saint-Oyen 73............234 CJ63
Saint-Oyen-Montbellet 71..195 BW52
Saint-Pabu 29.............70 E27
Saint-Paër 76.............35 AS19
Saint-Paër 27.............37 AY21
Saint-Pair 14.............33 AK22
Saint-Pair-du-Mont 14......34 AM23
Saint-Pair-sur-Mer 50......51 AA24
Saint-Pal-
de-Chalencon 43.........229 BP65
Saint-Pal-de-Mons 43......248 BS66
Saint-Pal-de-Senouire 43...246 BN65
Saint-Palais 64...........311 AB87
Saint-Palais 33...........219 AG65
Saint-Palais 18...........155 BD44
Saint-Palais 03...........190 BC53
Saint-Palais-
de-Négrignac 17.........238 AJ66
Saint-Palais-de-Phiolin 17..219 AG63
Saint-Palais-du-Né 16......220 AH64
Saint-Palais-sur-Mer 17....218 AC61
Saint-Pancrace 2B.........346 FD107
Saint-Pancrace 04.........306 CE82
Saint-Pancrace 73.........234 CI65

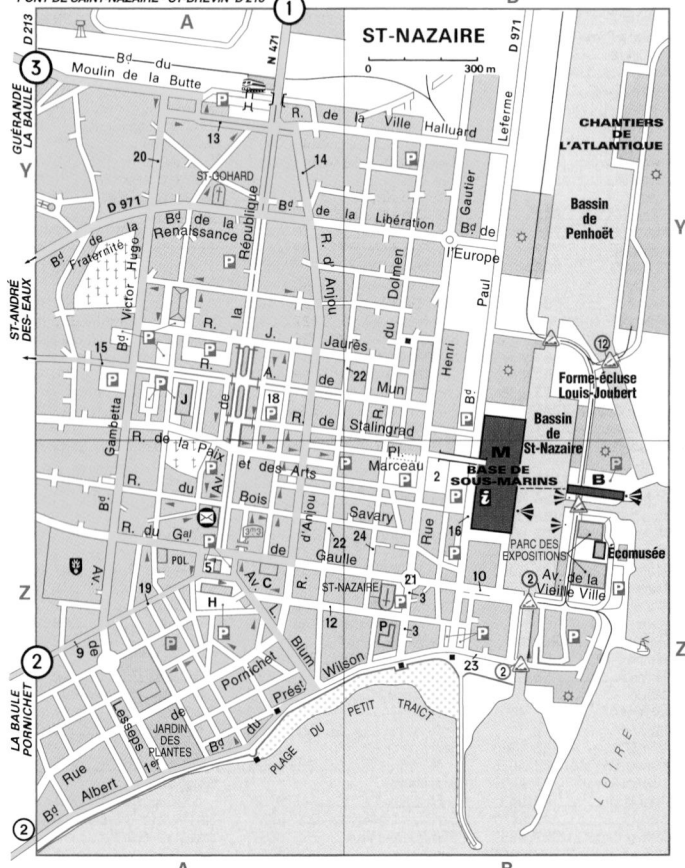

REDON, RENNES, VANNES, NANTES N 171
PONT DE SAINT-NAZAIRE - ST-BRÉVIN D 213

ST-NAZAIRE

Amérique Latine
(Pl.de l')................BZ 2
Auriol (R. Vincent)........BZ 3
Blancho (Pl. F.)..........AZ 5
Chêneveaux (R.)..........AZ 9
Coty (Bd René)...........BZ 10
Croisic (R. du)...........AZ 12
Herminier (Av. Cdt-l').....AY 13
Ile-de-France (R. de l').....AY 14

Jean-Jaurès (R.).........ABY
Lechat (R. A. B.).........AY 15
Légion-d'Honneur
(Bd de la)..............BZ 16
Martyrs-de-la-
Résistance (Pl. des)....AY 18
Mendès-France (R.).......AZ 19
Paix et des Arts
(R. de la)..............AYZ

Perrin (Bd P.)...........AY 20
Quatre Z'Horloges
(Pl. des)...............BZ 21
République
(Av. de la).............AYZ
Salengro (R. R.).........AYZ 22
Verdun (Bd de)..........BZ 23
28-Février-1943
(R. du)................BZ 24

Saint-Pancrace 24.........222 AQ64
Saint-Pancrace 06.........309 CQ82
Saint-Pancrasse 38.........233 CE65
Saint-Pancré 54.........44 CB18
Saint-Pandelon 40.........292 AB83
Saint-Pantaléon 84.........305 CA81
Saint-Pantaléon 71.........176 BS47
Saint-Pantaléon 46.........277 AU76
Saint-Pantaléon-de-Lapleau 19.........225 BC65
Saint-Pantaléon-de-Larche 19.........242 AW67
Saint-Pantaléon-les-Vignes 26.........267 BY75
Saint-Pantaly-d'Ans 24.........241 AS66
Saint-Pantaly-d'Excideuil 24.........223 AS65
Saint-Papoul 11.........319 BA88
Saint-Pardon-de-Conques 33.........256 AJ74
Saint-Pardoult 17.........201 AH58
Saint-Pardoux 87.........205 AV57
Saint-Pardoux 79.........185 AI51
Saint-Pardoux 63.........209 BI57
Saint-Pardoux-Corbier 19.........224 AW66
Saint-Pardoux-d'Arnet 23.........208 BD59
Saint-Pardoux-de-Drône 24.........239 AO66
Saint-Pardoux-du-Breuil 47.........257 AM75
Saint-Pardoux-et-Vielvic 24.........259 AS71
Saint-Pardoux-Isaac 47.........257 AN73
Saint-Pardoux-la-Croisille 19.........243 BA66
Saint-Pardoux-la-Rivière 24.........222 AQ63
Saint-Pardoux-le-Neuf 23.........207 BC59
Saint-Pardoux-le-Neuf 19.........243 BD62
Saint-Pardoux-le-Vieux 19.........225 BC62
Saint-Pardoux-les-Cards 23.........207 BB57
Saint-Pardoux-l'Ortigier 19.........242 AX66
Saint-Pardoux-Morterolles 23.........207 AZ59
Saint-Pargoire 34.........302 BM85
Saint-Parize-en-Viry 58.........175 BL49
Saint-Parize-le-Châtel 58.........174 BJ48
Saint-Parres-aux-Tertres 10...91 BO32
Saint-Parres-lès-Vaudes 10..115 BR34
Saint-Parthem 12.........262 BD73
Saint-Pastour 47.........258 AP75
Saint-Pastous 65.........332 AJ91
Saint-Paterne 72.........84 AM31
Saint-Paterne-Racan 37.........130 AP40
Saint-Pathus 77.........59 BG24
Saint-Patrice 37.........151 AN43
Saint-Patrice-de-Claids 50.....31 AB21
Saint-Patrice-du-Désert 61...82 AJ29
Saint-Paul 88.........94 CD31
Saint-Paul 87.........224 AW61
Saint-Paul 73.........233 CE61
Saint-Paul 65.........334 AO90
Saint-Paul 61.........53 AH27
Saint-Paul 60.........37 BA20
Saint-Paul 33.........237 AG67
Saint-Paul 19.........243 AZ67
Saint-Paul 06.........309 CP82
Saint-Paul-aux-Bois 02.........40 BJ19
Saint-Paul-Cap-de-Joux 81.........299 BA84
Saint-Paul-de-Baïse 32.........295 AN82
Saint-Paul-de-Fenouillet 66.........338 BE93
Saint-Paul-de-Fourques 27...35 AS22
Saint-Paul-de-Jarrat 09.........336 AX92
Saint-Paul-de-Loubressac 46.........278 AW77
Saint-Paul-de-Salers 15.........244 BE68
Saint-Paul-de-Serre 24.........240 AP68
Saint-Paul-de-Tartas 43.........265 BP71
Saint-Paul-de-Varax 01.........213 BY56
Saint-Paul-de-Varces 38.........250 CD68
Saint-Paul-de-Vern 46.........261 BA71
Saint-Paul-de-Vézelin 42.........211 BO59
Saint-Paul-des-Landes 15.........244 BD70
Saint-Paul-d'Espis 82.........277 AS78
Saint-Paul-d'Izeaux 38.........232 CB65
Saint-Paul-d'Oueil 31.........334 AO93
Saint-Paul-du-Bois 49.........167 AH46
Saint-Paul-du-Vernay 14.........32 AG22
Saint-Paul-d'Uzore 42.........229 BO61
Saint-Paul-en-Born 40.........272 AB77
Saint-Paul-en-Chablais 74..198 CK53
Saint-Paul-en-Cornillon 42.230 BS64
Saint-Paul-en-Forêt 83.........308 CM84
Saint-Paul-en-Gâtine 79.........167 AG50
Saint-Paul-en-Jarez 42.........230 BU63
Saint-Paul-en-Pareds 85.........166 AD48
Saint-Paul-et-Valmalle 34.302 BM85
Saint-Paul-la-Coste 30.........283 BQ78
Saint-Paul-la-Roche 24.........223 AS64
Saint-Paul-le-Froid 48.........264 BN71
Saint-Paul-le-Gaultier 72...83 AL32
Saint-Paul-le-Jeune 07.........283 BR76
Saint-Paul-lès-Dax 40.........292 AB83
Saint-Paul-les-Fonts 30.........284 BV79
Saint-Paul-lès-Monestier 38.........250 CD69
Saint-Paul-lès-Romans 26.249 BZ68

Saint-Paul-lez-Durance 13.306 CE83
Saint-Paul-Lizonne 24.........221 AN65
Saint-Paul-Mont-Penit 85...165 Y48
Saint-Paul-sur-Isère 73.........234 CJ62
Saint-Paul-sur-Risle 27.........35 AQ21
Saint-Paul-sur-Save 31.........297 AU83
Saint-Paul-sur-Ubaye 04.........271 CM73
Saint-Paul-Trois-Châteaux 26.........285 BW76
Saint-Paulet 11.........318 AZ87
Saint-Paulet-de-Caisson 30.........284 BV77
Saint-Paulien 43.........247 BO67
Saint-Pavace 72.........107 AN35
Saint-Pé-d'Ardet 31.........334 AP91
Saint-Pé-de-Bigorre 65.........332 AI90
Saint-Pé-de-Léren 64.........292 AB85
Saint-Pé-Delbosc 31.........316 AP88
Saint-Pé-Saint-Simon 47.....275 AL80
Saint-Pée-sur-Nivelle 64.........310 X87
Saint-Pellerin 50.........32 AD21
Saint-Pellerin 28.........109 AU35
Saint-Péran 35.........103 W34
Saint-Péravy-la-Colombe 45.........110 AY36
Saint-Péravy-Épreux 45.........111 BA33
Saint-Péray 07.........249 BX69
Saint-Perdon 40.........293 AF81
Saint-Perdoux 46.........261 BA73
Saint-Perdoux 24.........258 AP72
Saint-Père 89.........157 BN42
Saint-Père 58.........156 BH42
Saint-Père 35.........50 X28
Saint-Père-en-Retz 44.........146 W44
Saint-Père-sur-Loire 45.........134 BD38
Saint-Péreuse 58.........175 BO46
Saint-Pern 35.........103 X32
Saint-Perreux 56.........125 V38
Saint-Péver 22.........77 P29
Saint-Phal 10.........114 BP34
Saint-Philbert-de-Bouaine 85.........165 Z46
Saint-Philbert-de-Grand-Lieu 44.........165 Z46
Saint-Philbert-des-Champs 14.........34 AO22
Saint-Philbert-du-Peuple 49.........150 AL42
Saint-Philbert-du-Pont-Charrault 85.......166 AD50
Saint-Philbert-en-Mauges 49.........148 AD45
Saint-Philbert-sur-Boissey 27.........35 AR22
Saint-Philbert-sur-Orne 61...53 AJ26
Saint-Philbert-sur-Risle 27...35 AQ21
Saint-Philbert 56.........124 P39
Saint-Philbert 21.........160 BX44
Saint-Philibert-d'Entremont 38.........233 CE64
Saint-Philippe-d'Aiguille 33.........238 AK70
Saint-Philippe-du-Seignal 33.........257 AM71
Saint-Piat 28.........86 AX30
Saint-Pierre 67.........97 CP30
Saint-Pierre 51.........62 BR25
Saint-Pierre 39.........197 CE51
Saint-Pierre 31.........298 AX84
Saint-Pierre 15.........226 BD65
Saint-Pierre 04.........289 C080
Saint-Pierre-à-Arnes 08.........42 BS21
Saint-Pierre-à-Champ 79...167 AI46
Saint-Pierre-à-Gouy 80.........22 BB14
Saint-Pierre-Aigle 02.........40 BJ21
Saint-Pierre-Avez 05.........287 CE77
Saint-Pierre-Azif 14.........34 AM21
Saint-Pierre-Bellevue 23.....207 AZ59
Saint-Pierre-Bénouville 76...20 AT16
Saint-Pierre-Bois 67.........97 CO31
Saint-Pierre-Brouck 59.........3 BC3
Saint-Pierre-Canivet 14.........53 AK25
Saint-Pierre-Chérignat 23.204 .34 AL22
Saint-Pierre-Colamine 63.227 BI63
Saint-Pierre-d'Albigny 73...233 CH62
Saint-Pierre-d'Allevard 38.233 CG64
Saint-Pierre-d'Alvey 73.........232 CD61
Saint-Pierre-d'Amilly 17.........201 AG56
Saint-Pierre-d'Argençon 05.268 CD74
Saint-Pierre-d'Arthéglise 50..28 Z19
Saint-Pierre-d'Aubézies 32.........295 AL84
Saint-Pierre-d'Aurillac 33...256 AJ73
Saint-Pierre-d'Autils 27.........36 AW23
Saint-Pierre-de-Bailleul 27...36 AW23
Saint-Pierre-de-Bat 33.........256 AI72
Saint-Pierre-de-Belleville 73.........233 CH63
Saint-Pierre-de-Bœuf 42.........231 BW64
Saint-Pierre-de-Bressieux 38.........232 CA65
Saint-Pierre-de-Buzet 47.258 AM77
Saint-Pierre-de-Caubel 47.258 AP75
Saint-Pierre-de-Cernières 27.........55 AP25
Saint-Pierre-de-Chandieu 69.........231 BY62
Saint-Pierre-de-Chartreuse 38.........233 CE65

Saint-Pierre-de-Chérennes 38.........250 BC67
Saint-Pierre-de-Cheville 72..130 AO39
Saint-Pierre-de-Chignac 24.........240 AR68
Saint-Pierre-de-Clairac 47...276 AO78
Saint-Pierre-de-Côle 24.........222 AR65
Saint-Pierre-de-Colombier 07.........266 BS72
Saint-Pierre-de-Cormeilles 27.........35 AP22
Saint-Pierre-de-Coutances 50.........51 AB24
Saint-Pierre-de-Curtille 73..215 CE60
Saint-Pierre-de-Frugie 24...223 AS63
Saint-Pierre-de-Fursac 23..206 AW56
Saint-Pierre-de-Genebroz 73.........232 CD63
Saint-Pierre-de-Jards 36.....172 BA46
Saint-Pierre-de-Juillers 17..202 AI58
Saint-Pierre-de-la-Fage 34.302 BM82
Saint-Pierre-de-Lages 31...298 AX85
Saint-Pierre-de-Lamps 36...171 AW47
Saint-Pierre-de-l'Ile 17.........201 AH57
Saint-Pierre-de-Maillé 86...170 AR50
Saint-Pierre-de-Mailloc 14...54 AO24
Saint-Pierre-de-Manneville 76.........36 AT20
Saint-Pierre-de-Méaroz 38..251 CE70
Saint-Pierre-de-Mésage 38.........251 CE68
Saint-Pierre-de-Mézoargues 13.........304 BV81
Saint-Pierre-de-Mons 33....256 AI74
Saint-Pierre-de-Nogaret 48.........263 BJ75
Saint-Pierre-de-Plesguen 35.79 X30
Saint-Pierre-de-Rivière 09..336 AW92
Saint-Pierre-de-Salerne 27...36 AQ22
Saint-Pierre-de-Semilly 50...32 AE23
Saint-Pierre-de-Soucy 73...233 CG63
Saint-Pierre-de-Trivisy 81..300 BE83
Saint-Pierre-de-Varengeville 76.........36 AT19
Saint-Pierre-de-Varennes 71.........177 BT48
Saint-Pierre-de-Vassols 84.285 BZ79
Saint-Pierre-dels-Forcats 66.........341 BB97
Saint-Pierre-d'Entremont 38.........233 CE64
Saint-Pierre-d'Entremont 73.........233 CE64
Saint-Pierre-d'Entremont 61..53 AH26
Saint-Pierre-des-Bois 72....107 AK36
Saint-Pierre-des-Champs 11.........338 BF91
Saint-Pierre-des-Corps 37..152 AR42
Saint-Pierre-des-Echaubrognes 79...167 AF46
Saint-Pierre-des-Fleurs 27...36 AT22
Saint-Pierre-des-Ifs 27.........35 AQ21
Saint-Pierre-des-Ifs 14.........34 AN23
Saint-Pierre-des-Jonquières 76.........20 AW15
Saint-Pierre-des-Landes 53...81 AE32
Saint-Pierre-des-Loges 61...55 AP27
Saint-Pierre-des-Nids 53.........83 AL31
Saint-Pierre-des-Ormes 72..84 AO32
Saint-Pierre-des-Tripiers 48.........282 BK78
Saint-Pierre-d'Exideuil 86..203 AN56
Saint-Pierre-d'Eyraud 24....257 AN71
Saint-Pierre-d'Irube 64.........292 Y85
Saint-Pierre-du-Bosguérard 27.........35 AS22
Saint-Pierre-du-Bû 14.........53 AK26
Saint-Pierre-du-Champ 43.247 BP66
Saint-Pierre-du-Chemin 85.........167 AG50
Saint-Pierre-du-Fresne 14...52 AG24
Saint-Pierre-du-Jonquet 14..34 AN21
Saint-Pierre-du-Lorouër 72.130 AP38
Saint-Pierre-du-Mesnil 27...55 AP25
Saint-Pierre-du-Mont 58.....157 BL42
Saint-Pierre-du-Mont 40.....294 AG81
Saint-Pierre-du-Mont 14.........47 AF20
Saint-Pierre-du-Palais 17.........238 AJ67
Saint-Pierre-du-Perray 91.........88 BE29
Saint-Pierre-du-Regard 61...53 AI24
Saint-Pierre-du-Val 27.........34 AO20
Saint-Pierre-du-Vauvray 27...36 AV22
Saint-Pierre-Église 50.........29 AC16
Saint-Pierre-en-Faucigny 74.........216 CI56
Saint-Pierre-en-Port 76.........19 AP15
Saint-Pierre-en-Val 76.........10 AW13
Saint-Pierre-en-Vaux 21.....177 BT46
Saint-Pierre-es-Champs 60...37 AY20
Saint-Pierre-Eynac 43.........247 BQ68
Saint-Pierre-la-Bourlhonne 63.........229 BO61
Saint-Pierre-la-Bruyère 61...84 AR32
Saint-Pierre-la-Cour 53.........105 AE34
Saint-Pierre-la-Garenne 27...36 AW23
Saint-Pierre-la-Noaille 42.........105 BQ54
Saint-Pierre-la-Palud 69.....212 BU60
Saint-Pierre-la-Rivière 61...54 AN26

Saint-Pierre-la-Roche 07....266 BV73
Saint-Pierre-la-Vieille 14.........53 AH25
Saint-Pierre-Lafeuille 46....260 AW74
Saint-Pierre-Langers 50.........51 AB26
Saint-Pierre-Laval 03.........211 BO56
Saint-Pierre-Lavis 76.........19 AQ17
Saint-Pierre-le-Bost 23.........190 BC53
Saint-Pierre-le-Chastel 63.209 BH60
Saint-Pierre-le-Déchausselat 07.....265 BR75
Saint-Pierre-le-Moûtier 58..174 BJ49
Saint-Pierre-le-Potier 53.....106 AG35
Saint-Pierre-le-Vieux 85.....184 AF53
Saint-Pierre-le-Vieux 76.........19 AS15
Saint-Pierre-le-Vieux 71.....194 BU55
Saint-Pierre-le-Vieux 48.....264 BK71
Saint-Pierre-le-Viger 76.........19 AS15
Saint-Pierre-les-Aubagne 13.........327 CD87
Saint-Pierre-lès-Bitry 60.........39 BI20
Saint-Pierre-lès-Bois 18.....190 BC51
Saint-Pierre-lès-Elbeuf 76...36 AT22
Saint-Pierre-les-Étieux 18..173 BF50
Saint-Pierre-lès-Franqueville 02.........25 BN15
Saint-Pierre-lès-Nemours 77.........112 BF33
Saint-Pierre-Pryvé-Montlimart 49.........148 AD43
Saint-Pierre-Quiberon 56....123 040
Saint-Pierre-Roche 63.........227 BH61
Saint-Pierre-sur-Dives 14.........54 AL24
Saint-Pierre-sur-Doux 07...248 BT67
Saint-Pierre-sur-Dropt 47..257 AM73
Saint-Pierre-sur-Erve 53.....106 AI35
Saint-Pierre-sur-Mer 11.........321 BK89
Saint-Pierre-sur-Orthe 53...107 AK33
Saint-Pierre-sur-Vence 08.....26 BU17
Saint-Pierre-Tarentaine 14...52 AG25
Saint-Pierre-Toirac 46.........261 BA74
Saint-Pierremont 88.........95 CI30
Saint-Pierremont 08.........43 BW19
Saint-Pierremont 02.........25 BO16
Saint-Pierreville 07.........266 BU71
Saint-Pierrevillers 55.........44 CB20
Saint-Plaisir 03.........191 BI51
Saint-Plancard 31.........316 AO89
Saint-Planchers 50.........51 AA26
Saint-Plantaire 36.........189 AY53
Saint-Point 71.........194 BU54
Saint-Point-Lac 25.........180 CH48
Saint-Poix 53.........105 AE36
Saint-Pol-de-Léon 29.........71 I26
Saint-Pol-sur-Mer 59.........3 BD2
Saint-Pol-sur-Ternoise 62...7 BD9
Saint-Polgues 42.........211 BP59
Saint-Polycarpe 11.........337 BC91
Saint-Pompain 79.........184 AG53
Saint-Pompon 24.........259 AT72
Saint-Poncy 15.........245 BJ67
Saint-Pons 07.........266 BV73
Saint-Pons 04.........270 CL75
Saint-Pons (Parc de) 13.....327 CE87
Saint-Pons-de-Mauchiens 34.........302 BM85
Saint-Pons-de-Thomières 34.........320 BG86
Saint-Pons-la-Calm 30.........284 BV79
Saint-Pont 03.........210 BK56
Saint-Porchaire 17.........201 AE59
Saint-Porquier 82.........277 AT80
Saint-Pôtan 22.........79 V29
Saint-Pouange 10.........114 BP33
Saint-Pourçain-sur-Besbre 03.........192 BN53
Saint-Pourçain-sur-Sioule 03.........192 BK54
Saint-Prancher 88.........94 CE31
Saint-Préjet-Armandon 43.........246 BM66
Saint-Préjet-d'Allier 43.........246 BN67
Saint-Prest 28.........86 AX30
Saint-Preuil 16.........220 AJ62
Saint-Priest 69.........231 BX61
Saint-Priest 23.........208 BD57
Saint-Priest 07.........266 BU72
Saint-Priest-Bramefant 63.210 BL58
Saint-Priest-d'Andelot 03..209 BJ57
Saint-Priest-de-Gimel 19...243 AZ66
Saint-Priest-des-Champs 63.........209 BG58
Saint-Priest-en-Jarez 42.....230 BT64
Saint-Priest-en-Murat 03...191 BH54
Saint-Priest-la-Feuille 23...206 AX56
Saint-Priest-la-Marche 18...190 BC53
Saint-Priest-la-Plaine 23....206 AX56
Saint-Priest-la-Prugne 42...211 BO58
Saint-Priest-la-Roche 42.....211 BO59
Saint-Priest-la-Vêtre 42.........211 BO60
Saint-Priest-les-Fougères 24.........223 AS63
Saint-Priest-Ligoure 87.........223 AV62
Saint-Priest-Palus 23.........206 AX59
Saint-Priest-sous-Aixe 87..205 AT60
Saint-Priest-Taurion 87.........205 AV59
Saint-Prim 38.........231 BW64
Saint-Privat 34.........301 BL83
Saint-Privat 19.........243 BB68
Saint-Privat 07.........266 BT73

Saint-Privat-d'Allier 43.........246 BN69
Saint-Privat-de-Champclos 30.........284 BT77
Saint-Privat-de-Vallongue 48.........283 BP77
Saint-Privat-des-Prés 24....239 AM66
Saint-Privat-des-Vieux 30.283 BR78
Saint-Privat-du-Dragon 43.........246 BL67
Saint-Privat-du-Fau 48.........246 BL70
Saint-Privat-la-Montagne 57.........45 CE22
Saint-Privé 89.........135 BI39
Saint-Privé 71.........177 BU50
Saint-Prix 95.........58 BC24
Saint-Prix 71.........176 BQ47
Saint-Prix 07.........248 BU69
Saint-Prix 03.........192 BN55
Saint-Prix-lès-Arnay 21.....159 BT45
Saint-Projet 82.........278 AY77
Saint-Projet 46.........260 AW72
Saint-Projet 15.........262 BD73
Saint-Projet-de-Salers 15..244 BE68
Saint-Projet-Saint-Constant 16.........221 AN61
Saint-Prouant 85.........166 AE49
Saint-Pryvé-Saint-Mesmin 45.........133 AZ37
Saint-Puy 32.........296 AO81
Saint-Python 59.........14 BL11
Saint-Quantin-de-Rançanne 17.........219 AG63
Saint-Quay-Perros 22.........72 M25
Saint-Quay-Portrieux 22.........73 R27
Saint-Quentin 02.........24 BK15
Saint-Quentin-au-Bosc 76...10 AV14
Saint-Quentin-de-Baron 33.........256 AI71
Saint-Quentin-de-Blavou 61.........84 AP30
Saint-Quentin-de-Caplong 33.........257 AL71
Saint-Quentin-de-Chalais 16.........239 AL66
Saint-Quentin-des-Isles 27...55 AQ24
Saint-Quentin-des-Prés 60...37 AZ19
Saint-Quentin-du-Dropt 47.........258 AP72
Saint-Quentin-en-Mauges 49.........148 AE43
Saint-Quentin-en-Tourmont 80.........11 AX10
Saint-Quentin-en-Yvelines 78.........57 BA27
Saint-Quentin-Fallavier 38.231 BY62
Saint-Quentin-la-Chabanne 23.........207 BB59
Saint-Quentin-la-Motte-Croix-au-Bailly 80.........10 AW13
Saint-Quentin-la-Poterie 30.........284 BU79
Saint-Quentin-la-Tour 09...336 AZ91
Saint-Quentin-le-Petit 08.....25 BP18
Saint-Quentin-le-Verger 51..90 BN29
Saint-Quentin-les-Anges 53.........128 AF38
Saint-Quentin-lès-Beaurepaire 49.........129 AK40
Saint-Quentin-les-Chardonnets 61.........52 AG27
Saint-Quentin-les-Marais 51.........62 BU27
Saint-Quentin-lès-Troo 41..131 AR38
Saint-Quentin-sur-Charente 16.........204 AQ60
Saint-Quentin-sur-Coole 51.62 BR26
Saint-Quentin-sur-Indrois 37.........152 AT44
Saint-Quentin-sur-Isère 38.232 CC65
Saint-Quentin-sur-le-Homme 50.........51 AC28
Saint-Quentin-sur-Nohain 58.........156 BI43
Saint-Quentin-sur-Sauxillanges 63.........228 BL63
Saint-Quintin-sur-Sioule 63.........209 BI57
Saint-Quirc 09.........318 AW88
Saint-Quirin 57.........96 CM28
Saint-Rabier 24.........241 AT67
Saint-Racho 71.........194 BS55
Saint-Rambert-d'Albon 26.........249 BW66
Saint-Rambert-en-Bugey 01.........214 CB58
Saint-Rambert-l'Ile-Barbe 69.........213 BW60
Saint-Raphaël 83.........329 CN86
Saint-Raphaël 24.........241 AT66
Saint-Régis-du-Coin 42.....248 BT66
Saint-Règle 37.........152 AT42
Saint-Remèze 07.........284 BU76
Saint-Remimont 88.........94 CD32
Saint-Remimont 54.........95 CG29
Saint-Rémy 88.........96 CK31
Saint-Rémy 71.........184 AH53
Saint-Rémy 70.........141 CF37
Saint-Rémy 24.........239 AM66
Saint-Rémy 21.........137 BR40
Saint-Rémy 19.........225 BC62

Saint-Rémy 14.........53 AI25
Saint-Rémy 12.........279 BA76
Saint-Rémy 01.........195 BZ55
Saint-Rémy-au-Bois 62.........6 AZ9
Saint-Rémy-aux-Bois 54.....95 CH30
Saint-Rémy-Blanzy 02.........40 BK22
Saint-Rémy-Boscrocourt 76..10 AW13
Saint-Rémy-Chaussée 59.....15 BO11
Saint-Rémy-de-Blot 63.........209 BH57
Saint-Rémy-de-Chargnat 63.........228 BK63
Saint-Rémy-de-Chaudes-Aigues 15.263 BI72
Saint-Rémy-de-Maurienne 73.........233 CH64
Saint-Rémy-de-Provence 13.........304 BX82
Saint-Rémy-des-Landes 50...31 AA21
Saint-Rémy-des-Monts 72...84 AO32
Saint-Rémy-du-Nord 59.........15 BO11
Saint-Rémy-du-Plain 35.........80 AA31
Saint-Rémy-du-Val 72.........83 AN32
Saint-Rémy-en-Bouzemont-Saint-Genest-et-Isson 51.62 BU28
Saint-Rémy-en-l'Eau 60.........38 BD19
Saint-Rémy-en-Mauges 49..148 AD43
Saint-Rémy-en-Montmorillon 86.........187 AS55
Saint-Rémy-en-Rollat 03.....210 BL56
Saint-Rémy-la-Calonne 55....64 CB24
Saint-Rémy-la-Vanne 77.........60 BJ27
Saint-Rémy-la-Varenne 49.150 AJ42
Saint-Rémy-le-Petit 08.........42 BR20
Saint-Rémy-lès-Chevreuse 78.........58 BB28
Saint-Rémy-l'Honoré 78.........57 AZ27
Saint-Rémy-sous-Barbuise 10.........91 BQ30
Saint-Rémy-sous-Broyes 51.61 BN28
Saint-Rémy-sur-Avre 28.........56 AV27
Saint-Rémy-sur-Bussy 51.....62 BT24
Saint-Rémy-sur-Creuse 86.169 AQ47
Saint-Rémy-sur-Durolle 63.210 BM59
Saint-René 29.........74 D29
Saint-Renan 22.........78 S29
Saint-Restitut 26.........285 BW76
Saint-Révérend 85.........165 X49
Saint-Révérien 58.........157 BM44
Saint-Rieul 22.........79 U30
Saint-Rigomer-des-Bois 72..83 AN31
Saint-Rimay 41.........131 AS38
Saint-Riquier 80.........11 BA12
Saint-Riquier-en-Rivière 76...21 AX15
Saint-Riquier-ès-Plains 76....19 AR15
Saint-Rirand 42.........211 BO57
Saint-Rivoal 29.........76 I30
Saint-Robert 47.........276 AO72
Saint-Robert 19.........241 AV66
Saint-Roch 37.........151 AP42
Saint-Rogatien 17.........200 AC56
Saint-Romain 86.........186 A055
Saint-Romain 63.........229 BP63
Saint-Romain 21.........177 BV47
Saint-Romain 16.........239 AM66
Saint-Romain (Mont) 71...194 BV52
Saint-Romain-au-Mont-d'Or 69.........213 BW59
Saint-Romain-d'Ay 07.........248 BV67
Saint-Romain-de-Benet 17.219 AE61
Saint-Romain-de-Colbosc 76.........18 AO18
Saint-Romain-de-Jalionas 38.........213 BZ60
Saint-Romain-de-Lerps 07.249 BW69
Saint-Romain-de-Monpazier 24.........258 AR72
Saint-Romain-de-Popey 69.........212 BU59
Saint-Romain-de-Surieu 38.........231 BX64
Saint-Romain-des-Iles 71.....213 BW56
Saint-Romain-d'Urfé 42.........211 BO59
Saint-Romain-en-Gal 69.....231 BW63
Saint-Romain-en-Gier 69.....230 BV62
Saint-Romain-en-Jarez 42.230 BU63
Saint-Romain-en-Viennois 84.........285 BZ77
Saint-Romain-et-Saint-Clément 24.........222 AR64
Saint-Romain-la-Motte 42.211 BP57
Saint-Romain-la-Virvée 33.237 AH69
Saint-Romain-Lachalm 43.248 BS66
Saint-Romain-le-Noble 47.276 AO78
Saint-Romain-le-Preux 89...113 BK36
Saint-Romain-le-Puy 42.........229 BR63
Saint-Romain-les-Atheux 42.........230 BT65
Saint-Romain-sous-Gourdon 71.........194 BT51
Saint-Romain-sous-Versigny 71.........193 BR51
Saint-Romain-sur-Cher 41.153 AW43
Saint-Roman-de-Gironde 17.........219 AF64
Saint-Roman 26.........268 CB72
Saint-Roman (Abbaye de) 30.........304 BV82
Saint-Roman-de-Bellet 06.309 CQ82

Saint-Roman-
de-Codières 30.............283 BO80
Saint-Roman-
de-Malegarde 84.........285 BY77
Saint-Romans 38............250 CA67
Saint-Romans-
des-Champs 79.............185 AI55
Saint-Romans-
lès-Melle 79...............185 AJ55
Saint-Rome 31...............318 AX87
Saint-Rome-de-Cernon 12..281 BI80
Saint-Rome-de-Dolan 48...282 BK77
Saint-Rome-de-Tarn 12.....281 BH80
Saint-Romphaire 50............62 AE24
Saint-Rouin
(Ermitage de) 55...........68 BW24
Saint-Rustice 31.............297 AV82
Saint-Saëns 76................20 AV17
Saint-Saire 76................21 AX17
Saint-Salvadou 12...........279 BB77
Saint-Salvadour 19..........224 AY65
Saint-Salvi-
de-Carcavès 81............300 BF82
Saint-Salvy 47...............275 AO77
Saint-Salvy-
de-la-Balme 81............299 BD85
Saint-Samson 53..............33 AK30
Saint-Samson 14..............34 AL22
Saint-Samson-
de-Bonfossé 50.............32 AD23
Saint-Samson-
de-la-Roque 27.............35 AP20
Saint-Samson-la-Poterie 60..21 AY18
Saint-Samson-
sur-Rance 22................79 W29
Saint-Sandoux 63............227 BJ62
Saint-Santin 12..............261 BC73
Saint-Santin-Cantalès 15...243 BC69
Saint-Santin-de-Maurs 15..261 BC73
Saint-Sardos 82.............297 AT81
Saint-Sardos 47.............275 AO76
Saint-Sardos-
de-Laurenque 47...........258 AR74
Saint-Satur 18...............156 BH43
Saint-Saturnin 72...........107 AM35
Saint-Saturnin 63...........227 BJ62
Saint-Saturnin 51............90 BO29
Saint-Saturnin 48...........282 BK76
Saint-Saturnin 18...........190 BC52
Saint-Saturnin 16...........221 AL61
Saint-Saturnin 15...........245 BG66

Saint-Saturnin-
de-Lenne 12................263 BI75
Saint-Saturnin-
de-Lucian 34...............302 BM84
Saint-Saturnin-du-Bois 17..201 AG56
Saint-Saturnin-
du-Limet 53.................127 AD37
Saint-Saturnin-lès-Apt 84..286 CB80
Saint-Saturnin-
lès-Avignon 84............285 BY80
Saint-Saturnin-
sur-Loire 49...............149 AI42
Saint-Saud-
Lacoussière 24.............222 AR63
Saint-Saulge 58.............175 BM46
Saint-Saulve 59................9 BL9
Saint-Saury 15...............261 BB71
Saint-Sauvant 86............185 AL54
Saint-Sauvant 17............201 AH60
Saint-Sauves-
d'Auvergne 63.............226 BF62
Saint-Sauveur 86............169 AQ49
Saint-Sauveur 80.............22 BC14
Saint-Sauveur 79............167 AI48
Saint-Sauveur 70............141 CH37
Saint-Sauveur 60.............39 BG21
Saint-Sauveur 54.............96 CL29
Saint-Sauveur 38............250 CA67
Saint-Sauveur 33............237 AE66
Saint-Sauveur 31............297 AV83
Saint-Sauveur 29.............76 I29
Saint-Sauveur 24............240 AP70
Saint-Sauveur 21............160 CA42
Saint-Sauveur 05............270 CK73
Saint-Sauveur
(Chapelle) 64..............330 AB90
Saint-Sauveur-
Camprieu 30...............282 BM79
Saint-Sauveur-d'Aunis 17..183 AE55
Saint-Sauveur-
de-Carrouges 61............83 AL29
Saint-Sauveur-
de-Chaulieu 50.............52 AF27
Saint-Sauveur-
de-Cruzières 07...........284 BS77
Saint-Sauveur-de-Flée 49..128 AF38
Saint-Sauveur-
de-Ginestoux 48...........264 BN72
Saint-Sauveur-
de-Landemont 49...........148 AC43

Saint-Sauveur-
de-Meilhan 47.............256 AK75
Saint-Sauveur-
de-Montagut 07............266 BU71
Saint-Sauveur-
de-Peyre 48................264 BK73
Saint-Sauveur-
de-Pierrepont 50...........31 AA20
Saint-Sauveur-
de-Puynormand 33.........238 AK69
Saint-Sauveur-
d'Émalleville 76...........18 AO18
Saint-Sauveur-
des-Landes 35..............81 AC31
Saint-Sauveur-
en-Diois 26................267 BZ72
Saint-Sauveur-
en-Puisaye 89.............135 BJ40
Saint-Sauveur-en-Rue 42..248 BU66
Saint-Sauveur-
Gouvernet 26..............286 CB76
Saint-Sauveur-
la-Pommeraye 50...........51 AB26
Saint-Sauveur-
la-Sagne 63...............228 BN65
Saint-Sauveur-
la-Vallée 46...............260 AX73
Saint-Sauveur-Lalande 24..239 AM69
Saint-Sauveur-
le-Vicomte 50..............31 AB20
Saint-Sauveur-Lendelin 50..31 AB22
Saint-Sauveur-
les-Bains 65...............333 AK93
Saint-Sauveur-lès-Bray 77..89 BJ31
Saint-Sauveur-Levasville 28..85 AV29
Saint-Sauveur-sur-École 77..88 BE30
Saint-Sauveur-sur-Tinée 06..289 CP78
Saint-Sauvier 03............190 BD54
Saint-Sauvy 32..............296 AR83
Saint-Savin 86...............187 AR52
Saint-Savin 65...............332 AJ91
Saint-Savin 38...............232 CA62
Saint-Savin 33...............237 AH67
Saint-Savinien 17...........201 AF59
Saint-Saviol 86.............203 AN56
Saint-Savournin 13.........327 CD86
Saint-Sébastien 38.........251 CE70
Saint-Sébastien 23.........188 AX54
Saint-Sébastien
(Chapelle) 29..............75 H31

Saint-Sébastien-
d'Aigrefeuille 30..........283 BQ79
Saint-Sébastien-
de-Morsent 27..............56 AU24
Saint-Sébastien-de-Raids 50..31 AC22
Saint-Sébastien-
sur-Loire 44...............147 AA44
Saint-Secondin 86..........186 AP54
Saint-Ségal 29...............75 H31
Saint-Séglin 35..............103 W36
Saint-Seine 58..............175 BO50
Saint-Seine-en-Bâche 21...160 CA45
Saint-Seine-l'Abbaye 21....159 BV42
Saint-Seine-
sur-Vingeanne 21..........160 CA41
Saint-Selve 33..............255 AG72
Saint-Senier-de-Beuvron 50..81 AC29
Saint-Senier-
sous-Avranches 50..........51 AC27
Saint-Senoch 37.............170 AS46
Saint-Senoux 35.............104 Y36
Saint-Sériès 34.............303 BR83
Saint-Sernin 47.............257 AM72
Saint-Sernin 11.............318 AY89
Saint-Sernin 07.............266 BT74
Saint-Sernin 07..............35 AQ21
Saint-Sernin-du-Bois 71....177 BT48
Saint-Sernin-du-Plain 71...177 BU48
Saint-Sernin-
lès-Lavaur 81.............299 BA85
Saint-Sernin-sur-Rance 12..300 BG85
Saint-Sérotin 89............113 BJ33
Saint-Servais 29.............71 H28
Saint-Servais 22.............77 M30
Saint-Servan-sur-Mer 35...50 X28
Saint-Servant 56............102 S36
Saint-Setiers 19............225 BB61
Saint-Seurin-de-Bourg 33..237 AG68
Saint-Seurin-
de-Cadourne 33............219 AE65
Saint-Seurin-de-Cursac 33..237 AF67
Saint-Seurin-
de-Palenne 17.............219 AG62
Saint-Seurin-de-Prats 24..257 AL71
Saint-Seurin-d'Uzet 17....219 AE63
Saint-Seurin-sur-l'Isle 33..238 AK69
Saint-Sève 33..............256 AK73
Saint-Sever 40.............293 AF22
Saint-Sever-Calvados 14....52 AE26
Saint-Sever-de-Rustan 65..315 AM87
Saint-Sever-
de-Saintonge 17...........219 AH61

Saint-Sever-
du-Moustier 12............300 BG83
Saint-Séverin 16............221 AM65
Saint-Séverin-
d'Estissac 24..............239 AO68
Saint-Séverin-
sur-Boutonne 17...........201 AH57
Saint-Siffret 30............284 BU80
Saint-Sigismond 85.........184 AF54
Saint-Sigismond 74........216 CK56
Saint-Sigismond 49.........148 AE41
Saint-Sigismond 45.........110 AY36
Saint-Sigismond-
de-Clermont 17............219 AG64
Saint-Silvain-
Bas-le-Roc 23.............190 BC54
Saint-Silvain-
Bellegarde 23.............207 BC58
Saint-Silvain-
Montaigut 23..............206 AY56
Saint-Silvain-
sous-Toulx 23..............190 BC55
Saint-Siméon 77.............60 BJ27
Saint-Siméon 61.............82 AG30
Saint-Siméon 27.............35 AQ21
Saint-Siméon-
de-Bressieux 38...........232 CA65
Saint-Simon 46..............261 AZ72
Saint-Simon 16..............220 AK62
Saint-Simon 15..............244 BE69
Saint-Simon 02...............24 BJ16
Saint-Simon-de-Bordes 17..219 AH64
Saint-Simon-
de-Pellouaille 17..........219 AF62
Saint-Sixte 47..............276 AQ79
Saint-Sixte 42..............211 BQ60
Saint-Solen 22...............79 X30
Saint-Solve 19..............241 AV66
Saint-Sorlin 69.............230 BV62
Saint-Sorlin-d'Arves 73....251 CH66
Saint-Sorlin-de-Conac 17..219 AF65
Saint-Sorlin-
de-Morestel 38............232 CB62
Saint-Sorlin-de-Vienne 38..231 BX63
Saint-Sorlin-en-Bugey 01..214 CA59
Saint-Sorlin-en-Valloire 26..231 BX65
Saint-Sornin 85.............182 AA52
Saint-Sornin 17.............200 AD60
Saint-Sornin 16.............221 AO61
Saint-Sornin 03.............191 BI53
Saint-Sornin-la-Marche 87..205 AS56
Saint-Sornin-Lavolps 19...223 AV65
Saint-Sornin-Leulac 87....205 AV56
Saint-Soulan 32.............316 AR86
Saint-Souplet 59.............14 BL13
Saint-Souplet-sur-Py 51....42 BS22
Saint-Soupplets 77..........59 BG24
Saint-Sozy 46...............242 AX70
Saint-Stail 88...............96 CM30
Saint-Suliac 35..............79 X29
Saint-Sulpice 81............298 AX83
Saint-Sulpice 73............233 CE62
Saint-Sulpice 70............141 CI40
Saint-Sulpice 63............226 BF62
Saint-Sulpice 60.............38 BB21
Saint-Sulpice 58............174 BK46
Saint-Sulpice 53............106 AG36
Saint-Sulpice 49............149 AI42
Saint-Sulpice 46............260 AY74
Saint-Sulpice 01............195 BY54
Saint-Sulpice-d'Arnoult 17..201 AE60
Saint-Sulpice-
de-Cognac 16..............202 AI60
Saint-Sulpice-
de-Faleyrens 33...........238 AJ70
Saint-Sulpice-
de-Favières 91.............87 BC30
Saint-Sulpice-
de-Grimbouville 27.........35 AP20
Saint-Sulpice-
de-Guilleragues 33........257 AL73
Saint-Sulpice-
de-Mareuil 24.............221 AO64
Saint-Sulpice-
de-Pommeray 41...........132 AV40
Saint-Sulpice-
de-Pommiers 33...........256 AJ72
Saint-Sulpice-
de-Roumagnac 24.........239 AN67
Saint-Sulpice-de-Royan 17..218 AD61
Saint-Sulpice-
de-Ruffec 16..............203 AN58
Saint-Sulpice-
des-Landes 44.............127 AC40
Saint-Sulpice-
des-Landes 35.............126 Z38
Saint-Sulpice-
des-Rivoires 38...........232 CC63
Saint-Sulpice-
d'Excideuil 24............223 AS65
Saint-Sulpice-
en-Pareds 85..............183 AE51
Saint-Sulpice-
et-Cameyrac 33............237 AH70
Saint-Sulpice-la-Forêt 35..104 AA33
Saint-Sulpice-Laurière 87..206 AW57
Saint-Sulpice-le-Dunois 23..189 AY55
Saint-Sulpice-
le-Guérétois 23...........207 AZ56

Saint-Sulpice-
le-Verdon 85..............165 AA47
Saint-Sulpice-les-Bois 19..225 BB62
Saint-Sulpice-
les-Champs 23.............207 BA58
Saint-Sulpice-
les-Feuilles 87...........188 AV58
Saint-Sulpice-sur-Lèze 31..317 AV88
Saint-Sulpice-sur-Risle 61..55 AQ27
Saint-Supplet 54.............44 CB20
Saint-Sylvain 76.............19 AF15
Saint-Sylvain 19............243 AZ67
Saint-Sylvain 14.............53 AK24
Saint-Sylvain-d'Anjou 49..149 AI41
Saint-Sylvestre 87.........205 AW69
Saint-Sylvestre 74.........215 CF59
Saint-Sylvestre 07.........249 BW69
Saint-Sylvestre-Cappel 59....3 BE5
Saint-Sylvestre-
de-Cormeilles 27...........35 AP22
Saint-Sylvestre-
Pragoulin 63..............210 BL57
Saint-Sylvestre-sur-Lot 47..276 AR79
Saint-Symphorien 79........184 AH55
Saint-Symphorien 72........107 AL35
Saint-Symphorien 48........264 BN71
Saint-Symphorien 37........151 AQ42
Saint-Symphorien 35.........80 Y32
Saint-Symphorien 33........255 AG75
Saint-Symphorien 27.........35 AQ21
Saint-Symphorien 18........173 BD49
Saint-Symphorien 04........287 CG77
Saint-Symphorien-
d'Ancelles 71.............194 BV55
Saint-Symphorien-
de-Lay 42.................211 BR58
Saint-Symphorien-
de-Mahun 07..............248 BU67
Saint-Symphorien-
de-Marmagne 71...........176 BS48
Saint-Symphorien-
de-Thénières 12...........263 BG72
Saint-Symphorien-
des-Bois 71...............194 BS54
Saint-Symphorien-
des-Bruyères 61............55 AQ27
Saint-Symphorien-
des-Monts 50...............81 AE29
Saint-Symphorien-
d'Ozon 69.................231 BW62
Saint-Symphorien-
le-Château 28...............86 AY30
Saint-Symphorien-
le-Valois 50................31 AA21
Saint-Symphorien-
les-Buttes 50..............52 AF24
Saint-Symphorien-
sous-Chomérac 07.........267 BW72
Saint-Symphorien-
sur-Coise 69..............230 BT62
Saint-Symphorien-
sur-Couze 87..............205 AU57
Saint-Symphorien-
sur-Saône 21..............160 BZ45
Saint-Thégonnec 29..........71 I28
Saint-Thélo 22.............102 Q32
Saint-Théodorit 30.........303 BR81
Saint-Théoffrey 38.........251 CE69
Saint-Thibaud-de-Couz 73..233 CE63
Saint-Thibault 60...........21 AZ17
Saint-Thibault 21..........159 BT42
Saint-Thibault 10..........115 BH43
Saint-Thibault-
des-Vignes 77..............59 BF26
Saint-Thibaut 02............40 BM21
Saint-Thibéry 34...........322 BM87
Saint-Thiébaud 39..........179 CE47
Saint-Thiébault 52.........117 CB33
Saint-Thierry 51............41 BP21
Saint-Thois 29..............76 I32
Saint-Thomas 31............297 AT85
Saint-Thomas 02.............41 BN19
Saint-Thomas (Col de) 42..211 BO59
Saint-Thomas-
de-Conac 17...............219 AF64
Saint-Thomas-
de-Courceriers 53..........82 AJ32
Saint-Thomas-
en-Argonne 51..............43 BV22
Saint-Thomas-
en-Royans 26..............250 CA64
Saint-Thomas-
la-Garde 42...............229 BQ63
Saint-Thomé 07.............266 BV74
Saint-Thonan 29.............70 F28
Saint-Thual 35..............79 X31
Saint-Thurial 35...........103 X35
Saint-Thuriau 56...........101 P34
Saint-Thurien 29...........100 K34
Saint-Thurien 27............35 AQ20
Saint-Thurin 42.............211 BP60
Saint-Thyrse (Chapelle) 04..308 CK81
Saint-Tricat 62...............2 AZ3
Saint-Trinit 84.............286 CC78
Saint-Trivier-de-Courtes 01..195 BY52
Saint-Trivier-
sur-Moignans 01...........213 BX57
Saint-Trojan 33............237 AG68
Saint-Trojan-les-Bains 17..200 AB59

ST-QUENTIN

Aumale (R. d')...............AZ 2
Basch (R. Victor)...........AYZ 3
Basilique (Pl. de la).......ABY 4
Campions (Pl. des)...........AZ 5
Croix-Belle-Porte (R.).......AY 6
Dufour-Denelle (Pl.).........AZ 7
États-Généraux (R. des)......AY 8
Foy (R. du Gén.).............AZ 10
Gaulle (Av. du Gén.-de).....BZ 13

Gouvernement (R. du).......BY 15
Héros-du-2-Septembre-1945
(Pl. des)................BZ 16
Herriot (R. Édouard)........BZ 17
Hôtel-de-Ville (Pl. de l')..AY 18
Isle (R. d')................BZ
Leclerc (R. Gén.)...........AZ 21
Lyon (R. de)................BZ 24
Mulhouse (Pl.)..............BY 25
Ovres (R. E.)...............BY 26
Paringault (R.).............ABY 27
Pompidou (R. G.)............AY 28

Prés.-J.-F.-Kennedy (R. du)....AY 29
Raspail (R.)................AY
Rémicourt (Av. de)..........BY 31
St-André (R.)...............AY 32
Sellerie (R. de la).........BZ 33
Le Sérurier (R.)............AY 23
Sous-Préfecture (R. de la)..AY 34
Thomas (R. A.)..............AY 36
Toiles (R. des).............BZ 37
Verdun (Bd).................AZ 38
Zola (R. Émile).............AZ
8-Octobre (Pl. du)..........BZ 41

Saint-Tropez 83.........329 CM87
Saint-Tugdual 56.........101 M33
Saint-Tugen 29.........98 D33
Saint-Ulphace 72.........108 AR34
Saint-Ulrich 68.........143 CN39
Saint-Uniac 35.........103 W33
Saint-Urbain 85.........164 W47
Saint-Urbain 29.........75 G29
Saint-Urbain-sur-Marne 52..93 BY31
Saint-Urcisse 81.........298 AX81
Saint-Urcisse 47.........276 AR78
Saint-Urcize 15.........263 BI72
Saint-Ursin 50.........51 AB26
Saint-Usage 21.........160 BZ45
Saint-Usage 10.........116 BU34
Saint-Usuge 71.........178 BZ50
Saint-Utin 51.........91 BP27
Saint-Uze 26.........249 BX67
Saint-Vaast-de-Longmont 60.........39 BG21
Saint-Vaast-d'Équiqueville 76.........20 AV15
Saint-Vaast-Dieppedalle 76...19 AR16
Saint-Vaast-du-Val 76.........20 AT17
Saint-Vaast-en-Auge 14.........34 AM21
Saint-Vaast-en-Cambrésis 59.........14 BK11
Saint-Vaast-la-Hougue 50.........29 AD17
Saint-Vaast-lès-Mello 60.........38 BD22
Saint-Vaast-sur-Seulles 14...43 AH23
Saint-Vaize 17.........201 AG60
Saint-Valbert 70.........142 CK39
Saint-Valentin 36.........172 AZ47
Saint-Valérien 89.........113 BI34
Saint-Valérien 85.........183 AE52
Saint-Valery 60.........21 AY16
Saint-Valery-en-Caux 76.........19 AR15
Saint-Valery-sur-Somme 80...11 AY11
Saint-Vallerin 71.........177 BV50
Saint-Vallier 88.........95 CG32
Saint-Vallier 71.........194 BS51
Saint-Vallier 26.........249 BW67
Saint-Vallier-de-Thiey 06.........308 CN82
Saint-Vallier-sur-Marne 52.139 CA37
Saint-Varent 79.........168 AJ48
Saint-Vaury 23.........206 AY56
Saint-Venant 62.........7 BE6
Saint-Venec (Chapelle) 29....75 H32
Saint-Vénérand 43.........246 BN70
Saint-Vérain 58.........156 BI41
Saint-Véran 05.........271 CN71
Saint-Vérand 71.........194 BV55
Saint-Vérand 69.........212 BU59
Saint-Vérand 38.........250 CA67
Saint-Vert 43.........228 BM65
Saint-Viance 19.........242 AW67
Saint-Viâtre 41.........154 BA41
Saint-Viaud 44.........146 W43
Saint-Victeur 72.........83 AM32
Saint-Victor 24.........239 AO66
Saint-Victor 15.........243 BC69
Saint-Victor 07.........248 BV68
Saint-Victor 03.........190 BF54
Saint-Victor-de-Buthon 28....85 AT31
Saint-Victor-de-Cessieu 38.........232 CB63
Saint-Victor-de-Chrétienville 27....55 AP24
Saint-Victor-de-Malcap 30..284 BS77
Saint-Victor-de-Morestel 38.........232 CB61
Saint-Victor-de-Réno 61.........84 AR30
Saint-Victor-d'Épine 27.........35 AO22
Saint-Victor-des-Oules 30..284 BU79
Saint-Victor-en-Marche 23.207 AZ57
Saint-Victor-et-Melvieu 12..281 BH80
Saint-Victor-la-Coste 30.........284 BV79
Saint-Victor-la-Rivière 63..227 BH63
Saint-Victor-l'Abbaye 76.........20 AU17
Saint-Victor-Malescours 43.........248 B566
Saint-Victor-Montvianeix 63.........210 BN59
Saint-Victor-Rouzaud 09..336 AW90
Saint-Victor-sur-Arlanc 43..229 B065
Saint-Victor-sur-Avre 27.........55 AS28
Saint-Victor-sur-Loire 42...230 B564
Saint-Victor-sur-Rhins 42...212 B558
Saint-Victoret 13.........326 CA86
Saint-Victour 19.........226 BD64
Saint-Victurnien 87.........205 A559
Saint-Vidal 43.........247 B068
Saint-Vigor 27.........56 AV24
Saint-Vigor-des-Mézerets 14.........53 AH25
Saint-Vigor-des-Monts 50....52 AE25
Saint-Vigor-d'Ymonville 76..34 AO19
Saint-Vigor-le-Grand 14.........33 AH21
Saint-Vincent 82.........278 AW78
Saint-Vincent 64.........318 AI89
Saint-Vincent 43.........227 BJ63
Saint-Vincent 43.........247 BP67
Saint-Vincent 31.........318 AY86
Saint-Vincent-Bragny 71...193 BR52
Saint-Vincent-Cramesnil 76..34 AO19
Saint-Vincent-de-Barbeyrargues 34...302 BP83
Saint-Vincent-de-Barrès 07..267 BW73

Saint-Vincent-de-Boisset 42.........211 BR58
Saint-Vincent-de-Connezac 24.........239 AO67
Saint-Vincent-de-Cosse 24.........259 AT71
Saint-Vincent-de-Durfort 07.........266 BV71
Saint-Vincent-de-Lamontjoie 47.........275 AO79
Saint-Vincent-de-Mercuze 38.........233 CF64
Saint-Vincent-de-Paul 40....293 AC82
Saint-Vincent-de-Paul 33....237 AH69
Saint-Vincent-de-Pertignas 33.........256 AJ71
Saint-Vincent-de-Reins 69..212 BT57
Saint-Vincent-de-Salers 15.........244 BE67
Saint-Vincent-de-Tyrosse 40.........292 Z83
Saint-Vincent-des-Bois 27....56 AW24
Saint-Vincent-des-Landes 44.........126 AA39
Saint-Vincent-des-Prés 72....84 AO32
Saint-Vincent-des-Prés 71..194 BU52
Saint-Vincent-d'Olargues 34.........300 BH85
Saint-Vincent-du-Boulay 27..35 AP23
Saint-Vincent-du-Lorouër 72.........130 AP37
Saint-Vincent-du-Pendit 46.........261 AZ71
Saint-Vincent-en-Bresse 71.........178 BY50
Saint-Vincent-Jalmoutiers 24.........239 AM67
Saint-Vincent-la-Châtre 79..185 AK55
Saint-Vincent-la-Commanderie 26.........249 BZ69
Saint-Vincent-le-Paluel 24....84 AU70
Saint-Vincent-les-Forts 04..270 CJ74
Saint-Vincent-Lespinasse 82.........230 AS79
Saint-Vincent-Puymaufrais 85.........183 AC51
Saint-Vincent-Rive-d'Olt 46.........259 AU75
Saint-Vincent-Sterlanges 85.........166 AD49
Saint-Vincent-sur-Graon 85.........182 AA52
Saint-Vincent-sur-Jabron 04.........287 CE78
Saint-Vincent-sur-Jard 85..182 Z53
Saint-Vincent-sur-l'Isle 24..240 AR66
Saint-Vincent-sur-Oust 56..125 V38
Saint-Vinnemer 89.........137 BQ37
Saint-Vit 25.........161 CD44
Saint-Vital 73.........234 CI61
Saint-Vite 47.........259 AS75
Saint-Vitte 18.........190 BE52
Saint-Vitte-sur-Briance 87..224 AX62
Saint-Vivien 24.........239 AL70
Saint-Vivien 17.........200 AD57
Saint-Vivien-de-Blaye 33....237 AG67
Saint-Vivien-de-Médoc 33..218 AC64
Saint-Vivien-de-Monségur 33.........257 AL73
Saint-Voir 03.........192 BM53
Saint-Vougay 29.........71 H27
Saint-Vrain 91.........87 BD30
Saint-Vrain 51.........63 BV28
Saint-Vran 22.........102 T32
Saint-Vulbas 01.........214 CA59
Saint-Waast 59.........15 BN10
Saint-Wandrille-Rançon 76...35 AR19
Saint-Witz 95.........58 BE24
Saint-Xandre 17.........183 AC55
Saint-Yaguen 40.........293 AE81
Saint-Yan 71.........193 BQ53
Saint-Ybard 19.........224 AW64
Saint-Ybars 09.........317 AV89
Saint-Ylie 39.........178 CA46
Saint-Yon 91.........87 BC29
Saint-Yorre 03.........210 BM57
Saint-Yrieix-la-Montagne 23.........207 BA59
Saint-Yrieix-la-Perche 87..223 AU63
Saint-Yrieix-le-Déjalat 19....225 BA64
Saint-Yrieix-les-Bois 23.........207 BA57
Saint-Yrieix-sous-Aixe 87..205 AT59
Saint-Yrieix-sur-Charente 16.........221 AL61
Saint-Ythaire 71.........194 BU51
Saint-Yvi 29.........100 I34
Saint-Yvoine 63.........228 BK62
Saint-Yzan-de-Soudiac 33..237 AH67
Saint-Yzans-de-Médoc 33..219 AE65
Saint-Zacharie 83.........327 CE86
Sainte-Adresse 76.........34 AM19
Sainte-Agathe 63.........210 BN60
Sainte-Agathe-d'Aliermont 76.........20 AV15
Sainte-Agathe-en-Donzy 42.........212 BS60
Sainte-Agathe-la-Bouteresse 42.........229 BQ61
Sainte-Agnès 39.........196 CB51
Sainte-Agnès 38.........251 CF66
Sainte-Agnès 06.........291 CS81

Sainte-Alauzie 46.........277 AV77
Sainte-Alvère 24.........240 AR70
Sainte-Anastasie 30.........303 BT81
Sainte-Anastasie 15.........245 BI67
Sainte-Anastasie-sur-Issole 83.........328 CI87
Sainte-Anne 41.........131 AT38
Sainte-Anne 32.........297 AS83
Sainte-Anne 25.........180 CF47
Sainte-Anne 04.........271 CM74
Sainte-Anne-d'Auray 56.........124 P38
Sainte-Anne-d'Evenos 83..327 CF89
Sainte-Anne-du-Castellet 83.........327 CF88
Sainte-Anne-la-Condamine 04.........271 CM74
Sainte-Anne-la-Palud 29.........75 G32
Sainte-Anne-Saint-Priest 87.........224 AY61
Sainte-Anne-sur-Brivet 44..146 W41
Sainte-Anne-sur-Gervonde 38.........231 BZ63
Sainte-Anne-sur-Vilaine 35.........126 Y38
Sainte-Aulde 77.........60 BJ25
Sainte-Aurence-Cazaux 32..315 AN87
Sainte-Austreberthe 76.........20 AT18
Sainte-Austreberthe 62.........7 BB9
Sainte-Avoye 56.........124 P38
Sainte-Barbe 88.........95 CJ30
Sainte-Barbe 57.........46 CG22
Sainte-Barbe (Alignements de) 56.......100 L34
Sainte-Barbe-sur-Gaillon 27..36 AV23
Sainte-Baume (Gorge de la) 07.........266 BV75
La Sainte-Baume (Massif de) 83.........327 CE87
Sainte-Bazeille 47.........257 AL74
Sainte-Beuve-en-Rivière 76..21 AX16
Sainte-Blandine 79.........185 AJ55
Sainte-Blandine 38.........232 CB62
Sainte-Brigitte 56.........77 O32
Sainte-Camelle 11.........318 AY88
Sainte-Catherine 69.........230 BU62
Sainte-Catherine 63.........228 BM64
Sainte-Catherine 62.........13 BG10
Sainte-Catherine-de-Fierbois 37.........151 AQ45
Sainte-Cécile 85.........166 AC49
Sainte-Cécile 71.........194 BU53
Sainte-Cécile 50.........52 AD26
Sainte-Cécile 36.........153 AY45
Sainte-Cécile-d'Andorge 30.........283 BQ77
Sainte-Cécile-du-Cayrou 81.........278 AY80
Sainte-Cécile-les-Vignes 84.........285 BX77
Sainte-Céronne-lès-Mortagne 61.........84 AP29
Sainte-Cérotte 72.........130 AQ37
Sainte-Christie 32.........296 AP83
Sainte-Christie-d'Armagnac 32.........295 AK82
Sainte-Christine 85.........184 AG54
Sainte-Christine 63.........209 BH57
Sainte-Christine 49.........149 AF43
Sainte-Christine (Chapelle) 29.........75 F30
Sainte-Colombe 89.........137 BP40
Sainte-Colombe 77.........89 BK30
Sainte-Colombe 76.........19 AR16
Sainte-Colombe 69.........231 BX63
Sainte-Colombe 50.........52 AB19
Sainte-Colombe 46.........261 BA72
Sainte-Colombe 40.........293 AF83
Sainte-Colombe 35.........104 AA36
Sainte-Colombe 33.........238 AK70
Sainte-Colombe 25.........180 CH47
Sainte-Colombe 17.........238 AI66
Sainte-Colombe 16.........203 AN60
Sainte-Colombe 05.........286 CD76
Sainte-Colombe-de-Duras 47.........257 AL72
Sainte-Colombe-de-la-Commanderie 66..342 BG96
Sainte-Colombe-de-Peyre 48.........264 BK72
Sainte-Colombe-de-Villeneuve 47.........276 AP76
Sainte-Colombe-des-Bois 58.........156 BJ43
Sainte-Colombe-en-Auxois 21.........159 BT42
Sainte-Colombe-en-Bruilhois 47.........275 AO78
Sainte-Colombe-la-Commanderie 27.........36 AT23
Sainte-Colombe-près-Vernon 27.........36 AV23
Sainte-Colombe-sur-Gand 42.........212 BS59
Sainte-Colombe-sur-Guette 11.........337 BC94
Sainte-Colombe-sur-l'Hers 11.........337 BA92
Sainte-Colombe-sur-Loing 89.........135 BJ40
Sainte-Colombe-sur-Seine 21.........138 BT37

Sainte-Colome 64.........332 AG90
Sainte-Consorce 69.........212 BV60
Sainte-Croix 81.........279 BB80
Sainte-Croix 71.........195 BZ51
Sainte-Croix 46.........277 AV76
Sainte-Croix 26.........268 CA71
Sainte-Croix 24.........258 AR72
Sainte-Croix 12.........261 BA75
Sainte-Croix 02.........41 BN19
Sainte-Croix 01.........213 BY59
Sainte-Croix (Barrage de) 83.........307 CH82
Sainte-Croix (Prieuré de) 60.39 BH20
Sainte-Croix-à-Lauze 04.........306 CG81
Sainte-Croix-aux-Mines 68...96 CN32
Sainte-Croix-de-Caderle 30.........283 BP79
Sainte-Croix-de-Mareuil 24.........221 AO64
Sainte-Croix-de-Quintillargues 34.........302 BP83
Sainte-Croix-du-Mont 33...256 AI73
Sainte-Croix-du-Verdon 04.307 CH32
Sainte-Croix-en-Jarez 42...230 BV63
Sainte-Croix-en-Plaine 68...121 CO34
Sainte-Croix-Grand-Tonne 14.........33 AI22
Sainte-Croix-Hague 50.........28 Z17
Sainte-Croix-sur-Aizier 27...35 AQ20
Sainte-Croix-sur-Buchy 76...20 AW18
Sainte-Croix-sur-Mer 14.........33 AI21
Sainte-Croix-sur-Orne 61....53 AJ27
Sainte-Croix-Vallée-Française 48.........283 BO78
Sainte-Croix-Volvestre 09..335 AT90
Sainte-Dode 32.........315 AM86
Sainte-Eanne 79.........185 AK53
Sainte-Engrâce 64.........331 AD91
Sainte-Enimie 48.........282 BL76
Sainte-Eugénie-de-Villeneuve 43.........246 BN67
Sainte-Eugienne 50.........51 AC27
Sainte-Eulalie 48.........264 BM71
Sainte-Eulalie 33.........237 AH70
Sainte-Eulalie 15.........244 BD68
Sainte-Eulalie 11.........319 BC89
Sainte-Eulalie 07.........265 BR71
Sainte-Eulalie-d'Ans 24.........241 AS66
Sainte-Eulalie-de-Cernon 12.........281 BJ80
Sainte-Eulalie-d'Eymet 24..257 AN72
Sainte-Eulalie-d'Olt 12.........263 BI75
Sainte-Eulalie-en-Born 40..272 AB77
Sainte-Eulalie-en-Royans 26.........250 CA68
Sainte-Euphémie 01.........213 BW58
Sainte-Euphémie-sur-Ouvèze 26.........286 CB76
Sainte-Eusoye 60.........22 BC18
Sainte-Fauste 36.........172 AZ48
Sainte-Féréole 19.........242 AX66
Sainte-Feyre 23.........207 AZ56
Sainte-Feyre-la-Montagne 23.........207 BC59
Sainte-Flaive-des-Loups 85.........165 Z50
Sainte-Florence 85.........166 AC48
Sainte-Florence 33.........256 AK71
Sainte-Floraine 43.........228 BK64
Sainte-Foi 09.........336 AZ90
Sainte-Foy 85.........182 Y51
Sainte-Foy 76.........20 AU16
Sainte-Foy 71.........193 BR55
Sainte-Foy 40.........294 AH81
Sainte-Foy-d'Aigrefeuille 31.........298 AX85
Sainte-Foy-de-Belvès 24....259 AS72
Sainte-Foy-de-Longas 24...240 AQ70
Sainte-Foy-de-Montgommery 14.........54 AN25
Sainte-Foy-de-Peyrolières 31.........317 AT86
Sainte-Foy-des-Vignes 24..239 AO70
Sainte-Foy-la-Grande 33...257 AM71
Sainte-Foy-la-Longue 33...256 AJ73
Sainte-Foy-l'Argentière 69..230 BT61
Sainte-Foy-lès-Lyon 69.........231 BW61
Sainte-Foy-Saint-Sulpice 42.........211 BR60
Sainte-Foy-Tarentaise 73...235 CM61
Sainte-Gauburge 61.........84 AQ32
Sainte-Gauburge-Sainte-Colombe 61.......55 AP28
Sainte-Gemme 81.........279 BC79
Sainte-Gemme 79.........168 AJ48
Sainte-Gemme 51.........40 BM23
Sainte-Gemme 36.........171 AV48
Sainte-Gemme 33.........257 AL73
Sainte-Gemme 32.........296 AQ82
Sainte-Gemme 17.........201 AE60
Sainte-Gemme-en-Sancerrois 18.........155 BG42
Sainte-Gemme-la-Plaine 85.........183 AC52
Sainte-Gemme-Martaillac 47.........275 AL76
Sainte-Gemme-Moronval 28.........56 AW27
Sainte-Gemmes 41.........132 AV38

Sainte-Gemmes-d'Andigné 49.........128 AF39
Sainte-Gemmes-le-Robert 53.........106 AJ33
Sainte-Gemmes-sur-Loire 49.........149 AH42
Sainte-Geneviève 76.........20 AW17
Sainte-Geneviève 60.........38 BC21
Sainte-Geneviève 54.........65 CE25
Sainte-Geneviève 50.........29 AC17
Sainte-Geneviève 02.........25 BP16
Sainte-Geneviève-des-Bois 91.........87 BD29
Sainte-Geneviève-des-Bois 45.........134 BG38
Sainte-Geneviève-lès-Gasny 27.........57 AX24
Sainte-Geneviève-sur-Argence 12.........263 BG71
Sainte-Hélène 88.........95 CJ32
Sainte-Hélène 71.........177 BU49
Sainte-Hélène 56.........123 N37
Sainte-Hélène 48.........264 BN74
Sainte-Hélène 33.........236 AD69
Sainte-Hélène-Bondeville 76.........19 AP16
Sainte-Hélène-du-Lac 73...233 CG63
Sainte-Hélène-sur-Isère 73.........234 CI61
Sainte-Hermine 85.........183 AD51
Sainte-Honorine-de-Ducy 14.........32 AG23
Sainte-Honorine-des-Pertes 14.........32 AG20
Sainte-Honorine-du-Fay 14..33 AI23
Sainte-Honorine-la-Chardonne 61.........53 AI26
Sainte-Honorine-la-Guillaume 61.........53 AJ27
Sainte-Innocence 24.........257 AN72
Sainte-Jalle 26.........286 CA76
Sainte-Jamme-sur-Sarthe 72.........107 AN34
Sainte-Julie 01.........214 CA59
Sainte-Juliette 82.........277 AT77
Sainte-Juliette-sur-Viaur 12.........280 BE78
Sainte-Léocadie 66.........341 BA98
Sainte-Lheurine 17.........220 AI63
Sainte-Livière 52.........92 BV29
Sainte-Livrade 31.........297 AT84
Sainte-Livrade-sur-Lot 47..276 AP76
Sainte-Lizaigne 36.........172 BA47
Sainte-Luce 38.........251 CF70
Sainte-Luce-sur-Loire 44...147 AA43
Sainte-Lucie-de-Porto-Vecchio 2A..349 FG113
Sainte-Lucie-de-Tallano 2A..349 FE113
Sainte-Lunaise 18.........173 BD48
Sainte-Magnance 89.........158 BQ42
Sainte-Marguerite 88.........96 CL32
Sainte-Marguerite 43.........246 BN66
Sainte-Marguerite (Île) 06..309 CP84
Sainte-Marguerite-Presqu'île de) 29.........70 E27
Sainte-Marguerite-de-Carrouges 61.........83 AK29
Sainte-Marguerite-de-l'Autel 27.........55 AS26
Sainte-Marguerite-de-Viette 14.........54 AM24
Sainte-Marguerite-d'Elle 14..32 AE22
Sainte-Marguerite-des-Loges 14.........54 AN24
Sainte-Marguerite-en-Ouche 27.........55 AQ24
Sainte-Marguerite-Lafigère 07.........265 BQ75
Sainte-Marguerite-sur-Duclair 76.........35 AS19
Sainte-Marguerite-sur-Fauville 76.........19 AQ17
Sainte-Marguerite-sur-Mer 76.........10 AT14
Sainte-Marie 66.........339 BI94
Sainte-Marie 65.........334 AP91
Sainte-Marie 58.........175 BL46
Sainte-Marie 44.........146 V45
Sainte-Marie 35.........125 W38
Sainte-Marie 32.........296 AR84
Sainte-Marie 25.........142 CK40
Sainte-Marie 15.........245 BH70
Sainte-Marie 08.........42 BU20
Sainte-Marie 05.........268 CC74
Sainte-Marie (Col de) 88....96 CM32
Sainte-Marie-au-Bosc 76....18 AN17
Sainte-Marie-aux-Anglais 14.........54 AM24
Sainte-Marie-aux-Chênes 57.........45 CD22
Sainte-Marie-aux-Mines 68..96 CN32
Sainte-Marie-Cappel 59.........3 BE5
Sainte-Marie-d'Alloix 38.........233 CF64
Sainte-Marie-d'Alvey 73.........232 CD62
Sainte-Marie-de-Campan 65.........333 AL91
Sainte-Marie-de-Chignac 24.........240 AR67

Sainte-Marie-de-Cuines 73.........234 CI65
Sainte-Marie-de-Gosse 40.........292 AA84
Sainte-Marie-de-Ré 17.........200 AB56
Sainte-Marie-de-Vars 05...270 CL73
Sainte-Marie-de-Vatimesnil 27.........37 AX22
Sainte-Marie-de-Vaux 87..205 AT59
Sainte-Marie-des-Champs 76.........19 AR18
Sainte-Marie-des-Chazes 43.........246 BN68
Sainte-Marie-du-Bois 53.........82 AI30
Sainte-Marie-du-Bois 50.........81 AF29
Sainte-Marie-du-Lac-Nuisement 51.........92 BV29
Sainte-Marie-du-Ménez-Horn (Chapelle) 29.........75 G31
Sainte-Marie-du-Mont 50...32 AD20
Sainte-Marie-du-Mont 38..233 CF64
Sainte-Marie-en-Chanois 70.........141 CI37
Sainte-Marie-en-Chaux 70.141 CH37
Sainte-Marie-Kerque 62.........3 BB3
Sainte-Marie-la-Blanche 21..177 BW47
Sainte-Marie-la-Robert 61....53 AK28
Sainte-Marie-Lapanouze 19.........226 BD64
Sainte-Marie-Laumont 14....52 AE25
Sainte-Marie-Outre-l'Eau 14.52 AE25
Sainte-Marie-Sicché 2A.........348 FD112
Sainte-Marine 29.........99 G35
Sainte-Marthe 47.........257 AL75
Sainte-Marthe 27.........55 AS25
Sainte-Maure 10.........90 BP32
Sainte-Maure-de-Peyriac 47.........275 AL80
Sainte-Maure-de-Touraine 37.........151 AQ45
Sainte-Maxime 83.........329 CM87
Sainte-Même 17.........201 AH59
Sainte-Menéhould 51.........43 BV23
Sainte-Mère 32.........276 AP80
Sainte-Mère-Église 50.........29 AC19
Sainte-Mesme 78.........86 BA30
Sainte-Mondane 24.........259 AV71
Sainte-Montaine 18.........155 BD41
Sainte-Nathalène 24.........241 AU70
Sainte-Néomaye 79.........185 AJ53
Sainte-Odile (Mont) 67.........97 CO30
Sainte-Olive 01.........213 BX57
Sainte-Opportune 61.........53 AI27
Sainte-Opportune-du-Bosc 27.........35 AS23
Sainte-Opportune-la-Mare 27.........35 AQ20
Sainte-Orse 24.........241 AT67
Sainte-Osmane 72.........130 AQ37
Sainte-Ouenne 79.........184 AH53
Sainte-Pallaye 89.........136 BN40
Sainte-Paule 69.........212 BU58
Sainte-Pazanne 44.........147 X45
Sainte-Pexine 85.........183 AC51
Sainte-Pezenne 79.........184 AH54
Sainte-Pôle 54.........96 CK29
Sainte-Preuve 02.........25 BO18
Sainte-Radégonde 86.........187 AQ51
Sainte-Radégonde 79.........168 AJ47
Sainte-Radégonde 71.........176 BQ50
Sainte-Radégonde 33.........256 AK71
Sainte-Radégonde 32.........296 AP82
Sainte-Radégonde 24.........257 AN72
Sainte-Radégonde 17.........201 AE59
Sainte-Radégonde 12.........280 BF76
Sainte-Radégonde-des-Noyers 85.........183 AD53
Sainte-Ramée 17.........219 AF64
Sainte-Reine 73.........233 CG62
Sainte-Reine 70.........161 CD41
Sainte-Reine-de-Bretagne 44.........146 V41
Sainte-Restitude 2B.........346 FC105
Sainte-Roseline (Chapelle) 83.........308 CL85
Sainte-Ruffine 57.........65 CE23
Sainte-Sabine 24.........258 AQ72
Sainte-Sabine 21.........159 BU44
Sainte-Sabine-sur-Longève 72.........107 AM34
Sainte-Savine 10.........90 BP32
Sainte-Scolasse-sur-Sarthe 61.........84 AO29
Sainte-Segrée 80.........21 BA16
Sainte-Sève 29.........71 J28
Sainte-Sévère 16.........202 AJ60
Sainte-Sévère-sur-Indre 36.........189 BB53
Sainte-Sigolène 43.........248 BS66
Sainte-Solange 18.........155 BE45
Sainte-Soline 79.........185 AL55
Sainte-Souline 16.........220 AK65
Sainte-Soulle 17.........183 AD55
Sainte-Suzanne 64.........313 AD86
Sainte-Suzanne 53.........106 AJ34
Sainte-Suzanne 25.........142 CK40

Sainte-Suzanne 09....317 AV89
Sainte-Suzanne-en-Bauptois 50....31 AB21
Sainte-Suzanne-sur-Vire 50.32 AE23
Sainte-Terre 33....256 AJ71
Sainte-Thérence 03....190 BE55
Sainte-Thorette 18....172 BC46
Sainte-Tréphine 22....77 O31
Sainte-Trie 24....241 AU66
Sainte-Tulle 04....306 CE82
Sainte-Valière 11....320 BH88
Sainte-Vaubourg 08....42 BT19
Sainte-Verge 79....168 AJ46
Sainte-Vertu 89....137 BP38
Sainteny 50....31 AC21
Saintes 17....201 AG60
Saintes-Maries-de-la-Mer 13....324 BU86
Saintines 60....39 BG21
Saintry-sur-Seine 91....88 BE29
Saints 89....135 BK40
Saints 77....59 BI27
Saints-Geosmes 52....139 BZ37
Sainville 28....86 AZ31
Saires 86....169 AN48
Saires-la-Verrerie 61....53 AI28
Saisies (Col des) 73....216 CJ60
Saisseval 80....22 BB15
Saisy 71....319 BB87
Saisy 71....177 BU47
Saivres 79....185 AJ53
Saix 86....150 AL45
Saix 81....299 BC85
Le Saix 05....269 CF74
Saizenay 39....179 CE47
Saizerais 54....65 CE26
Saizy 58....157 BN43
Sajas 31....317 AS87
Salagnac 24....241 AU66
Salagnon 38....232 CA61
Salaise-sur-Sanne 38....231 BW65
Salans 39....161 CD44
Salasc 34....301 BL84
Salaunes 33....237 AE69
Salavas 07....284 BT76
Salavre 01....196 CA53
Salazac 30....284 BU77
Salbris 41....154 BB42
Les Salces 48....263 BJ74
Saléchan 65....334 AP92
Saleich 31....335 AS91
Saleignes 17....202 AJ58
Saleilles 66....343 BI95
Les Salelles 48....264 BK75
Les Salelles 07....265 BR75
Salency 60....23 BI18
Salenthal 67....68 CO27
Saléon 05....287 CE76
Salérans 05....287 CE77
Salerm 31....316 AQ88
Salernes 83....307 CI84
Salers 15....244 BE68
Sales 74....215 CF59
Salesches 59....15 BM11
La Salette-Fallavaux 38....251 CG70
Salettes 43....247 BO70
Salettes 26....267 BY74
Saleux 80....22 BC15
Salève (Mont) 74....215 CG56
Salice 2A....348 FC109
Saliceto 2B....347 FF106
Saliès 81....299 BB81
Salies-de-Béarn 64....311 AC86
Salies-du-Salat 31....334 AR90
Salignac 33....237 AH68
Salignac 04....287 CG78
Salignac-de-Mirambeau 17....219 AH65
Salignac-Eyvigues 24....242 AV69
Salignac-sur-Charente 17...219 AH61
Saligney 39....161 CC44
Saligny 89....113 BK33
Saligny 85....165 AA48
Saligny-le-Vif 18....173 BG46
Saligny-sur-Roudon 03....193 BO53
Saligos 65....332 AJ92
Salin-de-Badon 13....324 BV86
Salin-de-Giraud 13....325 BW86
Salindres 30....283 BR78
Saline Royale d'Arc-et-Senans 25....179 CD46
Salinelles 30....303 BR82
Salins 77....89 BI31
Salins 15....244 BD67
Les Salins-d'Hyères 83...328 CI89
Salins-les-Bains 39....179 CE47
Salins-les-Thermes 73....234 CK63
Salives 21....138 BW40
Sallagriffon 06....289 CN80
Sallanches 74....216 CK58
Sallaumines 62....8 BH9
La Salle 88....96 CK31
La Salle 71....195 BW53
La Salle-de-Vihiers 49...149 AG45
La Salle-en-Beaumont 38...251 CF70
La Salle-et-Chapelle-Aubry 49...148 AE43
La Salle-les-Alpes 05....252 CK69
La Salle-Prunet 48....282 BN77
Sallebœuf 33....237 AH70
Sallèdes 63....228 BK62

Sallèles-Cabardès 11....319 BD88
Sallèles-d'Aude 11....321 BI88
Sallen 14....32 AG23
Sallenelles 14....33 AK21
Sallenôves 74....215 CF57
Sallertaine 85....164 W47
Salles 81....279 BA79
Salles 79....185 AK53
Salles 65....332 AJ91
Salles 47....258 AR74
Les Salles 42....211 BO60
Les Salles 33....238 AK70
Les Salles 33....254 AD74
Salles-Adour 65....315 AK89
Salles-Arbuissonnas-en-Beaujolais 69....212 BV57
Salles-Courbatiès 12....261 BB75
Salles-Curan 12....281 BG78
Salles-d'Angles 16....220 AI62
Salles-d'Armagnac 32....295 AK82
Salles-d'Aude 11....321 BJ89
Salles-de-Barbezieux 16....220 AJ64
Salles-de-Belvès 24....259 AS72
Salles-de-Villefagnan 16..203 AM58
Les Salles-du-Gardon 30....283 BQ78
Salles-en-Toulon 86....187 AQ52
Salles-et-Pratviel 31....334 AP93
Salles-la-Source 12....262 BE75
Salles-Lavalette 16....221 AM65
Les Salles-Lavauguyon 87....222 AQ61
Salles-lès-Aulnay 17....202 AI57
Salles-Mongiscard 64....293 AD85
Salles-sous-Bois 26....267 BX75
Salles-sur-Garonne 31....317 AT88
Salles-sur-l'Hers 11....318 AY88
Salles-sur-Mer 17....200 AD56
Les Salles-sur-Verdon 83...307 CI82
Sallespisse 64....293 AC85
Salmagne 55....64 BZ27
Salmaise 21....159 BU41
Salmbach 67....69 CT23
Salmiech 12....280 BF78
Salomé 59....8 BG7
Salon 24....240 AQ69
Salon 10....61 BP28
Salon-de-Provence 13....305 BZ84
Salon-la-Tour 19....224 AW63
Salonnes 57....66 CH26
Salornay-sur-Guye 71....194 BU52
Salouël 80....22 BC15
Salperwick 62....3 BC5
Salsein 09....335 AS92
Salses-le-Château 66....339 BI93
Salsigne 11....319 BD88
Salt-en-Donzy 42....230 BS61
Les Salvages 81....299 BC84
Salvagnac 81....298 AY81
Salvagnac-Cajarc 12....261 AZ75
Salvagnac-Saint-Loup 12...261 BA74
La Salvetat-Belmontet 82..298 AW81
La Salvetat-Lauragais 31..298 AY85
La Salvetat-Peyralès 12....279 BC78
La Salvetat-Saint-Gilles 31.297 AU85
La Salvetat-sur-Agout 34...300 BG85
Salvezines 11....337 BD94
Salvi (Col de) 2B....346 FC105
Salviac 46....259 AU73
Salvizinet 42....212 BS60
Salza 11....338 BE91
Salzuit 43....246 BM67
Samadet 40....294 AG84
Saman 31....316 AQ89
Samara 80....22 BC14
Samaran 32....316 AO87
Samatan 32....316 AR86
Samazan 47....257 AL75
Sambin 41....153 AV42
Sambourg 89....137 BP38
Le Sambuc 13....304 BW85
Saméon 59....9 BK8
Samer 62....2 AZ6
Samerey 21....160 CA45
Sames 64....292 AA85
Sammarçolles 86....168 AM46
Sammeron 77....59 BI25
Samoëns 74....216 CL56
Samognat 01....196 CC55
Samogneux 55....44 BZ21
Samois-sur-Seine 77....88 BG31
Samonac 33....237 AG68
Samoreau 77....88 BG31
Samouillan 31....316 AR88
Samoussy 02....25 BN18
Sampans 39....160 CA45
Sampigny 55....64 CA26
Sampigny-lès-Maranges 71....177 BU48
Sampolo 2A....349 FE111
Sampzon 07....266 BT75
Samson 25....179 CE46
Samsons-Lion 64....314 AJ86
Samuran 65....334 AP91
San Cervone (Col de) 2B.347 FE107
San-Damiano 2B....347 FG106
San-Gavino-d'Ampugnani 2B....347 FG106
San-Gavino-di-Fiumorbo 2B....349 FF110
San-Gavino-di-Tenda 2B...345 FF104

San-Giovanni-di-Moriani 2B....347 FH106
San-Giuliano 2B....347 FH107
San-Lorenzo 2B....347 FF106
San-Martino-di-Lota 2B....345 FG103
San Michele de Murato (Église) 2B....345 FF104
San-Nicolao 2B....347 FH106
San-Peïre-sur-Mer 83....329 CM87
San-Pellegrino 2B....347 FH105
San Quilico (Chapelle de) 2A....351 FF115
San Quilico de Cambia (Chapelle) 2B....347 FF106
San Stefano (Col de) 2B...345 FF104
Sana 31....317 AS89
Sanadoire (Roche) 63....227 BH62
Sanary-sur-Mer 83....327 CF89
Sancé 71....195 BW54
Sancergues 18....156 BH45
Sancerre 18....155 BG43
Sancey-le-Grand 25....163 CJ43
Sancey-le-Long 25....163 CJ43
Sancheville 28....110 AX34
Sanchey 88....119 CH33
Sancoins 18....174 BH49
Sancourt 80....23 BI16
Sancourt 59....14 BJ11
Sancourt 27....37 AY21
Sancy 77....59 BH26
Sancy 54....45 CD20
Sancy (Puy de) 63....227 BG63
Sancy-les-Cheminots 02....40 BL20
Sancy-lès-Provins 77....60 BL28
Sand 67....97 CQ30
Sandarville 28....85 AV32
Sandaucourt 88....94 CD32
Sandillon 45....133 BA37
Sandouville 76....34 AO19
Sandrans 01....213 BX57
Sangatte 62....2 AZ3
Sanghen 62....2 BA5
Sanguinaires (Îles) 2A....348 FA112
Sanguinet 40....254 AC74
Sanilhac 07....266 BS74
Sanilhac-Sagriès 30....284 BU80
Sannat 23....208 BD57
Sannerville 14....33 AK22
Sannes 84....306 CC82
Sannois 95....58 BC25
Sanous 65....315 AK87
Sanry-lès-Vigy 57....45 CF22
Sanry-sur-Nied 57....66 CG23
Sans-Vallois 88....118 CF33
Sansa 66....341 BB96
Sansac-de-Marmiesse 15..244 BD70
Sansac-Veinazès 15....262 BE72
Sansais 79....184 AG55
Sansan 32....296 AP85
Sanssac-l'Église 43....247 BO68
Sanssat 03....192 BM55
Santa-Lucia-di-Mercurio 2B....347 FF107
Santa-Lucia-di-Moriani 2B....347 FH106
Santa-Maria 2B....345 FG102
Santa-Maria-di-Lota 2B....345 FG103
Santa-Maria-Figaniella 2A..349 FE113
Santa-Maria-Poggio 2B....347 FH106
Santa-Maria-Poggio 2B....347 FH107
Santa-Reparata-di-Balagna 2B....344 FC104
Santa-Reparata-di-Moriani 2B....347 FH106
Sant'Andréa-di-Bozio 2B..347 FF107
Sant'Andréa-di-Cotone 2B....347 FH107
Sant'Andréa-d'Orcino 2A..348 FC110
Santans 39....179 CC46
Sant'Antonino 2B....346 FC105
Sant'Appiano (Cathédrale) 2A....348 FB109
Santeau 45....111 BB35
Santec 29....71 I26
Santenay 41....131 AU40
Santenay 21....177 BV48
Santeny 94....58 BE28
Santes 59....8 BH7
Santeuil 95....37 BA23
Santeuil 28....86 AY31
Santigny 89....137 BQ40
Santilly 71....194 BV51
Santilly 28....110 AZ34
Santo-Pietro-di-Tenda 2B.345 FF104
Santo-Pietro-di-Venaco 2B....347 FE108
Santoche 25....162 CI41
Santosse 21....177 BU50
Santranges 18....155 BG41
Sanvensa 12....279 BA77
Sanvignes-les-Mines 71....176 BS50
Sanxay 86....185 AL52
Sanzay 79....167 AI47
Sanzey 54....45 CD21
Saon 14....32 AG21
Saône 25....162 CF44
Saonnet 14....32 AF21
Saorge 06....291 CT79
Saou 26....267 BY73
Le Sap 61....54 AO26

Le Sap-André 61....54 AO26
Le Sapey 38....251 CE68
Sapignicourt 51....63 BV28
Sapignies 62....13 BG12
Sapogne-et-Feuchères 08...27 BV17
Sapogne-sur-Marche 08....27 BY18
Sapois 88....120 CK35
Sapois 39....179 CE49
Saponay 02....40 BL22
Saponcourt 70....118 CE36
Le Sappey 74....215 CG56
Le Sappey-en-Chartreuse 38....251 CE66
Saramon 32....296 AQ85
Saran 45....110 AZ36
Saraz 25....179 CE46
Sarbazan 40....274 AH80
Sarcé 72....130 AN39
Sarceaux 61....54 AL27
Sarcelles 95....58 BD25
Sarcenas 38....233 CE65
Sarcey 69....212 BU59
Sarcey 52....117 BZ35
Sarcicourt 52....116 BX34
Sarcos 32....316 AP87
Sarcus 60....21 AZ17
Sarcy 51....41 BO22
Sardan 30....303 BQ81
Sardent 23....207 AZ57
Sardieu 38....231 BZ65
Sardon 63....210 BK58
Sardy-lès-Epiry 58....157 BN45
Saré 44....310 X87
Sargé-lès-le-Mans 72....107 AN35
Sargé-sur-Braye 41....109 AS36
Sari-d'Orcino 2A....348 FC110
Sari-Solenzara 2A....349 FG112
Sariac-Magnoac 65....316 AO88
Sarlabous 65....333 AM90
Sarlande 24....223 AT64
Sarlat-la-Canéda 24....241 AU70
Sarliac-sur-l'Isle 24....240 AR66
Sarniguet 65....315 AK87
Sarnois 60....21 BA17
Saron-sur-Aube 51....90 BN29
Sarp 65....334 AO91
Sarpourenx 64....293 AE86
Sarragachies 32....294 AJ83
Sarrageois 25....180 CG49
Sarraguzan 32....315 AM87
Les Sarraix 63....210 BN59
Sarralbe 57....67 CL24
Sarraltroff 57....67 CL26
Sarran 19....225 BA64
Sarrance 64....331 AF90
Sarrancolin 65....333 AN91
Sarrans (Barrage de) 12...263 BG71
Sarrant 32....297 AR83
Sarras 07....249 BW67
Sarrazac 46....242 AX69
Sarrazac 24....223 AS64
Sarraziet 40....294 AG83
Sarre-Union 67....67 CM24
Sarrebourg 57....67 CL26
Sarrecave 31....316 AP89
Sarreguemines 57....47 CL22
Sarreinsberg 57....68 CO24
Sarreinsming 57....47 CM23
Sarremezan 31....316 AP89
Sarrewerden 67....67 CM24
Sarrey 52....117 CA35
Sarriac-Bigorre 65....315 AL87
Sarrians 84....285 BY79
Sarrigné 49....149 AI41
Sarrogna 39....196 CC52
Sarrola-Carcopino 2A....348 FC110
Sarron 60....39 BF21
Sarron 40....294 AI84
Sarrouilles 65....315 AL88
Sarroux 19....226 BE64
Sarry 89....137 BQ39
Sarry 71....193 BQ54
Sarry 51....62 BS25
Le Sars 62....13 BG13
Sars-et-Rosières 59....9 BK8
Sars-le-Bois 62....12 BD10
Sars-Poteries 59....15 BP11
Le Sart 59....15 BN13
Sartène 2A....350 FD114
Sartes 88....94 CC32
Sartilly 50....51 AB27
Sarton 62....12 BD12
Sartrouville 78....58 BD25
Sarzay 36....189 AZ51
Sarzeau 56....124 Q40
Sasnières 41....131 AS39
Sassangy 71....177 BU50
Sassay 41....153 AW42
Sassegnies 59....15 BN11
Sassenage 38....250 CD66
Sassenay 71....177 BW48
Sassetot-le-Malgardé 76....19 AS16
Sassetot-le-Mauconduit 76..19 AQ15
Sasseville 76....19 AR16
Sassey 27....56 AV24
Sassey-sur-Meuse 55....43 BX20
Sassierges-Saint-Germain 36....172 AZ49
Sassis 65....332 AJ92
Sassy 14....54 AL24
Sathonay-Camp 69....213 BW60

Sathonay-Village 69....213 BX59
Satillieu 07....248 BV67
Satolas-et-Bonce 38....231 BY61
Saturargues 34....303 BR83
Saubens 31....317 AV86
Saubion 40....292 Z83
Saubole 64....314 AJ87
Saubrigues 40....292 Z84
Saubusse 40....292 AA83
Saucats 33....255 AF72
Saucède 64....313 AE88
La Saucelle 28....85 AT29
Sauchay 76....10 AV14
Sauchy-Cauchy 62....14 BI11
Sauchy-Lestrée 62....14 BI11
Sauclières 12....282 BL80
Saucourt-sur-Rognon 52....93 BY32
Saudemont 62....14 BI11
Saudoy 51....61 BN28
Saudron 52....93 BZ30
Saudrupt 55....63 BX28
Saugeot 39....196 CD51
Saugnac-et-Cambran 40....293 AC83
Saugnacq-et-Muret 40....255 AE75
Saugnieu 69....231 BY61
Saugon 33....237 AG67
Saugues 43....246 BM69
Sauguis-Saint-Étienne 64..331 AC89
Saugy 18....172 BB47
Saujac 12....261 AZ75
Saujon 17....218 AD61
La Saulce 05....269 CG75
Saulce-sur-Rhône 26....267 BW72
Saulces-Champenoises 08..42 BS19
Saulces-Monclin 08....26 BS18
Saulcet 03....192 BK54
Saulchery 02....60 BK25
Le Saulchoy 60....22 BB18
Saulchoy-sous-Poix 80....21 BA16
Le Saulcy 88....96 CM30
Saulcy 10....92 BV32
Saulcy-sur-Meurthe 88....96 CL32
Saules 71....177 BV50
Saules 25....162 CG45
Saulgé 86....187 A554
Saulgé-l'Hôpital 49....149 AI43
Saulges 53....106 AI36
Saulgond 16....204 AR58
Sauliac-sur-Célé 46....260 AY74
Saulieu 21....158 BR44
Saulles 52....140 CB38
Saulmory-et-Villefranche 55....43 BX19
Saulnay 36....171 AV48
Saulnes 54....45 CC18
Saulnières 35....104 Z36
Saulnières 28....56 AV28
Saulnot 70....142 CJ40
Saulny 57....45 CE22
Saulon-la-Chapelle 21....160 BY44
Saulon-la-Rue 21....160 BX44
La Saulsotte 10....89 BL30
Sault 84....286 CB79
Sault-Brénaz 01....214 CB59
Sault-de-Navailles 64....293 AE85
Sault-lès-Rethel 08....42 BR19
Sault-Saint-Remy 08....41 BQ20
Saultain 59....15 BM10
Saulty 62....12 BE11
Saulx 70....141 CG38
Saulx-en-Barrois 55....64 CA27
Saulx-en-Woëvre 55....64 CB23
Saulx-le-Duc 21....139 BX40
Saulx-les-Chartreux 91....58 BC28
Saulx-Marchais 78....57 AZ26
Saulxerotte 54....94 CD30
Saulxures 67....96 CM30
Saulxures 52....117 CB36
Saulxures-lès-Bulgnéville 88....118 CD33
Saulxures-lès-Nancy 54....66 CG27
Saulxures-lès-Vannes 54....94 CC29
Saulxures-sur-Moselotte 88....120 CK35
Saulzais-le-Potier 18....190 BE51
Saulzet 03....210 BK56
Saulzet-le-Chaud 63....227 BI61
Saulzet-le-Froid 63....227 BH62
Saulzoir 59....14 BL11
Saumane 04....287 CE79
Saumane 30....283 BO79
Saumane-de-Vaucluse 84..305 BZ81
Sauméjan 47....274 AK77
Saumeray 28....109 AV33
Saumont 47....275 AO79
Saumont-la-Poterie 76....21 AY18
Saumos 33....236 AC69
Saunay 37....131 AS40
La Saunière 23....207 BA56
Saunières 71....178 BY48
Sauqueuse-Saint-Lucien 60....38 BB19
Sauqueville 76....20 AU15
Saurais 79....185 AK51
Saurat 09....336 AW93
Sauret-Besserve 63....209 BG58
Saurier 63....227 BI63
Sausheim 68....143 CO37
Saussan 34....302 BO85

Saussay 76....20 AT17
Saussay 28....56 AW26
Saussay-la-Campagne 27....37 AX21
La Saussaye 27....36 AU22
Saussemesnil 50....29 AB18
Saussenac 81....279 BC80
Saussens 31....298 AY85
Sausses 04....289 CM79
Sausset-les-Pins 13....325 BZ87
Sausseuzemare-en-Caux 76....18 AO17
Saussey 50....51 AB24
Saussey 21....177 BU46
Saussignac 24....257 AN71
Saussines 34....303 BR81
Saussy 21....159 BW41
Saut de la Mounine 12....261 AZ75
Saut des Cuves 88....120 CL34
Sautel 09....336 AY92
Sauternes 33....255 AH74
Sautet (Barrage du) 38....251 CF70
Sauteyrargues 34....302 BP82
Sauto 66....341 BB97
Sautron 44....147 Y39
Sauvage-Magny 52....92 BV31
La Sauvagère 61....53 AI28
Les Sauvages 69....212 BT59
Sauvagnac 16....222 AQ61
Sauvagnas 47....276 AQ77
Sauvagnat 63....208 BF60
Sauvagnat-Sainte-Marthe 63....228 BK62
Sauvagney 25....161 CE43
Sauvagnon 64....314 AH86
Sauvagny 03....191 BG53
Sauvain 42....229 BP61
Sauvan (Château de) 04....287 CE80
Sauvat 15....244 BE66
Sauve 30....303 BQ81
Sauvelade 64....313 AE86
Sauverny 01....197 CG74
Sauvessanges 63....229 BP65
La Sauvetat 63....227 BJ62
La Sauvetat 43....265 BP71
La Sauvetat 32....296 AO82
La Sauvetat-de-Savères 47....276 AQ78
La Sauvetat-du-Dropt 47...257 AN73
La Sauvetat-sur-Lède 47...258 AO75
Sauveterre 82....277 AU71
Sauveterre 81....320 BE86
Sauveterre 65....315 AL85
Sauveterre 32....316 AR86
Sauveterre 30....285 BW80
Sauveterre-de-Béarn 64....311 AC88
Sauveterre-de-Comminges 31....334 AP91
Sauveterre-de-Guyenne 33....256 AK72
Sauveterre-de-Rouergue 12....280 BD78
Sauveterre-la-Lémance 47....259 A574
Sauveterre-Saint-Denis 47....276 AQ78
Sauviac 33....256 AJ75
Sauviac 32....315 AN87
Sauvian 34....321 BK88
Sauviat 63....228 BM61
Sauviat-sur-Vige 87....206 AX59
Sauvignac 16....238 AK66
Sauvigney-lès-Gray 70....161 CC41
Sauvigney-lès-Pesmes 70..161 CB43
Sauvigny 55....94 CC30
Sauvigny-le-Beuréal 89....158 BQ41
Sauvigny-les-Bois 58....174 BK47
Sauville 88....118 CC33
Sauville 08....27 BV18
Sauvillers-Mongival 80....22 BE17
Sauvimont 32....317 AS86
Sauvoy 55....93 CB27
Saux 46....277 AT76
Saux-et-Pomarède 31....316 AQ89
Sauxillanges 63....228 BL63
Sauze 06....289 CN78
Le Sauze 04....270 CL75
Le Sauze-du-Lac 05....270 CI74
Sauzé-Vaussais 79....203 AL56
Sauzelle 17....200 AB58
Sauzelles 36....170 AF50
Sauzet 30....284 BS80
Sauzet 46....259 AU75
Sauzet 26....267 BW73
La Sauzière-Saint-Jean 81..298 AX81
Sauzon 56....144 N41
Savarthès 31....334 AQ90
Savas 07....230 BV65
Savas-Mépin 38....231 BY63
Savasse 26....267 BW73
Savenay 44....146 W42
Savenès 82....297 AU82
Savennes 63....226 BE62
Savennes 23....207 AZ57
Savennières 49....149 AG42
Saverdun 09....318 AX89
Saverne 67....68 CO26
Saverne (Col de) 67....68 CN26

aveuse 80.....22 BC15
avianges 71.....177 BU50
avières 10.....90 BP31
avigna 39.....196 CC53
avignac 33.....256 AJ74
avignac 12.....279 BA76
avignac-de-Duras 47.....257 AM72
avignac-de-l'Isle 33.....238 AI69
avignac-de-Miremont 24.....241 AS69
avignac-de-Nontron 24.....222 AQ63
avignac-Lédrier 24.....223 AU65
avignac-les-Églises 24.....241 AS66
avignac-les-Ormeaux 09.....336 AY94
avignac-Mona 32.....317 AS86
avignac-sur-Leyze 47.....258 AQ75
avignargues 30.....283 BR80
avigne 86.....203 AN56
avigné-l'Évêque 72.....108 AO35
avigné-sous-le-Lude 72.....129 AM40
avigné-sur-Lathan 37.....151 AO42
avigneux 42.....229 BQ62
avignies 01.....213 BW58
avignies 60.....37 BA19
avigny 88.....95 CG31
avigny 74.....215 CF57
avigny 69.....212 BU60
avigny 52.....140 CE38
avigny 50.....31 AC23
avigny-en-Revermont 71.....178 CA50
avigny-en-Véron 37.....150 AM44
avigny-le-Sec 21.....160 BX42
avigny-le-Temple 77.....88 BF29
avigny-le-Vieux 50.....81 AE29
avigny-lès-Beaune 21.....177 BW46
avigny-Lévescault 86.....186 AO52
avigny-Poil-Fol 58.....175 BO49
avigny-sous-Faye 86.....155 BB42
avigny-sous-Mâlain 21.....159 BV43
avigny-sur-Aisne 08.....42 BU20
avigny-sur-Ardres 51.....41 BN22
avigny-sur-Braye 41.....131 AR37
avigny-sur-Clairis 89.....113 BI35
avigny-sur-Grosne 71.....194 BV51
avigny-sur-Orge 91.....58 BD28
avigny-sur-Seille 71.....195 BY51
avilly 21.....158 BR45
avine (Col de la) 39.....197 CF51
avines-le-Lac 05.....270 CJ73
avins 77.....89 BJ30
avoillan 84.....286 CB78
avoisy 21.....137 BS38
avolles 21.....160 BZ42
avonnières 37.....151 AP43
avonnières-devant-Bar 55.....63 BY27
avonnières-en-Perthois 55.....92 BX29
avonnières-en-Woëvre 55.....64 CB25
avouges 21.....160 BX44
avournon 05.....269 CE75
avoyeux 70.....140 CC40
avy 02.....24 BJ15
avy-Berlette 62.....7 BE9
axel 74.....198 CI54
axi-Bourdon 58.....175 BL46
axon-Sion 54.....94 CE30
ayat 63.....209 BI60
aze 30.....304 BW81
azeray 36.....189 BB53
azeret 03.....191 BI54
azilly 37.....151 AO45
azos 05.....332 AJ92
caër 29.....100 K34
es Scaffarels 04.....289 CM80
cata 2B.....347 FG106
ceau-Saint-Angel 24.....222 AQ64
ceautres 07.....266 BV73
ceaux 92.....58 BC27
ceaux 89.....158 BP41
ceaux-d'Anjou 49.....128 AH40
ceaux-du-Gâtinais 45.....112 BF35
ceaux-sur-Huisne 72.....108 AO34
cey-en-Varais 25.....162 CF45
cey-sur-Saône-
et-Saint-Albin 70.....140 CE39
chaefferhof 57.....68 CN27
chaeffersheim 67.....97 CO30
chaffhouse-près-Seltz 67.....69 CT24
chaffhouse-sur-Zorn 67.....68 CP26
chalbach 57.....67 CM25
chalkendorf 67.....68 CP25
charrachbergheim 67.....97 CP28
cheibenhard 67.....69 CT23
cherlenheim 67.....68 CP26
cherwiller 67.....97 CO31
chillersdorf 67.....68 CP25
chiltigheim 67.....97 CP28
chirmeck 67.....96 CN29
chirrhein 67.....69 CS25
chirrhoffen 67.....69 CS25
chleithal 67.....69 CT23
chlierbach 68.....143 CP38
chlucht (Col de la) 88.....120 CM34
chmittviller 57.....67 CM23
chneckenbusch 57.....67 CM27
chnepfenried 68.....120 CM35
chnersheim 67.....68 CP27
chœnau 57.....97 CQ32
chœnbourg 67.....68 CN25

Schœneck 57.....47 CK21
Schœnenbourg 67.....69 CS24
Schopperten 67.....67 CL24
Schorbach 57.....48 CO22
Schwabwiller 67.....69 CR24
Schweighouse 68.....120 CN35
Schweighouse-
sur-Moder 67.....68 CQ25
Schweighouse-Thann 68.....143 CN37
Schwenheim 67.....68 CO27
Schwerdorff 57.....46 CI20
Schweyen 57.....48 CO22
Schwindratzheim 67.....68 CP26
Schwoben 68.....143 CO39
Schwobsheim 67.....97 CQ32
Sciecq 79.....184 AH53
Scientrier 74.....216 CI56
Scieurac-et-Flourès 32.....295 AL85
Sciez 74.....198 CI53
Scillé 79.....184 AH51
Scionzier 74.....216 CJ56
Scolca 2B.....347 FG105
Scorbé-Clairvaux 86.....169 AO49
Scoury 36.....188 AV51
Scrignac 29.....76 K29
Scrupt 51.....63 BV27
Scy-Chazelles 57.....65 CE23
Scye 70.....141 CF39
Séailles 32.....295 AL83
La Séauve-
sur-Semène 43.....248 BS66
Sébazac-Concourès 12.....280 BF76
Sébécourt 27.....55 AS25
Sébeville 50.....31 AC20
Seboncourt 02.....24 BL14
Sebourg 59.....15 BM10
Sébouville 45.....111 BB34
Sébrazac 12.....262 BF74
Séby 64.....314 AH86
Secenans 70.....142 CJ40
Séchault 08.....42 BU21
Sécheras 07.....249 BW67
Sécheval 08.....26 BT15
Le Séchier 05.....269 CG71
Séchilienne 38.....251 CE68
Séchin 25.....162 CH42
Seclin 59.....8 BI7
Secondigné-sur-Belle 79.....202 AI56
Secondigny 79.....185 AI51
Secourt 57.....66 CG24
Secqueville-en-Bessin 14.....33 AI22
Sedan 08.....27 BW16
Sédeilhac 31.....316 AO89
Séderon 26.....286 CC77
Sedze-Maubecq 64.....314 AJ87
Sedzère 64.....314 AI87
Seebach 67.....69 CS23
Sées 61.....83 AN29
Séez 73.....234 CL61
Le Ségala 11.....318 AZ88
Ségalas 47.....257 A073
Ségalas 47.....315 AL87
La Ségalassière 15.....243 BC70
Séglien 56.....101 O33
Ségny 01.....197 CF54
Segonzac 24.....239 AO67
Segonzac 19.....241 AO64
Segonzac 16.....220 AJ62
Ségos 32.....294 AI84
Ségoufielle 32.....297 AT84
Segré 49.....128 AF39
Ségreville 31.....318 AY86
Ségrie 72.....107 AM33
Ségrie-Fontaine 61.....53 AJ26
Segrois 21.....159 BW45
Ségry 36.....172 BB48
La Séguinière 49.....166 AE46
Le Ségur 81.....279 BB79
Ségur 12.....281 BH77
Ségur-le-Château 19.....223 AV64
Ségur-les-Villas 15.....245 BH67
Ségura 09.....336 AX91
Séguret 84.....285 BY78
Ségus 65.....332 AJ90
Séhar (Pointe de) 22.....72 L26
Seich 65.....334 AO91
Seichamps 54.....66 CG27
Seichebrières 45.....111 BC36
Seicheprey 54.....65 CC25
Seiches-sur-le-Loir 49.....128 AI40
Seignalens 11.....337 BA90
Seigné 17.....202 AJ58
Seignelay 89.....136 BM37
Seigneulles 55.....63 BY26
Seignosse 40.....292 Z83
Seigny 21.....138 BT40
Seigy 41.....153 AW44
Seilh 31.....297 AV84
Seilhac 19.....224 AY65
Seilhan 31.....334 AO91
Seillac 41.....152 AU41
Seillans 83.....308 CM83
Seillonnaz 01.....214 CB60
Seillons-
Source-d'Argens 83.....306 CF85
Sein (Île de) 29.....98 B33
Seine (Sources de la) 21.....159 BV41
Seine-Port 77.....88 BE30
Seingbouse 57.....47 CK22
Seissan 32.....316 AP86
Seix 09.....335 AT93

Le Sel-de-Bretagne 35.....104 Z36
Selaincourt 54.....94 CE30
Selens 02.....40 BJ19
Sélestat 67.....97 CP32
Séligné 79.....202 AI56
Séligney 39.....179 CB47
Selincourt 80.....21 BA15
La Selle-Craonnaise 53.....127 AD37
La Selle-en-Coglès 35.....81 AD30
La Selle-en-Hermoy 45.....112 BH36
La Selle-en-Luitré 35.....81 AD32
La Selle-Guerchaise 35.....105 AD36
La Selle-la-Forge 61.....53 AI27
La Selle-sur-le-Bied 45.....112 BH35
Selles 70.....118 CF35
Selles 62.....6 BA6
Selles 51.....42 BR21
Selles 27.....35 AP21
Selles-Saint-Denis 41.....154 BA43
Selles-sur-Cher 41.....153 AX44
Selles-sur-Nahon 36.....171 AW47
Sellières 39.....179 CB48
Selommes 41.....131 AU38
Seloncourt 25.....142 CL41
Selongey 21.....139 BY40
Selonnet 04.....270 CI75
Seltz 67.....69 CT24
La Selve 12.....280 BE79
La Selve 02.....25 BP18
Selvigny 59.....14 BK13
Sem 09.....336 AW94
Sémalens 81.....299 BB85
Semallé 61.....83 AN30
Semarey 21.....159 BU44
Sembadel 43.....246 BN66
Sembadel-Gare 43.....247 BO66
Sembas 47.....276 AP76
Semblançay 37.....151 AP41
Sembleçay 36.....153 AY44
Semboués 32.....315 AL86
Séméacq-Blachon 64.....294 AJ85
Sémécourt 57.....45 CE22
Semelay 58.....175 BO48
Semène 43.....230 BS65
Sementron 89.....135 BK40
Séméries 59.....15 BP12
Semerville 41.....110 AW36
Semezanges 21.....159 BW44
Sémézies-Cachan 32.....296 AQ85
Semide 08.....42 BT21
Semillac 17.....219 AG64
Semilly 52.....93 CA32
Semmadon 70.....140 CD38
Semnoz
(Montagne du) 74.....215 CG60
Semoine 10.....61 BQ28
Semond 21.....138 BU39
Semondans 25.....142 CK40
Semons 38.....231 BZ64
Semousies 59.....15 BO11
Semoussac 17.....219 AG64
Semoutiers 52.....116 BX35
Semoy 45.....111 BA36
Sempesserre 32.....276 AP80
Sempigny 60.....23 BH18
Sempy 62.....6 AZ8
Semur-en-Auxois 21.....158 BS41
Semur-en-Brionnais 71.....193 BO55
Semur-en-Vallon 72.....108 AO35
Semussac 17.....218 AD62
Semuy 08.....42 BU19
Le Sen 40.....273 AG78
Sénac 65.....315 AL87
Senaide 88.....118 CD35
Sénaillac-Latronquière 46.....261 BB71
Sénaillac-Lauzès 46.....260 AX73
Senailly 21.....137 BR40
Senan 89.....135 BK37
Sénanque
(Abbaye de) 84.....305 CA81
Senantes 60.....37 AZ19
Senantes 28.....57 AX28
Sénarens 31.....317 AS87
Senargent 70.....141 CI40
Senarpont 80.....21 AY15
Sénart 11.....58 BE29
Sénas 13.....305 BZ83
Senaud 39.....196 CA53
Senaux 81.....300 BF83
Sencenac-
Puy-de-Fourches 24.....222 AQ65
Senconac 09.....336 AY94
Sendets 64.....314 AI88
Sendets 33.....256 AJ75
Séné 56.....124 R39
Sène (Mont de) 71.....177 BV47
Sénéchas 30.....283 BQ76
Sénèque (Tour de) 2B.....345 FF101
Sénergues 12.....262 BE73
Senesse-de-Senabugue 09.....336 AZ91
Séneujols 43.....247 BO69
Senez 04.....288 CJ80
Sénezergues 15.....262 BD72
Sengouagnet 31.....334 AQ91
Sénierges 46.....260 AW72
Sénillé 86.....169 AQ49
Seningham 62.....7 BB6

Senlecques 62.....6 BA6
Senlis 62.....7 BB7
Senlis 60.....39 BF22
Senlis-le-Sec 80.....13 BE13
Senlisse 78.....57 BA28
Sennecey-le-Grand 71.....177 BW50
Sennecé-lès-Mâcon 71.....195 BW54
Sennecey-lès-Dijon 21.....160 BY43
Sennely 45.....133 BB39
Sennevières 37.....170 AT46
Senneville-sur-Fécamp 76.....19 AP16
Sennevoy-le-Bas 89.....137 BR38
Sennevoy-le-Haut 89.....137 BR38
Senon 55.....44 CB21
Senonches 28.....85 AT29
Senoncourt 70.....141 CF37
Senoncourt-les-Maujouy 55.....64 BZ24
Senones 88.....96 CL30
Senonges 88.....118 CE33
Senonnes 53.....127 AC37
Senots 60.....37 BA22
Senouillac 81.....299 BA81
Sénoville 50.....28 Z19
Senozan 71.....195 BW53
Sens 89.....113 BK33
Sens-Beaujeu 18.....155 BG43
Sens-de-Bretagne 35.....80 AA31
Sens-sur-Seille 71.....178 BZ49
Sentein 09.....334 AR93
Sentelie 80.....22 BB16
Sentenac-de-Sérou 09.....335 AV92
Sentenac-d'Oust 09.....335 AT93
Sentheim 68.....142 CM37
Sentilly 61.....54 AL27
La Sentinelle 59.....9 BL9
Sentous 65.....315 AN88
Senuc 08.....43 BV21
Senven-Léhart 22.....77 P30
La Séoube 05.....333 AM91
Sépeaux 89.....113 BJ36
Sepmeries 59.....14 BL10
Sepmes 37.....169 AQ46
Seppois-le-Bas 68.....143 CN40
Seppois-le-Haut 68.....143 CN40
Sept-Fons (Abbaye de) 03.....192 BN52
Sept-Forges 61.....82 AH30
Sept-Frères 14.....52 AE26
Sept-Meules 76.....10 AW14
Sept-Saulx 51.....42 BR23
Sept-Sorts 77.....59 BJ25
Sept-Vents 14.....32 AG23
Septème 38.....231 BY63
Septèmes-les-Vallons 13.....326 CB86
Septeuil 78.....57 AY26
Septfonds 89.....135 BI39
Septfonds 82.....278 AX78
Septfontaines 25.....180 CG46
Septmoncel 39.....197 CE53
Septmonts 02.....40 BK21
Septsarges 55.....43 BX21
Septvaux 02.....24 BK18
Sepvigny 55.....93 CB29
Sepvret 79.....185 AK54
Sepx 31.....316 AR89
Sequedin 59.....8 BH6
Sequehart 02.....24 BK14
Le Sequestre 81.....299 BB81
Serain 02.....14 BK13
Seraincourt 95.....57 AZ22
Seraincourt 08.....25 BQ18
Sérandon 19.....226 BD65
Séranon 06.....308 CM82
Serans 61.....54 AL27
Serans 60.....37 AZ22
Seranville 54.....95 CI30
Séranvillers-Forenville 59.....14 BJ12
Seraucourt 55.....63 BY23
Seraucourt-le-Grand 02.....24 BJ16
Seraumont 88.....93 CB30
Serazereux 28.....86 AW29
Serbannes 03.....210 BL57
Serbonnes 89.....89 BJ32
Serches 02.....40 BL21
Sercœur 88.....95 CI32
Sercus 59.....7 BE6
Sercy 71.....194 BV51
Serdinya 66.....342 BD96
Sère 32.....316 AP87
Sère-en-Lavedan 65.....332 AJ91
Sère-Lanso 65.....333 AK90
Sère-Rustaing 65.....315 AM88
Séreilhac 87.....205 AT60
Sérémange-Erzange 57.....45 CE22
Sérempuy 32.....296 AR83
Sérénac 81.....299 BD81
Sérent 56.....124 S37
Sérévillers 60.....22 BD17
Séreyrède (Col de la) 30.....282 BM79
Serez 27.....56 AW25
Sérézin-de-la-Tour 38.....232 CA62
Sérézin-du-Rhône 69.....231 BW62
Sergeac 24.....241 AT69
Sergenaux 39.....179 CB48
Sergenon 39.....178 CA47
Sergines 89.....89 BK32
Sergy 02.....40 BP22
Sergy 01.....197 CF54
Séricourt 62.....12 BD10

Sériers 15.....245 BI69
Sérifontaine 60.....37 AZ21
Sérignac 82.....297 AS81
Sérignac 46.....259 AT75
Sérignac 16.....239 AL66
Sérignac-Péboudou 47.....257 A073
Sérignac-sur-Garonne 47.....275 A078
Sérignan 34.....321 BK88
Sérignan-du-Comtat 84.....285 BX78
Sérignan-Plage 34.....321 BL88
Sérigné 85.....183 AE52
Sérigny 86.....169 AO48
Sérigny 61.....84 AO31
Sérilhac 19.....242 AY68
Seringes-et-Nesles 02.....40 BL22
Séris 41.....132 AW38
Serley 71.....178 BZ49
Sermages 58.....175 BO46
Sermaise 91.....87 BB30
Sermaise 49.....150 AK41
Sermaises 45.....87 BC32
Sermaize 60.....23 BH18
Sermaize-les-Bains 51.....63 BW27
Sermamagny 90.....142 CL38
Sermange 39.....161 CC44
Sermano 2B.....347 FF107
Sermentizon 63.....228 BM61
Sermentot 14.....33 AH23
Sermérieu 38.....232 CB61
Sermersheim 67.....97 CP31
Sermesse 71.....178 BY48
Sermiers 51.....41 BP23
Sermizelles 89.....157 BO41
Sermoise 02.....40 BL20
Sermoise-sur-Loire 58.....174 BJ47
Sermoyer 01.....195 BX52
Sermur 23.....208 BD58
Sernhac 30.....304 BV81
Sérocourt 88.....118 CD34
Séron 65.....314 AJ87
Serpaize 38.....231 BX63
La Serpent 11.....337 BB92
Serques 62.....3 BC5
Serqueux 76.....21 AX18
Serqueux 52.....118 CC35
Serquigny 27.....35 AR23
Serra-di-Ferro 2A.....348 FC113
Serra-di-Fiumorbo 2B.....349 FG110
Serra di Pigno 2B.....345 FG103
Serra-di-Scopamène 2A.....349 FE113
Serrabone (Prieuré de) 66.....342 BF96
Serralongue 66.....342 BF98
Serrant (Château de) 49.....149 AG42
Serraval 74.....216 CI59
La Serre 12.....300 BG81
Serre (Col de) 15.....245 BG68
La Serre-
Bussière-Vieille 23.....208 BD57
Serre-Chevalier 05.....252 CK69
Serre-les-Moulières 39.....161 CC44
Serre-les-Sapins 25.....161 CE44
Serre-Nerpol 38.....250 CB66
Serre-Ponçon
(Barrage et Lac de) 93.....270 CI74
Serres 31.....337 BD92
Serres 05.....269 CE75
Serres-Castet 64.....314 AH87
Serres-et-Montguyard 24.....257 AO72
Serres-Gaston 40.....294 AG84
Serres-Morlaàs 64.....314 AI87
Serres-Sainte-Marie 64.....313 AF86
Serres-sur-Arget 09.....336 AW92
Serreslous-et-Arribans 40.....293 AF83
Serriera 2A.....346 FB108
Serrières 71.....194 BV54
Serrières 54.....65 CF26
Serrières 07.....231 BW65
Serrières-de-Briord 01.....214 CB60
Serrières-
en-Chautagne 73.....215 CE59
Serrières-sur-Ain 01.....214 CB56
Serrigny 89.....137 BP37
Serrigny-en-Bresse 71.....178 BY48
Serris 77.....59 BG26
Serrouville 54.....45 CD20
Serruelles 18.....173 BD48
Sers 65.....333 AK92
Sers 16.....221 AN62
Servais 02.....24 BK18
Serval 02.....41 BN21
Servance 70.....142 CJ37
Servanches 24.....239 AM67
Servant 63.....209 BH56
Servas 30.....284 BS78
Servas 01.....213 BZ56
Servaville-Salmonville 76.....36 AV19
Serverette 48.....264 BL72
Serves-sur-Rhône 26.....249 BW67
Servian 34.....321 BK88
Servières 48.....264 BL74
Servières-le-Château 19.....243 BA68
Serviers-et-Labaume 30.....284 BT80
Serviès 81.....299 BB84
Serviès-en-Val 11.....338 BC90
Servignat 01.....195 BY53
Servigney 70.....141 CG38
Servigney 25.....162 CH41
Servigny 50.....31 AB23
Servigny-lès-Raville 57.....66 CH23

Servigny-
lès-Sainte-Barbe 57.....45 CF22
Serville 28.....56 AW27
Servilly 03.....192 BM55
Servin 25.....162 CI43
Servins 62.....8 BF9
Servon 77.....59 BF28
Servon 50.....51 AB28
Servon-Melzicourt 51.....43 BV22
Servon-sur-Vilaine 35.....104 AA34
Servoz 74.....216 CL58
Sery 89.....136 BN40
Sery 08.....26 BR18
Séry-lès-Mézières 02.....24 BL16
Séry-Magneval 60.....39 BG22
Serzy-et-Prin 51.....41 BN22
Sessenheim 67.....69 CS25
Sète 34.....323 BO87
Setques 62.....3 BB5
Les Settons 58.....158 BQ44
Seudre (Pont de la) 17.....200 AC59
Seugy 95.....38 BD23
Seuil 08.....42 BS19
Seuillet 03.....210 BM56
Seuilly 37.....150 AM45
Seur 41.....153 AV41
Le Seure 17.....202 AI60
Seurre 21.....178 BY46
Seux 80.....22 BB15
Seuzey 55.....64 CA24
Sevelinges 42.....212 BS57
Sevenans 90.....142 CL39
Sévérac 42.....125 V40
Sévérac-le-Château 12.....281 BJ77
Sévérac-l'Église 12.....281 BH76
Seveux 70.....140 CC40
Sevi (Col de) 2A.....346 FC108
Sévignac 22.....79 U31
Sévignacq 64.....314 AI86
Sévignacq-Meyracq 64.....332 AG90
Sévigny 61.....54 AL27
Sévigny-la-Forêt 08.....26 BS14
Sévigny-Waleppe 08.....25 BP18
Sévis 76.....20 AU17
Sevrai 61.....53 AK28
Sevran 93.....58 BE25
Sèvres 92.....58 BC27
Sèvres-Anxaumont 86.....186 AO51
Sevrey 71.....177 BW49
Sévrier 74.....215 CG59
Sévry 18.....155 BG45
Sewen 68.....142 CL37
Sexcles 19.....243 BA69
Sexey-aux-Forges 54.....94 CE28
Sexey-les-Bois 54.....65 CE27
Sexfontaines 52.....116 BX33
Seychalles 63.....210 BL60
Seyches 47.....257 AN74
Seyne 04.....270 CJ75
La Seyne-sur-Mer 83.....328 CG90
Seynes 30.....284 BS79
Seynod 74.....215 CG58
Seyre 31.....318 AX87
Seyresse 40.....292 AB83
Seyssel 74.....215 CE58
Seyssel 01.....215 CE58
Seysses 31.....317 AU86
Seysses-Savès 32.....317 AS86
Seyssinet-Pariset 38.....250 CD67
Seyssins 38.....250 CD67
Seyssuel 38.....231 BW63
Seythenex 74.....216 CI60
Seytroux 74.....198 CK54
Sézanne 51.....61 BN28
Sézéria 39.....196 CC52
Siarrouy 65.....315 AK87
Siaugues-
Saint-Romain 43.....246 BN68
Sibiril 29.....71 I26
Sibiville 62.....12 BD10
Siccieu-Saint-Julien-
et-Carisieu 38.....214 CA60
Sichamps 58.....156 BK45
Sickert 68.....142 CL37
Sideville 50.....29 AA17
Sidiailles 18.....190 BD52
Siecq 17.....202 AJ59
Siegen 67.....69 CT23
Les Sièges 89.....114 BM34
Sièges 39.....196 CD54
Sierck-les-Bains 57.....46 CG19
Sierentz 68.....143 CP38
Siersthal 57.....68 CN23
Sierville 76.....20 AT18
Siest 40.....292 AB83
Sieurac 81.....299 BB82
Sieuras 09.....317 AV89
Siévoz 38.....251 CE70
Siewiller 67.....67 CM25
Sigale 06.....289 CO80
Sigalens 33.....256 AK75
Sigean 11.....339 BI91
Sigean (Réserve
africaine de) 11.....339 BI91
Sigloy 45.....133 BC38
Signac 31.....334 AP92
Signes 83.....327 CF87
Signéville 52.....93 BZ32
Signy-l'Abbaye 08.....26 BS17

Signy-le-Petit 08	26	BR14
Signy-Montlibert 08	27	BY18
Signy-Signets 77	59	BI25
Sigogne 16	220	AJ61
Sigolsheim 68	121	CO33
Sigonce 04	287	CF80
Sigottier 05	268	CD75
Sigoulès 24	257	AN72
Sigournais 85	166	AD50
Sigoyer 05	269	CG74
Sigoyer 04	287	CG76
Siguer 09	336	AW94
Sigy 77	89	BJ30
Sigy-en-Bray 76	21	AX18
Sigy-le-Châtel 71	194	BU52
Silfiac 56	101	O33
Silhac 07	248	BV70
Sillans 38	232	CB65
Sillans-la-Cascade 83	307	CI84
Sillars 86	187	AR53
Sillas 33	274	AK76
Sillé-le-Guillaume 72	107	AK33
Sillé-le-Philippe 72	108	AO34
Sillegny 57	65	CF24
Sillery 51	41	BQ22
Silley-Amancey 25	180	CG46
Silley-Bléfond 25	162	CH42
Sillingy 74	215	CF58
Silly-en-Gouffern 61	54	AM27
Silly-en-Saulnois 57	66	CG24
Silly-la-Poterie 02	40	BJ22
Silly-le-Long 60	39	BG23
Silly-sur-Nied 57	46	CG22
Silly-Tillard 60	38	BB21
Silmont 55	63	BY27
Siltzheim 67	67	CL23
Silvacane (Ancienne Abbaye de) 13	305	CB83
Silvareccio 2B	347	FG106
Silvarouvres 52	116	BV35
Simacourbe 64	314	AI86
Simandre 71	195	BX51
Simandre-sur-Suran 01	196	CA55
Simandres 69	231	BX62
Simard 71	178	BY50
Simencourt 62	13	BF11
Simeyrols 24	241	AV70
Simiane-Collongue 13	327	CC86
Simiane-la-Rotonde 04	286	CD80
Simorre 32	316	AQ86
Simplé 53	105	AF36
Le Simserhof (Fort) 57	68	CO23
Sin-le-Noble 59	8	BI9
Sinard 38	250	CD69
Sinceny 02	24	BJ18
Sincey-lès-Rouvray 21	158	BO42
Sindères 40	272	AC79
Singles 63	226	BE63
Singleyrac 24	257	AO72
Singly 08	26	BU17
Singrist 67	68	CO27
Sinsat 09	336	AX94
Sinzos 65	315	AL69
Sion 54	94	CE30
Sion 32	295	AK83
Sion-les-Mines 44	126	Z38
Sion-sur-l'Océan 85	164	W49
Sioniac 19	243	AZ69
Sionne 88	93	CB31
Sionviller 54	95	CI28
Siorac-de-Ribérac 24	239	AN67
Siorac-en-Périgord 24	259	AS71
Siouville-Hague 50	28	Y17
Sirac 32	297	AS83
Siracourt 62	7	BC9
Siradan 65	334	AP91
Siran 34	320	BF88
Siran 15	243	BB70
Siran (Château) 33	237	AF68
Sireix 65	332	AI91
Sireuil 16	241	AT70
Sireuil 16	221	AL62
Sirod 39	180	CF49
Siros 64	314	AG87
Sisco 2B	345	FG102
Sissonne 02	25	BO18
Sissy 02	24	BL16
Sistels 82	276	AO79
Sisteron 04	287	CG77
Sivergues 84	305	CB82
Sivignon 71	194	BT53
Sivry 54	65	CF26
Sivry-Ante 51	43	BV24
Sivry-Courtry 77	88	BG30
Sivry-la-Perche 55	43	BY23
Sivry-lès-Buzancy 08	43	BW20
Sivry-sur-Meuse 55	43	BY21
Six-Fours-les-Plages 83	327	CI88
Sixt-Fer-à-Cheval 74	216	CL56
Sixt-sur-Aff 35	125	W37
Sizun 29	75	H29
Smarves 86	186	AN52
Smermesnil 76	20	AW15
Soccia 2A	348	FC109
Sochaux 25	142	CL40
Socoa 64	310	W86
Socourt 88	95	CG31
Socx 59	3	BD3
Sode 31	334	AP93
Sceurdres 49	128	AH38
Sognes 89	89	BL32
Sognolles-en-Montois 77	89	BJ30
Sogny-aux-Moulins 51	62	BS25
Sogny-en-l'Angle 51	62	BV26
Soignolles 14	53	AK24
Soignolles-en-Brie 77	59	BF28
Soilly 51	60	BM24
Soindres 78	57	AY25
Soing 70	140	CD40
Soings-en-Sologne 41	153	AX42
Soirans 21	160	BZ44
Soissons 02	40	BK20
Soissons-sur-Nacey 21	160	CA43
Soisy-Bouy 77	89	BK30
Soisy-sous-Montmorency 95	58	BC25
Soisy-sur-École 91	88	BE30
Soisy-sur-Seine 91	58	BE28
Soizé 28	109	AS34
Soize 02	25	BP17
Soizy-aux-Bois 51	61	BN27
Solaize 69	231	BW62
Solaro 2B	349	FG111
Solbach 67	96	CN30
Soleilhas 04	308	CL81
Solemont 25	163	CK42
Solente 60	23	BH17
Solenzara 2A	349	FG112
Le Soler 66	342	BG95
Solérieux 26	285	BX76
Solers 77	59	BG28
Solesmes 72	129	AJ37
Solesmes 59	14	BL11
Soleymieu 38	232	CA61
Soleymieux 42	229	BQ63
Solférino 40	273	AD78
Solgne 57	66	CG24
Soliers 14	33	AK23
Solignac 87	223	AU61
Solignac-sous-Roche 43	247	BQ66
Solignac-sur-Loire 43	247	BP69
Solignat 63	227	BJ63
Soligny-la-Trappe 61	84	AP29
Soligny-les-Étangs 10	89	BL31
Sollacaro 2A	348	FD113
Sollières-Sardières 73	235	CM65
Solliès-Pont 83	328	CH88
Solliès-Toucas 83	328	CH88
Solliès-Ville 83	328	CH89
Sologny 71	194	BV54
Solomiac 32	296	AR82
Solre-le-Château 59	15	BP11
Solrinnes 59	15	BP11
Sommet-Bucher 05	271	CM71
La Sommette 25	162	CI44
Sommette-Eaucourt 02	23	BI16
Somloire 49	167	AG46
Sommaing 59	14	BL10
Sommaisne 55	63	BX25
Sommancourt 52	92	BX30
Sommant 71	176	BR46
Sommauthe 08	43	BW19
Somme-Bionne 51	42	BU23
Somme-Suippe 51	42	BU23
Somme-Tourbe 51	42	BU23
Somme-Vesle 51	62	BT24
Somme-Yèvre 51	62	BU23
Sommecaise 89	135	BJ38
Sommedieue 55	64	CA23
Sommeilles 55	63	BW25
Sommelans 02	40	BK23
Sommelonne 55	63	BX28
Sommepy-Tahure 51	42	BU23
Sommerance 08	43	BW21
Sommerécourt 52	117	CB33
Sommereux 60	21	BA17
Sommeron 02	25	BO14
Sommervieu 14	33	AH21
Sommerviller 54	95	CG28
Sommery 76	20	AW18
Sommesnil 76	19	AR17
Sommesous 51	61	BQ27
Sommette 25	162	CI44
Sommeval 10	114	BP34
Sommeville 52	92	BX29
Sommevoire 52	92	BV31
Sommières 30	303	BR82
Sommières-du-Clain 86	186	AN55
Somport (Col du) 64	331	AF93
Sompt 79	202	AK56
Sompuis 51	62	BS28
Somsois 51	91	BT29
Son 08	26	BR18

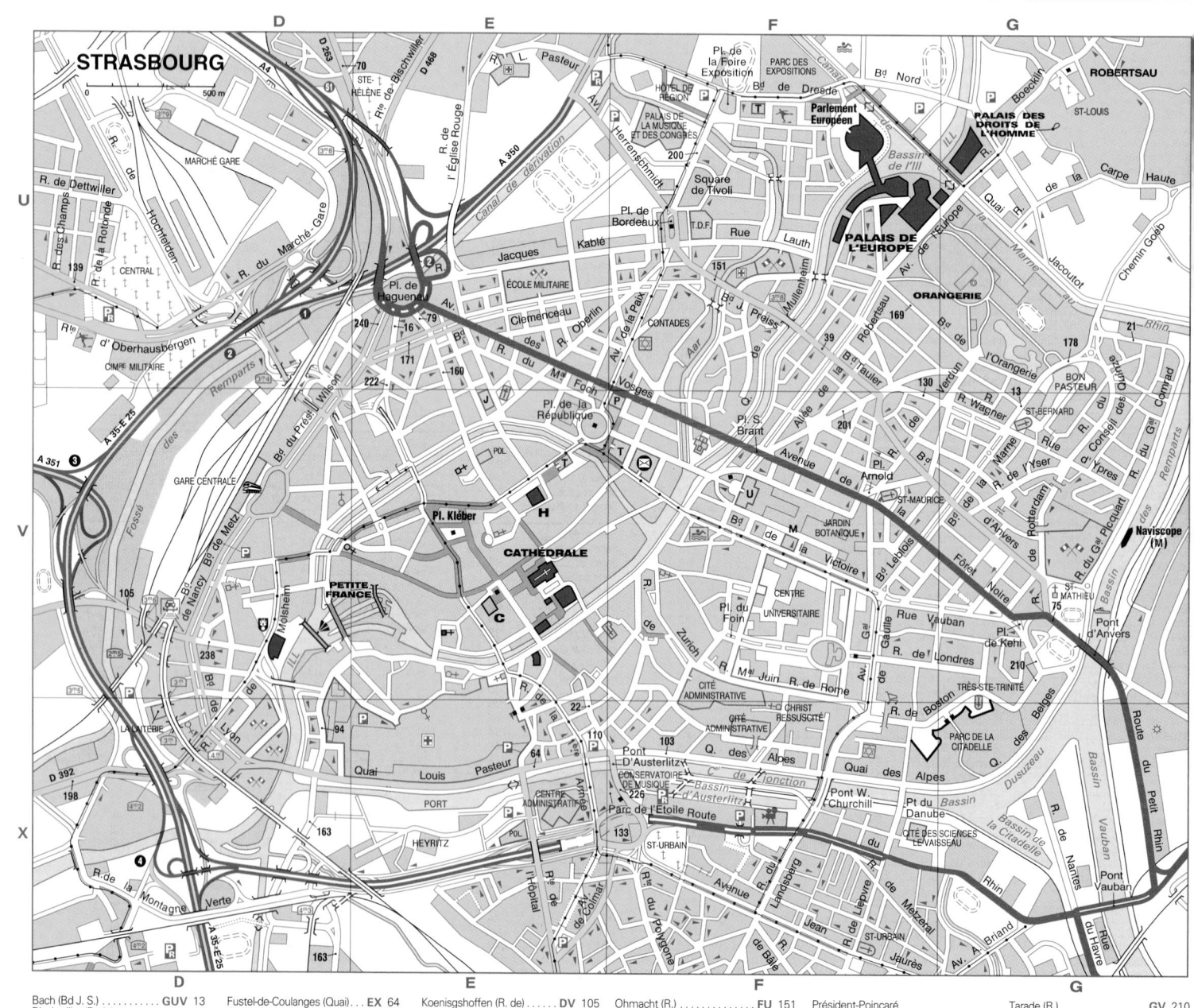

STRASBOURG

Bach (Bd J. S.)	GUV	13
Bischwiller (R. de)	EU	16
Boussingault (R.)	GU	21
Brigade Alsace-Lorraine (R. de la)	FU	22
Dordogne (Bd de la)	EX	39
Fustel-de-Coulanges (Quai)	EX	64
Gaulle (Rte du Gén.-de)	DEU	70
Grand-Pont (R. du)	GV	75
Haguenau (R. de)	EU	79
Humann (R.)	DX	94
Koenig (Quai du Gén.)	FX	103
Koenigshoffen (R. de)	DV	105
Lattre-de-Tassigny (Pl. du Mar.-de)	EX	110
Massenet (R.)	FUV	130
Mendès-France (Rd-Pt. P.)	FX	133
Mittelhausbergen (Rte de)	DU	139
Ohmacht (R.)	FU	151
Pierre (R. du Fg-de)	EU	160
Plaine des Bouchers (R. de la)	DX	163
Président-Edwards (Bd du)	FU	169
Président-Poincaré (Bd)	EU	171
Richter (Rte Fr.-Xavier)	EU	178
Schirmeck (Rte de)	DX	198
Schutzenberger (Av.)	FU	200
Schweighaeuser (R.)	FV	201
Tarade (R.)	GV	210
Travail (R. du)	EUV	222
Vienne (R. de)	FX	226
Wasselonne (R. de).	DV	238
Wissembourg (R. de)	EU	240

Sonac 46 ....261 AZ72
Sonchamp 78 ....86 AZ29
Soncourt 68 ....94 CD31
Soncourt-sur-Marne 52 ....116 BX33
Sondernach 68 ....120 CM35
Sondersdorf 68 ....143 CO40
La Sône 38 ....250 CA67
Songeons 60 ....21 AZ18
Songeson 39 ....179 CD50
Songieu 01 ....214 CD58
Songy 51 ....62 BT27
Sonnac 17 ....261 AI59
Sonnac 12 ....261 BB74
Sonnac-sur-l'Hers 11 ....337 BA91
Sonnay 38 ....231 BX65
Sonnaz 73 ....233 CF61
Sonneville 16 ....202 AK60
Sons-et-Ronchères 02 ....24 BM16
Sonthonnax-
la-Montagne 01 ....196 CB55
Sonzay 37 ....151 AP41
Soorts-Hossegor 40 ....292 Z83
Sophia-Antipolis 06 ....309 CP83
Soppe-le-Bas 68 ....142 CM38
Soppe-le-Haut 68 ....142 CM38
Sor 09 ....335 AS92
Sorans-lès-Breurey 70 ....162 CF42
Sorba (Col de) 2B 349 FF109
Sorbais 02 ....25 BO14
Sorbets 40 ....294 AH84
Sorbets 32 ....295 AK83
Sorbey 57 ....66 CG23
Sorbey 55 ....44 CA20
Sorbier 03 ....192 BN54
Sorbiers 42 ....230 BT63
Sorbiers 05 ....268 CC75
Sorbo-Ocagnano 2B 347 FG105
Sorbollano 2A 349 FE113
Sorbon 08 ....26 BR18
Sorbs 34 ....301 BL81
Sorcy-Bauthémont 08 ....26 BT18
Sorcy-Saint-Martin 55 ....64 CB27
Sorde-l'Abbaye 40 ....292 AB85
Sore 40 ....273 AF76
Soréac 65 ....315 AL88
Sorède 66 ....343 BI96
Sorel 80 ....14 BI13
Sorel-en-Vimeu 80 ....11 BA13
Sorel-Moussel 28 ....56 AW26
Sorèze 81 ....319 BB86
Sorgeat 09 ....336 AZ94
Sorges 24 ....240 AF66
Sorgues 84 ....285 BX80
Sorigny 37 ....151 AQ44
Les Sorinières 44 ....147 Z44
Sorio 2B 345 FF104
Sormery 89 ....114 BN35
Sormonne 08 ....26 BT15
Sornac 19 ....225 BC62
Sornay 71 ....195 BY51
Sornay 70 ....161 CC43
Sornéville 54 ....66 CH27
Sorquainville 76 ....19 AQ17
Sorrus 62 ....6 AY8
Sort-en-Chalosse 40 ....293 AC83
Sortosville 50 ....29 AB19
Sortosville-
en-Beaumont 50 ....28 Z19
Sos 47 ....275 AL79
Sospel 06 ....291 CS80
Sossais 86 ....169 AO48
Sost 65 ....334 AO92
Sotta 2A 351 FF115
Sottevast 50 ....29 AA18
Sotteville 50 ....28 Z18
Sotteville-lès-Rouen 76 ....36 AU20
Sotteville-sous-le-Val 76 ....36 AU21
Sotteville-sur-Mer 76 ....19 AS15
Soturac 46 ....259 AS75
Sotzeling 57 ....66 CI25
Souain-Perthes-
lès-Hurlus 51 ....42 BT22
Soual 81 ....299 BB85
Souancé-au-Perche 28 ....109 AS33
Souanyas 66 ....341 BC96
Souastre 62 ....13 BE12
Soubès 34 ....301 BL83
Soubise 17 ....200 AD58
Soublecause 65 ....295 AK85
Soubran 17 ....219 AG65
Soubrebost 23 ....207 AZ58
Soucé 53 ....82 AH30
Soucelles 49 ....128 AI40
Souché 79 ....184 AH54
La Souche 07 ....265 BR73
Souchez 62 ....8 BG9
Soucht 57 ....68 CN24
Soucia 39 ....196 CD51
Soucieu-en-Jarrest 69 ....230 BV61
Soucirac 46 ....260 AW72
Souclin 01 ....214 CD58
Soucy 89 ....113 BK33
Soucy 02 ....39 BI21
Soudaine-Lavinadière 19 ....224 AY63
Soudan 79 ....185 AK53
Soudan 44 ....127 AB38
Soudat 24 ....222 AP62
Souday 41 ....109 AS35
Soudé 51 ....62 BR27
Soudeilles 19 ....225 BB64
Soudorgues 30 ....283 BP79

Soudron 51 ....61 BQ26
Soueich 31 ....334 AQ91
Soueix-Rogalle 09 ....335 AU93
Souel 81 ....279 BA80
Soues 80 ....22 BB14
Soues 65 ....315 AL89
Souesmes 41 ....154 BC42
Souffelweyersheim 67 ....69 CR27
Soufflenheim 67 ....69 CS25
Souffrignac 16 ....221 AO62
Sougé 41 ....131 AR38
Sougé 36 ....171 AW47
Sougé-le-Ganelon 72 ....83 AL32
Sougéal 35 ....80 AA29
Sougères-en-Puisaye 89 ....156 BK41
Sougères-sur-Sinotte 89 ....136 BM37
Sougraigne 11 ....337 BD92
Sougy 45 ....110 AZ35
Sougy-sur-Loire 58 ....175 BL48
Les Souhesmes 55 ....43 BY23
Souhey 21 ....158 BS41
Le Souich 62 ....12 BD11
Souilhanels 11 ....318 AZ87
Souilhe 11 ....318 AZ87
Souillac 46 ....242 AW70
Souillé 72 ....107 AN34
Souilly 77 ....59 BF25
Souilly 55 ....63 BY24
Soula 09 ....336 AX92
Soulac-sur-Mer 33 ....218 AC63
Soulages 15 ....246 BK68
Soulages-Bonneval 12 ....263 BG73
Soulaincourt 52 ....93 BZ30
Soulaines-Dhuys 10 ....92 BU31
Soulaines-sur-Aubance 49 ....149 AH42
Soulaire-et-Bourg 49 ....128 AH40
Soulaires 28 ....86 AX30
Soulan 09 ....335 AU92
Soulanges 51 ....62 BT27
Soulangis 18 ....155 BE45
Soulangy 14 ....53 AK25
Soulatgé 11 ....338 BE93
Soulaucourt-
sur-Mouzon 52 ....118 CC33
Soulaures 24 ....259 AS73
Soulce-Cernay 25 ....163 CL42
Soulgé-sur-Ouette 53 ....106 AH35
Le Soulié 34 ....300 BG85
Soulières 51 ....61 BO26
Soulièvres 79 ....168 AK48
Soulignac 33 ....256 AI72
Souligné-Flacé 72 ....107 AL36
Souligné-sous-Ballon 72 ....107 AN34
Soulignonne 17 ....201 AE60
Souligny 10 ....114 BP33
Soulitré 72 ....108 AP35
Soullans 85 ....164 W48
Soulles 50 ....52 AD24
Soulom 65 ....332 AJ91
Soulomès 46 ....260 AX73
Soulor (Col du) 65 ....332 AJ91
Soulosse-
sous-Saint-Élophe 88 ....94 CC31
Soultz-Haut-Rhin 68 ....120 CN36
Soultz-les-Bains 67 ....97 CP28
Soultz-sous-Forêts 67 ....69 CR24
Soultzbach-les-Bains 68 ....120 CN34
Soultzeren 68 ....120 CM34
Soultzmatt 68 ....120 CN35
Soulvache 44 ....126 AA37
Soumaintrain 89 ....114 BO35
Soumans 23 ....190 BD55
Soumensac 47 ....257 AN72
Souméras 17 ....219 AG65
Soumont 34 ....301 BL83
Soumont-Saint-Quentin 14 ....53 AK25
Soumoulou 64 ....314 AI08
Soupex 11 ....318 AZ87
Soupir 02 ....40 BM20
Souplicourt 80 ....21 BA16
Souppes-sur-Loing 77 ....112 BG34
Souprosse 40 ....293 AE82
Le Souquet 40 ....272 AB80
Souraïde 64 ....310 Y87
Sourans 25 ....142 CJ41
La Source 45 ....133 BA38
Sourcieux-les-Mines 69 ....212 BV60
Le Sourd 02 ....25 BN15
Sourdeval 50 ....52 AF27
Sourdeval-les-Bois 50 ....51 AC25
Sourdon 80 ....22 BD17
Sourdun 77 ....89 BK30
Le Sourn 56 ....101 P34
Sournia 66 ....338 BE94
Sourniac 15 ....244 BD66
Sourribes 04 ....287 CG78
Sours 28 ....86 AX31
Soursac 19 ....243 BC66
Sourzac 24 ....239 AN68
Sous-la-Tour 22 ....78 R29
Sous-Parsat 23 ....207 BA57
Sousceyrac 46 ....243 BA70
Sousmoulins 17 ....220 AI65
Souspierre 26 ....267 BY74
Soussac 33 ....256 AK72
Soussans 33 ....237 AF68
Soussey-sur-Brionne 21 ....159 BT43
Soustelle 30 ....283 BQ78
Soustons 40 ....292 Z82
Souternon 42 ....211 BQ59

La Souterraine 23 ....188 AW55
Soutiers 79 ....185 AJ51
Souvans 39 ....179 CB46
Souvignargues 30 ....303 BR82
Souvigné 79 ....185 AJ53
Souvigné 37 ....151 AO41
Souvigné 16 ....203 AL58
Souvigné-sur-Même 72 ....108 AQ33
Souvigné-sur-Sarthe 72 ....128 AI37
Souvigny 03 ....191 BJ52
Souvigny-de-Touraine 37 ....152 AT42
Souvigny-en-Sologne 41 ....133 BB40
Souyeaux 65 ....315 AL88
Souzay-Champigny 49 ....150 AL44
Souzy 69 ....230 BT61
Souzy-la-Briche 91 ....87 BB30
Soveria 2B 347 FE107
Soyans 26 ....267 BY73
Soyaux 16 ....221 AM62
Soye 25 ....162 CI41
Soye-en-Septaine 18 ....173 BE47
Soyécourt 80 ....23 BG15
Soyers 52 ....140 CC37
Soyons 07 ....249 BX70
Spada 55 ....64 CA25
Sparsbach 67 ....68 CO25
Spay 72 ....107 AM36
Spechbach-le-Bas 68 ....143 CN38
Spechbach-le-Haut 68 ....143 CN38
Speloncato 2B 346 FD105
Spelunca (Gorges de) 2A 346 FB108
Spéracèdes 06 ....308 CN83
Spézet 29 ....76 K32
Spicheren 57 ....47 CK21
Spin'a Cavallu
(Pont génois) 2A 350 FD114
Spincourt 55 ....44 CB20
Sponville 54 ....65 CC23
Spoy 21 ....160 BY41
Spoy 10 ....116 BU33
Spycker 59 ....3 BD3
Squiffiec 22 ....73 O27
Staffelfelden 68 ....121 CO36
Stains 93 ....58 BD25
Stainville 55 ....63 BY28
Stangala (Site du) 29 ....99 H33
Staple 59 ....3 BE5
Stattmatten 67 ....69 CS25
Stazzona 2B 347 FG106
Steenbecque 59 ....7 BE6
Steene 59 ....3 BD3
Steenvoorde 59 ....3 BE4
Steenwerck 59 ....8 BG6
Steige 67 ....96 CN31
Steinbach 68 ....142 CN37
Steinbourg 67 ....68 CO26
Steinbrunn-le-Bas 68 ....143 CO38
Steinbrunn-le-Haut 68 ....143 CO38
Steinseltz 67 ....69 CS23
Steinsoultz 68 ....143 CO39
Stella-Plage 62 ....6 AX8
Stenay 55 ....43 BX19
Sternenberg 68 ....142 CM38
Stetten 68 ....143 CP39
Stigny 89 ....137 BR38
Stiring-Wendel 57 ....47 CK21
Stival 56 ....101 P33
Stonne 08 ....27 BW18
Storckensohn 68 ....120 CL36
Stosswihr 68 ....120 CM34
Stotzheim 67 ....97 CP30
Strasbourg 67 ....97 CR28
Strazeele 59 ....4 BF5
Strenquels 46 ....242 AX69
Strueth 68 ....143 CN39
Struth 67 ....68 CN25
Stuckange 57 ....45 CF20
Stundwiller 67 ....69 CS24
Sturzelbronn 57 ....68 CP23
Stutzheim-Offenheim 67 ....68 CQ27
Suarce 90 ....142 CM39
Suaucourt-et-Pisseloup 70 ....140 CC39
Suaux 16 ....203 AO59
Le Subdray 18 ....172 BC47
Sublaines 37 ....152 AT44
Subles 14 ....32 AG21
Subligny 89 ....113 BJ34
Subligny 50 ....51 AC27
Subligny 18 ....155 BG42
Suc-au-May 19 ....225 AZ64
Suc-et-Sentenac 09 ....336 AW94
Succieu 38 ....232 CA63
Sucé-sur-Erdre 44 ....147 AA42
Sucy-en-Brie 94 ....58 BE27
Suèvres 41 ....132 AW39
Sugères 63 ....228 BL62
Sugny 08 ....42 BU20
Suhescun 64 ....311 AA88
Suilly-la-Tour 58 ....156 BI43
Suin 71 ....194 BT53
Suippes 51 ....42 BT23
Suisse 57 ....66 CI24
Suizy-le-Franc 51 ....61 BN25
Sulignat 01 ....213 BX56
Sully 71 ....177 BT47
Sully 60 ....21 AZ18
Sully 14 ....32 AG21
Sully-la-Chapelle 45 ....111 BC36
Sully-sur-Loire 45 ....134 BD38
Sulniac 56 ....124 S38

Sumène 30 ....283 BO80
Sundhoffen 68 ....121 CP34
Sundhouse 67 ....97 CQ32
Super-Barèges 65 ....333 AL92
Super-Besse 63 ....227 BH63
Super-Bolquère 66 ....341 BB97
Super-Lioran 15 ....245 BG68
Super-Sauze 04 ....270 CL75
Superbagnères 31 ....334 AO94
Superdévoluy 05 ....269 CF72
Supeyres (Col des) 63 ....229 BO62
Supt 39 ....179 CE48
Le Suquet 06 ....291 CO80
Surat 63 ....210 BK59
Surba 09 ....336 AX93
Surbourg 67 ....69 CR24
Surcamps 80 ....12 BB13
Surdoux 87 ....224 AX62
Suré 61 ....84 AO31
Suresnes 92 ....58 BC26
Surfonds 72 ....108 AP36
Surfontaine 02 ....24 BL16
Surgères 17 ....201 AF56
Surgy 58 ....157 BM41
Suriauville 88 ....118 CD33
Surin 86 ....203 AO57
Surin 79 ....184 AH52
Suris 16 ....204 AO59
Surjoux 01 ....215 CE57
Surmont 25 ....163 CJ43
Surques 62 ....2 BA5
Surrain 14 ....32 AF20
Surtainville 50 ....28 Z19
Surtauville 27 ....36 AT22
Survie 61 ....54 AN26
Surville 50 ....31 AA21
Surville 27 ....36 AU22
Surville 14 ....34 AN21
Survilliers 95 ....38 BE23
Sury 08 ....26 BT16
Sury-aux-Bois 45 ....111 BD36
Sury-en-Vaux 18 ....155 BG43
Sury-ès-Bois 18 ....155 BG42
Sury-le-Comtal 42 ....229 BR63
Surzur 56 ....124 R39
Sus 64 ....313 AD87
Sus-Saint-Léger 62 ....12 BD11
Suscinio (Château de) 56 ....124 R40
Susmiou 64 ....313 AD87
Sussac 87 ....224 AX62
Sussargues 34 ....303 BO83
Sussat 03 ....209 BI56
Sussey 21 ....158 BS44
Susville 38 ....251 CE69
Sutrieu 01 ....214 CC58
Suzan 09 ....335 AV91
Suzanne 80 ....23 BG14
Suzanne 08 ....42 BT19
Suzannecourt 52 ....93 BY30
Suzay 27 ....37 AX21
Suze 26 ....267 BZ71
Suze-la-Rousse 26 ....285 BX77
La Suze-sur-Sarthe 72 ....129 AL37
Suzette 84 ....285 BZ78
Suzoy 60 ....23 BH18
Suzy 02 ....24 BL18
Sy 08 ....43 BV19
Syam 39 ....179 CE50
Sylvains-les-Moulins 27 ....56 AU25
Sylvanès 12 ....301 BI82
Le Syndicat 88 ....119 CJ35

T

Tabaille-Usquain 64 ....311 AC87
Tabanac 33 ....255 AH72
La Table 73 ....233 CH63
Le Tablier 85 ....183 AB51
Tabre 09 ....336 AZ91
La Tâche 16 ....203 AN59
Tachoires 32 ....316 AP86
Tacoignières 78 ....57 AV26
Taconnay 58 ....157 BL43
Taden 22 ....79 X30
Tadousse-Ussau 64 ....294 AI85
Taglio-Isolaccio 2B 347 FG106
La Tagnière 71 ....176 BR49
Tagnon 08 ....42 BR20
Tagolsheim 68 ....143 CO38
Tagsdorf 68 ....143 CO39
Tailhac 43 ....246 BM69
Taillades 84 ....305 BZ82
Le Taillan-Médoc 33 ....237 AF70
Taillancourt 55 ....94 CC29
Taillant 17 ....201 AG59
Taillebois 61 ....53 AI26
Taillebourg 47 ....257 AM75
Taillebourg 17 ....201 AG59
Taillecavat 33 ....257 AL73
Taillecourt 25 ....142 CL40
La Taillée 85 ....183 AE53
Taillefontaine 02 ....39 BI21
Taillepied 50 ....31 AA20
Taillet 66 ....342 BG97
Taillette 08 ....26 BS14
Tailleville 14 ....33 AJ21
Taillis 35 ....105 AC33
Tailly 80 ....11 BA14

Tailly 21 ....177 BW47
Tailly 08 ....43 BX19
Tain-l'Hermitage 26 ....249 BW68
Taingy 89 ....136 BL40
Taintrux 88 ....96 CL32
Taisnières-en-Thiérache 59 ....15 BN12
Taisnières-sur-Hon 59 ....15 BN10
Taissy 51 ....41 BQ22
Taïx 81 ....279 BB80
Taizé 79 ....168 AK47
Taizé 71 ....194 BV52
Taizé-Aizie 16 ....203 AN57
Tajan 65 ....315 AN89
Talairan 11 ....338 BF91
Talais 33 ....218 AC63
Talange 57 ....45 CF21
Talant 21 ....160 BX43
Talasani 2B 347 FH106
Talau 66 ....341 BC96
La Talaudière 42 ....230 BT64
Talazac 65 ....315 AK87
Talcy 89 ....137 BQ40
Talcy 41 ....132 AW38
Talence 33 ....255 AG71
Talencieux 07 ....249 BW66
Talensac 35 ....103 X34
Talissieu 01 ....214 CD59
Talizat 15 ....245 BI68
Tallans 25 ....162 CH41
Tallard 05 ....269 CG74
Tallenay 25 ....162 CF43
Tallende 63 ....227 BJ62
Taller 40 ....292 AB81
Talloires 74 ....215 CH59
Tallone 2B 347 FG108
Le Tallud 79 ....185 AJ51
Tallud-Sainte-Gemme 85 ....166 AE50
Talmas 80 ....12 BD13
Talmay 21 ....160 CA42
Talmont-Saint-Hilaire 85 ....182 Y52
Talmont-sur-Gironde 17 ....218 AD63
Talmontiers 60 ....37 AY20
Taloire 04 ....308 CK81
Talon 58 ....157 BM43
Talus-Saint-Prix 51 ....61 BN26
Taluyers 69 ....230 BV62
Tamaris-sur-Mer 83 ....328 CG90
La Tamarissière 34 ....322 BM88
Tamerville 50 ....29 AB18
Tamié (Abbaye de) 73 ....234 CI61
Tamnay-en-Bazois 58 ....175 BN46
Tamniès 24 ....241 AT69
Tanavelle 15 ....245 BI69
Tanay 21 ....160 BZ42
Tancarville 76 ....35 AP19
Tancarville (Pont de) 76 ....35 AP19
Tancoigné 49 ....149 AI44
Tancon 71 ....212 BS56
Tanconville 54 ....96 CL28
Tancrou 77 ....59 BI25
Tangry 62 ....7 BD8
La Tania 73 ....234 CK63
Taninges 74 ....216 CK56
Tanis 50 ....51 AB28
Tanlay 89 ....137 BO37
Tannay 58 ....157 BM43
Tannay 08 ....27 BV18
Tanneron 83 ....308 CN84
Tannerre-en-Puisaye 89 ....135 BJ39
La Tannière 53 ....81 AE31
Tannières 02 ....40 BM21
Tannois 55 ....63 BY27
Tanques 61 ....54 AL28
Tantonville 54 ....94 CF30
Le Tanu 50 ....51 AC26
Tanus 81 ....280 BD79
Tanville 61 ....83 AL29
Tanzac 17 ....219 AG62
Taponas 69 ....213 BW56
Taponnat-Fleurignac 16 ....203 AO60
Tappa
(Site préhistorique) 2A 351 FF115
Tarabel 31 ....318 AX86
Taradeau 83 ....308 CK85
Tarare 69 ....212 BT59
Tarascon 13 ....304 BV82
Tarascon-sur-Ariège 09 ....336 AX93
Tarasteix 65 ....315 AK87
Tarbes 65 ....315 AK88
Tarcenay 25 ....162 CF44
Tardais 28 ....85 AT29
Tardes 23 ....208 BD56
Tardets-Sorholus 64 ....331 AD89
La Tardière 85 ....167 AF50
Tardinghen 62 ....2 AY4
Tarentaise 42 ....230 BU65
Tarentaise
(Belvédère de la) 73 ....235 CN63
Tarerach 66 ....342 BE95
Targassonne 66 ....341 BA97
Targé 86 ....169 AP49
Targon 33 ....256 AI72
Tarnac 19 ....225 BA61
Tarnès 33 ....237 AH69
Tarnos 40 ....292 Y85
Taron-Sadirac-
Viellenave 64 ....294 AI85
Tarquimpol 57 ....67 CJ26

Tarrano 2B 347 FG107
Tarsac 32 ....294 AJ84
Tarsacq 64 ....313 AE87
Tarsul 21 ....160 BX41
Tart-l'Abbaye 21 ....160 BZ44
Tart-le-Bas 21 ....160 BZ44
Tart-le-Haut 21 ....160 BY44
Tartaras 42 ....230 BV63
Tartas 40 ....293 AD82
Tartécourt 70 ....140 CE37
Tartiers 02 ....40 BJ20
Tartigny 60 ....22 BD18
Tartonne 04 ....288 CJ79
Le Tartre 71 ....178 CA49
Le Tartre-Gaudran 78 ....57 AX28
Tarzy 08 ....26 BR15
Tasdon 17 ....200 AC56
Tasque 32 ....295 AK84
Tassé 72 ....129 AK37
Tassenières 39 ....179 CB47
Tassillé 72 ....107 AL35
Tassin-la-Demi-Lune 69 ....213 BW60
Tasso 2A 349 FE111
Tatinghem 62 ....3 BC5
Le Tâtre 16 ....220 AJ64
Taugon 17 ....183 AE54
Taulanne 04 ....308 CK81
Taulé 29 ....71 J27
Taulignan 26 ....267 BY75
Taulis 66 ....342 BF97
Taupont 56 ....102 T35
Tauriac 81 ....298 AX81
Tauriac 46 ....242 AY70
Tauriac 33 ....237 AG68
Tauriac-de-Camarès 12 ....301 BI83
Tauriac-de-Naucelle 12 ....279 BC78
Tauriers 07 ....266 BS74
Taurignan-Castet 09 ....335 AT91
Taurignan-Vieux 09 ....335 AT91
Taurinya 66 ....342 BE96
Taurize 11 ....338 BE90
Taussac 12 ....262 BF71
Taussac-la-Billière 34 ....301 BJ84
Taussat 33 ....254 AC72
Tautavel 66 ....338 BG93
Tauves 63 ....226 BF63
Tauxières-Mutry 51 ....41 BQ23
Tauxigny 37 ....152 AR44
Tavaco 2A 348 FD107
Tavant 37 ....151 AO45
Tavaux 39 ....178 CA46
Tavaux-et-Pontséricourt 02 ....25 BO16
Tavel 30 ....285 BW80
Tavera 2A 348 FD110
Tavernay 71 ....176 BR46
Tavernes 83 ....307 CG84
Taverny 95 ....58 BC24
Tavers 45 ....132 AX38
Tavey 70 ....142 CK40
Taxat-Senat 03 ....209 BJ56
Taxenne 39 ....161 CC44
Tayac 33 ....238 AK69
Taybosc 32 ....296 AQ82
Tayrac 47 ....276 AR78
Tayrac 12 ....279 BC78
Tazilly 58 ....176 BP49
Le Tech 66 ....342 BE98
Têche 38 ....250 CB67
Técou 81 ....299 BA82
Teghime (Col de) 2B 345 FG103
Le Teich 33 ....254 AC73
Teigny 58 ....157 BN42
Le Teil 07 ....266 BV74
Teilhède 63 ....209 BI58
Teilhet 63 ....209 BG57
Teilhet 09 ....336 AY90
Teillay 35 ....126 AA37
Teillay-le-Gaudin 45 ....111 BA34
Teillay-Saint-Benoît 45 ....111 BB34
Teillé 72 ....107 AN33
Teillé 44 ....148 AB41
Teillet 81 ....299 BD82
Teillet-Argenty 03 ....190 BE55
Le Teilleul 50 ....81 AF29
Teillots 24 ....241 AU66
Teissières-de-Cornet 15 ....244 BD69
Teissières-lès-Bouliès 15 ....262 BE71
Télégraphe (Col du) 73 ....252 CJ66
Telgruc-sur-Mer 29 ....75 F31
Tellancourt 54 ....44 CB18
Tellecey 21 ....160 BZ43
Tellières-le-Plessis 61 ....84 AO29
Teloché 72 ....130 AN37
Le Temple 79 ....167 AF47
Le Temple 41 ....109 AS36
Le Temple 33 ....236 AC70
Le Temple-
de-Bretagne 44 ....147 Y42
Temple-Laguyon 24 ....241 AT66
Le Temple-sur-Lot 47 ....275 AO76
Templemars 59 ....8 BI7
La Templerie 35 ....81 AD32
Templeuve 59 ....9 BJ8
Templeux-la-Fosse 80 ....23 BH14
Templeux-le-Guérard 80 ....24 BJ14
Tenaille (Ancienne
Abbaye de la) 17 ....219 AG64
Tenay 01 ....214 CB58
Tence 43 ....248 BS68
Tencin 38 ....233 CF65
Tende 06 ....291 CT78

Tende (Col de) 06........291 CT77
Tendon 88........119 CJ33
Tendron 18........174 BH47
Tendu 36........188 AX51
Teneur 62........7 BC8
Tennie 72........107 AL34
Tenteling 57........47 CK22
Tercé 86........186 AP52
Tercillat 23........189 BB53
Tercis-les-Bains 40........292 AB83
Terdeghem 59........3 BE5
Térénez 29........71 J26
Térénez (Pont de) 29........75 G31
Tergnier 03........24 BK17
Terjat 03........208 BF56
Termes 48........263 BJ71
Termes 11........338 BF91
Termes 08........43 BV21
Termes-d'Armagnac 32........295 AK84
Termignon 73........235 CM65
Terminiers 28........110 AY35
Ternand 69........212 BU58
Ternant 58........175 BO49
Ternant 21........159 BW44
Ternant 17........201 AG58
Ternant-les-Eaux 63........227 BJ64
Ternas 62........12 BD10
Ternat 52........117 BY36
Ternay 86........168 AL46
Ternay 69........231 BW62
Ternay 41........131 AR39

Ternay (Barrage du) 07........230 BV65
Les Ternes 15........245 BI69
Ternuay-Melay-
et-Saint-Hilaire 70........142 CJ37
Terny-Sorny 02........40 BK20
Terramesnil 80........12 BD12
Terrans 71........178 BZ48
La Terrasse 38........233 CF65
Terrasse
(Panorama de la) 69........212 BU56
La Terrasse-sur-Dorlay 42........230 BU64
Terrasson-Lavilledieu 24........241 AV68
Terrats 66........342 BG96
Terraube 32........296 AO81
Terre-Clapier 81........299 BC82
Terrebasse 31........317 AS89
Terrefondrée 21........138 BW38
Terrehault 72........108 AO33
Terrenoire 42........230 BT64
Les Terres-de-Chaux 25........163 CK42
La Terrisse 12........263 BH72
Terroles 11........337 BD91
Terron-sur-Aisne 08........42 BU19
Terrou 46........261 BA71
Tersanne 26........249 BY66
Tersannes 87........187 AT55
Terssac 81........299 BB81
Le Tertre Rouge
(Parc zoologique) 72........129 AL39
Le Tertre-Saint-Denis 78........57 AX25
Tertry 80........23 BI15

Terves 79........167 AH49
Terville 57........45 CE20
Tessancourt-sur-Aubette 78..57 BA24
Tessé-Froulay 61........82 AI29
Tessé-la-Madeleine 61........82 AI29
Tessel 14........33 AH22
Tessens 73........234 CK62
Tesson 17........219 AF62
Tessonnière 79........167 AJ49
La Tessoualle 49........167 AF46
Tessy-sur-Vire 50........52 AE24
La Teste-de-Buch 33........254 AB73
Tétaigne 08........27 BX17
Tête des Cuveaux 88........119 CJ34
Téteghem 59........3 BD2
Téterchen 57........46 CI21
Téthieu 40........293 AC82
Teting-sur-Nied 57........46 CI23
Teuillac 33........237 AG68
Teulat 81........298 AY84
Le Teulet 19........243 BB69
Teurthéville-Bocage 50........29 AC17
Teurthéville-Hague 50........28 Z17
Teyjat 24........222 AP62
Teyran 34........303 BQ84
Teyssières 26........267 BZ75
Teyssieu 46........243 BA70
Teyssode 81........298 AZ84
Thaas 51........61 BO28
Thaims 17........219 AE62
Thairé 17........200 AD57

Thaix 58........175 BN48
Thal-Drulingen 67........67 CM25
Thal-Marmoutier 67........68 CO27
Thalamy 19........226 BE63
Thann 68........142 CM37
Thannenkirch 68........97 CO32
Thanvillé 67........97 CO31
Thaon-les-Vosges 88........119 CH32
Tharaux 30........284 BT77
Tharoiseau 89........157 BO42
Tharon-Plage 44........146 V44
Tharot 89........157 BO41
Thaumiers 18........173 BF49
Thauron 23........207 AZ58
Thauvenay 18........156 BH43
Thèbe 65........334 AO92
Théding 57........47 CK22
Thédirac 46........259 AV73
Thégra 46........260 AY71
Théhillac 56........125 V40
Le Theil 61........108 AQ33
Le Theil 50........29 AB17
Le Theil 23........206 AX58
Le Theil 15........244 BE68
Le Theil 03........191 BJ54
Le Theil-Bocage 14........52 AG25
Le Theil-de-Bretagne 35........104 AB36
Le Theil-en-Auge 14........34 AO21
Le Theil-Nolent 27........35 AQ23
Theil-Rabier 16........203 AL50

Theil-sur-Vanne 89........113 BL34
Theillay 41........154 BA43
Theillement 27........35 AS21
Theix 56........124 R39
Theizé 69........212 BU58
Thel 69........212 BT56
Théligny 72........108 AR34
Thélis-la-Combe 42........230 BU65
Thélod 54........94 CE29
Thelonne 08........27 BW17
Thélus 62........8 BG15
Théméricourt 95........57 BA24
Thémines 46........261 AZ72
Théminettes 46........261 AZ72
Thénac 24........257 AN72
Thénac 17........219 AF61
Thenailles 02........25 BO15
Thenay 41........153 AV42
Thenay 36........188 AW51
Thenelles 02........24 BL15
Thénésol 73........216 CI60
Theneuil 37........169 AO46
Theneuille 03........191 BH51
Théneuille 03........191 BH51
Thénezay 79........168 AL50
Thénioux 18........154 BA44
Thenissey 21........159 BU41
Thénisy 77........89 BJ30
Thennelières 10........91 BQ32
Thennes 80........22 BE16
Thenon 24........241 AT67
Thénorgues 08........43 BW20

Théoule-sur-Mer 06........309 C085
Therdonne 60........38 BB2C
Théret (Château du) 23........207 BA57
Thérines 60........21 BA16
Thermes-Magnoac 65........316 AP86
Thérondels 12........245 BG7C
Thérouanne 62........7 BC6
Thérouldeville 76........19 AQ16
Thervay 39........161 CC44
Thésée 41........153 AV43
Thésy 39........161 CC44
Theuley 70........140 CD39
Théus 05........269 CH74
Théville 28........86 AX32
Theuville 28........86 AX32
Theuville-aux-Maillots 76........19 AQ16
Theuvy-Achères 28........85 AV25
Thevet-Saint-Julien 36........189 BB51
Théville 50........29 AC17
Thevray 27........35 AR25
They-sous-Montfort 88........118 CE33
They-sous-Vaudemont 54........94 CE31
Theys 38........233 CF65
Théza 66........343 BI95
Thézac 47........259 AS75
Thézac 17........219 AE61
Thézan-des-Corbières 11........338 BG90
Thézan-lès-Béziers 34........321 BJ87
Thèze 64........314 AH86
Thèze 04........287 CF76
Thézey-Saint-Martin 54........66 CG25

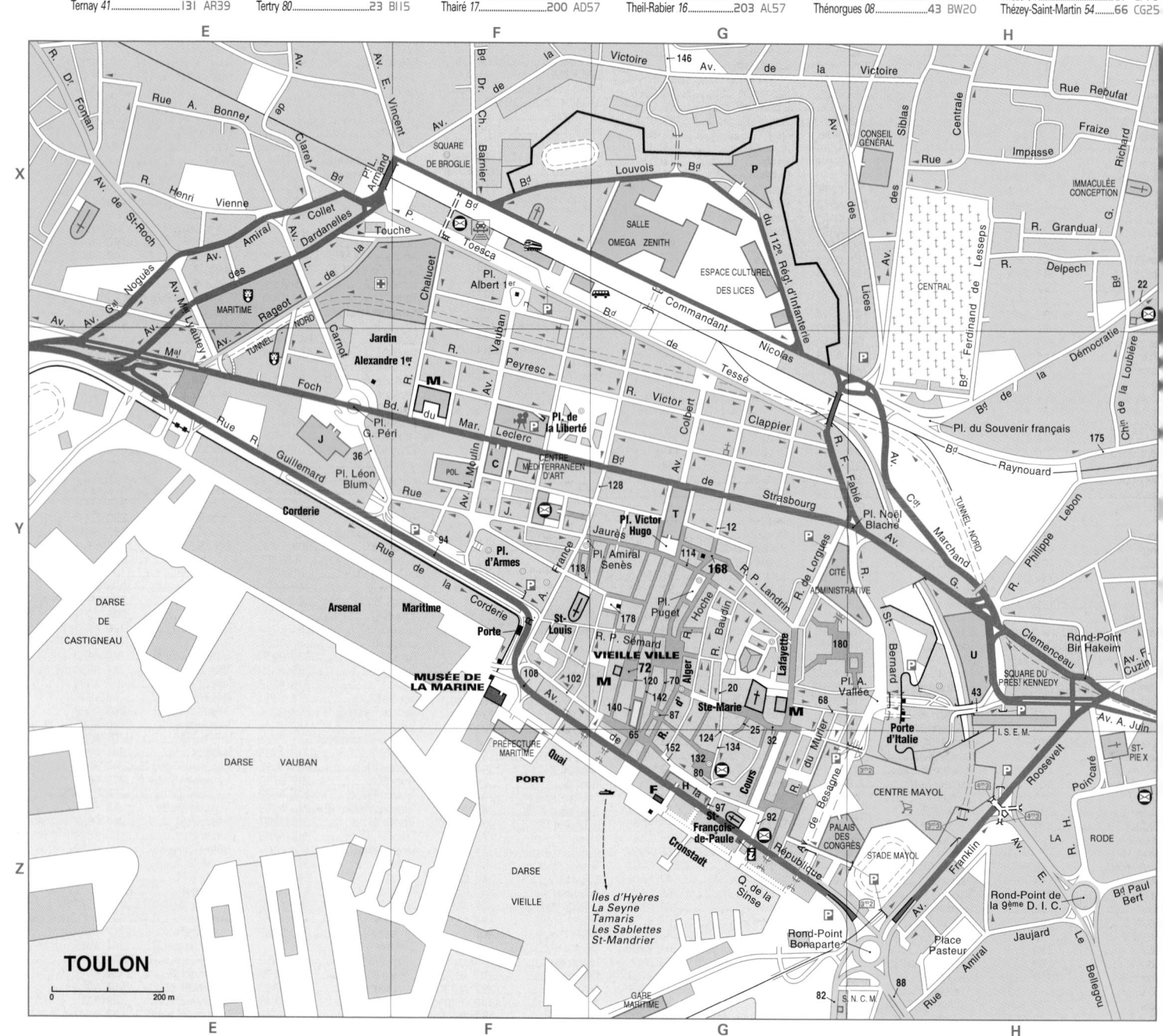

TOULON

Berthelot (R.)............**GY** 12
Boucheries (R. des).........**GY** 20
Bozzo (Av. L.)............**HX** 22
Brunetière (R. F.)............**GYZ** 25
Cathédrale (Traverse)........**GYZ** 32
Churchill (Av. W.).........**EY** 36
Daudet (R. Alphonse)........**HY** 43

Gambetta (Pl.)............**GYZ** 65
Garibaldi (R. des)........**GY** 68
Glacière (R. de la)........**GY** 70
Globe (Pl. du)............**GY** 72
Huile (Pl. à l')............**GZ** 80
Infanterie de Marine
(Av. de l')............**CV, GZ** 82

Lambert (Pl. Gustave).........**GY** 87
Lattre-de-Tassigny
(Av. Mar.-de)............**CV, HZ** 88
Louis-Blanc
(Pl.)............**GZ** 92
Magnan (Av. Gén.)........**FY** 94
Méridienne (R.)............**GZ** 97

Micholet (Av. V.)............**FY** 102
Monsenergue
(Pl. Ingénieur-
Gén.)............**FY** 108
Muraire (R.)............**GY** 114
Notre Dame (R.)............**GY** 118
Noyer (R. du)............**GY** 120

Orfèvres (Pl. des)........**GYZ** 124
Pastoureau (R. H.)........**GY** 128
Poissonnerie
(Pl. de la)............**GZ** 132
Pressencé (R. F. de).........**GZ** 134
Raimu (Pl.)............**GY** 140
Riaux (R. des)............**GY** 142

Seillon (R. H.)............**GZ** 152
Trois Dauphins
(Pl. des)............**GY** 168
Vert Coteau (Av.)........**HY** 175
Vezzani (Pl. César)........**GY** 178
Visitation (Pl. de la)........**GHY** 180
9e D.I.C. (Rond-Point de la)...**HZ** 188

Théziers 30....304 BV81
Thézilieu 01....214 CC59
Thézy-Glimont 80....22 BD16
Thiais 94....58 BD27
Thiancourt 90....142 CM40
Thianges 58....175 BM48
Thiant 59....14 BL10
Thiat 87....187 AS55
Thiaucourt-Regniéville 54....65 CD25
Thiaville-sur-Meurthe 54....96 CK30
Thiberville 27....35 AP23
Thibie 51....88 BR25
Thibivillers 60....37 BA21
Thibouhans 25....163 CL43
Thieffrain 10....115 BS33
Thieffrans 70....141 CH40
Thiéfosse 88....120 CK35
Thiel-sur-Acolin 03....192 BM52
Thiembronne 62....7 BB7
Thiénans 70....162 CG41
Thiennes 59....7 BE6
Thiepval 80....13 BF13
Thiergeville 76....19 AP16
Thiernu 02....25 BN16
Thiers 63....210 BM59
Thiers-sur-Thève 60....38 BE23
Thierville 27....35 AR22
Thierville-sur-Meuse 55....44 BZ22
Thiéry 06....289 CO79
Thiescourt 60....23 BH18
Thiétreville 76....19 AQ16
Le Thieulin 28....85 AU31
Thieulloy-la-Ville 80....21 BA16
Thieulloy-l'Abbaye 80....21 BA15
Thieuloy-Saint-Antoine 60....21 BA17
La Thieuloye 62....7 BD9
Thieux 77....59 BF24
Thieux 60....38 BD19
Thiéville 14....54 AL24
Thièvres 62....13 BE12
Thiézac 15....244 BF69
Thignonville 45....111 BC33
Thil 54....45 CG19
Thil 51....41 BP21
Thil 31....297 AT83
Le Thil 27....37 AX21
Thil 10....92 BV32
Thil 01....213 BY60
Thil-la-Ville 21....158 BS42
Thil-Manneville 76....20 AT15
Le Thil-Riberpré 76....21 AX17
Thil-sur-Arroux 71....176 BQ49
Thilay 08....27 BV15
Le Thillay 95....58 BE25
Thilleux 52....92 BV31
Les Thilliers-en-Vexin 27....37 AX22
Thillois 51....41 BP22
Thillombois 55....64 BZ25
Le Thillot 88....120 CK36
Thillot 55....64 BC24
Thilouze 37....151 AP44
Thimert 28....85 AV29
Thimonville 57....66 CG24
Thimory 45....134 BF37
Thin-le-Moutier 08....26 BS16
Thines 07....265 BQ75
Thiolières 63....228 BN62
Thionne 03....192 BM53
Thionville 57....45 CF20
Thionville-sur-Opton 78....57 AX27
Thiouville 76....19 AQ17
Thiraucourt 88....94 CE32
Thiré 85....183 AD51
Thiron Gardais 28....85 AT32
This 08....26 BT16
Thise 25....162 CF43
Thivars 28....86 AW31
Thivencelle 59....9 BM8
Thiverny 60....38 BD22
Thiverval-Grignon 78....57 BA26
Thivet 52....117 BZ35
Thiviers 24....223 AS64
Thiville 28....110 AW35
Thizay 37....150 AM45
Thizay 36....172 BA48
Thizy 89....137 BQ40
Thizy 69....212 BS57
Thoard 04....287 CH78
Thodure 38....231 BQ65
Thoigné 72....83 AN32
Thoiras 30....283 BP79
Thoiré-sous-Contensor 72....83 AN32
Thoiré-sur-Dinan 72....130 AP38
Thoires 21....116 BU36
Thoirette 39....196 CB54
Thoiria 39....196 CD51
Thoiry 78....57 AZ26
Thoiry 73....233 CG62
Thoiry 01....197 CF55
Thoissey 01....213 BW56
Thoissia 39....196 CA53
Thoisy-la-Berchère 21....158 BS44
Thoisy-le-Désert 21....159 BT44
Thoix 80....22 BB17
Thol-les-Millières 52....117 CA34
Thollet 86....187 AT53
Thollon-les-Mémises 74....198 CK53

Le Tholonet 13....306 CC85
Le Tholy 88....120 CK34
Thomer-la-Sôgne 27....56 AU26
Thomery 77....88 BG31
Thomirey 21....177 BU46
Thonac 24....241 AT69
Thônes 74....216 CI58
Thonnance-lès-Joinville 52....93 BY30
Thonnance-les-Moulins 52....93 BZ31
Thonne-la-Long 55....44 BZ18
Thonne-le-Thil 55....44 BZ18
Thonne-les-Prés 55....44 BZ18
Thonnelle 55....44 BZ18
Thonon-les-Bains 74....198 CJ53
Les Thons 88....118 CD35
Thonville 57....66 CI24
Le Thor 84....305 BY81
Thorailles 45....112 BH35
Thoraise 25....161 CE44
Thorame-Basse 04....288 CK78
Thorame-Haute 04....288 CL78
Thorame-Haute-Gare 04....288 CL79
Thoras 43....246 BM70
Thoré-la-Rochette 41....131 AS38
Thorée-les-Pins 72....129 AM39
Thorenc 06....308 CN81
Thorens-Glières 74....215 CH57
Thorey 89....137 BQ37
Thorey-en-Plaine 21....160 BY44
Thorey-Lyautey 54....94 CE30
Thorey-sous-Charny 21....159 BT43
Thorey-sur-Ouche 21....159 BV45
Thorigné 85....185 AJ54
Thorigné-d'Anjou 49....128 AG39
Thorigné-en-Charnie 53....106 AJ35
Thorigné-Fouillard 35....104 AA33
Thorigné-sur-Dué 72....108 AP35
Thorigny 85....183 AB51
Thorigny-sur-le-Mignon 79....201 AG56
Thorigny-sur-Marne 77....59 BF26
Thorigny-sur-Oreuse 89....89 BL32
Le Thoronet 83....307 CJ85
Thoronet (Abbaye du) 83....307 CJ85
Thorrenc 07....249 BW66
Thors 17....202 AI59
Thors 10....92 BV32
Thory 89....137 BP40
Thory 80....22 BD17
Thoste 21....158 BR42
Thou 45....135 BM40
Thou 18....155 BF42
Le Thou 17....201 AE56
Thouarcé 49....149 AH43
Thouaré-sur-Loire 44....147 AA43
Thouars 79....168 AJ47
Thouars-sur-Arize 09....317 AU89
Thouars-sur-Garonne 47....275 AN77
Thouarsais-Bouildroux 85....183 AE51
Le Thour 08....25 BP18
Le Thoureil 49....150 AJ42
Thourie 35....126 AA37
Thouron 87....205 AU58
Thourotte 60....39 BH19
Thoury 41....132 AX40
Thoury-Férottes 77....88 BH32
Thoux 32....297 AS84
Thubœuf 53....82 AI30
Le Thuel 02....25 BP17
Thuellin 38....232 CB61
Thues-entre-Valls 66....341 BC97
Thueyts 07....266 BS72
Thugny-Trugny 08....42 BS19
La Thuile 73....233 CG62
Les Thuiles 04....270 CK75
Thuilley-aux-Groseilles 54....94 CE29
Thuillières 88....118 CE33
Thuir 66....342 BG95
Thuisy 10....114 BO33
Le Thuit 27....36 AW22
Le Thuit-Anger 27....36 AT21
Thuit-Hébert 27....35 AS21
Le Thuit-Signol 27....36 AT22
Le Thuit-Simer 27....35 AS22
Thulay 25....142 CL41
Thumeréville 54....45 CC22
Thumeries 59....8 BI8
Thun-l'Évêque 59....14 BK11
Thun-Saint-Amand 59....9 BL8
Thun-Saint-Martin 59....14 BK11
Thuré 86....169 AN49
Thuré 86....169 AO49
Thuret 63....210 BK58
Thurey 71....178 BY49
Thurey-le-Mont 25....162 CF42
Thurins 69....230 BV61
Thury 89....135 BK40
Thury 21....177 BT46
Thury-en-Valois 60....39 BI23
Thury-Harcourt 14....53 AI28
Thury-sous-Clermont 60....38 BD21
Thusy 74....215 CG58
Thuy 65....315 AM88
Thyez 74....216 CJ56
Thyl 73....252 CG66
Tibiran-Jaunac 65....334 AO91
Ticheville 61....54 AO25
Tichey 21....178 BZ46
Tieffenbach 67....68 CN25

Tiercé 49....128 AI40
Tiercelet 54....45 CC19
Le Tiercent 35....80 AB31
Tierceville 14....33 AI21
Tieste-Uragnoux 32....295 AK85
Tigeaux 77....59 BH27
Tigery 91....88 BE29
Tignac 09....336 AY90
Tigné 49....149 AI44
Tignécourt 88....118 CD35
Tignes 73....235 CM63
Tignes (Barrage de) 73....235 CN62
Le Tignet 06....308 CN83
Tignieu-Jameyzieu 38....213 BZ60
Tigny-Noyelle 62....6 AY9
Tigy 45....133 BC38
Til-Châtel 21....160 BY41
Tilh 40....293 AD84
Tilhouse 65....333 AM90
Tillac 32....315 AM86
Tillay-le-Péneux 28....110 AZ34
Tillé 60....38 BB19
Tillenay 21....160 CA44
Le Tilleul 76....18 AN17
Tilleul-Dame-Agnès 27....55 AS24
Tilleul-Lambert 27....56 AT24
Tilleul-Othon 27....35 AR23
Tilleux 88....93 CC32
Tillières 49....148 AC45
Tillières-sur-Avre 27....56 AT27
Tilloloy 80....23 BG17
Tilloy 79....202 AK56
Tilloy-et-Bellay 51....62 BT24
Tilloy-Floriville 80....11 AY14
Tilloy-lès-Conty 80....22 BC16
Tilloy-lès-Hermaville 62....13 BE10
Tilloy-lès-Mofflaines 62....13 BG10
Tilloy-lez-Cambrai 59....14 BJ11
Tilloy-lez-Marchiennes 59....9 BK9
Tilly 78....57 AX26
Tilly 36....188 AU53
Tilly 27....37 AX23
Tilly-Capelle 62....7 BC8
Tilly-la-Campagne 14....33 AJ23
Tilly-sur-Meuse 55....64 BZ24
Tilly-sur-Seulles 14....33 AH22
Tilques 62....3 BC5
Tincey-et-Pontrebeau 70....140 CD40
Tinchebray 61....52 AG27
Tincourt-Boucly 80....23 BI14
Tincques 62....8 BE9
Tincry 57....66 CH25
Les Tines 74....217 CM57
Tingry 62....6 AY7
Tinqueux 51....41 BP22
Tinténiac 35....80 Y31
Tintry 71....177 BT47
Tintury 58....175 BM47
Tiranges 43....247 BQ66
Tirent-Pontéjac 32....296 AO85
Tirepied 50....51 AC27
Tissey 89....136 BO37
Le Titre 80....11 AZ11
Tivernon 45....111 BA34
Tiviers 15....245 BJ68
Tivolaggio 2A....350 FD114
Tizac-de-Curton 33....256 AI71
Tizac-de-Lapouyade 33....238 AI68
Tizzano 2A....350 FD115
Tocane-Saint-Apre 24....238 AO66
Tocqueville 27....29 AC16
Tocqueville 50....35 AQ20
Tocqueville-en-Caux 76....19 AS16
Tocqueville-les-Murs 76....19 AP17
Tocqueville-sur-Eu 76....10 AV13
Tœufles 80....11 AY13
Toges 08....42 BU20
Togny-aux-Bœufs 51....62 BS26
Tolla 2A....348 FD111
Tollaincourt 88....118 CC34
Tollent 62....11 BA10
Tollevast 50....29 AA17
La Tombe 77....89 BI31
Tombebœuf 47....257 AO74
Tomblaine 54....66 CF27
Tomino 2B....345 FG101
Les Tonils 26....267 BZ73
Tonnac 81....279 AZ79
Tonnay-Boutonne 17....201 AF58
Tonnay-Charente 17....201 AE58
Tonneins 47....275 AN76
Tonnerre 89....137 BP37
Tonneville 50....28 Z17
Tonnoy 54....95 CG29
Tonquédec 22....72 N27
Tonquédec (Château de) 22....72 M27
Torcé 35....105 AC34
Torcé-en-Vallée 72....108 AO34
Torcé-Viviers-en-Charnie 53....106 AJ34
Torcenay 52....139 CA37
Torchamp 61....82 AG29
Torchefelon 38....232 CB63
Torcheville 57....67 CK25
Torcieu 01....214 CA58
Torcy 77....59 BF26
Torcy 71....177 BT49

TOULOUSE

Alsace-Lorraine (R. d')....EXY
Arnaud-Bernard (R.)....EX 4
Astorg (R. d')....FY 5
Baronie (R.)....FY 9
Boulbonne (R.)....FY 18
Bouquières (R.)....FZ 19
Bourse (Pl. de la)....FY 20
Cantegril (R.)....FY 23
Capitole (Pl. du)....EFY
Cartailhac (R. E.)....EX 26
Chaîne (R. de la)....EX 31
Cujas (R.)....EY 36
Daurade (Quai de la)....EZ 38

Esquirol (Pl.)....EY 54
La-Fayette (R.)....EY
Fonderie (R. de la)....EZ 60
Frères-Lion (R. des)....FY 62
Henry-de-Gorsse (R.)....EZ 76
Jules-Chalande (R.)....EY 79
Lapeyrouse (R.)....FY 85
Magre (R. Genty)....EY 91
Malcousinat (R.)....EY 95
Marchands (R. des)....EY 95
Mercié (R. A.)....EY 103
Metz (R. de)....EFY
Peyras (R.)....EY 113
Pleau (R. de la)....FZ 114
Poids-de-l'Huile (R.)....EY 115
Polinaires (R. des)....EZ 116

Pomme (R. de la)....EFY 117
Rémusat (R. de)....EX
Riquepels (R.)....FY 127
Romiguières (R.)....EY 129
Roosevelt (Allées)....FXY 130
Ste-Ursule (R.)....EY 137
St-Antoine-du-T. (R.)....FY
St-Rome (R.)....EY
Suau (R. J.)....EY 146
Temponières (R.)....EY 149
Trinité (R. de la)....EY 149
Vélane (R.)....FZ 158
Wilson (Pl. Prés.)....FY
3-Piliers (R. des)....EX 164
3-Journées (R. des)....FY 162

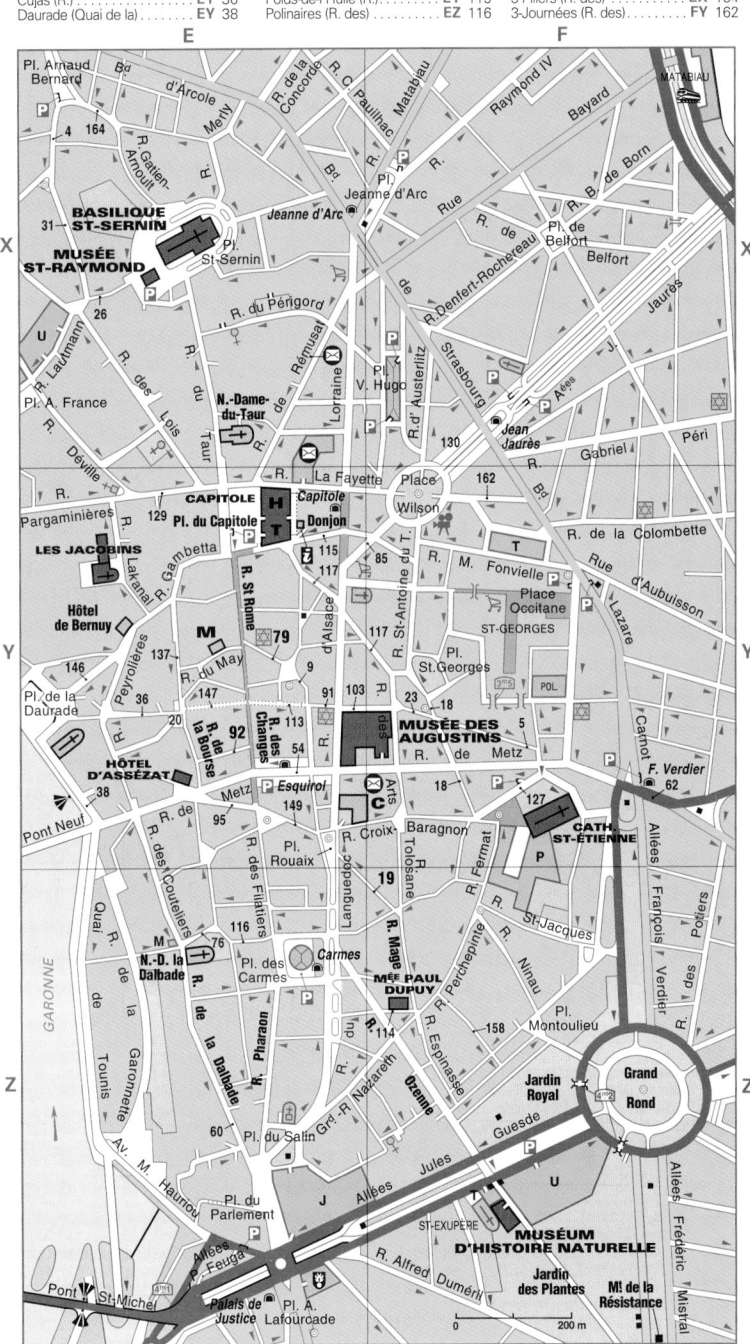

Torcy 62....6 BA8
Torcy-en-Valois 02....60 BK24
Torcy-et-Pouligny 21....158 BR41
Torcy-le-Grand 76....20 AU16
Torcy-le-Grand 10....91 BQ30
Torcy-le-Petit 76....20 AU16
Torcy-le-Petit 10....91 BQ30
Tordères 66....342 BG96
Tordouet 14....54 AO24
Torfou 91....87 BC30
Torfou 49....166 AC46
Torigni-sur-Vire 50....52 AE24
Tornac 30....283 BQ80
Tornay 52....140 CB39
Le Torp-Mesnil 76....19 AS17
Torpes 71....178 BC50
Torpes 25....161 CE44
Le Torpt 27....34 AO21
Le Torquesne 14....34 AO21
Torre 2A....351 FG114

Torreilles 66....339 BI94
Torsac 16....221 AM63
Torsiac 43....228 BK65
Tortebesse 63....226 BF61
Tortefontaine 62....11 BA10
Tortequesne 62....14 BI10
Torteron 18....174 BI47
Torteval-Quesnay 14....32 AG23
Tortezais 03....191 BH53
Tortisambert 14....54 AM25
Le Tortoir 02....24 BL18
Torvilliers 10....114 BP33
Torxé 17....201 AG58
Tosny 27....36 AW22
Tosse 40....292 Z83
Tossiat 01....214 CA56
Tostat 65....315 AL87
Tostes 27....36 AU22
Totainville 88....94 CE31
Tôtes 76....20 AT17

Tôtes 14....54 AM25
Touchay 18....172 BC50
La Touche 26....267 BX74
Touche-Trébry (Château de la) 22....78 S31
Les Touches 44....147 AA41
Les Touches-de-Périgny 17....202 AJ59
Toucy 89....135 BK39
Toudon 06....289 CP80
Le Touët-de-l'Escarène 06....291 CR81
Touët-sur-Var 06....289 CO80
Touffailles 82....277 AS77
Toufflers 59....9 BJ6
Touffou (Château de) 86....186 AP51
Touffréville 27....36 AW21
Touffreville 14....33 AK22
Touffreville-la-Cable 76....35 AQ19
Touffreville-la-Corbeline 76....19 AR18
Touffreville-sur-Eu 76....10 AV13

TOURCOING

Allende (Bd Salvador) ...... BY 2
Anges (R. des) .... BYZ 3
Austerlitz (R. d') ...... ABZ 4
Bienfaisance (R. de la) .... BY 6
Brun Pain (R. du) ...... AY
Buisson (R. Ferdinand) .... BY 7
Chateaubriand (R.) ..... CZ 8
Cherbourg (Quai de) ..... BZ 9
Clavell (Pl. Miss) ...... BY 10
Cloche (R. de la) ...... BY 12

Condorcet (R.) .... BY 13
Courbet (R. de l'Amiral) .. BY 15
Croix Blanche (R. de la) .. CX 16
Croix Rouge (R. de la) .... CXY
Delobel (R.) .... BY 18
Doumer (R. Paul) ...... BY 19
Dron (Av. Gustave) ..... BZ
Duguay-Trouin (R.) ..... CY 21
Famelart (R.) .... BZ 22
La-Fayette (Av.) .... BZ 33
Froissart (R. Jean) ..... AY 25

Gambetta (Bd) .... BZ 27
Gand (R. de) .... BXY
Grand'Place .... BY 28
Hassebroucq (Pl. V.) .... BY 30
Hénaux (R. Marcel) ..... BXY 31
Leclerc (R. du Gén.) .... BY 36
Lefrançois (Av. Alfred) .. CZ 37
Marne (Av. de la) ...... BZ 39
Marseille (Quai de) ..... BZ 40
Menin (R. de) .... BXY
Millet (Av. Jean) ...... AY 42
Moulin Fagot (R. du) .... BY 43

Nationale (R.) .... ABY
Péri (R. Gabriel) ...... BY 45
Petit Village (R. du) .... AY 46
Pompidou (Av. G.) ..... BZ 48
Pont de Neuville (R. du) . CX 49
République (Pl. de la) ... BY 51
Résistance (Pl. de la) ... BY 52
Ribot (R. Alexandre) .... BY 54
Roosevelt (R. F.) ...... BY 55
Roussel (Pl. Ch.-et-A.) .. BY 57
St-Jacques (R.) .... BY 58
Sasselange (R. Ed.) ..... BZ 60

Testelin (R. A.) .... CX 61
Thiers (R.) .... BZ 63
Tournai (R.) .... BY 64
Turenne (R.) .... BZ 66
Ursulines (R. des) ..... BYZ 68
Victoire (Pl. de la) .... BZ 69
Wailly (R. de) .... BY 70
Wattine (R. Ch.) ...... BZ 72

WATTRELOS

Vaneslander (R. M.) .... CZ 67

TOURCOING — *A 22 KORTRIJK, GENT MENEN — A 22 PARIS, LILLE VALENCIENNE — ARMENTIERES — A 22 PARIS, LILLE ROUBAIX — A 22 PARIS ROUBAIX — MOUSCRON — WATTRELOS*

Tranqueville-Graux 88 ......94 CD30
Trans 53 ....82 AJ32
Trans-en-Provence 83 ......308 CK85
Trans-la-Forêt 35 ....80 AA29
Le Translay 80 ....11 AY14
Le Transloy 62 ....13 BH13
Tranzault 36 ....189 AZ51
La Trappe (Abbaye de) 61 ..55 AQ28
Trappes 78 ....57 BA27
Trassanel 11 ....320 BE87
Traubach-le-Bas 68 ......143 CN38
Traubach-le-Haut 68 .....142 CM38
Trausse 11 ....320 BF88
Travaillan 84 ....285 BX78
Travecy 02 ....24 BK17
Traversères 32 ....296 AP83
Traves 70 ....140 CE39
Le Travet 81 ....299 BD82
Le Trayas 83 ....309 C085
Trayes 79 ....167 AH50
Tréal 56 ....125 V37
Tréauville 50 ....28 Z18
Trébabu 29 ....74 C23
Tréban 81 ....280 BD79
Treban 03 ....191 BJ53
Trébas 81 ....300 BE81
Trébédan 22 ....79 V30
Trébes 11 ....320 BE89
Trébeurden 22 ....72 L26
Trébons 65 ....333 AL90
Trébons-de-Luchon 31 ....334 A093
Trébons-sur-la-Grasse 31 ..318 AY86
Tréboul 29 ....75 F32
Tréboul (Pont de) 15 .....245 BH70
Trébrivan 22 ....77 M31
Trébry 22 ....78 T31
Tréclun 21 ....160 BZ44
Trécon 51 ....61 BQ26
Trédaniel 22 ....78 S30
Trédarzec 22 ....73 O26
Trédias 22 ....79 V31
Trédion 56 ....124 S37
Trédrez-Locquémeau 22 ...72 L26
Tréduder 22 ....72 L27
Trefcon 02 ....23 BI15
Treffay 39 ....180 CF49
Treffendel 35 ....103 W34
Treffiagat 29 ....99 F36
Treffieux 44 ....126 AA39
Trefflean 56 ....124 S38
Treffort 38 ....250 CD80
Treffort-Cuisiat 01 ......196 CA54
Treffrin 22 ....76 L31
Tréflaouénan 29 ....71 H27
Tréflévénez 29 ....75 H29
Tréflez 29 ....71 G27
Tréfols 51 ....60 BL27
Tréfumel 22 ....79 W31
Trégarantec 29 ....71 G27
Trégarvan 29 ....75 G31
Trégastel 22 ....72 M25
Trégastel-Plage 22 .....72 M25
Tréglamus 22 ....72 N28
Tréglonou 29 ....70 E27
Trégomar 22 ....79 U29
Trégomeur 22 ....73 Q28
Trégon 22 ....50 V28
Trégonneau 22 ....73 O27
Trégourez 29 ....100 J33
Trégrom 22 ....77 M25
Tréguennec 29 ....99 F35
Trégueux 22 ....78 R29
Tréguidel 22 ....73 Q28
Tréguier 22 ....73 O26
Trégunc 29 ....100 I35
Tréhet 41 ....130 AQ39
Tréhorenteuc 56 ....103 U35
Le Tréhou 29 ....75 H29
Treignac 19 ....224 AY63
Treignat 03 ....190 BD54
Treigny 89 ....156 BJ41
Treilles 11 ....339 BI92
Treilles-en-Gâtinais 45 ...112 BF35
Treillières 44 ....147 Z42
Treix 52 ....117 BY34
Treize-Arbres (Les) 74 ...215 CG56
Treize-Septiers 85 ......166 AC46
Treize-Vents 85 ....166 AE46
Tréjouls 82 ....277 AU75
Trélans 48 ....263 BJ75
Trélazé 49 ....149 AI41
Trélechamp 74 ....217 CM57
Trélévern 22 ....72 N25
Trelins 42 ....229 BQ61
Trélissac 24 ....240 AR67
Trélivan 22 ....79 W30
Trelly 50 ....51 AB24
Trélon 59 ....58 BP13
Trélou-sur-Marne 02 ....60 BM24
Trémaouézan 29 ....71 G28
Trémargat 22 ....77 M21
Trémauville 76 ....19 AQ17
Trémazan 29 ....70 D27
La Tranche-sur-Mer 85 ...182 AA53
Trancrainville 28 ....110 AZ33
Trangé 72 ....107 AM35
Le Tranger 36 ....170 AU47
Le Tremblay 49 ....127 AE39
Tremblay 35 ....80 AB30
Tremblay-en-France 93 ...58 BC25
Le Tremblay-les-Villages 28 ..86 AW29

Touget 32 ....296 AR84
Touille 31 ....335 AS90
Touillon 21 ....137 BS39
Touillon-et-Loutelet 25 ..180 CH48
Toujouse 32 ....294 AI82
Toul 54 ....94 CD28
Toul Goulic (Gorges de) 22 ..77 N31
Toulaud 07 ....249 BW70
Toulenne 33 ....256 AI74
Touligny 08 ....26 BT17
Toulis-et-Attencourt 02 ..25 BN17
Toullaëron (Roc de) 29 ...76 K32
Toulon 83 ....328 CG89
Toulon-la-Montagne 51 ...61 B026
Toulon-sur-Allier 03 .....192 BL52
Toulon-sur-Arroux 71 ....176 BR50
Toulonjac 12 ....279 BA76
Toulouges 66 ....343 BH95
Toulouse 31 ....298 AW85
Toulouse (Croix de) 05 ...252 CL69
Toulouzette 40 ....293 AE82
Toulx-Sainte-Croix 23 ...190 BC55
Touques 14 ....34 AN20
Le Touquet-Paris-Plage 62 ..6 AX8
Touquettes 61 ....55 AP27
Touquin 77 ....59 BI28
La Tour 74 ....216 CI56
La Tour 06 ....291 CQ80
La Tour-Blanche 24 .....221 AO65
La Tour-d'Aigues 84 ....306 CD83
La Tour-d'Auvergne 63 ...227 BG63
Tour-de-Faure 46 ......260 AY75
La Tour-de-Salvagny 69 ..212 BV60
La Tour-de-Scay 25 .....162 CG42
La Tour-du-Crieu 09 ....336 AX90
La Tour-du-Meix 39 .....196 CC52
La Tour-du-Parc 56 .....124 R40
La Tour-du-Pin 38 ......232 CB62
Tour-en-Bessin 14 ......32 AG21

La Tour-en-Jarez 42 ....230 BT63
Tour-en-Sologne 41 .....153 AW41
La Tour-Fondue 83 .....328 CI90
La Tour-Saint-Gelin 37 ...169 A046
La Tour-sur-Orb 34 .....301 BJ84
Les Tourailles 61 ......53 AJ27
Tourailles 41 ....131 AU39
Tourailles-sous-Bois 55 ..93 CA30
Tourbes 34 ....321 BL86
Tourcelles-Chaumont 08 ..42 BT20
Tourch 29 ....100 J34
Tourcoing 59 ....5 BJ5
Tourdun 32 ....295 AL85
La Tourette 42 ....229 BQ64
La Tourette 19 ....226 BD63
La Tourette-Cabardès 11 ..319 BD87
Tourette-du-Château 06 ..289 CP80
Tourgéville 14 ....34 AM21
La Tourlandry 49 ......149 AG45
Tourlaville 50 ....29 AB17
Tourliac 47 ....258 AR72
Tourly 60 ....37 BA22
Tourmalet (Col du) 65 ...333 AL92
Tourmignies 59 ....8 BI8
Tourmont 39 ....179 CC48
Tournai-sur-Dive 61 ....54 AM26
Tournan 32 ....316 AQ88
Tournan-en-Brie 77 ....59 BG27
Tournans 25 ....162 CH41
Tournavaux 08 ....26 BU15
Tournay 65 ....315 AM89
Tournay-sur-Odon 14 ...33 AH23
Le Tourne 33 ....255 AH72
Tournebu 14 ....53 AJ25
Tournecoupe 32 ....296 AQ82
Tournedos-Bois-Hubert 27 ..56 AT24
Tournedos-sur-Seine 27 ..36 AV21
Tournedoz 25 ....163 CJ42
Tournefeuille 31 ......297 AV65
Tournefort 06 ....289 CP80

Tournehem-sur-la-Hem 62 ..3 BB4
Tournemire 15 ....244 BE68
Tournemire 12 ....281 BI80
Tournes 08 ....26 BT15
Le Tourneur 14 ....52 AG25
Tourneville 27 ....36 AU23
Tourniac 15 ....243 BC67
Tournières 83 ....328 CG86
Tourniol (Col de) 26 ....249 BZ69
Tournissan 11 ....338 BF90
Tournoël (Château de) 63 ..209 BI59
Tournoisis 45 ....110 AX36
Tournon 73 ....234 CI61
Tournon-d'Agenais 47 ...277 AS76
Tournon-Saint-Martin 36 ..170 AS50
Tournon-Saint-Pierre 37 ..170 AS50
Tournon-sur-Rhône 07 ...249 BW68
Tournous-Darré 65 .....315 AN88
Tournous-Devant 65 ....315 AN88
Tournus 71 ....195 BW51
Tourny 27 ....37 AX23
Tourouvre 61 ....37 AO29
Tourouzelle 11 ....320 BG88
Les Tourreilles 31 .....334 A090
Tourrenquets 32 ......296 AP83
Tourrette
  (Château de la) 07 ...248 BV70
Tourrette-Levens 06 ....291 CQ81
Les Tourrettes 26 .....267 BW72
Tourrettes 83 ....308 CM83
Tourrettes-sur-Loup 06 ..309 CP82
Tours 37 ....151 AO42
Tours-en-Savoie 73 ....234 CJ61
Tours-en-Vimeu 80 .....11 AY13
Tours-Saint-Symphorien
  (Aéroport de) 37 .....152 AR42
Tours-sur-Marne 51 .....61 BQ24
Tours-sur-Meymont 63 ...228 BM62

Tourtenay 79 ....168 AK46
Tourteron 08 ....26 BT18
Tourtoirac 24 ....241 AT66
Tourtour 83 ....307 CJ84
Tourtouse 09 ....335 AV80
Tourtrès 47 ....257 A074
Tourtrol 09 ....336 AY91
Tourves 83 ....328 CG86
Tourville-en-Auge 14 ...34 AN21
Tourville-la-Campagne 27 ..35 AS22
Tourville-la-Chapelle 76 ..20 AV14
Tourville-la-Rivière 76 ...36 AU21
Tourville-les-Ifs 76 ....19 AP16
Tourville-sur-Arques 76 ..20 AU15
Tourville-sur-Odon 14 ...33 AI23
Tourville-sur-
  Pont-Audemer 27 ....35 AP21
Tourville-sur-Sienne 50 ..31 AA23
Toury 28 ....111 BA33
Toury-Lurcy 58 ....175 BL50
Toury-sur-Jour 58 .....174 BK50
Tourzel-Ronzières 63 ...227 BJ63
Toussaint 76 ....19 AP16
Toussieu 69 ....231 BX61
Toussieux 01 ....213 BW58
Tousson 77 ....88 BE32
La Toussuire 73 ......233 CH65
Toussus-le-Noble 78 ...58 BD27
Toutainville 27 ....35 AP20
Toutenant 71 ....178 BY48
Toutencourt 80 ....13 BE13
Toutens 31 ....318 AY86
Toutes Aures (Col de) 04 ..288 CL80
Toutlemonde 49 ......167 AF46
Toutry 21 ....158 BQ41
Touvérac 16 ....220 AJ64
Le Touvet 38 ....233 CF64
Touville 27 ....35 AR21
Touvois 44 ....165 Y47
Touvre 16 ....221 AN61

Touzac 46 ....259 AT75
Touzac 16 ....220 AJ63
Tox 2B 347 FG108
Toy-Viam 19 ....225 BA62
Trabuc (Grotte de) 30 ...283 BQ79
Tracol (Col de) 43 .....248 BT66
Tracy-Bocage 14 ......33 AH23
Tracy-le-Mont 60 ......39 BI19
Tracy-le-Val 60 ....39 BI19
Tracy-sur-Loire 58 .....156 BH43
Tracy-sur-Mer 14 ......33 AH20
Trades 69 ....194 BU55
Traenheim 67 ....97 CP28
Tragny 57 ....66 CG24
Trainel 10 ....89 BL31
Traînou 45 ....111 BB36
Le Trait 76 ....35 AS19
Traitiéfontaine 70 .....162 CF42
Traize 73 ....232 CD61
Tralaigues 63 ....208 BF59
Tralonca 2B 347 FF107
Tramain 22 ....59 U30
Tramayes 71 ....194 BU54
Trambly 71 ....194 BU54
Tramecourt 62 ....7 BB8
Tramery 51 ....41 BN22
Tramezaïgues 65 ......333 AM93
Tramolé 38 ....232 CA63
Tramont-Émy 54 ......94 CD31
Tramont-Lassus 54 ....94 CE31
Tramont-Saint-André 54 ..94 CD31
Tramoyes 01 ....213 BX59
Trampot 88 ....93 CA31
Trancault 10 ....93 BM31
Trancrainville 28 ......110 AZ33
Trangé 72 ....107 AM35
Le Tranger 36 ....170 AU47
Trannes 10 ....91 BT32

TOURS

Amandiers (R. des) . . . . **CY** 4	Carmes (Pl. des) . . . . **BY** 16	Cygne (R. du) . . . . **CY** 29	Grand-Passage . . . . **CZ** 50	Merville (R. du Prés.) . . . . **BY** 65	Petit-St-Martin (R. du) . . . . **AY** 78
Berthelot (R.) . . . . **BCY** 7	Châteauneuf (Pl. de) . . . . . . **BY** 17	Descartes (R.) . . . . **BZ** 33	Grégoire-de-Tours (Pl.) . . . . **DY** 52	Meusnier (R. Gén.) . . . . . . **DY** 66	Racine (R.) . . . . **DY** 84
Bons Enfants (R. des) . . . . . **BY** 8	Châteaunuef (R. de) . . . . . . **AY** 18	Dolve (R. de la) . . . . **BZ** 35	Grosse-Tour (R. de la) . . . . **AY** 55	Monnaie (R. de la) . . . . . . **BY** 68	Rapin (R.) . . . . **AZ** 85
Bordeaux (R. de) . . . . **CZ**	Coeur-Navré (Passage du) . . **CY** 21	Favre (R. Jules) . . . . **BY** 38	Halles (Pl. des) . . . . **AZ**	Mûrier (R. du) . . . . **AY** 71	St-Pierre-le-Puellier
Boyer (R. Léon) . . . . **AZ** 10	Commerce (R. du) . . . . . . **BY**	Fusillés (R. des) . . . . **BY** 41	Halles (R. des) . . . . **BY**	Nationale (R.) . . . . **BYZ**	(Pl.) . . . . **ABY** 93
Briçonnet (R.) . . . . **AY** 13	Constantine (R. de) . . . . . . **BY** 24	Gambetta (R.) . . . . **BZ** 43	Herbes (Carroi aux) . . . . . . **AY** 56	Paix (R. de la) . . . . **BY** 73	Scellerie (R. de la) . . . . . . **BCY**
	Corneille (R. de) . . . . **CY** 25	Giraudeau (R.) . . . . **AZ** 46	Lavoisier (R.) . . . . **CY** 60	Petites-Boucheries	Sully (R. de) . . . . **BZ** 96
	Courier (R. Paul-Louis) . . . . **BY** 27	Grammont (Av. de) . . . . . . **CZ**	(R. des) . . . . **DY** 80	Victoire (Pl. de la) . . . . . . **AY** 103
	Courteline (R. G.) . . . . **AY** 28	Grand-Marché (Pl. du) . . . . **AY** 49	Manceau (R.) . . . . **DY** 61	Petit-Cupidon (R. du) . . . . **DY** 77	Vinci (R. Léonard de) . . . . **BZ** 104
			Marceau (R.) . . . . **BYZ**		

Le Tremblay-Omonville 27..35 AS23	Trépassés (Baie des) 29...98 C33	Trèves 30............282 BL79	Trigny 51..............41 BO21	Trizay-lès-Bonneval 28....109 AV33	Tronchoy 52............117 BZ36
Le Tremblay-	Trépied 62................6 AY8	Trèves-Cunault 49....150 AK43	Triguères 45..........113 BI36	Troarn 14..............33 AK22	Tronchy 71............178 BY49
sur-Mauldre 78........57 AZ27	Le Tréport 76..........10 AW13	Trevey 70..............141 CG40	Trilbardou 77..........59 BG25	Troche 19..............224 AW65	Le Troncq 27...........35 AS22
Tremblecourt 54........65 CD26	Trépot 25..............162 CG44	Trévezel (Roc) 29......76 I29	Trilla 66..............338 BE94	Trochères 21..........160 BZ43	Trondes 54.............65 CC27
Le Tremblois 70........161 CB42	Tréprel 14..............53 AJ25	Trévien 81............279 BB79	Trilport 77............59 BH25	Trocy-en-Multien 77....59 BH24	Tronget 03.............191 BI53
Tremblois-lès-Carignan 08...27 BY17	Trept 38..............232 CA61	Trévières 14............32 AF21	Trimbach 67............69 CS24	Troësnes 02............40 BJ22	Tronjoly (Château de) 29....71 H26
Tremblois-lès-Rocroi 08....26 BS15	Trésauvaux 55..........64 CB23	Trévignin 73..........233 CF61	Trimer 35..............79 X31	Troguéry 22............73 O26	Le Tronquay 27........36 AW20
Trémeheuc 35..........80 Z30	Tresbœuf 35..........104 AA36	Trévillach 66..........342 BH95	Trimbach 67............187 AT53	Trogues 37............151 AP45	Le Tronquay 14........32 AG22
Trémel 22..............72 L27	Trescault 62............14 BI12	Tréville 11............319 BA87	Trimouns	Trois Communes	Tronsanges 58........174 BI46
Tréméloir 22..........73 Q28	Treschenu-Creyers 26...268 CC72	Trévillers 25..........163 CL43	(Carrière de talc de) 09..336 AY93	(Pointe des) 06......291 CS79	Tronville 54...........65 CD23
Trémentines 49........149 AF45	Trescléoux 05........287 CE76	Trévilly 89............158 BQ41	Trinay 45..............111 BA35	Les Trois-Épis 68......120 CN33	Tronville-en-Barrois 55....63 BZ27
Tréméoc 29............99 G35	Trésilley 70..........162 CF41	Trevol 03..............192 BK51	La Trinitat 15........263 BI72	Trois-Fonds 23........190 BC55	Troo 41..............131 AR38
Tréméreuc 22..........79 W29	Treslon 51..............41 BO22	Trévou-Tréguignec 22....72 N25	La Trinité 73..........233 CH63	Trois-Fontaines-	Trosly-Breuil 60........39 BH20
Trémery 57............45 CF21	Tresnay 58............174 BJ50	Le Trévoux 29........100 K35	La Trinité 50..........51 AC26	l'Abbaye 51..........63 BW27	Trosly-Loire 02........40 BJ19
Trémeur 22............79 V31	Trespoux-Rassiels 46...277 AV76	Trévoux 01............213 BW58	La Trinité 27..........56 AV25	Trois-Maisons 57......63 CN26	Trouans 10............62 BR28
Tréméven 29..........100 L35	Tresques 30..........284 BV79	Trévron 22............79 W30	La Trinité 06..........309 CR82	Trois-Monts 14........33 AI24	Troubat 65............334 AO91
Tréméven 22..........73 P27	Tressaint 22............79 W30	Trézelles 03..........192 BM54	Trinité (Chapelle la) 29....99 E34	Les Trois-Moutiers 86....168 AL46	La Trouche 88.........96 CK30
Trémilly 52............92 BV31	Tressan 34............302 BM85	Trézény 22............72 N26	Trinité	Trois-Palis 16........221 AL62	Trouhans 21..........160 BZ45
Tréminis 38..........269 CE71	Tressandans 25........162 CH41	Trézien (Phare de) 29....74 C29	(Ermitage de la) 2A...351 FF116	Les Trois-Pierres 76....19 AP18	Trouhaut 21..........159 BV42
Trémoins 70..........142 CK40	Tressange 57............45 CD19	Tréziers 11............337 BA91	La Trinité-de-Réville 27...55 AP25	Les Trois-Puits 51......41 BP22	Trouillas 66..........343 BH96
Trémolat 24..........240 AR70	Tresserre 73..........233 CE61	Trézilidé 29............71 H27	La Trinité-	Trois Termes (Pic des) 66..343 BI97	Trouley-Labarthe 65....315 AM88
Trémons 47..........276 AR76	Tresserve 73..........233 CE61	Trézioux 63..........228 BM61	de-Thouberville 27...35 AS20	Trois-Vèvres 58......175 BL48	Troumouse
Trémont 61............84 AO29	Tresses 33............237 AH70	Triac-Lautrait 16......269 AK61	La Trinité-des-Laitiers 61...54 AO27	Trois-Villes 64........331 AD89	(Cirque de) 65......333 AK94
Trémont 49............149 AI45	Tressignaux 22........73 Q28	Le Triadou 34........302 BP83	La Trinité-du-Mont 76....19 AQ18	Troischamps 52........139 CA37	Troussencourt 60......22 BC18
Trémont-sur-Saulx 55....63 BX27	Tressin 59..............9 BJ7	Triaize 85............183 AC53	La Trinité-Langonnet 56....77 M32	Troisfontaines 57......67 CM27	Troussey 55............64 CB27
Trémonzey 88........119 CG35	Tresson 72............130 AQ37	Tribehou 50............32 AD22	La Trinité-Porhoët 56....102 S33	Troisfontaines 52......67 BX29	Troussures 60.........37 BA20
Trémorel 22..........103 U32	Treteau 03............192 BM54	La Tricherie 86........167 AO50	La Trinité-sur-Mer 56....123 O39	Troisgots 50............52 AC24	Trouvans 25..........162 CH41
Trémouille 15........226 BF65	La Trétoire 77..........60 BJ26	Trichey 89............115 BQ36	La Trinité-Surzur 56....124 S39	Troissereux 60........38 BB19	Trouville 76...........19 AQ18
Trémouille-Saint-Loup 63..226 BE64	Trets 13..............327 CE86	Triconville 55..........64 BZ27	Triors 26............249 BZ68	Troissy 51............61 BN24	Trouville-la-Haule 27....35 AQ20
Trémouilles 12........280 BF77	Treux 80..............23 BF14	Tricot 60..............37 BF18	Le Trioulou 15........261 BG73	Troisvaux 62............7 BD9	Trouville-sur-Mer 14....34 AM20
Trémoulet 09........336 AY90	Treuzy-Levelay 77....112 BG33	Trie-Château 60........37 AZ21	Tripleville 41........110 AW36	Troisvilles 59..........14 BL12	Trouy 18..............173 BD47
Trenal 39............179 CB50	Trévans 04............288 CI30	Trie-la-Ville 60........37 AZ21	Triquerville 76........35 AQ19	Tromarey 70..........161 CC43	Troye-d'Ariège 09....336 AZ91
Trensacq 40..........273 AE77	Trévé 22..............102 R32	Trie-sur-Baïse 65....315 AN88	Trith-Saint-Léger 59....14 BL10	Trombon 57............45 CI21	Troyes 10.............90 BQ31
Trentels 47..........258 AR75	Trévenans 90..........142 CL40	Triel-sur-Seine 78......57 BA25	Tritteling-Redlach 57....66 CI23	Tronçais (Forêt de) 03...191 BG51	Troyon 55.............64 CA24
Tréogan 22............76 L32	Trévéneuc 22..........73 Q27	Triembach-au-Val 67....97 CO31	Trivy 71..............194 BT53	Troncens 32..........315 AM86	La Truchère 71........195 BX52
Tréogat 29............99 F34	Tréveray 55............93 BZ28	Trieux 54..............45 CD20	Trizac 15............244 BE66	La Tronche 38........250 CD66	Truchtersheim 67......97 CR28
Tréon 28..............56 AV28	Trévérec 22............73 P27	Trigance 83..........308 CK82	Trizay 17............201 AE59	Le Tronchet 72........107 AM33	Trucy 02..............40 BM19
Tréourgat 29..........70 D28	Trévérien 35............79 X31	Trigavou 22............79 W29	Trizay-Coutretot-	Le Tronchet 35........80 Y29	Trucy-l'Orgueilleux 58...157 BL42
Trépail 51............41 BQ23	Trèves 69............230 BV63	Trignac 44............146 V42	Saint-Serge 28......85 AS32	Tronchoy 89..........137 BP37	Trucy-sur-Yonne 89....136 BN40
				Tronchoy 80............21 AZ15	Le Truel 12...........281 BG80

TROYES

Boucherat (R.) . . . . **CY** 4
Champeaux (R.) . . . . **BZ** 12
Charbonnet (R.) . . . . **BZ** 13
Clemenceau (R. G.) . . . . **BCY** 15
Comtes-de-Champagne
(Q. des) . . . . **CY** 16
Dampierre (Quai) . . . . **BCY** 17
Delestraint (Bd Gén.-Ch.) . . . . **BZ** 18
Driant (R. Col.) . . . . **BZ** 20
Girardon (R.) . . . . **CY** 22

Hennequin (R.) . . . . **CY** 23
Huez (R. Claude) . . . . **BYZ** 27
Jaillant-Deschaînets (R.) . . . . . **BZ** 28
Israël (Pl. Alexandre) . . . . **BZ** 28
Jean-Jaurès (Pl.) . . . . **BZ** 31
Jean-Jaurès (Pl.) . . . . **BZ** 31
Joffre (Av. Mar.) . . . . **BZ** 33
Langevin (Pl. du Prof.) . . . . . . **BZ** 35
Libération (Pl. de la) . . . . **CZ** 49
Marché aux Noix (R. du) . . . . . **BZ** 36
Michelet (R.) . . . . **CY** 39
Molé (R.) . . . . **BZ** 44
Monnaie (R. de la) . . . . **BZ** 45
Paillot-de-Montabert (R.) . . . . **BZ** 47

Palais-de-Justice
(R. de la) . . . . **BZ** 48
République (R. de la) . . . . **BZ** 51
St-Pierre (Pl.) . . . . **CY** 52
St-Rémy (R.) . . . . **BY** 53
Siret (R. Nicolas) . . . . **CZ** 79
Synagogue (R. de la) . . . . **BZ** 54
Tour-Boileau (R. de la) . . . . . . **BZ** 59
Trinité (R. de la) . . . . **BZ** 60
Turenne (R. de) . . . . **BZ** 61
Voltaire (R.) . . . . **BZ** 64
Zola (R. Émile) . . . . **BCZ**
1er-R.A.M. (Bd du) . . . . **BZ** 69

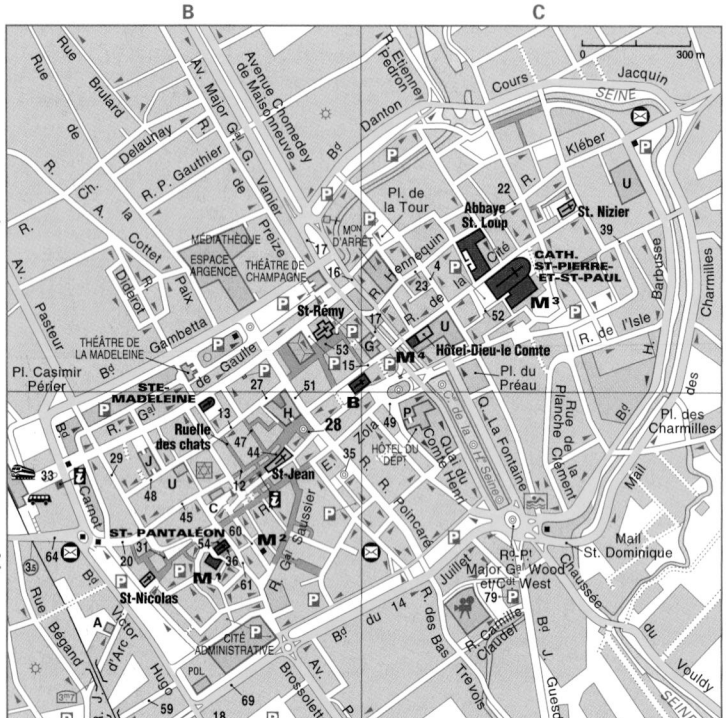

Trugny 21 . . . . 178 BY47
Truinas 26 . . . . 267 BZ73
Trumilly 60 . . . . 39 BG22
Trun 61 . . . . 54 AM26
Trungy 14 . . . . 32 AG22
Truttemer-le-Grand 14 . . 52 AG27
Truttemer-le-Petit 14 . . . 52 AG27
Truyes 37 . . . . 152 AR44
Tubersent 62 . . . . 6 AY8
Tuchan 11 . . . . 338 BG93
Tucquegnieux 54 . . . . . . 45 CD21
Tudeils 19 . . . . 242 AY69
Tudelle 32 . . . . 295 AM84
Tuffé 72 . . . . 108 AP34
Tugéras-Saint-Maurice 17 . 219 AH65
Tugny-et-Pont 02 . . . . . . 24 BJ16
Les Tuileries 42 . . . . . . 211 BO57
La Tuilière 42 . . . . 211 BO58
Tuilière (Roche) 63 . . . . 227 BG62
Tulette 26 . . . . 285 BX77
Tulle 19 . . . . 242 AY66
Tullins 38 . . . . 232 CB65
Tully 80 . . . . 11 AX12
Tupigny 02 . . . . 24 BM14
Tupin-et-Semons 69 . . . 231 BW63
La Turballe 44 . . . . 145 S42
La Turbie 06 . . . . 309 CS82
Turcey 21 . . . . 159 BV42
Turckheim 68 . . . . 121 CO34
Turenne 19 . . . . 242 AX68
Turgon 16 . . . . 203 AO58
Turgy 10 . . . . 114 BP35
Turini (Col de) 06 . . . . 291 CR79
Turny 89 . . . . 114 BN35
Turquant 49 . . . . 150 AL44
Turquestein-Blancrupt 57 . 96 CM28
Turqueville 50 . . . . 28 AD19
Turretot 76 . . . . 18 AU18
Turriers 04 . . . . 269 CH75
Tursac 24 . . . . 241 AT69
Tusson 16 . . . . 203 AL58
Tuzaguet 65 . . . . 333 AN90
Le Tuzan 33 . . . . 255 AG75
Tuzie 16 . . . . 203 AM58

U

Uberach 67 . . . . 68 CQ25
Ubexy 88 . . . . 95 CG31
Ubraye 04 . . . . 289 CM80
Ucciani 2A 348 FD110
Ucel 07 . . . . 266 BT73
Uchacq-et-Parentis 40 . . 293 AF81

Uchaud 30 . . . . 303 BS83
Uchaux 84 . . . . 285 BW78
Uchentein 09 . . . . 335 AS92
Uchizy 71 . . . . 195 BW52
Uchon 71 . . . . 176 BP49
Uchon (Signal d') 71 . . . 176 BP49
Uckange 57 . . . . 45 CE21
Ueberkumen 68 . . . . . . 143 CN38
Ueberstrass 68 . . . . 143 CN40
Uffheim 68 . . . . 143 CP38
Uffholtz 68 . . . . 143 CN37
Ugine 73 . . . . 216 CI60
Uglas 65 . . . . 333 AN90
Ugnouas 65 . . . . 315 AL87
Ugny 54 . . . . 44 CB19
Ugny-le-Gay 02 . . . . . . 24 BJ17
Ugny-l'Équipée 80 . . . . 23 BI15
Ugny-sur-Meuse 55 . . . . 94 CC28
Uhart-Cize 64 . . . . 330 AA89
Uhart-Mixe 64 . . . . 311 AB88
Uhlwiller 67 . . . . 68 CQ25
Uhrwiller 67 . . . . 68 CP25
Ulcot 79 . . . . 167 AI46
Les Ulis 91 . . . . 58 BC28
Ully-Saint-Georges 60 . . 38 BC21
Les Ulmes 49 . . . . 150 AK44
Umpeau 28 . . . . 86 AY30
Unac 09 . . . . 336 AY94
Uncey-le-Franc 21 . . . . 159 BU43
Unchair 51 . . . . 41 BN21
Ungersheim 68 . . . . 121 CO36
Unias 42 . . . . 229 BR62
Unienville 10 . . . . 91 BT32
Unieux 42 . . . . 230 BS64
L'Union 31 . . . . 298 AW84
Untermuthal 57 . . . . 68 CP24
Unverre 28 . . . . 109 AU33
Unzent 09 . . . . 318 AW89
Upaix 05 . . . . 287 CF76
Upie 26 . . . . 267 BY71
Ur 66 . . . . 341 AZ97
Urau 31 . . . . 334 AR91
Urbalacone 2A 348 FD112
Urbanya 66 . . . . 341 BG95
Urbeis 67 . . . . 96 CN31
Urbeis (Col d') 67 . . . . . 96 CN31
Urbès 68 . . . . 120 CL36
Urbise 42 . . . . 193 BP55
Urçay 03 . . . . 190 BF51
Urcel 02 . . . . 24 BK17
Urcerey 90 . . . . 142 CK39
Urciers 36 . . . . 189 BB52
Urcuit 64 . . . . 292 Z85
Urcy 21 . . . . 159 BW44
Urdens 32 . . . . 296 AQ82
Urdès 64 . . . . 313 AF86

Urdos 64 . . . . 331 AF92
Urepel 64 . . . . 330 Y90
Urgons 40 . . . . 294 AG84
Urgosse 32 . . . . 295 AK83
Uriage-les-Bains 38 . . . 251 CE67
Uriménil 88 . . . . 119 CH34
Urmatt 67 . . . . 97 CO29
Urost 64 . . . . 314 AJ87
Urou-et-Crennes 61 . . . . 54 AM27
Urrugne 64 . . . . 310 W86
Urs 09 . . . . 336 AY94
Urschenheim 68 . . . . . . 121 CP33
Urt 64 . . . . 292 Z85
Urtaca 2B 345 FE104
Urtière 25 . . . . 163 CL43
Uruffe 54 . . . . 94 CC29
Urval 24 . . . . 259 AS71
Urville 88 . . . . 118 CC33
Urville 50 . . . . 29 AB19
Urville 14 . . . . 53 AJ24
Urville 10 . . . . 116 BU34
Urville-Nacqueville 50 . . 28 Z16
Urvillers 02 . . . . 24 BK16
Ury 77 . . . . 88 BF32
Urzy 58 . . . . 174 BG43
Us 95 . . . . 37 BA23
Usclades-et-Rieutord 07 . 265 BR71
Usclas-d'Hérault 34 . . . 302 BM85
Usclas-du-Bosc 34 . . . . 301 BL83
Ussac 19 . . . . 242 AW67
Ussat 09 . . . . 336 AX93
Ussé (Château d') 37 . . . 151 AN44
Usseau 86 . . . . 169 AP48
Usseau 79 . . . . 201 AG56
Ussel 46 . . . . 260 AW70
Ussel 19 . . . . 226 BD63
Ussel 15 . . . . 245 BH68
Ussel-d'Allier 03 . . . . . 209 BJ56
Usson 63 . . . . 228 BL63
Usson-du-Poitou 86 . . . 186 AP55
Usson-en-Forez 42 . . . . 229 BP65
Ussy 14 . . . . 53 AK25
Ussy-sur-Marne 77 . . . . 59 BI25
Ustaritz 64 . . . . 310 Y86
Ustou 09 . . . . 335 AU94
Utelle 06 . . . . 291 CQ80
Utelle (Madone d') 06 . . 291 CQ80
Uttenheim 67 . . . . 97 CQ30
Uttenhoffen 67 . . . . 68 CP25
Uttwiller 67 . . . . 68 CP25
Uvernet-Fours 04 . . . . . 270 CL75
Uxeau 71 . . . . 176 BQ50
Uxegney 88 . . . . 119 CH33
Uxelles 39 . . . . 196 CD51
Uxem 59 . . . . 3 BE2

V

Uz 65 . . . . 332 AJ91
Uza 40 . . . . 272 AA79
Uzan 64 . . . . 314 AG86
Uzay-le-Venon 18 . . . . 173 BE49
Uzech 46 . . . . 259 AV74
Uzein 64 . . . . 314 AG86
Uzel 22 . . . . 78 Q31
Uzemain 88 . . . . 119 CH34
Uzer 65 . . . . 333 AL90
Uzer 07 . . . . 266 BT74
Uzerche 19 . . . . 224 AX64
Uzès 30 . . . . 284 BT80
Uzeste 33 . . . . 256 AI75
Uzos 64 . . . . 314 AH88

V

Vaas 72 . . . . 130 AO39
Vabre 81 . . . . 299 BD84
Vabre-Tizac 12 . . . . . . 279 BB77
Vabres 30 . . . . 283 BP80
Vabres 15 . . . . 246 BK69
Vabres-l'Abbaye 12 . . . 300 BH81
Vacherauville 55 . . . . . . 44 BZ22
Vachères 04 . . . . 286 CD80
Vachères-en-Quint 26 . . 268 CA71
Vacheresse 74 . . . . 198 CK53
La Vacheresse-
et-la-Rouillie 88 . . . . . 118 CC33
Vacheresses-les-Basses 28 . 86 AX29
La Vacherie 27 . . . . 36 AU23
Vacognes 14 . . . . 33 AI23
Vacon 55 . . . . 93 CB28
Vacquerie 80 . . . . 12 BC12
La Vacquerie 14 . . . . . . 32 AF23
La Vacquerie-et-Saint-Martin-
de-Castries 34 . . . . . . 302 BM82
Vacquerie-le-Boucq 62 . 12 BC10
Vacqueriette-Erquières 62 . 12 BB10
Vacqueville 54 . . . . 96 CK29
Vacqueyras 84 . . . . . . 285 BY78
Vacquières 34 . . . . 303 BO82
Vacquiers 31 . . . . 298 AW83
Vadans 70 . . . . 161 CB42
Vadans 39 . . . . 179 CC47
Vadelaincourt 55 . . . . . . 43 BY23
Vadenay 51 . . . . 62 BS24
Vadencourt 80 . . . . 13 BE13
Vadencourt 02 . . . . 24 BM14
Vadonville 55 . . . . 64 CA26
Vagnas 07 . . . . 284 BT76
Vagney 88 . . . . 119 CJ35
Vahl-Ebersing 57 . . . . . . 67 CJ23
Vahl-lès-Bénestroff 57 . . 67 CJ25
Vahl-lès-Faulquemont 57 . 66 CI23
Vaiges 53 . . . . 106 AI35
Vailhan 34 . . . . 301 BL85
Vailhauquès 34 . . . . . . 302 BO84
Vailhourles 12 . . . . 279 AZ77
Vaillac 46 . . . . 260 AW73
Vaillant 52 . . . . 139 BY39
Vailly 74 . . . . 198 CJ54
Vailly 10 . . . . 91 BQ31
Vailly-sur-Aisne 02 . . . . 40 BL20
Vailly-sur-Sauldre 18 . . 155 BF42
Vains 51 . . . . 51 AB27
Vairé 85 . . . . 165 X50
Vaire-Arcier 25 . . . . . . 162 CG43
Vaire-le-Petit 25 . . . . . 162 CG43
Vaire-sous-Corbie 80 . . . 22 BE14
Vaires-sur-Marne 77 . . . 59 BF26
Vaison-la-Romaine 84 . . 285 BZ77
Vaïssac 82 . . . . 278 AX80
Vaite 70 . . . . 140 CC40
La Vaivre 70 . . . . 119 CH36
Vaivre-et-Montoille 70 . . 141 CF39
Le Val 83 . . . . 328 CH66
Val (Château de) 15 . . . 226 BE64
Le Val-André 22 . . . . . . 78 T28
Val-Claret 73 . . . . 235 CM63
Val-d'Ajol 88 . . . . 119 CI36
Val-d'Auzon 10 . . . . . . 91 BS31
Le Val-David 27 . . . . . . 56 AO25
Val-de-Bride 57 . . . . . . 67 CJ26
Val-de-Chalvagne 04 . . 289 CN80
Val-de-Fier 74 . . . . . . 215 CE58
Le Val-de-Gouhenans 70 . 141 CI39
Le Val-de-Guéblange 57 . 67 CJ24
Val-de-la-Haye 76 . . . . . 36 AT20
Val-de-Mercy 89 . . . . . 136 BM39
Val-de-Reuil 27 . . . . . . 36 AV21
Val-de-Roulans 25 . . . . 162 CG42
Val-de-Saâne 76 . . . . . . 20 AT17
Val-de-Vière 51 . . . . 62 BU26
Val-d'Épy 39 . . . . 196 CA53
Val-des-Prés 05 . . . . . . 252 CL69
Val-d'Esquières 83 . . . . 329 CM87
Val-d'Isère 73 . . . . 235 CN63
Val-d'Izé 35 . . . . 105 AC33
Val-et-Châtillon 54 . . . . 96 CL29
Val-Louron 65 . . . . 333 AN90
Val-Maravel 26 . . . . . . 268 CC73
Le Val-Saint-Éloi 70 . . . 141 CG38
Le Val-Saint-Germain 91 . 87 BA29
Le Val-Saint-Père 50 . . . 51 AB28
Val-Sainte-Marie 25 . . . 162 CF45
Val-Suzon 21 . . . . 159 BW42

Val-Thorens 73 . . . . . . 234 CK65
Valady 12 . . . . 262 BD75
Valailles 27 . . . . 35 AO35
Valaire 41 . . . . 153 AV42
Valanjou 49 . . . . 149 AH44
Valaurie 26 . . . . 267 BX75
Valavoire 04 . . . . 287 CH76
Valay 70 . . . . 161 CC43
Valbeleix 63 . . . . 227 BI64
Valbelle 04 . . . . 287 CF78
Valberg 06 . . . . 289 CO78
Valbonnais 38 . . . . 251 CE75
Valbonne 06 . . . . 309 CO83
La Valbonne 01 . . . . . . 213 BY59
Valbonne (Ancienne
Chartreuse de) 30 . . . 284 BU77
Valcabrère 31 . . . . 334 AO91
Valcanville 50 . . . . 29 AC17
Valcebollère 66 . . . . . . 341 BA98
Valchevrière
(Calvaire de) 38 . . . . 250 CC68
Valcivières 63 . . . . 229 BO62
Valcourt 52 . . . . 92 BW29
Valdahon 25 . . . . 162 CH44
Valdampierre 60 . . . . . . 38 BB21
Valdeblore 06 . . . . 291 CQ78
Le Valdécie 50 . . . . 29 AA19
Valdelancourt 52 . . . . . 116 BX34
Valderiès 81 . . . . 279 BC80
Valderoure 06 . . . . 308 CM81
Valdieu-Lutran 68 . . . . 142 CM39
Valdivienne 86 . . . . . . 187 AQ52
Valdoie 90 . . . . 142 CL38
Valdrôme 26 . . . . 268 CD74
Valdurenque 81 . . . . . . 299 BD85
Valeille 42 . . . . 230 BS61
Valeilles 82 . . . . 276 AR76
Valeins 01 . . . . 213 BW56
Valempoulières 39 . . . . 179 CE48
Valençay 36 . . . . 153 AX45
Valence 26 . . . . 249 BX69
Valence 16 . . . . 203 AN59
Valence-d'Agen 82 . . . . 276 AR79
Valence-d'Albigeois 81 . 280 BD80
Valence-en-Brie 77 . . . . 88 BH31
Valence-sur-Baïse 32 . . 295 AN81
Valenciennes 59 . . . . 9 BL9
Valencin 38 . . . . 231 BY62
Valencogne 38 . . . . . . 232 CC63
Valennes 72 . . . . 108 AR36
Valensole 04 . . . . 307 CG81
Valentigney 25 . . . . . . 142 CL41
La Valentine 13 . . . . . . 327 CD86
Valenton 94 . . . . 58 BC27
Valergues 34 . . . . 303 BR84
Valernes 04 . . . . 287 CG77
Valescourt 60 . . . . 38 BD19
Valescure 83 . . . . 308 CN85
La Valette 42 . . . . 212 BS60
La Valette 38 . . . . 251 CF69
Valette 15 . . . . 244 BF66
La Valette-du-Var 83 . . 328 CG89
Valeuil 24 . . . . 222 AP65
Valeyrac 33 . . . . 218 AD64
Valezan 73 . . . . 234 CL62
Valff 67 . . . . 97 CP30
Valfin-lès-Saint-Claude 39 . 197 CG52
Valfin-sur-Valouse 39 . . 196 CB53
Valflaunès 34 . . . . 302 BP82
Valfleury 42 . . . . 230 BU63
Valfroicourt 88 . . . . . . 118 CF33
Valgorge 07 . . . . 265 BR74
Valhey 54 . . . . 66 CH27
Valhuon 62 . . . . 7 BD9
Valiergues 19 . . . . 225 BC64
Valignat 03 . . . . 209 BI56
Valigny 03 . . . . 173 BG50
Valines 80 . . . . 11 AY13
Valjouffrey 38 . . . . 251 CG70
Valjouze 15 . . . . 245 BI67
La Valla-en-Gier 42 . . . 230 BU64
La Valla-sur-Rochefort 42 . 211 BP60
Vallabrègues 30 . . . . . 304 BV82
Vallabrix 30 . . . . 284 BU79
Vallan 89 . . . . 136 BM38
Vallangoujard 95 . . . . . . 38 BB23
Vallans 79 . . . . 184 AG55
Vallant-Saint-Georges 10 . 90 BO30
Vallauris 06 . . . . 309 CP84
Valle-d'Alesani 2B 347 FG107
Valle-di-Campoloro 2B . 347 FI107
Valle-di-Mezzana 2A . . 348 FC110
Valle-di-Rostino 2B . . . 347 FF106
Valle-d'Orezza 2B 347 FG106
La Vallée 17 . . . . 201 AE59
Vallée (Étang de la) 45 . 111 BE36
La Vallée-au-Blé 02 . . . . 25 BN15
Vallée d'Avérole 73 . . . 235 CO64
La Vallée-Mulâtre 02 . . . 14 BL13
Vallègue 31 . . . . 318 AY87
Vallenay 74 . . . . 215 CF56
Vallenay 18 . . . . 173 BD49
Vallentigny 10 . . . . 91 BT30
Vallerange 57 . . . . 67 CJ24
Vallérargues 30 . . . . . . 284 BT79
Valleraugue 30 . . . . . . 282 BN79

Vallères 37 . . . . 151 AP43
Valleret 52 . . . . 92 BW30
Vallereuil 24 . . . . 239 AO68
Vallerois-le-Bois 70 . . . 141 CG40
Vallerois-Lorioz 70 . . . . 141 CF40
Valleroy 54 . . . . 45 CD22
Valleroy 52 . . . . 140 CE29
Valleroy 25 . . . . 162 CF42
Valleroy-aux-Saules 88 . . 94 CF32
Valleroy-le-Sec 88 . . . . 118 CE33
Vallery 89 . . . . 113 BI33
Vallerysthal 57 . . . . 67 CM27
Vallesvilles 31 . . . . 298 AX85
Vallet 44 . . . . 148 AB44
Vallet 17 . . . . 220 AI65
Valletot 27 . . . . 35 AQ20
Vallica 2B 346 FD105
Vallière 2B 207 BA59
Vallières 74 . . . . 215 CF58
Vallières 10 . . . . 115 BO36
Vallières-les-Grandes 41 . 152 AU42
Valliguières 30 . . . . . . 284 BV80
Valliquerville 76 . . . . . . 19 AR18
Valloire 73 . . . . 252 CJ66
Valloires (Abbaye de) 80 . 11 AZ10
Les Vallois 88 . . . . 118 CF33
Vallois 54 . . . . 95 CI39
Vallon-en-Sully 03 . . . . 190 BF52
Vallon-Pont-d'Arc 07 . . 266 CA71
Vallon-sur-Gée 72 . . . . 107 AL36
Vallorcine 74 . . . . 217 CM56
Vallouise 05 . . . . 252 CK70
Valmagne
(Abbaye de) 34 . . . . 322 BN86
Valmanya 66 . . . . 342 BE96
Valmascle 34 . . . . 301 BL85
Valmeinier 73 . . . . 252 CJ66
Valmestroff 57 . . . . 45 CF20
Valmigère 11 . . . . 337 BD91
Valmondois 95 . . . . 38 BC23
Valmont 76 . . . . 19 AQ16
Valmont 57 . . . . 67 CJ23
Valmorel 73 . . . . 234 CL62
Valmunster 57 . . . . 46 CH21
Valmy 51 . . . . 43 BV23
Valognes 50 . . . . 29 AB18
Valojoulx 24 . . . . 241 AT69
Valonne 25 . . . . 163 CJ42
Valoreille 25 . . . . 163 CK43
Valouse 26 . . . . 267 BZ75
Valprionde 46 . . . . 277 AT75
Valprivas 43 . . . . 229 BQ65
Valpuiseaux 91 . . . . 87 BD31
Valras-Plage 34 . . . . . . 321 BL85
Valréas 84 . . . . 267 BY75
Valros 34 . . . . 321 BL87
Valroufié 46 . . . . 260 AW74
Vals 09 . . . . 336 AY90
Vals-le-Chastel 43 . . . . 246 BM66
Vals-les-Bains 07 . . . . . 266 BT73
Vals-près-le-Puy 43 . . . 247 BP69
Valsaintes 04 . . . . 286 CD80
Valsemé 14 . . . . 34 AM22
Valsenestre 38 . . . . . . 251 CG69
Valserres 05 . . . . 269 CH74
Valsonne 69 . . . . 212 BT58
Le Valtin 88 . . . . 120 CM34
Valuéjols 15 . . . . 245 BH68
Valvignères 07 . . . . . . 266 BT74
Valz-sous-Châteauneuf 63 . 228 BL64
Valzergues 12 . . . . 261 BC75
Van (Pointe du) 29 . . . . 98 C33
Vanault-le-Châtel 51 . . . 62 BU24
Vanault-les-Dames 51 . . 63 BV26
Vançais 79 . . . . 185 AL54
Vancé 72 . . . . 130 AO37
La Vancelle 67 . . . . 97 CO31
Vanclans 25 . . . . 162 CH45
Vandeins 01 . . . . 195 BY55
Vandelainville 54 . . . . . . 65 CD24
Vandelans 70 . . . . 162 CG42
Vandeléville 54 . . . . 94 CE30
Vandélicourt 60 . . . . 39 BG19
Vandenesse 58 . . . . . . 175 BO48
Vandenesse-en-Auxois 21 . 159 BU44
Vandeuil 51 . . . . 41 BN21
Vandières 54 . . . . 65 CE24
Vandières 51 . . . . 41 BN23
Vandœuvre-lès-Nancy 54 . 94 CE28
Vandoncourt 25 . . . . . . 142 CL41
Vandré 17 . . . . 201 AF57
Vandrimare 27 . . . . 36 AW20
Vandy 08 . . . . 42 BU19
Les Vanels 48 . . . . 282 BN78
Vanlay 10 . . . . 114 BP35
Vannaire 21 . . . . 115 BT36
Vanne 70 . . . . 140 CD39
Le Vanneau-Irleau 79 . . 184 AG54
Vannecourt 57 . . . . 66 CI25
Vannecrocq 27 . . . . 35 AP21
Vannes 56 . . . . 124 R38
Vannes-le-Châtel 54 . . . . 94 CC29
Vannes-sur-Cosson 45 . 133 BC39
Vannoz 39 . . . . 179 CE49
Vanosc 07 . . . . 248 BU66
Les Vans 07 . . . . 283 BR76
Vantoux 57 . . . . 45 CF22
Vantoux-et-Longevelle 70 . 161 CD41
Vanves 92 . . . . 58 BC27
Vanvey 21 . . . . 138 BU37
Vanvillé 77 . . . . 89 BI37

VALENCE

Alsace (Bd d')	DY	
Arménie (R. d')	DY	4
Augier (R. Émile)	CYZ	
Balais (R. des)	BCY	5
Bancel (Bd)	CY	6
Barrault (R. J.-L.)	DY	7
Belle Image (R.)	CY	9
Bonaparte (R. du Lieutenant)	BCY	12
Chambaud (R. Mirabel)	BZ	15
Championnet (Pl.)	BCZ	16
Chapeliers (Côte des)	BY	17
Clercs (Pl. des)	BCZ	23
Clerc (Bd M.)	CYZ	22
Docteur-Schweitzer (R. du)	BY	25
Dragonne (Pl. de la)	DY	26
Dupré-de-Loire (Av.)	DY	27
Farre (R. du Gén.)	CZ	29
Félix-Faure (Av.)	DZ	
Gaulle (Bd du Gén.-de)	CZ	32
Huguenel (Pl. Ch.)	CY	36
Jacquet (R. V.)	BZ	37
Jeu-de-Paume (R. du)	CYZ	39
Lecardonnel (Pl. L.)	CY	42
Leclerc (Pl. Gén.)	DY	43
Liberté (Pl. de la)	CY	45
Madier-de-Montjau (R.)	CY	47
Mistral (Pont Frédéric)	BZ	50
Montalivet (Pl. de)	DY	51
Ormeaux (Pl. des)	BZ	55
Palais (Pl. du)	CZ	56
Paré (R. Ambroise)	BY	57
Pérollerie (R.)	BY	59
Petit Paradis (R.)	BY	60
Pierre (R. de la)	BY	62
Repenties (R. des)	BZ	65
République (Pl. de la)	CZ	
Sabaterie (R.)	BY	68
St-Didier (R.)	BCZ	71
St-Estève (Côte)	BY	72
St-Jacques (Faubourg)	DY	75
St-Martin (Côte et R.)	BY	77
St-Nicolas (Q.)	BY	78
Saunière (R.)	CZ	80
Semard (Av.)	CZ	
Sylvante (Côte)	BY	84
Temple (R. du)	BCY	85
Université (Pl. de l')	CZ	88
Vernoux (R.)	CY	90
Victor-Hugo (Av.)	CZ	

Vanxains 24	239	AN66
Vany 57	45	CF22
Vanzac 17	220	AI65
Vanzay 79	186	AM55
Vanzy 74	215	CE57
Vaour 81	278	AY79
Varacieux 38	250	CA66
Varades 44	148	AD42
Varages 83	307	CG84
Varaignes 24	222	AP62
Varaire 46	278	AY76
Varaize 17	201	AH58
Varambon 01	214	CA57
Varanges 21	160	BY44
Varangéville 54	95	CG28
Varces-Allières-		
et-Risset 38	250	CD68
Vareilles 89	113	BL34
Vareilles 71	194	BS54
Vareilles 23	188	AW55
Varen 82	279	AZ78
Varengeville-sur-Mer 76	10	AT14
Varenguebec 50	31	AB20
La Varenne 49	148	AB43
Varenne-l'Arconce 71	193	BR54
Varenne-Saint-Germain 71	193	BO53
La Varenne-Saint-Hilaire 94	58	BE27
Varennes 89	136	BO37
Varennes 86	168	AM49
Varennes 82	298	AW81
Varennes 80	13	BE13
Varennes 37	170	AS46
Varennes 31	318	AX86
Varennes 24	258	AQ71
Varennes-Changy 45	112	BF37
Varennes-en-Argonne 55	43	BW22
Varennes-Jarcy 91	58	BE28
Varennes-le-Grand 71	177	BW50
Varennes-lè-Mâcon 71	195	BW55
Varennes-lès-Narcy 58	156	BI44
Varennes-		
Saint-Honorat 43	246	BN67
Varennes-		
Saint-Sauveur 71	195	BZ52
Varennes-sous-Dun 71	194	BO55
Varennes-sur-Allier 03	192	BL54
Varennes-sur-Amance 52	117	CB36
Varennes-sur-Fouzon 36	153	AX44
Varennes-sur-Loire 49	150	AL44
Varennes-sur-Morge 63	209	BJ59
Varennes-sur-Seine 77	88	BH32
Varennes-sur-Tèche 03	192	BN54
Varennes-sur-Usson 63	228	BK63
Varennes-Vauzelles 58	174	BJ46
Varès 47	257	AN75
Varesnes 60	23	BI18
Varessia 39	196	CB51
Varetz 19	242	AW67
Varilhes 09	336	AX91
Varinfroy 60	39	BI23
Varize 57	46	CI22
Varize 28	110	AX35
Varmonzey 88	95	CG31
Varnéville 55	64	CB25
Varneville-Bretteville 76	20	AT17
Varney 55	63	BX26
Varogne 70	141	CG38
Varois-et-Chaignot 21	160	BY43
Varouville 50	29	AC16
Varrains 49	150	AL44
Varreddes 77	59	BH25
Vars 70	140	CB40
Vars 16	203	AM60
Vars 05	270	CL72
Vars (Col de) 05	270	CL73
Vars-sur-Roseix 19	241	AV66
Varsberg 57	46	CI22
Varzay 17	219	AF61
Varzy 58	157	BL43
Vascœuil 27	36	AW20
Vasles 79	185	AL51
Vasouy 14	34	AN20
Vasperviller 57	96	CM28
Vassel 63	228	BK61
Vasselay 18	155	BD45
Vasselin 38	232	CB62
Vassens 02	40	BJ19
Vassonville 76	20	AU17
Vassy 89	137	BR40
Vassy 14	53	AN21
Le Vast 50	29	AC17
Vastérival 76	10	AT14
Vasteville 50	28	Z17
Les Vastres 43	248	BS69
Vatan 36	172	AZ46
Vathiménil 54	95	CI29
Vatierville 76	21	AX16
Vatilieu 38	250	CB66
Vatimont 57	66	CH24
Vatry 51	62	BR26
Vattetot-sous-Beaumont 76	19	AP17
Vattetot-sur-Mer 76	18	AO16
Vatteville 27	36	AV21
Vatteville-la-Rue 76	35	AR19
Vaubadon 14	32	AG22
Vauban 71	193	BR55
Vaubecourt 55	63	BX25
Vaubexy 88	95	CG32
Vaucé 53	82	AG30
Vaucelles 14	32	AG21
Vaucelles (Abbaye de) 59	14	BJ13
Vaucelles-et-Beffecourt 02	40	BM19
Vauchamps 51	60	BM26
Vauchamps 25	162	CG43
Vauchassis 10	114	BO73
Vauchelles 80	23	BH18
Vauchelles-lès-Authie 80	13	BE12
Vauchelles-lès-Domart 80	12	BB13
Vauchelles-les-Quesnoy 80	11	BA12
Vauchignon 21	177	BU47
Vauchonvilliers 10	115	BT33
Vauchoux 70	140	CE39
Vauchrétien 49	149	AH43
Vaucienne 60	39	BI22
Vauciennes 51	61	BO24
Vauclaix 58	157	BO44
Vauclerc 51	62	BT26
Vaucluse 25	163	CK43
Vauclusotte 25	163	CK43
Vaucogne 10	91	BS30
Vauconcourt-Nervezain 70	140	CD39
Vaucottes-sur-Mer 76	18	AO16
Vaucouleurs 55	93	CB28
Vaucourt 54	67	CJ27
Vaucourtois 77	59	BH26
Vaucresson 92	58	BB26
Vaudancourt 60	37	AZ22
Vaudebarrier 71	193	BS53
Vaudelnay 49	150	AJ45
Vaudeloges 14	54	AM25
Vaudemange 51	42	BR23
Vaudémont 54	94	CE30
Vaudémont (Signal de) 54	94	CE30
Vaudes 10	115	BR34
Vaudesincourt 51	42	BS22
Vaudesson 02	40	BL19
Vaudeurs 89	114	BM34
Vaudevant 07	248	BV68
Vaudéville 88	95	CI32
Vaudeville 54	94	CF30
Vaudeville-le-Haut 55	93	CB30
Vaudherland 95	58	BE25
Vaudigny 54	94	CF30
Le Vaudioux 39	179	CE50
Vaudoncourt 88	118	CD33
Vaudoncourt 57	46	CH22
Vaudoncourt 55	44	CB21
Le Vaudoué 77	88	BE32
Vaudoy-en-Brie 77	59	BH28
Vaudreching 57	46	CH21
Vaudrecourt 52	117	CB33
Vaudrémont 52	116	BW34
Le Vaudreuil 27	36	AV22
Vaudreuille 31	319	BA87
Vaudrey 39	179	CC47
Vaudricourt 80	11	AX12
Vaudricourt 62	8	BF8
Vaudrimesnil 50	31	AB22
Vaudrivillers 25	162	CI43
Vaudry 14	52	AF26
Vaufrey 25	163	CL42
Vaugines 84	305	CB82
Vaugneray 69	230	BV61
Vaugrigneuse 91	87	BB29
Vauhallan 91	58	BC28
Vaujany 38	251	CG67
Vaujours 93	58	BE25
Vaulandry 49	129	AL40
Le Vaulmier 15	244	BF67
Vaulnaveys-le-Bas 38	251	CE67
Vaulnaveys-le-Haut 38	251	CE67
Vaulry 87	205	AT58
Vault-de-Lugny 89	157	BO41
Vaulx 74	215	CF58
Vaulx 62	8	BB10
Vaulx-en-Velin 69	213	BX60
Vaulx-Milieu 38	231	BZ62
Vaulx-Vraucourt 62	13	BH12
Le Vaumain 60	37	AZ21
Vaumas 03	192	BN53
Vaumeilh 04	287	CG76
Vaumoise 60	39	BH22
Vaumort 89	113	BL34
Vaunac 24	222	AR65
Vaunaveys-la-Rochette 26	267	BY71
Vaunoise 61	84	AP32
La Vaupalière 76	36	AT19
Vaupillon 28	85	AT30
Vaupoisson 10	91	BR30
Vauquois 55	43	BX22
Vauréal 95	57	BA24
Vaureilles 12	261	BC75
Vaurezis 02	40	BK20
Le Vauroux 60	37	BA20
Vausse (Prieuré de) 89	137	BQ40
Vausseroux 79	185	AK52
Vautebis 79	185	AK52
Vauthiermont 90	142	CM38
Vautorte 53	81	AF32
Vauvenargues 13	306	CD85
Vauvert 30	303	BS83
Vauville 50	28	Y17
Vauville 14	34	AM21
Vauvillers 80	23	BF15
Vauvillers 70	118	CF36
Vaux 89	136	BM38
Vaux 86	186	AM54
Vaux 57	65	CE23
Vaux 31	318	AZ86
Vaux 03	190	BF53
Vaux (Château de) 49	128	AH38
Vaux-Andigny 02	14	BL13
Vaux-Champagne 08	42	BT19
Les Vaux de Cernay 78	57	BA28
Vaux-devant-Damloup 55	44	CA22
Vaux-en-Amiénois 80	22	BC14
Vaux-en-Beaujolais 69	212	BU57
Vaux-en-Bugey 01	214	CA58
Vaux-en-Dieulet 08	43	BW19
Vaux-en-Pré 71	194	BU51
Vaux-en-Vermandois 02	23	BI15
Vaux-et-Chantegrue 25	180	CH48
Vaux-la-Douce 52	140	CC37
Vaux-la-Grande 55	93	CA28
Vaux-la-Petite 55	93	CA28
Vaux-Lavalette 16	221	AM64
Vaux-le-Moncelot 70	161	CE41
Vaux-le-Pénil 77	88	BF30
Vaux-le-Vicomte		
(Château de) 77	88	BG29
Vaux-lès-Mouron 08	43	BV21
Vaux-lès-Mouzon 08	27	BX17
Vaux-lès-Palameix 55	64	CA24
Vaux-lès-Prés 25	161	CE44
Vaux-lès-Rubigny 08	25	BQ17
Vaux-lès-Saint-Claude 39	196	CD53
Vaux-Marquenneville 80	11	AZ14
Vaux-Montreuil 08	26	BT18
Vaux-Rouillac 16	202	AK60
Vaux-Saules 21	159	BV41
Vaux-sous-Aubigny 52	139	BZ39
Vaux-sur-Aure 14	33	AH21
Vaux-sur-Blaise 52	92	BW30
Vaux-sur-Eure 27	56	AV24
Vaux-sur-Lunain 77	112	BH33
Vaux-sur-Mer 17	218	AC61
Vaux-sur-Poligny 39	179	CD48
Vaux-sur-Risle 27	55	AR26
Vaux-sur-Saint-Urbain 52	93	BY31
Vaux-sur-Seine 78	57	BA25
Vaux-sur-Seulles 14	33	AH21
Vaux-sur-Somme 80	22	BE14
Vaux-sur-Vienne 86	169	AP48
Vaux-Villaine 08	26	BS16
Vauxaillon 02	40	BL19
Vauxbons 52	139	BY37
Vauxbuin 02	40	BK21
Vauxcéré 02	40	BM21
Vauxrenard 69	194	BV55
Vauxtin 02	40	BM21
Vavincourt 55	63	BY26
Vavray-le-Grand 51	62	BU27
Vavray-le-Petit 51	62	BU26
Vaxainville 54	95	CJ29
Vaxoncourt 88	95	CH32
Vaxy 57	66	CI25
Vay 44	126	Y40
Vaychis 09	336	AY94
Vaylats 46	278	AX76
Vayrac 46	242	AY70
Vayres 87	204	AR60
Vayres 33	238	AI70
Vayres (Château de) 86	169	AO50
Vayres-sur-Essonne 91	87	BD31
Vazeilles-Limandre 43	246	BN68
Vazeilles-		
près-Saugues 43	246	BN70
Vazerac 82	277	AU78

444 Vea – Ver

VERSAILLES

Carnot (R.) . . . . Y
Chancellerie (R. de la) . . . . . Y 3
Clemenceau (R. Georges) . Y 7
Cotte (R. Robert de) . . . . . . Y 10
États-Généraux (R. des) . . . Z
Europe (Av. de l') . . . . Y 14
Foch (R. du Mar.) . . . . XY
Gambetta (Pl.) . . . . Y 17
Gaulle (Av. du Gén.-de-) . . YZ 18
Hoche (R.) . . . . Y
Indép.-Américaine (R. de l') Y 20
Leclerc (R. du Gén.) . . . . Z 24
Mermoz (R. Jean) . . . . Z 27
Nolhac (R. Pierre-de-) . . . . . Y 31
Orangerie (R. de l') . . . . . . YZ
Paroisse (R. de la) . . . . Y
Porte-de-Buc (R. de la) . . . . Z 34
Rockfeller (Av.) . . . . Y 37
Royale (R.) . . . . Z
Satory (R. de) . . . . YZ 42
Vieux-Versailles (R. du) . . . YZ 47

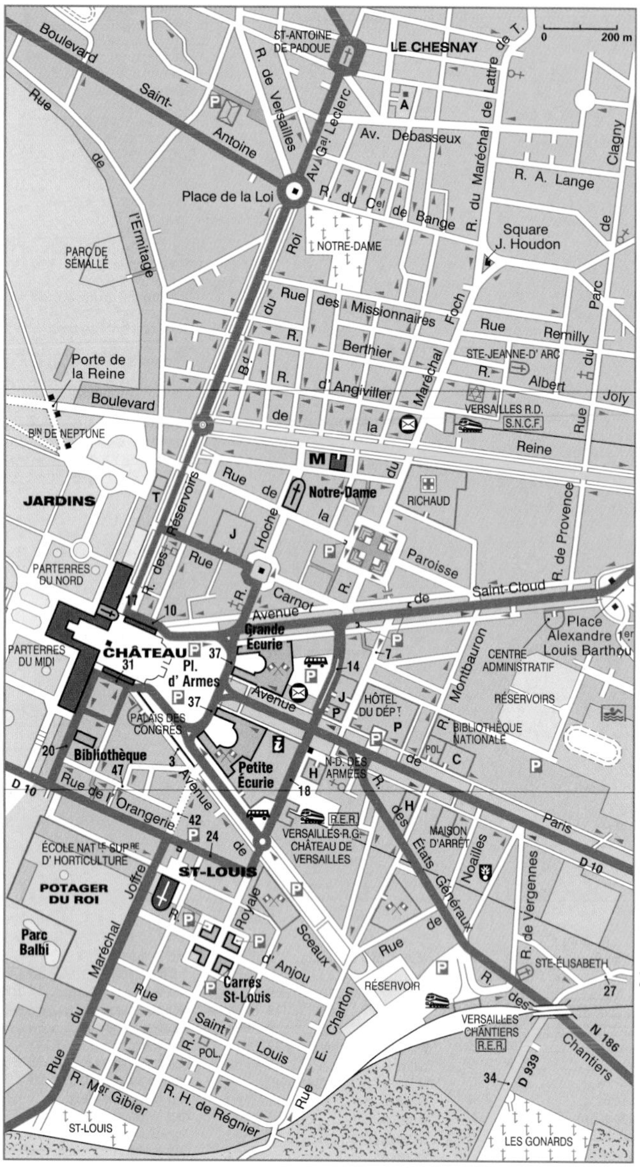

Veauce 03 209 BI56
Veauche 42 230 BS63
Veauchette 42 230 BS63
Veaugues 18 155 BG44
Veaunes 26 249 BX68
Veauville-lès-Baons 76 19 AR17
Veauville-lès-Quelles 76 19 AR16
Vèbre 09 336 AY94
Vebret 15 226 BE65
Vebron 48 282 BN77
Vecchio (Pont du) 2B 347 FE108
Veckersviller 57 67 CM25
Veckring 57 46 CG20
Vecoux 88 119 CJ35
Vecquemont 80 22 BE15
Vecqueville 52 92 BX30
Vedène 84 285 BX80
Védrines-Saint-Loup 15 246 BK68
Vèel 55 63 BX27
Végennes 19 242 AY69
Vého 54 95 CJ28
Veigné 37 152 AR44
Veigy-Foncenex 74 197 CH54
Veilhes 81 298 AZ84
Veillac 15 226 BE64
Veilleins 41 153 AY42
Veilly 21 159 BU45
Veix 19 225 AZ63
Velaine-en-Haye 54 65 CE27
Velaine-sous-Amance 54 66 CG27
Velaines 55 64 BZ27
Velanne 38 232 CD63
Velars-sur-Ouche 21 159 BW43
Velaux 13 305 CA85
Velennes 80 22 BB16
Velennes 60 38 BC19
Velesmes 70 161 CC42
Velesmes-Essarts 25 161 CE44
Velet 70 161 CB42
Vélieux 34 320 BG87
Vélines 24 239 AL70
Vélizy-Villacoublay 78 58 BC27
Velle-le-Châtel 70 141 CF39
Velle-sur-Moselle 54 95 CG29
Vellèches 86 169 AP47
Vellechevreux-
et-Courbenans 70 141 CI40
Velleclaire 70 161 CD41
Vellefaux 70 141 CF40
Vellefrey-et-Vellefrange 70 161 CD41
Vellefrie 70 141 CG38
Velleguindry-
et-Levrecey 70 141 CF40
Velleminfroy 70 141 CH39
Vellemoz 70 161 CD41
Velleron 84 285 BY80
Vellerot-lès-Belvoir 25 163 CJ42
Vellerot-lès-Vercel 25 162 CI43
Velles 52 140 CC37
Velles 36 171 AX50
Vellescot 90 142 CM39
Vellevans 25 162 CI43
Vellexon-Queutrey-
et-Vaudey 70 140 CD40
Velloreille-lès-Choye 70 161 CC42
Velluire 85 183 AE53
Velogny 21 159 BT42
Velone-Orneto 2B 347 FH106
Velorcey 70 141 CG37
Velosnes 55 44 BZ18
Velotte-et-Tatignécourt 88 94 CF32
Vélu 62 13 BH12
Velving 57 46 CH21
Vélye 51 61 BQ26
Velzic 15 244 BE69
Vémars 95 58 BE24
Venables 27 36 AV22
Venaco 2B 347 FE108
Venansault 85 165 Z50
Venanson 06 291 CQ78
Venarey-les-Laumes 21 159 BT41
Venarsal 19 242 AX67
Venas 03 191 BG53
Venasque 84 285 BZ80
Vence 06 309 CP82
Vence (Col de) 06 309 CP82
Vendargues 34 303 BQ84
Vendat 03 210 BL56
Vendays-Montalivet 33 218 AC65
Vendegies-au-Bois 59 15 BM11
Vendegies-sur-Écaillon 59 14 BL10
Vendeix (Roche) 63 227 BG63
Vendel 35 81 AC32
La Vendelée 50 31 AB23
Vendelles 02 23 BI14
Vendémian 34 302 BN85
Vendenesse-
lès-Charolles 71 194 BS53
Vendenesse-
sur-Arroux 71 193 BQ51
Vendenheim 67 68 CQ27
Vendes 15 244 BD66
Vendes 14 33 AH23
Vendeuil 02 24 BK17
Vendeuil-Caply 60 22 BC18
Vendeuvre 14 54 AL24
Vendeuvre-du-Poitou 86 169 AN50
Vendeuvre-sur-Barse 10 115 BT33
Vendeville 59 8 BI7
Vendhuile 02 14 BJ13
Vendières 02 60 BL26
Vendin-le-Vieil 62 8 BH8
Vendin-lès-Béthune 62 8 BF7
Vendine 31 298 AY85
Vendœuvres 36 171 AV49
Vendoire 24 221 AN64
Vendôme 41 131 AT38
Vendranges 42 211 BR58
Vendrennes 85 166 AC48
Vendres 34 321 BK88
Vendresse 08 27 BV18
Vendresse-Beaulne 02 40 BM20
Vendrest 77 59 BI24
La Vendue-Mignot 10 115 BQ34
Vénéjan 30 284 BV78
Venelles 13 306 CC84
Vénérand 17 201 AG60
Venère 70 161 CC42
Vénérieu 38 232 CA61
Vénérolles 02 24 BM14
Venerque 31 317 AV86
Vénès 81 299 BC83
Venesmes 18 173 BD49
Vénestanville 76 19 AS16
Venette 60 39 BG20
Veneux-les-Sablons 77 88 BG32
Vénevelles (Manoir de) 72 129 AM39
Veney 54 96 CK30
Vengeons 50 52 AF27
Venise 25 162 CF42
Venisey 70 140 CE37
Vénissieux 69 231 BX61
Venizel 02 40 BK20
Venizy 89 114 BN35
Vennans 25 162 CG42
Vennecy 45 111 BB36
Vennes 25 163 CJ44
Vennezey 54 95 CH30
Venon 38 251 CE67
Venon 27 36 AT23
Venosc 38 251 CG68
Venouse 89 136 BN37
Venoy 89 136 BM38
Vensac 33 218 AC64
Vensat 63 209 BJ57
Ventabren 13 305 CB85
Ventadour (Ruines de) 19 225 BB65
Ventavon 05 269 CF75
Ventelay 51 41 BN21
Ventenac 09 336 AY91
Ventenac-Cabardès 11 319 BC88
Ventenac-en-Minervois 11 320 BH89
Venterol 26 267 BZ75
Venterol 04 269 CH74
Les Ventes 27 56 AU25
Les Ventes-de-Bourse 61 84 AO30
Ventes-Saint-Rémy 76 20 AV17
Venteuges 43 246 BM69
Venteuil 51 61 BO24
Venthon 73 234 CI61
Ventiseri 2B 349 FG111
Ventouse 16 203 AN59
Ventoux (Mont) 84 286 CA78
Ventron 88 120 CL35
La Ventrouze 61 84 AR29
Venzolasca 2B 347 FG105
Ver 50 51 AB25
Ver-lès-Chartres 28 86 AW31
Ver-sur-Launette 60 39 BF23
Ver-sur-Mer 14 33 AI21
Vérac 33 238 AI69
Véranne 42 230 BV65
Vérargues 34 303 BR83
Véraza 11 337 BC91
Verberie 60 39 BG21
Verbiesles 52 117 BY35
Vercel-
Villedieu-le-Camp 25 162 CI44
Verchain-Maugré 59 14 BL10
Verchaix 74 216 CK56
Vercheny 26 268 CA72
Les Verchers-sur-Layon 49 150 AJ45
Verchin 62 7 BC8
Verchocq 62 7 BB7
Vercia 39 196 CB51
Verclause 26 268 CB75
Vercoiran 26 286 CB76
Vercourt 80 11 AY10
Verdaches 04 288 CJ76
Verdalle 81 319 BB86
Verde (Col de) 2B 349 FF110
Verdelais 33 256 AI73
Verdelles (Château de) 72 106 AJ36
Verdelot 77 60 BK26
Verdenal 54 96 CK28
Verderel 60 38 BB19
Verderonne 60 38 BE21
Verdes 41 110 AW36
Verdèse 2B 347 FG106
Verdets 64 313 AE88
Le Verdier 81 279 AZ80
La Verdière 83 307 CG84
Verdigny 18 155 BG43
Verdille 16 202 AK59
Verdilly 02 60 BL24
Verdon 51 60 BM25
Verdon 24 258 AP71
Verdon
(Grand Canyon du) 93 307 CJ82
Le Verdon-sur-Mer 33 218 AC62
Verdonnet 21 137 BS38
Verdun 55 44 BZ22
Verdun 09 336 AX94
Verdun-en-Lauragais 11 319 BA87
Verdun-sur-Garonne 82 297 AU82
Verdun-sur-le-Doubs 71 178 BX48
Verdus (Musée de) 07 266 BU72
Vereaux 18 174 BH48
Verel-de-Montbel 73 232 CD62
Verel-Pragondran 73 233 CF62
Véretz 37 152 AR43
Vereux 70 161 CC41
Verfeil 82 279 AZ78
Verfeil 31 298 AX84
Verfeuil 30 284 BU78
Vergaville 57 67 CJ25
Vergéal 35 105 AC35
La Vergenne 70 141 CI39
Le Verger 35 103 X34
Le Verger (Château) 49 128 AI40
Verger-sur-Dive 86 168 AL49
Vergeroux 17 200 AD58
Verges 39 179 CC50
Vergetot 76 18 AO17
Vergezac 43 247 BO69
Vergèze 30 303 BS83
Vergheas 63 208 BF58
Vergies 80 11 AZ14
Vergigny 89 114 BN36
Vergio (Col de) 2B 346 FC108
Vergisson 71 194 BV54
La Vergne 17 201 AG58
Vergné 17 201 AH57
Vergoignan 32 294 AI83
Vergoncey 50 80 AB29
Vergongheon 43 228 BK65
Vergonnes 49 127 AD38
Vergons 04 288 CL80
Vergranne 25 162 CH41
Vergt 24 240 AQ69
Vergt-de-Biron 24 258 AR73
Le Verguier 02 24 BJ14
Véria 39 196 CA52
Vérignon 83 307 CJ83
Vérigny 28 85 AV30
Vérin 42 231 BW64
Vérines 17 183 AD55
Vérissey 71 178 BY50
Vérizet 71 195 BW53
Verjon 01 196 CA54
Verjux 71 178 BX48
Verlans 70 142 CK40
Verlhac-Tescou 82 298 AW81
Verlin 89 113 BJ35
Verlincthun 62 6 AY6
Verlinghem 59 8 BH6
Verlus 32 294 AI84
Vermand 02 24 BJ15
Vermandovillers 80 23 BG15
Vermelles 62 8 BG8
Vermenton 89 136 BN39
Vermondans 25 163 CK42
Le Vermont 88 96 CM30
Vern-d'Anjou 49 128 AF40
Vern-sur-Seiche 35 104 Z34
Vernais 18 173 BG49
Vernaison 69 231 BW62
Vernajoul 09 336 AX91
Vernancourt 51 63 BV26
Vernantes 49 150 AL42
Vernantois 39 179 CC50
La Vernarède 30 283 BQ77
Vernas 38 214 CA60
Vernassal 43 246 BN67
Vernaux 09 336 AY94
Vernay 69 212 BU56
La Vernaz 74 198 CK54
Verne 25 162 CH42
Verne
(Chartreuse de la) 83 329 CK88
Vernègues 13 305 CA83
Verneiges 23 190 BD55
Le Verneil 73 233 CH63
Verneil-le-Chétif 72 130 AN38
Verneix 03 190 BF54
La Vernelle 36 153 AX44
Le Vernet 43 246 BN69
Vernet 31 317 AV86
Le Vernet 09 318 AX89
Le Vernet 04 288 CJ76
Le Vernet 03 210 BL57
Vernet-la-Varenne 63 228 BL64
Vernet-les-Bains 66 342 BD96
Le Vernet-
Sainte-Marguerite 63 227 BI62
Verneugheol 63 208 BE60
Verneuil 58 175 BM48
Verneuil 51 40 BM23
Verneuil 18 173 BF49
Verneuil 16 204 AQ60
Verneuil-
en-Bourbonnais 03 192 BK54
Verneuil-en-Halatte 60 38 BE22
Verneuil-Grand 55 44 BZ18
Verneuil-le-Château 37 169 AO46
Verneuil-l'Étang 77 88 BG29
Verneuil-Moustiers 87 187 AT54
Verneuil-Petit 55 44 BZ18
Verneuil-sous-Coucy 02 40 BK19
Verneuil-sur-Avre 27 55 AS27
Verneuil-sur-Igneraie 36 189 BA51
Verneuil-sur-Indre 37 170 AT46
Verneuil-sur-Seine 78 57 BA25
Verneuil-sur-Serre 02 24 BM17
Verneuil-sur-Vienne 87 205 AT60
Verneusses 27 55 AP25
Vernéville 57 45 CE22
Vernie 72 107 AM33
Vernierfontaine 25 162 CH45
Vernines 63 227 BH62
Verniolle 09 336 AX90
Vernioz 38 231 BX64
Vernix 50 52 AD27
Vernoil 49 150 AM42
Le Vernois 39 179 CC49
Vernois-le-Fol 25 163 CM42
Vernois-lès-Belvoir 25 163 CJ42
Vernois-lès-Vesvres 21 139 BY39
Vernois-sur-Mance 70 140 CD37
Vernols 15 245 BH66
Vernon 86 186 AO53
Vernon 27 57 AX24
Vernon 07 266 BS74
Vernonvilliers 10 92 BU32
Vernosc-lès-Annonay 07 248 BV66
Vernot 21 160 BX41
La Vernotte 70 161 CD41
Vernou-en-Sologne 41 153 AY41
Vernou-
la-Celle-sur-Seine 77 88 BH31
Vernou-sur-Brenne 37 152 AR42
Vernouillet 78 57 BA25
Vernouillet 28 56 AW28
Vernoux 01 195 BY52
Vernoux-en-Gâtine 79 167 AH50
Vernoux-en-Vivarais 07 248 BV70
Vernoux-sur-Boutonne 79 202 AJ56
Vernoy 89 113 BJ35
Le Vernoy 25 142 CJ40
Vernusse 03 191 BI55
Verny 57 65 CF24
Vero 2A 348 FD110
Véron 89 113 BK34
Véronne 26 268 CA72
Véronnes 21 139 BZ40
Verosvres 71 194 BT53
Verpel 08 43 BW20
La Verpillière 38 231 BZ62
Verpillières 80 23 BG17
Verpillières-sur-Ource 10 115 BT35
Verquières 13 305 BY82
Verquigneul 62 8 BF8
Verquin 62 8 BF8
Verrens-Arvey 73 234 CI61
La Verrerie
(Château de) 18 155 BE42
Verreries-de-Moussans 34 320 BG86
Verrey-sous-Drée 21 159 BU42
Verrey-sous-Salmaise 21 159 BU42
Vericourt 10 91 BS31
La Verrie 85 166 AD47
Verrie 49 150 AK44
La Verrière 78 57 BA27
Verrières 86 186 AP53
Verrières 63 227 BI63
Verrières 61 84 AR31
Verrières 51 63 BV24
Verrières 16 220 AI62
Verrières 12 281 BJ78
Verrières 10 115 BQ33
Verrières 08 43 BV19
Verrières-de-Joux 25 180 CI47
Verrières-du-Grosbois 25 162 CH44
Verrières-en-Forez 42 229 BQ63
Verrières-le-Buisson 91 58 BC27
Verrines-sous-Celles 79 185 AJ55
Verrue 86 168 AM48
Verruyes 79 185 AJ52
Vers 74 215 CF56
Vers 71 195 BW51
Vers 46 260 AX75
Vers-en-Montagne 39 179 CE48
Vers-Pont-du-Gard 30 284 BU80
Vers-sous-Sellières 39 179 CB48
Vers-sur-Méouge 26 286 CC77
Vers-sur-Selles 80 22 BC15
Versailles 78 58 BB27
Versailleux 01 213 BY58
Versainville 14 53 AK25
La Versanne 42 230 BU65
Versaugues 71 193 BQ54
Verseilles-le-Bas 52 139 BZ38
Verseilles-le-Haut 52 139 BZ38
Versigny 60 39 BG23
Versigny 02 24 BL17
Versols-et-Lapeyre 12 301 BI81
Verson 14 33 AI22
Versonnex 74 215 CF58
Versonnex 01 197 CG54
Le Versoud 38 251 CE66
Le Vert 79 202 AI56
Vert 78 57 AY25
Vert 40 273 AF79
Vert (Lac) 74 216 CL58
Vert-Bois 17 200 AB59
Vert-en-Drouais 28 56 AV27
Vert-la-Gravelle 51 61 BO26
Vert-le-Grand 91 87 BD29
Vert-le-Petit 91 87 BD30
Vert-Saint-Denis 77 88 BF29
Vertain 59 14 BL11

Vertaizon 63.....210 BK60
Vertamboz 39.....196 CD51
Vertault 21.....115 BS36
Verte (Île) 13.....327 CD89
Verteillac 24.....221 AN65
Vertes-Feuilles 02.....40 BJ21
Verteuil-d'Agenais 47.....257 AN75
Verteuil-sur-Charente 16.....203 AM58
Verthemex 73.....233 AE66
Vertheuil 33.....237 AE66
Vertilly 89.....89 BK32
Vertolaye 63.....228 BN62
Verton 62.....6 AY9
Vertou 44.....147 AA44
Vertrieu 38.....214 CA59
Les Vertus 76.....20 AU15
Vertus 51.....61 BP25
Vertuzey 55.....64 CB27
Vervant 17.....201 AH58
Vervant 16.....203 AM60
Vervezelle 88.....95 CJ32
Vervins 02.....25 BO15
Véry 55.....43 BX21
Verzé 71.....194 BV53
Verzeille 11.....337 BD90
Verzenay 51.....41 BQ23
Verzy 51.....41 BQ23
Vesaignes-sous-Lafauche 52.....93 CA32
Vesaignes-sur-Marne 52.....117 BZ35
Vesancy 01.....197 CG53
Vesc 26.....267 BZ74
Vescemont 90.....142 CL38
Vescheim 57.....68 CN26
Vescles 39.....196 CC53
Vescours 01.....195 BX52
Vescovato 2B.....347 FG105
Vesdun 18.....190 BD52
Vésigneul-sur-Marne 51.....62 BS26
Vésines 45.....112 BG35
Vésines 01.....195 BW54
Le Vésinet 78.....58 BB26
Vesles-et-Caumont 02.....25 BN17
Veslud 02.....41 BN19
Vesly 50.....31 AB21
Vesly 27.....37 AY22
Vesoul 70.....141 CF39
La Vespière 14.....55 AP24
Vesseaux 07.....266 BT73
Vessey 50.....80 AB29
Vestric-et-Candiac 30.....303 BS83
Vesvres 21.....159 BT42
Vesvres-sous-Chalancey 52.....139 BY39
Vétheuil 95.....57 AY24
Vétraz-Monthoux 74.....197 CH55
Vétrigne 90.....142 CL38
Veuil 36.....153 AX45
Veuilly-la-Poterie 02.....60 BJ24
Veules-les-Roses 76.....19 AS15
Veulettes-sur-Mer 76.....19 AQ15
Le Veurdre 03.....174 BI50
Veurey-Voroize 38.....250 CC66
La Veuve 51.....62 BR24
Veuves 41.....152 AU42
Veuvey-sur-Ouche 21.....159 BV44
Veuxhaulles-sur-Aube 21.....116 BV36
Vevy 39.....179 CC50
Vexaincourt 88.....96 CM29
Le Vey 14.....53 AI25
Veynes 05.....269 CE74
Veyrac 87.....205 AT59
Veyras 07.....266 BU72
Veyre-Monton 63.....227 BJ62
Veyreau 12.....282 BK78
Veyrier-du-Lac 74.....215 CH59
Veyrières 19.....226 BD64
Veyrières 15.....226 BD65
Veyrignac 24.....259 AV71
Veyrines 07.....248 BU67
Veyrines-de-Domme 24.....259 AT71
Veyrines-de-Vergt 24.....240 AQ69
Veyrins 38.....232 CC62
Les Veys 50.....32 AD20
Veyssilieu 38.....231 BZ61
Veyziat 01.....196 CC54
Vez 60.....39 BI22
Vézac 24.....259 AT71
Vézac 15.....244 BE70
Vézannes 89.....136 BO37
Vézaponin 02.....40 BJ19
La Vèze 25.....162 CF44
Vèze 15.....245 BI66
Vézelay 89.....157 BN42
Vézelise 54.....94 CE30
Vézelois 90.....142 CL39
Vezels-Roussy 15.....262 BF71
Vézénobres 30.....283 BR79
Vézeronce-Curtin 38.....232 CB61
Vézet 70.....140 CD40
Vézézoux 43.....228 BL65
Le Vézier 51.....60 BL27
Vézières 86.....168 AM46
Vézillon 27.....36 AW22
Vézilly 02.....41 BN22
Vezin-le-Coquet 35.....104 Y34
Vézinnes 89.....137 BP37
Vezins 50.....51 AC28
Vézins 49.....149 AG45
Vezins (Barrage de) 50.....81 AC29
Vézins-de-Lévézou 12.....281 BI77

Vezot 72.....84 AO32
Vezou (Belvédère du) 15.....245 BH70
Vezzani 2B.....347 FF108
Via 66.....341 BA97
Viabon 28.....110 AY33
Viala-du-Pas-de-Jaux 12.....301 BJ83
Viala-du-Tarn 12.....281 BH79
Vialas 48.....283 BP76
Vialer 64.....294 AI85
Viam 19.....225 AZ62
Viane 81.....300 BF83
Vianges 21.....158 BS45
Vianne 47.....275 AN78
Viâpres-le-Grand 10.....90 BP29
Viâpres-le-Petit 10.....90 BP29
Viarmes 95.....38 BD23
Vias 34.....322 BM88
Viaur (Viaduc du) 12.....280 BD79
Viazac 46.....261 BB73
Le Vibal 12.....281 BG77
Vibersviller 57.....67 CK25
Vibeuf 76.....19 AS17
Vibrac 17.....220 AI65
Vibrac 16.....220 AK62
Vibraye 72.....108 AR35
Vic 36.....189 BA51
Vic 09.....335 AU93
Vic (Roche de) 19.....242 AY68
Vic-de-Chassenay 21.....158 BR41
Vic-des-Prés 21.....159 BU45
Vic-en-Bigorre 65.....315 AK87
Vic-Fezensac 32.....295 AM83
Vic-la-Gardiole 34.....323 BP86
Vic-le-Comte 63.....228 BK62
Vic-le-Fesq 30.....303 BR81
Vic-sous-Thil 21.....158 BS43
Vic-sur-Aisne 02.....39 BI20
Vic-sur-Cère 15.....244 BF69
Vic-sur-Seille 57.....66 CI26
Vicdessos 09.....336 AW94
Le Vicel 50.....29 AC17
Vichel 63.....228 BK64
Vichel-Nanteuil 02.....40 BK22
Vichères 28.....109 AS33
Vicherey 88.....94 CD31
Vichy 03.....210 BL57
Vico 2A.....348 FC109
La Vicogne 80.....12 BD13
La Vicomté-sur-Rance 22.....79 X29
Vicq 78.....57 AZ27
Vicq 59.....9 BM9
Vicq 52.....117 CB36
Vicq 03.....209 BJ56
Vicq-d'Auribat 40.....293 AD82
Vicq-Exemplet 36.....189 BB51
Vicq-sur-Breuilh 87.....223 AV62
Vicq-sur-Gartempe 86.....170 AR50
Vicq-sur-Nahon 36.....171 AX45
Vicques 14.....54 AL25
Victoire (Abbaye de la) 60.....39 BF22
Victot-Pontfol 14.....34 AM22
Vidai 61.....84 AO30
Vidaillac 46.....279 AZ76
Vidaillat 23.....207 AZ58
Vidauban 83.....329 CK86
Videcosville 50.....29 AC18
Videix 87.....204 AO60
Videlles 91.....87 BD31
Vidou 65.....315 AM88
Vidouville 50.....32 AF23
Vidouze 65.....314 AJ86
Viefvillers 60.....22 BB18
Vieil-Armand 68.....120 CN36
Le Vieil-Baugé 49.....150 AK41
Le Vieil-Dampierre 51.....63 BV24
Vieil-Evreux 27.....56 AV24
Vieil-Hesdin 62.....7 BB9
Vieil-Moutier 62.....6 BA6
Vieille-Brioude 43.....246 BL66
Vieille-Chapelle 62.....8 BF7
Vieille-Église 62.....3 BB3
Vieille-Église-en-Yvelines 78.....57 AZ27
La Vieille-Loye 39.....179 CC46
La Vieille-Lyre 27.....55 AR25
Vieille-Toulouse 31.....298 AW85
Vieilles-Maisons-sur-Joudry 45.....134 BE37
Vieillespesse 15.....245 BJ68
Vieillevie 15.....262 BD73
Vieillevigne 44.....165 AA46
Vieillevigne 31.....318 AX87
Vieilley 25.....162 CF42
Vieilmoulin 21.....159 BU43
Viel-Arcy 02.....40 BM20
Viel-Saint-Remy 08.....26 BS17
Viella 65.....333 AK92
Viella 32.....294 AJ84
Vielle-Adour 65.....315 AL89
Vielle-Aure 65.....333 AM93
Vielle-Louron 65.....333 AN93
Vielle-Saint-Girons 40.....272 Z80
Vielle-Soubiran 40.....274 AJ79
Vielle-Tursan 40.....294 AG83
Viellenave-de-Navarrenx 64.....313 AD87
Viellenave-sur-Bidouze 64.....311 AB86
Vielleségure 64.....313 AE87
Vielmanay 58.....156 BJ44
Vielmur-sur-Agout 81.....299 BB84
Vielprat 43.....265 BQ71

Viels-Maisons 02.....60 BL26
Vielverge 21.....160 CA43
Viennay 79.....168 AJ50
Vienne 38.....231 BX63
Vienne-en-Arthies 95.....57 AY24
Vienne-en-Bessin 14.....33 AH21
Vienne-en-Val 45.....133 BB38
Vienne-la-Ville 51.....43 BV22
Vienne-le-Château 51.....43 BV22
Viens 84.....306 CD81
Vienville 88.....120 CK33
Vier-Bordes 65.....332 AJ91
Viersat 23.....190 BD55
Vierville 50.....32 AD20
Vierville 28.....87 BA31
Vierville-sur-Mer 14.....32 AF20
Vierzon 18.....154 BB44
Vierzy 02.....40 BK21
Viesly 59.....14 BL12
Viessoix 14.....52 AG26
Viéthorey 25.....162 CI41
Vieu 01.....214 CD59
Vieu-d'Izenave 01.....214 CB57
Vieugy 74.....215 CG59
Vieure 03.....191 BH52
Vieussan 34.....301 BI85
Vieuvicq 28.....109 AU33
Vieuvy 53.....81 AF30
Vieux 81.....279 AZ80
Vieux 14.....33 AJ23
Vieux-Berquin 59.....8 BF6
Vieux-Boucau-les-Bains 40.....292 Z82
Le Vieux-Bourg 22.....77 P30
Vieux-Bourg 14.....34 AO21
Vieux Chambord (Château du) 03.....192 BM54
Vieux-Champagne 77.....89 BJ29
Vieux-Charmont 25.....142 CL40
Le Vieux Château 85.....164 T49
Vieux-Château 21.....158 BQ41
Vieux-Condé 59.....9 BL8
Vieux-Ferrette 68.....143 CO40
Vieux-Fumé 14.....54 AL24
Vieux-lès-Asfeld 08.....41 BQ19
Vieux-Lixheim 57.....67 CM26
Vieux-Maisons 77.....60 BK28
Vieux-Manoir 76.....20 AV18
Le Vieux-Marché 22.....72 M27
Vieux-Mareuil 24.....221 AO64
Vieux-Mesnil 59.....15 BO10
Vieux-Moulin 88.....96 CL30
Vieux-Moulin 60.....39 BH20
Vieux-Moulins 52.....139 BZ37
Vieux-Pierrefeu 06.....289 CP80
Vieux-Pont 61.....53 AK28
Vieux-Pont-en-Auge 14.....54 AM24
Vieux-Port 27.....35 AQ20
Vieux-Reng 59.....15 BP10
Vieux-Rouen-sur-Bresle 76.....21 AY15
La Vieux-Rue 76.....36 AV19
Vieux-Ruffec 16.....203 AO58
Vieux-Thann 68.....143 CN37
Vieux-Viel 35.....80 AA29
Vieux-Vy-sur-Couesnon 35.....80 AA31
Vieuzos 65.....315 AN88
Viévigne 21.....160 BZ42
Viéville 52.....117 BY33
Viéville-en-Haye 54.....65 CD25
Viéville-sous-les-Côtes 55.....64 CB24
Viévy 21.....177 BT46
Vieille-le-Rayé 41.....132 AV37
Viey 65.....333 AK92
Viffort 02.....60 BL25
Le Vigan 46.....260 AW72
Le Vigan 30.....282 BN80
Le Vigean 15.....244 BD67
Le Vigeant 86.....187 AO55
Le Vigen 87.....223 AV61
Vigeois 19.....224 AW65
Viger 65.....332 AJ90
Vigeville 23.....207 BB56
Viggianello 2A.....350 FD114
Viglain 45.....133 BC39
Vignacourt 80.....12 BC13
Vignage (Rochers du) 61.....83 AM30
Vignale 2B.....347 FG105
Vignats 14.....54 AL26
Le Vignau 40.....294 AI82
Vignaux 31.....297 AT84
Les Vigneaux 05.....252 CK70
Vignec 65.....333 AM93
Vignely 77.....59 BG25
Vignemont 60.....38 BG19
Les Vignères 84.....305 BY81
Vignes 89.....158 BQ41
Vignes 64.....294 AH85
Les Vignes 48.....282 BK77
Vignes-la-Côte 52.....93 BZ32
Vigneul-sous-Montmédy 55.....43 BY19
Vigneulles 54.....95 CG29
Vigneulles-lès-Hattonchâtel 55.....64 CB24
Vigneux-de-Bretagne 44.....147 Y42
Vigneux-Hocquet 02.....25 BP16
Vigneux-sur-Seine 91.....58 BD28
Vignevieille 11.....338 BE91

Vignieu 38.....232 CB62
Vignoc 35.....80 Y32
Vignol 58.....157 BN43
Vignoles 21.....177 BW46
Vignolles 16.....220 AK63
Vignols 19.....223 AV65
Vignonet 33.....238 AJ70
Vignory 52.....92 BX32
Vignot 55.....64 CB27
Vignoux-sous-les-Aix 18.....155 BE45
Vignoux-sur-Barangeon 18.....154 BB45
Vigny 95.....57 BA24
Vigny 57.....65 CF24
Vigoulant 36.....189 BB53
Vigoulet-Auzil 31.....318 AW85
Vigoux 36.....188 AW52
Vigueron 82.....297 AS81
Vigy 57.....46 CG22
Vihiers 49.....149 AH45
Vijon 36.....189 BB53
Vilbert 77.....59 BH28
Vilcey-sur-Trey 54.....65 CD25
Vildé-Guingalan 22.....79 V30
Le Vilhain 03.....191 BG52
Vilhonneur 16.....221 AO61
Vilhosc (Prieuré de) 04.....287 CJ77
Villa-Algérienne 33.....254 AA72
Villabé 91.....88 BE29
Villabon 18.....173 BF46
Villac 24.....241 AU67
Villacerf 10.....90 BP31
Villacourt 54.....95 CG30
Villadin 10.....90 BN32
Villafans 70.....141 CI40
Village-Neuf 68.....143 CO39
Villaines-en-Duesmois 21.....138 BT39
Villaines-la-Carelle 72.....84 AO31
Villaines-la-Gonais 72.....108 AQ34
Villaines-la-Juhel 53.....82 AJ32
Villaines-les-Prévôtes 21.....137 BS40
Villaines-les-Rochers 37.....151 AP44
Villaines-sous-Bois 95.....58 BD24
Villaines-sous-Lucé 72.....130 AP37
Villaines-sous-Malicorne 72.....129 AK38
Villainville 76.....18 AO17
Villalbe 11.....319 BC89
Villalet 27.....56 AT25
Villalier 11.....319 BD88
Villamblain 45.....110 AX36
Villamblard 24.....240 AP69
Villamée 35.....81 AE30
Villampuy 28.....110 AX35
Villandraut 33.....255 AH75
Villandry 37.....151 AP43
Villanière 11.....319 BD88
Villanova 2A.....348 FB111
Villapourçon 58.....176 BP47
Villar-d'Arène 05.....252 CI68
Villar-en-Val 11.....338 BE90
Villar-Loubière 05.....251 CH70
Villar-Saint-Anselme 11.....337 BC91
Villar-Saint-Pancrace 05.....252 CL70
Villarceaux (Château de) 95.....37 AY23
Villard 74.....198 CI55
Le Villard 48.....264 BK75
Villard 23.....189 AY54
Villard-Bonnot 38.....251 CF66
Villard-de-Lans 38.....250 CC68
Villard-d'Héry 73.....233 CG63
Villard-Léger 73.....233 CH63
Villard-Notre-Dame 38.....251 CG68
Villard-Reculas 38.....251 CG67
Villard-Reymond 38.....251 CG68
Villard-Saint-Christophe 38.....251 CE69
Villard-Saint-Sauveur 39.....197 CE53
Villard-Sallet 73.....233 CG63
Villard-sur-Bienne 39.....197 CE52
Villard-sur-Doron 73.....216 CJ60
Villardebelle 11.....337 BD91
Villardonnel 11.....319 BD88
Villaroger 73.....235 CM61
Villaroux 73.....233 CG63
Villars 84.....305 CB81
Le Villars 71.....195 BX52
Villars 28.....110 AX33
Villars 42.....230 BS64
Villars (Grottes de) 24.....222 AR64
Villars-Colmars 04.....288 CL77
Villars-en-Azois 52.....116 BV35
Villars-en-Pons 17.....219 AG62
Villars-et-Villenotte 21.....158 BS41
Villars-Fontaine 21.....159 BW45
Villars-le-Pautel 70.....118 CE36
Villars-le-Sec 90.....142 CM41
Villars-lès-Blamont 25.....143 CO41
Villars-les-Bois 17.....201 AH60

Villars-les-Dombes 01.....213 BY58
Villars-Saint-Georges 25.....161 CD45
Villars-Saint-Marcellin 52.....118 CD36
Villars-Santenoge 52.....139 BX38
Villars-sous-Dampjoux 25.....163 CK42
Villars-sous-Écot 25.....142 CK41
Villars-sur-Var 06.....289 CP80
Villarzel-Cabardès 11.....320 BE88
Villarzel-du-Razès 11.....337 BC90
Villate 31.....317 AV86
Villaudric 31.....297 AV82
Villautou 11.....336 AZ90
Villavard 41.....131 AS38
Villaz 74.....215 CH58
La Villé 69.....212 BS56
Villé 67.....97 CO31
Ville 60.....23 BH18
Ville-au-Montois 54.....45 CC19
Ville-au-Val 54.....65 CE26
La Ville-aux-Bois 10.....92 BU31
La Ville-aux-Bois-lès-Pontavert 02.....41 BO20
La Ville-aux-Clercs 41.....131 AT37
La Ville-aux-Dames 37.....152 AR42
La Ville-aux-Nonains 28.....85 AT29
Ville-d'Avray 92.....58 BC26
Ville-devant-Belrain 55.....64 BZ26
Ville-devant-Chaumont 55.....44 BZ21
Ville-di-Paraso 2B.....346 FD105
Ville-di-Pietrabugno 2B.....345 FG103
La Ville-Dieu-du-Temple 82.....277 AU80
Ville-Dommange 51.....41 BO22
Ville-du-Bois 91.....58 BC28
Ville-du-Pont 25.....180 CI46
Ville-en-Blaisois 52.....92 BW30
Ville-en-Sallaz 74.....216 CI56
Ville-en-Selve 51.....41 BP23
Ville-en-Tardenois 51.....41 BN22
Ville-en-Vermois 54.....95 CG28
Ville-en-Woëvre 55.....64 CB23
Ville-ès-Nonais 35.....79 X29
Ville-Houdlémont 54.....44 CB18
Ville-Issey 55.....64 CB27
Ville-la-Grand 74.....197 CH55
Ville-Langy 58.....175 BM47
Ville-le-Marclet 80.....12 BB13
Ville-Saint-Jacques 77.....88 BH32
Ville-Savoye 02.....40 BM21
Ville-sous-Anjou 38.....231 BX65
Ville-sous-la-Ferté 10.....116 BV34
La Ville-sous-Orbais 51.....61 BN25
Ville-sur-Ancre 80.....23 BF14
Ville-sur-Arce 10.....115 BS34
Ville-sur-Cousances 55.....43 BX23
Ville-sur-Illon 88.....118 CG33
Ville-sur-Jarnioux 69.....212 BU58
Ville-sur-Lumes 08.....26 BU16
Ville-sur-Retourne 08.....42 BS20
Ville-sur-Saulx 55.....63 BX27
Ville-sur-Terre 10.....92 BV32
Ville-sur-Tourbe 51.....43 BV22
Ville-sur-Yron 54.....65 CD23
Villeau 28.....110 AX33
Villebadin 61.....54 AN27
Villebarou 41.....132 AV40
Villebaudon 50.....52 AD24
Villebazy 11.....337 BD91
Villebéon 77.....112 BH33
Villebernier 49.....150 AL44
Villeberny 21.....159 BU42
Villebichot 21.....160 BX45
Villeblevin 89.....89 BI32
Villebois 01.....214 CB59
Villebois-Lavalette 16.....221 AN63
Villebois-les-Pins 26.....286 CD76
Villebon 28.....85 AU31
Villebon-sur-Yvette 91.....58 BC28
Villebougis 89.....113 BJ33
Villebourg 37.....130 AP39
Villebout 41.....109 AU36
Villebramar 47.....257 AO74
Villebret 03.....190 BF55
Villebrumier 82.....298 AW81
Villecelin 18.....172 BC49
Villecerf 77.....88 BH32
Villecey-sur-Mad 54.....65 CD24
Villechantria 39.....196 CB53
Villechauve 41.....131 AS39
Villechenève 69.....212 BT60
Villechétif 10.....91 BQ32
Villechétive 89.....114 BM35
Villechien 50.....81 AE29
Villécloye 55.....44 BZ18
Villecomtal 12.....262 BE74
Villecomtal-sur-Arros 32.....315 AL87
Villecomte 21.....160 BX41
Villeconin 91.....87 BB30
Villecourt 80.....23 BH16
Villecresnes 94.....58 BE28
Villecroze 83.....307 CJ84
Villedaigne 11.....320 BH89
Villedieu 84.....285 BY77
La Villedieu 23.....225 AZ61
La Villedieu 17.....202 AI57

Villedieu 15.....245 BI69
La Villedieu-du-Clain 86.....186 AO53
La Villedieu-en-Fontenette 70.....141 CG38
Villedieu-la-Blouère 49.....148 AD45
Villedieu-le-Château 41.....130 AQ39
Villedieu-lès-Bailleul 61.....54 AM26
Villedieu-les-Poêles 50.....52 AD26
Villedieu-sur-Indre 36.....171 AX48
Villedômain 37.....171 AV46
Villedômer 37.....152 AS41
Villedoux 17.....183 AD55
Villedubert 11.....319 BD89
Villefagnan 16.....203 AL58
Villefargeau 89.....136 BL38
Villefavard 87.....205 AU56
Villeferry 21.....159 BT42
Villefloure 11.....337 BD90
Villefollet 79.....202 AJ56
Villefontaine 38.....231 BZ62
Villefort 48.....265 BP75
Villefort 11.....337 BA90
Villefranche 32.....316 AQ86
Villefranche-d'Albigeois 81.....299 BD81
Villefranche-d'Allier 03.....191 BH54
Villefranche-de-Conflent 66.....342 BD96
Villefranche-de-Lauragais 31.....318 AY87
Villefranche-de-Lonchat 24.....239 AL69
Villefranche-de-Panat 12.....281 BG79
Villefranche-de-Rouergue 12.....279 BA76
Villefranche-du-Périgord 24.....259 AT73
Villefranche-du-Queyran 47.....275 AM77
Villefranche-le-Château 26.....286 CC77
Villefranche-Saint-Phal 89.....113 BJ36
Villefranche-sur-Cher 41.....153 AY44
Villefranche-sur-Mer 06.....309 CR82
Villefranche-sur-Saône 69.....212 BV58
Villefrancon 70.....161 CC42
Villefranque 64.....310 Y86
Villefranque 65.....314 AK85
Villegagnon 77.....60 BJ28
Villegailhenc 11.....319 BD88
Villegardin 89.....113 BI34
Villegats 27.....56 AW25
Villegats 16.....203 AM58
Villegaudin 71.....178 BY49
Villegenon 18.....155 BF42
Villegly 11.....320 BE88
Villegongis 36.....171 AX48
Villegouge 33.....238 AI69
Villegouin 36.....171 AV47
Villegruis 77.....89 BJ29
Villegusien 52.....139 BZ38
Villehardouin 10.....91 BS31
Villeherviers 41.....154 AZ43
Villejésus 16.....203 AL59
Villejoubert 16.....203 AM60
Villejuif 94.....58 BD27
Villejust 91.....58 BC28
Villelaure 84.....306 CC83
Villeloin-Coulangé 37.....152 AU45
Villelongue 65.....332 AJ91
Villelongue-d'Aude 11.....337 BB91
Villelongue-de-la-Salanque 66.....339 BI94
Villelongue-dels-Monts 66.....343 BH97
Villeloup 10.....90 BO32
Villemade 82.....277 AU79
Villemagne 11.....319 BB87
Villemagne-l'Argentière 34.....301 BJ84
Villemain 79.....202 AK57
Villemandeur 45.....112 BG36
Villemanoche 89.....89 BJ32
Villemardy 41.....131 AU39
Villemaréchal 77.....112 BH33
Villemareuil 77.....59 BH25
Villematier 31.....298 AW82
Villemaur-sur-Vanne 10.....114 BN33
Villembits 65.....315 AM88
Villembray 60.....37 AZ19
Villemer 89.....136 BL37
Villemer 77.....88 BG32
Villemereuil 10.....115 BQ33
Villemervry 52.....139 BY39
Villemeux-sur-Eure 28.....56 AW28
Villemoirieu 38.....231 BZ61
Villemoiron-en-Othe 10.....114 BN33
Villemoisan 49.....148 AE41
Villemoisson-sur-Orge 91.....58 BD28
Villemolaque 66.....343 BH96
Villemomble 93.....58 BE26
Villemontais 42.....211 BP58
Villemontoire 02.....40 BK21
Villemorien 10.....115 BR35
Villemorin 17.....202 AI58
Villemort 86.....187 AS52
Villemotier 01.....196 CA54
Villemoustaussou 11.....319 BD89
Villemoutiers 45.....112 BE36
Villemoyenne 10.....115 BR34
Villemur 65.....316 AO88

Villemur-sur-Tarn 31....298 AW82
Villemurlin 45....134 BD39
Villemus 04....306 CE81
Villenauxe-la-Grande 10....90 BM29
Villenauxe-la-Petite 77....89 BK31
Villenave 40....273 AD80
Villenave-de-Rions 33....256 AI72
Villenave-d'Ornon 33....255 AG71
Villenave-près-Béarn 65....314 AJ87
Villenave-près-Marsac 65....315 AK87
Villenavotte 89....113 BJ33
La Villeneuve 71....178 BY47
Villeneuve 33....237 AF68
La Villeneuve 23....208 BD59
Villeneuve 12....58 BA75
Villeneuve 04....306 CF81
Villeneuve 01....213 BW57
La Villeneuve-au-Châtelot 10....90 BM30
Villeneuve-au-Chemin 10....114 BO35
La Villeneuve-au-Chêne 10..115 BS33
La Villeneuve-Bellenoye-et-la-Maize 70....141 CG38
Villeneuve-d'Allier 43....246 BL67
Villeneuve-d'Amont 25....180 CF47
Villeneuve-d'Ascq 59....9 BJ6
Villeneuve-d'Aval 39....179 CD47
Villeneuve-de-Berg 07....266 BU74
Villeneuve-de-Duras 47....257 AM72
Villeneuve-de-la-Raho 66....343 BI95
Villeneuve-de-Marc 38....231 BY63
Villeneuve-de-Marsan 40....294 AH81
Villeneuve-de-Mézin 47....275 AM80
Villeneuve-de-Rivière 31....334 AP90
Villeneuve-d'Entraunes 06.289 CM78
Villeneuve-des-Escaldes 66....341 BA97
Villeneuve-d'Olmes 09....336 AX92
Villeneuve-du-Bosc 09....336 AX91
Villeneuve-du-Latou 09....317 AV89
Villeneuve-du-Paréage 09..336 AX90
La Villeneuve-en-Chevrie 78....57 AX24
Villeneuve-en-Montagne 71....177 BU49
Villeneuve-Frouville 41....132 AV38
Villeneuve-la-Comptal 11....318 AZ88
Villeneuve-la-Comtesse 17....201 AH56
Villeneuve-la-Dondagre 89..113 BJ34
Villeneuve-la-Garenne 92....58 BD25
Villeneuve-la-Guyard 89....89 BI32
Villeneuve-la-Lionne 51....60 BL27
Villeneuve-la-Rivière 66....343 BH95
Villeneuve-la-Salle 05....252 CK69
Villeneuve-l'Archevêque 89....114 BM33
Villeneuve-le-Comte 77....59 BG27
Villeneuve-le-Roi 94....58 BD28
Villeneuve-Lécussan 31....316 AO89
Villeneuve-Lembron 63....227 BJ64
Villeneuve-lès-Avignon 30....285 BW80
Villeneuve-les-Bordes 77....89 BI30
Villeneuve-lès-Bouloc 31....297 AV83
Villeneuve-les-Cerfs 63....210 BK58
La Villeneuve-lès-Charleville 51....61 BN27
Villeneuve-lès-Charnod 39..196 CB54
La Villeneuve-les-Convers 21....138 BU40
Villeneuve-les-Corbières 11....338 BG92
Villeneuve-les-Genêts 89....135 BI39
Villeneuve-les-Lavaur 81....298 AY85
Villeneuve-lès-Maguelone 34....302 BP85
Villeneuve-les-Montréal 11.319 BB89
Villeneuve-les-Sablons 60....38 BB22
Villeneuve-Loubet 06....309 CP83
Villeneuve-Loubet-Plage 06.309 CO83
Villeneuve-Minervois 11....320 BE88
Villeneuve-Renneville-Chevigny 51..61 BP25
Villeneuve-Saint-Denis 77....59 BG27
Villeneuve-Saint-Georges 94....58 BE28
Villeneuve-Saint-Germain 02.40 BK20
Villeneuve-Saint-Nicolas 28..86 AX32
Villeneuve-Saint-Salves 89....136 BN37
Villeneuve-Saint-Vistre-et-Villevotte 51....90 BN29
Villeneuve-sous-Charigny 21....158 BS42
Villeneuve-sous-Dammartin 77....59 BF24
Villeneuve-sous-Pymont 39....179 CB50
La Villeneuve-sous-Thury 60....39 BI23
Villeneuve-sur-Allier 03....192 BK51
Villeneuve-sur-Auvers 91....87 BC30
Villeneuve-sur-Bellot 77....60 BK26
Villeneuve-sur-Cher 18....172 BE47
Villeneuve-sur-Conie 45....110 AY35
Villeneuve-sur-Fère 02....40 BL23
Villeneuve-sur-Lot 47....258 AQ75
Villeneuve-sur-Tarn 81....300 BE81

Villeneuve-sur-Verberie 60....39 BF22
Villeneuve-sur-Vère 81....279 BA80
La Villeneuve-sur-Vingeanne 21....139 CA40
Villeneuve-sur-Yonne 89....113 BK35
Villeneuve-Tolosane 31....297 AV85
Villeneuvette 34....301 BL84
Villennes-sur-Seine 78....57 BA25
Villenouvelle 31....318 AX86
Villenouvelle 17....201 AH57
Villenoy 77....59 BH25
Villentrois 36....153 AW45
Villeny 41....132 AY40
Villepail 53....82 AJ31
Villeparisis 77....59 BF25
Villeparois 70....141 CG39
Villeperdrix 26....268 CA75
Villeperdue 37....151 AQ44
Villeperrot 89....113 BJ33
Villepinte 93....58 BE25
Villepinte 11....319 BB88
Villeporcher 41....131 AT40
Villepot 44....127 AC38
Villepreux 78....57 BA26
Villequier 76....35 AR19
Villequier-Aumont 02....24 BJ17
Villequiers 18....173 BG46
Viller 57....66 CI24
Villerable 41....131 AT38
Villeréal 47....258 AQ73
Villereau 59....15 BM11
Villereau 45....111 BA35
Villerest 42....211 BQ58
Villeret 10....91 BT30
Villeret 02....24 BJ14
Villereversure 01....196 CA55
Villermain 41....132 AX37
Villeromain 41....131 AU39
Villeron 95....58 BE24
Villerouge-la-Crémade 11.338 BG90
Villerouge-Termenès 11....338 BH92
Villeroy 89....113 BJ34
Villeroy 80....11 AY14
Villeroy 77....59 BG25
Villeroy-sur-Méholle 55....93 CB28
Villers 88....94 CF32
Villers 42....211 BR56
Villers-Agron-Aiguizy 02....41 BN23
Villers-Allerand 51....41 BP23
Villers-au-Bois 62....8 BF9
Villers-au-Flos 62....13 BH13
Villers-au-Tertre 59....14 BJ10
Villers-aux-Bois 51....61 BO25
Villers-aux-Érables 80....22 BE16
Villers-aux-Nœuds 51....41 BP22
Villers-aux-Vents 55....63 BW26
Villers-Bocage 80....12 BD13
Villers-Bocage 14....33 AH23
Villers-Bouton 70....161 CE41
Villers-Bretonneux 80....22 BE15
Villers-Brûlin 62....7 BE9
Villers-Buzon 25....161 CD44
Villers-Campsart 80....21 AZ15
Villers-Canivet 14....53 AK25
Villers-Carbonnel 80....23 BH15
Villers-Cernay 08....27 BW16
Villers-Châtel 62....8 BF9
Villers-Chemin-et-Mont-lès-Étrelles 70....161 CD41
Villers-Chief 25....162 CI44
Villers-Cotterêts 02....39 BI22
Villers-devant-Dun 55....43 BX20
Villers-devant-le-Thour 08....41 BP19
Villers-devant-Mouzon 08....27 BW17
Villers-Écalles 76....19 AS18
Villers-en-Argonne 51....63 BW24
Villers-en-Arthies 95....57 AY24
Villers-en-Cauchies 59....14 BK11
Villers-en-Haye 54....65 CE26
Villers-en-Ouche 61....55 AP26
Villers-en-Prayères 02....40 BM20
Villers-en-Vexin 27....37 AX22
Villers-Farlay 39....179 CD46
Villers-Faucon 80....23 BI14
Villers-Franqueux 51....41 BO21
Villers-Grélot 25....162 CG42
Villers-Guislain 59....14 BJ13
Villers-Hélon 02....40 BJ22
Villers-la-Chèvre 54....44 CB18
Villers-la-Combe 25....162 CI43
Villers-la-Faye 21....159 BW45
Villers-la-Montagne 54....45 CC19
Villers-la-Ville 70....141 CG40
Villers-le-Château 51....62 BR25
Villers-le-Lac 25....163 CK45
Villers-le-Rond 54....44 CA19
Villers-le-Sec 70....141 CG39
Villers-le-Sec 55....93 BZ28
Villers-le-Sec 51....63 BV26
Villers-le-Sec 02....24 BL16
Villers-le-Tilleul 08....26 BU17
Villers-le-Tourneur 08....26 BT17
Villers-les-Bois 39....179 CB47
Villers-lès-Cagnicourt 62....14 BI13
Villers-lès-Guise 02....24 BM14
Villers-lès-Luxeuil 70....141 CG37
Villers-lès-Mangiennes 55..44 CA20
Villers-lès-Moivrons 54....65 CF26
Villers-lès-Nancy 54....94 CF28
Villers-lès-Ormes 36....171 AX48

Villers-les-Pots 21....160 CA44
Villers-lès-Roye 80....23 BG17
Villers-l'Hôpital 62....12 BC11
Villers-Marmery 51....41 BQ23
Villers-Outréaux 59....14 BK13
Villers-Pater 70....162 CG41
Villers-Patras 21....115 BT36
Villers-Plouich 59....14 BI13
Villers-Pol 59....15 BM10
Villers-Robert 39....179 CB47
Villers-Rotin 21....160 CA45
Villers-Saint-Barthélemy 60...37 BA20
Villers-Saint-Christophe 02...23 BI16
Villers-Saint-Frambourg 60...39 BF22
Villers-Saint-Genest 60....39 BH23
Villers-Saint-Martin 25....162 CI42
Villers-Saint-Paul 60....38 BC21
Villers-Saint-Sépulcre 60....38 BC21
Villers-Semeuse 08....26 BU16
Villers-Sir-Simon 62....13 BE10
Villers-Sire-Nicole 59....15 BP10
Villers-sous-Ailly 80....11 BA13
Villers-sous-Chalamont 25..180 CF47
Villers-sous-Châtillon 51....41 BN23
Villers-sous-Foucarmont 76..21 AX15
Villers-sous-Montrond 25..162 CF45
Villers-sous-Pareid 55....65 CC23
Villers-sous-Prény 54....65 CE25
Villers-sous-Saint-Leu 60....38 BD22
Villers-Stoncourt 57....66 CH23
Villers-sur-Auchy 60....37 AZ19
Villers-sur-Authie 80....11 AY10
Villers-sur-Bar 08....27 BV17
Villers-sur-Bonnières 60....37 BA19
Villers-sur-Coudun 60....39 BG19
Villers-sur-Fère 02....40 BL22
Villers-sur-le-Mont 08....26 BU17
Villers-sur-le-Roule 27....36 AV22
Villers-sur-Mer 14....34 AM21
Villers-sur-Meuse 55....64 BZ24
Villers-sur-Nied 57....66 CI25
Villers-sur-Port 70....141 CF38
Villers-sur-Saulnot 70....142 CJ40
Villers-sur-Trie 60....37 AZ21
Villers-Tournelle 80....22 BE17
Villers-Vaudey 70....140 CC39
Villers-Vermont 60....21 AY18
Villers-Vicomte 60....22 BC17
Villerserine 39....179 CC48
Villersexel 70....141 CI40
Villerupt 54....45 CD19
Villerville 14....34 AN20
Villery 10....114 BQ34
Villes-sur-Auzon 84....286 CA79
Villesalem (Ancien Prieuré de) 86...187 AS52
Villeselve 60....23 BI17
Villeseneux 51....61 BQ26
Villesèque 46....277 AV76
Villesèque-des-Corbières 11....338 BH91
Villesèquelande 11....319 BC89
Villesiscle 11....319 BB89
Villespassans 34....320 BH87
Villespy 11....319 BB88
Villetaneuse 93....58 BD25
Villetelle 34....303 BR83
Villethierry 89....113 BI33
Villeton 47....275 AM76
Villetoureix 24....239 AN66
Villetritouls 11....338 BE90
Villetrun 41....131 AU38
Villette 78....57 AY25
Villette 73....234 CK62
Villette 54....44 CA19
La Villette 14....53 AI25
Villette-d'Anthon 38....213 BY60
Villette-de-Vienne 38....231 BX62
Villette-lès-Arbois 39....179 CD47
Villette-lès-Dole 39....179 CB46
Villette-sur-Ain 01....213 BZ58
Villette-sur-Aube 10....91 BO30
Les Villettes 43....247 BR66
Villeurbanne 69....213 BX60
Villevallier 89....113 BK35
Villevaudé 77....59 BF25
Villevenard 51....61 BN26
Villevêque 49....128 AI40
Villeveyrac 34....322 BN86
Villevieille 30....303 BR82
Villevieux 39....179 CB49
Villevocance 07....248 BU66
Villevoques 45....112 BF35
Villexanton 41....132 AW39
Villexavier 17....224 AH65
Le Villey 39....179 CB48
Villey-le-Sec 54....94 CE28
Villey-Saint-Étienne 54....65 CE27
Villey-sur-Tille 21....139 BY40
Villez-sous-Bailleul 27....36 AW23
Villié-Morgon 69....212 BV56
Villiers 86....168 AM50
Villiers 36....170 AU48
Villiers-Adam 95....58 BC24
Villiers-au-Bouin 37....130 AN40
Villiers-aux-Bois 52....92 BW29

Villiers-aux-Chênes 52....92 BW31
Villiers-aux-Corneilles 51....90 BN29
Villiers-Charlemagne 53....106 AG36
Villiers-Couture 17....202 AJ58
Villiers-en-Bière 77....88 BF30
Villiers-en-Bois 79....202 AI56
Villiers-en-Désœuvre 27....56 AW25
Villiers-en-Lieu 52....63 BW28
Villiers-en-Morvan 21....158 BR45
Villiers-en-Plaine 79....184 AH53
Villiers-Fossard 50....32 AE22
Villiers-Herbisse 10....61 BQ28
Villiers-le-Bâcle 91....58 BB28
Villiers-le-Bel 95....58 BD24
Villiers-le-Bois 10....115 BR36
Villiers-le-Duc 21....138 BU37
Villiers-le-Mahieu 78....57 AZ26
Villiers-le-Morhier 28....86 AX29
Villiers-le-Pré 50....80 AB29
Villiers-le-Roux 16....203 AL57
Villiers-le-Sec 95....58 BD24
Villiers-le-Sec 58....157 BL43
Villiers-le-Sec 52....116 BX34
Villiers-le-Sec 14....33 AI21
Villiers-lès-Aprey 52....139 BY38
Villiers-les-Hauts 89....137 BQ39
Villiers-Louis 89....113 BL34
Villiers-Saint-Benoît 89....135 BI38
Villiers-Saint-Denis 02....60 BK25
Villiers-Saint-Frédéric 78....57 AZ27
Villiers-Saint-Georges 77....60 BL25
Villiers-Saint-Orien 28....110 AW34
Villiers-sous-Grez 77....88 BF32
Villiers-sous-Mortagne 61....84 AO30
Villiers-sous-Praslin 10....115 BR35
Villiers-sur-Chizé 79....202 AI57
Villiers-sur-Loir 41....131 AT38
Villiers-sur-Marne 94....58 BE27
Villiers-sur-Marne 52....93 BZ32
Villiers-sur-Morin 77....59 BH26
Villiers-sur-Orge 91....58 BC28
Villiers-sur-Seine 77....89 BK31
Villiers-sur-Suize 52....117 BY36
Villiers-sur-Tholon 89....135 BK37
Villiers-sur-Yonne 58....157 BM42
Villiers-Vineux 89....114 BO36
Villiersfaux 41....131 AU39
Villieu-Loyes-Mollon 01....213 BZ58
Villing 57....46 CI21
Villognon 16....203 AL59
Villon 89....137 BR37
Villoncourt 88....95 CI32
Villons-les-Buissons 14....33 AJ22
Villorceau 45....132 AX38
Villotran 60....38 BA21
La Villotte 89....135 BK38
Villotte 88....117 BX38
Villotte-devant-Louppy 55....63 BX25
Villotte-Saint-Seine 21....159 BV42
Villotte-sur-Aire 55....64 BZ26
Villotte-sur-Ource 21....138 BU37
Villouxel 88....93 CB31
Villuis 77....89 BK31
Villy 89....136 BN37
Villy 08....27 BY18
Villy-Bocage 14....33 AH23
Villy-en-Auxois 21....159 BU42
Villy-en-Trodes 10....115 BS33
Villy-le-Bois 10....115 BQ34
Villy-le-Bouveret 74....215 CG57
Villy-le-Maréchal 10....115 BQ33
Villy-le-Moutier 21....178 BX46
Villy-le-Pelloux 74....215 CG57
Villy-lez-Falaise 14....54 AL25
Villy-sur-Yères 76....10 AW14
Vilory 70....141 CG38
Vilosnes 55....43 BY20
Vils-en-Artois 62....13 BH11
Vilsberg 57....68 CN26
Vimarcé 53....107 AK33
Vimenet 12....281 BH76
Vimines 73....233 CE62
Vimont 14....33 AK23
Vimory 45....112 BF36
Vimoutiers 61....54 AN25
Vimpelles 77....89 BJ31
Vimy 62....8 BG9
Vinaigre (Mont) 83....308 CN85
Vinantes 77....59 BG24
Vinassan 11....321 BJ89
Vinax 17....202 AJ57
Vinay 51....61 BO24
Vinay 38....250 CB66
Vinça 66....342 BG95
Vincelles 89....136 BM36
Vincelles 71....178 BZ50
Vincelles 51....40 BM23
Vincelles 39....196 CB51
Vincelottes 89....136 BN39

Vinets 10....91 BR30
Vineuil 41....132 AW40
Vineuil 36....171 AX48
Vineuil-Saint-Firmin 60....38 BE22
La Vineuse 71....194 BU52
Vinezac 07....266 BT74
Vingrau 66....338 BG93
Vingt-Hanaps 61....83 AN30
Vinnemerville 76....19 AQ15
Vinneuf 89....89 BJ32
Vinon 18....155 BG44
Vinon-sur-Verdon 83....306 CF83
Vins-sur-Caramy 83....328 CI86
Vinsobres 26....285 BY76
Le Vintrou 81....300 BB85
Vinzelles 71....194 BV55
Vinzelles 63....210 BL59
Vinzier 74....198 CK53
Vinzieux 07....230 BV65
Viocourt 88....94 CD31
Viodos-Abense-de-Bas 64..313 AD88
Violaines 62....8 BG7
Violay 42....212 BS59
Violès 84....285 BY78
Violot 52....139 CA38
Viols-en-Laval 34....302 BO83
Viols-le-Fort 34....302 BO83
Vioménil 88....118 CF34
Vion 72....129 AJ37
Vion 07....249 BW67
Vions 73....215 CE59
Vionville 57....65 CD23
Viozan 32....316 AO87
Viplaix 03....190 BD53
Vira 09....337 BD94
Vira 09....336 AY91
Virac 81....279 BA80
Virandeville 50....28 Z17
Virargues 15....245 BH68
Virazeil 47....257 AM74
Viré 71....195 BW53
Viré-en-Champagne 72....106 AJ36
Vire-sur-Lot 46....259 AT75
Vireaux 89....137 BQ38
Virecourt 54....95 CG30
Virelade 33....255 AH72
Viremont 39....196 CC53
Vireux-Molhain 08....17 BU12
Vireux-Wallerand 08....17 BU12
Virey 70....161 CD42
Virey 50....81 AD29
Virey-le-Grand 71....177 BW48
Virey-sous-Bar 10....115 BR34
Virginy 51....42 BU22
Viriat 01....195 BZ55
Viricelles 42....212 BT62
Virieu 38....232 CB63
Virieu-le-Grand 01....214 CC59
Virieu-le-Petit 01....214 CD58
Virignin 01....214 CD60
Viriville 38....231 BZ65
Virlet 63....209 BG56
Virming 57....67 CJ24
Viroflay 78....58 BC27
Virollet 17....219 AF62
Vironchaux 80....11 AZ10
Vironvay 27....36 AV22
Virsac 33....237 AH68
Virson 17....201 AE56
Virville 76....18 AO18
Viry 74....215 CF56
Viry 71....194 BS52
Viry 39....196 CC54
Viry-Châtillon 91....58 BD28
Viry-Noureuil 02....24 BJ18
Vis-en-Artois 62....13 BH11
Visan 84....285 BY76
Viscomtat 63....210 BN60
Viscos 65....332 AJ92
Le Viseney 39....179 CC48
Viserny 21....137 BR40
Visker 65....315 AK89
Vismes-au-Val 80....11 AY13
Visoncourt 70....141 CH38
Vissac-Auteyrac 43....246 BN68
Vissec 30....302 BM81
Visseiche 35....104 AC36
Viterbe 81....298 AZ84
Viterne 54....94 CE29
Vitot 27....35 AS23
Vitrac 63....209 BG58
Vitrac 24....239 AU71
Vitrac 15....262 BD71
Vitrac-en-Viadène 12....263 BH71
Vitrac-Saint-Vincent 16....203 AO60
Vitrac-sur-Montane 19....225 BA65
Vitrai-sous-l'Aigle 61....55 AR28
Vitray 03....190 BF51
Vitray-en-Beauce 28....110 AW33
Vitray-sous-Brézolles 28....56 AU28
Vitré 79....185 AJ54
Vitré 35....105 AC34
Vitreux 39....161 CC44
Vitrey 54....94 CE30
Vitrey-sur-Mance 70....140 CC32
Vitrimont 54....95 CH28
Vitrolles 05....269 CF75
Vitrolles 13....326 CA86

Vitrolles-en-Lubéron 84....306 CD82
Vitry-aux-Loges 45....111 BC36
Vitry-en-Artois 62....13 BH10
Vitry-en-Charollais 71....193 BQ53
Vitry-en-Montagne 52....139 BX37
Vitry-en-Perthois 51....62 BU27
Vitry-la-Ville 51....62 BS26
Vitry-Laché 58....157 BM44
Vitry-le-Croisé 10....115 BT34
Vitry-le-François 51....62 BT27
Vitry-lès-Cluny 71....194 BU52
Vitry-lès-Nogent 52....117 BZ35
Vitry-sur-Loire 71....175 BN50
Vitry-sur-Orne 57....45 CE21
Vitry-sur-Seine 94....58 BD27
Vittarville 55....44 BZ20
Vitteaux 21....159 BT42
Vittefleur 76....19 AQ15
Vittel 88....118 CE33
Vittersbourg 57....67 CK24
Vittoncourt 57....66 CH24
Vittonville 54....65 CE24
Vitz-sur-Authie 80....12 BB11
Viuz-en-Sallaz 74....198 CK53
Viuz-la-Chiésaz 74....215 CG59
Vivaise 02....24 BM18
Vivario 2B....349 FE109
Viven 64....314 AH86
Viverols 63....229 BP64
Vivès 66....342 BG97
Vivey 52....139 BX38
Le Vivier 66....338 BE94
Vivier-au-Court 08....27 BV16
Le Vivier-sur-Mer 35....50 Y28
Vivières 02....39 BI21
Viviers 89....137 BP38
Viviers 57....66 CH25
Viviers 07....266 BV75
Viviers-du-Lac 73....233 CF61
Viviers-le-Gras 88....118 CE34
Viviers-lès-Lavaur 81....298 AY84
Viviers-lès-Montagnes 81.299 BB85
Viviers-lès-Offroicourt 88....94 CE32
Viviers-sur-Artaut 10....115 BT34
Viviers-sur-Chiers 54....44 CB19
Viviès 09....336 AY91
Viviez 12....261 BC74
Viville 16....221 AM61
Vivoin 72....107 AM33
Vivonne 86....186 AN53
Vivy 49....150 AL43
Vix 85....183 AE53
Vix 21....138 BT37
Vizille 38....251 CE68
Vizos 65....333 AK92
Vizzavona 2B....349 FE109
Vizzavona (Col de) 2B....349 FE109
Vocance 07....248 BU67
Vodable 63....227 BJ63
Vœgtlinshofen 68....121 CO34
Vœlfling-lès-Bouzonville 57..46 CI22
Vœllerdingen 67....67 CM24
Vœuil-et-Giget 16....221 AM62
Vogelgrun 68....121 CQ34
Voglans 73....233 CE61
Vogüé 07....266 BT74
Voharies 02....25 BN16
Void 55....93 CB28
Le Voide 49....149 AH45
Voigny 10....116 BV33
Voile de la Mariée (Cascade du) 05....252 CI70
Voile de la Mariée (Cascade du) 2A....349 FE109
Voilemont 51....63 BV24
Voillans 25....162 CH42
Voillecomte 52....92 BV30
Voimhaut 57....66 CH24
Voinémont 54....94 CF29
Voingt 63....208 BF60
Voinsles 77....59 BI28
Voipreux 51....61 BP25
Voires 25....162 CG45
Voiron 38....232 CC64
Voiscreville 27....35 AR21
Voise 28....86 AY31
Voisenon 77....88 BF29
Voisey 52....118 CC36
Voisines 89....113 BL33
Voisines 52....139 BY37
Voisins-le-Bretonneux 78....58 BB27
Voissant 38....232 CD63
Voissay 17....201 AG58
Voiteur 39....179 CB50
La Voivre 88....96 CL31
La Voivre 70....141 CI37
Les Voivres 88....119 CG35
Voivres-lès-Le-Mans 72....107 AM36
Volckerinckhove 59....3 BD7
Volesvres 71....193 BR53
Volgelsheim 68....121 CQ34
Volgré 89....135 BK37
Volksberg 67....68 CN24
Vollore-Montagne 63....210 BN60
Vollore-Ville 63....210 BN60
Volmerange-lès-Boulay 57....46 CH22
Volmerange-les-Mines 57....45 CE19
Volmunster 57....48 CN24
Volnay 72....108 AP36
Volnay 21....177 BV47

Volon 70 ....140 CC39
Volonne 04 ....287 CG78
Volpajola 2B 347 FG105
Volstroff 57 ....45 CF20
Volvent 26 ....268 CG37
Volvic 63 ....209 BI59
Volx 04 ....306 CF81
Voméourt 88 ....95 CI31
Vomécourt-sur-Madon 88 ....94 CF31
Voncourt 52 ....140 CC38
Voncq 08 ....42 BU19
Vonges 21 ....160 CA43
Vongnes 01 ....214 CD59
Vongy 74 ....198 CJ53
Vonnas 01 ....195 BX55
Voray-sur-l'Ognon 70 ....162 CF42
Voreppe 38 ....232 CD65
Vorey 43 ....247 BP67
Vorges 02 ....40 BM19
Vorges-les-Pins 25 ....161 CE44
Vorly 18 ....173 BE47
Vornay 18 ....173 BF47
Vors 12 ....280 BE77
Vosbles 39 ....196 CB54
Vosne-Romanée 21 ....160 BX45
Vosnon 10 ....114 BO34
Vou 37 ....170 AS46
Vouarces 51 ....90 BO29
Vouciennes 51 ....62 BS26
Voudenay 21 ....176 BS46
Voué 10 ....91 BO30
Vouécourt 52 ....93 BY32
Vouël 02 ....24 BK17
Vougécourt 70 ....118 CE36
Vougeot 21 ....160 BX45
Vouglans 39 ....196 CC53
Vouglans
 (Barrage et lac de) 39 ....196 CC53
Vougrey 10 ....115 BR35
Vougy 74 ....216 CJ56
Vougy 42 ....211 BR57
Vouharte 16 ....203 AL60
Vouhé 79 ....185 AJ52
Vouhé 17 ....201 AE56
Vouhenans 70 ....141 CI39
Vouillé 86 ....186 AM51
Vouillé 79 ....185 AI54
Vouillé-les-Marais 85 ....183 AD53
Vouillers 51 ....63 BV28
Vouillon 36 ....172 BA49
Vouilly 14 ....32 AE21
Voujeaucourt 25 ....142 CK41
Voulaines-
 les-Templiers 21 ....138 BV37
Voulangis 77 ....59 BH26
Voulême 86 ....203 AM57
Voulgézac 16 ....221 AL63
Voulon 86 ....186 AN54
Voulpaix 02 ....25 BN15
La Voulte-sur-Rhône 07 ....267 BW71
Voultegon 79 ....167 AH47
Voulton 77 ....89 BK29
Voulx 77 ....112 BH33
Vouneuil-sous-Biard 86 ....186 AN51
Vouneuil-sur-Vienne 86 ....169 AP50
Vourey 38 ....232 CC65
Vourles 69 ....231 BW61
Voussac 03 ....191 BI54
Voutenay-sur-Cure 89 ....136 BO40
Voutezac 19 ....242 AW46
Vouthon 16 ....221 AO61
Vouthon-Bas 55 ....93 CB30
Vouthon-Haut 55 ....93 CB30
Voutré 53 ....106 AJ34
Vouvant 85 ....184 AF51
Vouvray 37 ....152 AR42
Vouvray-sur-Huisne 72 ....108 AP35
Vouvray-sur-Loir 72 ....130 AP39
Vouxey 88 ....94 CD31
Vouzailles 86 ....168 AM50
Vouzan 16 ....221 AN62
Vouzeron 18 ....154 BC44
Vouziers 08 ....42 BU20
Vouzon 41 ....133 BB40

Vouzy 51 ....61 BQ25
La Vove (Manoir de) 61 ....84 AQ31
Voves 28 ....110 AX33
Vovray-en-Bornes 74 ....215 CG56
Voyenne 02 ....25 BN16
Voyennes 80 ....23 BH16
Voyer 57 ....67 CM27
La Vraie-Croix 56 ....124 S38
Vraignes-en-Vermandois 80 ....23 BI15
Vraignes-lès-Hornoy 80 ....21 BA15
Vraincourt 52 ....116 BX33
Vraiville 27 ....36 AT22
Vrasville 50 ....29 AC16
Vraux 51 ....62 BR24
Vrécourt 88 ....118 CC33
Vred 59 ....9 BJ9
Vregille 70 ....161 CE43
Vregny 02 ....40 BL20
Vrély 80 ....23 BF16
Le Vrétot 50 ....28 Z19
Vriange 39 ....161 CB44
Vrigne-aux-Bois 08 ....27 BV16
Vrigne-Meuse 08 ....27 BV16
Vrigny 61 ....54 AL28
Vrigny 51 ....41 BQ22
Vrigny 45 ....111 BC35
La Vrine 25 ....180 CH46
Vritz 44 ....127 AD40
Vrizy 08 ....42 BU20
Vrocourt 60 ....37 AZ19
Vroil 51 ....63 BW26
Vron 80 ....11 AZ10
Vroncourt 54 ....94 CE30
Vroncourt-la-Côte 52 ....117 CA34
Vroville 88 ....94 CF32
Vry 57 ....46 CG22
Vue 44 ....147 X44
Vuillafans 25 ....162 CG45
Vuillecin 25 ....180 CH47
Vuillery 02 ....40 BK20
Vulaines 10 ....114 BM33
Vulaines-lès-Provins 77 ....89 BJ29
Vulaines-sur-Seine 77 ....88 BG31
Vulbens 74 ....215 CG56
Vulmont 57 ....66 CG25
Vulvoz 39 ....196 CD54
Vy-le-Ferroux 70 ....140 CE40
Vy-lès-Filain 70 ....141 CG40
Vy-lès-Lure 70 ....141 CI39
Vy-lès-Rupt 70 ....140 CD39
Vyans-le-Val 70 ....142 CK40
Vyt-lès-Belvoir 25 ....163 CJ42

W

Waben 62 ....6 AY9
Wackenbach 67 ....96 CN29
Wacquemoulin 60 ....39 BF19
Wacquinghen 62 ....2 AY5
Wadelincourt 08 ....27 BW17
Wadimont 08 ....25 BQ17
Wadonville-en-Woëvre 55 ....64 CB23
Wagnon 08 ....26 BS17
Wahagnies 59 ....8 BI8
Wahlbach 68 ....143 CO39
Wahlenheim 67 ....68 CQ26
Wail 62 ....12 BB10
Wailly 80 ....23 BF16
Wailly 62 ....13 BG11
Wailly-Beaucamp 62 ....6 AY9
Walbach 68 ....120 CN34
Walbourg 67 ....69 CR24
La Walck 67 ....68 CP25
Waldersbach 67 ....96 CN30
Waldhambach 67 ....67 CM24
Waldhouse 57 ....48 CO22
Waldighofen 68 ....143 CO39
Waldolwisheim 67 ....68 CO26
Waldweistroff 57 ....46 CH20
Waldwisse 57 ....46 CH19
Walheim 68 ....143 CO39

Walibi Rhône-Alpes
 (Parc d'attractions) 38 ....232 CC62
Walibi-Schtroumpf 57 ....45 CF21
Walincourt 59 ....14 BK13
Wallers 59 ....9 BK9
Wallers-Trélon 59 ....16 BQ13
Wallon-Cappel 59 ....3 BE5
Walschbronn 57 ....48 CO22
Walscheid 57 ....67 CM27
Waltembourg 57 ....67 CM26
Waltenheim 68 ....143 CP38
Waltenheim-sur-Zorn 67 ....68 CQ26
Waly 55 ....63 BX24
Wambaix 59 ....14 BK12
Wambercourt 62 ....7 BB9
Wambez 60 ....37 AZ19
Wambrechies 59 ....8 BI6
Wamin 62 ....7 BB9
Wanchy-Capval 76 ....20 AW15
Wancourt 62 ....13 BH11
Wandignies-Hamage 59 ....9 BK9
Wanel 80 ....11 BA13
Wangen 67 ....97 CP28
Wangenbourg 67 ....96 CN28
Wannehain 59 ....9 BJ7
Wanquetin 62 ....13 BF10
La Wantzenau 67 ....69 CR27
Warcq 55 ....44 CB22
Warcq 08 ....26 BU16
Wardrecques 62 ....7 BD6
Wargemoulin-Hurlus 51 ....42 BU23
Wargnies 80 ....12 BC13
Wargnies-le-Grand 59 ....15 BM10
Wargnies-le-Petit 59 ....15 BM10
Warhem 59 ....3 BE3
Warlaing 59 ....9 BK9
Warlencourt-Eaucourt 62 ....13 BG12
Warlincourt-lès-Pas 62 ....13 BE12
Warloy-Baillon 80 ....13 BE13
Warluis 60 ....38 BB20
Warlus 80 ....11 BA14
Warlus 62 ....13 BF10
Warluzel 62 ....13 BE11
Warmeriville 51 ....41 BQ21
Warnécourt 08 ....26 BT14
Warneton 59 ....4 BH5
Warsy 80 ....23 BF17
Warvillers 80 ....23 BF16
Wasigny 08 ....26 BR17
Wasnes-au-Bac 59 ....14 BJ10
Wasquehal 59 ....8 BI6
Wasselonne 67 ....68 CO27
Wasserbourg 68 ....120 CN35
Wassigny 02 ....15 BM13
Wassy 52 ....92 BW30
Le Wast 62 ....2 AZ5
Watigny 02 ....25 BQ14
Watronville 55 ....64 CA23
Watten 59 ....3 BC4
Wattignies 59 ....8 BI7
Wattignies-la-Victoire 59 ....15 BP11
Wattrelos 59 ....9 BJ6
Wattwiller 68 ....120 CN36
Wavignies 60 ....22 BD18
Wavrans-sur-l'Aa 62 ....7 BB6
Wavrans-sur-Ternoise 62 ....7 BC9
Wavrechain-sous-Denain 59 ....14 BL10
Wavrechain-sous-Faulx 59 ....14 BK10
Wavrille 55 ....44 BZ20
Wavrin 59 ....8 BH7
Waziers 59 ....8 BI9
Wé 08 ....27 BX17
Weckolsheim 68 ....121 CP34
Wegscheid 68 ....142 CL37
Weinbourg 67 ....68 CO25
Weislingen 67 ....68 CN24
Weitbruch 67 ....69 CR26
Weiterswiller 67 ....68 CO25
Welles-Pérennes 60 ....22 BE18
Wemaers-Cappel 59 ....3 BD4
Wentzwiller 68 ....143 CP39
Werentzhouse 68 ....143 CO40
Wervicq-Sud 59 ....4 BI5
West-Cappel 59 ....3 BE3

Westbécourt 62 ....3 BB5
Westhalten 68 ....120 CN35
Westhoffen 67 ....97 CO28
Westhouse 67 ....97 CQ30
Westhouse-
 Marmoutier 67 ....68 CO27
Westrehem 62 ....7 BD7
Wettolsheim 68 ....121 CO34
Weyer 67 ....67 CM25
Weyersheim 67 ....69 CR26
Wickerschwihr 68 ....121 CP33
Wickersheim 67 ....68 CP26
Wicquinghem 62 ....6 BA7
Wicres 59 ....8 BG7
Widehem 62 ....6 AY7
Widensolen 68 ....121 CP34
Wiège-Faty 02 ....25 BN15
Wiencourt-l'Équipée 80 ....23 BF15
Wierre-au-Bois 62 ....6 AZ5
Wierre-Effroy 62 ....2 AZ5
Wiesviller 57 ....67 CM23
Wignehies 59 ....15 BP13
Wignicourt 08 ....26 BT18
Wihr-au-Val 68 ....120 CN34
Wihr-en-Plaine 68 ....121 CP33
Wildenstein 68 ....120 CL35
Wildersbach 67 ....96 CN30
Willeman 62 ....12 BB10
Willems 59 ....9 BJ6
Willencourt 62 ....12 BB11
Willer 68 ....143 CO39
Willer-sur-Thur 68 ....120 CM36
Willeroncourt 55 ....64 BZ27
Willerval 62 ....8 BG9
Willerwald 57 ....67 CL23
Willgottheim 67 ....68 CP27
Williers 08 ....27 BY17
Willies 59 ....15 BP12
Wilshausen 67 ....68 CP26
Wilwisheim 67 ....68 CP26
Wimereux 62 ....2 AY5
Wimille 62 ....2 AY5
Wimmenau 67 ....68 CO24
Wimy 02 ....25 BP14
Windstein 67 ....68 CQ23
Windstein
 (Château de) 67 ....68 CQ23
Wingen 67 ....69 CR23
Wingen-sur-Moder 67 ....68 CO24
Wingersheim 67 ....68 CQ26
Wingles 62 ....8 BG8
Winkel 68 ....143 CO41
Winnezeele 59 ....3 BE4
Wintersbourg 57 ....67 CM26
Wintershouse 67 ....68 CQ26
Wintzenbach 67 ....69 CT24
Wintzenheim 68 ....121 CO34
Wintzenheim-
 Kochersberg 67 ....68 CP27
Wintzfelden 68 ....120 CN35
Wirwignes 62 ....6 AZ6
Wiry-au-Mont 80 ....11 AZ14
Wisches 67 ....96 CN29
Wisembach 88 ....96 CM32
Wiseppe 55 ....43 BX19
Wismes 62 ....7 BB6
Wisques 62 ....8 BC5
Wissant 62 ....2 AY4
Wissembourg 67 ....69 CS23
Wissignicourt 02 ....40 BL19
Wissous 91 ....58 BD28
Witry-lès-Reims 51 ....41 BQ21
Wittelsheim 68 ....143 CN37
Wittenheim 68 ....143 CO37
Witternesse 62 ....7 BD7
Witternheim 67 ....97 CQ31
Wittersdorf 68 ....143 CO39
Wittersheim 67 ....68 CQ26
Wittes 62 ....7 BD6
Wittisheim 67 ....97 CQ31
Wittring 57 ....67 CM23
Wiwersheim 67 ....68 CQ27
Wizernes 62 ....7 BC6
Woël 55 ....65 CC24

Wœlfling-
 lès-Sarreguemines 57 ....67 CM23
Wœllenheim 68 ....68 CP27
Wœrth 67 ....68 CQ24
Woignarue 80 ....11 AX12
Woimbey 55 ....64 CA24
Woincourt 80 ....11 AX13
Woinville 55 ....64 CB25
Woippy 57 ....45 CF22
Woirel 80 ....11 AZ14
Wolfersdorf 68 ....143 CN39
Wolfgantzen 68 ....121 CP34
Wolfisheim 67 ....97 CO28
Wolfskirchen 67 ....67 CL25
Wolschheim 67 ....68 CO27
Wolschwiller 68 ....143 CO40
Wolxheim 67 ....97 CP28
Wormhout 59 ....3 BE4
Woustviller 57 ....67 CL23
Wuenheim 68 ....120 CN36
Wuisse 57 ....66 CJ25
Wulverdinghe 59 ....3 BC4
Wy-dit-Joli-Village 95 ....37 AZ23
Wylder 59 ....3 BE3

X

Xaffévillers 88 ....95 CI30
Xaintrailles 47 ....275 AM78
Xaintray 79 ....184 AH52
Xambes 16 ....203 AL60
Xammes 54 ....65 CD24
Xamontarupt 88 ....119 CJ33
Xanrey 57 ....66 CJ24
Xanton-Chassenon 85 ....184 AF52
Xaronval 88 ....94 CF31
Xermaménil 54 ....95 CH29
Xertigny 88 ....119 CH34
Xeuilley 54 ....94 CE29
Xirocourt 54 ....94 CF30
Xivray-et-Marvoisin 55 ....65 CC26
Xivry-Circourt 54 ....45 CC20
Xocourt 57 ....66 CG25
Xonrupt-Longemer 88 ....120 CL34
Xonville 54 ....65 CC23
Xouaxange 57 ....67 CL27
Xousse 54 ....95 CJ28
Xures 54 ....67 CJ27

Y

Y 80 ....23 BH16
Yainville 76 ....35 AS19
Yaucourt-Bussus 80 ....11 BA12
Le Yaudet 22 ....72 M26
Ychoux 40 ....272 AC76
Ydes 15 ....226 BE65
Yébleron 76 ....19 AQ17
Yèbles 77 ....88 BG29
Yenne 73 ....232 CD61
Yermenonville 28 ....86 AX30
Yerres 91 ....58 BE24
Yerville 76 ....19 AS17
Yeu (Île d') 85 ....164 T49
Yèvre-la-Ville 45 ....111 BD34
Yèvre-le-Châtel 45 ....111 BD34
Yèvres 28 ....109 AU33
Yèvres-le-Petit 10 ....91 BT30
Yffiniac 22 ....78 S29
Ygos-Saint-Saturnin 40 ....273 AE80
Ygrande 03 ....191 BH52
Ymare 76 ....36 AU21
Ymeray 28 ....86 AY30
Ymonville 28 ....110 AY33
Yolet 15 ....244 BE70
Yoncq 08 ....27 BW18
Yonval 80 ....11 AZ12
Youx 63 ....209 BG56
Yport 76 ....18 AO16
Ypreville-Biville 76 ....19 AQ17

Yquebeuf 76 ....20 AV18
Yquelon 50 ....51 AA26
Yquem (Château) 33 ....256 AI74
Yronde-et-Buron 63 ....228 BK62
Yrouerre 89 ....137 BP38
Yssac-la-Tourette 63 ....209 BJ59
Yssandon 19 ....241 AV67
Yssandon (Puy d') 19 ....241 AV67
Yssingeaux 43 ....247 BR67
Ysson (Puy d') 63 ....227 BJ63
Ytrac 15 ....244 BD70
Ytres 62 ....13 BH13
Yutz 57 ....45 CF20
Yvecrique 76 ....19 AS17
Yvernaumont 08 ....26 BT17
Yversay 86 ....169 AN50
Yves 17 ....200 AD57
Les Yveteaux 61 ....53 AJ28
Yvetot 76 ....19 AR18
Yvetot-Bocage 50 ....29 AB18
Yvias 22 ....73 P26
Yviers 16 ....238 AK66
Yvignac-la-Tour 22 ....79 V31
Yville-sur-Seine 76 ....35 AS20
Yvoire 74 ....197 CH53
Yvoy-le-Marron 41 ....133 AZ40
Yvrac 33 ....237 AH70
Yvrac-et-Malleyrand 16 ....221 AO61
Yvrandes 61 ....52 AG27
Yvré-le-Pôlin 72 ....129 AM38
Yvré-l'Évêque 72 ....107 AN35
Yvrench 80 ....11 BA11
Yvrencheux 80 ....11 BA11
Yzengremer 80 ....11 AX13
Yzernay 49 ....167 AG46
Yzeron 69 ....230 BU61
Yzeure 03 ....192 BL52
Yzeures-sur-Creuse 37 ....170 AS49
Yzeux 80 ....22 BB14
Yzosse 40 ....293 AC83

Z

Zaessingue 68 ....143 CP39
Zalana 2B 347 FG107
Zarbeling 57 ....67 CJ25
Zegerscappel 59 ....3 BD4
Zehnacker 67 ....68 CO27
Zeinheim 67 ....68 CP27
Zellenberg 67 ....121 CO33
Zellwiller 67 ....97 CP30
Zermezeele 59 ....3 BE4
Zérubia 2A 349 FE113
Zetting 57 ....67 CM23
Zévaco 2A 349 FE111
Zicavo 2A 349 FE111
Zigliara 2A 348 FD112
Zilia 2B 346 FC105
Zilling 57 ....68 CM26
Zillisheim 68 ....143 CO38
Zimmerbach 68 ....120 CN34
Zimmersheim 68 ....143 CP38
Zimming 57 ....46 CI22
Zincourt 88 ....95 CH32
Zinswiller 67 ....68 CP24
Zipitoli
 (Pont génois de) 2A 348 FD111
Zittersheim 67 ....68 CN25
Zœbersdorf 67 ....68 CP26
Zollingen 67 ....67 CL25
Zommange 57 ....67 CK26
Zonza 2A 349 FF113
Zoteux 62 ....6 AZ7
Zouafques 62 ....3 BB4
Zouftgen 57 ....45 CE19
Zoza 2A 349 FE113
Zuani 2B 347 FG107
Zudausques 62 ....3 BB5
Zutkerque 62 ....3 BB4
Zutzendorf 67 ....68 CP25
Zuydcoote 59 ....3 BE2
Zuytpeene 59 ....3 BD

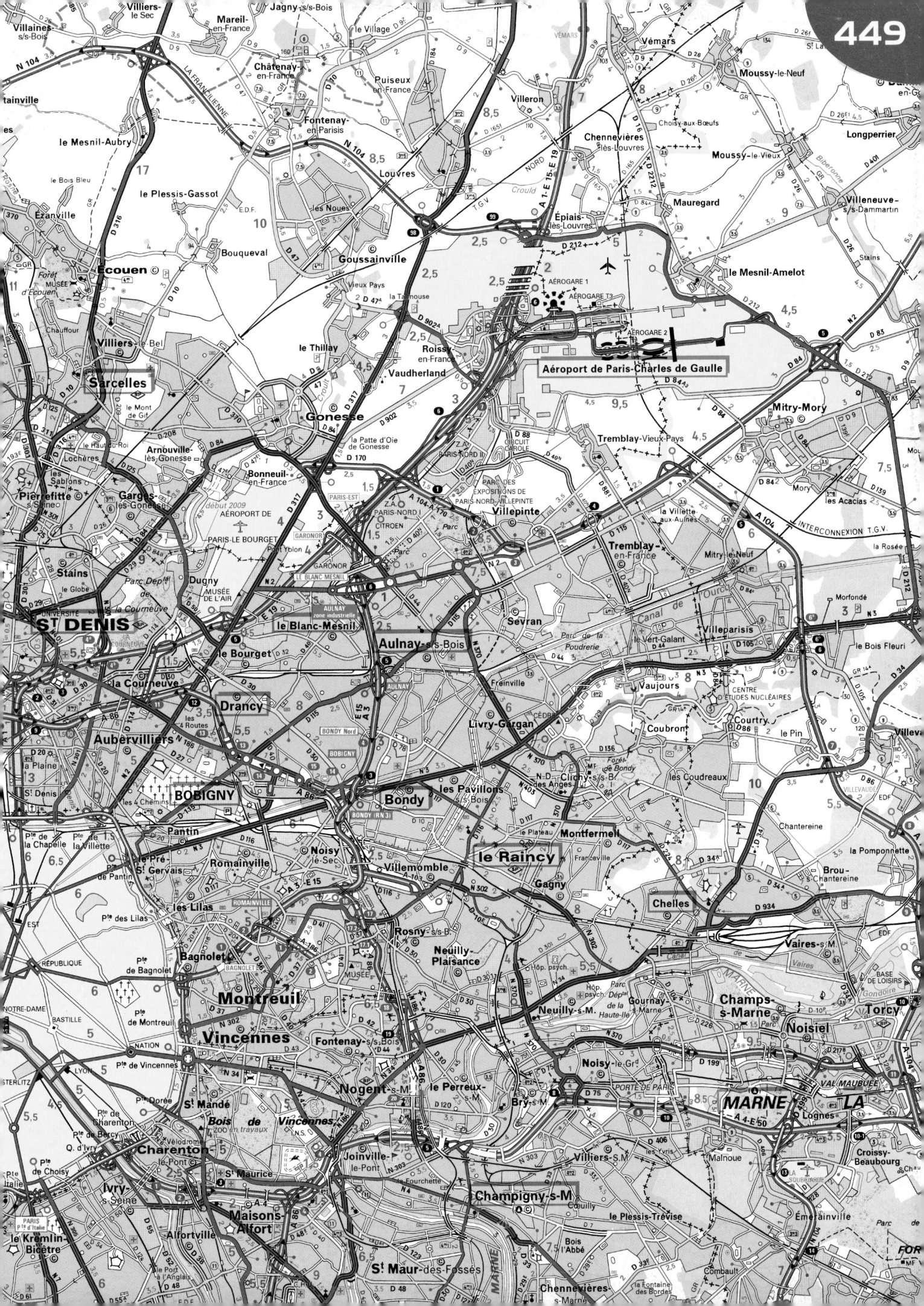

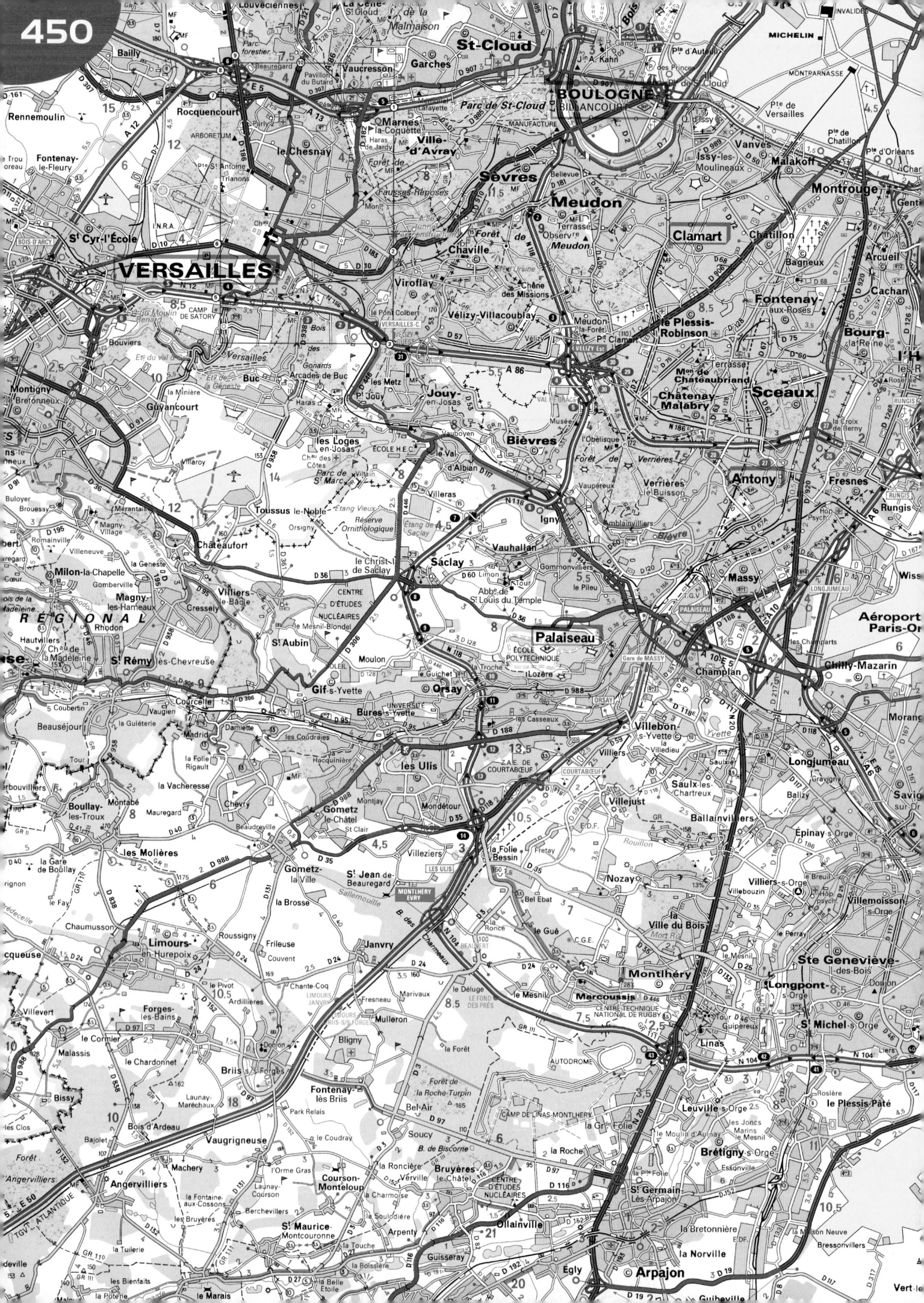

Paris - Parijs - Parigi - Paris - París

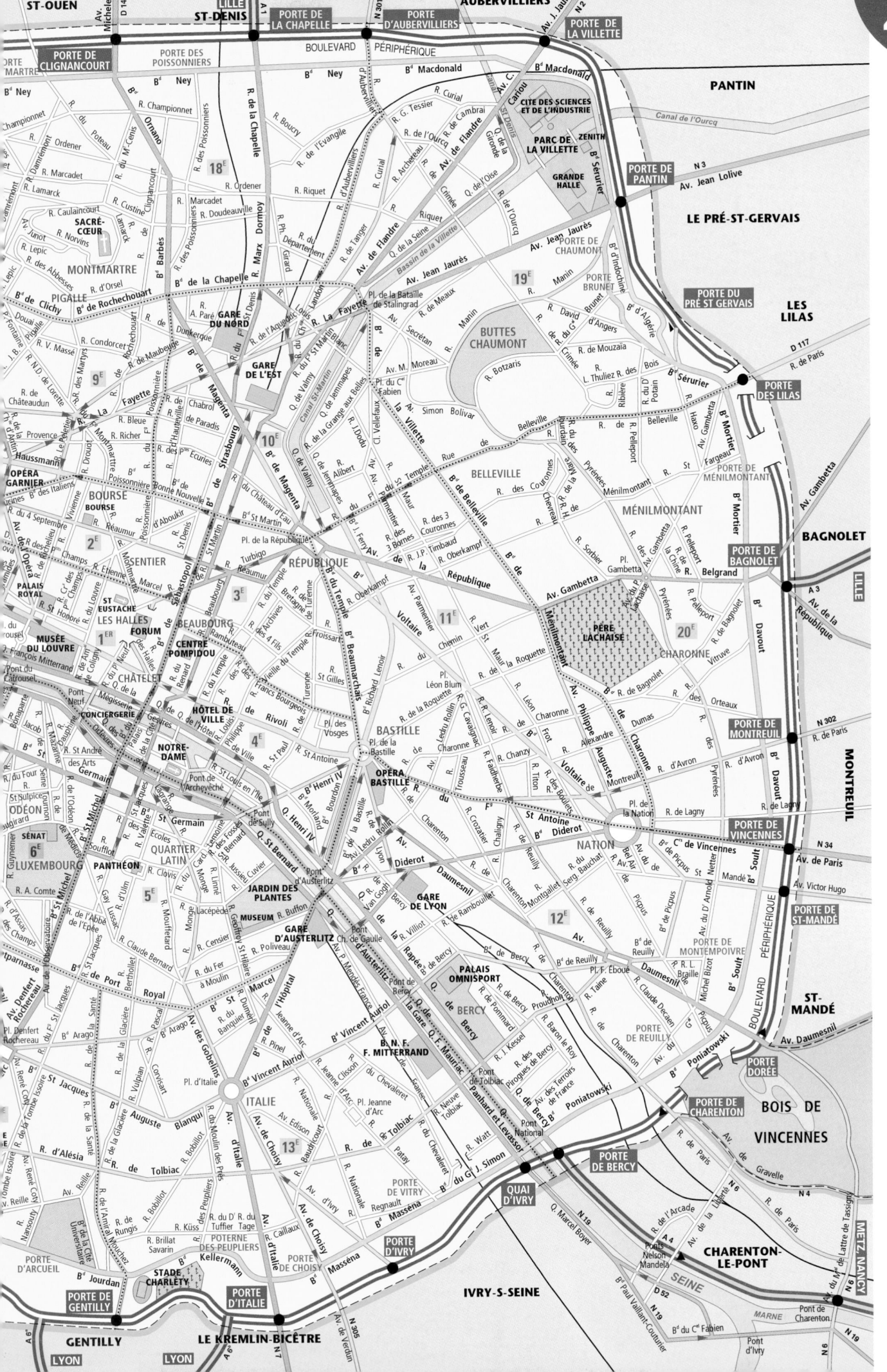

Paris - Parijs - Parigi - Paris

Limoges